U0615582

中国文学编年史

晚清卷

主编◇陈文新

本卷主编◇王同舟

《中国文学编年史》编纂委员会

顾　问　（按姓氏笔画排序）

卞孝萱　邓绍基　冯其庸　曹道衡　傅璇琮

霍松林

主　编　陈文新

编　委　（按姓氏笔画排序）

石观海　李建国　汪春泓　陈文新　张思齐

张玉璞　於可训　赵伯陶　赵逵夫　胡如虹

诸葛忆兵　曹有鹏　熊治祁　熊礼汇　霍有明

本卷撰稿人

王同舟

☆教育部人文社会科学重点研究基地重大项目

☆国家985建设项目

总　序

　　纪传体、编年体是中国传统史书的两种主要体裁，而编年体的写作远较纪传体薄弱。《四库全书总目》卷四七史部编年类小序已明确指出这一事实："司马迁改编年为纪传，荀悦又改纪传为编年。刘知幾深通史法，而《史通》分叙六家，统归二体，则编年、纪传均正史也。其不列为正史者，以班、马旧裁，历朝继作。编年一体，则或有或无，不能使时代相续。故姑置焉，无他义也。"① 与古代历史著作的这种体裁格局相似，在 20 世纪的中国文学史写作中，也是纪传体一枝独秀，不仅在数量上已多到难以屈指，各大专院校所用的教材也通常是纪传体，这类著作的核心部分是作家传记（包括作家的创作经历和创作成就）。编年类的著作，则虽有陆侃如、傅璇琮、曹道衡、刘跃进等学者做了卓有成效的工作，但就总体而言，仍有大量空白，尤其是宋、元、明、清、现、当代部分，历时一千余年，文献浩繁，而相关成果甚少。这样一种状况，自然是不能令人满意的。这套十八卷的《中国文学编年史》的编纂出版，即旨在一定程度地改变这种状况。

　　文学史是在一定的空间和时间中展开的。纪传体的空间意识和时间意识以若干个焦点（作家）为坐标，对文学史流程的把握注重大体判断。其优势在于，常能略其玄黄而取其隽逸，对时代风会的描述言简意赅，达到以少许胜多许的境界。若干重要的文学史术语如"建安风骨"、"盛唐气象"、"大历诗风"等，就是这种学术智慧的凝

---

　　① 永瑢等撰：《四库全书总目》，第 418 页，北京，中华书局，1965。

结。但是，由于风会之说仅能言其大概，"个别"和"例外"（即使是非常重要的"个别"和"例外"）往往被忽略，不免留下遗憾。一些跨时代的作家，如李煜、刘基、张岱等人，在文学史中的时代归属与其代表作的实际创作年代也常有不吻合的情形。例如，李煜被视为南唐作家，而他最好的词写在宋初；刘基被视为明代作家，而他最好的诗、文写在元末；张岱被视为明代作家，而其代表作多写于清初。比上述情形更具普遍性的，还有下述事实：我们讲罗贯中的《三国志通俗演义》，往往以毛宗岗修订本为例；我们讲施耐庵的《水浒传》，往往以百回繁本为例；我们讲兰陵笑笑生的《金瓶梅》，往往以崇祯本为例。这就出现了两方面的问题：第一，我们讲的并不是作家的原著；第二，我们忽略了读者的接受情形。这类涉及风会与例外、作家时代归属与作品实际创作、传播与接受两方面的问题，以纪传体来解决，由于受到体例的限制，往往力不从心，采用编年体，解决起来就方便多了：不难依次排列，以展开具体而丰富多彩的历史流程。

与纪传体相比，编年史在展现文学历程的复杂性、多元性方面获得了极大的自由，但在时代风会的描述和大局的判断上，则远不如纪传体来得明快和简洁。作为尝试，我们在体例的设计、史料的确认和选择方面采用了若干与一般编年史不同的做法，以期在充分发挥编年史长处的同时，又能尽量弥补其短处。我们的尝试主要在三个方面：其一，关于时间段的设计。编年史通常以年为基本单位，年下辖月，月下辖日。这种向下的时间序列，可以有效发挥编年史的长处。我们在采用这一时间序列的同时，另外设计了一个向上的时间序列，即：以年为基本单位，年上设阶段，阶段上设时代。这种向上的时间序列，旨在克服一般编年史的不足。具体做法是：阶段与章相对应，时代与卷相对应，分别设立引言和绪论，以重点揭示文学发展的阶段性特征和时代特征（现当代文学因时间周期较短，拟省略阶段，不设引言）。其二，历史人物的活动包括"言"和"行"两个方面，"行"（人物活动、生平）往往得到足够重视，"言"则通常被忽略。而我们认为，在文学史进程中，"言"的重要性可以与"行"相提并论，特殊情况下，其重要性甚至超过"行"。比如，我们考察初唐的文学，不读陈子昂的诗论，对初唐的文学史进程就不可能有真正的了解；我们考察嘉靖年间的文学，不读唐宋派、后七子的文论，对这一时期的文学景观就不可能有准确的把握。鉴于这一事实，若干作品序跋、友朋信函等，由于透露了重要的文学流变信息，我们也酌情收入。其三，较之政治、经济、军事史料，思想文化活动是我们更加关注的对象。中国文学进程是在中国历史的背景下展开的，与政治、经济、军事、思想文化等均有显著联系，而与思想文化的联系往往更为内在，更具有全局性。考虑到这一点，我们有意加强了下述三方面材料的收录：重要文化政策；对知识阶层有显著影响的文化生活（如结社、讲学、重大文化工程的进展、相关艺术活动等）；思想文化经典的撰写、出版和评论。这样处理，目的是用编年的方式将中国文学进程及与之密切相关的中国思想文化变迁一并展现在读者面前。

《中国文学编年史》是一个基础性的重大学术工程，文献的广泛调查和准确使用是做好编纂工作的首要前提。《四库全书》、《续修四库全书》、《四库存目丛书》、《四库禁毁书丛刊》、《丛书集成》、《笔记小说大观》等是我们经常使用的典籍，近人和今人整理出版的别集、总集，大量年谱（如徐朔方《晚明曲家年谱》），以及文、史、哲方面的编年史，均在参考范围之内，限于体例，未能一一注明，谨此一并致谢。在使用上述文献的过程中，我们采取的是一种如履薄冰、如临深渊的谨慎态度。这是因为，相当一部分典籍是由我们第一次标点，这一工作的难度是不言而喻的。即使是前人已经整理的典籍，我们也并不直接采用，而是根据自己的理解再整理一次。这样做当然增加了工作量，但确有许多好处，若干错误就是在这一过程中得到纠正的，有些错误的纠正涉及基本事实的澄清。比如，张大复《皇明昆山人物传》卷八记梁辰鱼晚年情形，有云："（梁氏）当除夕遇大雪，既寝不寐。忽令侍者遍邀诸年少，载酒放歌，绕城一匝而后就睡。曰：'天为我辈雨玉，可令俗人蹴踏之耶？'时年已七十矣。亡何，中恶，语不甚了。有老奴李用者，颇省其说，尚有注记。得岁七十有三。"一位学者将"中恶，语不甚了"标点为"中恶语，不甚了"，并就此推论说："梁辰鱼七十岁时遭遇暧昧不明的事件。""《皇明昆山人物传》的上述记载本意是为贤者讳，事实上倒很可能为统治者隐盖了迫害异己文人的一件罪行。"这就不免弄错了事实。"中恶"即突然患急病，正所谓"老健春寒秋后热"，老年人得急病是常见的情形。而"中恶语"的表述，明显不符合古人的语言习惯。再如，陈田《明诗纪事》将正德时期的傅汝舟与明末的傅汝舟混为一人，将两人的生平搅在一起，其按语云："丁戊山人诗初矜独造，晚遁荒诞，择其人格者录之，亦是幽弦孤调。山人享大年，具异才，谈佛谈仙，亦作北里中艳语。初与郑少谷游，晚乃与茅止生、卓去病、张文寺、文太青倡和，支离怪

3

诞，无所不有。少谷集中无是也。论者乃专谓山人刻意学少谷，何哉？"《明诗纪事》近三百万言，卓有建树，是研究明诗的必备案头书。但关于傅汝舟，陈田的确弄错了。郑善夫（1485—1523）号少谷，以学杜著称，学郑少谷的是正德年间的傅汝舟；文翔凤号太青，万历三十八年（1610）进士，与文太青等唱和的是明末的傅汝舟。两个傅汝舟之间相距约百年，陈田想当然地将二者合为一人，说他"享大年"，又说他前期学郑少谷，后期学竟陵派，曲意弥缝，令人哑然失笑。其他种种，如部分文学家辞典对作家生卒年的误注，若干点校本的断句错误等，我们都在力所能及的范围内做了纠正。提到这些情况，不是想证明我们的水平有多高，而意在告诉读者：我们的工作态度是认真的，有志于为读者提供一部值得信赖的编年史著述。

  《中国文学编年史》的编纂得到了北京大学、武汉大学、南京大学、中国人民大学、中国社会科学院、中国艺术研究院、中华书局、陕西师范大学、西北师范大学、华中师范大学、山东师范大学、山东曲阜师范大学、中南民族大学、中南财经政法大学等单位专家和领导，尤其是武汉大学领导的支持；湖南省新闻出版局、湖南出版投资控股集团及湖南人民出版社鼎力支持编年史的编纂出版，所有这些，我们将永远铭记在心。

陈文新
2006 年 7 月 23 日于武汉大学

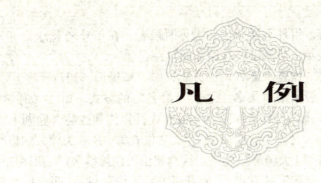

凡　例

一、《中国文学编年史》以编年形式演述中国文学发展历程，凡十八卷：第一卷周秦、第二卷汉魏、第三卷两晋南北朝、第四卷隋唐五代（上）、第五卷隋唐五代（中）、第六卷隋唐五代（下）、第七卷宋辽金（上）、第八卷宋辽金（中）、第九卷宋辽金（下）、第十卷元代、第十一卷明前期、第十二卷明中期、第十三卷明末清初、第十四卷清前中期（上）、第十五卷清前中期（下）、第十六卷晚清、第十七卷现代、第十八卷当代。

二、编年史各卷据文学发展的不同阶段划分为若干章（如无必要，或不分章）。章的标目方式是："××章　××年至××年，共××年"。关于某一阶段文学的总体评论放在该章的首年之前，如明前期卷"第一章　洪武元年至建文四年，共35年"，在章目下，"洪武元年"之前，单列明前期卷"引言"一目。关于某一时代文学的综合论述，放在卷首。如元代卷，在第一章前，单列元代文学"绪论"。

三、编年史各卷所收录内容的构架大体统一，重点包括七个方面：1. 重要文化政策；2. 对文学发展有显著影响的文化生活（如结社、讲学、重大文化工程的进展、相关艺术活动等）；3. 作家交往（唱和、社团活动等）；4. 作家生平事迹；5. 重要作品的创作、出版和评论；6. 争鸣（团体之间、个人之间在重要问题上的论辩等）；7. 其他。

四、叙事以纲带目，即在征引相关文献之前有一句或数句概述。如，先总叙一句"俞宪编《盛明百家诗》成书"，再征引相关序跋、著录、评议。前者为纲，后者为目，纲、目配合，旨在完整地呈现文学史事实。少量见于常用工具书的重要史实，或不必展开的文学史事实，则列纲而略目，以省篇幅。

五、公历纪年年初与中国传统纪年年末不属同一年份，如公元1899年元月1日至12月31日对应于光绪二十四年戊戌十一月二十七日至光绪二十五年己亥十一月二十九日，而不对应于光绪二十五年己亥正月初一至十二月三十日。我们采用变通的处理方法，以公历纪年，而以农历纪月，比如，凡光绪二十五年己亥正月至十二月之内的内容均置于公元1899年下。作家生卒年，仍据公历标注，其他以此类推。现、当代文学部分，纪年、纪月均据公历。

1

六、同一年内之文学史实，按月份先后顺序排列。月份不详而仅知季度的，春季置于三月之后，夏季置于六月之后，其他以此类推。季度、月份均不详者，另设"本年"目统之。

七、一部分重要文学史实，年月不详而仅知大体时段者，在年号之末另设"××年间"目统之，如嘉靖四十五年之后另设"嘉靖年间"一目。

八、引用序跋，一般采用"作者＋篇名"的方式，如"臧懋循《唐诗所序》"。引用序跋之外的诗文等作品，一般采用"集名＋卷次＋篇名"的方式，如"《有学集》卷三一《隐湖毛君墓志铭》"，采用"作者＋篇名"的方式，如"钱谦益《隐湖毛君墓志铭》"。无篇名者则省略，如"《艺苑卮言》卷三"。某作者集中所收为他人别集所作的序跋，亦采用这一方式，如"《太函集》卷二二《弇州山人四部稿序》"。引用正史，一般采用"正史名＋本传或××传"的方式，"如《明史》本传"或"《明史》李攀龙传"，不标卷次。引用《四库全书总目提要》，或用全称，或简称"四库提要"，只标明卷次。如"四库提要卷一五三"。引用地方志，标明纂修年代，如"光绪《乌程县志》卷三一"。据类书转引时，注明原出处，如"《太平广记》卷二〇《阴隐客》（出《博异志》）"。引用报刊，注明年月日或卷次。

九、作者小传一般置于生年。有些作家，虽生年在上一卷，但在上一卷无文学活动，其小传酌情移入本卷首次出现时。如杨士奇，元亡时才4岁，其小传置于明前期卷，出生时只交代："杨士奇（1365—1444）生"，不列小传。现、当代作者，因传记资料常见，相关作家小传酌情收录。

十、对于某一作家的总体评论和重要著录一般置于卒年。某作者卒年在下一卷，但在下一卷无重要文学活动，主要评论材料酌情置于本卷。如易顺鼎（1858—1920），其评论材料集中于晚清卷，不入现代卷。

十一、作家代表作一般不录原文，但收录重要评论材料，并酌情说明相关选本收录情形。

十二、需要补充交待而占用篇幅较大的文学史事实，设少量"附录"。对若干需要辨证的史实，设按语加以说明。以提供文献线索为主，不详加征引。

目　录

第二章　同治元年至光绪十九年（1862—1893）共32年

第三章　光绪二十年至宣统三年（1894—1911）共 18 年

绪　论

《清史稿·宣宗本纪三》：宣宗恭俭之德，宽仁之量，守成之令辟也。远人贸易，构衅兴戎。其视前代戎狄之患，盖不侔矣。当事大臣先之以操切，继之以畏葸，遂遗宵旰之忧。所谓有君而无臣，能将顺而不能匡救。国步之濒，肇端于此。呜呼，悕矣！

《清史稿·邦交志一》：中国古重邦交。有清盛时，诸国朝聘，皆与以礼。自海道大通而后，局势乃一变。其始葡萄牙、和兰诸国，假一席之地，迁居贸易，来往粤东；英、法、美、德诸大国连袂偕来，鳞萃羽集，其意亦仅求通市而已。洎乎道光己亥，禁烟衅起，仓猝受盟，于是畀英以香港，开五口通商。嗣后法兰西、美利坚、瑞典、那威相继立约，而德意志、和兰、日斯巴尼亚、义大里、奥斯马加、葡萄牙、比利时均援英、法之例，订约通商，海疆自此多事矣。俄罗斯订约在康熙二十八年，较诸国最先，日本订约在同治九年，较诸国最后。中国逼处强邻，受祸尤烈。……咸丰庚申之役，联军入都，乘舆出狩，其时英、法互起要求，当事诸臣不敢易其一字，讲成增约，其患日深。至光绪甲午马关之约，丧师割地，忍辱行成，而列强据利益均沾之例，乘机攘索，险要尽失。其尤甚者，则定有某地不得让与他国之条，直以中国土疆视为己有，辱莫大焉。庚子一役，两宫播迁，八国连师，势益不支，其不亡者幸耳。

梁启超《清代学术概论》：（清学）其蜕分期运动之代表人物，则康有为、梁启超也。当正统派全盛时，学者以专经为尚，于是有庄存与，始治《春秋公羊传》有心得，而刘逢禄、龚自珍最能传其学。《公羊传》者，"今文学"也。……（清学）今古文之争起，互相诋諆，缺点益暴露。海通以还，外学输入，学子憬然于竺旧之非计，相率吐弃之，其命运自不能以复久延。……道咸以后，清学曷为而分裂耶？其原因，有发于本学派之自身者，有由环境之变化所促成者。……"鸦片战争"以后，志士扼腕切齿，引为大辱奇戚，思所以自湔拔，经世致用观念之复活，炎炎不可抑。又海禁既开，所谓"西学"者逐渐输入，始则工艺，次则政制。学者若生息于漆室之中，不知室外更何所有，忽穴一牖外窥，则粲然者皆昔所未睹也，还顾室中，则皆沉黑积秽。于是对外求索之欲日炽，对内厌弃之情日烈。欲破壁以自拔于此黑暗，不得不先对于旧政治而试奋斗，于是以其极幼稚之"西学"知识，与清初启蒙期所谓"经世之学"者相结合，别树一派，向于正统派公然举叛旗矣。

丁福保《畴隐居士学术史》：有清一代，为许、郑之学者，以江浙为最盛。刘逢禄、龚自珍、魏源、宋翔凤，倡为今文之学，撷拾西汉残缺之文，欲与许、郑争席。至康有为、廖平之徒，肆其邪说，经学晦盲而清室亦因之而屋焉。追原祸始，至今于龚、魏，犹有余痛。

王国维《沈乙庵先生七十寿序》：道咸以降，学者尚承乾嘉之风，然其时政治风俗已渐变于昔，国势亦稍稍不振，士大夫有忧之而不知所出，乃或托于先秦、西汉之学，以图变革一切，然颇不循国初及乾嘉诸老为学之成法，其所陈夫古者，不必尽如古人之真，而其所以切今者，亦未必适中当世之弊。其言可以情感，而不能尽以理究，如龚璱人、魏默深之俦，其学在道咸后，虽不逮国初乾、嘉二派之盛，然为此二派之所不能摄，其逸而出此者，亦时势使之然也。

《清史稿·选举志三》：清代名臣多由科目出身，无不工制义者。开国之初，若熊伯龙、刘子壮、张玉书，为文雄浑博大，起衰式靡。康熙后益轨于正，李光地、韩菼为之宗。桐城方苞以古文为时文，允称极则。雍、乾间，作者辈出，律日精而法益备。陵夷至嘉、道而后，国运渐替，士习日漓，而文体亦益衰薄。至末世而剿袭庸滥，制义遂为人诟病矣。

《清史稿·艺文志一》：（康乾之世）其宋、元精椠，多储内府，天禄琳琅，备详宫史。经籍既盛，学术斯昌，文治之隆，汉、唐以来所未逮也。各省先后进书，约及万种，阮元既补四库未收书四百五十四种，复刊经解一千四百十二卷，王先谦又刊续经解一千三百十五卷，而各省督抚，广修方志，郡邑典章，粲然大备。其后曾国藩倡设金陵、苏州、扬州、杭州、武昌官书局，张之洞设广雅书局，延聘儒雅，校刊群籍，私家亦辑刻日多，丛书之富，曩代莫京。及至晚近，欧风东渐，竞译西书，道艺并重。而敦煌写经，殷墟龟甲，奇书秘宝，考古所资，其有裨于学术者尤多，实集古今未有之盛焉。

《清史稿·文苑传一》：清代学术，超汉越宋。论者至欲特立"清学"之名，而文、学并重，亦足于汉、唐、宋、明以外别树一宗，呜呼盛已！……康、乾盛治，文教大昌。圣主贤臣，莫不以提倡文化为己任。师儒崛起，尤盛一时。自王、朱以及方、恽，各擅其胜。文运盛衰，实通世运。此当举其全体，若必执一人一地言之，转失之隘，岂定论哉？道、咸多故，文体日变。龚、魏之徒，乘时立说。同治中兴，文风又起。曾国藩立言有体，济以德功，实集其大成。光、宣以后，支离庞杂，不足言文久矣。

胡蕴玉《中国文学史序》：自（满洲）入关迄于逊位，二百六十余年，文学递变，分为四期……道、咸之世，桐城之文，风靡一时，一传而为阳湖、金陵，再传而为湘、赣、西粤。及其末流，以空义相演，以摹仿擅长，于是常州人士，倡言西汉今文之学，杂采谶纬之书，旁及曲词之音，故多新奇诡异之辞，绵邈哀思之作。方耕、申受，为此派之开宗；定盦、默深，为此派之巨子。此第三期也。近岁以来，作者咸师龚、魏，放言倡论，冒为经世之谈；袭貌遗神，流为偏僻之论。文学之衰，至于极地。日本文法，因以输入；始也译书撰报，以存其真；继也厌故喜新，竞摹其体。甚至公牍文报，亦效东籍之冗芜；遂至小子后生，莫识先贤之文派。此第四期也。呜呼！文学至第四期，遂无复文法之可言，更三数十年，其浅陋空疏，尚可问耶？观往时之盛，抚今日之衰，不独文字之感，亦多世运之悲矣。

王先谦《续古文辞类纂序》：自桐城方望溪氏以古文专家之学，主张后进。海峰承之，遗风遂衍。姚惜抱氏禀其师传，覃心冥追，益以所自得，推究阃奥，开设户牖。天下翕然，号为正宗。承学之士，如蓬从风，如川赴壑，寻声企景，项领相望。百余年来，转相传述，遍于东南；由其道而名于文苑者，以数十计。呜呼！何其盛也！……道光末，士多高语周、秦、汉、魏，薄清淡简朴之文为不足为。梅郎中、曾文正之伦，相与修道立教，惜抱遗绪，赖以不坠。逮粤寇肇乱，祸延海宇，文物荡尽，人士流徙，展转至今，困犹未苏。京师首善之区，人文之所萃集，求如昔日梅、曾诸老，声气冥合，箫管翕鸣，邈然不可复得。而况山陬海澨，弇陋寡畴，有志之士，生于其间，谁与祓濯而振起之乎？观于学术盛衰升降之源，岂非有心世道君子责也？

黄人《清文汇序》：康、雍之文醇而肆，乾、嘉之文博而精，与古为新，无美不具，盖如日星之中，得春夏之气者焉。道、咸两朝，争桑弄兵，四寓多故，男儿作健，志士苦心，被褐而来，弃繻而去，击楫者有澄清之志，浮查者多凿空之谈，劬古并治钤符，著书旁通鞮译。儒生专阃，成韩、范之勋；记室多才，得琳、粲之亚。至若贾生恸哭，杜牧罪言，尤在在皆是。故其文激昂峭厉，纵横排奡：忠义之骨，而参以仙侠之心；骚雅之音，而出以幽、并之气。中兴垂五十年，中外一家，梯航四达，欧、和文化，灌输脑界，异质化合，乃孳新种，学术思想，大生变革。故其文光怪瑰轶，汪洋恣肆，如披《王会》之图，如观楚庙之壁，如登喜马拉山绝顶，遘天帝释与阿修罗鏖战，不可方物。极此以往，四海同文之盛，期当不远。

刘师培《论近世文学之变迁》：顺、康之文，大抵以纵横文浅陋，制科诸公，博览唐、宋以下之书，故为文稍趋于实。及乾、嘉之际，通儒辈出，多不复措意于文，由是文章日趋于朴拙，不复发于性情，然文章之征实，莫盛于此时。特文以征实为最难，故枵腹之徒，多托于桐城之派，以便其空疏；其富于才藻者，则又日流于奇诡，此近世文体变迁之大略也。近岁以来，作文者多师龚、魏，则以文不中律，便于放言，然袭其貌而遗其神。其墨守桐城文派者，亦囿于义法，未能神明变化。故文学之衰，至近岁而极。文学既衰，故日本文体，因之输入于中国。其始也，译书撰报，据文直译，以存其真。后生小子，厌故喜新，竞相效法。夫东籍之文，冗芜空衍，无文法之可言，乃时势所趋，相习成风，而前贤之文派，无复识其源流，谓非中国文学之厄欤？

李详《论桐城派》：乾隆中程鱼门与姚姬传先生相习，谓“天下之文章，其在桐城乎？”此乃一时兴到之言……然鱼门之言，乾、嘉时尚无敢奉此为说，以当时诸老，存者犹夥，略一举口，则诘难蜂起，故匿而不见。至道光中叶以后，姬传弟子，仅梅伯言郎中一人，同时好为古文者，群尊郎中为师，姚氏之薪火，于是烈焉。复有朱伯韩、龙翰臣、王定甫、曾文正、冯鲁川、邵位西、余小坡之徒，相与附丽，俪然各有一桐城派在其胸中。伯言亦遂抗颜居之不疑。逮曾文正为《欧阳生文集序》，复畅明此旨，昭昭然若揭日月。文正功勋莫二，又为文章领袖，其说一出，有违之者，惧为非圣无法。不知文正此序，乃借为文章波澜，不意举世尊之若此。惟巴陵吴氏具有先见，作书与文正，力自剖别。文正即答书，许其摘免，虽为相戏之言，其情固输服矣。文正之文，虽从姬传入手，后益探源扬、马，专宗退之，奇偶错综，而偶多于奇，复字单义，杂厕相间，厚集其气，使声采炳焕，而戛焉有声，此又文正自为一派，可名为湘乡派，而桐城久在桃列。其门下则有张廉卿裕钊、吴挚甫汝纶、黎莼斋庶昌、薛叔耘福成，亦如姬传先生之四大弟子，要皆湘乡派中人也。自四君殁后，世之为古文者，茫无所主，仅知姬传为昔之大师，又皆人人所指名，遂依以自固，句摹字剽，于其承接转换，"也"、"耶"、"与"、"矣"、"哉"、"焉"诸助词，若填匡格，不敢稍溢一语，谓之谨守桐城家法，而于姬传所云"义理、考据、词章，三者不可阙一"，则又舛焉背驰，若适燕之南其辕，博士书驴券，累纸不见"驴"字。又若为人作奏，而葛龚之名未去者。此则种种骇怪，尾闾之泄，渐且涸焉，无涓滴之润，源既竭矣，派于何有？思之足为寒心。

郭嵩焘《十家四六文钞序》：国朝文治昌明，旷越前代。骈俪之文，跨徐、庾而追潘、陆。……全椒吴氏八家骈文之选……其所甄录，渊源师友。前徽未沫，或叹遗珠；来轸方遒，多能踵武。益吾祭酒继之有十家骈文之刻，以此诸贤，方轨前哲，鳞翼辐凑，风云回薄，未易低昂。综其辞翰，弥复翠然；发思古之幽情，摅承平之雅奏。燥湿殊节，同倚徽弦之张；方圆并施，推本椎轮之始。所谓礼堂法器，见者神倾；正始元音，闻之意远者也。

《清稗类钞·文学类·骈体文家之正宗》：而泗州之傅桐，长沙之周寿昌，秀水之赵铭，湘潭之王闿运，会稽之李慈铭，则皆其后起者也。长沙王先谦因又合孟涂、伯言、二董、彦闻、味琴、荇农、桐孙、壬秋、悉伯为十大家，以继前八家。十家之文，大率皆气清体洁，宗尚不出两汉、六朝、初唐。而悉伯尤词旨渊雅，体格纯净，直欲近掩洪、孙，远跨徐、庾。悉伯后，孙同康之精雅，皮锡瑞之疏宕，王先谦之简洁，亦不愧为一朝之后劲。盖自乾嘉以还，骈文体格始正，作者亦始极度其盛，若阳湖刘可毅之研《都》炼《京》，熟精《选》理，亦能树一帜于诸人之后矣。

易宗夔《新世说·文学》：道、咸以降，骈体文亦多斐然可观者。如李申耆、周荇农、傅味琴、赵桐孙、王壬甫、李莼客诸家，皆气清体洁。而莼客尤词旨渊雅，体格纯净，直欲近掩洪、孙，远追徐、庾，不愧为一朝之后劲。

徐世昌《晚晴簃诗汇叙》：道咸以后，湘乡低首西江，湘绮导源汉魏，广雅哀然，振奇郁起，宏开幕府，奄有众长。季世说诗，桃唐宗宋，初慕后山，嗣重宛陵，浸远苏黄，稍张杨陆。三百年间，诗满天地，综其卓绝，约有数尚。……海通以后，闻见日恢，三山引舟，八纮置驿。倚衡奉使，梦咏波涛。人境羁宾，集开世界；兰阁唱诺，瘠垄谐声；槎路低回，莼斋珥笔。能言四裔，散见诸家。兴寓竹枝，目营卉服。辎轩游履，极迹区寰；捃实摭华，复长博物。诗境之新，又其一也。凡兹四者，均异前规。

汪辟疆《近代诗派与地域》：晚清道咸以后，为世局转变一大关捩，史家有断为近代者。本文论诗，标题曰近代诗者，非惟沿史家通例，亦以有清一代诗学，至道咸始极其变，至同光乃极其盛，故本题范畴，断自道光初元，而尤详于同光两朝。在此五十年中，凡诗家不失古法而确能自立者，本文皆得条其流别，论其得失。俾治诗学者得所借镜。亦近代文献得失之林也。……清代之诗，约可分为三期：曰康雍，其初期也。曰乾嘉，则中期也。曰道咸而后，则近代也。……乾嘉之世，为有清一代全盛时期，经学小学，俱臻极盛，而诗独不振。盖以时际升平，辞多愉悦，异时讽诵，了无动人。……夫文学转变，罔不与时代为因缘。道咸之世，清道由盛而衰，外则有列强之窥伺，内则有朋党之迭起，诗人善感，颇有瞻乌谁屋之思，小雅念乱之意，变徵之音，于焉交作。且世方多难，忧时之彦，恒致意经世有用之学，思为国家致太平，及此意萧条，行歌甘隐，于是本其所学，一发于诗，而诗之内质外形，皆随时代心境而生变化。故同为山水游宴之诗，在前则极摹山范水之能，在此则有美非吾土之感；同为吊古咏史之作，前则摅怀旧之蓄念，在此则皆抑扬有为之言，斯其显著者也。……近代诗家，可以地域系者，约可分为六派：一湖湘派；二闽赣派；三河北派；四江左派；五岭南派；六西蜀派。此六派者，在近代诗中，皆确能卓然自立蔚成风气者也。湖湘风重保守，有旧派之称，然领袖诗坛，庶几无愧。闽赣则瓣香元呦，夺帜湖湘，同光命体，俨居正宗，抑其次也。北派旨趣，略同闽赣，虽取径略殊，实堪伯仲。江左稍变清丽，质有其文，风会转移，亦殊曩哲。岭南振雄奇之逸响，西蜀泻青碧之灵芬，并能本其风土，播诸声诗，驰骋骚坛，允无愧怍。其他诸省部，或以僻处而声气鲜通，或以诗少而面目难识，无从诠次，姑付阙如。惟八旗淹雅，皖派坚苍，今以便于叙述之故，入八旗于河北，附皖派于赣闽，亦以同声之和，具审渊源，非仅地域之接壤而已。

《新世说·文学》：咸、同、光、宣之诗人，可别为三宗。王壬甫崛起湘中，与邓弥之力倡复古，由魏晋以上窥风骚，是一大宗。弥之白香亭诗，高秀出湘绮楼之上。湘绮自谓学二陆，至曹、陶已无阶可登，而弥之和陶，冲淡微远，深哜神味。李莼客及章太炎之五言，韵古格高，欲追湘绮，皆属此宗。张香涛尝谓洞庭南北有两诗人。王壬甫五言、樊樊山近体，皆名世之作。樊山早岁为袁简斋、赵瓯北，自入张门，一概弃去。从李莼客游，颇究心于中唐、晚唐，吐语新颖，则其独擅。龙阳易哭庵，固能为元、白、温、李者，于是中唐、晚唐诗，流传颇盛。大抵二人少作隽妙，晚年稍觉颓唐。此宗效者甚多，而佳者难觏。若同光体诗人，出入南北宋，郑苏龛、陈伯潜、陈伯严、沈子培为其宗之魁杰。其中又分二派：一派清苍幽峭，体会渊微，思精笔炼，苏龛、伯潜优为之；一派生涩奥衍，语必惊人，字忌习见，伯严、子培优为之。范肯堂、林畏庐、陈石遗、李拔可皆此宗之健者。至罗瘿公、黄秋岳、梁仲异、夏剑丞，则后起之秀也。

李维《诗史》：乾隆以后，诗学几绝，百年诗人，可忆而数，试举其大者，则有嘉、道间之龚白珍，咸、同间之郑子尹。龚号定盦，道光进士，有《定盦诗集》。子尹名珍，遵义人，有《巢经巢诗钞》。曾国藩在咸、同朝，固可称为一代宗匠，但其诗宗法江西，务其奇诡，至诘诎不可以句读，甚者且与杯珓谶词相同，所谓诗人之旨者，至此遂不可复问。末季才人，颇称辈出，如王闿运之宪章八代，陈三立之推宗江西，金和、黄遵宪、康有为、郑孝胥之盛气淋漓，烁烁余光，均足一时冠冕，以视道、咸、同诸朝，抑又过之。王闿运湘潭人，有《湘绮楼集》。陈三立义宁人，有《散原精舍诗集》。金和字亚匏，有《秋蟪吟馆诗钞》。黄遵宪字公度，有《人境庐诗钞》。郑孝胥闽县人，有《海藏楼诗集》。康有为南海人，与其弟子梁启超，有《康梁诗钞》。黄遵宪诗曰："即今流俗语，我若登简编。五千年后人，惊为古烂斑。"其诗体已渐能解放，今之倡白话诗者宗之。旧体诗至此，已枝绝派斩，不可复继，即欲求一如宋、

金、元、明、清诸家之以摹拟为能事者，亦不可能。（第十七章《清诗极衰为旧体诗之终局》）

夏敬观《广箧中词序》：嘉道前词人，大抵祖祢陈维崧、朱彝尊、厉鹗、郭麐。豪者称苏辛，清婉者称白石、梅溪、玉田、碧山而已。武进张惠言与弟琦撰《宛邻词选》，琦子曜孙复叙录嘉庆词人为《同声集》，荆溪周济与张氏甥董士锡善，继为《词辨》。于是风气稍变，浙派外常州别树一帜。顾二百年来所薰习濡染莫能尽涤。谭（献）氏于《词辨》有评，辑《箧中词》剖析精微，议论洽当。至其自为词，则结习仍所不免。临桂王给谏鹏运在中书日，振衰扶雅，况舍人周仪辈翕然从之。同时文学士廷式、郑舍人文焯、朱侍郎祖谋、陈大令锐蔚起为词宗，海内益向风趋正轨。故评清词者，愈晚出愈胜于前，此不易之论也。

徐珂《近词丛话》"词学名家之类聚"条：乾嘉之际，作词者约分浙西、常州二派。浙西派始于厉鹗，常州派始于武进张惠言。……自（周）济而后，常州词派之基础，益以巩固，潘德舆虽著论非之，莫能相掩也。后七家者，张惠言、周济、龚自珍、项鸿祚、许宗衡、蒋春霖、蒋敦复也。……七家中莲生、海秋、鹿潭之作，大都幽艳哀断，而鹿潭尤婉约深至，流别甚正，家数颇大，人推为倚声家老杜。合以张琦、姚燮、王拯三家，是为后十家，世多称之。其效常州派者，光绪朝有丹徒庄棫、仁和谭献、金坛冯煦诸家。……光宣间之倚声大家，则推临桂王鹏运、况周颐、归安朱祖谋、汉军郑文焯。

蔡嵩云《柯亭词论》"清词三期"条：清词派别，可分三期。浙西派与阳羡派同时。……此第一期也。常州派倡自张皋文，董晋卿、周介存等继之，振北宋名家之绪，以立意为本，以叶律为末，此第二期也。第三期词派，创自王半塘，叶遐庵戏呼为桂派，予亦姑以桂派名之。和之者有郑叔问、况蕙风、朱彊邨等，本张皋文意内言外之旨，参以凌次仲、戈顺卿审音持律之说，而益发挥光大之。此派最晚出，以立意为体，故词格颇高。以守律为用，故词法颇严。今世词学正宗，惟有此派。余皆少所树立，不能成派。其下者，野狐禅耳。故王、朱、郑、况诸家，词之家数虽不同，而词派则同。

沃丘仲之《近代名人小传》：光绪间，士夫渐喜治词曲，而咸推（王）鹏运为大宗。

钱基博《现代中国文学史》：（词）嘉庆以来名家，大抵自张惠言而出。……自（周）济而后，常州派之壁垒益固矣。词之有常州，以救浙派俳巧之弊，犹之文之有湘乡，以矫桐城懦缓之失也。桐城之文，富神韵而馁气势，略如诗之有渔洋，词之有浙派；然而有不同者，盖崇雅淡而排涂饰，不如渔洋诗、浙派词之好修饰而略性情。

张德瀛《词征》卷六"评嘉道以还词"条：洪稚存于同时诗人，皆有评骘，辄以八字括之，盖祖涵虚子评诸家词之意也。愚观嘉道以还，词人辈出，张皋文（惠言）词，如邓尉探梅，冷香满袖。（武进人，有茗柯词。）孙平叔（尔准）词，如落叶哀蝉，增人愁绪。（金匮人，有雕云词。）冯晏海（云鹏）词，如鹿爪挝弦，别成清响。（玉山人，有红雪词。）顾简塘（翰）词，如金丹九转，未化婴儿。（梁溪人，有绿秋草堂词。）刘赞轩（勤）词，如金丝间出，杂以洪钟。（闽县人，有聚红树雅集词。）李申耆（兆洛）词，如承恩虢国，淡扫蛾眉。（阳湖人，有蜩翼词。）吴荷屋（荣光）词，如穹谷靰鞯，飞泉溅响。（南海人，有筠青馆词。）恽子居（敬）词，如瑶台月明，凤笙独奏。（武进人，有蒹塘词。）汪小竹（全德）词，如深闺少妇，畏见姑嫜。（江都人，有崇睦山房词。）边袖石（浴礼）词，如静夜鸣蛩，助人叹息。（任邱人，有空青词。）谢枚如（章铤）词，如古木拳曲，未加绳墨。（长乐人，有聚红榭雅集词。）汪紫珊（世泰）词，如春蚕丝尽，奄奄无力。（六合人，有碧梧山馆词。）张南山（维屏）词，如中郎瓶史，遍陈诸制。（番禺人，有玉香亭词、海天霞唱。）邓笏臣（嘉纯）词，如圆荷小叶，因风卷舒。（江宁人，有空一切盦词。）承子久（龄）词，如就驾銮仪，矜栗竦峙。（满洲人，有冰蚕词。）黄香石（培芳）词，如净几明窗，尽堪容膝。（香山人，有水龙吟稿。）张翰风（琦）词，如雏莺调舌，宛转关情。（武进人，有立山词。）陆祁生（继辂）词，如谢家子弟，玉立森森。（阳湖人，有清邻词。）杨伯夔（夔生）词，如绮窗花片，绰约可人。（金匮人，有过云精舍词。）俞小甫（廷瑛）词，如陈寿摛文，但取质直。（吴县人，有琼华室词。）钱季重（季重）词，如舜华在林，昼炕宵聂。（阳湖人，有黄山词。）顾涧蘋（广圻）词，如春水初涨，更染岚翠。（元和人，有思过斋词。）吴石华（兰修）词，如灵和新柳，三眠三起。（嘉应人，有桐花阁词。）董方立（祐诚）词，如秋花数丛，没人萧艾。（阳湖人，有兰石词。）黄春帆（位清）词，如蕲王奋战，箭瘢满身。（番禺人，有松风阁词钞。）董琴南（国华）词，如山斋清供，不厌清癯。（吴县人，有香影庵词。）龚定盦（自珍）词，如琉璃砚匣，光彩夺目。（仁和人，有无著词、怀人馆词、影事词、小奢摩词、庚子雅词。）金朗甫（式玉）词，如黄筌作画，婉约传神。（歙县人，有竹邻词。）谭康侯（敬昭）词，如野桃含笑，风趣独绝。（阳春人，有听云楼词。）许积卿（宗彦）词，如荷珠走盘，清光不定。（德清人，有鉴止水斋词。）彭甘亭（兆荪）词，如碧眼胡儿，贩采奇宝。（镇洋人，有小谟觞馆词。）陶凫乡（梁）词，如修桐初乳，清响四流。（长洲人，有红豆树馆词。）倪秋槎（海远）词，如女郎踏青，时闻娇喘。（南海人，有茶峄舍词。）黄韵珊（宪清）词，如齐烟九点，灭没空碧。（海盐人，有拙宜园词。）鲍逸卿（俊）词，如桓鸡鹳鹆，魆鼻作音。（香山人，有倚霞阁词钞。）姚梅伯（燮）词，如密香骑凤，碧城容与。（句东人，有疏景楼词。）汪白也（度）词，如黑净登坛，直露本色。（上元人，有玉山堂词。）黄琴山（景崧）词，如天半晴虹，蜿蜒有态。（高要人，有三十六鸳鸯馆词。）孙曙舟（家毅）词，如田间游气，上透碧霄。（钱塘人，有种玉词。）仪墨农（克中）词，如中郎八分，波磔取势。（番禺人，有剑光楼词。）黄花耘（本骐）词，如舒锦临风，烂然入目。（宁乡人，有红雪词钞。）沈吉晖（星炜）词，如桃花岩石，触手生温。（仁和人，有梦绿庵词。）陈棠溪（其锟）词，如五色仙蝶，迎风善舞。（番禺人，有月波楼琴言。）边竺潭（保枢）词，如六朝金粉，艳态迷人。（任邱人，有剑虹盦词。）汪绛人（初）词，如筑石邀云，自含清致。（钱塘人，有沧江虹月词。）赵秋舲（庆熹）词，如魏征妩媚，我见犹怜。（仁和人，有蘅香馆词。）萧子山（抡）词，如绿珠吹笛，惯作哀音。（太仓人，有判花阁词。）孙子余（鼎臣）词，如女萝摆风，兔丝吹动。（善化人，有苍筤词钞。）杜小舫（文澜）词，如四壁秋蛩，助人叹息。（秀水人，有采香词。）周自庵（寿昌）词，如枯荷得雨，点滴分明。（长沙人，有思益堂词钞。）李舜卿（洽）词，如蜂脾酿蜜，有美中含。（新化人，有捣尘集词钞。）许龙华（光治）词，如浅渚平流，纤鳞不起。（海昌人，有江山风月谱。）何青耜（兆瀛）词，如春暮柳丝，瘦无一把。（江宁人，有心盦词存。）项莲生（廷纪）词，如元章冠服，酷肖唐贤。（钱塘人，有忆云词甲乙丙丁稿。）汪谢城（曰桢）词，如疏雨打窗，翛翛送响。（乌程人，有荔墙词。）叶莲裳（英华）词，如王家蜡凤，慧心独造。（番禺人，有花影吹笙词。）杨蓬海（恩寿）词，如新秧初插，流膏润润。（长沙人，有坦园词稿。）张孟彪（文虎）词，如风前障扇，不受尘污。（南汇人，有索笑词。）周昀叔（星誉）词，如仙人炼汞，九转初成。（祥符人，有东鸥草堂词。）徐若洲（鸿谟）词，如十笏茅庵，时闻清磬。（仁和人，有簪葡花馆词。）刘子树（湉年）词，如抱经老儒，棱角峭厉。（大成人，有约园词。）汪縠庵（瑔）词，如樾馆秋声，自含虚籁。（山阴人，有随山馆词稿。）王莲舟（济）词，如劲弓五石，力求穿札。（湘潭人，有覆瓿集词。）俞荫甫（樾）词，如帝女机杼，别出新裁。（德清人，有春在堂词录。）王壬秋（闿运）词，如崇冈建楼，危檐陡立。（湘潭人，有湘绮楼词钞。）杜仲舟（贵墀）词，如劲风满林，骤闻金旺。（巴陵人，有桐花词草钞。）黄小田（富民）词，如灌园野叟，闲话斜阳。（当涂人，有萍轩词草。）彭贻孙（君毅）词，如隙地种桑，不宜兰蕙。（溧阳人，有洮溪渔隐词钞。）尹仰衡（恭保）词，如易水作歌，忽闻变徵。（丹徒人，有江东词稿。）樊嘉父（增祥）词，如一缕游丝，空中荡漾。（恩施人，有十五麝斋词。）谭仲修（献）词，如草根清露，融为夜光。（仁和人，有复堂词。）闺秀吴蓁香（藻）词，如眉楼小影，曼睩腾波。（仁和人，有花帘词、香南雪北词。）赵仪姑（棻）词，如新燕营巢，自能护体。（上海人，有滤月轩诗余。）郑娱清（兰孙）词，如瑶石含光，可鉴毛发。（钱塘人，有兰因室词。）吴佩湘（清蕙）词，如篱落疏花，自饶幽韵。（吴县人，有写韵楼词草。）已上所列，凡七十余家，其未论及者，暇日当补述也。

郭则沄《十朝诗乘》卷二十一：京师梨园，初尚昆曲。道光时，始盛行皮黄。秦腔最晚出，俗呼"梆子腔"，繁音促节而多涉俚鄙，盖始盛于光绪初年。李越缦寄陶文冲诗云："都门广奏百部伎，九衢车马驰阗咽。念奴新声久已绝，昆仑乐器无人传。何来边调杂西鄙，音噍气促行踽蹻。四座欢娱万人醉，和以乱拊兼繁弦。我闻此曲辄忧叹，得非哀靡愁师涓。"声与政通，审音者已讶其非吉，后果有西狩之事。余闻徐叕园师言，南皮张文达特嗜秦腔，每门生公宴，辄乐拣靡曼之剧，聆至曲终乃去。

吴梅《中国戏曲概论》卷下《清总论》：清人戏曲，逊于明代，推原其故，约有数端。开国之初，沿明季余习，雅尚词章。其时人士，皆用力于诗文，而曲非所习，一也。乾嘉以还，经术昌明，名物训诂，研钻深造。曲家末艺，等诸自郐，一也。又自康雍后，家伶日少，台阁巨公，不喜声乐，歌场奏艺，仅习旧词，间及新著，辄谢不敏。文人操翰，宁复为此，一也。又光宣之季，黄冈俗讴，风靡天下，内廷法曲，弃若土苴，民间声歌，亦尚乱弹，上下成风，如饮狂药。才士按词，几成绝响，风会所趋，安论正始，此又其一也。故论逊清戏曲，当以宣宗为断。咸丰初元，雅郑杂矣。光宣之际，则巴人下里，和者千人，益无与于文学之事矣。……（词家）道咸间，则韵珊、立人、蓬海耳。同光间，则南湖、午阁，已不足入作家之列矣。一代人文，远逊前明,抑又何也? 虽然,词家之盛,固不如前代,而协律订谱,实远出朱明之上,且剧场旧格,亦有更易进善者,此则不可没也。

郑振铎《清人杂剧初集自序》:考清剧之进展,盖有四期:顺、康之际,实为始盛。……雍、乾之际,可谓全盛。……降及嘉、咸,流风未泯,然豪气渐见消杀,当为次盛之期。于时,有舒位、石韫玉、梁廷枏、许鸿磐、徐爔、周乐清、严廷中诸家,丽而弗秀,新而不遒,譬诸美人,艳乃在肤。然铁云之《修箫谱》,新妍若夭桃初放。花韵庵主人之《花间九奏》,佳者未让桂(馥)、蒋(士铨)。至若徐爔之《写心杂剧》,以十八短剧自写身世,创空前之局。藤花亭主之"小四梦",曲律容有或乖,而情文仍然并茂。独文泉、秋槎才弱识浅,颇呈枯竭之致。《补天》八剧,强攫陈迹,弥其缺憾,未免多事,更感索然。《判艳》、《洛殿》,其意境尤显窃前修,殊乏创意。下逮同、光,则为衰落之期。黄燮清、杨恩寿、许善长、张蘸云、陈烺、袁醰、徐鄂、范元亨、刘清韵诸家,所作虽多,合律盖寡。取材亦现捉襟露肘之态,颇见迂腐,殊少情致。盖六七百年来,杂剧一体,屡经蜕变,若由蚕而蛹而蛾,已造其极,弗复能化。同光一期,杂剧成蛾之时也。然僵而未死,间有生意。韵珊《凌波》,窈窕多姿;玉狮十种,不少隽作;瞿园、坦园,时见性灵;善长、蘸云,亦有新声。是杂剧之于清季,实亡而未亡也。然三百年间,杂剧之盛,远不若诗词古文。撰作虽夥,汇辑莫闻。

吴梅《中国戏曲概论》卷下"清人传奇":乾嘉以还,铅山蒋士铨、钱塘夏纶,皆称词宗,而惺斋头巾气重,不及藏园。《临川梦》、《桂林霜》允推杰作。一传为黄韵珊,尚不失矩度,再传为杨恩寿,已昧厥源流。宣城李文瀚、阳湖陈烺等诸自郐,更无讥焉。……同光之际,作者几绝,惟《梨花雪》、《芙蓉碣》二记,略传人口,顾皆拾藏园之余唾,且耳不闻吴讴,又何从是正其句律乎?

王易《中国词曲史·振衰第九》:徽班既盛,昆剧遂衰。京人日聆其声,渐成习嗜。歌者亦稍参昆腔口法,以弥其土音之缺,居一二代,徽语皆变为京语,徽调亦变为京调矣。及京人能者既众,徽人不复更往,于是徽班悉变为京班矣。故如初期之程长庚、胡喜禄,皆徽人也;余三胜、谭叫天(鑫培之父),皆鄂人也;及稍后之孙菊仙、王玉田,则京津人也。迄于晚清,京调得钦后之激赏,势日骎骎;伶人如谭鑫培、杨月楼、汪桂芬等以供奉内庭,亦蜚声一时。及西法留声,虽异域亦习嗜之,几欲代表中国之国乐矣。而昆剧者,则日就消沉,惟苏昆之间,尚有私人集社以研习者。弃雅从俗,化淳为浇,觇国者能无殷忧乎!

魏碱《集成曲谱序》:溯自有明嘉靖以逮国朝道光三百余年间,主南北歌场之坛坫者,厥惟昆曲。……至乾、嘉而后,考据之学日进,作传奇者日鲜。然王梦楼、钮匪石,犹以精于度曲闻;王仲瞿、舒铁云尚有杂剧之作。道、咸以降,文人绝口不谈此事,昆曲遂日见陵替。重以发逆之乱,东南糜烂,弦歌阒寂。京师梨园,改习楚歌秦声以媚俗耳,于是昆曲益衰微矣。

王大错《昆曲粹存序》:康乾之际,昆曲极盛,而国势亦最盛;道咸之交,昆曲渐替,而国势亦渐凌;逮乎光宣,昆曲衰歇几如广陵散,而有清国势,亦从此一衰不复能振矣。

第一章

道光二十年至咸丰十一年（1840—1861）共 22 年

·引 言·

　　郭则沄《十朝诗乘》卷十五：宣宗，恭俭仁厚之主，略无逸豫，而其时计政积弛、民生凋敝，所由来者，非一日矣。庆伯苍比部霖《述闻》诗云："艰难益愁思，肃杀悲清商。座有四方客，各各言故乡。事异而词壹，人不饱枹糠。有叟起长叹，子也毋感伤。老夫少年日，民富风俗良。忽忽八十年，盛衰遂难详。……"盛衰倚伏，治乱相承，当时已如说开、天，何况今日！咸丰戊申，兵事方亟，某王督禁旅，行文各署，集资修巷栅。贾琴岩比部至质衣得二十千以应之。作《栅栏行》，有云："微官本自捐输来，即今避债空有台。区区敢惹长官怒，典衣搜箧空徘徊。……"巷栅之细，而出之捐募；廿千之微，而穷于典贷。京师如此，国事可知矣！

　　郑珍《送黎莼斋表弟之武昌序》：自盗贼起粤西，蹂躏吴越秦楚，边省亦寇攘骚然。在上修文不暇给，为士者乃失所恃。吾贵州已两科废省试，府州县岁考，至有停十年者。生童望考途，无去处。

　　梁启超《清代学术概论》二二：今文学之健者，必推龚、魏。龚、魏之时，清政既渐陵夷衰微矣。举国方沉酣太平，而彼辈若不胜其忧危，恒相与指天画地，规天下大计。考证之学，本非其所好也，而因众所共习，则亦能之；能之而颇欲用以别辟国土，故虽言经学，而其精神与正统派之为经学而治经学者则既有以异。自珍、源皆好作经济谈，而最注意边事。……故后之治今文学者，喜以经术作政论，则龚、魏之遗风也。

　　金天翮《包世臣陈艾传》：清自嘉庆初纪，百司尸位，多无远略，而河、漕、盐三政极敝将改，庙堂无有长算，则草野之士奋笔为横议，又往往谈兵略，学者风气一变。荆溪周保绪及世臣，尤恢廓洞达。至咸、同、光朝而有孙鼎臣、冯桂芬、汤寿潜，浸浸议及朝政，湘、粤之士乃大唱变法立宪。而明季诸孤臣遗老之书，曩时毁且禁者，始复出，皆革命之嚆矢也，然惟浙人龚巩祚见之为独早云。

　　黄彭年《刑部员外郎何君秋涛墓表》：道光中，京师言宋学者则有倭文端公、曾文正公、何文贞公、吴侍郎廷栋、邵员外懿辰、丁郎中彦俦；言汉学者则有何编修绍基、张州判穆、苗贡生夔及君乡人陈御史庆镛；言古文词者则有梅郎中曾亮、朱御史琦、王通政拯、冯按察志沂。

曾国藩《苗先簏墓志铭》：道光之末，京师讲小学者，卿贰则祁公（今按：寯藻）及元和吴公钟骏，庶僚则道州何绍基子贞、平定张穆石舟、晋江陈庆镛颂南、武陵胡焯光伯、光泽何秋涛愿船。君（今按：苗夔）既习于祁公，又与诸君倾抱写诚，契合无间。

金安清《水窗春呓》：自来处士横议，不独战国为然。道光十五六年后，都门以诗文提倡者，陈石士、程春海、姚伯昂三侍郎，谏垣中则徐廉峰、黄树斋、朱伯韩、苏赓堂、陈颂南；翰林则何子贞、吴子序；中书则梅伯言、宗涤楼；公车中则孔宥函、潘四农、臧牧庵、江龙门、张亨甫，一时文章议论，掉鞅京洛，宰执亦畏其锋。

邵懿辰《戴文节公行状》：凡南书房翰林以文史撰述缮录为职业，自道光二十年后，海隅多故，不暇修文，供奉官卯而趋直，已午间退食以为常，清坐无事事。

卢前《八股文小史》：梁氏《题名》止于是。（今按：梁章钜《制义丛话》，题名止于嘉道间）余尝欲补咸丰、同治、光绪三朝。以商之新建夏剑丞先生，先生以为咸同以后，士夫多不欲以制义得名，无须为之列入也。虽然，岭南学风，多以制艺入手，如朱九江次琦以逮康有为、梁启超，皆工于此道，而启超之"新民体"文，取资于八股文者不鲜。辑《江汉炳灵》之樊增祥亦工为八股，且引而为公牍，此又八股文之旁支矣。（第六章《八股文体之就衰》）

谢章铤《赌棋山庄词话》卷三"海警散曲"条：曩者逆夷肆乱，生民涂炭，而有心人感事愤时之作，更仆难终。

曾国藩《欧阳生文集序》：当乾隆中叶，海内魁儒畸士，崇尚鸿博，繁称旁证，考核一字，累数千言不能休。别立帜志，名曰"汉学"。深摈有宋诸子义理之说，以为不足复存，其为文尤芜杂寡要。姚先生独排众议，以为义理、考据、词章三者不可偏废。必义理为质，而后文有所附，考据有所归。一编之内，惟此尤兢兢。当时孤立无助，传之五六十年。近世学子，稍稍诵其文，承用其说。道之废兴，亦各有时，其命也欤哉！

刘成禺《世载堂杂忆·桐城派的盛行》：有清中叶以还，士大夫竞趋训诂、考据之学，桐城派古文，蔚为文章泰斗。曾国藩服膺姚姬传，临文以桐城派为指归。更扩姬传之意，浸淫汉魏。据国藩日记所述，其生平作文用功处，以桐城派为体裁骨格，以汉魏以上文增益其声调奥衍。当时桐城师承籍盛，在京朝官，彼如桂林朱伯韩琦、桂林龙翰臣启瑞、马平王少鹤拯及山右冯鲁川等，在外交通声气者，如鲁通父一同、吴子序等。奉为正宗大师者，为姚姬传大弟子上元梅伯元曾亮。周旋其间者，为桐城嫡派汉阳叶名琛弟、叶志诜之子叶润臣名澧。名澧以虎坊桥西宅为集会之地，迎梅伯言入京，瞻拜大师，在其《敦夙好斋集》中记载甚详。后梅伯言身在金陵，京师古文家太息伤感之文词甚夥。迨叶名琛事败，润臣亦出京，桐城古文家之帜遂倒。降及同光，张裕钊、吴汝纶之流，尚承道咸朝士遗风焉。

《清史稿·文苑三》：（梅曾亮）居京师二十余年，与宗稷辰、朱琦、龙启瑞、王拯、邵懿辰辈游处，曾国藩亦起而应之。京师治古文者，皆从梅氏问法。当是时，管同已前逝，曾亮最为大师；而国藩又从唐鉴、倭仁、吴廷栋讲身心克治之学，其于文推挹姚氏尤至。于是士大夫多喜言文术政治，乾、嘉考据之风稍稍衰矣。

朱庭珍《筱园诗话》卷四：近来古文，天下盛宗桐城一派。其持法最严，工于修饰字句，以清雅简净为主。大旨不外乎神韵之说，亦如王阮翁论诗，专主神韵，宗王孟韦柳之意也。而自相神圣，谓古文正宗，自秦汉以后，唐宋八家继之，八家以后，明归太仆有光继之，太仆以后，则桐城三家方侍郎灵皋、刘广文海峰、姚郎中姬传继之。此外文人，皆不得与文章之统。如国初三家侯朝宗、魏叔子、汪尧峰诸人，概斥为伪体，所见殊谬。夫文章公器，虽有宗派，无所谓统也。其入理纯粹，叙事精严，措词雅洁，运气深厚，法度完密，而意味高古者，即系文章正宗，初不以人地时代限也。必欲秘为绝诣，据作一家私传，不惟诞妄，抑且孤陋矣。此不过拾宋儒唾余，仿道统之说，以自撑持门户耳。习气相沿，未免可笑，殊不足与深辨。予《论诗绝句》中一首云："乾嘉文笔重桐城，方氏刘姚各有名。我向蓬莱看东海，一盂不爱鉴湖清。"深于文者，当与吾言契合也。

钱基博《现代中国文学史》：让清中叶，桐城姚鼐称私淑其乡先辈方苞之门人刘大魁，又以方氏续明之归氏而为《古文辞类纂》一书，直以归方续唐宋八家，刘氏嗣之；推究阃奥，开设户牖，天下翕然号为正宗。此所谓桐城派者也。方是之时，吾家鲁思先生实亲受业于桐城刘氏之门，时时诵师说于阳湖恽敬、武进张惠言。二人者，遂尽弃其考据骈俪之学而学焉。于是阳湖古文之学特盛，谓之阳湖派。而阳湖之所以不同于桐城者：盖桐城之文，从唐宋八家入；阳湖之文，从汉魏六朝入。迨李兆洛起，放言高论，盛倡秦汉之偶俪，实唐宋散行之祖；乃辑《骈体文钞》以当桐城姚氏之《古文辞类纂》；而阳湖之文，乃别出于桐城以自张一军。顾其流所衍，比之桐城为狭。然桐城之说既盛世，而学者渐流为庸肤，但习为控抑纵送之貌而亡其实；又或弱而不能振。于是仪征阮元倡为文言说，欲以俪体嬗斯文之统。江都汪中质有其文，熔裁六朝，导源班蔡，祛其缛藻，出以安雅；而仪征一派，又复异军突起以树一帜。道穷斯变，物极则反，理固然也。厥后湘乡曾国藩以雄直之气，宏通之识，发为文章，而又据高位，自称私淑于桐城，而欲少矫其懦缓之失；故其持论以光气为主，以音响为辅；探源扬、马，专宗退之，奇偶错综，而偶多于奇，复字单词，杂厕相间；厚集其气，使声采炳焕而夏焉有声。此又异军突起而自为一派，可名为湘乡派。一时流风所被，桐城而后，罕有抗颜行者。门弟子著籍甚众，独武昌张裕钊、桐城吴汝纶号称能传其学。吴之才雄，而张则以意度胜。故所为文章，宏中肆外，无有桐城家言寒涩枯窘之病。夫桐城诸老，气清体洁，海内所宗；徒以一宗欧、归，而雄奇瑰玮之境尚少；盖韩愈得扬、马之长，字字造出奇崛。至欧阳修变为平易；而奇崛乃在平易之中；桐城诸老汲其流，乃能平易而不能奇崛；则才气薄弱，势不能复自振起，此其失也。曾国藩出而矫之，以汉赋之气运之，故能卓然为一大家，由桐城而恢广之，以自为开宗之一祖，殆桐城刘氏所谓"有所变而后大"者耶？

汪辟疆《近代诗派与地域》：清诗之有面目可识者，当在近代，所谓第三期也。虽然，近代诗派，自道光以后，迄于光宣，历时既久，而作者弥繁，兹析为道咸与同光二期分论之。……此期（按：道咸时期）诗人之卓然名家者，如龚自珍、魏源、陈沆、程恩泽、邓显鹤、祁寯藻、何绍基、曾国藩、郑珍、莫友芝、江湜诸家，类皆思深虑远，骨力坚苍，每于咏叹之中，时寓忧勤之感，异时讽诵，动移人情。虽由诸家学擅专门，诗本余事，然心境与世运相感召，遂不觉流露于文字间也。其直接影响于同光者，尤以春海、子尹、太初、毅叔四家为著。程郑二氏，学术淹雅，诗则植体韩黄，典赡排奡，理厚思沉，同光派诗人之宗散原者，多从此入。江陈二家人情练达，诗则体兼唐宋，清拔澹远，富有理致，同光派诗人之学夜起者，又多借径。此二派者，发轫于道咸，而大盛于同光，逮于今日，流风未沫，此道咸诗人之荦荦大者也。至其时最负盛名之张亨甫氏，扬七子之余波，振钱吴之坠绪……顾仅风行一时，后来所好，殊不在是。

钱基博《现代中国文学史》：乾、嘉之际，海内诗人相望，其标宗旨、树坛坫、争雄于一时者，要推沈德潜、袁枚、翁方纲。……翁方纲以学为诗者也。……（德潜）及自为诗，古体宗汉、魏，近体宗盛唐，尤所服膺者为杜，选《古诗源》及《三朝诗别裁》以标示宗旨。天下之谭诗者宗焉。……于是宋诗之径途渐辟。道光而后，何绍基、祁寯藻、魏源、曾国藩之徒出，益盛倡宋诗。而国藩地望最显，其诗自昌黎、山谷入杜，实衍桐城姚鼐一脉。鼐每诏人，谓："学诗，须先读昌黎，然后上溯杜公，下采东坡，于此三家，得门径寻入，于中贯通变化，又系各人天分"；及其自为诗，则以清刚出古淡，以遒宕为雄；由韩学杜，已开晚清同光体之先河，与文之萧然高寄者异趣；而特为文所掩抑不甚著。至国藩乃昌言"姚氏诗劲气盘折，能以古文家之义法通于诗"；而用其法，旁参山谷，益恣为生崭奥衍。洞庭以南言声韵之学者，稍改故步，而湘潭王闿运则为骚选盛唐如故，比之古调独弹矣。王闿运始与武冈邓辅纶、邓绎，长沙李寿蓉，攸县龙汝霖四人者相善也，喜吟咏，日夕赓和；而辅纶尤工五言，每有作，皆五言，不取宋唐歌行近体，故号为学古，标曰湘中五子。而五子之中，闿运独推服邓辅纶云。

王易《中国词曲史·振衰第九》：有清学术，凌轹前代，二百六十八年之间，人文蔚起，迹其所成，各有特征。……清之全盛，实在康乾。史馆词科，士悉归于羁縻；文狱书禁，气则被其摧残。由是好学者入于凿险缒幽；而能文者逃于吟风弄月。成绩虽异，避患则同，故文之所就不如学。及其季也，科举既敝，士不重名；晏安已深，君不务治。内乱扰其安虑；外患惕其危亡。由是文人多悲歌慷慨之怀；而学者乏极深研几之暇。理智暂隐，情感斯张，故学之所就不如文。盖学贵沉潜，而文资激厉，消长之关键，即得失之枢机也。

王易《中国词曲史·导言》：胜清人文，自然淬焉，曲苑词坛，备臻上极。词则朱陈竞响，曲则洪孔飞声。末季格调益高，订勘尤密，古华烂发，坠绪能明。但歌剧中衰，伧声代作耳。

谭献《复堂词话》：填词至嘉庆，俳谐之病已净，即蔓衍阐缓，貌似南宋之习，明者亦渐知其非。常州派兴，虽不无皮傅，而比兴渐盛。故以浙派洗明代淫曼之陋，而流为江湖；以常派挽朱厉吴郭（原注：频伽流寓）佻染饾饤之失，而流为学究。近时颇有人讲南唐北宋，清真梦窗中仙之绪既昌，玉田石帚渐为已陈之刍狗。周介存有"从有寄托入，以无寄托出"之论，然后体益尊，学益大。近世经世惠定宇、江艮庭、段懋堂、焦里堂、宋于庭、张皋文、龚定盦多工小词，其理可悟。

龚自珍《己亥杂诗·梨园缀本募谁修诗并序》：梨园缀本募谁修？亦是风花一代

愁。我替尊前深惋惜，文人珠玉女儿喉。自注：元人百种，临川四种，悉遭伶师辈窜改。昆曲俚鄙极矣，酒座中有征歌者，予辄挠阻。

鲁迅《中国小说史略》：《红楼梦》方板行，续作及翻案者即奋起，各竭智巧，使之团圆，久之，乃渐兴尽，盖至道光末而始不甚作此等书。然其余波，则所被尚广远。惟常人之家，人数鲜少，事故无多，纵有波澜，亦不适于《红楼梦》笔意，故遂一变，即由叙男女杂沓之狭邪以发泄之。如上述三书（今按：《品花宝鉴》、《花月痕》、《青楼梦》），虽意度有高下，文笔有妍媸，而皆摹绘柔情，敷陈艳迹，精神所在，实无不同，特以谈钗黛而生厌，因改求佳人于倡优，知大观园者已多，则别辟情场于北里而已。

公元 1840 年（道光二十年　庚子）

正月

元日，邓廷桢赋《换巢鸾凤》。时朝命以林则徐留督粤，廷桢移督两江。"二公甚相得。嶰筠赋《高阳台》词……寄慨甚深。文忠和之……其矢廓重氛，丹心如揭。"（《十朝诗乘》卷十五）按：邓廷桢（1776—1846）字维周，号嶰筠，晚号妙吉祥室老人、刚木老人，江苏江宁人。嘉庆六年进士，官至闽浙总督。精声韵之学，著有《双砚斋诗钞》十六卷、《词钞》二卷等。（注：廷桢生于乾隆四十年十二月初五）又，林则徐（1785—1850）字少穆，又字石麟，晚号竢村老人、竢村退叟、七十二峰退叟，谥文忠，福建侯官人。嘉庆十六年进士，官至湖广总督，著有《云左山房诗钞》、《文钞》、《林文忠公政书》等，今人辑为《林则徐集》。

十五，宝廷生。宝廷（1840—1890）初名宝贤，字少溪，号竹坡，后更名宝廷，字仲献，号难斋，晚年自号偶斋。隶满洲镶蓝旗，清宗室。同治七年进士，选庶吉士，授编修，历官内阁学士。有大政事，必具疏论是非，光绪初与黄体芳、张佩纶、张之洞称翰林四谏，与同时好言事者，又号"清流党"。著有《偶斋诗草》等。（寿福等编《先考侍郎公年谱》）

二十三日，李宗传卒。宗传（1767—1840）字孝曾，号海帆，安徽桐城人。嘉庆三年举人，官至湖北布政使。从姚鼐受古文法，时称多得师传之醇。著有《寄鸿堂集》。

梁章钜辑《楹联丛话》十二卷成并自序。时在广西巡抚任上。（《退庵自订年谱》）按：章钜（1775—1849）字闳中，又字茝林，晚号退庵，长乐籍福州人。嘉庆七年进士，官至江苏巡抚。早擅文名，出任疆史，提倡风雅。著述弘富，有《藤花吟馆诗抄》、《退庵诗存》、《文存》、《浪迹丛谈》、《浪迹续谈》、《浪迹三谈》、《退庵随笔》、《称谓录》等约七十种。

汤贻汾在江宁集同人为团拜会，又为诗追怀周济。（陈韬编《汤贞愍公年谱》）按：贻汾（1778—1853）字若仪，一字雨生，号琴隐道人，常州武进人。以难荫袭云骑尉，官至乐清协副将。以病告归，在金陵筑琴隐园，居二十年，招致名流唱和。太平军入

金陵，以身殉焉。著有《琴隐园集》。

二月

五日，何凌汉卒。凌汉（1772—1840）字云门，一字仙槎，湖南道州人。嘉庆十年一甲三名进士，官至户部尚书，卒谥文安。著有《云腴山房集》。阮元撰《何公神道碑铭》："遇诰册文字重大者，多属公撰拟。以公书法重海内……以讲官随围，和仁宗御制诗甚多。"

初六日，朱为弼卒。为弼（1771—1840）字右甫，号椒堂，浙江平湖人。嘉庆十年进士，官至漕运总督。所著殁后辑为《蕉声馆集》。《晚晴簃诗汇》卷一百十八收其诗五首，诗话云："茮堂为阮文达入室弟子，积古斋钟鼎款识多出其手，审定而编次之。论者谓如刘原父之于欧阳公。诗亦似之。曾宾谷尝评云：空所倚傍，独抒胸臆。沈文恭则谓天倪流露，诗如其人。张温和赠句云：纂诂有笔与诗左，诗本天真无不可。经人能为诗人诗，注经斋中酒一鸥。"

三月

凌玉垣为张声玠所作杂剧题词。谓："玉夫先生仁兄暇日为杂曲若干首，贞雅俶诡，事不一致，类情揣称，各极杰丽。清容先生之续也。"足证当时《玉田春水轩杂齣》已完成或部分完成。按：张声玠（1803—1848）字奉兹，一字玉夫，号润卿，别署蘅芷庄人，湖南湘潭人。道光十一年举人，历官直隶元氏县知县。早负文誉，与同县罗汝怀、湘阴左宗棠同为周氏婿，皆一时名流。工诗文，通音律，尤长于戏曲。著有《蘅芷庄诗文集》等，杂剧九种，总名为《玉田春水轩杂齣》。又，凌玉垣，字玉叔，号荻舟，一作笛洲，湖南善化人。道光十九年举人，工诗，为吴荣光、裕泰等所赏。所著《兰芬馆诗钞》十三卷，有道光二十六年刊本。

潘世恩充会试正总裁。《思补老人自订年谱》："编闱中唱和诗一卷，为《春闱叠唱》。"按：世恩（1770—1854）初名世辅，字槐堂，号芝轩，江苏吴县人。乾隆五十八年一甲一名进士，官至武英殿大学士、军机大臣。谥文恭。以文学廉谨受知，相宣宗垂二十年。有《思补斋诗集》、《有真意斋文集》等。（注：生乾隆三十四年十二月二十一日）

春

龚自珍写《己亥杂诗》竟。新安女士程金凤书后，曰："天下震矜定盦之诗，徒以其行间璀璨，吐属瑰丽；夫人读万卷书供驱使，璀璨瑰丽何待言？要之有形者也。"按：龚自珍（1792—1841）初名自暹，榜名巩祚，改名自珍，字璱人，号定盦，别署羽琌山民等，浙江仁和人。道光九年进士，历官礼部主事。十九年辞官南归，未几卒。自珍早岁即从其外祖段玉裁习说文，然才气横越，不能就绳墨，亦志不在此。留意世务，初以治西北地理，与程同文并称"龚程"，继以能言经济时务与魏源并称"龚魏"。

尝受公羊学于刘逢禄，为文喜引公羊义讥切时政。兼工诗词，著述甚富。生前刊者有《破戒草》诗、《己亥杂诗》，文有《定盦文集》三卷等，所收俱不全。同治、光绪中，其集流行，有诸种辑本。今人合刊为《龚自珍全集》。

姚燮自浙至京师，与诸人唱和。有《春夜都门怀人诗十七章》，据诗，其师友中，季芝昌时视学浙中；黄爵滋奉使之闽中；汪喜孙以郎官试用河工，近在济宁；汤鹏时奉讳还益阳；孔继镁已谢官归；丁晏、鲁一同均未赴试；郭羽宵已还永丰；与朱绶期相见于都门，而朱绶苦病未果。又，在都与蒋湘南、洪齮孙、张际亮、潘曾莹、潘曾绶、孔宪彝、梅曾亮、朱琦、黄宪清（燮清）、秦缃业等游；叶名澧将之雁门，作诗送之。（见《复庄诗问》卷二十编年诗）按：姚燮（1805—1864）字梅伯，号野桥、野樵，晚号复生，别署大梅山民、复道人等，浙江镇海人。道光十四年举于乡，数赴会试不第，遂绝意仕进。著述甚富，经史舆地、道藏佛典俱有撰著，所著《复庄骈俪文榷》初、二编各八卷，《疏影楼词》四卷，《复庄诗问》三十四卷，合为《大梅山馆集》。此外有传奇《退红衫》、《香山愿》等，论著有《词律勘误》、《读红楼梦纲领》、《今乐考证》等。辑有《蛟川耆旧诗系》三十二卷、《皇朝骈文类苑》十四卷、《国朝骈文正宗评本》十二卷、《玉笛楼词学标准》不分卷、《今乐府选》五百卷等。

孔宪彝、秦缃业集同人于尺五庄饯春。梅曾亮、朱琦、潘曾莹、潘曾绶、黄宪清、张际亮、姚燮、许乃常、黄秩林等十三人与会。（据《复庄诗问》编年诗）按：宪彝（1808—1863）字叙仲，号绣山，又号韩斋学人，山东曲阜人。道光十七年举人，官内阁中书。少即工诗，学文于李宗传。后游京师，阮元誉之青莲诗思，与龚自珍、吴虹生等为友，又从梅曾亮游，遍交一时名士。著有《对岳楼诗录》、《韩斋文稿》等。秦缃业（1813—1883）字应华，号澹如，江苏无锡人，秦瀛子。道光二十六年副榜，积官至浙江候补道。晚主杭州东城讲舍。著有《虹桥老屋文稿》、《诗稿》等。

四月

十二日，**俞正燮卒于金陵惜阴书院。**（王立中撰《俞理初先生年谱》）按：俞正燮（1775—1840）字理初，安徽黟县人。道光元年举人，撰有《癸巳存稿》十五卷、《癸巳类稿》十五卷、《四养斋诗稿》三卷等。《清史稿·文苑传》有传。

二十五日，**赐李承霖等一百八十人进士及第出身有差。**明年辛丑值清宣宗六旬万寿，改为恩科，正科提前在本年举行。冯桂芬、董恂、刘宝楠、艾畅等成本科进士。按：冯桂芬（1809—1874）字林一，号景亭，自号邓尉山人，江苏吴县人。本年一甲二名进士，授翰林院编修。咸丰、同治中在籍办团练，曾国藩、李鸿章用兵行政，多取桂芬之议。桂芬留意时务，倡议改革。著有《校邠庐抗议》、《显志堂诗文集》等。《清史稿·文苑传》有传。刘宝楠（1791—1855）字楚桢，号念楼、秋槎，江苏宝应人，历官直隶文安等县知县。长于治经，成《论语正义》二十四卷，为世所称。诗文有《念楼集》。《清史稿·儒林传》有传。艾畅（1787—1864）字玉台，号至堂，江西东乡人。授临江府学教授，迁广东博罗知县。与同里黄爵滋善。通经学，著有《至堂诗钞》。《清史列传·文苑传》有传。董恂（1807—1892）原名醇，字韫卿，一字忱甫，醇卿，号荻芬，别署还读我书室老人。江苏甘泉人。官至户部尚书。有《荻芬书屋诗稿》等。

唐鉴内召为太常寺卿。 曾国藩撰《墓志铭》（《续碑传集》卷十七）："公潜研性道，宗尚洛闽诸贤，所至以是救其躬，亦以是牖于人。"《送唐先生南归序》："岁庚子以方伯内召为太常卿。吾党之士三数人者，日就而考德问业。虽以国藩之不才，亦且为义理所薰蒸，而确然知大闲之不可逾。"按：唐鉴（1778—1861）字镜海，湖南善化人，嘉庆十四年进士，改庶吉士，授检讨。历官江宁布政使、太常寺卿，谥确慎。著有《唐确慎公集》等，《清史稿·儒林传》有传。

五月

二十九日戊午（6月28日），**英舰封锁广州，第一次鸦片战争正式爆发。** 战争开始，英军以广州防备严密，遂北犯。六月，犯厦门，为闽浙总督邓廷桢率师击退。犯浙江，陷定海。

六月

初十日，**英和卒。**（《恩福堂年谱》）英和（1771—1840）字树琴，一字定甫，号煦斋，别号粤溪生，晚年自号摭叟，索绰络氏，满洲正白旗人。乾隆五十八年进士，历官至户部尚书、协办大学士、军机大臣。著有《恩福堂诗文钞》。《清史稿》本传："屡掌文衡，爱才好士。自其父及两子一孙，皆以词林起家，为八旗士族之冠。"

汪仲洋有《庚子六月闻舟山警》诗七首。 战争期间，汪仲洋又有《海盐塘上》等诗。郭则沄《十朝诗乘》卷十五："少海以举人大挑，摄余姚令。道光庚子，英舶入犯，及余姚境，陷于软沙中。少海督兵士尽夺其舟，擒黑白酋目数十人。……一时将帅，失律者相继，独一令奏功耳。虽因地利，亦资胆略。"按：汪仲洋（1777—?）字少海，成都人，嘉庆六年进士，出官浙江钱塘等知县。后被议，归隐不出。仲洋诗名早著，时与张问陶相亚，当时名士如吴振棫、杨芳灿等，皆与交游。有《心知堂诗稿》。孙桐生《国朝全蜀诗钞》："仲洋早负才名，诗笔雄赡，惟间有隶事太杂之病。"《晚晴簃诗汇》卷一百十六收其诗八首，集评云："姚春木曰：蜀多诗人。张翰林问陶之诗，奇险捷出，不主故常，其极主于能道人意中事而止。汪子沉缒奥凿，句镂字锻，又善用事相佐证。翰林诗以天胜，汪子兼尽学力。王柳村曰：少海句奇语重，大气包举，惟杜韩腕下有之。巫峡峨嵋之秀，钟于此矣。"诗话云："蜀中作者多尚才气，亦其山川足以发之。少海以纪游怀古为擅场，在当时名与船山相亚，情韵圆美处稍逊，排奡镌刻更欲争胜，洵不愧骖靳也。"

夏

方东树自粤归里，从弟宗诚、戴钧衡、文汉光俱受业于门。（郑福照撰《方仪卫先生年谱》①）金天翮《方东树宗诚传》："东树穷老不遇，晚而传其学弟宗诚。……（宗诚）师事族兄东树，因遍览宋元后儒家言，发为文辞。"谭献《方君墓志铭》："（宗诚）族兄仪卫先生东树者，抗心希古，辞辟群言，君奉臬焉。生平学术之有宗尚，实原于此。"马其昶《戴蓉洲先生传》："（戴钧衡）年二十余刻《蓉洲初稿》，见者骇为异才，方植之先生笑言'十年后寻自悔耳'。时方先生论诗，作《昭昧詹言》，传钞得之，伏读三年，不成一诗。果自收前刻，因遂投贽。"又，东树本年著《大意尊闻》，宗诚著《志学录》一卷。按：方东树（1772—1851）字植之，别号副墨子，晚又号仪卫老人，安徽桐城县增生。与梅曾亮、管同、刘开并为姚门高弟子。先后主粤、皖诸书院，力排汉学考据，著有《汉学商兑》。其文有《仪卫轩文集》、《外集》，后增补为《考槃集文录》，诗有《半字集》、《考槃集》，论诗有《昭昧詹言》、《续昭昧詹言》，合称《方植之全集》。方宗诚（1818—1888）字存之，号柏堂，别号毛溪居士、西眉山人，安徽桐城人，东树从弟。入吴廷栋、曾国藩幕，后官枣强县知县。服膺程朱之学与韩欧之文，整理刊刻桐城先辈著述多种。有《柏堂集》等。戴钧衡（1815—1855）字存庄，号蓉洲，安徽桐城人。道光二十九年举人。及太平军陷桐城，钧衡走临淮乞师，客淮远，呕血卒。为文治学奉其乡先辈矩矱，有《味经山馆文钞》、《诗钞》等。文汉光（1808—1859）原名聚奎，号焕章，后更名，改字斗垣，号钟甫，安徽桐城人。咸丰元年举孝廉方正。太平军起，以筹饷劳叙光禄寺署正，后呕血死。所著多散佚，存有《文征君遗诗》一卷。

七月

二十二日，沈家本生。 家本（1840—1913）字子惇，晚号寄簃，浙江吴兴人。同治四年中补行辛酉科举人，供职刑部。光绪九年成进士，仍官本部。清末修订法律，家本实主其事。著有《寄簃文存》。

陈逢衡自编《读骚楼诗二集》四卷成。 此集本年刊出，有孔庆镕等序。按：陈逢衡（1780—1850）字履长，一字穆堂，江苏江都诸生。家富藏书，与马氏玲珑山馆齐名，逢衡浸淫其中，笃志于学。中年开读骚楼，邀东南文学之士研讨诗文，一时称盛。著有《读骚楼诗集》。孔庆镕谓其诗："其气清刚，其音激楚，得于山川之助者为多。"《晚晴簃诗汇》卷一百二十三收其诗五首，诗话云："穆堂有《竹书纪年集证》、《逸周书补注》，亦笃志朴学之士，诗特谐适。自序谓未能专意也。"（生卒年据江庆柏编著《清代人物生卒年表》）

八月

阮元在籍作《谷梁传学序》。 阮元自订之《揅经室再续集》，以此文冠首。按：阮元（1764—1849）字伯元，号芸台，江苏仪征人。乾隆五十四年进士，授编修，官至

---

① 下径称《方仪卫先生年谱》，不书编著者。本书引其他各种年谱等材料，亦依此例以省篇幅。

体仁阁大学士，重宴鹿鸣，加太傅，谥文达，有《揅经室集》。

龚自珍游苏州、金陵，辑《庚子雅词》一卷。（吴昌绶编《定盦先生年谱》）

九月

八日，褫林则徐、邓廷桢职，命赴广东候查问。前此，英北犯舰队抵天津海口，中英谈判，朝议欲以抚了局，遂有此旨。

十一日，吴德旋卒。德旋（1767—1840）字仲伦，宜兴诸生。《清史稿·文苑传三》："当嘉、道间，传古文法者，有宜兴吴德旋、上元梅曾亮诸人……（德旋）以古文鸣。与阳湖恽敬、永福吕璜以文相砥镞。诗亦高澹绝俗，有《初月楼集》。"《晚晴簃诗汇》卷一百十收其诗四首。诗话云："仲伦以古文名于时，雅近桐城，诗以温柔敦厚为宗，不事雕琢，五言有陶韦遗韵。"姚椿《吴仲伦先生墓志铭并序》："当乾隆季年已以文学服海内……年几四十，请益于桐城姚先生鼐，先生以为善学韩文，君由是一意宗桐城学。当是时，言考据者遍海内，文字又皆以凌厉为高，君涵濡酝酿，斟酌损益，欲使轨格不戾乎古，以力与俗抗，气孤势单，众哗且笑，既而翕然无间言。"《清史列传·文苑传三》本传："自桐城方苞以古文法授刘大櫆，大櫆授姚鼐，鼐授诸弟子，益广且远，独德旋于姚鼐在师友之间。德旋名位虽不显，然同时如恽敬、陆继辂、吕璜、周凯辈，莫不拱手推重，以古文名天下几二十年。吕璜更师事之……其论国朝诸家之文，颇有微辞，惟推服姚鼐，谓鼐之文以韵胜，时许其知言。所自喜在叙事文字，杂著及书序记之文，犹自谓不逮归、方，其自抑如此。诗亦高澹绝俗。"（按：蒋彤撰《武进李先生年谱》、朱彭寿编著《清代人物大事纪年》均谓德旋卒于明年本日，今姑仍据姚椿撰《墓志》）

十六日，惰园主人自序京剧剧本《极乐世界》。此剧演《聊斋志异·罗刹海市》故事，名为传奇，实为现存较早之京剧剧本。《自序》颇可考见当时戏曲创作状况，其文云："戏至二簧陋矣。而吾谓非二簧陋，作之者陋也。使执笔者得《西厢记》之王实甫、《离魂记》之汤若士、《长生殿》之洪昉思……安在逊南北九宫哉！或曰：二簧之陋，非其词陋也，音节陋也。是又不然。自元迄今，为南北曲者不啻数千家，而传者不过数十，每家传者又不过数折。其湮没不彰者，音节非不谐也，特以词不雅训，为识者所摈耳。不然，则空歌工尺，不更超超元箸乎？且声音之道，随时变迁，自雅颂而乐府，而倚声，而杂剧，作者必不是古非今，唯欲投时好叶俚耳，使吾可歌可泣之情，家喻而户晓，必求音节之正，则《关雎》、《鹿鸣》，宫商具在，胡不规而抚之？南北九宫已陋，而必陋二簧，是真五十步笑百步矣。今日二簧盛行，而雅训者殊少。仆思在无佛处称尊，因制《极乐世界》传奇以娱人，而目娱其词。虽未知于《西厢》、《牡丹》、《长生殿》何如，然较之梨园所演者，即以为能掩其陋也。"此书《凡例》亦可见当时演剧情形，并节录如下："一，梨园脚色，向止十人，迩来踵事增华，指不胜屈。稿中唯于贴旦外，增一小旦，其余皆以杂概之，俟排演者斟酌。……一，南曲每以数人杂唱，文气最难贯穿，乱弹更甚矣。今遵北曲例，皆用一人唱，间有合唱者用昆。一，二簧之尚楚音，犹昆曲之尚吴音，习俗然也。今将以悦京师之耳，故概用京音，间有读仄为平者，元人北曲已有其例，幸勿嗤为谬妄。一，曲子向不禁重韵，今局于诗赋比例，概不重仄，非敢因难见巧，结习未除耳。一，二簧上句入韵，最利歌喉，故稿中前后皆平仄入韵。一，上场引子为诸传奇所无，然颇为排场生色，惜缺而未备，且于得意急书之际，科白亦多未详。有欲排演者，当为补之，仆自乐此不疲也。"惰园主人姓名、字号及里居、生平均未详。

二十日，吴汝纶生。汝纶（1840—1903）字挚甫，安徽桐城人。少贫力学，好文出天性，早著文名。同治四年进士，用内阁中书，历官直隶深州知州。先后佐曾国藩、李鸿章幕，极得倚任，奏疏多出其手。国藩尝以汉祢衡相拟，又尝言"吾门人可期有成者，惟张、吴两生"，谓汝纶及张裕钊也。在官以教育为先，锐意兴学，深、冀二州文教斐然冠畿辅。引疾乞退，留主莲池书院。庚子乱后，清廷大新庶政，诏天下用西法立学，创京师大学堂，受命以五品京堂充大学总教习，并赴日本考察学政，归，旋卒于家。所著合为《桐城吴先生全书》。

彭昱尧、潘曾绶、史梦兰、汪士铎乡试中式。按：彭昱尧（1809—1851）字子穆，一字兰畹，号阆石山人，广西平南人。初见赏于池生春，复问学于吕璜、梅曾亮，与同省文士王拯、龙启瑞、朱琦等游。擅古文，著有《致翼堂文集》、《怡云楼诗草》等。潘曾绶（1810—1883）初名曾鉴，字绂庭，吴县人，大学士世恩子，官内阁侍读，赠三品卿衔，有《陔兰书屋诗集》。史梦兰（1813—1899）字香崖，号砚农，河北乐亭人。后选朝城知县，以母老不赴。光绪中以笃学耆儒特赏四品卿衔。著有《尔尔书屋诗草》、《文钞》及《全史宫词》、《止园笔谈》等。汪士铎（1802—1889）原名鏊，字振庵，别号梅村、悔翁等，江苏江宁人。光绪中授国子监助教衔。长于史地，著述颇丰，有《悔翁诗钞》等。

秋

俞樾始撰《日知录小笺》。（《曲园自述诗》）按：俞樾（1821—1907）字荫甫，晚号曲园居士，浙江德清人。道光三十年进士，改庶吉士，授编修。在河南学政任内为人劾罢。遂致力经学，专意著书。先后主讲苏州紫阳、杭州诂经精舍，著书甚富，总为《春在堂全书》。

秋末，姚燮还里，与冯登府唱和。（《复庄诗问》）

十月

陈澧补学海堂学长。又本年，陈澧著《说文声统》十七卷成，又尝与张维屏同游西樵山，有诗。（据汪宗衍《陈东塾先生年谱》）按：陈澧（1810—1882）字兰甫，号东塾，又号江南倦客，广东番禺人。道光十二年举人。少肄业于粤秀书院，尝从张维屏问诗法，复从侯康问经学。尝大挑选授河源训导，旋辞归。以著书讲学为务，掌学海堂、菊坡精舍数十年。少好为诗，及长弃去，泛滥群籍，著有《东塾集》、《忆江南馆词》及《声律通考》等说经考证之作凡十余种。《清史稿·儒林传》有传。

十一月

沈垚卒于京。沈维鐈、徐松、姚元之为经纪其丧。按：沈垚（1798—1840）字子惇、子敦，号敦三，浙江乌程人，道光十四年优贡生。治经史，尤精舆地之学。为沈维鐈、何凌汉、陈用光等所赏拔。居京师，先后馆于陈用光及姚元之、徐松邸寓。遗稿由张穆辑为《落帆楼文集》。《清史稿·文苑传》有传。沈维鐈（1779—1849）字子彝，一字鼎甫，号梦酴，又号小湖，浙江嘉兴人。嘉庆七年进士，官至工部侍郎。曾与修《全唐文》等，著有《补读书斋遗稿》。（注：生于乾隆四十三年十二月十二日）徐松（1781—1848）字星伯，号蔎品，顺天大兴人。嘉庆十年进士，历官延榆兵备道。精史事，尤长于西北史地，有《新疆志略》十卷，他著有《新斠注地理志集释》、《新疆赋》等数十卷。《清史稿·文苑传》有传。姚元之（1776—1852）字伯昂，号蔎青，又号竹叶亭主，晚号五不翁，安徽桐城人。嘉庆十年进士，历官礼部侍郎、左副都御史。好古书彝器，工书画，能诗文。著有《竹叶亭杂记》、《使沈草》、《蔎青诗集》等。

二十六日，孙葆田生。葆田（1840—1910）字佩南，山东荣成人。同治十三年进士，授刑部主事，后官安徽宿松等县。晚主济南尚志、开封大梁等书院。著有《校经堂文集》。

十二月

林则徐作《庚子岁暮杂感》等诗。时林则徐被革职，在广州"备查问差委"，至明年四月调浙江差遣。

本年

沈兆沄《篷窗吟》一卷刊出。兆沄（1783—1876）字云巢，号拙安，天津人，嘉庆二十二年进士，改庶吉士，授编修，历官浙江布政使，谥文和。著有《织帘书屋诗钞》等。

宛陵书屋刊张绵英撰《澹菊轩诗初稿》四卷、《词》一卷。按：张绵英（1792—?）字孟缇，阳湖人。张琦长女。工诗词。后又辑晚年之作，编为《澹菊轩诗续稿》三卷、《词续稿》一卷。《晚晴簃诗汇》卷一百八十七收其诗十首，集评："包慎伯曰：纬青（今按：琦次女张绵英）幽隽，婉纠（今按：三女纶英）排奡，若绮（今按：四女纨英）和雅，各得先生之一体。恭人则缠绵悱恻，不失于愚。属词比事，必达其志。吴仲伦曰：澹鞠轩五古大有黄初之风，七古及近体诗亦不失中晚唐贤格调。求之闺阁中，诚为难得。宛邻四女皆能诗，而孟缇工力尤至，知有得于庭授者深矣。"

沈涛撰《匏庐诗话》三卷刊出。沈涛（1792—1861）字西雍，号匏庐，浙江嘉兴人。嘉庆十五年举人，历官福建兴泉永道。尚考订之学，喜金石，著有《常山贞石志》等。擅诗文，官京畿时，常集名士唱和。著有《十经斋文集》、《柴辟亭诗集》、《匏庐诗话》、《匏庐词》（一名《九曲渔庄词》）、《洺州唱和词》等。（按：生年据江庆柏《清代人物生卒年表》，卒年据劳乃宣《韧叟自订年谱》）

朱绪曾自刊《北山集》诗三卷于《金陵朱氏家集》中。绪曾（1805—1861）字述之，上元人，道光二年举人，官浙江台州府同知。

曲邑奎文斋刻谢堃撰《春草堂集》六卷。

钱仪吉撰《庚子生春诗》二卷。钱仪吉（1783—1850）初名逵吉，后改仪吉，字蔼人，号衍石、新梧、星湖，浙江嘉兴人。嘉庆十三年进士，改庶吉士，历官工科给事中。因事罢职，先后主讲粤东学海堂、河南大梁书院以终。仪吉幼嗜学，工诗文，与其从弟泰吉（号警石）有"钱氏二石"之目。治经考史，纂述繁富，辑有《碑传集》。自著诗文有《衍石斋集》二十六卷。《清史稿·文苑传》有传。

钱泰吉在海昌训导任上。钱应溥《警石府君年谱》："夏初作放蝶诗……一时和者数百家。……亦海昌学舍中佳话也。"钱泰吉（1791—1863）字辅宜，自号警石，又号深庐，浙江嘉兴人，贡生，官海宁训导，著述颇丰，有《甘泉乡人稿》等。《清史稿·文苑传》有传。

魏源作《寰海十章》。（自注谓作于本年，但亦有作于明年者。）又，本年于扬州絜园自序《诗古微》："《诗古微》何以名？曰：所以发挥《齐》、《鲁》、《韩》三家《诗》之微言大谊，补苴其罅漏，张皇其幽渺，以豁除《毛诗》美、刺、正、变之滞例，而揭周公、孔子制礼正乐之用心于来世也。"《诗古微》为今文经学重要著作，成于道光初年，分上下两卷；后增补为二十卷，本年所序即增补本。按：魏源（1794—1857）字默深，亦作墨生；晚耽禅理，法名承贯。湖南邵阳人。道光二年举人，二十五年成进士，历官高邮知州。源于学志在经世致用，故治经主今文，感事忧时，思有以转移一世风气。尝佐贺长龄辑《皇朝经世文编》，撰《书古微》、《诗古微》、《圣武纪》、《海国图志》等书。所著诗文初为《清夜斋诗稿》、《清夜斋文集》，后辑为《古微堂诗集》、《古微堂文集》，今人合刊为《魏源集》。

冯登府编《秋笳集》。又自是年至明年春止，著《竹外词》一卷。按：冯登府（1783—1841）字云伯，号勺园，又号柳东，浙江嘉兴人。嘉庆二十五年进士，改庶吉士，授知县，改宁波教授。生平嗜书勤学，长于训诂考证，尤精金石之学，著述繁富。诗文有《石经阁文初集》八卷、《续集》八卷、《拜竹诗龛诗存》十卷；词三种，总为《种芸仙馆词》。本年官宁波。

《广东报》刊载《意拾喻言》。即《伊索寓言》，署罗伯特·汤姆译。

程庭鹭编定钱杜撰《松壶画赘》二卷。

上海刊出张维屏撰《松心诗集》。是集二十七卷，又名《松心十录》，选张维屏集中十之二三，分为十集，为张维屏集别本之一。所著《艺谈录》二卷亦于本年刊出，此书系诗人评传类诗话，收清初至道光间诗人五百五十余人，各系以小传，附以诗话。张维屏时年六十一，寓居同里潘氏东园，辑《史镜》，成有《花地集》。按：维屏（1780—1859）字子树，号南山，别号松心子，晚号珠海老渔，广东番禺人。道光二年进士，由知县历官南康知府。维屏能诗，为翁方纲所赏，与黄培芳、谭敬昭称"粤东三子"。著有《松心诗集》、《松心文钞》、《听松庐诗钞》、《松心十录》等，足本《张南山诗文集》有七十四卷。辑有《国朝诗人征略》。

戴熙所著《访粤集》一卷《续编》一卷刊刻。时熙在广东学政任上。按：戴熙

（1801—1860）字醇士，号榆庵，一号鹿床，浙江钱塘人。道光十二年进士，授编修，官至兵部侍郎。以诗书画名世，尤工画，为宣宗所赏。著有《习苦斋集》、《画絮》。

陈偕灿《鸥汀渔隐诗集》六卷刊刻。偕灿（1790—1861）字少香，别号咄咄斋居士、咄翁、苏翁，江西宜黄人。道光元年举人，官福建知县。后以母忧去官，仍游福建。工诗，弱冠知名，尝从吴嵩梁游。著有《鸥汀渔隐诗集》、《续集》、《外集》等。

吴育撰《私艾斋文集》六卷江阴暨阳书院刊刻。育生卒年不详，字山子，江苏吴江人，道光中尝与阳湖蒋彤等共校《日知录集释》。晚寓江阴，与阳湖李兆洛、泾县包世臣等相善。

姚椿撰《通艺阁集》四十卷本年至咸丰三年刊刻。又，别本《通艺阁文集补编》一卷本年刊刻。椿（1777—1853）字春木，一字子寿，号樗寮，江苏娄县人。监生。四川布政使令仪子。早慧，年十八以监生应顺天乡试，名噪京师，与洪亮吉、杨芳灿、张问陶等游。后受学于姚鼐，屏弃夙习，一意求道。道光元年荐举孝廉方正，辞不就。先后主河南、湖北诸书院讲席，晚归里。著述甚丰，辑有《国朝文录》八二卷，自撰有《通艺阁集》四十卷等。《清史稿·文苑传》有传。

曾国藩三十岁，在京师"稍事学问"。国藩道光二十三年《致刘蓉》云："仆早不自立，自庚子以来，稍事学问，涉猎于前明、本朝大儒之书，而不克辨其得失，闻此间有工为古文词者，就而审之，乃桐城姚郎中鼐之绪论，其言诚有可取。于是取司马迁、班固、杜甫、韩愈、欧阳修、曾巩、王安石及方苞之作，悉心而读之。其他六代之能诗者，及李白、苏轼、黄庭坚之徒，亦皆泛其流而究其归，然后知古之知道者，未有不明于文字者也。能文而不能知道者，或有矣，乌有知道而不明文字者乎？……故国藩窃谓今日欲明先王之道，不得不以精研文字为要务。""夫所谓见道之多寡之分数何也？曰：深也，博也。……能深且博，而属文复不失古圣之谊者，孟氏而下，惟周子之《通书》、张子之《正蒙》，醇厚正大，邈焉寡俦。许、郑亦能深博，而训诂之文，或失则碎。程、朱亦且深博，而指示之语，或失则隘。其他若杜佑、郑樵、马贵与、王应麟之徒，能博而不能深，则文流于蔓矣；游、杨、金、许、薛、胡之俦，能深而不能博，则文伤于易矣。由是有汉学、宋学之分，断断相角，非一朝矣。仆窃不自揆，谬欲兼取二者之长，见道既深且博，而为文复臻于无累，区区之心，不胜奢愿，譬若以蚊而负山，盲人而行万里也，亦可哂已。盖上者仰企于《通书》、《正蒙》，其次则笃嗜司马迁、韩愈之书，谓二子诚亦深博而颇窥古人属文之法。"（《曾国藩全集·书信》）按：曾国藩（1811—1872）字伯涵，号涤生，湖南湘乡人。道光十八年进士，官至武英殿大学士、两江总督，封一等毅勇侯，卒赠太傅，谥文正。论者谓其勋业文章，皆开数十年风气。其幕府宾僚多文学之士，亦极一时之盛。国藩辑、著诸书，汇为《曾文正公全集》，自著有《曾文正公诗集》四卷、《文集》四卷等，辑有《十八家诗钞》二十八卷、《经史百家杂钞》二十六卷、《经史百家简编》二卷、《鸣原堂论文》二卷等。今人辑有《曾国藩全集》。

吴廷栋四十八岁，官刑部。方宗诚《吴竹如先生年谱》："公余专究心朱子之学，凡前儒之书，亦无不玩味而必以朱子之言折衷之。宗诚所编先生《拙修集》，有《札集》一卷、《读书记疑》两卷，大约皆官刑部时所记也。时唐确慎公鉴为太常寺卿，潜研性道，宗尚洛闽，喜扶掖贤俊，倡导正学，于是相国文端公倭仁、曾文正公国藩、吕文节公贤基时皆为侍郎，何文贞公桂贞时为编修，及窦兰泉侍御垿皆从唐公考德问业。先生因与诸公为师友。日夕切磋，专用力于身心之地。痛自洗剔。后庚子有与诸弟书谓：始信朋友列于五伦，为人生不可缺者，诚足乐也。"按：吴廷栋（1793—1873）字彦甫，号竹如，晚号拙修老人。安徽霍山人。道光五年拔贡，以七品京官分刑部学习，官至吏部侍郎。少习诗文于刘海峰门人陈家勉，后笃志程朱之学，有《拙修集》。

　　张际亮本年得诗五十九首。际亮时年四十二，由家之豫，入都会试，报罢，遂留都。按：张际亮（1799—1843）字亨甫，号松寥山人、华胥大夫，福建建宁人。道光十五年举人。早岁斥曾燠以财货奔走天下士，得狂名，而实才气磊落。肄业福州鳌峰书院，为陈寿祺所赏，同时名流如林则徐、黄爵滋、汤鹏、朱琦等皆重之，与姚莹交尤厚。及姚莹被诬下狱，际亮扶病入都急难，为时所称。世传道光十八年黄爵滋所上禁烟疏实出其手。有《张亨甫全集》。

　　祁寯藻四十八岁，至闽浙查办事件。时邓廷桢奏报于厦门击走英吉利兵船，忌者谓其不实，寯藻往按，具陈战胜状。回京，仍直南书房。按：祁寯藻（1793—1866）字叔颖，号淳甫，改实甫，又号春圃，晚号馒欱亭叟，山西寿阳人。嘉庆十九年进士，改庶吉士，授编修，官至体仁阁大学士，致仕再起，以大学士领衔礼部尚书，卒谥文端。有《馒欱亭集》。

　　徐鼒成《四书广义》。按：徐鼒（1810—1862）字彝舟，号亦才，又号敝帚斋主人，江苏六合人。道光二十五年进士，咸丰中在籍办理团练，积功授福建延平府知府。著述甚丰，多毁于战乱，存有《未灰斋文集》八卷、《外集》一卷、《诗钞》四卷等。

　　吴嵰作《海氛纪事》、《乍浦吟》、《秋感》等诗，记浙东英兵入侵事。吴嵰字兼山，江苏常熟人。约生于乾隆后期，卒于道光末，历官绍兴同知。有《红雪山房诗钞》十二卷。作者久在戎幕，故多慷慨之音。德清徐斌序其集，谓其诗"多讽喻，其规格足以扶浮振靡"。

　　谢章铤年二十一，始学词。《词后自跋》："余二十一岁始学词。其时，建宁许秋史赓皞方以词有名于世。……其于词也，盖能推合之于音律。秋史之言曰：填词宜审音，审音宜认字，先讲反切则字清，遍习乐器则音熟，然其得心应手，出口合耳，神明要妙之致，非可以言传，亦非可以人强也。余因是不敢为词者数年。其后多读古人词，觉时时有所疑。久之，乃慨然曰：秋史之说，可从而不可泥也。……审如秋史言，则岂独词哉！诗不能合乐，虽终古不作诗可也。余毋宁为盲词哑曲而已矣。于是复填词。"按：谢章铤（1820—1903）字枚如，自号药阶退叟，福建长乐人。久困科场，光绪三年始成进士，时已年近六十。奔走南北，主讲陕西、江西等书院，晚归闽，为致用书院山长。章铤能诗，道光间即以诗名于时，称闽越巨子，又善填词，著有《赌棋山庄集》，内文集凡十四卷，诗集十四卷，《酒边词》八卷，词话及续编十七卷，并他著数种，凡六十八卷。

　　邵懿辰再至京师，考取内阁中书。在京与梅曾亮、朱琦、曾国藩辈交尤密。曾国藩《仁和邵君墓志铭》："（懿辰）摈斥近世汉学家言。为文章，务先义理，不事缛色繁声、旁征杂引以追时好。厥后，以举人仕京师……与上元梅曾亮伯言、临桂朱琦伯韩数辈游处。博览国故朝章，其文益奥美盘折，亦颇采异己之说以自广。"按：邵懿辰（1810—1861）字映垣，号蕙西，一作位西，浙江仁和人。道光十一年举人，历官刑部员外郎，太平军再克杭州，死之，所著散佚，后人辑为《半岩庐集》，《清史稿·儒林传》有传。

薛福保（1840—1881）生。福保字季怀，号端季，江苏无锡人，福成胞弟。尝从学于李联琇，又与兄同入曾国藩幕，习闻曾氏论文之旨。后入山东巡抚幕，阎敬铭、丁宝桢皆颇引重。早殁，未竟其用。著有《青萍轩文录》二卷、《诗录》一卷。

朱绶卒。绶（1789—1840）字仲环，一字仲洁，号酉生，江苏元和人。道光十一年举人，尝入梁章钜幕，章奏多出其手。工诗词，所撰卒后编为《知止堂集》二十四卷，明年刊刻。杜文澜《憩园词话》卷五："吴中七子词以二生为巨擘，谓朱酉生、沈闰生也。"又："素工词，根底深厚，小令少而慢调多。"《清史列传·文苑传四》顾莼传附："工诗古文辞，与顾莼辈称'吴中后七子'。时长洲王嘉禄亦工诗，又称'朱王'，然嘉禄才调宏富，绶格律精严。陈文述尝戏反赵执信语云：'王贪多，朱爱好。'……为文好表扬古烈，感论人事，言近旨远，深得风人之旨。"今按：世多以朱绶、沈传桂、王嘉禄、潘曾沂、彭蕴章、吴嘉洤、韦光黻为"吴门（中）后七子"。益以曹懋坚、蒋志凝、褚逢春，又称"吴中十子"。然有异说。如《清史列传》列有顾莼；丁绍仪《听秋声馆词话》卷六"戈载翠微花馆词"条则列有戈载，且称"吴门七子"。未悉孰是。

公元 1841 年（道光二十一年 辛丑）

正月

八日（1月30日），清廷对英宣战。上年十二月，琦善在广州擅自与英人议定《穿鼻草约》，许割让香港等事。事闻，革琦善职，下诏宣战。此后，清军作战不利，二月，虎门炮台失陷；七月，厦门失陷；八月，定海再陷，镇海、宁波先后陷。

九日，邓显鹳卒，年六十八。显（1774—1841）字子振，号云渠，湖南新化人。显鹤兄。道光十七年拔贡，授湖南麻阳县教谕。以授徒自给，平生治经甚勤，亦能文，撰有《听雨山房文钞》。

姚燮里居，有《闻粤警》四章。本年姚燮里居，尝转徙避兵乱，诗作近三百首，多涉及英军侵掠浙东及民众转徙流离之事。有和冯登府、怀厉志诗。（见《复庄诗问》编年诗）

三月

二十五日，清廷命林则徐以四品卿衔驰赴浙江镇海协助军务。

文孚卒，年七十余。孚（？—1841）字秋潭，博尔济吉特氏，满洲镶黄旗人。由监生考授内阁中书，官至文渊阁大学士，谥文敬，有《秋潭相国诗存》。《晚晴簃诗汇》卷一百二十二收其诗四首。（卒年据《清代人物大事纪年》）

闰三月

十三日，周之琦奉旨授广西巡抚。按：周之琦（1782—1862）字稚圭，号退庵，河南祥符人。嘉庆戊辰进士，改庶吉士，授编修，官至广西巡抚。早年居京师，与刘嗣绾、钱仪吉、董国华、潘恭常、陶樑等唱和。专精倚声，著有《金梁梦月词》、《怀梦词》、《鸿雪词》、《退庵词》，合为《心日斋词集》，又选录前人词为《心日斋词选》。

四月

十日至十一日，广州市郊三元里民众自发抗击英军。

二十日，赐龙启瑞等二百二人进士及第出身有差。本科因清宣宗六旬万寿，改正科为恩科。张金镛、孙锵鸣、潘曾莹、顾文彬、王拯等成进士。按：龙启瑞（1814—1858）字辑五，号翰臣，广西临桂人。一甲一名进士，授翰林院修撰。咸丰中与朱琦同在广西办理团练，有声，迁江西布政使，卒于官。启瑞切劘经义，尤讲求音韵之学。亦工诗文，师事梅曾亮，与吕璜、朱琦、王拯、彭昱尧等商讨文艺，著有《经德堂文集》、《浣月山房诗集》、《汉南春柳词》。《清史稿·儒林传》有传。张金镛（1805—1860）原名敦瞿，字良辅，一作良甫，又字鉴伯，号海门、忍庵，浙江平湖人。改庶吉士，授编修，历官侍讲。金镛尝师事徐熊飞，官京师，与王拯、孙衣言、龙启瑞等以文学相切劘。著有《躬厚堂集》。潘曾莹（1808—1878）字申甫，一字星斋，江苏吴县人。大学士世恩仲子。改庶吉士，授编修，官至吏部侍郎。晚居京师，与李慈铭等唱和颇多。著有《红蕉馆诗钞》、《小鸥波馆集》等。王拯（1815—1876）原名锡振，字定甫，号少鹤，又号龙壁山人，广西马平人。授户部主事，历官通政副使。在京师从梅曾亮问古文义法，与龙启瑞、朱琦、邵懿辰、冯志沂等游。咸丰中出赞广西军事，复从僧格林沁出驻大沽，久历兵间，诗益跌宕苍凉。同治初缘事降调，归主桂林榕湖讲舍。工诗文，兼善倚声，著有《龙壁山房诗草》、《龙壁山房文集》及《龙壁山房词》。孙锵鸣（1817—1901）字韶甫，号渠田，浙江瑞安人。改庶吉士，授编修，历官侍读学士。官翰林时，尝疏陈时政，严劾穆彰阿，人称其敢言。同治中以事罢官，归主苏州正谊，江宁钟山、惜阴，上海龙门等书院。与兄衣言并负文望，为学者所宗仰。著有《海日楼诗文集》等。顾文彬（1811—1889）字蔚如，号子山、退庵，江苏元和人。官至浙江宁绍台道。工词学，尤工集古，有词集多种，合为《绿眉楼词》八卷。

邓廷桢奉旨遣戍伊犁。

潘世恩刻《登瀛叠唱》一卷。是科其子曾莹会试中式，潘世恩作纪恩诗，用庚子春闱韵，同人和者甚多，刻之。（《思补老人自订年谱》）

五月

陈澧会试不第，以本月抵家，时阖家避乱佛山。有《答梁玉臣书》，其中云："呜呼，四郊多垒之辱，属之何人？百年为戎之忧，恐在今日……"（《陈东塾先生年谱》）

孔宪彝编《曲阜诗钞》八卷成。

六月

朔日，方东树序《续昭昧詹言》。是书专论七言律诗。（《方仪卫先生年谱》）

十七日，秦荣光生。荣光（1841—1904）号炳如，初名载瞻，号月汀。上海人。光绪二十年贡生。以留心教育及地方公益，尝蒙传旨嘉奖。著有《养真堂诗钞》、《文钞》、《上海县竹枝词》等。（秦锡田编《显考温毅府君年谱》）

二十五日，齐彦槐卒。彦槐（1774—1841）字梦树，号梅麓，又号荫山，江西婺源人，居宜兴。翀子。嘉庆十四年进士，改庶吉士，历官苏州同知。精鉴赏，工书法，长于天文。所撰《梅麓诗钞》等合编为《双溪草堂全集》。《清史稿·文苑传》有传。方濬颐《齐梅麓先生墓表》："从姚姬传先生受业作文法；弱冠以诗谒随园老人，惊为旷世逸才，以远大期之。……为文根柢经术，能见其大……性好山水……所为诗元本风雅，胎息于杜，出入于韩苏，抚时感事，有为而作者居多；不屑屑于缋章绘句。工骈体律赋。"《晚晴簃诗汇》卷一百二十一收其诗十首，集评："黄霁青曰：梅麓诗原本风雅，胎息于杜，出入韩苏，抚时感事，有为而作者居多。潘榕皋曰：言情投赠诸作，兼唐宋之长，五古如论治、议赈诸什，可与左雄王昶奏疏并传。"诗话云："梅麓学能致用，诗多自道所得。……集中《衙斋书壁》十六首，剀切肫挚，最为时称，余论事纪游之作，皆洞达无不尽之言而不失格。近体雅健，绝去雕琢摹拟，才力故自过人。"

三十日，黄钺卒，年九十二。钺（1750—1841）字左田，以目微眚，号井西盲左，安徽当涂人。乾隆五十五年进士，官至户部尚书。受仁宗特达之知，久直内廷，书画并被宸赏。宣宗即位，甚优礼之。道光初致仕。谥勤敏。著有《壹斋集》四十卷、《二十四画品》一卷等。《晚晴簃诗汇》收其诗十首，诗话云："勤敏诗笔意雄肆，于韩苏为近；五古亦清越可传。世人喜其书与画，遂掩诗名。"

福州初刻《张亨甫全集》存诗止于本月。是年张际亮应姚姚之招出都，将渡海之台湾，畏险而返。春至六月，存诗五十二首。后此之诗稿存姚莹家，故初刻止于是。（李云诰著《张亨甫先生年谱》）

夏

张际亮与林昌彝论诗。《射鹰楼诗话》卷二："辛丑夏，亨甫招饮道山江城如画楼，与余多所唱和，尝问余曰：'余诗视陆渭南何如，可与并传否？'余曰：'君诗五七律胜于渭南，但渭南五七古所以绝胜者，固由忠义之气盘郁于心耳。以足下之才，充其所学，亦渭南一劲敌也。'亨甫叹服。"

七月

八日，李兆洛卒，年七十三。蒋彤《武进李先生年谱》："是年，宜兴吴仲伦德旋、宝山毛生甫岳生并以九月十一同日而逝，浙江龚定盫巩祚、福建高雨农澍然亦卒。数子者并以文章负东南望，乃同时殒丧，异哉！"按：李兆洛（1769—1841）字申耆，号绅琦，晚号养一老人，江苏阳湖人。嘉庆十年进士，改庶吉士，授安徽凤台县知县，有治绩。后以丁忧归，遂不复出，主讲江阴暨阳书院几二十年。兆洛博学多通，于训诂史地之学尤有所长。幼从卢文弨读书于龙城书院，颇究心于训诂之学，其后泛滥群籍，广交海内文人学者如周济、包世臣、魏源等，持论遂与汉学家有异同。论文欲合骈散为一，辑《骈体文钞》以见祈向。所辑尚有《皇朝文典》等，自著曰《养一斋集》。蒋彤《养一子述》："大兴徐星伯先生松、仁和龚君巩祚，今代硕彦，皆愿以师事。虽慎伯、介存擅博辨，喜评骘人物，独于子始终无间言。而子惸惸如畏惟日不足，尝谓：吾气弱，故不争，文只取达意，力不任炼锻，故无所成。盖其自处真实如此，非有所谦让云尔也。"包世臣《李凤台传》："古今文辞行世者君无不披览，时论盛推归方，崇散行而薄骈偶，君则谓唐宋传作皆导源秦汉，秦汉之骈偶实唐宋散行之祖。与予持论若笙磬，而予以辞达为宗，君则规模体势。"《清史稿·文苑三》："其论文欲合骈散为一，病当世治古文者知宗唐、宋不知宗两汉，因辑《骈体文钞》。"《越缦堂读书记》："其文亦颇欲溯源两汉，气格自矜，而才弱辞枝，又不知义法。……近世言古文者，仅取裁于村塾之所谓唐宋八大家，固为固陋，然学者但能菑畬经训，沉浸《史》、《汉》，则所作自高古深厚，不落腔调小技，亦非必自骈体入手也。……申耆颇服膺桐城姚氏，而其讥古文家谓一挑一剔，一含一咏，乃正中姬传之失，则又何也？"黄体芳《李养一先生诗集序》："其诗温雅冲适，多见道之言。余闻先生之教人也，不劝之学诗，病其无实益。今观集中率系酬应之作。先生固非敝精力以为诗者。"《晚晴簃诗汇》卷一百十八收其诗至二十一首，诗话云："申耆为学博而知要，经史考据词章天算地舆，弥不淹通，论者谓并世惟戴简恪公，友生中惟吴沈钦、韩文起差足相上下，余无能拟似者。平生所为诗文多不自收拾，殁后门下弟子搜辑遗稿刊行。古体诗妥帖排奡，炳蔚铿锵，近体气骨稍弱，然和平温雅，不失风人之旨。"

二十二日，莫与俦卒于遵义府学教授任。 与俦（1763—1841）字犹人，一字寿民，独山人。嘉庆四年进士，改庶吉士，授盐源知县，改遵义教授，所著汇为《贞定先生遗集》。曾国藩撰《墓表》称："入翰林，为纪文达公及洪编修亮吉所器异。嘉庆四年，仁宗亲政，大兴朱文正、仪征阮文达以巨儒为会试总裁，是科进士如姚文田秋农、王引之伯申、张惠言皋闻、郝懿行兰皋皆以朴学播闻中外，科目得人，可云极盛。君于是时寂寂无所知名，及出而为吏，恩信行于异域，退而教授，儒术兴于偏陬。校其所得，与夫同年生之炳炳者孰为多寡，未易遽定也。"《晚晴簃诗汇》卷一百十三收诗三首，诗话称："寿民学有根柢，立身为本，穷经为要。黔士知有汉学，自寿民始。其子友芝、门人郑珍、珍子知同遂以考据训诂之学成书数十种，出与海内通人硕学相颉颃。皆寿民提倡之力。年七十九卒。门人私谥贞定先生。"

冯志沂初从梅曾亮游。 志沂《伯言先生决意南归有感赋呈》："昔岁辛丑时初秋，朱君介我从翁游。余二三子亦同志，微言奥义穷探搜。五年颇极文字乐，志欲据此轻王侯。"按：朱君谓朱琦，志沂后又因朱琦之介识王拯、吴嘉宾诸人。亦因曾亮而识孔宪彝诸人。朱琦《柏枧山房文集书后》谓："（曾亮）亦谓琦曰：'自吾交子，天下之士益附，而治古文辞者日益进。'"按：冯志沂（1814—1867）字述仲，亦字鲁川，山西代州人，道光十六年进士，分刑部，历官皖南道。早岁于诗文无所措意，及官京师，与余坤、梅曾亮、董文涣、张穆、邵懿辰等游，诗文大进。著有《微尚斋诗集》、《适适斋文集》，合称《西榆山房集》。

曾国藩从唐鉴游，始肆力于宋学。 黎庶昌编《曾文正公年谱》卷一："七月，善化唐公鉴由江宁藩司入官太常寺卿，公从讲求为学之方。时方详览前史，求经世之学，兼治诗古文词，分门记录。唐公专以义理之学相勖，公遂以朱子之书为日课，始肆力于宋学矣。"（按：此记唐鉴内召时间，与国藩撰《墓志》不同）

蒋敦复自序《拈花词》。 《拈花词》为《芬陀利室词》六种之一。去岁，敦复以哄考及上《海防十策》触当事者怒，易服为僧以避祸，是年仍寓居南汇栀子庵，至道光二十三年始返初服。蒋氏《芬陀利室词话》卷一："道光壬寅癸卯间，余被蜚语，易僧服避人于南汇"，卷二："吴中七子，朱君酉生（今按：绶），识余最早，且有知己之感。……余少年填词，喜豪放，和迦陵怅怅词五首，跌荡淋漓。……以此自负。有携余诗词质酉生，叹曰：'此君才气，非我辈所能企及，独倚声一门外汉耳。'缘此绝不填词者十余年。后避人之南汇，客王四篁二尹所，四篁示以张叔夏山中白云词，一夕和三十余首，四声悉依原作，成一册，曰山中和白云。四篁录示戈君顺卿，求指疵，顺翁惊诧云：'此是词家射雕手，尚何疵可指耶。'"按：蒋敦复（1808—1867）初名金和，字纯父，更名敦复，字克父，一字剑人，年五十后自号江东老剑，别署丽农山人等，江苏宝山人。早孤，家贫，恒客游于外，文誉著于江淮间。五应乡试不售，遂发愤著书，为姚莹等所赏。尝以王韬之荐为英国传教士慕维廉司笔札谋生。同治初，入丁日昌、应宝时苏松太道幕。卒后，宝时刻其遗著。敦复著述颇多，有《啸古堂诗集》十二卷、《古文》八卷、《骈体文》一卷、《芬陀利室词》十卷等，自谓必传者为《大英国志》及《宫调谱》二书。（据《丽农山人自叙》等）

本月后，林则徐派往东河效力，在河南工次。

八月

十二日，龚自珍（1792—1841）暴卒于丹阳，年五十。 是春，自珍就丹阳云阳书院讲席，至是卒。自珍诗文生前多未刻，明年，其子橙抱其遗稿至魏源处，魏源为之校定，题名《定盦文录》十二卷、《外录》十二卷。龚橙复自行删削为文九卷、诗词三卷。俱未刊刻。至同治间，钱塘吴煦得自珍友人曹籀藏《定盦文录》付刊，并辑刻诗词《破戒草》、《己亥杂诗》、《定盦词录》等。至光绪间，自珍书大行于世，复有多种辑刻本。今人辑有《龚自珍全集》。《清史稿·文苑三》："巩祚才气横越，其举动不依恒格，时近傲诡……其文字鸷桀，出入诸子百家，自成学派。所至必惊众，名声藉藉。"魏源《定盦文录序》："君于经通公羊春秋，于史长西北舆地，其文以六书小学为入门，以周秦诸子、吉金、乐石为崖郭，以朝章、国故、世情、民隐为质干，晚尤好西方之书，自谓造深微云。"曹籀《定盦文集序》："定盦，天下之奇才也，尤卓荦有英气。……君平生著述等身，出入于九经七纬，诸子百家，足以继往开来，自成一家……其雄辞伟论，纵横而驰骤也，则似孟似庄，其奥义深文，佶屈而聱牙也，则似墨似鹙；其义理精微，辞采丰伟，或守正道之纯粹，或尚权谋之诡谲，则又似荀似列，似管似晏；他如韩非、慎到、吴起、孙膑、尹文、尸佼、屈原、吕不韦、燕太子丹、赵公孙龙、尉缭、关尹、鹖冠、鬼谷之伦，虽各分门而别户，亦皆殊途而同归，卓哉斯人，其诸通天地人而为儒者欤！"《射鹰楼诗话》卷十："仪部为金坛段茂堂先生外孙，学问渊源，盖有所自，古文词奇崛渊雅，不可一世，余尝选其文入《近代十二家文钞》。……诗亦奇境独辟，如千金骏马，不受纼绁，美人香草之词，传遍万口。善倚声。道州何子贞师谓其诗为近代别开生面，则又赏于弦外弦、味外味者矣。"《越缦堂读书记》："阅《定盦文集》。瑟人承其外王父段氏声音文学之学。又与吾乡徐星伯氏游，通地理学，尤究于西域蒙古。与邵阳魏默深游，通经世学。与吴县江铁君及海盐王昙游，通释典杂学。而文章瑰诡，本孙樵、杜牧，参之《史》、《汉》、《庄》、《列》、《楞华》之言，近代霸才也。""阅《龚定盦集外文》……其文学杜牧、孙樵而未成，然自崛强可喜。此卷共五十六篇，雄诡杂出，亦多有关掌故。""《定盦初集》之文，宏奥奇玮，《续集》乃远不及。其中如《说居庸关》……诸篇，皆识议名通，有关掌故。《工部尚书王文简公墓表铭》……皆叙事谨严，典重有法，余则多以艰深文浅陋，支离尽小说家言。""其诗不主格律家教，笔力矫健，而未免疵累，其情至者，往往有独到语。……词胜于诗，而自出名隽，亦复不主故常。""定盦文笔横霸，然学足以副其才，其独至者往往警绝似子，诗亦以霸才行之，而不能成家。又好为释家语，每似偈赞，其下者竟成公安派矣。然如《能令公少年行》、《汉朝儒生行》、《常州高材篇》，亦一时之奇作也，词则非所知耳。"《复堂词话》："定公词能为飞仙剑客之语，填词家长爪、梵志也。昔人评山谷诗，如食蝤蛑，恐发风动气，予于定公词亦云。""诗，佚宕旷邈，而豪不就律，终非当家。词，绵丽沉扬，意欲合周、辛而一之。奇作也。"朱之榛《定盦文集补编题后》："国朝文家，至桐城始轨于正。方、姚而后，门徒传习，浸失真源。独上元梅氏曾亮、嘉兴钱氏仪吉及文正曾公，于桐城洵有扶衰救病之功。其他不立宗派，而卓荦可传，若胡氏天游、汪氏中、彭氏绩、龚氏自珍，咸能独造深峻，自名一家。盖桐城之文，如泰山主峰，端然不可亵视；而诸公之文，则如徂徕、新甫，与岱宗揖让俯仰于百里之间，不自屈抑，夫亦一代文字之雄也。"朱一新《无邪堂答问》卷一："公羊家多非常可怪之论，西汉大师自有所受，要非心知其意，鲜不以为悖理伤教，故为此学者，稍不谨慎，流弊滋多。……定盦专以'张三世'穿凿群经，实则公羊家言，惟'张三世'最无意义。……定盦以此为宗，乌足自名其学？凡此云云，皆所谓以艰深文浅陋也。"卷二："近时龚定盦、魏默深纵横学《国策》，廉悍学《韩非》，颇足补桐城之所未逮。龚胜于魏，而伪休尤多。定盦才气，一时无两，好为深湛之思，而中周、秦诸子之毒，有时为彼教语亦非真有得于彼教，聊以佐其荡肆而已。刻深峭厉，既关性情；荡检偷闲，亦伤名教。学之颇多流弊。魏氏虽不及其精深，尚未至如是横决。"《佩弦斋杂存》卷二《复傅敏生妹婿》："国朝古文，以桐城为正宗，而魏叔子、汪钝翁、姜西溟导其先。桐城祖述八家，实则祢震川而宗永叔，其义法谨严，则百世不能易也。而沿其流者，才力少弱。近人如曾文正、魏默深，则笔力恣横，间涉伪体。若龚定盦又下一格矣。"张一麐《定盦诗集跋》："先生之诗纯以性灵，近世伧父，皆狃于袁仓山、张船山之作，以为定公之诗，无一句可解，为古来未有之格。乌乎！误矣。"佚名《定盦文集后记》："胡甘伯尝以汪容甫、魏默深、龚定盦为国朝古文三大家。谓汪文内闳肆而外谨严，龚文内谨严而外闳肆，魏文亦闳肆亦谨严。戴子高谓汪文似不及龚，汪仅能及于汉，龚则已造于秦。予谓汪非不能及龚，实大胜于公。存此三说，以俟深知竺好之人。""近数十年士大夫诵史鉴，考掌故，慷慨论天下事，其风气实定公开之。张南山谓定公得志恐为王荆公，岂非以其议论兴革而逆亿其来者哉。"沈曾植《龚自珍传》："所为文独造深峻，为一代雄。"谢章铤《赌棋山庄词话》续编卷五"龚自珍词"条："诗文皆不落凡近，词凡五种，存者不多。有诗云：不能古雅不幽灵，气体难跻作者庭。悔煞流传遗下女，自障纨扇过旗亭。意不以词人自居，然首句亦作者同病。"胡薇元《岁寒居词话》"清词人"条："清初词人……词采精善，美不胜收。中间先征君稚威、吴穀人、江北江、钱晓徵，均称后劲。嘉道以来，则以龚定盦、恽子居、张皋文辈为足继雅音也。"高旭《愿无尽斋诗话》将自珍与李煜、苏轼等并列为古今十大词家，题词云："难写回肠荡气，美人香草馨馨。定公是佛转世，几曾泪没心灵？"叶德辉《郋园北游文存·龚定盦年谱外纪序》："曩者光绪中叶，海内风尚《公羊》之学，后生晚进，莫不手先生文一编。其始发端于湖、湘，浸淫及于西蜀、东粤，挟其非常可怪之论，推波扬澜，极于新旧党争，而清社遂屋。论者追原祸始，颇咎先生及邵阳魏默深二人。……然至今读先生所著书，未尝不想见其怀抱之雄奇，于百千年世界之变迁，若烛照计数，了如指掌。"章炳麟《校文士》："魏源、龚自珍则所谓伪体者也。……（自珍）文词侧媚，自以为取法晚周诸子，而佻达无骨体，视晚唐皮、陆且弗逮，以校近世，犹不如唐甄《潜书》之近实，而后世信其诳耀，以为巨子，诚以舒纵易效，又多淫丽之词，中其所嗜，故少年靡然乡风。自珍之文贵于世，而文学涂地垂尽，将汉种灭亡之妖耶？"李详《拭觚》："道咸以降，涪翁派曼衍天下；又以定盦恢奇鬼怪，毁乱聪明子弟，如聚一丘之貉，篝火妄鸣，为详为制，至于亡国；声音之道，不可不正也。"（录自钱基博《现代中国文学史》）丁福保《畴隐居士学术史》："有清一代，为许、郑之学者，以江浙为最盛。刘逢禄、龚自珍、魏源、宋翔凤，倡为今文之学，撷拾西汉残缺之文，欲与许、郑争席。至康有为、廖平之徒，肆其邪说，经学晦盲而清室亦因之而屋焉。追原祸始，至今于龚、魏，犹有余痛。"梁启超《清代学术概论》二二："段玉裁外孙龚自珍，既受训诂学于段，而好今文，说经宗庄（存与）、刘（逢禄）。自珍性诙宕，不检细行，颇似法之卢骚；喜为要眇之思，其文辞俶诡连犿，当时之人弗善也。而自珍益以此自憙，往往引《公羊》义讥切时政，诋排专制；晚岁亦耽禅学，好谈名理。综自珍所学，病在不深入，所有思想，仅引其绪而止，又为瑰丽之辞所掩，意不豁达。虽然，晚清思想之解放，自珍确与有功焉。光绪间所谓新学家者，大率人人皆经过崇拜龚氏之一时期。初读《定盦文集》，若受电然，稍进乃厌其浅薄。然今文学派之开拓，实自龚氏。夏曾祐赠梁启超诗云：'瑑人（龚）申受（刘）出方耕（庄），孤绪微茫接董生（仲舒）。'此言'今文学'之渊源最分明。拟诸'正统派'，庄可比顾，龚、刘则阎、胡也。"张舜徽《清人文集别录》卷十六："自珍为文，上法诸子，奥博纵横，变化不可方物，洗净明清文士拘守八家矩矱之积习，在文体为一大改革。清自康、雍、乾三朝兴文字狱以钳士夫之口，读书识字者，始瘁心力于汲古搜奇之一途，以全身远祸。嘉道以还，禁网渐疏，士大夫乃稍稍发舒为政论，而自珍实为开风气之一人。识议新颖，有足以开拓心胸、发越志趣者。自同光以降，士子争诵其文，非偶然已。"

九月

初十日，毛岳生卒，年五十一。岳生（1791—1841）字生甫，江苏宝山人，用难荫改文学生。少孤贫，自力于学，博涉多才。有《休复居集》。姚椿《毛生甫墓志铭》："所为诗，凌厉侧出，独蹈险境，卒能返于大道。文则根本经术，泽以义法，不欲因袭陈轨。呜呼！岂非古所谓豪杰特起之士者与！"程庭鹭《休复居诗集跋》："（其诗）始由西江宗派变化杜韩，后乃自辟门径，戛然示异，入之深邃，出之坚峻。"《射鹰楼诗话》卷十一："《休复居诗集》，五言古颇似王介甫、黄鲁直一派。其《入闽》诸古诗，坚质峻整，尤据集中之胜。近体多语病。……生甫未见其人，闻其议论多怪诞者。"《清史稿·文苑三》："未弱冠，赋白雁诗，得名。亦从鼏学古文，以钩棘字句为工。"

秋

谢元淮在宝山防堵，闻镇海、定海、宁波三府县连陷，作《莺啼序》等调。（《赌棋山庄词话续编》四）按：谢元淮（1784—？）字均绪，号默卿，湖北松滋人。诸生，历官广西右江道。以助两江总督陶澍改革盐政，有名于时。约在同治初老于楚中。著有《养默山房诗稿》、《诗馀》、《散套》等，论词之作有《碎金词谱》、《填词浅说》。

十月

二十五日，冯登府（1783—1841）卒，年五十九岁。本年，英夷寇浙东，夏，登府与其友林则徐书，论守战之事。冬，宁波失陷，以忧愤卒。（史诠编《冯柳东先生年谱》）《晚晴簃诗汇》收诗二首，诗话云："说经恪守汉人家法，考证三家诗及论语异文，皆有述作。与竹垞同里，深嗜其诗，尝辑曝书亭集外逸篇，作两律纪其事。有句云：竹枝旧调删还补，桃叶闲情恨本空。不见须眉怜我晚，尚夸乡里与公同。其书今与本集并行于世。"《听秋声馆词话》卷四"冯柳东太史词又三则"云："《种芸仙馆词》，刘金门宫保赠言，谓有白石之清空，无梦窗之质实，洵非虚誉。太史精于宫调，能纠前人之误。于万氏红友尤多微辞，惟不以辨白去上为然，未免千虑之失。"《芬陀利室词话》卷一："浙派词，竹垞开其端，樊榭振其绪，频伽畅其风，皆奉石帚、玉田为圭臬，不肯进入北宋人一步，况唐人乎。冯柳东太史登府，亦其眉目也。所著有月湖秋瑟、花墩琴雅诸词，亦以姜张为宗，而旁涉中仙、草窗。……柳东词大约工于写景状物，得南宋人遗意。惟言情之作，不及频伽，正与种水词相伯仲耳。"

二十日，贝青乔在苏州入扬威将军奕经戎幕。旋随至浙中，直至中英和议成，以一年间军中闻见成《咄咄吟》诗二卷。自序云："军旅之中，听睹所及，有足长胆识者，暇辄纪以诗。积久得若干首，加以小注，略述原委，分为二卷，题曰《咄咄吟》，言怪事也。今军务既竣矣，回忆前事，历历具在，其果可解也耶，抑不可解也耶？姑笔诸书，以俟夫后之解之者。"卷末自跋附《述怀绝句》五首，有句云："傥教诗狱乌台起，臣轼何妨窜海南。"按：贝青乔（1810—1863）字子木，号无咎，又号木居士，江苏吴县人。诸生。道光初尝入苏抚林则徐幕。鸦片战争起，入扬威将军奕经幕，尝亲率乡勇前敌。后遍游黔滇各省，迄无所遇。咸丰末，太平军陷杭州，母子相失，青乔出没死生，寻母不获，引为深憾。不得已，就直隶总督刘长佑之聘北上，卒于途。青乔长于诗，尝从朱绶问诗法，与同时叶廷琯、张鸿基为友。著有《咄咄吟》二卷、《半行庵诗存稿》八卷。

十一月

梁章钜辞官归里。先是，二月调授江苏巡抚，七月莅任，即带兵赴上海县防堵英军。至是疾作，即专折陈请开缺调理。又本年撰《巧对录》四卷成。（《退庵自订年谱》）

许秋垞自序《闻见异辞》。是书二卷，多载旧闻怪异之事，序云：“所谓补谈资，昭劝惩，消炎暑，居斗室以犁许田，遣闲情以却睡魔而已。”许秋垞，号绿筠居士，浙江海宁人。此书有《笔记小说大观》本，《申报馆丛书》本作四卷。

本年

清筠馆刊出吴荣光撰《石云山人集》。此集三十四卷，有潘世恩序。按：吴荣光（1773—1843）字殿垣，又字伯荣，号荷屋，晚号石云山人，广东南海人。嘉庆四年进士，改庶吉士，授编修。历官贵州布政使，署湖广总督。长于金石之学，诸文多钟鼎题跋考释之作。所著《石云山人集》内文集五卷、奏议六卷、诗集二十三卷。

至成堂刊出才子佳人小说《梅兰佳话》四卷四十段。题“阿阁主人著”，阿阁主人即曹梧冈，生平不详。叙才子梅如玉及佳人兰漪漪等情事。

汤贻汾在金陵与同人唱和。据《汤贞愍公年谱》，是数年中，与孙麟趾、潘谘等交往颇密，本年“作咏史诗十六首，多愤时感事之语，盖其时与英人失和，海氛日逼也”。按：潘谘（？—1853）字海叔，号少白，浙江会稽人。以布衣而名播朝野，擅诗文，工山水，有《潘少白集》。孙麟趾（？—1860）字清瑞，号月坡，江苏长洲人。诸生。约生于乾隆末年，幕游数十年，客金陵西江最久，晚归里，卖文易粟，取供朝夕，逢兵乱，憔悴以卒。以词名道咸间，刻所著词凡十余种，晚年尝选所作为《零珠》、《碎玉》两编刻之，另有《词迳》一卷等。辑有《七家词选》、《绝妙近词》。

彭泰来作《感事》六首记英人入侵事。本年后，泰来存诗甚少。按：彭泰来（1790—1866）字子大，号春洲，广东高要人，嘉庆癸酉拔贡，少为曾燠所赏，与粤东黄培芳、谭敬昭等为友，著《诗义堂后集》六卷，《昨梦斋文集》四卷等。（据李光廷编《彭春洲先生诗谱》）

陈文述选《碧城诗髓》。自序云：“余弱冠学诗，迄今将五十年，数逾万首。”所选《碧城诗髓》八卷、《补》二卷、《题跋》二卷及《春明新咏》二卷、《芍药诗》一卷，有明年刻本。按：陈文述（1771—1845）字文伯，一字隽甫，号退庵，又号碧城外史、颐道居士等，浙江钱塘人。嘉庆五年举人，历官江苏江都知县。少有诗名，与族兄鸿寿有二陈之目。为阮元入室弟子，随元游京师浙江之间。居京师，与杨芳灿齐名。既官江南，诗名益播。风流自喜，继袁枚之后，广收女弟子，吴越名媛十数辈，皆在诗弟子之列。其诗初名《碧城仙馆诗钞》，后重加删定，改名《颐道堂集》，均有多种刻本，盖每刻俱有增益。其单行别本亦众，有《颐道堂诗选》、《颐道堂戎后诗存》、《秣陵集》、《西泠怀古集》、《西泠仙咏》、《西泠闺咏》、《玉天仙梵》等。文有《颐道堂文钞》十三卷。（今按：陈文述卒年，多记为 1843 年，而陆莹《问花楼诗话》有陈文述序，署"道光甲辰冬，钱塘陈文述云伯拜题"。故据《清代人物大事纪年》，定为1845 年。）

吴清鹏删其诗之半，属梅曾亮为之审定并序。（《柏枧山房文集》卷六《吴笏庵诗集序》）按：吴清鹏（1786—?）字程九，号西糓，又号笏庵，浙江钱塘人，锡麒次子。嘉庆二十一年一甲三名进士，授编修，官至顺天府丞。中年辞官，主讲扬州安定书院。所撰《笏庵诗钞》陆续付梓，后增为二十四卷，有同治间刊本。

潘曾沂在吴县里居。潘仪凤《小浮山人年谱》：林则徐伊犁之行，有诗唱和。则徐与曾沂为宣南诗社同人。"书札往还，诗篇唱和，不下万言，林文忠公作《江山风月集》序，仰府君若天师"。又，得黄蓼花，属戈载、潘遵祁等合写《黄蓼花图》。按：潘曾沂（1792—1853）字功甫，号小浮山人，江苏吴县人，潘世恩长子。嘉庆二十一年丙子举人，官内阁中书。赋性澹远，中岁即归里，究心三乘宗旨。能诗文，道光初在京师入宣南诗社，诗集有《功甫小集》等多种，另有《东津馆文集》三卷、《船庵词》一卷等。潘遵祁（1808—1892）字觉夫，一字顺之，号西圃，江苏吴县人。曾沂族弟。道光二十五年进士，授编修，年四十即归田不出。著有《西圃集》。

毛国翰年七十，应裕泰之招，薄游江汉，为节署塾师。（据《晚晴簃诗汇》卷一百四十）按：毛国翰（1772—1846）字大宗，号青垣，又号青原，湖南长沙人，诸生。乡试屡黜，遂屏居长沙城北之麋湖口，肆力于诗。与鄞县沈道宽为文字交，尝募赀为道宽偿亏帑，使道宽得以复官，人咸称其义。著有《麋园诗钞》八卷等。

汪喜孙集其从政论学及考证文字为《从政录》四卷。按：汪喜孙（1786—1847）初名喜孙，后改喜荀，字孟慈，号荀叔，别署且住庵，江苏甘泉人。汪中子，少孤。嘉庆十二年举人，官至河南怀庆府知府。颇用心于表章家学，传刻其父汪中著述不遗余力。自著有《国朝名臣言行录》、《且住庵文稿》、《且住庵诗稿》等书，生前多未刊刻。今人辑有《汪喜孙著作集》。

黄本骥《月沛园诗钞》三卷刊刻。本骥（1780—1856）字仲良，号虎痴，湖南宁乡人。道光元年举人，官黔阳教谕。与兄本骐俱有名于时。擅长金石考古，以藏秦汉金石、古琴、周秦刀布为乐，故以三长物名其斋，著述颇丰，诗文后编为《三长物斋诗略》、《文略》。《清史列传·文苑传》有传。（生卒年据《清人诗文集总目提要》）

郑珍、莫友芝主撰《遵义府志》告成。按：郑珍（1806—1864）字子尹，号柴翁、巢经巢主等，别署且同亭长，贵州遵义人。道光十七年举人，官荔波教谕，特用知县。珍出身寒素，幼从舅氏黎恂学，后受知于贵州学政程恩泽，讲求音韵之学。恩泽调任湖南，珍亦从之，结识湘中欧阳辂、邓显鹤，以诗相切劘。道光八年归里，从遵义府学教授莫与俦学，益致力于经学，交莫友芝。二十四年，大挑以教职用。同治初，祁嶲藻荐之于朝，特旨以知县用，以疾未赴，逾年病卒。珍通经学小学，尤工诗，论者以为合学人、诗人之诗而一之，为道咸以来诗家一变局。著有《巢经巢文集》、《巢经巢诗钞前集》、《诗钞后集》等，与其他说经考据之作，合为《巢经巢全集》。莫友芝（1811—1871）字子偲，号郘亭，晚号眲叟，贵州独山人。父与俦，以朴学名于世。友芝幼承家学，精于名物训诂、金石目录之学，工书法，善诗文。道光十一年中举，屡赴会试不第。其后入胡林翼、曾国藩、李鸿章幕，游历东南山水名胜，声名益远。友芝能诗，与郑珍齐名，世称郑莫。著有《郘亭诗钞》六卷、《郘亭遗文》八卷、《影山词》二卷、《过庭碎录》十二卷等。（据赵恺编《郑子尹先生年谱》）

陈钟麟自定《自在轩吟稿》。按：陈钟麟（1763—?）字肇嘉，号厚甫，江苏元和人，嘉庆四年进士，历官户部主事、浙江杭嘉湖道。所著《红楼梦传奇》，有名于世。所撰《陈厚甫稿》一卷《续稿》一卷，皆解经之作。（据柯愈春著《清人诗文集总目提要》）

王轩《黄叶书屋诗草》成。轩时年十九岁，诗存稿即始于是年。按：王轩（1823—1887）字霞举，号青田，山西洪洞县人。同治元年进士。少志亭林之学，复取顾言顾行语，取号顾斋。官京师日，与冯志沂、许宗衡、董文涣等交密。归里后，主晋阳、令德等书院。著有《穄经庐诗集》、《文集》等。（杨思溥编《顾斋简谱》）

熊少牧始刊其集《读书延年堂集》。此集六十一卷，内《诗钞》三十卷、《诗馀》一卷、《诗续集》十二卷、《文钞》十卷、《赋存》一卷、《骈体文存》二卷、《补存文钞》一卷、《试帖辑注》四卷，本年至光绪三年泂泉草堂刻。按：熊少牧（1794—1878）字书年，号雨胪，湖南长沙人，道光乙未举人，丙申进士，官内阁中书。（据《清人诗文集总目提要》）

欧阳辂卒，年七十五。辂（1767—1841）初名绍洛，字念祖，一字碉东，湖南新化人。乾隆五十九年举人。少与同县邓显鹤以诗学相砥砺，后屡试春官不第，遂游历南北，所至倾动，与法式善、曾燠等俱有唱和。晚年躬耕自食，奉母以终。著有《碉东诗钞》。王先谦《欧阳碉东先生传》："其诗灏气流转，含章内映，精思壮采，抟结无迹。然持律矜严。尝言作诗务苦吟，戒自恕，或屡改而不安，则竟削之。又云作诗当自写其胸中之天，不期而与古合，所谓非有受于人，忽自得之。……与宝山毛岳生、东乡吴嵩梁相知善。嵩梁诗才罕匹，尝谓人曰：'仆畏碉东，不敢与敌也。'临川乐钧未识辂，寄赠以诗。钱塘吴清鹏以诗求论定，称辂为韩、苏而后一人。……辂于诗，穷极幽微……析其毫厘，多人所未发，同邑举人李洽笔存之，为《夜谈追录》二卷。"《碉东诗钞序》："当嘉、道之际，吾楚以诗鸣资、邵间者，邓湘皋、欧阳碉东两先生也。湘皋年少于碉东，而推服其诗甚至。曾文正作湘皋墓表，称两先生以诗相厉，剖晰豪厘，至于书问三反，窒极得通，则互慰大欢。其专精如此，故两先生诗最有名。然湘皋阐扬先达，奖宠后进，交与遍天下；而碉东峻墙宇，少许可，中岁杜门不出，为人通介绝殊。故邓先生声问滋章，而非吾楚人罕称述欧阳先生者。光绪中，国史馆续修《儒林文苑传》，吾友缪筱珊编修董其事……而筱珊未见先生之诗，亦实不知有先生其人，盖湖外文章声气之暌绝久矣。"《晚晴簃诗汇》卷一百九收其诗十五首，诗话云："碉东在嘉道间与同郡邓湘皋学博俱以诗鸣，陶文毅尤推重之。"

叶绍本卒。绍本（1768—1841）字立人，一字仁甫，号笴潭、白蘋亭长、白鹤山房等，浙江归安人。嘉庆六年进士，改庶吉士，授编修。历官山西布政使，降鸿胪寺卿。著有《白鹤山房诗钞》、《词钞》等。《晚晴簃诗汇》卷一百十六收其诗六首，诗话云："仁甫尝从钱竹汀游，为诗恪守师训，不事险怪绮靡，以雄深雅健为宗，故能力追大家，气象宏博。其论诗绝句云：'何李诗篇哂未休，纷纷撼树总蚍蜉。蓬头挛耳登徒妇，翻妒东家眉黛修。''白雪楼高气自清，弇州健笔亦纵横。凭君莫信虞山语，浪子前朝本窃名。'鲍觉生谓其崇李何之正轨，黜虞山之邪说，诚为知言。"（生卒年据江庆柏《清代人物生卒年表》）

杨燮生卒，年六十一。燮生（1781—1841）初名承宪，字伯燮，号浣芗，江苏金匮人。芳灿长子。国学生，官顺天蓟州知州。与袁通、袁棠交厚。工填词，著有《真松阁集》二卷、《真松阁词》六卷等。方廷瑚《真松阁词序》："伯燮刺史为先生（今按：芳灿）冢嗣，早岁敦敏嗜学，青缃劬好，含咀道腴，平生著述，尤工倚声。守其家钵，更陶冶于唐宋诸名家，而撷其精华，抒以妙笔，江南北一时称宗匠焉。……余窃谓北宋词人，不袭南唐之貌，而或失之过刚，南宋则力矫刚劲险率之弊，而常流于纤腻。过犹不及，君子疑之。《真松阁词》六卷，譬之于文，殆合江鲍徐庾为一炉之冶，古艳以树骨，悱恻以寓情，酝郁以铸词，抑扬感慨以寄意，掩群雅而成专家。传世行远，又奚疑哉？"陈乃乾《清名家词》小传："数主白下之随园，时郭麐盛有词名，燮生复从游，故作风与之相近。奉姜张为圭臬，亦可见当时风气也。"

孔庆镕卒。庆镕（1787—1841）字陶甫，一字冶山，山东曲阜人。孔子七十三世孙，袭衍圣公，毕沅婿。工诗善书，著有《铁山园诗集》十二卷。《清史稿·儒林传》有传。谢堃《序》："近体诗多深情之作，其古诗、新乐府、乐府诸作，专以气行。"

唐景崧生。景崧（1841—1903）字维卿，又作薇卿，广西灌阳人。咸丰十一年乡试解元，同治四年进士，选庶吉士，散馆改吏部主事。光绪八年请缨赴安南，协同刘永福抗击法人。以功晋台湾道道员，后升为台湾布政使，署理台湾巡抚。甲午后，弃台内渡，寓居桂林，郁郁以终。景崧少好艺事，驻台北时尝与文士结牡丹诗社，辑同人唱和之作为《诗畸》。自著有《请缨日记》、《寄闲吟馆诗存》等。（生卒年据《清代人物生卒年表》）

朱庭珍生。庭珍（1841—1903）字筱园，一字晓园，云南石屏人。少好诗文，光绪中尝与邑中同人结莲湖吟社。著有《筱园诗话》四卷、《穆青堂诗》三卷。

刘清韵生。清韵（1841—1916）字古香，小字观音。江苏海州人，溧阳钱梅坡室。工诗词，兼擅书画，尤喜作传奇，著有二十四种。后遭洪灾，仅存十种，汇为《小蓬莱仙馆传奇》。另有《小蓬莱仙馆诗钞》一卷，散曲《小蓬莱仙馆曲稿》一卷，《瓣香阁词》一卷、补遗一卷。

曹秉哲（1841—1891）字吉三，广东番禺人。同治四年进士，改庶吉士，授编修，历官山东按察使。著有《紫荆吟馆诗集》。（生卒年据江庆柏编著《清代人物生卒年表》）

高澍然卒。澍然（1774—1841）字时雨，号雨农，福建光泽人。嘉庆六年举人，授内阁中书，寻以病告归。精研经传，尤长《春秋》。曾与陈寿祺同修《福建通志》。撰有《抑快轩集》。陈善富《序》："其为文不矜才辩，不尚奇，而自露其清微淡远之旨、淳茂渊雅之气。"谢章铤《赌棋山庄集·课余续录》："其文以养胜，其体洁，其气粹，平淡出之，令人有悠然不已之思。"《清史列传·文苑传三》："四十六岁以前文，皆请（张）绅删定，其为文体洁而气粹，不以张皇为工，致力韩文，出入必挟以行，而所得和易，乃近欧曾，于近人盛称朱仕琇。论者谓仕琇以外入，澍然以内出，其于本原殆高云。"《清史稿·文苑二》："福建古文之学自（朱）仕琇。其后再传有高澍然……名不如仕琇，要其自得之趣，有不求人知能自树立者。"

公元 1842 年（道光二十二年　壬寅）

正月

十三日，张岳崧卒，年七十。岳崧（1773—1842）字子骏，一字翰山，号瀚山，广东定安人。嘉庆十四年一甲三名进士，官至湖北布政使。工书善画，亦能诗文，著有《筠心堂集》十七卷，道光二十四年刻。《晚晴簃诗汇》卷一百二十一收其诗四首。

三十日，台湾兵备道姚莹等率军民歼英船于大安港。按：姚莹（1785—1853）字石甫，号明叔，晚号展和，又以十幸名斋，自号幸翁，安徽桐城人。姚鼐侄孙。嘉庆十三年进士，官至广西按察使。有志节，著述弘富，有《中复堂全集》。（据姚濬昌编《姚石甫先生年谱》）

鸦片战争仍进行中。奕经在浙江指挥军事，清军溃败。

二月

清廷仍命林则徐戍伊犁。

梁章钜寓居扬州，晤阮元等。

三月

红梅山房于本月或稍迟刊出才子佳人小说《白鱼亭》八卷六十回。题"趣园野史黄小溪撰述"，书首作者本月自序云："思有以醒天下人之耳目，悦天下人之性情，非积善感应之事不可，非词俗语俚之笔尤不可，故将生平所见所闻，撰述成书，颜其名曰《白鱼亭》。"黄瀚，字小溪，号趣园野史，珊城人，为不得志之书生，曾以教馆为业。

春

陈澧以木棉花盛开，邀张维屏、梁廷枏、谭莹、许玉彬等集学海堂，有诗。（《陈东塾先生年谱》）

四月

下旬，《精神降鬼传》四卷八回刊出。作者署"惺惺居士"，石姓，人称石翁，平阴人。是书为寓言小说，书首《序》称，"人世梦梦，日驰逐于声色货利之场，而溺声色者伤其身，没货利者伤其性"，故立"我军"名色十二，以"精神"居首，复立"敌军"名色十二，为"痨病鬼"、"赌博鬼"等，叙神鬼之争以寓警世厉俗之意。

五月

英军侵入长江，抵达南京江面。

但明伦于两淮盐运使任所作《聊斋志异序》。此为但明伦评本，后喻焜评本《序》称："《聊斋》评本，前有王渔洋、何体正两家，及云湖但氏新评出，披隙导窍，当头棒喝，读者无不俯首皈依，几于家有其书矣。"

黄爵滋丁父忧去京师。（据《清史列传》本传）至明年，又以库营短亏案牵连褫职责赔。《清史稿》本传："爵滋以诗名，喜交游，每夜闭阁草奏，日骑出，遍视诸故人名士，饮酒赋诗，意气豪甚。及创议禁烟，始终主战，一时以为清流眉目。"孙衣言撰《黄公行状》："公自少以诗名，入翰林为御史，诗益工，与歙徐编修宝善以诗提唱后进，而与建宁张际亮、山阳潘德舆论诗尤相得，一时言诗者争辖。……四方士以诗谒公，公必为置酒召客，出其诗遍视坐上人。数日姓名传都下。公去官十余年，四方士负才名至京师者，以不及公为憾也。"按：黄爵滋（1793—1853）字德成，号树斋，江西宜黄人。道光三年进士，历官刑部侍郎。官御史，敢言事，为清流领袖。十八年，上《请塞漏卮以培国本疏》，力主严禁鸦片，其疏天下盛传。著有《仙屏书屋集》。

六月

初十日，瞿中溶卒。（《瞿木夫先生自订年谱》）中溶（1769—1842）字镜涛，一字安槎，号木夫，又号苌生、木居士，江苏嘉定人。钱大昕婿。嘉庆十九年举人。博综群籍，尤邃金石之学，兼长音韵。工书画，能诗文，著有《奕载堂文集》、《古泉山馆诗》。《清史稿·文苑传》有传。《晚晴簃诗汇》卷一百十五收其诗三首，诗话云："木夫博览群书，尤深于金石之学，收藏甚富。以末秩官湘中，搜访石刻，足迹遍于穷乡，海内之嗜金石者，多与之交，驰书商析，几无虚日。"

十六日，李文瀚于杜亭官廨自序《紫荆花》传奇。是剧叙书生理珠与凌玉娘爱情故事，并叙理珠兄死而复生事，盖为纪念其亡弟洙泉而作，故《凡例》谓："剧名《紫荆花》，取紫荆花下宜兄弟之意。"据序知此剧始作于道光十八年，至二十一年成，本年味尘轩刊出，为《味尘轩四种曲》之一。李文瀚（1805—1856）字云生，号莲舫，又号讯镜词人，安徽宣城人。道光八年举人，历官嘉定知府。文瀚少以诗古文词名，周仪晰识之诸生中，以女妻之，在官喜延揽后进，多有惠政。著有《味尘轩文集》四卷、《诗集》二十四卷、《乐府》二卷、《词》二卷等，又有《味尘轩传奇》四种行世。（据冯桂芬《四川候补道嘉定府知府李君墓志铭》）

十七日，郑观应生。郑观应（1842—1922），本名官应，又名观应，字正翔，号陶斋，别署杞忧生等，广东香山人。少攻儒业，后应童子试不第，遂赴沪学习商业及英语，并研究西方政治、实业。先后刊行《救时揭要》、《易言》、《盛世危言》等，影响近代维新事业甚巨。另有《罗浮偫鹤山人诗草》等，今人编为《郑观应集》。（生年据

夏东元著《郑观应传》增订本）

斌良成《三使均齐集》。 斌良是年五十九岁，在太仆寺卿任上，奉旨赴察哈尔均齐马群，六月初还京，有是集。斌良（1784—1847）字备卿，又字笠耕，瓜尔佳氏，满洲正红旗人。闽浙总督玉德子，以荫生历官刑部侍郎、驻藏大臣。善为诗，以一官为一集，得八千首，其弟法良汇刊为《抱冲斋全集》。《清史稿·文苑传》有传。（法良编《先仲兄少司寇年谱》）

胡敬编定《诂经精舍文续集》八卷梓之。 是集为浙十一郡名士入精舍肄业者所为历课词赋。至明年二月，又续刻崇文书院词赋课。时胡敬主杭州书院讲席。（《书农府君年谱》）按：胡敬（1769—1845）字以庄，号书农，浙江仁和人。嘉庆十年进士，改庶吉士，授编修。历官侍讲学士，充武英殿文颖馆纂修官，《全唐文》、《明鉴》总纂官。晚主杭州书院。撰有《崇雅堂集》。

七月

初一日，王先谦生。 先谦（1842—1917）字益吾，晚号葵园，湖南长沙人。同治四年进士，选庶吉士，授编修，历官祭酒，加内阁学士衔。回籍后主讲长沙思贤讲舍及城南、岳麓书院。先谦历典云南、江西、浙江乡试，搜罗人才，不遗余力。勤于校刻文献，督学江苏，设南菁书局，刊《皇清经解续编》、《南菁书院丛书》，又辑《续古文辞类纂》、《骈文类钞》等刊之湘中。所著有《虚受堂文集》、《虚受堂诗存》、《虚受堂书札》及《庄子集解》、《荀子集解》、《汉书补注》等书，《清史稿·儒林传》有传。

六日，林则徐自西安登程赴伊犁戍所，有《赴戍登程口占示家人》诗。 《射鹰楼诗话》卷二："'苟利国家生死以，岂因祸福避趋之。'……文忠公矢志公忠，乃心王室，故二句诗常不去口。……二诗（编者注：'出门一笑莫心哀'、'力微任重久神疲'二诗）婉而多讽，怨而不怒，可称风雅。"又卷一："遣戍伊犁，《出嘉峪关》诗，风格高壮，音调凄清，读之令人唾壶击碎。然怨而不怒，得诗人温柔敦厚之旨。""其在戍所，为诗不作牢骚之概。"《定盦诗话》卷下："（则徐）律诗工切忱爽。其戍边之作，则劲气直达，音节高朗，最近有明七子。"按：则徐二月自祥符工次遣戍，冬抵戍所，途中与叶申芗、潘曾沂、姚椿、王柏心、宗稷辰等有赠答之诗。

二十四日庚午（8月29日），《南京条约》签订。 《清史稿·邦交志一》："英人要求各款：一，索烟价、商欠、兵费银二千一百万；一，索香港为市埠，并通商广州、福州、厦门、宁波、上海五口；一，英官与中国官用敌体礼；余则划抵关税、释放汉奸等款，末请钤用国宝。……奏上，许之。……是为白门条约。自此烟禁遂大开矣。"

第一次鸦片战争中及战后数年，各地人士所作诗文极夥。 林昌彝《射鹰楼诗话》前三卷及末卷（第二十四卷），武进谢兰生所辑《思忠录》，郭则沄《十朝诗乘》卷十五，近人阿英所辑《鸦片战争文学集》（含第二次鸦片战争），广东省文史馆编《三元里人民抗英斗争史料》，俱收有此期作品。阿英《鸦片战争文学集》前言谓："此役作品，虽未能如吾侪所理想之丰富，然朝势之不整，意见之纷纭，忠义被劾遣戍，群奸之媚外屈膝，以至民众之愤慨，义师之群起，反帝国主义活动之激烈，几无一不见于毫楮之间。是对于此一时期文学之考察，不仅得以知当时文学之发展，朝野之大势，即清廷之终将覆灭，国族因民众之力而必致复兴，亦可得见其大概。"兹略录若干。《射鹰楼诗话》所载如下。朱琦，卷一载："英逆之变，各海口死节及殉难诸君，可称忠勇。余友桂林朱伯韩侍御，皆有诗以记之，表扬忠节，感泣鬼神。"《诗话》列有《关将军挽歌》、《书林把总志事》、《吴淞陈老将军化成歌》等。"侍御《感事》诗（鸦烟入中国）及《王刚节公家传书后》（皇帝廿一载），为集中大篇。退之《书张中丞传后》、子厚《书段太尉逸事》，为马、班以还仅见之奇，宋、元以后治古文词者，无此巨制，不意于韵语中复睹雄笔。"同卷，吴县张鸿基著《有感》及《读史》、《吟史》诸作，"愤时感事，悲天悯人，恻然心伤，深抱当世忧患，所谓古之伤心人也。诗境如悲笳吹月，哀雁呼霜；又如百战健儿，所向无敌。茂才故酒狂，目击疮痍，慷慨悲歌，几于一字一泪"。卷二，孙鼎臣撰《官兵行》叙官兵之害："海口不靖以来，定海、宁波妇女被毒最惨。……然各海口官兵之害，犹之逆夷。""其《送张蕉泉游金陵序》一篇，囊括金陵历朝掌故，伤今吊古，视庾子山《哀江南赋》不是过也。"同卷，载张维屏"目击英逆之变，懋然有忧。故《三元里》及《三将军歌》、《越台》、《江海》、《书愤》诸诗，有据鞍顾盼之概"。《十朝诗乘》卷十五载，朱琦《纪闻》诗、姚莹《答张阮林京师寄诗》、梅曾亮《赠亨甫》、邓廷桢《换巢鸾凤》词、何栻《书感》诗等。又，反映鸦片战争作品此期仅见诗文之作，戏剧、小说作品约在甲午后始涌现。

李文瀚自序《胭脂舄传奇》。是剧二卷十六出，剧情本蒲松龄《聊斋志异·胭脂》，演其乡先辈施闰章提学山左，平反书生鄂秋隼与少女胭脂冤狱事。有自序及许丽京、周赓盛诸序。本年味尘轩刊出，为《味尘轩四种曲》之一。周赓盛《序》："竹肉既翕，情文益永。"张姑《末评》："通读全部，笔墨陶镕，毫无斧凿之痕。选词布格，脱尽恒蹊。说白插科，皆臻妙境。何止压倒笠翁，直欲追步尤、夏、汤、蒋诸公也。"吴梅《胭脂舄跋》："科白尚合，词曲则大谬。宫调既紊，套数亦乱。北词中句法，尤为不符图谱。读竟，绝无可取处。"

魏源自序《圣武记》。魏耆《邵阳魏府君事略》："二十二年，英夷犯海疆，江浙震动。钦差大臣长白裕公谦，督防浙江防剿，延致幕府。数月辞归。裕公阵殁后，抚议遂成，有感而著《圣武记》。"又，本年成《海国图志》初稿五十卷。此书系魏源受林则徐之托，并据林则徐所主持编译西方史地资料《四洲志》及其他文献而成，道光二十七年扩充成六十卷，咸丰二年增补成一百卷，自序称此书为"师夷长技以制夷"而作。姚永朴《魏默深先生传》："自明末泰西人利马窦、艾儒略撰《坤舆图说》、《职方外纪》，吾国人始谈西洋地理。其后南怀仁、蒋友仁复有地球全图之作。林文忠公在粤东亦译《四洲志》。先生因之辑《海国图志》。虽近年来晚出之书或益翔实，然创为之者之艰何如哉！"

九月

朝命以李星沅为陕西巡抚。

何梦梅自序《大明正德皇游江南传》小说。此书七卷四十五回，本年刊出。后有道光二十九年坊刻小本，改题《梁太师江南访主》，二十四回，为此书简本。书采当时平话成书，叙正德帝出游江南事。

十月

方东树自定《考槃集文录》十二卷并序之。按：自定录文二百三十九首，同治六年从弟宗诚选刻九十九首，仍为十二卷，更名为《仪卫轩文集》。又，本年著《猎较正簿》一卷，论科举八比时文之源流得失；作《病榻罪言》，极论制夷之策，遣人上之浙江军门。（《方仪卫先生年谱》）

秋

姚燮里居，作《哀江南诗五叠秋兴韵八章》。是年诗作，涉及浙东兵事者仍夥。

十一月

吴荣光辑《筠清馆金石录》金文款识类五卷刻成。（《荷屋府君年谱》）

十二月

十七，黎恺卒，年五十五。黎恺（1788—1843）字雨耕，晚自号石头山人，贵州遵义人。道光五年举人，补贵阳府开州训导。父安理，兄恂，俱能诗文。子庶昌，能光大家学。恺博涉多通，以孝友闻，著有《近溪山房诗钞》三卷、《石头山人词钞》一卷等。

冬

邵懿辰始交汤鹏。懿辰《汤海秋哀辞》谓，道光十二年懿辰始至京师，"见书肆间市汤海秋时文，善琱绘物情而举以大气，其源似出于方氏"；及二十年，"询诸朋侪，则曰海秋诗若文，今所为不及先时之尔雅，岂宦成志得不矜心而出之乎？"至是，"偕其乡人曾涤生偶过君，一见语合，会日暮，遮留置酒，欢若故交。……而君顾自诡，高语周秦，广众中曲诋司马迁、韩愈以张其说，人或觝，不服，辄出所为《浮邱子》俾读。……尝见谓曰：子文笔天出，慎无徇世所谓八家者。余谨谢曰：生平但识归熙甫、方灵皋，犹病未能，敢望八家乎？然君虽放言多论，特以镇流俗之人。至于文章径涂，出入体制，佳恶自了然于心。……晚交上元梅伯言、马平王定甫。梅君老矣，尝及姚郎中之门；定甫后出，所为文皆八家之流。而既君之没，卒状君行者定甫，而伯言实志其墓焉"。

本年

沈涛在广平府刊出《十经斋文集》、《柴辟亭诗集》各四卷。

朱琦撰《小万卷斋集》七十二卷自道光六年至本年刻成。琦自道光初乞养归，"前后主钟山暨正谊、紫阳书院二十五年，遂不复出。公以词坛耆宿，主持风会，后进瞻之若山斗"。（李元度《朱兰坡先生传》）按：朱琦（1769—1850）字玉存，号兰坡，安徽泾县人。嘉庆七年进士，选翰林院庶吉士，授编修，历官右赞善。琦用文学起家，历清要，叠司文柄，所至皆得士。在吴中结问梅诗社，复与陶澍、梁章钜等唱和，称沧浪七友。自著《小万卷斋集》，辑《国朝古文汇钞》初集百七十二卷、二集百卷及《国朝诂经文钞》七十卷。

蒋氏洗心玩易之室活字本刊印蒋彤撰《丹棱文钞》四卷。彤字丹棱，江苏阳湖人，李兆洛弟子。

郑献甫撰《鸿爪初续》、《再续》、《三续》各一卷刊刻。献甫（1801—1872）原名存纻，字献甫，以字行，别字小谷，广西象州人。道光十五年进士，授刑部主事。旋乞养归，历掌象州、庆远、桂林等书院讲席。太平军起广西，乃避走广州，主越华书院，与陈澧等交。晚归象州，为象台书院山长。献甫工诗文，与朱琦、王拯等并为粤西大家，所撰骈、散体文有《补学轩文集》及《续编》，诗有《补学轩诗集》及《续刊》。

邓廷桢在伊犁戍所与林则徐唱和。邓邦康编《邓尚书年谱》："公在伊犁，林文忠公亦奉旨遣戍，两公自会办夷务以来，相依如家人骨肉，至是感慨时事，流连景光，常有诗词相唱和。"

张维屏仍寓同里东园，辑《史镜》，改刻诗集。又，《国朝诗人征略》二编六十四卷，中缺九卷，广东超华斋刊出。（注：《征略》二编刊刻时间据张彭寅著《新订清人诗学总目》。据《张南山先生年谱撮略》，迟至道光二十九年维屏仍在辑此二编，则此编当为陆续付刻。）

张澍在西安刻成《养素堂诗集》二十六卷。明年，嘉兴钱仪吉为序："介侯之才，囊括千古，其气一世无所屈，凌纸勃发，多为俗目骇怪，或以唐宋格律绳之，辄不得，以为疑。予独见其有望古遥集，湛深幽抑之思，与夫奥峭诙荡之风致，吴歈越讴，怆凄窈眇之音节，盖有近于骚人之哀怨者。旧尝读其黔楚间作，怀贾悼屈，往往而然。予之得于介侯诗者在此，书以寄之。"按：张澍（1781—1847）字时霖，一字伯瀹，号介侯、介白，甘肃武威人。嘉庆四年进士，历官江南永新等县，撰述都数十种，有《养素堂诗集》、《文集》。（冯国瑞编《张介侯先生年谱》）

曾国藩在京，益致力程朱之学。《曾文正公年谱》卷一："公益致力程朱之学。同时蒙古倭仁公……等往复讨论，以实学相砥砺。其为日记，力求改过，多痛自刻责之言。"《曾文正公家书》卷一本年十二月二十日致诸弟书："现在朋友愈多，讲躬行心得，则有镜海先生、艮峰前辈、吴竹如、窦兰泉、冯树堂；穷经知道者则有吴子序、邵蕙西；讲诗文字而艺通于道者，则有何子贞；才气奔放，则有汤海秋；英气逼人，志大神静，则有黄子寿。又有王少鹤（名锡振，广西主事，年二十七，张筱浦之妹夫)、朱廉甫(名琦，广西乙未翰林)、吴莘畬(名尚志，广东人，吴抚台之世兄)、庞作人(名文寿，浙江人)，此四君者，皆闻余名而先来拜，虽所造有浅深，要皆有志之士，不甘居于庸碌者也。”

包世臣去官还山。世臣(1775—1855)字慎伯，晚号倦翁、白门倦游阁外史、小倦游阁等，世称安吴先生，安徽泾县人。嘉庆十三年举人。晚大挑知县，署江西新喻，年余被劾，归隐江宁，卖文自给。世臣早岁受知于大兴朱珪，后以究心盐漕等时务，名动公卿。书法尤精。著有《安吴四种》等。(胡韫玉编《包慎伯先生年谱》)

吴存义任云南学政。存义(1802—1868)字和甫，江苏泰兴人。道光十八年进士，改庶吉士，授编修，官至吏部侍郎，有《榴实山庄集》。

余治三十四岁，始编纂训蒙诸书。吴师澄编《余孝惠先生年谱》:“思乡塾蒙童往往读书二三载即废业，所读《神童》、《千家诗》等诗无补身心，遂仿其例别撰五言诗，名曰《发蒙必读》，不署姓氏，刻印分送……越数日，见各塾争相传写，因喜乐善有同心，而撰述之志益坚。”按:余治(1809—1874)字翼廷，号莲村，江苏无锡人。附生。曾从李兆洛游，以好义积善闻江南北，人称余善人，以宣讲功保举训导，卒后门弟子私谥孝惠。有《得一录》等。

金和成《围城纪事六咏》述英军围南京事。按:金和(1818—1885)字弓叔，号亚匏，江苏上元人。贡生。少工诗古文辞，而屡试不第。咸丰初，太平军据金陵，金和与妻弟张继庚等同谋为清军内应，谋泄事败，仅以身免，时论壮之。后仍流寓安徽、江苏等地，坐馆谋生，或委身下吏，终身不遇。著有《秋蟪吟馆诗》。

黄承吉卒。承吉(1771—1842)字谦牧，号春谷，江苏江都人。嘉庆十年进士，官广西兴安等县知县。承吉潜心汉学，与同里江藩、焦循、李钟泗等以经义相切磋，时以“江焦黄李”并称。工诗古文辞，著有《梦陔堂诗集》五十卷、《文集》十卷。《清史列传·儒林传》有传。《晚晴簃诗汇》卷一百十八收其诗五首，诗话云:“谦牧潜心汉学，通历算，能辨中西异同，尤工诗古文，诗笔力雄富，不专一派。”

汪全泰(?—1842)卒。全泰字子纯，号竹海，又号铁盂居士，江苏仪征人。嘉庆九年举人，历官浙江台州知府。与弟全德(号竹素)有大竹、小竹之目。著有《铁盂居士诗稿》。《晚晴簃诗汇》卷一百十七收其诗六首。

汪荌卒，年六十二。汪荌(1781—1842)字雅安，安徽歙县人，程鼎调继室。著有《雅安书屋诗集》、《文集》凡六卷，道光二十四年刻。《清史稿·列女传一》:“好学，通儒家言，诗文皆雅正。病将卒，为诗曰:‘秋风一叶落，余亦归荒墟。’”阮元序其诗，称其五言“质而不陋，清而不纤，粹然几于儒者之言”，“七言长句及咏史诸律则放笔为之，雄豪跌宕，迥非寒俭家所能望见”。《晚晴簃诗汇》卷一八六云:“其诗冲和澹雅，有哭亡侄孙诗，沉痛动人，世谓《祭十二郎文》后仅见之作。”

王之春生。之春(1842—1906)字爵棠，一字芍棠，别署椒生，湖南清泉人。早岁入彭玉麟幕，官至广西巡抚。以通洋务称，能诗文，被目能以文人兼武事者。著有《椒生诗草》、《椒生笔记》等。

公元 1843 年（道光二十三年　癸卯）

正月

梁章鉅撰《制义丛话》二十四卷成，朱琦为之序。又，夏成《楹联续话》四卷。

钱泳序支丰宜所编《曲目新编》。此书本年刊出，卷首另有严保庸、汤贻汾、包世臣等诸家题词。支丰宜，字午亭，道光间江苏镇江人。

二月

越台词社立。许玉彬、黄玉阶等立邀陈澧、谭莹、桂文燿、叶英华、沈世良、石衡、徐灏，立社于学海堂。月必一会，觞咏为乐。凡五会，集为《越台箫谱》。（《陈东塾先生年谱》）

三月

季芝昌与考试差，宣宗嘉其能文。曾国藩《闽浙总督季公墓志铭》："宣宗嘉叹公文，以谓：他人竭蹶喘汗有不能到，汝则沛乎有余，譬之于射，汝穿杨百中矣。语毕大笑。公且感且悚，退而以'不失鹄'名其斋。"按：芝昌（1791—1861）字云书，号仙九，江苏江阴人。道光十二年一甲三名进士，授编修，官至闽浙总督。咸丰末挈家北渡避兵，卒。后追谥文敏。以文学受知于宣宗，有《丹魁堂诗集》。

姚莹复陆墡书。先是，陆墡请姚莹为其集作序，意在取义论文，姚莹复书称墡"天才既美，读书复多"，以为文章"大抵才、学、识三者先立其本，然后讲求于格、律、声、色、神、理、气、味八者以为其用；而尤以绝嗜欲，淡荣利，荡涤其心志，无一毫世俗之见干乎其中"。（《与陆次山论文书》）按：陆墡（1808—?）字次山，号铁园，浙江仁和人。诸生，历官汉州知州。著有《陆次山集》、《铁园集》、《铁箫词》等。

王鏊卒。鏊（1786—1843）初名仲鏊，字子兼，又字亮生，江苏吴县人。少为学使汤金钊所赏，后弃举子业，晚效南宋陈起，隐于书肆。著有《墪舟园文集》等。张履《王君亮生传》："问古文法于族兄芑孙。芑孙语以才为主而学辅之，少年作文先须尽意，故君之文辞气激发，能毕达其中之所存。……其所自为诗多怀古，七律沉郁悲壮，得少陵之遗。"

五月

洪秀全（1814—1864）创拜上帝会。

陶樑自编《红豆树馆词》八卷成，王柏心为之序。按：陶樑（1772—1857）字宁求，号凫芗，又作凫乡，江苏长洲人。嘉庆十三年进士，选庶吉士，授编修，历官太常寺卿、礼部侍郎。早有文名，从王昶游，助其纂述。通籍后尝纂修《皇清文颖》，历官所至，提倡风雅。工诗词，著有《红豆树馆诗稿》、《词稿》，集边浴礼等辑《畿辅诗传》。

夏

何绍基鸠资创建顾炎武祠于京师城西慈仁寺。绍基（1800—1873）字子贞，号东洲，晚号猿叟、蝯叟，湖南道州人。凌汉子。道光十六年进士，改庶吉士，散馆授编修，历充武英殿、国史馆协修、纂修、总纂。历典福建、广东、贵州乡试。出为四川学政，以条陈时务被斥，遂绝意仕进。历主济南泺源、长沙城南书院。晚游吴越，卒于苏州。绍基少承家学，博通群籍，学宗许郑而不废性理，治经史，精小学，长于考订名物制度，旁及金石碑版律算。书法尤为世所重。著有《东洲草堂诗钞》、《文钞》、《诗馀》等。《清史稿·文苑传》有传。（注：生于嘉庆四年十二月初五日）

七月

邓廷桢奉旨自伊犁戍所释回，林则徐有诗送行。

张际亮随姚莹入京。先是，姚莹在台湾道任上俘英军，斩之，及和议成，英人诬称姚莹所俘英军为难民，总督怡良等亦嫉其功，遂以冒功之罪逮问。七月至清江浦，张际亮偕其北上，"亨甫谓事若不测，将鸣台谏求昭雪"。（《姚石甫先生年谱》）

闰七月

初四日，吴荣光（1773—1843）卒于桂林寓所。上月，所著《历代名人年谱》告成。（《荷屋府君年谱》）《晚晴簃诗汇》卷一百十三收其诗十首，诗话云："荷屋为岭南名硕，于金石书画鉴别最精，其诗纪事述情，不规规摹仿前人。潘文恭序其集云：风雅一律，忠孝备于人伦；经济万言，忧乐先于天下。足见其大概矣。"

八月

十五日乙卯（10月8日）《虎门条约》签订。

姚莹被诬入狱，寻获释。《清史稿》本传称事在九月，莹子濬昌编《姚石甫先生年谱》载事在八月："八月十三日入刑部狱，时台谏交章论救……二十五日奉旨出狱。十月奉旨以同知知州发四川。"

九月

初一日，汤鹏为庆祝姚莹出狱，宴客万柳堂。陈庆镛、苏廷魁、梅曾亮、王拯、何绍基、朱琦、马沅等与会。据梅曾亮撰《户部郎中汤君墓志铭》，曾亮、汤鹏始相识。朱琦有《癸卯九月朔日集万柳堂宴姚石甫丈席间话台湾事慨然有作在坐者为陈颂南苏赓堂两侍御梅伯言马湘帆王少鹤三农部何子贞编修主人海秋夫子及予凡九人》诗。《射鹰楼诗话》卷二："此诗与《感事》及《王刚节公家传书后》诸篇，如长江大河，鱼龙百变，足以雄视古今。少陵《北征》及《自京赴奉先县咏怀》而外，少与比肩。其规矩法度，虽以杜家长龥，不能攻其一字也。"按：汤鹏（1801—1844）字海秋，湖南益阳人。道光三年进士，历官户部郎中。初以制艺名于时，后致力于诗。居京师，与龚自珍、魏源、张际亮等纵横议论，又与黄爵滋、徐宝善、王拯等人以诗文相驱驰。著有《海秋诗集》、《浮邱子》。《清史稿·文苑传》有传。苏廷魁（1800—1878）字赓堂，一字德辅，广东高要人。道光十五年进士，改庶吉士，授编修，官至东河河道总督。鸦片战争期间适任御史，迭上疏陈军事，和议成，疏请罢黜穆彰阿，并请道光帝下诏罪己，直声震朝野，与同时朱琦、陈庆镛有台谏三直之目。著有《守柔斋诗钞》、《文钞》、《守柔斋行河草》。陈庆镛（1795—1858）字乾翔，别字颂南，福建晋江人。道光十二年进士，授户部主事，历官御史，赠光禄寺卿。生平精研汉学，亦服膺宋儒，与张穆、苗夔、何绍基等为论学之友。有《籀经堂类稿》。

二十三日，劳乃宣生于其外祖沈涛广平府任所。劳乃宣（1843—1921）字季瑄，号玉初，自号矩斋，又曰韧叟，浙江桐乡人。同治十年进士，光绪末任京师大学堂监督，宣统中官至学部副大臣。革命后隐居青岛，著文鼓吹复辟。当义和团初起，乃宣即著文证为邪教，以是知名。工诗文，尝从黄彭年等修《畿辅通志》；通音韵，欲推广简字以利于民众读书识字，有著作多种。诗文辑为《桐乡劳先生遗稿》。（《韧叟自订年谱》）

二十四日，梅植之卒。植之（1794—1843）字蕴生，自以性情近嵇康，故号嵇庵，江苏江都人。道光十九年举人。与刘文淇、刘宝楠等善，尝相约各治一经。著有《嵇庵诗集》、《文集》。刘文淇《贡士梅君墓志铭》："年十二已能为古今体诗，二十学骈丽之文，博览经史，工书善琴而所嗜尤在诗。性简傲……君诗近体主少陵，古体则导源康乐，骈文宗江鲍而参以庾徐哀艳，散行文亦雅有欧曾矩矱。"

二十六日，京中名士复集兼葭阁送姚莹出都。与会者有梅曾亮、马沅、汤鹏、王拯、何绍基、陈庆镛、苏廷魁、朱琦，各有诗为别。（《后湘续集》卷二《梅伯言马湘帆……》）

朱琦成《新铙歌》四十九章。自序谓："臣闻天下虽安，忘战必危；进不忘规，臣子之义。……臣琦窃不自揆，稽首谨述其略，被之声诗，以为后世用兵者鉴。命曰《新铙歌》。"后林昌彝《射鹰楼诗话》末卷专收此诗，并称其"不必貌似古人，而可与少陵、香山比肩接踵"。按：朱琦（1803—1861）字伯韩，一字濂甫，道光十一年解首，十五年成进士，改翰林院庶吉士，散馆授编修，迁御史。琦为人刚毅有大节，居京师为言官，以敢言闻。咸丰初，在里办理团练，叙功为候补道员。十一年，总理杭州团练局，太平军克杭州，死之。朱琦以诗文闻名当世，著有《怡志堂诗初集》、《怡志堂文初编》。

王必达、李元度乡试中式。王必达（1821—1882）字质夫，号霞轩，广西临桂人。以书生佐戎幕，初官江西，与太平军战，后迁安肃道，从左宗棠西征，俱有劳。调广东惠潮嘉道，之官道卒。有《养拙斋诗》。子鹏运，以工词著于晚清。李元度（1821—1887）字次青，一字笏庭，自号天岳山樵，晚更号超然老人，湖南平江人。大挑选授黔阳教谕。咸丰中追随曾、胡等人，有军功，官至贵州按察使，署布政使。自少以文鸣，既老于兵间，闻见开广，益雄于词。著有《国朝先正事略》六十卷、《天岳山馆文钞》六十卷、《天岳山馆诗集》十二卷等。

厦门、上海开埠。

徐鼒、张曜孙等唱和。徐鼒《敝帚斋主人年谱》："闻张仲远捷南闱，喜极，渡江往晤，座中包慎伯世臣、汤雨生贻汾两先生索观主人著述，叹曰：经生而能文章者，自洪稚存、孙渊如、张皋文、孔荸轩、刘端临、汪容甫后，如君才不多遘也。勉之。由是诸同人戏呼为江南才子。……觞咏月余而归。"据谱，徐鼒道光十六年初识张曜孙于京师，遂成挚交。按：张曜孙（1808—1863）字仲远，号昇甫，晚号复生，江苏阳湖人。张琦子。道光二十三年举人，历官湖北督粮道。能诗文，著有《谨言慎好之居诗》、《复生杂文》等，又叙录嘉庆词人为《同声集》。

秋

邓显鹤刊成所辑《沅湘耆旧集》二百卷。又明年刊刻《沅湘耆旧集前编》四十卷。邓显鹤（1778—1851）字子立，号湘皋，湖南新化人，嘉庆九年举人，大挑官宁乡县训导。留意湘湖乡邦文献，辑刻《船山遗书》，成《资江耆旧集》、《沅湘耆旧集》等，为人所称。独力私撰道光《宝庆府志》、《武冈州志》，最称精审。擅诗文，与同县欧阳辂探讨不倦，用力甚深。广交游，与同时显宦名士如林则徐、贺长龄、陶澍、程恩泽、姚莹、李星沅等皆有往还，何绍基、魏源、邹汉勋等曾从其问学。诗文有《南村草堂诗钞》、《文钞》等。（注：显鹤生于乾隆四十二年十二月十六日）

花月痴人自序《红楼幻梦》。二十四回，疏影斋本年刊出。书继《红楼梦》九十七回叙起，内容及主旨见于书序："宝玉贵，黛玉华，晴雯生，妙玉存，湘莲回，三姐复，鸳鸯尚在，袭人未去，诸般乐事，畅快人心，使读者解颐喷饭，无少欷歔。"花月痴人生平不详。

十月

初九日，张际亮（1800—1843）病卒于京师。张际亮诗作万余首，生前所刻《松寥》、《娄光》、《南来》、《匡庐》、《金台》、《翠眉》六种，约千四百余首。咸丰同治间，邑人孔寄吾刊刻《张亨甫全集》，收诗二十七卷，二千六百余首，文、骈体辞赋等亦残大半。同治八年，姚莹子濬昌为刻《思伯子堂诗集》三十二卷。《清史稿·文苑传》载际亮"才气磊落"，指斥曾燠以财货奔走寒士，"燠怒，毁于诸贵人，由是得狂名，试辄不利。乃遍游天下山川，穷探奇胜，以其穷愁慷慨牢落古今之意，发为诗歌，益沉雄悲壮"。姚莹《张亨甫传》："以其穷愁慷慨牢落古今之意，发为诗歌，益沉雄悲壮，至天才艳逸，情致绵邈则其本色，而亨甫之诗乃大成矣。"《晚晴簃诗汇》卷一百三十八收其诗九首，集评："陈恭甫曰：翡翠兰苕，鲸鱼碧海，足以雄视天下。黄左田曰：出入李杜，嘉道以来作者，未能或之先也。姚石甫曰：捕赤蛇，抟生象，含弄风景，出入造化。"诗话云："姚石甫因事被逮，亨甫待之淮上，从至京师，石甫旋亦昭雪出狱。其气节肝胆，有古烈士风。事多类此。梅伯言赠之诗云：尺五庄曾共杯酌，众客酣哗君落落。别来江海饱军声，诗胆轮囷压鲛鳄。新陪季布入关西，故人喜见翔金鸡。宿心虽了莫归去，好赋西京燕喜诗。"徐鼒《论诗绝句五十七首》："踏尽仙霞岭畔尘，闽南第一果何人。圭峰谢去松寥在，海月江风万古春。"《射鹰楼诗话》卷十六：
"亡友建宁张亨甫七言律诗，激壮俶诡，豪宕感切，足以继响盛、中。集中诸体，七古
而外，以此体为最。"《越缦堂读书记》："亨父极负时名，诗亦规模作家，而粗浮浅率，
毫无真诣。尔时若汤海秋、朱伯韩、姚石甫、叶润臣所作，大抵相同。时无英雄，遂
令此辈掉鞅追逐，声闻过情，良可哂也。"朱庭珍《筱园诗话》卷二："吴兰雪《香苏
山馆诗》……在近人，亦铁中铮铮，庸中矫矫者矣。同时岭南之黎二樵，江左之王惕
甫，楚南之邓湘皋、欧阳磵东，西川之张雨山，丹徒之严丽生，松江之姚春木，皆一
时才士，各有所长，海内知名，至今人多称之，先后有集刊行。然造诣均不如兰雪。
可与兰雪敌手者，惟闽中张亨甫际亮而已。又皖江有鲁通甫，徽州有齐梅麓，皆负才
名，亦不及兰雪也。以上所列，皆嘉道中天下诗家，然兰雪、亨甫为优，此平心之论，
非阿好语。"同卷："闽中近代诗人张亨甫，一代奇才，久负盛名。其集刊于近年，约
数千首，七古七律最多杰作，卓然成家。生平目空四海，于前人亦多不满，如黄仲则、
蒋心余、翁覃溪均有訾议。自谓造诣胜于诸人，视同时吴兰雪、梅伯言、邓湘皋诸君
子，亦似皆不己若。"卷四："近代诗家……工七律者，自剑南、遗山后，明则青丘、
牧斋，我朝则陈元孝为第一，时人则闽中张亨甫际亮亦工此体，二君皆一代天才也。"
《石遗室诗话》卷二十二则列际亮于"福建诗人名不甚著、集不甚显者"之列，黄曾樾
辑《陈石遗先生谈艺录》："张亨甫诗颇少佳处。其享名之盛，盖由友朋气谊之高，一
因也；道咸之际，林清乱后，回、捻之匪继之，复有洪杨大劫，东南文物扫地矣。且
其时朝廷专尚功利，宣宗毅然反其祖宗所为，不重儒术，故斯文衰敝，亨甫以诗鸣，
名较易焉，二因也。自时厥后，祁、程、何、郑诸贤兴，亨甫之老守古法者黯然无色
矣。"

托浑布卒。托浑布（1799—1843）姓博尔济吉特氏，字安敦，号爱山，蒙古旗人。
嘉庆二十四年进士，官至山东巡抚，有《瑞榴堂集》。《晚晴簃诗汇》卷一百二十八收
其诗五首。

十一月

宁波开埠。

斌良成《双城均赋集》。时斌良在盛京刑部侍郎任上，此集为赴双城堡办案所作。

梁恭辰自序《劝戒近录》（后又名《池上草堂笔记》）。是书六卷，多记因果劝诫
之事，有本年梁氏家刻本。梁恭辰字敬叔，梁章钜子，官至温州知府。

十二月

初一日，冯煦生。煦（1844—1927）字梦华，号蒿庵，晚号蒿叟，辛亥后号蒿隐
公，江苏金坛人。光绪十二年一甲三名进士，授编修，官至安徽巡抚。辛亥后，居沪
上，与清室遗老结社唱和，并创义赈协会以济灾民。冯煦早岁从成孺学，习词赋，光
绪初校书于金陵书局。久寓金陵，与顾云齐名，为薛时雨、林寿图高足。治诗甚苦，
后以词名世。著有《蒙香室词》、《蒿庵论词》、《蒿庵诗集》、《蒿庵类稿》等。

岁除，李富孙卒。富孙（1764—1844）字既汸，一字芛沚，晚号校经叟，浙江嘉兴人。与兄超孙、从弟遇孙有"后三李"之目。从卢文弨、钱大昕、王昶、孙星衍等游，深于经学，兼长金石文字，工诗古文词，著有《校经颙文稿》，其他说经考证之作甚夥。《清史稿·儒林传》有传。《晚晴簃诗汇》卷一百十六收其诗三首。

本年

定乡试覆试之制。《清史稿·选举志三》："顺治十五年，帝以顺天、江南考官俱以贿败，亲覆试两闱举人，是为乡试覆试之始。……至嘉庆初，遂著为令。道光二十三年，定制，各省举人，一体至京覆试，非经覆试，不许会试。以事延误，于下三科补行。除丁忧展限外，托故不到，以规避论，永停会试与赴部铨选。覆试期以会试年二月。咸、同间，因军兴道路梗阻，光绪季年，以辛丑条约，京师停试，假闱河南，俱得先会试后覆试，非恒制也。覆试诗文疵谬，诗失粘，抬写错误，不避御名、庙讳、至圣讳，罚停会试、殿试一科或一科以上。文理不通，或文理笔迹不符中卷者黜。……历科因是黜罚者有之。洎末造益趋宽大……"

墨海书局在上海成立。此为上海有铅印设备之第一家，初为排印教会宣传品而设。

梁章钜《退庵诗存》二十五卷刊出。章钜所著先有《藤花吟馆诗钞》十卷，前已刊刻，此为晚年自订诗稿。

张维屏《听松庐骈体文钞》四卷刊出。

黄安涛撰《真有益斋文编》十卷刊刻。安涛（1777—1848）字凝舆，号霁青，浙江嘉兴人。嘉庆十四年进士，改庶吉士，授编修，历官广东潮州知府。晚主鸳湖书院讲席，日与吴中名士联诗斗酒。所撰另有《诗娱室诗集》、《息耕草堂诗集》等。

姚元之撰《荐青诗集》四卷刊出。族弟姚莹为之序，称："古近诸作雅托唐音，绵邈其思，俊逸其气，清词丽句，不绝于篇。虽不同晋楚称雄，亦屹然周宋王者之遗矣。"

曹懋坚《昙云阁集》本年刊出。懋坚（1786—1853）字树蕃，号艮甫，江苏吴县人。道光十二年进士，改庶吉士，授刑部主事，历官湖北按察使。太平军克武昌，死之。官京师日，与朱琦、汤鹏、魏源等交，益豪于诗。所撰《昙云阁集》，后增益为十五卷。

张祥河自庚子至本年成诗、词《续集》各一卷。先是，其友同邑姚椿、宝山毛岳生为定《小重山房诗词初稿》十二卷，录诗、词止于己亥。庚子服阕，补授河南按察使，本年在河南任上。按：张祥河（1785—1862）字诗舲，又字元卿，江苏娄县人。嘉庆二十五年进士，官至工部尚书，谥温和。早岁为王昶、吴锡麟、姚鼐等所赏，文名甚籍，在京朝与名流往还，曾与宣南诗社。有《小重山房诗词初稿》、《小重山房诗词续录》等。（张茂辰等编《先温和公年谱》）

戴钧衡再刻其集为《味经山馆集》。集十一卷，内《诗钞》六卷、《文钞》四卷、《蓉洲文集》一卷，附《悔言》、《行述》一卷。

魏源作《圣武记》成，寄包世臣审定。世臣时年六十九岁。

符葆森自序《寄鸥馆诗集》。此集十二卷，卒后始刊出。葆森（1814—1863）原名灿，改名葆森，字南樵，江苏江都人。咸丰元年举人。师事姚莹、周济，豪于诗。一生穷愁，转徙于齐楚吴越间，因遍交当时名士。以一人之力辑《国朝正雅集》一百卷，士林叹服。自著有《寄鸥馆集》。

徐继畬始著《瀛环志略》。是年继畬因公驻厦门，得美国人雅裨理之助，始撰此书，五年后撰成。徐继畬（1795—1873）字健男，牧田，号松龛，山西五台人。道光六年进士，改庶吉士，授编修，官至福建巡抚，内用太仆寺卿。同治中罢归，主平遥书院以自给。继畬务博览，通时事。著有《松龛先生遗集》等。（徐崇寿编著《徐松龛先生继畬年谱》）

郑贞华自序《梦影缘》弹词。《梦影缘》弹词四十八回，有光绪二十一年竹简斋刊本。坐月吹笙楼主人《〈娱萱草〉弹词序》："昔郑澹若夫人撰《梦影缘》，华缛相尚，造语独工，弹词之体，为之一变。"按：郑贞华（1811—1860）字蕉卿，一字澹若，浙江乌程人。广西巡抚郑祖琛女，钱塘贡生周锡诰室。青年寡居守节，咸丰十年，太平军下杭州，饮卤自杀。撰有《梦影缘》弹词及《绿饮楼集》。（谭正璧等《弹词叙录》）

铭岳《妙香馆启瓮集》四卷刊刻。铭岳（1799—1861）字东屏，号瘦仙，室名妙香馆、佛香馆，瓜尔佳氏，汉军正白旗人。道光十五年进士，历官广信知府，有政声。以转饷至杭州，城陷，死之。铭岳博学多才，工书画，精鉴赏，能诗，著有《妙香馆集》。（生卒年据《清代人物生卒年表》）

何佩珠撰《津云小草》二卷附《梨花梦》传奇五卷刊刻。按：佩珠为道光间人，生卒年不详，字芷香，安徽歙县人，居扬州。秉棠四女，张子元室。所著另有《红香窠小草》、《竹烟兰雪斋诗钞》、《环花阁诗钞》等。其二姊佩芬，字吟香，范志全室，有《绿筠阁诗钞》；三姊佩玉，字琬碧，祝麟室，有《藕香馆诗钞》。此集有佩芬、佩玉庚子年题词及诸闺秀题词。《晚晴簃诗汇》卷一百八十七收其诗一首。

周之琦选录《心日斋十六家词录》。陈匪石《声执》卷下："自言为平生得力所自，故辑而录之。末各缀一绝句，皆能得其真诠。……而于苏辛一派，均无所取，则仍浙西家法耳。……上起唐代，下迄于元，北宋增小晏、秦、贺，虽似不出温柔敦厚之范围，而门户加宽，且已知崇北宋矣。"

林则徐在伊犁戍所，与时任陕西巡抚李星沅诗柬往来。（据《林则徐诗集》）按：李星沅（1797—1851）榜名星元，字子湘，号石梧，湖南湘阴人。道光十二年进士，改庶吉士，授编修，官至两江总督，卒谥文恭。星沅少有干才，为陶澍、林则徐等所赏。工诗文，著有《李文恭公遗集》四六卷，内诗八卷，文十六卷。其妻郭润玉，字笙榆，室名梧笙馆，亦娴诗文。二人唱和之作合刊为《梧笙唱和初集》二卷。

黄文琛始官湘中。此后在湘中数十年，尽交其知名之士。按：黄文琛（？—1882）字海华，晚号瓮叟，湖北汉阳人。道光五年举人，官湖南宝庆等县，称能吏。始游京师，官国子助教，以诗名京师。及官湖南，复以诗名湘中。著有《思贻堂集》四十卷。（生卒年据《清代人物生卒年表》）

陈庆镛上《申明刑赏疏》。上年庆镛擢监察御史，本年以道光帝起用鸦片战争期间偾事罪臣琦善等而上此疏。《晚晴簃诗汇》卷一百三十六诗话云："颂南抗直敢言，《申

《明刑赏》一疏，天下想望风采，当时与苏廷魁、朱琦号三谏官。"

姚燮大病几死，愈后烧去前所著绮语十数种。 徐时栋《姚梅伯传》："道光二十三年大病几死，养疴郡之报德寺。忽大晓悟，取生平绮语十数种摧烧之，自号复庄。是岁，余客杭州，有传梅伯死者。比归，知无恙，过之观中，方作道士装，为人忏悔。相视而笑出，手注《玉枢经》，瀹茗共读。"马裕藻《今乐考证跋》："据此（今按：徐《传》），知姚氏三十九岁以前著述范围甚广，至三十九岁以后，对于文学之见解颇有改变。……其三十九岁以前之面目，殆不可睹。徐氏又称其手注《玉枢经绎义》一篇，可知梗概。晚年魔障之深，其殆姚氏自谓晓晤之结果欤？"又，徐时栋（1814—1873）字定宇，号柳泉，又号同叔，学者称柳泉先生。浙江鄞县人。道光二十六年举人，以输饷授候选内阁中书。居烟屿楼，以著书为务，所著凡三十余种，两遭兵火，后追忆录出，亦不能什四五矣。主持《鄞县志》，未竟而卒。有《烟屿楼集》。

江湜年二十六，入京师，贡太学。"吴中右族，首数潘（今按：世恩）、彭（今按：蕴章），先生与两家子弟相往来，因得尽读其藏书，学业遂大进，于诗学之尤力。"（黄华《江弢叔先生传》）按：江湜（1818—1866）字持正，一字弢叔，号龙湫院行者，江苏长洲诸生。幼聪慧，年未冠已名噪邑中，顾屡试不第。数从学幕襄校士卷，后捐官得浙江候补从九品，既而任盐官。奔走江浙间谋食，潦倒以终。一生苦吟，著有《伏敔堂诗录》十五卷、《续录》四卷。

严可均卒，年八十二。 可均（1762—1843）字景文，号铁桥，浙江乌程人。嘉庆五年举人，官建德教谕。可均博闻强识，精考据之学，尤以校辑逸佚文献为人所称。曾校辑诸经逸注及佚子书等数十种，合经、史、子、集为《四录堂类集》千二百余卷，辑《全上古秦汉三国六朝文》七百余卷。著有《铁桥漫稿》等。《清史稿·儒林三》："辑上古三代秦汉三国六朝文，使与《全唐文》相接，多至三千余家，人各系以小传，足以考证史文，皆从搜罗残剩得之，覆检群书，一字一句，稍有异同，无不校订。一手写定，不假众手。唐以前文，咸萃于此焉。"《越缦堂读书记》："铁桥之学博综精到，力兼古人，文笔亦崭然不群；而时不免措大气。诗太粗率，不入格，然亦不俗。"《晚晴簃诗汇》卷一百十四收其诗五首，诗话云："铁桥精于考据，著书等身，诗文为其余事，弟章福言：伯兄诗不徇时好，文从数万卷故书中钩索得来。诚笃论也。"

厉志卒。 志（1783—1843）初名允怀，字心甫，号骇谷，又号白华山人，浙江定海诸生。少孤贫，游幕四方。性耽山水，工书善画。尝与慈溪叶元垲、镇海姚燮结枕湖吟社。著有《白华山人集》。别有《白华山人诗钞》四卷，其友姚燮辑刊。姚燮《哭白华先生厉志一百二十韵》："作诗力追古，神浑貌无袭。""时抒忧时怀，骚歌振铿揭。"《晚晴簃诗汇》卷一百二十九收其诗四首，诗话云："骇谷工书，尤精行草，善画山水兰竹。诗纯学太白，清微细静，不为貌袭。尝作诗说云：学古诗最要有力，有力则坚，坚则光焰逼人。作诗务在足意，意不足诗可不作。又言，今人作诗气在前，以意尾之，古人作诗，意在前，以气运之。论列唐以后诗人，于宋推梅直讲，于国初推施愚山，与全谢山相合。"

王家振生。 家振（1843—？）字艭莲，号西江散人，浙江慈溪人。弱冠补博士弟子员，省试三次不售。光绪中，祁世长督学，岁试得家振卷，惊为古人之作。以淡于进取，隐逸以终。著有《西江文稿》、《西江诗稿》等。

邓瑜生。瑜（1843—1901）字慧珏，号蕉窗主人，江苏金匮人。奉化知县锡恩女，钱塘举人诸可宝室。幼即工诗，同治中嫁诸可宝，夫妇唱和，一时称美。著有《清足居集》一卷及《蕉窗词》一卷。《晚晴簃诗汇》卷一百九十收其诗十四首，诗话云："慧珏母工于吟咏，幼即授以韵语。父官慈溪时，值庭梅盛开，燕客赋诗，慧珏先出二律，一坐惊叹。词尤婉丽，谭仲修尝取其丁卯西湖一阕入《箧中词》。"

史念祖生。念祖（1843—1910）字绳之，号弢园，江苏江都人。刑部尚书致俨孙。咸同中投效军营，后官至广西巡抚。著有《俞俞斋稿》、《弢园随笔》等。

刘光蕡生。光蕡（1843—1903）字焕塘，号古愚，晚年号瞽叟，陕西咸阳人。光绪元年举人，会试不第，遂绝意仕进，退居教授数十年，历主泾阳、味经、崇实诸书院，门弟子千数百人，成就者众，关中风趋为一变。著有《烟霞草堂文集》、《诗集》等。

许珏生。珏（1843—1916）字静山，号复庵，江苏无锡人。光绪八年举人。尝随张荫桓、薛福成、杨儒等出使欧美各国。中日甲午之战起，以论事切直召忌，辞归。后复出，任出使意大利国大臣，持论反对君主立宪，时目为疯狂。辛亥后归隐不出。著有《复庵遗集》。

何家琪生。家琪（1843—1905）字吟秋，号天根，河南封丘人。光绪元年举人，援例选授河南洛阳教谕，河南学者多从之游。为文下笔不能自休，晚乃由博返约。著有《天根文钞》四卷，《续集》、《补遗》各一卷。

公元 1844 年（道光二十四年　甲辰）

二月

林伯桐自编《修本堂稿》四卷成。伯桐（1775—1845）字桐君，一字孟林，号月亭，广东番禺人。嘉庆六年举人，官德庆府学正。生平好为考据之学，于诸经无不通，尤深于毛诗。学行为粤督阮元、邓廷桢所重，元立学海堂，延伯桐主之。著说经训诂之作十数种，汇为《修本堂丛书》，其诗文有《修本堂稿》、《月亭诗钞》等。《清史稿·儒林传》有传。（生卒年据《清代人物大事纪年》）

余坤出官四川雅州。梅曾亮撰《赠余小坡叙》谓："（居京师）久之，得交陈君艺叔、朱君伯韩、吴君子叙，又因伯韩得交小坡及冯君鲁川、王君少鹤。……盖自六七年以来，余与数君子游处之适、文酒讽议之欢……虽昔之意气相得者，其乐盖无如今日之盛。"

何绍基等公祭顾炎武。苗先露《使黔草序》："岁癸卯，子贞集同人鸠资创建亭林顾先生祠于城西慈仁寺西隅隙地。岁春秋及先生生日皆举祀事。余与石舟、子贞每举咸在。余之学私淑亭林，子贞、石舟则皆读亭林之书而仰止行止者也。"又，徐鼒《敝帚斋主人年谱》道光二十八年："时何子贞编修、何愿船比部、张石州穆招同志酿金建顾亭林先生祠于报国寺之西偏，春秋佳节以牲牢酒醴祀之。与祭者自寿阳相国（今按：祁寯藻）以下，为吕鹤田贤基、罗椒生惇衍、曾涤生国藩、王子槐茂荫、王雁汀庆云、陈颂南庆铺、苏更堂廷魁、金翰皋鹤清、孙芝房鼎臣、陈卓人立、冯鲁川志沂、孔绣山宪彝、潘季玉曾玮、叶润臣澧。主人尝自顾先生祠出，遇某阁学于途，曰：君自名士，我不读书，不识有顾先生也。又尝酒酣论文，为要人所忌，友人某私戒之曰：古来以文得名者，亦以才得祸，东林复社可惧也。主人闻之悚然，自是同人酬酢唱和，辄以事辞，惟同乡何青耜、陈卓人常共谈燕。"知此活动至道光二十八年仍盛。《十朝诗乘》卷十六："（顾祠）落成，阮文达为文记之。是年二月春祭，五月二十八日先生生日设祭，皆张石舟撰文，且据车秋舲、徐星翁所撰年谱合为定本而辨正增益之。祠成，而子贞适奉命典黔试，濒行，赋《顾祠》诗……具言先生之学，有裨治道。盖自阮文达撰国史《儒林传》，以亭林举首，得子贞阐发之，益复著明。道咸间国步阽崎，士大夫犹知导扬正学，范围人心，后来中兴之基，寔肇于此。"又："当文端（今按：祁寯藻）在朝，亦提倡顾祠祀事，与祀者皆署名列册，道咸以来，名辈手迹具在，文端几于每祭必与。""曾文正尝借居报国寺，即慈仁旧名，其诗亦宗仰亭林，有云：'俗儒阁阁蛙乱鸣，亭林老子初金声。'足见当时学术倾向。"《诗乘》所列尚有宗稷辰、陶樑诸人。按：张穆（1805—1849）字诵风，一字石州，又署石舟、硕洲、硕州，别署月斋等，晚号靖阳亭长，山西平定州人，道光辛卯优贡，议叙知县。张穆学问博洽，尤长于经史舆地之学，受知于阮元、程恩泽等。自道光十二年入都，常居祁寯藻门下，与何绍基、何秋涛、俞正燮、沈垚等交密。著有《月斋集》等。

三月

李文瀚《银汉槎传奇》二卷刊出。风笛楼刊本，为《味尘轩四种曲》第三种，咸丰四年重刊于夔州任所。卷首有撰者本月岐山官廨自序，周腾虎、边浴礼诸家序跋评题。剧演汉时山妖海怪兴风作浪，张骞以尝出使西域，被遣查探河源，入银河，得织女赠支机石，击败海怪，海晏河清。实影射当时鸦片战争事。武澄《序》："昔郑虔有三绝，我师云生有四绝。诗、词、书、画，而词则为四绝中之尤绝者也。……（《银汉槎》传奇）一时争先快睹者，皆诧为奇才，而不知其用心之所在也。"周腾虎《评》："用意则先忧后乐，专心在海晏河清。劝以农桑，励以忠孝，神仙鬼怪，各逞妍媸。颠沛流离，极形酸楚。是为血性文章，不得以庄叟荒唐目之。"重刊本小隐《序》："至其布局之精，数典之雅，排场之妙，声调之谐，则原序诸君子已详言之，不待余之赘词矣。"

春

林昌彝应礼部试至京师，从何绍基、朱琦、孔宪彝等游。《射鹰楼诗话》卷一："余于甲辰春三应礼部试，往谒道州何子贞师，论海内能诗之士，师曰：'近海内能诗者，以伯韩为最。'及读其诗，信侍御所诮为不朽矣。""乙巳，余寓侍御宅近数月，论文谈道，留连朝夕，真足以为朋友之乐。"卷二十："道光甲辰，余获交舍人于京邸，见舍人（今按：孔宪彝）所为诗文，援笔立就，余劝其学司马相如之迟，毋学枚皋之捷。"按：林昌彝（1803—1876）字惠常，一作蕙裳，号芗溪等，福建侯官人。道光十九年举人。后八上公车不售，咸丰中，以进呈所著《三礼通释》特赏教授。晚岁往来闽粤间，讲学治经以终。早岁受业于鳌峰书院陈寿祺，乡试出何绍基门，学问诗文为绍基所赏，因广交四方名士，识汤鹏、朱琦、陈庆镛、王柏心、叶名澧等，与族兄则徐、魏源及同门张际亮交尤密。著有《衣讔山房诗集》八卷、《小石渠阁文集》六卷及《赋钞》、《诗外集》各一卷，成《射鹰楼诗话》、《海天琴思录》、《海天琴思续录》等诗话，尤以《射鹰楼诗话》为世所称。

姚燮病起赴都门。在都与叶名澧、汤鹏、曹懋坚、魏源等交游；三月，送蒋湘南还光州，《送蒋湘南还光州》诗云："蒋君冒雨过我无一辞，谓不得志行将归。"又有《书孔孝廉宪彝〈对岳楼诗卷〉》诗，谓"作诗如其人，词惬意无诡"。夏南归，途次有《舟中怀都门故人三十绝句》，怀汤鹏、王拯、江开、潘曾莹、曾绥、曾玮、潘遵祁、秦缃业、梅曾亮、曹懋坚、蒋湘南、王柏心、魏源、钱振伦、陈庆镛、朱琦、叶名澧、边浴礼等人。

四月

二十五日，赐孙毓溎等二百有九人进士及第出身有差。（《清史稿》）此榜成进士者有边浴礼、冯誉骥、方濬颐、刘熙载、王柏心等。按：边浴礼（1813—?）字夑友，号袖石，河北任丘人。改庶吉士，授编修，历官河南布政使。工诗词，著有《健修堂集》。冯誉骥（1822—?）字仲良，号展云，广东高要人。授翰林院编修，历官吏部左侍郎、陕西巡抚。善书画，工诗，与弟冯誉骢齐名，著有《绿伽楠馆诗存》。王柏心（1799—1873）字子寿，号筱亭，湖北监利人。授刑部主事。逾年即乞假归，不复出。柏心志在经世，《导江三议》、《枢言》等为世所称。咸丰间尝助曾国藩、胡林翼、郭嵩焘等筹划军事。工诗文，名著楚湘数十年。著有《百柱堂集》。方濬颐（1815—1889）字子箴，号梦园，又号忍斋、钦若等，安徽定远人。授翰林院编修，外任两淮盐运使，官至四川按察使。少喜为诗，晚年始为古文，著有《二知轩诗钞》、《二知轩文钞》等。刘熙载（1813—1881）字伯简，号融斋，晚号寤崖子，世称融斋先生。江苏兴化人。改庶吉士，授编修，历官左春坊中允。晚主上海龙门书院十数年。著有《艺概》等，合为《古桐书屋六种》及《古桐书屋续刻三种》。

五月

十七日，谢堃（1784—1844）卒。谢堃（1784—1844）字佩禾，号春草词人，江苏甘泉人。工画，能诗，骈体文守吴鼒、孔广森之则。著有《春草堂骈体文》、《古今体诗》、《词录》、《诗话》及传奇《黄河远》、《十二金钱》、《绣帕记》、《血梅记》四种，汇为《春草堂集》。

十八日甲申（7月3日），中美《望厦条约》订立。同日，广州开埠。

六月

张祥河成《骖鸾吟稿》。 是年正月奉命补广西布政使，本月抵任，途次多纪程诗，因仿范成大《骖鸾录》，名曰《骖鸾吟稿》。（《先温和公年谱》）

七月

九日，汤鹏（1801—1844）卒，年四十四。 龚自珍《书汤海秋诗集后》："（诗）一言而已，曰：完。何以谓之完？海秋之心迹尽在是，所欲言者在是，所不欲言而卒不能不言者在是……要不肯捃扯他人之言以为己言。"姚莹《汤海秋传》："初为礼部主事。年甫二十，负气自喜。为文章震烁奇特。……（和议既成）君感慨郁抑，诗多悲愤沉痛之作。""君少为文，有奇气，初成进士，所为制艺，人争传其稿，市肆售之几遍。君曰：是不足言文也。取汉魏六朝迄唐人诗歌追拟之，必求其似，务备其体，已梓者三十余卷。又好为文，尝谓其友人曰：汉以后作者，或专工文辞，而义理、时务不足；或精义理、明时务，而辞陋弱；兼之者惟唐陆宣公、宋朱子耳。吾欲奄有古人，而以二公为归。其持论如此。""姚莹曰：道光初，余至京师，交邵阳魏默深、建宁张亨甫、仁和龚定盦及君。定盦言多奇僻，世颇訾之。亨甫诗歌几追作者。默深始治经，已更悉心时务，其所论著，史才也。君乃自成一子。是四人者，皆慷慨激厉，其志业才气，欲凌轹一时矣。世乃习委靡文饰，正坐气袒耳。得诸子者大声振之，不亦可乎？……君又与宜黄黄树斋、歙徐廉峰及亨甫以诗相驰逐。……默深成进士最晚，以知州需次；亨甫则未一第而殁。余待罪蜀中，树斋亦以事更罢为部曹。俯仰二十年间，升沉存殁若此，悲夫！"王拯《户部江南司郎中汤君行状》："其读书求大义，不屑屑章句，尤自雄于文词，而时天下学者多好训诂考订，或为文严矩法，君一皆厌苦之。与建宁张际亮交。际亮时以诗名，莫与抗者。而君初未为诗，一岁，与张别数月，相见，出巨册示之，则已为诗歌数百篇，淋漓甚豪，一发其振迅不可一世之概，张抚卷大愕，以谓李梦阳今复世也。"梅曾亮《户部郎中汤君墓志铭》："既不得施事，则将著之书……于是为《浮邱子》一书。……大抵言军国利病，吏治要最，人事情伪，开张形势，寻蹑要眇，一篇数千言者九十余篇，最四十余万言。"（按：同治李桓刊本《浮邱子》实二十余万言）熊少牧《浮邱子序》："海秋得年仅四十有四，所已成书，《四书艺》六卷，古今体诗三千首，《浮邱子》四十余万言，而奏议杂著尚未及录。炜矣哉！才之奇、气之勇、文之多且工如是，世有几人？宜乎好之者不容口，即憎之者要不能不心折其文也。然海秋岂翅一文人之杰哉？……其为文也，皆自道其所得也。时而云垂海立，时而月皎风疏，时而玉佩华绅，时而斜簪散髻，连抃旁魄，无有端涯，非韩非子所谓'能自树立，不因循'者耶？是集经纬万端，自成一子。"《晚晴簃诗汇》卷一百三十一收其诗十五首，诗话云："海秋负经世之才，初自郎曹直枢府，旋入谏垣，以言事复还郎曹。值海疆多事，屡有所论列，年甫强仕，遽卒于京邸。曾文正及姚石甫、邵位西诸君皆深惜之。诗淋漓酣畅，言必薪于尽意，不规规于格律，如其为人。"

何绍基出典黔试， 至年冬归，著成《使黔草》。

陈澧会试下第， 归途自序《灯前细雨词》。据序，澧少时作词，桂文熠见之，称为诗人之词；后十余年不作，去岁结社，始复为之，同人誉为真词人之词。今春会试下第，于归途中复为词以销愁，因并少时之作，合为《灯前细雨词》。

八月

一日，吴昌硕生。昌硕（1844—1927）初名俊，改俊卿，字苍硕。又字苍石、仓石、昌硕，别号缶庐、苦铁，浙江安吉人，以书画篆刻负重名数十年。少遭战乱，家因以落。为谋生计，出为小吏江苏，尝摄安东令，一月即谢。久客苏州，尽交当世通雅方闻擅艺能之彦，于杨岘、任颐磋磨尤笃。晚岁转客上海，艺益进，名益高。兼工诗文，著有《缶庐诗》、《缶庐别存》、《缶庐印存》等。

九日，缪荃孙生于江阴。荃孙（1844—1919）字炎之，一字筱珊，晚号艺风，江苏江阴人。光绪二年进士，改庶吉士，授编修，历官学部参议。光绪中在史馆成儒林、文苑、循史等传。辛亥后，任清史馆总纂。荃孙以校雠淹博名于时，生平辑刊图书甚夥，自著有《艺风堂文集》八卷、《续集》八卷、《艺风堂文漫存》十二卷、《艺风堂读书记》及《辛壬稿》、《癸甲稿》等。（《艺风老人年谱》）

汤贻汾与傅桐等会集于随园。《汤贞愍公年谱》：八月廿一日，招同傅桐、陈之瑞、汪根之等人集随园看桂，"自此觞桂于兹园者凡五次"。按：傅桐字味琴，号梧生，江苏盱眙人，生卒年不详，道光十七年拔贡，工骈文，著有《梧生文钞》、《诗钞》。

九月

初三日，吴廷琛卒，年七十二。廷琛（1773—1844）字震南，号棣华，江苏元和人。嘉庆七年会元、状元，官至云南按察使。晚年归讲正谊书院，尝与朱琦等结问梅诗社。著有《归田集》、《池上草堂诗集》。朱琦《吴公墓志铭》："生平不屑屑章句，而经典通贯，文章遒隽，诗感时论事，宗法杜陵。"

十三日丁丑（10 月 24 日），中法《黄埔条约》订立。

浙江学政颁布禁毁小说告示。所开列应禁书目，有《红楼梦》等小说一百余种。又，次月，浙江巡抚颁布禁毁小说告示，中云："查淫词小说，最易蛊惑人心，败坏风俗，是以《定例》'造作印卖看，均于重罪'。乃不肖铺户，日久玩生，公然与经史子集一体销售税赁。不特愚夫被其所惑，即士民中稍知理义者，亦有购阅消遣。凡年少子弟，此唱彼和，隐坏礼义廉耻之大防，言之实堪痛恨。"

陈克家、郭崑焘、谭莹乡试中式。按：陈克家（1812—1860）字梁叔，江苏元和人，陈鹤孙。官候选教谕，咸丰初入张国樑幕，后与国樑同卒于兵。著有《蓬莱阁诗录》。（生年据《古今人生日考》）郭崑焘（1823—1882）字仲毅，自号意城，晚更号樗叟，湖南湘阴人，嵩焘仲弟。幼有神童之目，与江忠源、罗泽南、刘蓉等友善。咸丰中参湖南巡抚张亮基幕，多所规划，迭经保奏，晋四品京堂，加三品顶戴。崑焘有干略而无仕情，同治末，辞幕不出。著有《云卧山庄集》。谭莹（1800—1871）字兆仁，别字玉生，广东南海人。官化州学正。幼颖异，于书无所不窥，尤长于词赋，为粤督阮元、翁心存等所赏，文誉甚噪。后为学长三十年，英彦多出其门。博考粤中文献，友人伍崇曜富于赀，为汇刻之，曰《岭南遗书》、《粤十三家集》、《楚南耆旧遗诗》，益扩之为《粤雅堂丛书》。少与侯康等交莫逆，晚岁陈澧与之齐名。著有《乐志堂集》。《南海县志》本传："昆明何制府桂清、临桂龙殿撰启瑞试场中得一卷，击节赞赏，拟元数日矣，因三场策问敷陈剀切，微触时忌，特抑置榜末。"

秋

蒋敦复在金陵与汤贻汾诸名士唱和。《芬陀利室词话》卷二"金陵古迹词"条："忆于甲辰之秋，秦雪舫郎中、孙竹庼秀才，招上下江诸名士，宴集五松园，分咏金陵古迹。"敦复亦在是年结识汤贻汾，颇有知己之感。又，敦复结识孙麟趾亦在是秋。敦复《芬陀利室词话》卷三"月坡词刻"条："月坡客游，所得囊赀，尽以刻词，有秋露、绣鸳、拜玉、说梦、补篱、水榭唱和、折柳、凤箫、叩门、倚兰、问鹤、岚漪、听舻、琴川、采药等词。甲辰秋，初识面，以秋露、绣鸳二册相质，余以玉田许之，遂成《拜玉词》，与余唱和诸首，皆在此卷。及客江右，寄余凤箫词，中有小荷、莲卿二女郎事，余作书箴之，谓我辈学佛人，不宜复堕情障。……咸丰七年，张子和大令来宰吾邑，偕月坡至，首询余状，因归晤焉。幡然一翁，志意摧抑，非复曩时高兴矣。自言初刻词板，遭乱不存，将综前后所作，另刊《零珠》、《碎玉》二编，君为我序之。余诺而未果，无何，子和去任，月坡亦同返吴门。"同卷"月坡今之叔夏"条："余与月坡定交，在寓白门时。……时秦雪舫郎中，晚年欲究倚声之学，余告以月坡今之玉田。月坡则曰：沉博艳丽，悱恻芬芳，词坛飞将，安得不推老剑。"

姚燮自都门南还至清河，与孔继鑅、鲁一同等唱酬。继鑅前在京师，尽交当世贤豪，及官南河，闲曹小隐，益以文史自娱。颜其室曰"心向往斋"，过客有谒之者，置酒谈艺，娓娓不倦，四方名士咸以淮上主人称之。按：孔继鑅（1802—1858）字宥函，山东曲阜人，寄籍大兴。道光十六年进士，官刑部主事，改南河同知，乞养归。咸丰初，再起参军幕，八年，清军溃于浦口，死之，赠太仆寺卿。继鑅以诗名海内，吟咏酬唱，为交游所推重。所著后汇为《心向往斋集》二十卷。（生卒年据江庆柏《清代人物生卒年表》）

月末，姚燮在里中与董瓒、董放、阮训、张培基诸人议，拟再续枕湖诗社。（《复庄诗问》卷二十九）按：据燮道光二十六年《过揽碧轩悼叶文学元堦并吊孙明府家穀厉山人志两先生即寄枕湖同社诸公得长歌六十句》"社中十五人同调，年二十四吾最少"语，诗社约起于道光八九年间，"一年三十六社集"；诗又谓"于今死者十之半，或缚微名远方宦，余六人者长贫贱，秃顶依然鍜中雁"。已逝者叶、孙、厉外，为郑乔迁、尹嘉业；仍存者，陈仅、王淑元、孙漆三人远宦，张恕、王梁阆、佘梅、陈福熙、阮训、李作宾及姚燮诸人则"长贫贱"者。

十月

二日乙未（11月11日），清廷批准天主教弛禁。《清史稿·邦交志》："康熙以来，屡禁汉人入教。""道光二十五年，法商赴粤，诣总督署，请弛汉人习教之禁。总督耆英据以入告，许之开堂传教，仍限于海口，禁入内地。"《射鹰楼诗话》卷二："天主教开禁而后，各海口设立教堂，每七日一膜拜，诱掖愚民。福州南城外，去城不及一里，设立天主教堂，男女猬集八千余人。其所祀之天主曰耶稣，其教头多西洋人为之，亦有中国人为之。行其教者，为花旗国（即弥唎坚）。其书荒唐纰缪，近刻十条诫注，妄诋孔、孟，直为狂吠。其堂峻宇雕墙，穷奢极侈，男女溷杂，至不可问。痴民多为所惑，为救贫计耳。不知稍有人心者，岂肯斩其宗祀，淫及妻子乎！道光二十五年，英逆和议，而后广东总督耆英奏请佛兰西国夷呈请天主教劝人为善，非邪教，请弛汉人习天主教之禁。奏交部议，准海口立天主堂，华人入教者听之。惟不许奸诱妇女，诓骗病人眼睛，违者仍治罪。"

十一月

二十五日，**朱善祥生**。善祥（1845—1892）字咏裳，浙江秀水人。光绪二年进士，改庶吉士，授编修。尝充云南乡试正考官、四川学政。著有《红藤馆诗》。

十二月

初一日，**林伯桐**（1775—1845）**卒**，年七十。（据《清代人物大事纪年》）

梁章钜《归田琐记》八卷刊出。北东园家刻本。

冬

何绍基典黔试归，经湖南鼎州，与邓显鹤相晤。邓显鹤作《题子贞〈使黔诗卷〉后》诗，有句云："二百年推此笔少，七千里破古天荒。"显鹤又有《为子贞题王蓬山太守〈湘江烟雨图〉有序》等诗。

本年

管筠、薛纤阿、文湘霞辑《碧城仙馆摘句图》三卷刊出。碧城仙馆为陈文述斋名。

包世臣刊刻《安吴四种》。《包慎伯先生年谱》："裒生平著述为《管情三义》、《齐民四术》，并旧刻《中衢一勺》、《艺舟双楫》，更加增益，名曰《安吴四种》，先用聚珍板印行五百部。"

侯云松《薄游草》八卷刊出。按：侯云松（1765—1853）字贞友，号青甫，江苏上元人。嘉庆三年举人，官歙县训导，能诗文，晚与汤贻汾为友，唱和颇多。（注：生年据《汤贞愍公年谱》推定）

桂超万撰《养浩斋诗稿》六卷刊出。超万（1784—1863）字丹盟，安徽贵池人。道光十三年进士，官至福建按察使，所至有循声。所著卒后复编为《惇裕堂文集》四卷、《养浩斋诗稿》十卷、《诗续稿》五卷。《清史稿·循吏传》有传。

黄安涛《息耕草堂诗集》十六卷刊出。先是，安涛于道光初刊有《诗娱室诗集》，此编则为晚年之作。

张维屏仍寓同里南园，辑《史镜》，改刻文集。

北东园刊出梁章钜撰《退庵诗续存》八卷。

赵旭辑《桐梓耆旧诗钞》、《文钞》。旭（1812—1866）字石知，号晓峰，贵州桐梓人。诸生，晚官荔波教谕，死于战乱。与莫友芝、郑珍为友，喜苦吟，著有《播川诗钞》、《文钞》、《随笔》等，多焚毁，存《播川诗钞》前集，辑有《桐梓耆旧诗钞》、《文钞》。（佚名编《石知府君年谱》）

吴藻自编己丑（1829）以后词作为《香南雪北词》一卷。《自序》谓："忧患余生，吟事遂废。……自今以往，扫除文字，潜心奉道。香山南，雪山北，皈依净土。"自此不复填词。吴藻（1799—1862）字蘋香，号玉岑子，钱塘人，同邑黄某室。藻父夫俱业贾，两家无一读书者，藻独秀翘。初喜读词曲，或劝之自作，遂肆力长短句。复工绘事，精音律。道光六年，列陈文述门墙。以词曲名震一时，与同时名流如赵庆熹、黄燮清，闺秀汪端、张襄等俱有往还，晚贫甚，耽禅悦，遂废吟事。著有《花帘词》一卷、《香南雪北词》一卷、杂剧《乔影》一折，诗多散佚。

华长卿集别本《四十贤人集》、《甓言集》各一卷刊刻。《四十贤人集》又名《屠酤集》，录诗二百首，有李宗昉、丁晏序；《甓言集》存诗五十首，录道光十八年至二十三年所作。按：华长卿（1805—1881）原名长楙，字枚宗，号梅庄。直隶天津人。道光十一年举人，选授奉天开源训导。少承家学，受诗学于同邑梅成栋，与任丘边浴礼、宝坻高继珩称"畿南三才子"。著有《梅庄诗钞》、《时还读我书文钞》、《黛香室词钞》等。

刘鸿翱撰《绿野斋集》八卷刊出。内《绿野斋前后合集》六卷、《太湖诗草》一卷、《制义》一卷，梁章钜等题跋。鸿翱（1779—1849）字次白，号黄叶老人。山东潍县人。嘉庆十四年进士，官至福建巡抚。

张纶英重编《绿槐书屋诗钞》。益以近作，增为三卷，有同怀弟曜孙题识。

谢元淮撰《养默山房诗钞》一册刊出。

武进谢兰生在浙辑《思忠录》表彰鸦片战争中抗敌殉难官员。《厚庵自叙年华录》："余以表扬各省殉难文武各员，辑《思忠录》二卷，《杂记》一卷。……《题咏》三卷，翁二铭相国、赵蓉舫尚书、吴崧甫学使、周石生廉访、邵渔竹侍御、胡书农学士、金亚伯廷尉、梁芷庭中丞、汪衡甫、卞光河、孙琴西方伯、孙驾杭侍读、钱楞轩司业、黄爱庐、徐铁生观察、金赋山太守各题诗词。徐信轩、王雪轩、叶青原撰征诗启，广征歌咏，江浙知名士赵艮甫、朱立斋、姚梅伯、杨岳秋、钱警石、蒋生沐、庄蒿庵诸公之作，邮筒递寄颇多。"按：谢兰生（1804—1898）字厚庵，江苏武进人。另著有《咏梅轩稿》、《种香山馆集》。

徐松简陕西榆林府知府。与时任巡抚李星沅不合，旋乞病还京。

钱宝琛与里中文士相唱酬。《颐寿老人年谱》卷下载，宝琛未通籍前，与里中陆文彬、金国莹、刘应钧、陆元文、杨政源、汪元爵结诗社，号心斋七子，有《心斋诗钞》合刻。道光二十一年归田后，故交已多零落。是年葺南园，与季锡畴讲求古文，与王荣年、陆模、李汝峤诸人互相唱酬。按：钱宝琛（1785—1859）字楚玉，一字伯瑜，晚年自号颐寿老人，家有茧园，又称茧园先生，江苏太仓人。嘉庆二十四年进士，官至江西巡抚。有《存素堂诗集》、《文集》等。

郑珍会试不第，大挑以教职用，归里。 此后活动于贵州省内，在各州县任教职。

朱次琦年三十有八，会试不第。 简朝亮《朱九江先生集序》谓次琦之诗壮年者少，大都三十有八以前所作，即本年以前。按：朱次琦（1807—1882）字稚圭，一字子襄，世称九江先生，广东南海人。道光二十七年进士，山西即用知县，署襄陵县知县。未几归，讲学于南海九江乡礼山草堂垂三十年。康有为、简朝亮等俱出其门。次琦幼工诗，中岁弃去。所为诗文及专著文稿，临殁悉焚之。门人辑得《朱九江先生集》十卷。

曾国藩在京。《曾文正公年谱》卷一本年："于诗则五七古学杜韩，近体专学杜，而于苏黄之古诗、温李之近体，亦最为致力。"

吴敏树入京会试，得梅曾亮之赏，由是有古文名。 是年，吴敏树携所钞归有光文入都，为梅曾亮所知，遂引为桐城派中同道，而吴敏树心不谓然。吴氏《记钞本震川文后》："携之京师。同年友武陵杨彝珍性农从余借去。阅数日，瑞安项孝廉傅霖来访余。盖从性农所见此书，袖以来，而乞钞其序目云。因为余言京师名能古文者，有江南梅郎中曾亮其人也。又数日，余往答项君，而梅先生适来。因相见于其座。余自是始识梅先生。梅先生既见余此书，因以语朱御史琦、邵舍人懿辰、王户部拯，皆京师治古文学者。诸君皆来识余，皆以此书故。盖观古人之文章，而录出其尤可喜者，时手而读之，此学者之恒事也。余之别钞归氏之文者，亦犹是。而京师之人，争相传语以为奇异，何哉？岂不以举子在京者，皆相高以场屋之文，而言古文者，固宜性情嗜好特殊，不肯以俗学自敝者与？而今世言古文，又皆相尚以归氏。余特未之知也。梅先生为余言：归氏之学，自桐城方灵皋氏后，姚姬传氏得之。梅先生盖亲受学于姚氏，而其为文之道亦各异。……嗟乎！归氏之在当时，其轻重于世人何如也？而至为今，其名既盛以尊，学者既皆知师仰其文矣。虽心非诚好者，犹阳事之。而有私喜其文别钞为书如余者，诸君子视之，若林鸟之鸣而呼其类也。盖世常习于已成，风趋于众慕。而当其人之时，未有不忽且笑者也。余是以尤叹之。"又，吴氏《与篠岑论文派书》："不意都中称文者，方相与尊尚归文，以此弟亦妄有名字与在时流之末。"郭嵩焘《吴南屏墓表》："年二十九，举壬辰科乡试，益专力诗古文之学。方是时，上元梅郎中曾亮倡古文义法京师，传其师桐城姚先生之说。唐、宋以后治古文者，独明昆山归氏，国朝桐城方氏、刘氏，相嬗为正宗。君少习为制艺、应科举，独喜应试之文，崇尚归氏。闻归氏有古文，求得其书，择其纪事可喜者录之，哀然成册，不知其时尚也。游京师，有见者，以闻于梅郎中。于是君能为古文之名日盛于京师。而君言古文，顾独不喜归氏，以为《诗》、《书》、六艺皆文也。其流为司马迁；得迁之奇者，韩氏耳，欧阳公又学韩氏，而得其逸。而自言为文得欧阳氏之逸；归氏之文同得之欧阳氏，而语其极，未逮也。故于当时宗派之说，不以自居，而视明以来为文者得失利病之数，固无校于其心也。"杜贵墀《吴先生传》："由是有古文名，巨人多求识先生。而湘乡曾文正公国藩与交尤笃。"按：吴敏树（1805—1873）字本深，号南屏，别号桦湖渔叟、乐生翁，学者称南屏先生，湖南巴陵人。道光十二年举人，官湖南浏阳教谕，旋辞归。徜徉山水之间，益肆力于古文辞。自咸丰军兴，楚材辈奋，而曾国藩、左宗棠为之魁。士之有志名业者，莫不走军垒，依倚取通显。敏树与二人交密，终身未尝有所求请，时论高之。著有《桴湖文录》、《桴湖诗录》等。

钱杜卒，年八十二。杜（1763—1844）原名榆，字叔美，号松壶，浙江仁和人。乾嘉间以画名，亦工诗。有《松壶画赘》二卷。《清史稿·艺术三》："乾、嘉之间，浙西画学称盛，而扬州游士所聚，一时名流竞逐。其尤著者，为高凤翰、郑燮、金农、罗聘、奚冈、黄易、钱杜、方薰等。……（杜）屈于下僚，曾官云南经历，足迹逾万里。深挚画学，摹赵伯驹、孟頫、王蒙皆神似。间为金碧云山，妍雅绝俗。画梅疏冷出赵孟坚。兼擅诗名。著《松壶画赘》、《画忆》，多名论。"《晚晴簃诗汇》卷一百十收其诗至二十二首，集评引陈云伯（文述）语曰："吾杭郑虔三绝向推奚君铁生。冬花庵诗佳矣，视画犹有间。叔美以贵公子落魄投荒，百蛮骑象，南逾瓯闽，西陟峨岷，中年鸡栖輂下，更往来古战场，所作画类文衡山，更深于北宋荆董诸家，幽秀窈邈，而其为诗又超妙清旷，真气往复，上之追踪太白，次亦不失为嘉州、龙标，所诣如是，岂非湖山灵秀独钟之斯人之笔端耶？"诗话云："《松壶画赘》二卷多自题所作。姚春木诗云：浓淡平奇妙合并，畸人身世著书情。云林高致南田韵，不觉前贤畏后生。别有《画忆》二卷，纪其平生所见。如云'古法不可失，习俗不可染'，于究心是道者宜少有裨益。"（生卒年据《清人诗文集总目提要》）

刘曾璇卒，年七十五。曾璇（1770—1844）字荫渠，号毓源，河北盐山人。乾隆五十七年举人，历官甘肃秦安知县。著有《莲窗书室诗钞》二卷。陈光绪跋谓，曾璇作诗不求工，然气疏而古，词朴而醇。《晚晴簃诗汇》卷一百零八收其诗六首。

钱泳卒。泳（1759—1844）初名鹤，字立群，号梅溪，江苏金匮人。以诸生客游毕沅诸大僚幕府，精金石碑版之学，遍历南北诸省，以访碑、刻帖、著述为务。著有《梅花溪诗草》、《履园丛话》等。

叶大庄生。大庄（1844—1898）字临恭，号损轩，福建闽县人。同治十二年举人，历官邳州知州。中岁家居，与陈宝琛、龚易图、陈书等以诗相切劘。张之洞任两广总督，招入幕府，诗名益著。后倾倒易顺鼎，顿改故步。著有诗集《写经斋初稿》、《续稿》、《又续稿》，词集《小玲珑阁词》。（生年据江庆柏《清代人物生卒年表》）

胡曦生。曦（1844—1907）字晓岑，别号壶园，广东兴宁人。同治十二年拔贡，后屡试不第，遂绝意仕进，闭户读书。与黄遵宪为友。著有《湛此心斋诗集》。

徐鄂生。鄂（1844—1903）字午阁，号棣亭，别号汗漫生、汗漫道人，嘉定人。光绪十一年举人。游幕东北、河北等地。著有《白头新》、《梨花雪》等传奇。

公元 1845 年（道光二十五年　乙巳）

正月

二日，吴敏树作《记钞本震川文后》。于当时古文宗派之说颇有微言。

梁章钜撰《归田琐记》八卷成，有自序。梁章钜时年七十一，里居，又刊出《师友集》十卷。

三月

二十五日，梅曾亮六十寿辰，都中同人集于龙树寺置酒为寿。与会者有朱琦、王拯、邵懿辰、冯志沂、孔宪彝、秦缃业、王柏心、唐子石、彭昱尧。众人皆有诗以贺，邵懿辰复为诗序；秦缃业绘图，王拯为记以纪其事。又，是年同年友杨以增属钞录旧稿，将为刊布。又，彭昱尧从曾亮问古文亦当在是年。王拯《彭子穆墓表》谓昱尧先后问古文于池生春、吕璜，"在京师，尝一见上元梅先生曾亮。梅故出桐城姚氏而以古文辞名当世者。君又以所质于吕先生者质之，于是君文盖凡数变。"

张穆作《程侍郎遗集序》。此集程恩泽撰，门人何绍基、张穆任编辑之事，祁寯藻任刊。

春

徐鼒在京与张曜孙等游。《敝帚斋主人年谱》：场前，张曜孙招饮并赏芍药，座客为苏廷魁、陈庆镛、甘茗香、张穆、泾县包慎言等，"仲远被酒，大言曰：今日座客皆能读万卷书，仆白腹无能为役，然使咏芍药诗，恐压倒元白耳"。又，是数年中，张曜孙辑《同声集》。

四月

二十五日，赐萧锦忠等二百十七人进士及第出身有差。（《清史稿》）本科为太后七旬万寿恩科，成进士者有周寿昌、孙鼎臣、李联琇、潘曾祁、林寿图、何栻、徐鼒、魏源、杨翰、何秋涛、蒋超伯等人。魏源上年会试中式，以书不合式罚停殿试，至是始成进士，列三甲。按：周寿昌（1814—1884）字应甫，一字荇农，晚号自庵，湖南长沙人。本科二甲二名，改庶吉士，授编修，历官内阁学士，署户部侍郎。晚居京师宣武城南，著述以终。能诗词，骈散体皆工，著有《思益堂集》。孙鼎臣（1819—1859）字芝房，一字子余，湖南善化人。改庶吉士，授编修，擢翰林院侍读。初与周寿昌共为骈文，后从梅曾亮受古文。著有《苍筤集》。李联琇（1821—1878）字季莹，号小湖、好云楼主人，江西临川人。李宗瀚子。改庶吉士，授编修，历官大理寺卿。少孤，刻苦力学，精于治经，亦工诗文。年未四十即引退，主讲南京钟山、惜阴书院十余年，人比之钱大昕、姚鼐。著有《好云楼集》。林寿图（1821—1897）字颖叔，号欧斋，又号黄鹄山人，福建闽县人。历官陕西布政使。寿图少好为诗，居京师，与王拯、邵懿辰、龙启瑞、孙衣言等游。著有《黄鹄山人诗钞》十八卷。何栻（1816—1872）字廉昉，一作莲舫，号悔余，江苏江阴人。咸丰中官江西建昌知府，为曾国藩所赏，同治初以事劾罢。栻豪放自喜，工诗文，著有《悔余庵集》。杨翰（1812—1879）字伯飞，号海琴，又号息柯，直隶宛平人。历官湖南辰沅永靖道。晚寓长沙。工书法，与何绍基齐名，亦工诗文，著有《抱遗草堂诗钞》、《息柯杂著》。何秋涛（1824—1862）字愿船，一字景源，福建光泽人。历官刑部员外郎，精于舆地考古之学。著有《一灯书舍诗草》、《一灯精舍甲部稿》等。蒋超伯（1821—1875）字叔起，

江苏江都人。本科会元，授刑部主事，历官广东候补道。著有《通斋诗文集》。（超伯生卒年据《清人诗文集总目提要》）

六月

初八日，王懿荣生。懿荣（1845—1900）字正孺，号莲生、廉生，山东福山人。光绪六年进士，由编修官至国子监祭酒。八国联军入侵北京，王懿荣率团练未胜，服毒投井死。著《天壤阁集》，后编为《王文敏公集》。

七月

立秋日，张金镛自序《梧叶秋声词》二卷。此二卷后与《梦鸳碎语》一卷合为《绛跗山馆词录》。

八月

九日，郑珍与诸生论诗。是日携子同知及诸生渡江，饮于载酒阁，论诗云："言必是我言，字是古人字。固宜多读书，尤贵养其气。气正期有我，学赡乃相济。……从来立言人，绝非随俗士。"（《巢经巢诗集》卷七）

九月

朔日，胡敬（1769—1845）卒。卒前于八月自定诗稿竟，手自录之。（《书农府君年谱》）《清史列传·文苑传四》："历充武英殿、文颖馆纂修官，《全唐文》、《治河方略》、《明鉴》总纂官……其进《唐文表》凡数千言，典核齐皇，尤称杰作。……诗兼颜谢杜苏，文有六朝李唐之美。"英和序其集谓："有腹笥以充之，有性灵以主之，有卓识以鉴之，有锐思以构之。"谭献《复堂日记》："诗篇劲拔，一洗软熟。骈文纯用唐法，亦与岑华居士（今按：吴慈鹤）抗手。"《晚晴簃诗汇》卷一百十八收其诗十首，诗话云："其诗长篇排潘曾沂著《小浮山梦志》二卷。曾沂时年五十四，居吴县里第。至冬，编《船庵集诗》四卷。"

林昌彝自京师南归。在京寓朱琦所，与王柏心、孙鼎臣定交。《射鹰楼诗话》卷二，"甲辰春仲，余始识比部（今按：王柏心）于汤海秋农部席间，乙巳，遂定交焉。比部笃内行，重风节，与朋友处，久而弥挚。……具命世之才，留心经济，著有《枢言》一书及《三江水道考》；所为诗，多怀抱当世忧患。"同卷载，与孙鼎臣数数过从，"太史气度娴雅，望之如魏晋间人，尤工骈四俪六文。……是秋，余将南旋，濒行，太史成长篇并《开元占经》相赠，依依话别，情怀恳挚"。

十月

二十八日，陶方琦生。方琦（1845—1885）字子珍，号兰当，又号湘湄，浙江会稽人。光绪二年进士，改庶吉士，授编修，出为湖南学政。李慈铭弟子，与谭献、樊增祥等为友。治《说文》训诂之学。撰有诗词《湘麋阁遗集》、《汉孳室文钞》等。《清史稿·文苑传》有传。

十一月

一日戊午（11 月 29 日）《上海租地章程》公布。上海划出八百三十英亩土地为英国人居留地，后称"英租界"，此为外国在中国强占之最早"租界"。

林则徐被命回京。途次有和方士淦、宗稷辰、李星沅诸人诗。

本年

拜上帝会势力逐渐扩大。冯云山、杨秀清、萧朝贵等活动于广西桂平。

吴振棫诗集《花宜馆甲乙稿》刊出。按：是年振棫在贵州按察使任上，此集为振棫前官山东时自辑。吴振棫（1792—1870）字宜甫，一字仲云，晚号再翁，浙江钱塘人。嘉庆十九年进士，官至云贵总督。著有《花宜馆诗钞》、《花宜馆文略》、词《无腔村笛》等。

彭蕴章五十四岁，始刊《松风阁诗稿》八卷。按：彭蕴章（1792—1862）字琮达，一字哦裳，号小园、涧东墨客，诒穀老人，江苏吴县人。道光十五年进士，历官武英殿大学士、兵部尚书兼左都御史，谥文敬。少从师王芑孙，肄业紫阳书院，师从石韫玉，曾入黄丕烈所主之问梅吟社。笃志于学，终生不废吟咏，所著后汇编为《彭文敬公全集》。（《彭文敬公自订年谱》）

陈世镕《求志居集》三十九卷刊出。按：陈世镕（1787—1872）字大冶，号雪庐、雪楼，安徽怀宁人。道光十五年进士，官甘肃古浪知县。著有《求志居集》。（生卒年据《清代人物生卒年表》）

何绍基撰《使黔草》三卷本年刊出。有朱琦、梅曾亮、杨季鸾等序，何绍基《自序》称："诗文不成家，不如其已也。然家之所以成，非可于诗文求之也，先学为人而已矣。……顾其用力之要何在乎？曰'不俗'二字尽之矣。所谓俗者，非必庸恶陋劣之甚也；同流合污，胸无是非，或逐时好，或傍古人，是之谓俗。直起直落，独来独往，有感则通，见义则赴，是谓不俗。……前哲戒俗之言多矣，莫善于涪翁之言，曰：'临大节而不可夺，谓之不俗。'欲学为人，学为诗文，举不外斯旨。"

旌德汪氏校刻赵对澂撰《小罗浮馆集》四十一卷。内诗二十卷、词八卷、杂曲一卷、别录十二卷。赵对澂（1798—1860）字念堂，号野航，别号浮槎山樵，安徽合肥人。道光间廪生，历任亳州、和州、池州学正。擢知县，城陷死。著有《小罗浮馆集》，另有杂剧《酬红记》（又名《鹣红记》）一种传世。

潘曾莹撰《小鸥波馆集》十九卷刊出。内收文、骈文、诗、词各若干卷。

符葆森集别本《寄鸥馆行卷》一卷刊行。有阮亨序，自跋称有诗古文词二十卷，尚艰付梓。

沈传桂撰《清梦盦二白词》刊刻。传桂（1792—1849）字隐之，一字闰生，自号伽叔，江苏吴县人。道光十二年举人。与同邑朱绶齐名吴中，时目为两生。工诗，尤精于词。著有《清梦盦二白词》、《东云草堂古文集》、《鲍叶斋诗稿》。

蒋坦著《花天月地吟》八卷刊出。有陈文述等序，中有《外国谣》二十四首，据读书所得，记日本、朝鲜、欧洲等地风俗民情。按：蒋坦（1823—1861）字平伯，号蔼卿，又作蔼卿，浙江钱塘诸生。母汪玉仙为陈文述诗弟子，室人关蹼亦能诗。蒋坦幼承家学，七岁即工韵语，而遭际坎坷，咸丰末遭兵乱，穷饿以死。著有《花天月地吟》八卷、《红心吟》八卷、《息影庵初存稿》八卷、《集外诗》五卷等。（据《清人诗文集总目提要》）

张祥河在桂林广西布政使任上。以退直余暇，间出遍访古迹，著《桂胜诗集》。

余治撰辑《学堂讲语》。《余孝惠先生年谱》谓，上年撰辑《续神童诗》、《续千家诗》，至《学堂讲语》撰成，"为蒙养计者周矣。……先生更以淫书小说之为人心害也，禀请当道示禁收毁"。

潘曾绶自编《陔兰书屋诗文集》成。（《潘绂庭自订年谱》）

曾国藩在京师，从唐鉴、倭仁等游，并致力古文词。本年《答刘蓉书》："盖天下之道，非两不立，是以立天之道，曰阴与阳，立地之道，曰柔与刚，立人之道，曰仁与义。""此间有太常唐先生，博闻而约守，矜严而乐易，近著《国朝学案》一书，崇二陆二张之归，辟阳儒阴释之说，可谓深切著明，狂澜砥柱。又有比部六安吴君廷尉、蒙古倭君，皆实求朱子之指而力践之。国藩既从数君子后，与闻末论，而浅鄙之资，兼嗜华藻，笃好司马迁、班固、杜甫、韩愈、王安石之文章，日夜以诵之不厌也。故凡仆之所志，其大者盖欲行仁义于天下，使凡物各得其分；其小者则欲寡过于身，行道于妻子，立不悖之言以垂教于宗族乡党。……以此毕吾生焉。"（《曾国藩全集·书信》）

王韬十八岁，以第一入县学。《弢园老民自传》："自少性情旷逸，不乐仕进，尤不喜帖括，虽勉为之，亦豪放不中绳墨"，"督学使者为秦中张筱坡侍郎，称老民文有奇气"。按：王韬（1828—1897），原名利宾，易名瀚，字懒今，后更名韬，字仲弢，一字子潜，自号天南遁叟，五十岁后又曰弢园老民，别署有紫铨、紫诠、蘅华馆主等，江苏长洲人。早岁即囊笔游沪上，佣书于西人所设之墨海书局，积十三年。同治中，又随英人理雅各至英国译书，因乘便遍游域外诸国。光绪中，复东游日本。晚归居上海，任格致书院掌院以终。清季士夫喜言洋务，而又洞究于海外诸邦政艺者，盖以韬为一时之选。韬曾主香港《循环日报》及上海《申报》编务，为我国较早之报人，亦为开报章文体之先声者。著述甚多，上海美华书馆出版之《弢园经学辑存六种》所附刊《弢园著述总目》，列有三十六种。治经考史之作而外，有《弢园文录外编》十二卷、《蘅华馆诗录》八卷、《弢园尺牍》十二卷、《弢园尺牍续钞》四卷、《遁窟谰言》十二卷、《淞隐漫录》十六卷等。（据《弢园老民自传》及张舜徽《清人文集别录》）

李慈铭十六岁，诗名已渐著。孙宝圭《会稽李慈铭传》："禀资殊异……十六岁有《偕群从侍大父游兰亭》七律，十七岁有《侍大父直河新宅合乐府宴》七绝，皆其少作之传诵于世者也。"宋慈抱《会稽李慈铭传》："生有异才，十五六工韵语，《游兰亭诗》有云：'胜事应添元月禊，好山如见六朝人'，传诵一时。"按：李慈铭（1830—

1895）初名模，字式侯，更名后字莼伯，号莼客，晚署越缦老人。少负时誉，然应南北乡闱试凡十一，始举同治九年乡试。又五上春官，至光绪六年始成进士。补户部江南司郎中，历官山西道监察御史。慈铭咸丰末至都，即以诗文名一时，而性简直，面折人过，所遇寡合。惟大学士周祖培、尚书潘祖荫深器重之，引为上客。然喜奖掖后进，所指授成名者为多。所著生前刊者有《湖塘林馆骈体文钞》、《白华绛跗阁诗初集》、《杏花香雪斋诗二集》、《霞川花隐词》、《桃花圣解盦乐府》诸种。民国间王重民自《越缦堂日记》及他书中辑《越缦堂文钞》十二卷；蔡元培等影刊慈铭四十余年间所作日记为《越缦堂日记》，则尽萃慈铭一生所学。《清史稿·文苑传》有传。（注：慈铭生道光九年十二月二十七日）

周寿昌、孙鼎臣此数年间致力骈文。周礼昌撰《行状》（《续碑传集》卷八十）："入翰林，授职编修……一时人杰如曾文正公、毛文达公、郑憨慎公及侍郎郭公嵩焘咸在京邸，以文章道义相砥砺。"曾国藩《送周荇农南归序》："康熙、雍正之间，魏禧、汪琬、姜宸英、方苞之属，号为古文专家，而方氏最为无颣。纯皇帝武功文德，壹迈古初。征鸿博以考艺，开四库馆以招延贤俊。天下翕然为浩博稽核之学，薄先辈之空言，为文务洪丽。胡天游、邵齐焘、孔广森、洪亮吉之徒蔚然四起。是时郎中姚鼐，息影金陵，私淑方氏，如硕果之不食，可谓自得者也。沿及今日，方姚之风稍稍兴起，求如天游、齐焘辈闳丽之文，阒然无复有存者矣。间者，吾乡人凌君玉垣、孙君鼎臣、周君寿昌乃颇从事于此，而周君为之尤可喜。其才雅赡有余地，而奇趣迭生，盖几于能者。"郭嵩焘《十家骈文汇编序》："国朝文治昌明，旷越前代。骈俪之文，跨徐、庾而追潘、陆。陶冶性情，杼柚尺素为不乏矣。……追思冠年与周荇农侍郎、孙芝房侍读同为骈俪之文，二子者，高驾远跻，蹑迹古人，自具形制。"（按：本年八月，值皇太后七旬万寿，周寿昌因得奉诰命南归荣亲。故系于是。）

何秋涛在京，交游益广。黄彭年《刑部员外郎何君墓表》谓是时京师有言宋学者、言汉学者、言古文词者，"君专精汉学而从诸公游处，未尝以门户标异，其于经史百家之词，事物之理，考证钩析，务穷其源委，较其异同，而要归诸实用"。

黄濬自乌鲁木齐归。濬以事谪戍乌鲁木齐，既归，主黄岩萃华、太平宗文等书院以终。按：黄濬（1779—1866）字睿人，号壶舟生，别号古樵道人，浙江台州人。道光二年进士，官江西萍乡等县。濬工诗文，擅词曲，诗画与其弟黄治齐名，著有《壶舟诗文稿》。

周仪暐由山阳县换署凤翔。梅曾亮《周伯恬家传》："工六朝文词，尤深于诗。……邓公廷桢先见君韩城驿诗，爱重之。及巡抚陕西，语僚属曰：周君固名士，且老矣，可使无以归乎？乃换署凤翔。"按：周仪暐（1777—1846）字伯恬，江苏阳湖人，嘉庆九年举人，官凤翔知县。与同里李兆洛、陆续辂、张琦并以文章学识负盛名。著有《夫椒山馆集》，道光二十七年其婿李文瀚刊出。

朱文治卒，年八十六。文治（1760—1845）字诗南，号少仙，浙江余姚人。乾隆五十三年举人，官海宁学正。工画能诗，一时名流多与订交。著有《绕竹山房诗稿》。《晚晴簃诗汇》卷一百零六收其诗九首，诗话云："少仙居姚江之东，种竹万竿，啸咏其间。梅伯言称其人其诗俱似乐天。少仙亦尝自道其所得云：'前贤白傅编长庆，后起青邱集大全。私淑两家难自信，敢期湖海遍流传。'又云：'自摇秃笔偶吟诗，梦里花生未可知。兴到只宜行我法，情真毕竟耐人思。香山炼出和平气，玉局神来游戏诗。老去借为消遣计，推敲入细漫成痴。'少仙之诗纯任天籁，流转自然，颇得乐天遗意，而洗伐之功远逊青邱。其诗名与船山相亚，宗派性情亦相近，船山言少仙将归时，冷雪初晴，庭宇皓洁，夜风扫云，明月欲动，眼前真境即少仙诗境也。可谓语妙。"

凌扬藻卒，年八十六。扬藻（1760—1845）字誉钊，号药洲、药洲花农，广东番禺人。诸生。著有《海雅堂全集》，辑有《国朝岭海诗钞》。《晚晴簃诗汇》卷一百十二收诗十五首，集评："张南山曰：药洲精心汲古，殚见洽闻，所著诗文外有《蠡勺编》四十卷。诗有性灵而少才力。又曰：陈独漉《咏留侯》诗'夜半桥边呼孺子，人间犹有未烧书'，可见书烧不尽；药洲《博浪椎》乐府'一椎奋击副车折，噫嘻尚有人间铁'，可见铁销不尽。二诗可并传。"诗话云："药洲少受知于朱文正，及姚文僖视粤学，以《禘祫异同考》、《拟赵充国颂》试士。药洲特被赏擢。暗修希古，年至八十余。辑《国朝岭海诗钞》二十四卷，发潜阐幽，有功文献。诗有风格。"

陈文述（1771—1845）卒，年七十五。陆蓥《问花楼诗话》卷三："余友陈大令云伯出其（铁保）门下，制军尝称其诗似梅村，清俊过之。"《晚晴簃诗汇》卷一百十四收其诗五首，诗话云："云伯诗少学梅村，游京师与杨蓉裳尤多唱和，时有杨陈之目。后与族兄曼生同官江南，亦称二陈。又同居阮文达浙抚幕，文达改盐政，署厅事，馆之，榜其室曰曼云阁，庭中双石狮，至今犹存。云伯初刊《碧城仙馆集》，中年重加删定，为《颐道堂内外集》，博丽有余而不免贪多之累，《外集》所编仅香奁一体至二十卷之多，亦可见其未能割爱也。"

刘佳（1784—1845）卒，年六十二。刘佳初名侹，字德甫，号眉士，浙江江山人。嘉庆十三年举人，官溧水知县，有惠政。好学不倦，时推名宿。著有《钓鱼篷山馆集》。《晚晴簃诗汇》卷一百二十收其诗六首。

马建忠（1845—1900）生。建忠字眉叔，江苏丹徒人。少时避兵至上海，目睹第二次鸦片战争，深惧外患日深，遂研求西方政艺。光绪中，入李鸿章幕办理洋务。光绪八年，定先发制人之策，平定朝鲜乱事。甲午后，与梁启超等提倡维新变法。著有《适可斋记言》、《记行》，又与兄马良（相伯）合著《马氏文通》，为我国第一部有系统之语法著作。

顾云生。云（1845—1906）字子鹏，号石公，行五，人称江东顾五，江苏上元人。宜兴训导。工古文辞，豪于诗。假馆盆山薛庐，与诸名士觞咏其间。著有《盆山诗文录》。

邓嘉缉生。嘉缉（1845—1909）字熙之，号世谛，江苏江宁人。廷桢孙。同治十二年优贡，官候选训导，见重于曾国藩，国藩死，不为世用。有《扁善斋集》。（生卒年据江庆柏《清代人物生卒年表》）

诸可宝生。可宝（1845—1903）字璞斋，号迟菊，浙江钱塘人。同治六年举人，官江苏昆山知县。游楚二十年，为湖北榷局文书，主鄂志局。尝继阮元辑《畴人传三编》，著有《璞斋集》。

公元1846年（道光二十六年　丙午）

正月

十八日，严蘅病卒。蘅（1822—1846）字端卿，浙江仁和人，钱塘陈元禄室。著有《嫩想盦残稿》、《女世说》。（据《陈元禄自订年谱》）《晚晴簃诗汇》卷一百九十二收其诗八首，诗话云："端卿工小词，娴音律。殁年未及三十。有《女世说》稿，既殁，其家得诸针线箧中，漫漶涂乙，盖未竟本，嘉善张彦云与其诗词俱录入《娟镜楼丛刻》。"石礼纨、叶季蘋《女世说序》："卷中林下高风，不栉雅范，咳唾珠玉，如闻其语，牵萝倚竹，如见其人矣。夫人当日脂奁粉盒之旁，不离砚匣笔床之具，偶尔晨书暝写，便能藻古鉴今。"况周颐撰《玉栖述雅》"严端卿词"条云："工绣，工诗词，工音律。……词笔婉丽娟妍，如新月吐岩，初花媚蕤。"

二月

唐鉴致仕南归。曾国藩作《送唐先生南归序》。按：鉴在京之日，曾国藩、吴廷栋等多从其问业。南归后主讲金陵书院，咸丰三年归湘中。

宗稷辰在京举正气阁春祭。与祭者朱琦、陈庆镛等九人，各赋一诗。正气阁乃稷辰所建，祀越中自明末至葛云飞、杨庆恩死难诸贤凡十三人。（朱琦《正气阁诗》题注）按：稷辰（1792—1867）字迪甫，一作涤甫，越岘山民，浙江会稽人。道光元年举人，官内阁中书，后官至山东运河道。官御史时，敢直言，能建议。早岁研精理学，复留心经世之书。著有《躬耻斋文钞》、《诗集》等。

三月

初三，周家禄生。家禄（1846—1910）字彦升，号惠修、蕙修，晚号奥簃老人。江苏海门人。同治九年庚午举贡，授江苏江浦县训导。先后游吴长庆、张振轩等幕。早擅词章，与张謇等并有文誉。继为考据之学，经史皆有著述。有《寿恺堂诗文集》等。

二十日，邓廷桢（1776—1846）卒于陕西巡抚任，年七十二。朝命以林则徐补其缺。《清史稿》本传："绩学好士，幕府多名流，论学不辍。尤精于音韵之学。"宋翔凤《双研斋词序》："惟于音律，殆由夙授，分刌节度，有顾曲风，而于古人之词，靡不博综。其自制词则雍容和谐，写其一往。……虽所存无多，而所托甚远。"谭献《复堂词话》："（《双研斋词》）其才气韵度，与周稚圭伯仲；然而三事大夫、忧生念乱，竟似新亭之泪，可以觇世变也。""邓嶰筠督部《双砚斋词》，宋于庭序之，忠诚悱恻，咄唶乎骚人，徘徊乎变雅，将军白发之章，门掩黄昏之句，后有论世知人者，当以为欧、范之亚也。"龙榆生《近三百年名家词选》录其词六首。《晚晴簃诗汇》卷一百十六收其诗十六首，诗话云："迁督两广，正值禁烟之役，与林文忠共事，寻移节闽浙，赋《酷相思词》寄文忠，曰：'百五芳期过也未……'其时兵事方棘，朝旨渐移，故其言凄绝。及同戍伊犁，日以诗词相酬答。冰霜辛苦之音，楼宇高寒之旨，缠绵悱恻，变雅之遗。召还抚陕，林文忠亦复起。集用编年体，以《迎文忠东归》诗终，盖不久即下世矣。其诗于藻丽丰缛之中存简质清刚之制。论其品第，亦与云左楼相伯仲也。"

春

毛国翰（1772—1846）**卒，年七十五。**《虚受堂文集》卷五《麋园诗钞序》："余抄碉东诗毕，一日张雨珊（今按：祖同）孝廉过余曰：'吾邑有诗人毛青垣先生，子岂未之知耶？吾观近数十年中，乡先辈抗志希古、得杜诗骨法为多无若先生者。昔裕庄毅为刊之鄂中，而传本绝少，吾为子求之。'既而以书寄示，读之，心叹其工，信雨珊言不妄。……盖先生负瑰异之材，卒困场屋，穷老湖湘中，无能发抒意气，殚精敝神，从事声律，以争千秋后寂寞不可知之名，可谓遇艰而志苦者也。然当时乡人罕有称道先生者。……意先生以朴诚刚介之姿，睥睨浊世，宜不为流俗人所喜。故虽其诗之工，亦无能知而好之。使垂老不遇庄毅，则先生之诗与其为人俱泯灭矣。余因以叹天下学人志士，身不显而名长湮者，古今何可胜道！"《虚受堂文集》卷八《毛青垣先生传》："国翰卜宅当山水间，因名曰麋园。屏居其中，益肆力于诗，以抒其侘傺无聊，往往多幽忧之思，凄苦之响云。……其诗五古清越醇雅，出入陶、谢、江、鲍间。七古雄荡有奇气，约束矜贵，不涉奔放。近体步唐贤，无恧涩之音、佻缛之气。"《晚晴簃诗汇》卷一百四十收其诗二十一首，诗话云："长沙毛氏世以经学称，青垣力学不遇，寝馈于诗。……作诗苦心研炼，稿成屡易。其《论近人诗》绝句末一首云：十年寥落坐湘皋，自理朱弦和楚骚。弹遍猗兰千古操，春风谁奏郁轮袍。殊有东莞知己难逢之叹。

四月

初三，范淑卒。范淑（1821—1846）字性宜，别号问园种菊秋农，江西德化人。咸丰二年举人元亨妹。家贫，事亲抚妹，积瘵以终，犹未字。殁后元亨辑其诗为《忆秋轩诗草》。《晚晴簃诗汇》卷一百八十八收其诗至二十四首，诗话云："性宜初学诗，自道真意，偶得佳句，以为家庭间笑乐而已。久而益工，其兄戏谓：使汝为吾弟，是东坡之得子由也。蔡编修殿斋选《国朝闺阁诗钞》，数征性宜稿，终不予，其不务名誉如此。事亲抚妹，积瘵以终，年二十有六。诗清夐澹远，触物生悟。其暑夜云：花光照处明如水，更引琼枝入镜天。自注：予引镜照花，觉月明院宇，枝叶皆灵。语尤隽妙。"

初十日，李宗昉卒，年六十八。宗昉（1779—1846）字静远，号芝龄，江苏山阳人。嘉庆七年进士，授编修，官至礼部尚书。屡典乡会试，得士称盛。有《闻妙香室集》四十一卷，门人梅曾亮编定。《国朝正雅集·寄心庵诗话》："芝龄先生论古人事有卓识。古诗最为擅长。而五古皆从汉魏人融出，其真朴处无有能过之者。"

五月

莫友芝为郑珍《蔕烟亭词草》作序。序谓："窃论近日海内言词，率有三病：质犷于藏园，气实于毂人，骨属于频伽。其偶然不囿习气而溯流正宗者，又有三病：专淮海而廓，师清真而靡，服梅溪而佻。故非尧章骚雅，画断众流，未有不摭粗遗精，随波忘返者也。"

闰五月

五日，曹懋坚等雅集于城南龙树寺。 刘位坦、韩泰华、陈庆镛、梅曾亮、戴绚孙、何绍基、张穆、赵振祚等与会。寺藏丙申年展禊卷子，是日重题名焉。（曹懋坚《昙云阁诗集》卷七《闰五月五日……》）

十三日，谭宗浚生。 宗浚（1846—1888）字叔裕，广东南海人。谭莹子。少承家学，明敏博识。年十六即举乡试，同治十三年，成一甲二名进士，授编修。典试江南，督学四川，后官至云南粮储道。著有《希古堂文集》、《荔村草堂诗钞》。

六月

一日，黄治自序《春灯新曲》。《春灯新曲》为《玉簪记》、《雁帛书》二种，据自序知作于道光十五年冬。按：黄治字台人，号琴曹，别号今樵，浙江太平人，廪生。生卒年不详。兄潏因事谪戍乌鲁木齐，治偕至戍所，居塞外七年，行谊为时所重。长于诗画戏曲，所著尚有《今樵诗存》、《今樵词》、《蝶归楼》传奇等。李钿《春灯新曲跋》："舅氏秀楚翘先生见之，曰：'此佳构也，二百年无此手矣。'携之去，夸诸士大夫。"天虚我生《蝶归楼跋》："细读一过，觉其结构蕴藉，逼近藏园，而措词造句，尤兼《四梦》之长，似非近人所能。挽近填词家，类皆强作解人，好为传奇。或则衬逗不明，任意增损；或则过赠无序，杂凑成章。句法舛误，等之自度，不复能明之为曲者，盖比比也。得此一篇，实强人意。……近人辄以诗韵填词，自谓谨守规律，殊不知识者方且笑之，斥为谬戾，不可训也。……视此一篇，能不惭汗无地哉！故吾以为此书一出，可为填词家当针砭，可为传奇家作圭臬，正不徒作小说观也。"

十二日，邵懿辰招同人雅集于寓舍。 是日为山谷生日，与会者有梅曾亮、吴嘉宾、张穆、朱琦、赵振祚、曾国藩、冯志沂、龙启瑞、刘传莹，凡十人。（据梅曾亮《六月十二日山谷生日……》诗）按：吴嘉宾（1803—1864）字子序，江西南丰人。道光十八年进士，改庶吉士，授编修。有经世之志，居京师，师事梅曾亮，与王拯、邵懿辰等为友。后以事谪戍，咸丰初释回，返乡督办团练，同治初阵亡。嘉宾工诗古文，为桐城派流衍于江西之重要作家，著有《求自得之室文钞》、《尚絅庐诗存》等。

陈庆镛自编《箍经堂类稿》十四卷成，何秋涛为之序。此集后续有增益，殁后门人辑为二十四卷。又，庆镛本年镌秩回籍。

夏

邵亨豫改削旧诗。《雪泥鸿爪》："夏，取十年所作诗改削几半，稍觉雅驯。"

七月

二十五，麟庆卒，年五十六。麟庆（1791—1846）字伯余，一字振祥，号见亭，别署凝香室等，完颜氏，满洲镶黄旗人。嘉庆十四年进士，历官南河河道总督，降授库伦办事大臣。性风雅，喜吟咏，有《凝香室诗集》。《晚晴簃诗汇》卷一百二十一收其诗八首，诗话云："见亭幼承母教，十余龄即娴吟咏……生平所涉历，事各为记，必有图，题曰《鸿雪因缘》，记中杂出诗篇。时承平已久，宦辙所经，登临抒写，皆和平雅正之音。"

八月

初八，袁昶生。昶（1846—1900）原名振蟾，改名昶，字爽秋，一字重黎，晚号芳郭钝叟、渐西村人。浙江桐庐人。光绪二年进士，历官太常寺卿。二十六年，以反对用义和团开外衅被杀，后追谥忠节。袁昶乡试出张之洞门，旋从刘熙载肄业上海龙门书院，及官京师，与沈曾植等游。博极群书，尤工诗文，著有《渐西村人诗初集》、《安般簃集》、《安般簃集诗续》、《于湖小集》、《于湖文录》等。

彭蕴章奉旨简放福建学政。至十一月抵任，途次得诗一卷，名《乘轺集》。《彭文敬公自订年谱》："自督闽学后每岁刊诗一卷，集名不一，而仍冠以松风阁，先后刊行者二十一卷。"又："在闽时刊《中庸或问》、《试牍酌雅》、《试律铿钟》，士林争先传诵。"

九月

张裕钊、何兆瀛、徐时栋、魏秀仁、龙汝霖、王轩乡试中式。又，秦缃业中式副榜。按：张裕钊（1823—1894）字廉卿，一作濂卿，号濂亭，湖北武昌人。考授内阁中书。少嗜古文，后入曾国藩幕，学乃大进，与吴汝纶、黎庶昌、薛福成号为曾门四弟子，而裕钊、汝纶尤为世所推。中岁后历主金陵文正、江汉经心、保定莲池诸书院。著有《濂亭文集》八卷、《濂亭遗诗》五卷、《遗文》五卷。何兆瀛（1809—1890）字青耜，江苏江宁人。汝霖子。历官广东盐运使。初官京师，与梅曾亮等名宿游。后出守浙西，罢官后侨寓杭州，时举文酒之会。所著合为《心盦全集》。魏秀仁（1818—1873）字子安，一字子敦，又字伯肫，别署眠鹤山人、眠鹤主人等，福建侯官人。赴会试不第，辗转漫游陕西、山西、四川，晚归故里，授徒为生，贫病以终。秀仁能诗文，通经史，著述凡四十余种，多未传，而以小说《花月痕》名于世。龙汝霖（1824—？）字润生，号皞臣，湖南攸县人。由教习升任山西曲沃、高平及江西铅山等地知县，所至有循声。少与王闿运、邓辅纶辈以诗古文相尚，及出以吏事自效，遂不得专精于此。著有《坚白斋遗集》。（汝霖生年据《清代人物生卒年表》）

阮元以乾隆丙午科乡举重逢重赴鹿鸣。

胡盍朋作《海滨梦传奇》六出。此传奇依据传说，谱汉初韩信实有后人事。又，道光二十八年撰《鹤相知》传奇，未见传。按：胡盍朋（1826—1866）字子寿，一字簪廷，号小樵亭主人，又号勿疑轩主人，江苏溧阳人。屡赴乡试不第，以教馆为生。能诗赋，善词曲。著有《白榆堂赋》、《十四宫词》等，有传奇《海滨梦》、《汨罗沙》、《鹤相知》、《中庭笑》四种，前二种传世。

十月

沈维鐈自京归里。过扬州，谒阮元，与梁章钜等诗酒流连。归里后，主讲鸳湖书院、上海敬业书院，与黄霁青、钱仪吉等往还。

十一月

初五，朱一新生。一新（1846—1894）字蓉生，号鼎甫，浙江义乌人。光绪二年进士，改庶吉士，授编修，补监察御史。十二年上书劾及内侍李莲英，忤西太后意，因乞养归。以张之洞聘先后主广东端溪、广雅书院。著有《无邪堂答问》五卷、《佩弦斋集》九卷等。

周之琦以疾去广西巡抚任，自桂林起程回籍。

十二月

孙廷璋序姚燮《复庄诗问》。燮以家贫，力不能付梓，唯所著《疏影楼词》五卷，《玉枢经籥》二十四卷，前已醵赀锓版。廷璋因与其从兄助资刊此诗集。序谓："复庄以六代之才，综百氏之学，跌宕文史，撑五千卷于腹；纵横上下，搜八十家之奇。……凡其撰述，如古文辞骈体词赋等，大都沉博绝丽，纤余为妍，律古不愆，传后可券者。"

冬

黄燮清作《桃溪雪》传奇。按：黄燮清（1805—1864）字韵甫，一字韵珊，浙江海盐人，道光十五年举人，以实录馆誊录用湖北知县，病不之官，家居莳花觞咏，有终焉之志。咸丰中，县城被兵，乃间关就官，署宜都县，调松滋，未几卒。才思秀丽，诗词乐府，流布人口，有《词综续编》、《倚晴楼集》。

本年

广州民众继续反对英军入广州城。

洪秀全在广东花县活动，作《原道救世训》、《百正歌》、《改邪归正》三篇。

林则徐在陕甘总督任。李星沅此时任江苏巡抚。

张维屏家居，辑《史镜》，辑《诗人征略二编》。又，是年筑听松园成，招陈澧等名士觞咏其中，澧尝即席撰《听松园记》，一时争相传诵。（《陈东塾先生年谱》）

姚莹奉使西藏。时莹在四川任知州，两次使藏，往返万里，成《康輶纪行》十五卷，附《中外四海地形图说》一卷。

张祥河丁母忧在籍，本年著诗名《白舫集》。

郭仪霄《诵芬堂集》三十卷自道光九年至本年刊出。内《诗钞》十卷、《二集》六卷、《三集》六卷、《四集》四卷、《文稿》二卷。

潘曾莹充云南乡试正考官，成《使滇吟草》一卷刊之。

吴嘉洤充四川乡试副考官。亢树滋《吴先生传》："丙午考试差，宣庙谕诸大臣曰：吴嘉洤写作俱佳，何以不入翰林？呜呼，以先生之才……而宣庙独知之，深惜之……宜其晚年感及知遇之恩，犹形诸篇什而低徊不置云。"按：吴嘉洤（1790—1865）字清如，江苏吴县人。道光十八年进士，授内阁中书，历官户部员外郎。少即有文名，与朱绶等有吴门七子之目。有《仪宋堂集》。

黄爵滋撰《仙屏书屋初集》十八卷泾阳刊出。爵滋所作多已单行，此集重加删定，内《诗录》十六卷、《诗后录》二卷。

彭蕴章自定《松风阁诗钞》八卷刊出。

凌玉坦《兰芬馆诗钞》十三卷刊刻于江夏。

秋绿词人撰成《桂香云影》杂剧八折。叙山阴汪梦桂与扬州妓女刘桂云以倭乱分离事。鸥梦词人本年《序》谓："情文并挚，弦管俱新。"孙楷第《戏曲小说书录题解》："所记兵事乃鸦片之役，倭夷即英吉利之托词也。"有道光间刊本。秋绿词人生平不详。

沈善宝撰《名媛诗话》刊出。善保（1808—1862）字湘佩，浙江钱塘人，州判沈学琳女，知府武凌云继室，著有《鸿雪楼集》。

刘传莹、曾国藩在京论学，曾国藩始稍择存其在京所为诗古文。《曾文正公年谱》卷一："夏秋之交，公病肺热，僦居城南报国寺，闭门静坐，携金坛段氏所注说文解字一书以供披览。汉阳刘公传莹精考据之学，好深沉之思，与公尤莫逆。每从于寺舍，兀坐相对竟日。刘公谓近代儒者崇尚考据，敝精神、费日力，而无当于身心，恒以详说反约之旨交相劝勉。寺前有祠一所，祀昆山顾亭林先生，十月，公在寺为诗五首赠刘公以明其志之所向。公尝谓近世为学者，不以身心切近为务，恒视一时之风尚以为程而趋。为数年风尚稍变，又弃其所业以趋于新。……公在京所为诗古文不自存录，随时散佚，是冬以后乃稍择而存之。"

王轩在京与张穆同学，并得何绍基等名流为之延誉。至明年，"试春官未第，与冯鲁川志沂、叶润臣澧、杨汀鹭传第、朱伯韩琦订交，同张石州、祁实甫相国、朱伯韩、何子贞、叶东卿、冯鲁川祀亭林生日于顾祠"。（《顾斋简谱》）

王闿运十五岁，始读《楚辞》。王代功编《湘绮府君年谱》："当是时，天下方鹜于科举。宣宗尤重翰林，以一童生不数年可跻二品，故父老以科甲督责子弟，甘心不悔。府君不喜制举之业，尝假得《楚词》，读之惊喜，塾师目为杂学，禁止勿观。府君则于作文时窃诵之。……盖当时风尚如此。府君益发愤欲并古之作者，尤欲多读未见书，且自悔孤陋，遂一意于取友。"按：王闿运（1833—1916）字壬秋，一字壬父，号湘绮，湖南湘潭人。咸丰七年补行二年举人，光绪三十四年赐翰林院检讨。平生刻苦励学，寒暑无间，经史百家，靡不诵习。学成出游，为肃顺、曾国藩、胡林翼、彭玉麟等礼敬。然自负奇才，所如多不合，乃退息，无复用世之志，惟出所学以教后进。历主成都尊经书院、长沙思贤讲舍、衡州船山书院等，成才甚众。民初任国史馆馆长。湘绮生平造诣，经、史、诸子、文翰皆有独到，而诗尤高，与邓辅纶、高心夔并推为湖湘三大家，享名六十余年。著有《湘绮楼全集》凡二十六种。（闿运生于道光十二年十一月二十九日）

周际华卒，年七十四。际华（1773—1846）榜名际岐，字石藩，贵州贵筑人。嘉庆六年进士，授内阁中书，历官辉县、兴化、江都知县，有惠政。撰有《家荫堂诗钞》、《文钞》、《尺牍》各一卷。《晚晴簃诗汇》卷一百十六收其诗四首。

周仪暐（1777—1846）卒于凤翔，年七十。《晚晴簃诗汇》卷一百十七收其诗十首，诗话云："伯恬工六朝文词，尤深于诗。拟古诸作往往逼真，与同里陆祁孙、李申耆并著盛名，中岁奔走东南诸名郡，足迹半天下，为诗尤激昂慷慨。数奇不遇，晚始宰一山邑，不三载殁，可悲也。"

崔旭卒，年八十。旭（1767—1846）字晓林，号念堂，直隶庆云人。嘉庆五年举人，官蒲县知县。工诗，尝与天津文士梅成栋等结社唱酬，著有《念堂诗草》。《晚晴簃诗汇》卷一百十四收其诗五首，诗话云："念堂乡试出张船山房，船山比之崔不雕，与梅树君同佐陶凫芗辑《畿辅诗传》。凫芗后采念堂、树君诗合刊之。凫芗序云：晓林之诗醇古淡泊，味之弥永，譬诸精金百炼，宝光内含。树君诗雄古超迈，力绝恒蹊，而真挚之性，时流于楮墨之间。可谓燕南之二俊也。题为《燕南二俊诗钞》。"

招子庸卒，年五十四。子庸（1793—1846）原名为功，字铭山，号明珊居士，广东南海人。嘉庆二十一年举人，官山东潍县知县。后以举荐鲍鹏为琦善通事罢官。子庸多才艺，善诗文，又善画，通音乐。著有《粤讴》四卷传世。容肇祖《〈粤讴〉之作者招子庸传》："年二十，从张维屏学，维屏称其为文笔极矫健。……子庸与冯询及邱梦玙等六七人放浪于珠江画舫中，因依蛋家歌调，创为粤讴。同辈文人亦有相仿效者，后来张维屏评谓：粤讴以铭山所制为最佳。……其作粤讴，创为粤语歌曲，颇具自由特创之精神，尤为不可多得。"（生卒年据《清代人物生卒年表》）

贺熙龄卒，年五十九。熙龄（1788—1846）字光甫，号蔗农，湖南善化人。长龄弟。嘉庆十九年进士。与兄长龄同研经史，又与唐鉴交最密，倡为经世之学。著有《寒香馆文钞》、《诗钞》。唐鉴序谓："其诗恬雅而寓情于温厚，其文宏茂而立意一归于诚笃，非特其养之深，抑亦见其识之定也。"

俞鸿渐卒。鸿渐（1781—1846）字仪伯，号剑华，浙江德清人。俞樾父。嘉庆二十一年举人，以住馆应聘为生，贫而好学，著有《印雪轩诗钞》、《文钞》。《晚晴簃诗汇》卷一百二十六收其诗五首。

樊增祥生。增祥（1846—1931）字嘉父，号云门，又号樊山，别署天琴老人、身云居士，湖北恩施人。光绪三年进士，官至陕西、江宁布政使。增祥幼工韵语，落笔动辄数百言，学赵翼、袁枚，亦作香奁体。同治中，增祥师从督学张之洞，有意经世之学。后入京，纳贽会稽李慈铭，从其受辞章之学，声闻大起，盛昱、宝廷诸朝士皆称之。光绪十年，出官陕西。后入荣禄幕，庚子之变，两宫西狩，世传罪己、变法诸诏皆出其手。宣统中官江宁布政使、护理两江总督。辛亥冬，新军起事，增祥弃城走上海，与清室诸遗老结社唱酬。后寓北京，与王树模等唱和，时称楚中三老。年八十六，卒于北京。增祥诗词文俱工，尤长于诗，诗篇之富，近代所罕。著有《樊山全集》。

蒋师轼生。师轼（1846—1877）字幼瞻，江苏上元人。师轼早岁从军，后为江宁知府涂宗瀛所赏，补县学生。光绪元年乡试中式，未几病卒。早工词章，与弟师辙并有时誉，称金陵二蒋，邓嘉缉、冯煦等亦其吟侣。著有《三径草堂诗钞》。

公元1847年（道光二十七年　丁未）

二月

周之琦回里，辑《鸿雪词》。《鸿雪词》为《心日斋词集》四种之一，录道光元年至本年之作。（《稚圭府君年谱》）

三月

初八日，梁德绳卒，年七十七。德绳（1771—1847）字楚生，浙江钱塘人。大学士诗正孙，工部侍郎敦书女，兵部主事德清许宗彦室。著有《古春轩诗钞》二卷附词十六阕、文三篇。又尝续弹词《再生缘》，为近代妇女间最流行之弹词。《晚晴簃诗汇》卷一百八十六收其诗十五首，诗话云："楚生出于贵族，无骄侈之习。耽吟咏，好读书，论古今事，必穷其端委而辞不穷，使听者忘倦。"

十六日乙未，清廷以林则徐为云贵总督，调李星沅为两江总督。按：至二十九年九月，则徐卸云贵总督任。

潘世恩充会试正总裁，杜受田、福济、朱凤标副之。（《思补老人自订年谱》）

黄燮清撰《桃溪雪》成并自序。此剧为《倚晴楼七种曲》之一，有咸丰七年、同治四年、光绪七年等刊本。另有胡珽及佚名者序，钱塘关蹊后序，吴廷康跋，梁溪秦缃业、德清俞樾等数十家题辞。此剧应其友吴廷康之请而作，谱康熙年间三藩之乱中永康烈女吴绛雪事。《自序》谓："名之曰《桃溪雪》，桃溪其地，雪其名也。雪喻其洁，桃则伤其薄命也。"胡珽《序》："志在阐幽，义存导俗。大雅之才兼小雅，翻成绝妙新词，文人之笔肖天人，都是霏空丽藻。试读珠玑满帙，东南行墓乐府之篇，如刊金石成书，六一翁表妇人之集。"许奉恩《补桃溪雪传奇下场诗跋》："海盐黄韵珊孝廉所撰《桃溪雪》院本，笔墨精妙，竟欲与孔云亭《桃花扇》抗衡。大抵奇文，非奇人奇事，难臻其极。……今《桃溪雪》既得好题，而文实能雅与题称。……词句科白，直无毫发遗憾。"吴梅《桃溪雪跋》："此曲记吴绛雪事。……其词精警拔俗，与《帝女花》传奇，皆扶植伦纪之作。盖自藏园标'下笔关风化'之帜，而作者皆慎重下笔，无青衿挑达事，此亦清代曲家之胜处也。韵珊于《收骨》、《吊烈》诸折，刻意摹写，洵为有功世道之文。惟净、丑角目，止有《绅閧》一折，似嫌冷淡。此由文人作词，止喜生、旦一面，而不知净、丑衬托愈险，则其词弥工也。余故谓逊清一代，乾隆以前有戏而无曲（《桃花扇》、《长生殿》不在此列），嘉道以还有曲而无戏。此中消息，可就韵珊诸作味之也。"

春

江湜至闽，入学使彭蕴章幕。蕴章为江湜表丈，"校艺之暇，益耽吟咏。文敬（按：蕴章）决其诗为必传，序以张之。留闽三年，诗益富。得间归省，则薄游华亭、青浦间，三泖九峰，遍穷其胜"。（黄华《江弢叔先生传》）按：彭蕴章《伏敔堂诗录序》谓："今读弢叔诗，则古体皆法昌黎，近体皆法山谷，无一切谐俗之语错杂其间，戛戛乎其超出流俗矣。"是数年间，江湜与蕴章赠答颇多，《今传是楼诗话·江湜诗自开户牖》："集中有《彭表丈屡赏拙诗抱愧实多为长句见意》云：'……旅怀伊郁孟东野，句律清奇陈后山。他日无成还志短，诗名幸与二君班。'即其自况，可以见其诗矣。"此诗作于三十四岁，次年又作《近年》诗："近年手创一编诗，脱略前人某在斯。意匠已成新架屋，心花那傍旧开枝。漫愁位置无多地，未碍流传到后时。要向书坊陈起说，不须过虑代刊之。"知此数年确有自开户牖之意。

四月

初六日，张百熙生。百熙（1847—1907）字埜秋，又字冶秋，号潜斋，湖南长沙人。同治十三年进士，改庶吉士，授编修，官至邮传部尚书，谥文达。光绪末，与荣庆、张之洞等议定学堂章程，至京师大学堂之创办，百熙之功居多，世多称之。父启鹏能诗，与湘中文士往还甚密，故百熙自幼即学诗。著有《退思轩诗集》。

二十五日，赐张之万等二百三十一人进士及第出身有差。（《清史稿》）本科成进士者有袁绩懋、黄彭年、沈葆桢、郭嵩焘、朱次琦等，另李鸿章亦于本年成进士。按：袁绩懋（1817—1858）字厚安，阳湖籍顺天宛平人。一甲二名进士，授编修，散馆改刑部主事。后以道员赴闽，署延建邵道，咸丰八年，太平军破顺昌，死之，宣统中追谥文节。绩懋究心经史，亦能诗文，继室左锡璇为一时才媛，闺中唱和，为世所称。著有《味梅斋诗草》等。黄彭年（1823—1891）谱名邦贵，字子寿，号陶楼，贵州贵筑人。辅辰子。改庶吉士，授编修，历官湖北布政使。早承家学，才名籍甚。尝纂修《畿辅通志》，主讲保定莲池书院。长于纪事之文，门人辑刻《陶楼文钞》十四卷，诗初无专集，近人辑有《陶楼诗钞》四卷。沈葆桢（1820—1879）字幼丹，福建侯官人。林则徐婿。以翰林出官江西知府，官至两江总督，一等轻车都尉世职，谥文肃。葆桢清操绝俗，风裁峻整。著有《沈文肃公政书》。郭嵩焘（1818—1891）字伯琛，号筠仙、玉池老人，斋名养知书屋，世号养知先生，湖南湘阴人。改庶吉士，授编修，历官兵部左侍郎。咸丰初佐曾国藩办理团练，有功，光绪初充出使英法大臣，以讲求欧西政艺，诟厉丛集，使还谢病不出，主城南书院以终。嵩焘少与刘蓉、曾国藩等为友，以文字相切磋，工诗文，著有《养知书屋诗集》、《文集》等。

五月

二十九日丁未，以曾国藩为内阁学士兼礼部侍郎衔。

张澍（1781—1847）卒于西安，年六十七岁。嘉兴钱仪吉为撰墓志铭。钱仪吉

《养素堂文集序》："予尝闻君之论文矣，曰：青与赤谓之文，赤与白谓之章，言色泽也。徒法言正论而无色泽，何以为文？盖君之文，宗旨如是。又曰：'文须气清。气清，虽满纸光怪不失为清。骈体散行一也，俗人歧视之，慎矣。故吾所定，偶散不分，是职志耳。'予观古之作者，函雅故，通古今，得其源者，若建瓴输水，方圆曲折惟变所适，而皆出于一情，何足分也。然非通识绝人，造诣渊奥，即此秘已难睹，欲强兼之，亦弗能，以为盖必有复古之才，如君而后可及焉。君虽沉抑，未究厥施，而文章足传于后。"《清史稿·文苑传》称澍"文词博丽"，"务博览经史，皆有纂著。游迹半天下，诗文益富。留心关、陇文献，搜辑刊刻之。纂五凉旧闻、三古人苑、续黔书、秦音、蜀典，而姓氏五书尤为绝学。"冯国瑞编《张介侯先生年谱》序："介侯崛起武威，早负盛名，弱冠之年，登巍科，受知于大兴朱石君珪、仪征阮芸台元，与高邮王伯申引之、金坛段懋堂玉裁、栖霞郝懿行兰皋、嘉兴钱晬石仪吉、臧在东琳诸人相问学，上下议论，视为异人。……朴学华辞，兼长并茂，巍然在乾嘉大师之列，而清代关陇学者，介侯允为大宗矣。"

六月

二十一日，邵懿辰招同人雅集于寓斋。是日为欧阳修生日，曾国藩、梅曾亮、朱琦、龙启瑞、刘传莹、孙鼎臣、周学源与会，以"天下文章莫大乎是"分韵题诗。（《柏枧山房诗集》卷八）

朱骏声开雕自著《说文通训定声》一书。按：朱骏声（1788—1858），字丰芑，晚号石隐山人，嘉庆二十三年举人，官黟县训导。少师事钱大昕，大昕许为衣钵传人，精考据，著述甚博。《清史稿·儒林传》有传。

钱泰吉刻《海昌备志》。是书五十二卷，附录二卷，泰吉时在海昌训导任上。

七月

初十日，左绍佐生。绍佐（1847—1928）字笏卿，湖北应山人。光绪六年进士，改庶吉士，授刑部主事，官至广东南韶连兵备道。晚与樊增祥、周少朴唱和，称楚中三老。著有《竹笏斋诗钞》。（生卒年据《清代人物大事纪年》）

二十一日，成肇麐生。肇麐（1847—1901）字漱泉，江苏宝应人。成孺子。同治十二年举人，官直隶灵寿县知县。八国联军入侵，犯灵寿，投井殉国，谥恭恪。肇麐与冯煦交密，同善倚声。辑有《唐五代词选》，自著有《漱泉词》。

龙启瑞简放湖北学政。至三十年丁忧，《汉南春柳词》一卷中作品多成于此期。

李文瀚于岐山官廨自序《凤飞楼》传奇。仲冬味尘轩刊出，上下两卷，二十出，为《味尘轩四种曲》之四。有作者自序及李锡淳、马国翰序，梅曾亮、周腾虎等诸家题词。此剧始撰于道光二十五年秋，成二出，本年孟夏至秋间撰成。取材于《岐山邑乘》所载明末烈女梁珊如事，叙明末李自成军攻占岐山，梁珊如为李自成部所掳，触壁自尽。至是，《味尘轩四种曲》全部创作完成并刊出。

八月

初三日，汪喜孙（1786—1847）因劳瘁卒于怀庆知府任上，年六十二。《清史列传·儒林传下》："喜孙博学好古，于文字、声音、训故，多所究心，能绍家学。"《射鹰楼诗话》卷二十："江都汪孟慈太守喜孙，容甫先生中之冢嗣也，精于考证，传其家学，不愧名父之子。道光辛丑觞余于京师龙树寺，余尝见其五言古数篇，酷似二谢云。"

九月

六日，姚柬之卒于江宁侨舍。柬之（1785—1847）字幼楷，一字佑之，号伯山，又号檗山，桐城人。道光二年进士，历官贵州大定知府，所至有声。柬之师其从祖鼐，与刘开、曾燠等为友，工诗文，著有《姚伯山集》。金天翮《姚元之姚柬之传》："少亦受学于族祖鼐。而恢奇好大言，人诟之不作，益自喜。……桐城多修饬之士，而柬之嫚志诞言，及试为吏，独能胜繁剧。"《晚晴簃诗汇》卷一百三十收其诗十一首，集评："阮芸台（元）曰：五律精诣，非盛唐以后之诗。张翰风（琦）曰：伯山诗各体绝人，七律尤沉郁高亮，情文相副，质厚而气清，句炼而格浑。张南山（维屏）曰：豪驱广陵之涛，清挹峨嵋之雪。五律得少陵之神，非同貌似。"诗话云："伯山初宰临漳，继任揭阳，断疑狱、治械斗，政声卓越。后擢大定郡守，持大体，不附和上官，谢病归。诗有雄浑之气，五七言近体尤亮拔不群，寄意深远。一门群从中，与后湘（今按：姚莹）殆如骖靳。"

重九日，朱琦将南归，同人集顾亭林祠钱之。

丁晏撰《石亭纪事》一卷成并自序。

十一月

十九日，满洲诗人斌良（1784—1847）卒，年六十四。斌良上年奉旨为驻藏大臣，本年七月十六日抵藏，编《藏卫奉使集》五卷。以水土不服，得疾，卒于官。《清史稿·文苑传》："善为诗，以一官为一集，得八千首。其弟法良汇刊为《抱冲斋全集》，称其早年诗，风华典赡，雅近竹垞、樊榭。迨服官农部，从军灭滑，诗格坚老。古体胎息汉、魏、韩、杜、苏、李，律诗则纯法盛唐。秉臬陕、豫，奉召还都，时与陈荔峰、李春湖、叶筠潭、吴兰雪唱酬，诗境益高。奉使蒙藩，跋马古塞，索隐探奇，多诗人未历之境，风格又一变，以萨天锡、元遗山自况。阮元为序，亦颇称之。"《晚晴簃诗汇》卷一百二十二收其诗十首，诗话云："笠耕名家贵荫，少随父达斋尚书浙抚任，阮文达方视学，从其幕中诸名士游，即耽吟咏。后历官中外，数奉使西北，边塞山川行役，多见诗篇。集中与张船山、吴兰雪、姚伯昂诸人唱和最多，亦兰锜中风雅眉目也。"

二十八，张亨嘉生。亨嘉（1847—1911）字燮均，又字铁君，福建侯官人。光绪九年进士，改庶吉士，授编修，官至礼部侍郎，谥文厚。亨嘉屡典试督学，后为京师大学堂监督，均以爱才惜士称。能诗文，著有《磐那室诗存》、《张文厚公赋钞》、《张文厚公文集》等。

穆彰阿自编《澄怀书屋诗钞》四卷成。此卷本年刊出，有吴钟骏、朱凤标序，季芝昌、李福培跋。朱凤标序称："裴相功名，许浑风月，兼而有之。"吴钟骏序引穆彰阿语云："起家词林，忝列卿贰。遭遇圣明，游泳和气。篇什所存，声韵浸广……有足扬盛美而庆遭际，抒怀抱而畅衿灵者。"按：穆彰阿（1783—1856）字鹤舫，嘉庆十年进士，官至文华殿大学士。自嘉庆以来，屡典乡、会试，凡覆试、殿试、朝考、教习庶吉士散馆考差、大考翰詹，无岁不与衡文之役。国史、玉牒、实录诸馆，皆为总裁。门生故吏遍于中外，知名之士多被援引，一时号曰"穆党"。文宗即位，下令革职，天下称快。年七十四卒。

十二月

黄本骥自编《三长物斋文略》六卷、《诗略》五卷成。《文略》有本月阎海林序，《诗略》有本月自记，本年黔阳教泽堂刊出。又，本骥本年三月成《三志合编》七卷，十月撰《嵃山甜雪》十二卷成，均有自序；本年又刊出其兄本骐（1781—1823）所撰《三十六湾草庐稿》十卷。

冬

梁章钜《浪迹丛谈》十一卷刊出。章钜丙申至丁酉间就养温州，书即成于此间。至明年冬，复成《浪迹续谈》八卷刊出。《三谈》甫成六卷而章钜卒，后于咸丰七年秋刊出。

魏源补成《海国图志》六十卷，刊于扬州。魏耆《邵阳魏府君事略》："以前年英夷抚议，当事者为其窎远，不谙底蕴所致。遂于读《礼》之暇，搜揽东西南北四洋海国诸纪述，辑《海国图志》……成六十卷，以资控制。"又，上年夏，源以母忧去官，遂游岭南，湖南、湖北、江西等地，沿途有诗纪其胜。

本年

蒋坦撰诗集《红心吟》八卷刊出。

柳树芳撰《养余斋诗集》十四卷本年胜溪草堂刻。树芳（1787—1850）字湄生，号古楮，江苏吴江人。

汤贻汾诗集刊成。是年贻汾年七十，同人醵资刊集以代称觞；作《七十感旧诗》五古一百八首，历叙生平，自注綦详，几及万言；至冬，集七十以上者二十人作消寒之会，凡五会，"为历年未有之盛"，中间又尝与魏源等雅集寓斋。（陈韬编《汤贞愍公年谱》）

方成珪《宝研斋吟草》二册刊出。成珪自跋谓："道光壬午，偕端木鹤田出都，车中同座，相与谈诗。鹤田语余曰：'子从事于诗也久，亦知诗之不易言乎？观理不深，不足以探旨趣也；读书不富，则无以壮波澜也。非遍识于古今之体裁，则无以通其变化；非静调乎阴阳之气脉，则无以养其中和。故人人言诗，而诗之途宽；亦人人言诗，而诗之途窄。'鹤田固深于诗者，而其言如此。余深有味乎其言，而有志未逮也。"按：方成珪（1784—1849）字国宪，号雪斋，一号瑶斋，浙江瑞安人。嘉庆十三年举人，官浙江宁波府教授，精研小学，勤于校雠。另有《集韵考证》等。《晚晴簃诗汇》卷一百二十收其诗一首。

蒋湘南撰《七经楼文钞》六卷刊出。蒋湘南（1796—1854）字子潇，回族，河南固始人。道光十五年举人。选虞城教谕，未就。主讲关中书院。长于诗文，自谓于文喜龚自珍、魏源，菲薄世之摹八家古文者，谓当时古文有八弊：奴、蛮、丐、吏、魔、醉、梦、喘。著有《春晖阁诗钞》六卷、《七经楼文钞》六卷。

姚莹在蓬州任成《寸阴丛录》四卷。

吴嘉洤《使蜀小草》刊刻。嘉洤早年所作辑为《珠尘集》二卷，此集乃自辑典试所作，编为二卷。

俞万春撰《荡寇志》（一名《结水浒全传》）成。凡七十回，结子一回。按：俞万春（1794—1849）字仲华，号忽来道人，晚号黄牛道人。浙江山阴诸生。青年时随父游宦广东，参与平定瑶民战事，后行医杭州，鸦片战争时曾献策军门，备陈战守器械。晚年信奉道教，又潜心佛学。自道光六年始费时二十二年，撰成小说《荡寇志》。另著有《火器考》、《骑射论》等。俞龙光《荡寇志识语》谓："（是书）兆感于嘉庆之丙寅，草创于道光之丙戌（1826），迄丁未，寒暑凡二十易，始竟其绪，未遑修饰而殁。"是书接《水浒传》七十回叙起，演述陈希真、陈丽卿等荡平梁山，将水浒人物一一斩尽杀绝，其内容及宗旨并见《结水浒全传引言》："缘施耐庵先生《水浒传》并不以宋江为忠义……乃有罗贯中者，忽撰出一部《后水浒》来，竟说得宋江是真忠真义，从此天下后世做强盗的，无不看了宋江的样：心里强盗，口里忠义。……看官你想，这唤做甚么说话？真是邪说淫辞，坏人心术，贻害无穷。此等书若容他存留人间，成何事体！……他这部书既已刊刻行世，在下亦不能禁止他。因想当年宋江，并没有受招安、平方腊的话，只被张叔夜擒拿正法一句话。如今他既妄造伪言，抹杀真事，我亦何妨提明真事，破他伪言，使天下后世深明盗贼忠义之辨，丝毫不容假借。"是书由其子俞龙光于咸丰元年修饰付刊，至咸丰三年由南京徐佩珂刊出。咸丰七年太平军入苏州毁板，同治十年万春胞弟俞蟸重刊。

方昌翰《虚白室诗钞》存诗始自本年。昌翰（1827—1897）字宗屏，号涤侪，安徽桐城人，咸丰元年举人，官新野知县。昌翰少与方宗诚同学，能诗古文，自谓为文谨守义法，引证务期确凿，称善必如分量。有《虚白室文钞》四卷、《虚白室诗钞》十四卷。

杨恩寿《坦园诗录》存诗自本年始。

李慈铭与王星诚角艺于塾。按：王星诚（1831—1859）初名于迈，改名章，再改为星诚，字孟调，浙江山阴人。咸丰九年副贡。幼颖异，刻意为诗，受知于知府徐荣及督学吴钟骏，与李慈铭交甚笃。尝与慈铭同隶宗稷辰四贤讲舍社籍，并参加周星誉所主之言社。著有《西凫残草》。

莫友芝入京会试，与曾国藩订交。

杨岘请业于陈奂。杨岘编、刘继增续编《藐叟年谱》谓，道光二十五年，杨岘诣杭州西湖崇文书院读书，"交游益广，四方知名之士罔不投刺"，本年见陈奂，为奂所重。遂请业焉。

宗稷辰以御史里居，开四贤讲舍。王星诚、李慈铭皆隶社籍。按：《十朝诗乘》卷十六谓稷辰自山东运河道乞归后举此社，考其乞归在同治六年，时王星诚已前卒，李慈铭亦居京师。故姑系于此。

董基诚卒。基诚（1787—1847）字子诜，号玉椒，江苏阳湖人。嘉庆二十二年进士，出为河南开封府知府。工骈文，与弟祐诚及方履籛齐名，亦善诗词，与弟祐诚合刊《栘华馆骈体文》四卷，另有《螟巢集》、《玉椒词》等。（生卒年据《清代人物生卒年表》）

赵庆熺卒。庆熺（1792—1847）字秋舲，浙江仁和人。道光二年进士，家居二十年，始选延川知县，不果往，改金华教授，未及履任而卒。性倜傥，工诗词，有《楚游草》、《蘅香馆诗稿》、《香消酒醒词》、《香消酒醒曲》等。魏谦升《香消酒醒词序》："三十年前……君与余诗文外，复喜倚声，君则更为金元乐府，缠绵哀艳，一往有深情，即今附刊于词集后者是也。张仲雅先生评陈小鲁之词，以为其语华，其气爽，出入苏辛间，纯乎性灵。君与小鲁习，故词亦如是，而律则较严矣。"项名达序："此《香消酒醒词》，为秋舲少时作，其一往情深，谐姜张之声，缬吴蒋之色，深入南宋诸名家三昧。"《复堂词话》："秋舲先生词名甚著，窃尝议其剽滑，不能多录。"吴梅《中国戏曲概论》卷下"清人散曲"谓："清人散曲，传者寥寥。其有专集者，不过数家。"所列仅赵庆熺《香消酒醒曲》及赵对澂《小罗浮馆杂曲》、吴藻《南北曲》及谢元淮《养默山房散套》。

林鹤年生。鹤年（1847—1901）字谦章，别字铁林，号氅云，晚号怡园老人，福建安溪人。光绪八年举人，官工部郎中。光绪十八年，以道员东渡台湾，与唐景崧、丘逢甲等结牡丹诗社。中日甲午之战起，毁家纾难。事败内渡，定居厦门，与林叔臧结菽庄吟社。著有《福雅堂诗钞》十六卷。

蒋师辙生。师辙（1847—1904）字绍由，一字遁庵，江苏上元人。师轼弟。光绪十七年顺天乡试副榜。年逾五十始援例官安徽知县。精《说文》，工书，能诗，为石城七子之一。著有《青溪诗选》、《清溪词钞》等。

公元1848年（道光二十八年 戊申）

正月

十九日，张廷济卒，年八十一。廷济（1768—1848）字叔未，号眉寿老人，浙江嘉兴人。嘉庆三年解元。师事阮元，精于金石考古，搜藏颇富。有《桂馨堂诗》十三卷等。《晚晴簃诗汇》卷一百十三收其诗八首，诗话云："叔未以第一人举于乡，道光丙午次子庆荣稚春又以第一人举于乡。是岁叔未正八十。……继其后者惟江右聂氏。父明景，同治庚午，子谦吉，光绪戊子，亦先后领解。同为科名佳话。叔未诗多题咏金石书画，古藻新声，与覃溪仲伯。所藏图籍文具，物各为诗，编为《清仪阁杂咏》，附集以行。"

二月

姚燮《复庄诗问》三十四卷刻成。此集刻丙午五月付刻，此月成，《复庄手定自跋》谓："诗以道性情，苟不诗，性情何所寄？吾之诗，吾自寄其性情耳。"此集附《诗传》引张培基《问己斋文钞》云："能作人物花鸟……不知者邂近求画，甚于求其诗文，故又以画著名。……又尝以学之所得者为诗古文辞，得意自喜，独与知己者商之，故不甚传于人。其传者应试诸作、骈体及词曲而已。于是人金谓复庄工骈体词曲，未有盛称其诗古文辞者。"又附陈用光、徐宝善、程恩泽、潘德舆、郭仪霄、叶元堦、端木国瑚、朱文治、叶申芗、张际亮、叶绍本、冯登府、赵函、吴德旋、陈文述、厉志、朱琦、黄安涛、阮亨、朱绶、徐荣、汤鹏、沈兆霖、潘遵祁等六十余家题词。

三月

初一日，徐松（1781—1848）卒，年六十八。缪荃孙编《徐星伯先生事辑》："先生学识闳通，撰著精博，负重望者三十年……朝野名流，相见恨晚，而身后遗书散佚殆尽。"

二十四日，黄遵宪生。遵宪（1848—1905）字公度，别署人境庐主人、东海公，广东嘉应人。光绪二年举人。随何汝璋出使日本，留心外事，欲使我国有所借鉴，撰《日本国志》。后调任驻美国旧金山领事、驻英使馆参赞。甲午战事起，张之洞以筹防需人，奏调回国，任江宁洋务局总办，参与创设《时务报》。及改湖南长宝盐法道，署按察使，助陈宝箴推行新政。政变作，几不免。既罢归，仍留意兴学。工诗，梁启超倡诗界革命，推为近世诗杰。著有《日本杂事诗》二卷、《人境庐诗草》十一卷等。（钱仲联撰《黄公度先生年谱》）

五月

二十五日，黄安涛（1777—1848）卒，年七十二。《清史列传·文苑四》："诗劲直幽峭。"《晚晴簃诗汇》卷一百二十一收其诗六首，诗话云："作诗自遣，间流率易。"

六月

初六日，贺长龄卒，年六十四。长龄（1785—1848）字耦庚，一作耦耕，号西涯，又号耐庵，湖南善化人。嘉庆十三年进士，改庶吉士，授编修，官至云贵总督。尝延魏源等辑《皇朝经世文编》百二十卷。著有《耐庵诗文存》九卷等。唐鉴撰《贺君墓志铭》："自秀才至词翰，常以文章为群党雄。"

陈蓥自序《问花楼词话》。陆蓥，字艺香，江苏吴江人。生卒年不详。另有《问花楼诗钞》、《问花楼诗话》。陈文述序其诗话，称"吴江陆君艺香，以名茂才称诗吴中，与余交最久"，称诗话"实事求是，不拘故常，不侈标榜"。陈去病跋《词话》，谓"叙述源流，辨晰雅近，卓然自具特识"。

童槐编定其集。童槐各稿初未编次，至是编定《今白华堂诗文集》六十卷等。(《显考萼君府君年谱》) 按：童槐（1773—1857）字晋三，一字树眉，号萼君，浙江鄞县人。嘉庆十年进士，官至通政司副使、福建按察使。撰有《今白华堂集》，同光间刊出。

八月

徐继畬撰成《瀛寰志略》十卷并自序。

九月

十八日，刘传莹卒，年三十有一。传莹（1818—1848）字实甫，又字椒云，湖北汉阳人。道光十九年举人，官国子监学正。少读顾炎武、江永书，慨然以通经史、立功业为志。居京师，与曾国藩为友。二十七年冬返里，寻病卒。著有《刘椒云先生遗集》四卷。曾国藩《国子监学正汉阳刘君墓志铭》："君之为学，其初熟于德清胡渭、太原阎若璩二家之书，笃嗜若渴。……久之，稍损心气。……于是痛革故常，取濂洛以下切己之说，以意时其离合而反复之。"姚永概《刘椒云先生遗集序》："言约而旨高，读之足使人志气奋发。"

二十三日，陈宝琛生。宝琛（1848—1935）字敬嘉，号伯潜、弢庵，福建闽县人。同治七年进士，改庶吉士，授编修。光绪初，与宝廷、张佩纶、张之洞并以直谏有声，号为清流，而众尤推宝琛能持大体。中法战事起，奉命会办南洋，及马尾战败，宝琛以所保非人罢黜。宣统元年，始起复原官。辛亥后，为溥仪师傅。及伪满洲国成立，屡征不赴。著有《沧趣楼文存》二卷、《沧趣楼诗集》十一卷。

洪齮孙、周仪颢序汤用中撰《翼绹稗编》八卷。此书有本年刊本，另有明年刊本、同治八年刊本等。鲁迅《中国小说史略》二十二谓："《滦阳消夏录》方脱稿，即为书肆刊行，旋与《聊斋志异》峙立；《如是我闻》等继之，行益广。其影响所及，则使文人拟作，虽尚有《聊斋》遗风，而摹绘之笔顿减，终乃类于宋明人谈异之书。如同时之临川乐钧《耳食录》十二卷（乾隆五十七年序），《二录》八卷（五十九年序），后出之海昌许秋垞《闻见异辞》二卷（道光二十六年序），武进汤用中《翼驷稗编》八卷（二十八年序）等，皆此类也。"

拜上帝会会众在广西桂平拆毁神庙等。

秋

端木埰始学为词。与同里数人结听松词社，自秋徂冬，得词百余首。(《碧瀣词自序》) 按：端木埰（1816—1892）字子畴，江苏江宁人。道光二十六年优贡。咸丰三年携眷入都，大学士祁寯藻荐任内阁中书。光绪十三年充会典馆总纂官，转侍读。工书，善诗词，颇得王鹏运等推许。著有《有不为斋集》六卷，另有《碧瀣词》。

邓显鹤作《后长沙秋感十首（有序）》。序曰："所感者非一事，亦非一人，并非一时一地，盖自己亥未去官以前至今，十余年情事略具于是矣。"

十月

十四，王颂蔚生。王颂蔚（1848—1895）初名叔炳，字芾卿，号蒿隐。江苏长洲人。光绪六年进士，改庶吉士，历官户部郎中。甲午中日之役，颂蔚多所建议，次年和议成，悲愤累月，遂以疾殁。颂蔚早岁受知于合肥蒯德模，又与叶昌炽同受训诂之学，吴中学者王、叶齐名，素为翁同龢、潘祖荫推重。尤致力于周官义疏，能诗文，著有《写礼庼诗集》、《文集》等。

二十九日，张佩纶生。佩纶（1848—1903）字幼樵，一字绳庵，号篑斋，又号言如，直隶丰润人。同治十年进士，改庶吉士，授编修。光绪初年，佩纶在台谏勇于言事，为清流眉目之一。中法战事起，派赴福建会办军务，马尾之战，仓皇出逃，被革职遣戍。期满回京，李鸿章召入幕中，并以女妻之。庚子后参与《辛丑条约》谈判，旋居南京不出。工诗，著有《涧于集》。

林昌彝至晋江访陈庆镛。留连数十日。（《射鹰楼诗话》卷十四）

支机（敦复妻）序蒋敦复《芬陀利室词》。序谓："机读写墨楼内史序朱君酉生之词曰：意蓄语中，韵溢弦外。又云言苦者思沉，辞隐者志郁。喟然曰：何其似吾剑人之词也。剑人才气高迈，务为有用之学，不屑屑以诗名，而竟以诗名。其于词也亦然。每一申纸，哀艳欲绝，比兴所作，绵眇无极。顾君子山评之，以为凄厉动魂，芬芳竟体，得力在白云白石间。是已。"

十一月

张声玠（1803—1848）殁于保定，年四十六。郑振铎《清人杂剧二集·题记》："各剧情调至为不同，而皆有所愤激。《琴别》、《画隐》二出，尤深于家国沦亡之痛。中多入吴侬柔语，盖亦当时风尚如此。"

邗上蒙人自序狭邪小说《风月梦》。是书三十二回，本月当已撰成。有光绪十年上海江左书林等刊本，民国刊本改题《名妓争风全传》。邗上蒙人，生平不详。自序云："余幼年失怙，长违严训，懒读诗书，性耽游荡。及至成立之时，常恋烟花场中，几陷迷魂阵里。……荡费若干白镪青蚨，博得许多虚情假爱。回思风月如梦，因而戏撰成书，名曰《风月梦》。或可警愚醒世，以冀稍赎前愆，并留戒余后人勿蹈覆辙。"

十二月

二十九日，吴庆坻生。庆坻（1849—1924）字子修，号悔余生，晚号补松老人，钱塘人。光绪十二年进士，改庶吉士，授编修，历官湖南提学使。庆坻幼随祖父振棫宦游川陕鄂晋等地，同治七年侍祖返乡。时俞樾主诂经精舍，乃游其门，与诸耆老组铁花吟社。在官数典试视学。辛亥后移居沪上，与清室遗老结超社、逸社。著有《补松庐诗文录》、《悔余生诗集》等。

本年

宋翔凤《洞箫楼诗纪》二十四卷本年刊出。按：宋翔凤诗凡数刻，嘉庆二十三年刊有《忆山堂诗录》八卷；《洞箫楼诗纪》亦有道光十年所刊十八卷本及咸丰间所刊二十八卷本。宋翔凤（1776—1860）字于庭，江苏长洲人。嘉庆九年举人，历官湖南兴宁知县。咸丰初年回籍，九年以重宴鹿鸣加知府衔，明年卒。翔凤与刘逢禄同为庄述祖之甥，能得庄氏真传。自少刻苦励学，为诸长老所赏，与当世大儒多有往还。经学小学著述甚富。兼工诗词，有《朴学斋文录》、《洞箫楼诗纪》、《忆山堂诗录》、《香草词》、《洞箫词》（附《乐府余论》）、《碧云龛词》等，多刊入《浮溪精舍丛书》。

友石山房刊刻张启鹏撰《海墅诗钞》八卷、《无垢静室时艺》四卷。

丁晏 刻《颐志斋丛书》成。

黄爵滋《仙屏书屋初集》文录十六卷刊出。又，辑新作之诗为《戊申粤游草》、《楚游草》各一卷刊刻。

彭蕴章刊其文《归朴龛丛稿》十二卷。后于咸丰七年补刻《续编》四卷。

知足不足斋刊出谢元淮撰《养默山房诗录续存》三卷。又，《养默山房诗余》三卷、《碎金词谱》十四卷《续谱》六卷、《词韵》四卷，亦本年刊出。

顾氏义庄刊刻顾翰撰《宜雅堂诗录》六卷。

潘世恩撰成《思补斋笔记》八卷并自序。（《思补老人自订年谱》）

杨庆琛撰《绛雪山房诗钞》二十卷刊出。有彭蕴章、季芝昌、刘韵珂、黄赞汤、郑祖声、桂超万、廖鸿基、苏廷玉、梁章钜、林廷禧序。刘韵珂序："各体具备，不名一家，大者敦笃友爱，缠绵忠爱，足以感发人之善心；次则感旧怀人，托物寄兴，芬芳悱恻之情流露于行间字里；而游宦所经登临览古，凭吊兴怀，间出于激昂慷慨，而天然秀色，别具韵致。"郑祖声序："浩瀚磅礴，瑰奇磊落，不可磨灭之气，按之声律，动中自然，非犹世之雕绘刻镂以为工者。"林廷禧序："豪不伤激，丽不入纤，敦厚和平，力扶风雅。"按：杨庆琛（1783—1867）榜名际春，字廷元，号雪茮，福建侯官人。嘉庆二十五年进士，历官山东布政使，内用光禄寺卿，道光二十三年致仕归里，以病老终。庆琛与梁章钜、林则徐同出福州鳌峰书院郑光策门，历官中外，交游甚广。能诗，另有《诗续钞》六卷、《试帖》三卷等。

经纶堂刊出《大汉三合明珠宝剑全传》四十二回，不题撰人。书系依傍嘉庆中《争春园》而成，叙马俊等侠义故事。

汪士铎四十七岁，撰《南北史补志表》及《通鉴地理考正》。

曾国藩辑《曾氏家训长编》等。《曾文正公年谱》卷一："公官至卿贰，名望渐崇，而好学不倦，其于朝章国故，如会典、通礼诸书，尤所究心，又采辑古今名臣大儒言论，分条编录，为《曾氏家训长编》。……又采国史列传及先辈文集中志状之属，分门编录，条分近代学术，用桐城姚氏之说，以义理、考据、词章三者为目依，汇辑之。"

方东树《考槃集》诗止于是年。此集乃晚年之诗，随时刊刻，起癸已止本年，五言古诗二卷、七言律诗一卷。（《方仪卫先生年谱》）

董沛年二十，约自本年从姚燮受诗法。董沛撰《姚复庄先生墓表》："余自弱冠始侍先生，诗法皆先生所授，今老矣，集已梓行，于师门颇为辅手，而渊源所自，不可忘也。"按：董沛（1828—1895）字孟如，号觉轩，浙江鄞县人，光绪三年进士，官建昌知县。与徐时栋交尤密。留意乡邦文献，主修《鄞县志》，辑《甬上宋元诗略》等，自著有《六一山房诗集》、《正谊堂文集》等。

张之洞始为诗，编为《天香阁十二龄草》。之洞是年十二，在贵州兴义府。（许同莘编《张文襄公年谱》）按：张之洞（1837—1909）字孝达，号香涛，又号壶公、抱冰，直隶南皮人。少随父生长贵州，从韩超、胡林翼学。同治二年一甲三名进士及第，授编修。六年充浙江乡试副考官，称得士。后历督湖北、四川学政，于鄂立经心书院，于川立尊经书院，务期以经术造士，誉望甚美。还朝，擢内阁学士，数上书论列时政，为一时清流眉目。出为山西巡抚、两广总督、湖广总督，俱有兴革。戊戌变法，之洞著《劝学篇》，提倡中学为体，西学为用。三十三年擢体仁阁大学士、军机大臣，兼管学部。宣统元年病卒，谥文襄。之洞工诗，骈文，奏议亦为时所称。所至网罗才俊，幕府宾僚极一时之盛。著有《广雅堂散体文》、《广雅堂骈体文》、《广雅堂诗集》等，合称《张文襄公全集》。

王闿运与邓辅纶、邓绎兄弟及李寿蓉、龙汝霖等订交，诗名渐著。《湘绮府君年谱》："邓丈弥之兄弟闻府君'月落梦无痕'诗句，奇之，特来造访。其时李丈篁仙寿蓉、丁丈果臣取忠、龙丈皋臣汝霖，皆居城南书院斋，府君因定交焉。李丈放诞自喜，尤擅才名，与府君相得甚欢。日夕过从，尝于十二月雪夜，李丈徒步来宿书室，刻烛联句二十韵，名篇剧韵，传诵一时，名字渐达湖外。"王闿运《周甲七夕词六十一绝句·十五疾吟天露乾》自注："道光丙午……始学咏吟。"《南市通郊灯似珠》自注："戊申，移居南门，肄业城南，因邓弥之兄弟识丁果臣、龙皋臣、李篁仙，以诗标榜，有'五子'之目。'月落梦无痕'，湘潭曹珂句也，予窃之，改七言为五言，刘采九赏焉，予名乃自此起。"按：李寿蓉（1825—1894），字篁仙，一字械叔，湖南长沙人。咸丰元年举人，六年进士，官户部主事。以事入狱，及肃顺败，始得释出。后捐资得道员，一署江汉关道，调安徽芜湖道，贫老以终。有《天影庵集》。

蒋春霖年三十一，约在此年就淮南盐官。此数年间，春霖父殁，奉母游京师，声闻日起而文战不利，不得已就盐官。按：蒋春霖（1818—1868）字鹿潭，江苏江阴人，寄籍大兴。少时随侍父于荆门任所，尝登黄鹤楼赋诗，老宿敛手，一时有"乳虎"之目。父殁，家中落，奉母游京师。既连不得志于有司，乃弃举业，就两淮鹾官。咸丰末，兵事方急，徐沟乔松年、嘉善金安清，先后争致之。后松年升迁、安清去职，春霖仍沉沦下僚，侘傺无聊以卒。春霖故致力于诗，中岁悉摧烧之，一意于词。有《水云楼词》二卷补遗一卷及遗诗《水云楼烬余稿》。

王协梦卒，年七十六。协梦（1773—1848）字渭南，号松庐，江西新建人。嘉庆十九年进士，历官江苏常镇道。协梦居官廉洁奉公，尝由御史出守湖北施南，道光帝谓：此缺清苦，惟汝甚宜。著有《松庐诗钞》十卷、《杂文》二卷，今存仅《松庐诗钞》八卷。

洪炳文生。 炳文（1848—1918）字博卿，号栋园，别署祈黄楼主等。浙江瑞安人。炳文尝师从黄体芳、孙锵鸣等，屡试不第，至光绪十七年，始得一贡生。光绪末，著《警黄钟》等戏曲以警醒国人，又著《电球游》、《月球游》等剧，开我国科学幻想戏剧之先河。一生撰著戏曲作品三十余种，近代所罕。其他诗文杂著有《花信楼文稿》、《栋园乐府》等数十种。

公元1849年（道光二十九年　己酉）

正月

《荡寇志》作者俞万春（1794—1849）卒，年五十六。《中国小说史略》："（《荡寇志》）书中造事行文，有时几欲摩前传之垒，采录景象，亦颇有施罗所未试者，在纠缠旧作之同类小说中，盖差为佼佼者矣。"

梁廷枏自编《藤花亭骈体文集》三卷成并自序。

梁章钜撰《闽川闺秀诗话》四卷成。梁韵书为之序，本年刊刻。

陈澧自序《东塾类稿》。此集本年始刊，系属散篇，不记页数，后有所作，亦随时刻入。又，本年选授河源县学训导，明年冬始到任，旋辞归。（《陈东塾先生年谱》）

朱次琦之官山西。

二月

丁丙在杭州结集"益斋诗文社"。据丁立中编《先考松生府君年谱》：吟会设于城北小天后宫，会无定期，月必二举，前后凡五十余人，与丁丙朝夕过从者则为谭献、高望曾诸人。按：丁丙（1832—1899）字嘉鱼，号松生，又号松存，浙江钱塘诸生。以热心公益、留心文献，保举为知县。辑校《武林掌故丛编》、《武林往哲遗著》、《西泠词萃》等，自著十数种，诗文有《松梦寮集》。谭献（1832—1901）原名廷献，字涤生，更名献，字仲修，号复堂，又自号半厂居士，浙江仁和人。同治六年举人。同治末纳赀得县令，官安徽歙县等县。后告归，锐意撰述，为一时物望所归。献工诗古文，亦工骈体文，尝评点《骈体文钞》。于词学致力尤深，选清人词为《箧中词》六卷、续三卷，又评周济《词辨》，皆能度人金针。自著汇为《复堂类集》，另有《复堂文续》五卷，弟子徐珂辑其论词诸说为《复堂词话》。《清史稿·文苑传》有传。高望曾字稚颜，号茶盦，后官闽中，参与聚红词社，著有《茶梦盦集》。

三月

初七日，王仁堪生于京寓。仁堪（1849—1893）字可庄，又字忍庵，号公定，福建闽县人。工部尚书庆云孙。光绪三年一甲一名进士，授修撰，历官苏州知府。一任学政，三典乡试。居官有惠政。尤工书法，能诗文，有《王苏州遗书》。

四月

三日辛丑（4 月 25 日），葡萄牙拒交地租，霸占澳门。

下旬，王韬自序其《蘅华馆诗录》。序云："余不能诗，而诗亦不尽与古合。正惟不与古合，而我之性情乃足以自见。……窃见今之所为诗人矣，扯扯以为富，刻画以为工，宗唐祧宋以为高，摹杜范韩以为能，而于己之性情无有也，是则虽多奚为？……余自少读诗，自古作者以逮本朝诸大家，皆欲讨流溯源，穷其旨趣，久之益知作诗之难。……余今年二十有二岁，积诗凡数百首，要不尽可存，但愿质诸天下后世之能诗者，以共相印证可也。"（《弢园文录外编》卷七）按：此集后有明治庚午（光绪六年）日本刊本，目录八卷，实仅刻前五卷。

潘祖荫自京还里，始与吴中戈载、江湜等订交。（潘祖年编《潘文勤公年谱》）按：潘祖荫（1830—1890）字伯寅，号郑庵，江苏吴县人。大学士潘世恩孙，内阁侍读潘曾绶子。咸丰二年一甲三名进士，授编修，官至工部尚书，谥文勤。通经史，好收藏，储金石甚富。同光间久直南斋，在文学侍从中与李文田同以通博称。数掌文衡，典会试二、乡试三，宏奖士类，时与翁同龢并称翁潘。刻书甚多而自作绝少，有《四本堂文集》二卷、外集二卷，诗无专集，见于所辑同人唱和之《癸酉销夏录》及《南苑唱和集》。按：戈载（1786—?）字弢甫，号顺卿、宝士，吴县诸生。辑有《宋七家词选》，著有《词林正韵》、《翠薇花馆词》等。《蕙风词话》卷一："吴县戈顺卿（载）《翠薇花馆词》，哀然巨帙。以备调守律为主旨，似乎工拙弗所计也。惟所辑《词林正韵》，则最为善本。……倚声家圭臬奉之。"《复堂词话》："顺卿谨于持律，剖及豪芒，道光间吴越词人，从其说者，或不免晦涩窊离，情文不副。然实为声律诤臣，不可就便安而偭越也。"《憩园词话》卷一："初，戈顺卿论词吴中，众皆翕服。独长洲孙月坡茂才麟趾与龃龉。长洲宋铭之茂才云：'窃谓守戈氏之界，可以峻词体。游孙氏之宇，可以畅词趣。二者皆是，不可执一，愿与同侪通两家之驿可乎。'同人龇之。余则谓词仍当以韵律为主，未可越戈氏之范围，不敢附和月坡也。"卷二："以词学提倡江南北者三十年。……所撰《翠薇花馆词》多至三十九卷，专主审音协律，致真意转漓。"陈匪石《声执》卷下："戈顺卿《宋七家词选》作于清道光间。其时比兴说创于常州，戈氏为吴中七子之一，虽仍衍浙西之绪，求南宋之雅音，然已知所谓骚雅遗意，且已知尊清真。特其论清真者，仍不免隔靴搔痒，不如周济谓之集大成为有真知灼见尔。然戈氏之论梦窗，则已能知之……固与周济之说，如桴鼓之相应也。……盖于北宋虽未能深窥，而于南宋已得奥窔，故其言多中肯綮也。戈氏于词，辨律审音，均极精粹。"

四月

初二日，杨深秀生。深秀（1849—1898）字漪邨，又字漪春，别号𪨶𪨶子，山西闻喜人。光绪十五年进士，历官御史。深秀尚气节，戊戌四五月，上疏请御门誓众、厘定文体，八月初政局既变，举朝惴惴，惧大诛至，独深秀抗疏请太后归政。后与谭嗣同等同时遇害，为戊戌六君子之一。深秀博学多能，自经史百家旁及金石碑版，靡不通晓。吟咏外，兼工绘事。著有《雪虚声堂诗钞》等。

瑯嬛书屋刊出《云钟雁三闹太平庄》。 此书一名《大明奇侠传》，五十四回，不题撰人。书首本月"珠湖渔隐"序，云："今此书向有钞录旧本，江以南流播尚少，坊友属予阅定，惠付梨枣，庶几广为传观，且可见福善祸淫之理，尚扶翼于宇宙间也。"叙雁公子诸英雄三打刁国舅之太平庄，演英雄儿女及忠奸斗争故事。

闰四月

十二日，方士淦卒，年六十三。 士淦（1787—1849）字莲舫，一字濂舫，号啖蔗居士，安徽定远人。嘉庆十三年召试，赐举人，官至湖州府知府，著有《啖蔗轩诗存》等。（《啖庶轩自订年谱》）《晚晴簃诗汇》卷一百二十收诗九首，诗话谓："莲舫早负文誉，自中书出为德安丞，擢守湖州，因事谴戍，赐还归里。莫稌亭称其博涉群书，著作甚富，尤喜为诗。顾不多存稿，守湖以前之作类皆散佚，晚年存者亦殊无几。"

六月

二十日，梁章鉅（1775—1849）卒，年七十五。 林则徐《墓志铭》："乐奖人才，出诸天性……耽风雅，笃朋旧"，"仕宦中著撰之富，无出其右"。张之万《请祀江苏名宦事实》："居官之余，不废著述。其书籍行世，嘉惠士林者，不下七十余种，吴中读书家尝奉为圭臬。……而《制义丛话》、《试律丛话》则家弦户诵，尤足为后学津梁。……政事文学一以贯之，洵所谓仕学兼优，当代伟人。"陈寿祺《藤花吟馆诗钞跋》："覃溪学士之序茝邻按察诗，曰'不名一家，而能奄有众家之美'，曰'沉著按切，一时才隽莫能近'，数言足以尽茝邻矣。……虽然，覃溪诧茝邻笃信其说，意欲纳为学诗弟子，则余未敢谓然。……茝邻之诗，自嘉庆癸酉入都以后，从覃溪游，间效其体云耳，其才力之雄，固自足深造古人之堂室，恶在其为墨守覃溪也？"《晚晴簃诗汇》卷一百十七收其诗九首，诗话云："茝林早岁通籍，扬历中外，其诗才学赡博，用笔生健，喜选险韵而能控制自如。翁覃溪言门下诗弟子百十辈，茝林最后至而手腕境界迥异时流，不名一家而奄有诸家之美云。"

二十七日，沈维鐈（1779—1849）卒于嘉兴里第，年七十二。 《补读书斋遗稿》十卷于光绪初元刊刻，有陈澧序。沈宗涵、宗济编《鼎甫府君年谱》："府君一生不好著作，以为著述之学本朝大备，惟择善而从，尊闻行知足矣。侈言著作，无益也。见人刊诗文集辄曰：将此何用？惟为人酬应，始下笔，亦多不留草。"《清史稿》本传："宣宗最重文学廉谨之臣……沈维鐈服膺理学，程恩泽博物冠时，皆负清望。"《晚晴簃诗汇》卷一百十七收其诗四首，集评："陈兰甫曰：鼎甫侍郎家近陆清献之乡，承其余风，纯乎朱子之学。又少时受业于段茂堂之门，精通经学，不为心性空言，发而为文为诗，醇实真切，出于自然，此所以为有本之言欤？方梦园曰：诗歌温厚和平，尤合风人之旨。"

七月

胡培翚卒，年七十八。培翚（1782—1849）字载屏，号竹村，安徽绩溪人。嘉庆二十四年进士，官户部主事。后罢官归里，主讲钟山、惜阴、泾川诸书院。治经学，尤邃于三礼。著有《研六室文钞》。《清史稿·儒林传》有传。

八月

梅曾亮出都南归，同人饯于龙树寺。与此集者有邵懿辰、孔宪彝、曾国藩、边浴礼、秦缃业、冯志沂、何秋涛、黄彭年，各有诗赠。（《柏枧山房诗集》卷八）曾国藩《送梅伯言归金陵三首》有句云："文笔昌黎百世师，桐城诸老实宗之。方姚以后无孤诣，嘉道之间又一奇。"《江宁府志·梅曾亮传》："其文洗伐最深，故饶姿韵。官京师久，以文自赡，一时碑版记叙率其手笔，时论盛称之。"朱琦《柏枧山房文集书后》："居京师二十余年，笃老嗜学，名益重，一时朝彦归之。自曾涤生、邵蕙西、余小颇、刘椒云、陈艺叔、龙翰臣、王少鹤之属，悉以所业来质，或从容谈燕竟日。琦识先生差早，迹虽友而心师之。"朱庆元《柏枧山房文集跋》："先生故姚桐城高第弟子。姚既卒，世之硕彦争请业焉。吾苏则同邑许氏宗衡、山阳鲁氏一同、无锡邹壮节鸣鹤，山西则代州冯氏志沂，浙江则仁和邵氏懿辰，江西则南丰吴氏嘉宾、新城陈氏学受，湖南、湖北则曾文正国藩、善化孙氏鼎臣、汉阳刘氏传莹，广西则马平王氏锡振、临桂龙氏启瑞、朱氏琦。"

九月

初九，邓显鹤集长沙同人唱和。集者有沈道宽、黄本骥、杨季鸾、罗汝怀、杨彝珍、张启鹏等。（《南村草堂诗钞》卷二十三《己酉九日……》）又，十月初九日，又为展重之会，黄本骥、李星沅、杨季鸾、熊少牧等集妙高峰。（同卷《十月初九日……》）至明年春，显鹤集此间雅集唱和诗为《城南倡和诗》刊出。按，罗汝怀（1804—1880）字研生，湖南湘潭人。道光十七年拔贡，选授芷江县学训导，改选龙山县学训导，皆不赴，独以纂辑述造为事。留心湖湘文献，纂《忠义录》，辑《湖南文征》、《褒忠录》，论者谓足继邓显鹤之辑《沅湘耆旧集》。于经史小学成书多种，何绍贞、曾国藩以为有经师之风。所著诗古文词有《绿漪草堂文集》、《诗集》、《研笔馆词》。张启鹏（1806—1883）字幼潆，一字蔗泉，自号丽江居士，湖南长沙人。道光十五年举人，选授永明县学训导。咸丰中，以助饷功，开缺以同知用。著有《梅墅文钞》、《诗钞》、《友石词》等。杨彝珍（1807—1898）原名彝，字湘涵，号性农，湖南武陵人。道光三十年进士，改兵部主事，遂假归不出。未通籍时，即与吴敏树、曾国藩、郭嵩焘等交游，在京与孙衣言等晨夕过从。归籍后，杜门著书，时与同辈及后辈文士王闿运等唱和。著有《移芝室集》等。沈道宽（1772—1853）字栗仲，浙江鄞县人，寄籍顺天大兴。嘉庆二十五年进士，历官湖南桃源知县。久官湘中，与邓显鹤、欧阳辂等湘中名士论交。有《话山草堂遗集》。杨季鸾（1799—1856）字紫卿，湖南宁远人。监生。少即工为韵文,年十二以《春草诗》得名。后入京师,以诗投吴嵩梁、李宗瀚,皆大赏异。与何绍基、汤鹏、邓显鹤、李星沅为友。困于科场,足迹遍天下,所至执诗坛牛耳。著有《春星阁诗钞》。

初九,张金镛编《梦鸳碎语》词一卷成并自序。金镛于道光二十六年丧妻,此集乃悼亡之作。

十五日,叶昌炽生。昌炽(1849—1917)字鞠裳,又字鞠常,晚号缘督庐主人,江苏长洲人。光绪十五年进士,改庶吉士,授编修,历官侍讲。昌炽幼颖悟,通六经,文章气息逼汉魏,为冯桂芬所赏。长益博极群书,尤以经籍碑版之学冠绝一时。著有《奇觚庼诗集》、《奇觚庼文集》、《藏书纪事诗》六卷、《语石》等。

戴钧衡乡试中式。钧衡后赴京应礼部试,结识曾国藩诸人。马其昶《戴蓉洲先生传》:"举于乡,侍郎曾公国藩、吕公贤基、通政罗公惇衍、给谏陈公庆镛皆愿结交,而曾公尤善先生。"

孙廷璋乡试中式。廷璋(1825—1866)字仲嘉,一字莲士,浙江会稽人。授国子监学正学录,入赀为候选知府,先后作幕浙江、广东,所至不合,郁郁以终。著有《亢艺堂文集》、《勉憙堂诗集》、《玉井词》各一卷。

彭蕴章卸福建学政任。此后在京任职,还京途中,告假归里,十一月于玄妙观致祭问梅诗社黄丕烈诸先生。

王韬二十二岁,以家贫橐笔沪上,佣书于西人所设墨海书局。至咸丰十一年亡命香港,在沪凡十三年。《弢园老民自传》:"时西人久通市我国,文士渐与往还,老民欲窥其象纬、舆图诸学,遂往适馆授书焉……沪上虽为全吴尽境,而当南北要冲,四方冠盖往来无虚日,名流硕彦接迹来游,老民俱与之修士相见礼,投缣赠纻,无不以国士目之。"姚燮、张文虎、周腾虎、龚橙,"其交尤密";西馆中李善兰、蒋敦复、管嗣复等,"并负才名,皆与老民为莫逆交"。

刘淳卒,年五十九。淳(1791—1949)初名天民,字孝长,号云中、莘农,湖北天门人。嘉庆二十一年举人,官远安教谕。师事鲍桂星,受古文法。与王柏心等为友。著有《云中集》六卷,内文二卷、诗三卷、词一卷。王柏心《刘孝长传》:"自乾隆、嘉庆以来,学士大夫为文章斤斤持绳尺,章范句肖,不若是则诋为大悖于古。君睨而笑之,谓无得于心者可无言,有得于心者揆之事理而皆中,然后形为言焉,当以气为主。气之积而大者充宇宙,高者抗星辰,雄杰而迅疾者驱风云,蹴河海,若龙虎腾踔,鬼神之不可端倪也,不当规规如循墙而墨守者然。故其所为文以意为起止,驰骋变化而不失法度。要之,其气独盛,世无能敌之者。于诗亦然。划除涂泽靡曼之习,一反之正始,神骏超逸,往往似曹植李白。君于词艺最敏,才识又最高,无覃思沉吟之苦,然非奇伟振俗者即汰去不存,其刻意自卓立如此。慷慨怀大略,通知古今时变之异……两江制府沔阳陆公及楚方伯遵义唐公最重君者,皆折节事之。"《听秋声馆词话》卷四"楚四家词":"楚中人士鲜工倚声,道光初天门刘孝长(淳)、张玮公(其英),始相与为词。监利蔡黄楼(儁),起而应之,惜皆宗法苏辛,不甚纯粹。……唐子方方伯(树义)令江夏时,合王子寿作为《楚四家词》,刊以行世。"

秋

秋暮，蒋春霖成《探春·堕叶红腴》一词。叙云："己酉秋暮，饮于珠溪。奉觞人颇似阿素，雾鬟风鬓，飘零亦相若也，感成此解。"（《水云楼词》卷一）时春霖三十二岁，在淮南盐官任。

孙鼎臣充贵州乡试正考官。《晚晴簃诗汇》卷一百四十六诗话："诗以入黔为最工，论者至比之子厚山水记云。"

十月

十三日，阮元（1764—1849）卒于里第，年八十六。王昶《湖海诗传》卷四十："早受主知，近来所罕。诗赋而外，精穷经谊，校雠考订，一本《尔雅》、《说文》。爱才好士……洵卓然一代伟人也。"龚自珍《阮尚书年谱第一序》："文章之别，论者夥矣，公独谓一经一纬，交错而成者，绮组之饰也。大宫小商，相得而谐者，《韶濩》之韵也。散行单词，中唐变古，六诗三笔，见南士之论文，杜诗韩笔，亦唐人之标目。上纪范史，笺记奏议不入集，聿考班书，赋颂箴诔乃称文。公日奏万言，自衷四集，以沉思翰藻为本事，别说经作史为殊科。是公文章之学。……公宦辙半天下，门生见四世，七科之后辈，尚长齿发，三朝之巨政，半在文翰。幽潜之下士，拂拭而照九衢，蓬荜之遗编，扬扢而登国史。斗南人望，一而无两，殿中天语，字而不名。……其在汉也，譬以伏、孔居邴、魏；其在唐也，譬以韩、李（按：一本作燕许）兼房、杜。"刘毓崧《阮文达公传》："至其论学之宗旨，在于实事求是，自经史、小学以及金石诗文，钜细无所不包，而尤以发明大义为主。……所编《经籍纂诂》、《十三经校勘记》，传布海内，为学者所取资。……所刻之书甚多，最著者为《十三经注疏》、《皇清经解》，嘉惠后学甚溥。督学时，士有一艺之长，无不奖励，能解经义及工古今体诗者，必擢置于前。总裁会试，合校二三场文策，绩学之士，多从此出，论者谓得士之盛，不减于鸿博科。主持风会五十余年，士林尊为山斗。盖生平以座师大兴朱文正公为模楷，故其经术政事，与文正相类云。"《清史列传》本传："淹贯群籍，长于考证。"《清史稿》本传："博学淹贯，早被知遇。……历官所至，振兴文教。在浙江立诂经精舍，祀许慎、郑康成，选高才肄业；在粤立学海堂亦如之，并延揽通儒，造士有家法，人才蔚起。撰《十三经校勘记》、《经籍纂诂》、《皇清经解》百八十余种，专宗汉学，治经者奉为科律。……自著曰《揅经室集》，他纪事谈艺诸编，并为世重。身历乾、嘉文物鼎盛之时，主持风会数十年，海内学者奉为山斗焉。"《晚晴簃诗汇》卷一百七收阮元诗至二十三首，集评："吴兰石曰：云台先生学深博无涯涘，诗亦从经术性情中流出，金和玉节，卓然正声。"诗话云："文达政绩学术承乾嘉极盛之后，规模博大，余事为诗，才力不让专家。歌行出入东坡、放翁，晚涉诚斋；近体风格亦近中唐，题咏金石之作，不因考据伤格，兼覃溪之长而祛其弊，才大故也。"《射鹰楼诗话》卷十二置其骈文于清名家之列："本朝工骈体文者凡十一家：胡稚威天游也；洪稚存亮吉也；孙渊如星衍也；孔荪轩广森也；阮文达元也；张介侯澍也；张皋文惠言也；陈恭甫先生寿祺也；汤茗孙储璠也；吴山尊鼐也；方彦闻履笺也。诸家骈体文，古懋奇奥，沉

83

博绝丽，大有复古之功，可接黄石斋先生。若陈宜年之陈旧，袁简斋之粗豪，吴园次、章岂绩、曾冰谷、吴穀人、杨荔裳、彭甘亭之未具大力，皆不足以行远者也。"卷二十二："公诗不拘一格，不事摹拟，抒其性情，惟意所适，尝论诗曰：'惟期明其情与事而已，毋客气也。'故其诗无模仿之痕，而自然入古；无雕镂之迹，而自然有味。"《筱园诗话》卷二："本朝汉学最盛，皆经术湛深，考据淹博，宗康成而不满程朱，诗文则非所长也。兼能诗者，顾宁人、毛西河、朱竹垞、阮芸台诸公而已。……芸台先生诗，长于古体，近体殊弱，五古似韦柳，七古似苏陆，佳作颇有可传，亦清才也。"其"文言说"，《国故论衡·文学总论》评曰："近世阮元，以为孔子赞《易》，始著《文言》，故文以耦俪为主；又牵以文笔之说以成之。夫有韵为文，无韵为笔，是则骈散诸体，一切是笔非文。借此成说，适足自陷。……且文辞之用，各有体要。"刘师培则承其说，撰有《广阮氏文言说》。

十一月

初九日，张穆（1805—1849）**卒于京师，年四十五。** 何秋涛《月斋文集序》称："生平沉酣典籍，摄英摘华，发为诗古文辞，雄深奇肆，迥绝流辈。又工于草隶，每书所作，世人识与不识，皆争宝藏之。"祁寯藻《序》："道光间有以文学名都下者，曰平定张石舟先生。……海内名俊，咸想望风采。""及长，程春海司农许其得汉学渊源。既而司农见其所为文，惊曰：东京崔蔡之匹也。盖其学不专主一家，而皆能得其精诣。"吴履敬《序》："师少负不羁之才，兀岸豪纵，有不可一世之概。稍长博览多识，益郁其英气，发为文章。……文字之交遍海内，诗酒之会冠京师。世之所谓穷达者固漠然置之。"《晚晴簃诗汇》卷一百三十五收其诗二十八首。集评："祁春圃曰：石州先生于学深博无涯岸，阮文达见其撰述，叹为天下奇作。……"诗话称："旌德吕文节称石州挈经似贾长头，考史似刘子元，谭地理似郦善长、王伯厚，论治体似陆敬舆、白居易，行谊卓绝、文辞玮伟则似萧颖士、徐仲车。论者谓非过誉。……石州言天下文人多、学人少，不得学人，则著述几息。以石州之笃行，又不止为学人也。诗根柢深厚，真气盘郁，能自写其性情。断句如《题胡褐公金陵胜迹画册》云：莺飞不度长干塔，龙去空余白下潮。……皆不烦雕琢，自成馨逸。"《射鹰楼诗话》卷十四："明经学问淹洽，于汉学源流能窥其奥，精舆地之学，尝与道州何子贞师相切劘，交最深。……诗不多作，然作者规矩典重，往往入格。"

二十日，王鹏运生。 鹏运（1849—1904）字幼霞，一作佑遐，自号半塘老人，晚号鹜翁，广西临桂人。同治九年举人，先后任内阁中书、监察御史、礼科掌印给事中。居谏垣，抗直敢言，为时所忌。庚子后挂冠南游，殁于江南。父必达能诗，鹏运则毕生致力于词。官内阁中书时，问词学于端木埰，复精研唐宋以来诸名家。为一时词坛领袖，同时词家如况周颐、朱孝臧、文廷式、郑文焯辈莫不受其引导。校刻《四印斋所刻词》二十一种，辑《宋元三十一家词》，开校刻词集之风。著有《袖墨词》、《虫秋词》等九种，总名《半塘词稿》。晚年删订为《半塘定稿》二卷，朱孝臧复为刊《半塘剩稿》一卷。（龙榆生《近三百年名家词选》小传谓生道光二十八年，此据《古

今人生日考》）

宗稷辰北还京师。先是，稷辰以母忧归，里居三年。稷辰尝谓，"乾隆中，东南收缴禁书，吾越相戒无藏笥，士竞趋举子业，故科目盛而学术微。其以余力读古书者百不一二焉"（《沈霞西墓表》），又谓是时"越中学脉已微，士罕求上达"（《杜征君墓志铭》）。故在里中与杜煦、沈复粲等讲求性理、提倡"越学"。

十二月

二十九日，徐琪生。琪（1850—1918）字玉可，号花农，浙江仁和人。光绪六年进士，授编修。历官内阁学士，署兵部右侍郎。师事俞樾，受知于李慈铭。工书法，善画花卉。所著辑为《花砖日影集》。（生年据《清代人物大事纪年》）

本年

陈森撰《品花宝鉴》首次刊出。此书六十回，又名《燕京评花录》、《怡情佚史》。按：陈森（1796—1870）字少逸，别署采玉山人、石函氏，江苏常州人。仕途失意，流寓京师，作《梅花梦》传奇，并成《品花宝鉴》十数回。后游幕广西八年，回京续成此书。卧云轩老人《题词》："情如骚雅文如史，怪底传钞纸价增。""从前争说《红楼》艳，更比《红楼》艳十分。"幻中了幻居士《序》："余谓游戏笔墨之妙，必须绘形绘声。……若夫形声兼绘者，余于诸才子书并《聊斋》、《红楼》外，则首推石函氏之《品花宝鉴》矣。传闻石函氏本江南名宿，半生潦倒，一第蹉跎，足迹半天下，所历名山大川，聚为胸中丘壑，发为文章，故邪邪正正，悉能如见其人，真说部中之另具一格者。"石函氏自序："首尾共六十卷，皆海市蜃楼，羌无故实。所言之色，皆吾目中未见之色；所言之情，皆吾意中欲发之情；所写之声音笑貌、妍媸邪正，以至狭邪、淫荡、秽亵诸琐屑事，皆吾私揣世间所必有之事而笔之。……噫，此书也，固知离经畔道，为著述家所鄙，然其中亦有可取，是在阅者矣。"《中国小说史略》："唐人登科之后，多作冶游，习俗相沿，以为佳话，故伎家故事，文人间亦著之篇章，今尚存者有崔令钦《教坊记》及孙棨《北里志》。自明及清，作者尤夥，明梅鼎祚之《青泥莲花记》，清余怀之《板桥杂记》尤有名。是后则扬州、吴门、珠江、上海诸艳迹，皆有录载；且伎人小传，亦渐侵入志异书类中，然大率杂事琐闻，并无条贯，不过偶弄笔墨，聊遣绮怀而已。若以狭邪中人物事故为全书主干，且组织成长篇至数十回者，盖始见于《品花宝鉴》，惟所记则为伶人。"按：《品花宝鉴》一书，《中国小说史略》名之"狭邪小说"，此书开风气之后，继起有《花月痕》、《青楼梦》、《海上尘天影》、《海上花列传》、《九尾龟》、《海上繁华梦》等，绵绵不绝，至光绪末宣统中，更为盛行。

孔继镠所著《心向往斋用陶韵诗》二卷刊刻。

江开撰《浩然堂诗集》六卷附《双忠研斋诗余》一卷刊出。江开（1801—?）字龙门，安徽庐江人。家居西安。道光十五年举人，尝游京师，与黄爵滋、蒋湘南、孔宪彝等为友。约卒于同治初年。此集山阳潘德舆、固始蒋湘南为之序。（据柯愈春《清

人诗文集总目提要》)

陆墔撰《铁园集》六卷刊出。内收前、后《蜀游诗》各三卷，附《西湖吟》一卷。

姚椿撰《樗寮诗话》三卷及《通艺阁和陶诗》刊出。

吴藻刊行赵庆熺所作《香消酒醒词》。庆熺卒后，著作多散佚，此集乃吴藻手编。（陆尊庭《女曲家吴藻传》）

潘世恩《思补斋诗集》六卷刊刻。有祁寯藻、陶樑序。

钱仪吉自编《记事续稿》十卷成。

张维屏编刊《学海堂三集》。会有兵事，至咸丰九年乃刊成。（《陈东塾先生年谱》）

叶名澧在京师刊刻《泲沅集》。宝鋆、孔宪彝、戴绹孙为之序。名澧（1811—1859）字润臣，号翰源，湖北汉阳人。道光十七年举人，历任内阁中书，国史馆、玉牒馆纂修，侍读学士。输资得浙江试用道，赴浙途中闻兄叶名琛被俘卒于印度，抑郁以亡。名澧幼习经史，博学，嗜诗，自言诗法得自潘德舆。在京师与梅曾亮、张际亮、汤鹏、何绍基、孔宪彝、朱琦等游。著有《敦夙好斋诗初编》、《续编》，《桥西杂记》等。

铭岳辑所作为《妙香馆集》八卷刊刻。内《文钞》四卷、《诗钞》四卷附《咏物全韵》一卷。

徐继畲撰《退密斋时文》刊刻。后又成《退密斋时文补遗》，咸丰七年刻。

黄爵滋成《己酉北行续草》一卷。

夏宝晋编《冬生草堂诗录》八卷成并自序。

姚莹在金陵刊刻其诗文。先是姚莹于二十八年，引疾归里，江督李星沅召至金陵，遂汇刻生平所作诗文杂著凡九十余卷。本年刻近著为《东溟文后集》十四卷；至明年，又续刻《文外集》二卷。咸丰三年，版毁于兵火。其子濬昌同治间重刻，增晚年之作，编次为九十八卷，名曰《中复堂全集》。

周沐润撰《柯亭子集》付刻。内有《柯亭子文集》八卷、《骈体文集》八卷、《诗初集》八卷、《诗二集》十卷、《诗三集》三卷。按：周沐润生于嘉庆十五年（1810），约卒于同治间。字问之，又作问芝、文之，号樗寮，一作樗庵，别号柯亭子，河南祥符籍，山阴人。道光十六年进士，历官常州知府。与弟星誉、星诒等并有文名。撰有《柯亭子集》。

周闲招杨岘等在杭州祭宋诗人林逋。《甆叟年谱》："秀水周存伯闲招祭孤山宋林处士墓，同会十八人。钱塘钱叔盖（松）绘图，赵次闲先生（之琛）揭图首，余各缀诗若文，一时称创举。然名士气太重。"按：周闲（1820—1875）字小园，号存伯，别署存翁、范湖居士、范湖余史，浙江秀水人。以游幕为生，后参戎幕，同治初元以功授江苏新阳知县，旋罢去。寄居苏州，鬻画自给。周闲工诗文词曲，善绘事，家有范湖草堂，招致名流觞咏其间。著有诗、词、骈文、古文各若干卷，毁于战乱，仅存遗稿六卷，后人刊为《范湖草堂遗稿》。

魏源服阕，补兴化县。

戴熙致仕南归。

王闿运肄业于长沙城南书院。据《湘绮府君年谱》，闿运为院长陈尧农、熊少牧所赏，"院长陈尧农先生工制艺……因府君隽异，特许入内斋，每有问难，辄惊老宿。长沙熊雨胪先生少牧以孝廉名动海内，词赋科举为一时之冠……退而告人曰：吾生平未见此才，不独吾当让出一头地，即古来作者，恐亦当退避三舍矣"。又："自道光二十六年湖南濒湖围田水灾后，复连年水旱，是岁东南各直省复大水，饥民入长沙者数万，新宁土匪李沅发因连岁饥馑，聚党倡乱，杀知县，据县城，扰及广西边境，广西亦因旱，饥民日思乱。于时承平日久，自广东烧烟事起，宣宗尤畏疆臣生事，故各省大吏均以镇静为主，诸生肄业者犹谨守卧碑圣谕诸训，不敢论列天下事，虽乱象已成，而士子欣欣向学，湖南风气，颇与道光初年异矣。"

李士棻本年成拔贡。后入京应试，文为阅卷大臣曾国藩所赏。陈三立《畸人传四首·李士棻传》："雅爱其文，定置高等……士棻于是留京师，才望倾一时，车马日盈其门。日本、朝鲜使者争购诗翰去。"按：李士棻（1822—1885）字芋仙，号悔余道人，四川忠州人。咸丰五年副榜。与李鸿裔、李榕号四川三李，后入曾国藩幕。同治初，官江西临川、南城等县，以事被劾落职。复依曾国藩。国藩既殁，无所依，流寓上海久，晚卧病南昌东湖，题所居曰天瘦阁。著有《天瘦阁诗半》六卷等。（注：生于道光元年十二月二十二日）

文康约在本年后撰成《儿女英雄传》。按：文康字铁仙，一字悔庵，满洲镶红旗人，官至安徽徽州府知府。大学士勒保次孙。晚年诸子不肖，家道中落，故著《儿女英雄传》以自遣。本书成书大约在道光末以后，书首有雍正甲寅（1734）"观鉴我斋"序及乾隆甲寅（1794）"东海吾了翁"二序，俱系伪托。按小说正文谈及《施公案》、《品花宝鉴》二书，均系乾隆后刊刻。《菽园赘谈》载，《品花宝鉴》行世，"《儿女英雄传》随后出"，故本书刊行当在道光二十九年之后。现存最早刊本为光绪四年北京聚珍堂本。

王赠芳卒。赠芳（1782—1849）字曾貤，号霞九，江西庐陵人。嘉庆十六年进士，改庶吉士，授编修，历官云南盐法道，署按察使。赠芳学有根本，治经史，能诗文，有《慎其余斋集》等。

刘鸿翱（1779—1849）卒，年七十。

吴清皋卒，年六十四。清皋（1786—1849）字鸣九，号壶庵，一号小毂。锡麒子。嘉庆十八年举人，官内阁中书，历官抚州知府。著有《壶庵诗》二卷、《骈体文》二卷。

沈传桂（1792—1849）卒，年五十八。《憩园词话》卷五："吴中七子词以二生为巨擘，谓朱酉生、沈闰生也。……今从顾子山观察觅得闰生词刊本。小传云：'……兼工填词，直与南宋诸老争席。词中爱用夕阳字，又有沈夕阳之名。'阅其词，无一字不凝炼，无一句不雕琢，却无一毫斧凿痕。张叔夏谓姜白石词如野云孤飞，去留无迹，正堪移赠。所著……统名之曰《清梦盦二白词》，盖瓣香于太白、白石也。"按：潘钟瑞注谓，二白者，白石、白云，盖言姜张也。

梁信芳卒。信芳（1769—1849）字芗甫，广东番禺人。嘉庆十三年举人，后屡试不第，遂以读书课子终其生。著有《桐花馆诗钞》。

马之龙卒。之龙（1782—1849）字子云，号雪楼，回族，云南丽江人。著有《雪楼诗钞》六卷、《雪楼赋钞》一卷。（生卒年据《清人诗文集总目提要》）

钟祖芬生。祖芬（1849—1908 后）字云舫，号落落居士，四川江津人。廪生，以教馆为业。所著有诗文《振振堂稿》、传奇《招隐居》等。

贺涛生。涛（1849—1912）字松坡，河北武强人。光绪十二年进士，授刑部主事。涛幼承家学，早有文誉。后从张裕钊、吴汝纶游，其文益进。吴汝纶知冀州，聘主讲信都书院，及汝纶辞莲池书院，举涛以代。著有《贺先生文集》四卷、《尺牍》二卷等。

公元 1850 年（道光三十年　庚戌）

正月

十四日丁未，清宣宗道光帝旻宁崩。皇四子奕詝立为皇太子，二十六日己未即位，是为文宗显皇帝，以明年为咸丰元年。

十四日，柳树芳（1787—1850）**卒，年七十四。**

二十日，潘世恩保荐林则徐、姚莹、冯桂芬、邵懿辰。（据《潘绂庭自订年谱》）

二十七日，何庆元卒，年五十六。庆元（1795—1850）字积之，号漱石，湖南桂阳人。道光十五年进士。幼为徐松、汤金钊所赏，长与湘中名士魏源、李克钿、陈起诗等为友，相与切磋古文。著有《知新阁散体文钞》。何俊《漱石先生行状》："为文沉浸六籍，涵茹百家，仰规俯逮，上下晌睋。当其自得，奥言川涌，丽字霞凌，铿声炳耀，殷地烛天。"

二月

二十九日，盛昱生。昱（1850—1900）字伯熙，又作伯羲等，一字伯蕴，号韵莳。清宗室。光绪三年进士，改庶吉士，授编修，历官国子监祭酒。为光绪初清流眉目。接纳名流，延揽才俊，故实主一时坛坫。精鉴赏，谙习掌故。尝与表弟杨钟羲合辑《八旗文经》五十六卷，自著有《郁华阁集》四卷、《意园文略》二卷等。

二十九日，沈曾植生于京师。曾植（1850—1922），字子培，号乙盦，晚号寐叟，别署睡庵等，浙江嘉兴人。工部侍郎沈维鐈孙。光绪六年进士，授刑部主事，官至安徽布政使。甲午中日战后，康有为等主张维新，曾植多所赞助。庚子之变，参与策划东南互保事。辛亥后寓上海，与诸遗老结社唱和。曾植淹贯群籍，深研古今律令，治经精小学，治史熟辽金元三史、西北地理。以学人而工诗，陈衍等尝目为同光体魁杰，与陈衍共创诗中"三元"之说，晚居沪上，又创为"三关"之说。著有《海日楼诗》、《曼陀罗寱词》等。

四月

初七日，钱仪吉（1783—1850）**卒，年六十八**。《清史稿·文苑三》："仪吉治经，先求古训，博考众说，一折衷本文大义，不持汉、宋门户。"《晚晴簃诗汇》卷一百十九收其诗至三十二首，诗话云："醉石文端曾孙，内行纯笃，治经史明融精博，富有纂述。……诗托兴高远，造意密微，绝无巉削深刻之迹，而自远于流俗，集中《酬李杏村》诗谓：予恒读梅圣俞诗，杏村见予诗，以为似梅，片言中隐。诗有云：都官郁奇节，约气为深沉。入物皆饮羽，随风自鸣琴。又云：落笔自造意，只字防前侵。盖即自状其诗境也。"《桐城文学渊源考》卷四："为文大文合理，小文惬情，尤重义法，清真曲畅，绝去卮辞。其风指与姚鼐相近。论文亦颇法姚鼐。"

朱珔（1769—1850）**卒于泾县里第，年八十二**。吴嵩梁《小万卷斋诗稿》序："酝酿既深，才力益壮。"《清史稿·儒林传》三："主讲席几三十年，教士以通经学古为先。与桐城姚鼐、阳湖李兆洛并负儒林宿望，盖鼎足而三云。"金天翮《程恩泽朱珔传》："吴中古为人文渊海，珔以词坛耆宿，主持风雅，后进瞻之若山斗。于是结问梅诗社，与石琢堂蕴玉、吴棣华廷琛、韩桂舲崶、彭苇间希郑、董琴涵国华，迭主敦槃。而巡抚陶文毅澍、承宣使梁茝邻章钜，皆为珔同年生，宝应朱士彦、华阳卓秉恬，并寓吴中。珔与诸公及顾南雅莼相倡和，绘《沧浪七友图》，文采风流，照耀一世。……赞曰：声名位业，不可得而兼也。二子聪明早达，稽古求荣，官跻通显，负隆誉于世。又值国家全盛之后，醇赵之气，凝而未散，二子得以回翔其间。恩泽著书可传后，珔退居林下，尤以风雅主持坛坫，歌咏升平，岂非儒生之幸遇哉？"

赐陆增祥等二百一十二人进士及第出身有差。孙衣言、俞樾、丁绍周、尹耕云、邵亨豫、吴可读、杨彝珍、周星誉等本科成进士。按：孙衣言（1815—1894）字劭闻，号琴西，一作勤西，晚号逊学叟、逊学老人，浙江瑞安人。改庶吉士，授编修，历官太仆寺卿。衣言少工诗文，与弟锵鸣并著文誉。在京师与王拯等游，诗文益进。著有《逊学斋诗钞》、《文钞》等。丁绍周（1821—1873）字濂甫，号亦溪，江苏丹徒人。官至光禄寺卿，著有《浮玉山房诗文钞》、《蜀游草》等。尹耕云（1815—1877）字瞻甫，号杏农，江苏桃源人。授礼部主事，历官河南河陕汝道。耕云力学笃行，有经世才。咸丰末，与王闿运、高心夔等多有唱和。著有《心白日斋集》等。邵亨豫（1818—1883）字子立，一字汴生，江苏常熟人，官至吏部左侍郎，著有《愿学堂诗存》。（注：亨豫生于嘉庆二十二年十二月二十二日）吴可读（1812—1879）字柳堂，一作柳塘，号冶樵，甘肃皋兰人，官御史，降刑部主事。光绪五年，同治帝灵柩入葬惠陵，可读仰药以殉，遗疏请为穆宗立后。朝廷奖可读以死建言，诏以五品例赐恤。有《携雪堂集》。周星誉（1826—1885）榜名誉芬，字畇叔，一作叔云，号鸥公，河南祥符籍，浙江山阴人。改庶吉士，授编修，历官广东盐运使。星誉兄弟俱有文名，而以星誉名最著。工诗词及骈文，成稿不甚珍惜，所传《东鸥草堂词》二卷、《鸥堂日记》三卷、《鸥堂剩稿》一卷及《传忠堂古文》等。

吴昆田、鲁一同春闱报罢。又，鲁一同在京师会试期间，曾国藩数屏驺从就问天下事。按：吴昆田（1808—1882）原名大田，字云圃，号稼轩，江苏清河人。道光十四年举人，历官刑部郎中。晚岁在乡办理团练，邑赖以安。师事潘德舆，著有《漱六山房全集》，《清史稿·文苑传》有传。鲁一同（1804—1863）字通甫，一字兰岑，号白耷山人，江苏清河人。道光十五年举人，有干才，太平军起，曾献策安徽巡抚江忠源。师事潘德舆，著有《通甫类稿》等，《清史稿·文苑传》有传。

俞樾保和殿覆试诗为曾国藩所赏识。《曲园自述诗》："保和殿覆试，诗题淡烟疏雨落花天，余首句云'花落春仍在'，大为曾文正公所赏，谓咏落花而无衰飒意，与小宋落花诗意相类，言于同阅卷诸公，置第一，俗亦谓之覆元。"后以此名其集曰"春在堂"。

五月

湖南新宁李沅发就擒。沅发起事在二月，是月败，被解往京师。

六月

十五日，瞿鸿禨生于长沙。鸿禨（1850—1918）字子玖，一字子九，号止庵，晚号西岩老人，湖南善化人。同治十年进士，改庶吉士，授编修。先后三典乡试，三任学政。光绪末，官至外务部尚书、协办大学士，谥文慎，有《瞿文慎公诗选》。

十六日，杜煦卒，年七十一。杜煦（1780—1850）一名元鼎，字春晖，号尺庄等，浙江山阴人，嘉庆十二举人，著有《苏甘廊诗文集》。《晚晴簃诗汇》卷一百十九收其诗二首，诗话云："尺庄性澹退……诗清华雅赡，七古尤奔放有奇气。"

二十六日丙戌（8月3日）英人在上海创刊《北华捷报》。至同治三年（1864）扩充为《字林西报》，《北华捷报》遂为《字林西报》副刊。

大学士潘世恩致仕。以祁寯藻为大学士，杜受田协办大学士。

洪秀全在广西桂平县金田起事。

藏德堂刊出《北魏奇史闰孝烈传》十二卷四十六回。题"闽川张绍贤尔修著"，本《木兰辞》乐府，叙花木兰征战及与王青云富贵团圆事。

夏

广西各路"会匪猖獗"，清军征剿不力。

温训与林昌彝同出京，记昌彝沿途论经史、诗文之语为《同舟异闻录》。（温训《射鹰楼诗话序》）按：温训（1788—1851）字伊初，号登云山人，广东长乐人。道光十二年举人，终身未仕，授徒于京、粤各地。少时即以诗文名，为宋湘、伊秉绶等所称。林昌彝尝采其文入《近代十二家文钞》。著有《登云山房文稿》四卷、《梧溪书屋诗钞》六卷等。

七月

林则徐、陈偕灿、林昌彝在福州唱和。本年二月，林则徐自昆明归里，欲立湖上诗社，后则徐赴广西，事未成。

姚椿编《国朝文录》八十二卷成并自序。

朱绪曾重订《梅里诗辑》二十八卷成并自序。此辑为乾隆中许灿所编，原稿未刻，绪曾复为删补付梓。次月，沈爱莲编成《续梅里诗辑》十二卷，朱绪曾为之序。（《清代人物大事纪年》）

八月

初二日，**卞斌卒，年七十二。**卞斌（1778—1850）字叔均，号雅堂，浙江归安人。嘉庆六年进士，历官常州府知府。弱冠以古学受知于阮元，著说经训诂之作十数种，诗文有《静乐轩诗集》、《文集》等。

九月

十九日，**顾夔**（1790—1850）**卒，年六十。**顾夔原名恒，字荃士，号卿裳，江苏华亭人。道光六年进士，官山西灵石县令，有政声。丁母忧归，遂不出。工诗文，擅词曲，著有《城北草堂诗钞》二卷、《城北草堂诗余》二卷。

潘祖荫在京。本年受业于吴增儒、陈庆镛，始治许氏之学；明年又请业于曾国藩。（《潘文勤公年谱》）

秋

杨彝珍、杨翰定交于京师。彝珍《杨公墓志铭》："予知交遍海内，其文章气谊之同，实无逾公者。"此后不久，彝珍即乞假归，不复出。

十月

十四日，**王甲荣生。**甲荣（1850—1930）字部昀，一字步云，号次逸，晚号冰镜老人，浙江嘉兴人。光绪十五年举人，历游邵友濂、裕禄等人幕，晚官广西。民国初年，与沈曾植等唱和颇多。著有《二欣室文集》、《诗集》、《诗馀》等。（王迈常、王遽常编《部昀府君年谱》）

十九日丁丑，**林则徐**（1785—1850）**卒。**本月，林则徐受命以钦差大臣赴粤查办军务，卒于广东潮州途次。《清史稿》本传："则徐才识过人，而待下虚衷，人乐为用，所莅治绩皆卓越。"《射鹰楼诗话》卷四："公诗气体高壮，风格清华，家丞庶子兼而有之。塞外之作，如寒月霜鸿，闻声泪下。"谢章铤《云左山房诗钞序》："文忠公志节勋业，彪炳寰区，固不必以文章显，而其文章则嘉道间海内外作者莫不低首忝服。……乃叹有文事必有武备，盖将合韩、范、富、欧阳而一之，岂独与绛、灌、随、陆较优劣已也。"《赌棋山庄词话》续编卷二："侯官林文忠公勋业文章彪炳海内。……其词则与嘉道间诸大老可以并驾齐驱。"《石遗室诗话》卷二十二："《云左山房诗抄》，使事稳切，对仗工整。……公少工骈俪，饶有才华。"《晚晴簃诗汇》卷一百二十五收其诗至三十首,诗话云:"文忠经世之才,余事为诗,缘情赋物,靡不裁量精到,中边俱彻。卓识闳论,亦时流露其间,非寻常诗人所及。谪戍后诸作,尤悱恻深厚,有忧国之心而无怨诽之迹。当时好事者合公与邓嶰筠制军之诗,辑为《林邓唱和集》,工力相敌,并称传作。公自有句云:他日韩非惭共传,即今弥勒笑同龛。又云:白头到此同休戚,青史凭谁定是非。历代名臣迁谪,罕觏此风雅盛轨也。"

刘存仁和林则徐《赴戍登程诗》,叠韵五首。时刘存仁以记室随行,及则徐卒,闻则徐子聪彝泣述"苟利国家生死以,岂因祸福避趋之"之句,讶为诗谶,怆念不已,因用"之"字韵叠成五首。按:刘存仁(1805—1880)字炯甫,晚号蓬园,福建闽县人。道光二十九年举人。少贫,为人掌书记以谋生。后入官,历官秦州知州,有政声。师事陈寿祺,与张际亮、林昌彝、谢章铤等交,著有《屺云楼集》。

二十八日,以穆彰阿妨贤病国,革职永不叙用。

张新之作《妙复轩评石头记自记》。自记署"太平闲人",谓:"特以斯评能救本书之害,于作者不为无功,观者不为无益,人心世道有小补焉,则灾梨枣也无不宜。"明年,鸳湖月痴子《序》亦云:"似作者无心于《大学》,而毅然以一部《大学》为作者之指归;作者无心于《周易》,而隐然以一部《周易》为作者之印证。使天下后世直视《红楼梦》为有功名教之书,有裨学问之书,有关世道人心之书,而不敢以无稽小说薄之。"

十一月

初一日,费丹旭卒。丹旭(1802—1850)字子苕,号晓楼,别号环溪生、环渚生等,浙江乌程人。费珏子。工画。著有《依旧草堂遗稿》。《晚晴簃诗汇》卷一百三十三收其诗二首,诗话云:"晓楼天姿颖异,貌隽秀,性通脱。父芝原隐君工山水,晓楼继家学,兼工士女。……其诗抒写性灵,饶有天趣。"

十二日,清廷命前两江总督李星沅为钦差大臣,赴广西办理军务。

十四日,皮锡瑞生。锡瑞(1850—1908)字鹿门,一字麓云,学者称师伏先生。湖南善化人。光绪八年举人,戊戌政变后,以倡言维新革去。三应礼部试不第,遂潜心讲学著书。先后主湖南桂阳州龙潭书院、江西南昌经训书院讲席,以西京微言大义教诏学者。锡瑞以经学名于时,所著甚多,然亦不废诗文,有《师伏堂骈文》及《师伏堂诗草》等。

十二月

潘世恩撰《思补斋诗集》付刊。有受业祁寯藻、陶樑序。(《思补老人自订年谱》)

本年

张纨英诗文集刊出。集为《邻云友月之居诗初稿》四卷、《餐枫馆文集》二卷,其弟曜孙刊于武昌。按:张纨英(1800—?)字若绮,阳湖人,张琦四女,太仓诸生王羲室。早寡，依弟曜孙居。擅书画，工篆法。《晚晴簃诗汇》卷一百八十七收其诗二首。

艾畅著《至堂诗钞》六卷本年刊出。

梁廷楠著《夷氛闻记》五卷成。廷楠（1796—1861）字章冉，别号藤花主人、鞞红醉客，广东顺德人。道光十四年副贡。粤东名士，学问赅博，又潜心研究西洋各国历史，曾任广州越华书院监院，协助林则徐禁烟。著有《藤花亭文集》、《诗集》、《曲话》及所作杂剧四种（总名《小四梦》）等。主要著作辑入《藤花亭十五种》。

三益堂刊出《再生缘》八十回本。此为长篇弹词主要代表作品，陈端生撰、梁德绳续撰。

张祥河在西安陕西巡抚任上。自丁未至本年所著诗词名《朝天集》、《关中集》。（《先温和公年谱》）

方东树修订《大意尊闻》，述其旨趣。此书同治五年从弟宗诚校刊于郡城。（《方仪卫先生年谱》）

梅曾亮南归后馆扬州梅花书院。时吴清鹏亦在书院，时相唱和。

方宗诚始因戴钧衡与邵懿辰交。《方柏堂先生谱系略》："先生交海内贤士大夫自此始。"

王轩在京。杨思溥编《顾斋简谱》："再试春官未第，与张铁生、冯鲁川、王霭堂焕辰文酒往还。"

王闿运是年始欲通经致用。《湘绮府君年谱》："遂有志于习礼……又手钞《史记》成帙，日夜读之，盖自是始欲通经致用，非仅诂训词章而已。"

约在是年，林昌彝因温训交陈澧。《射鹰楼诗话》卷十四："番禺陈兰浦孝廉澧……文词古雅，近世罕有其匹。余之交兰浦也，由于温伊初孝廉。……诗亦浑朴无俗调……读其诗，知其有得于山水之趣者深矣。"

约在此年，周星誉以连丁家难居越中九年，与李慈铭等结益社。金武祥《二品顶戴两广盐运使周公传》："道光末祚，风雅浸微，士大夫无以矜式后进，学者日汩没于荣利，而文章之道殆欲衰熄。至是公家居，锐以兴复自任，于是创益社于浙东，一时胜流如许槭、孙垿、余承普、周光祖、陈寿祺、孙廷璋、王星诚、李慈铭、星鷪、星诒咸隶社籍。……家居九年，学识益粹，诗文日益富，同社交相推服，无敢与狎主齐盟者。"《小三吾亭词话》卷五"李慈铭词"条："花农（今按：徐琪）《玉可词》卷俏有会稽李莼客侍御（慈铭）识语。自言……尔时越中士夫无言此事者。……至云尔时越中士夫无言此事，则莼客之臆说也。道光末，余七外祖周畇叔都转（今按：星誉），以翰林家居，昌益社于越中，莼客亦隶社籍。社中如陈珊士（寿祺）、孙莲士（廷璋）、王平子（星诚）皆词家也。莼客初名模，平子名章，因畇叔先生名星誉，于是莼客更名星蕃，平子更名星诚，与余五外祖涑人先生（星鷪）、外祖季况先生（星诒），称五星。而莼客为畇叔先生词题签，至称受业。其后周李交恶，莼客始更名慈铭。日记中诋余外祖昆季，不遗余力。……至草疏授邓铁香，纠参畇叔先生，则可云以怨报德者矣。（原注：莼客家居，连不得志于有司，畇叔先生怜其才，劝之纳赀为郎，假馆授餐，为游扬于周商城及翁常熟、潘文勤，莼客之名始大。《白华绛跗集·京邸冬夜读书四首》，乃并翁潘而诋之……虽立言有体，抑非莼客所宜出诸口。）"今按，李慈铭《霞川花隐词》有咸丰八年作《洞仙歌·戊午春日置酒柯山七星岩赏桃花偕周薮芸编修孙莲士助教陈珊士庶常同赋》，据此知咸丰末益社仍在活动。

王星诚、李慈铭补博士弟子员。星诚、慈铭分别以第一、第二人补县学生。周星誉《王君星诚传》："岁庚戌，补博士弟子员，与会稽李模（今按：即慈铭）俱以诸生有名于时，号王李当道。当道光末祚，风雅道衰，吴越夙称文教之区，而典型颓谢，风流阒然，后进少年几不知经史文章为何物。山阴周星誉时以翰林家居，慨然有兴复之志，于是创益社于浙东……君与李模、周星诒年最少，文又最工，每当同人社集，酒酣分韵，一篇乍成，举座叹伏，往往有匿其稿不敢出者。……生平惟推重周星誉、星诒兄弟，李模待以师友。"孙宝圭《会稽李慈铭传》："禀资殊异，长益好学深思，时越中多高才生，咸推先生为职志。道光三十年……以第二人补县学生。明年食饩。"又，李慈铭本年始作词。《霞川花隐词自序》称："予少不解此，其始为之也，在道光庚戌，盖较他所著为最后，其所作亦于山水之间为多。"至咸丰五年冬，尝删定为一编，名曰《松下集》。

约在是年，贝青乔名其集为"半行庵"。《蜕翁所见诗录》谓："丁未（1847）以友人諈诿作黔游。越三年，由滇、蜀东还，在峡江覆舟，幸先登岸获免，而行李诗稿皆失。事后追忆写出，尚得七八，取东坡'身行万里半天下'句以名其稿。……自后游浙数载，亦惟橐笔依人。"

黄爵滋入京师。前此丁忧归里，服阕后，以员外郎候补，病足家居。

吴嘉淦以道光帝崩解组南归。筑退园，恒与故人谈宴其中。（亢树滋《吴先生传》）

陈逢衡（1780—1850）卒，年七十一。

张鸿基（1809—1850）卒，年四十二。鸿基字仪祖，号研孙，一作砚孙，江苏吴县人。诸生。游南北诸省，皆无所遇，憔悴以终。幼好吟咏，尝请业于朱绶，与同邑叶廷琯、贝青乔等交，以才气豪逸为众所誉。著有《传砚堂诗录》。《射鹰楼诗话》卷四："（绝句）情韵缠绵，风格清婉，本朝阮亭而后，可与东芗吴兰雪并传。"卷十八："仪祖茂才读书有识，胸无宿物，每下笔，能达其衷之所蕴，悲天悯人，情词婉挚。"《晚晴簃诗汇》卷一百四十收其诗十一首，诗话云："研孙才思敏捷，有索题咏者，酒边灯下磨墨伸纸，顷刻立应，人皆倾倒。侯官林昌彝《射鹰楼诗话》采研孙诗颇多，殊近于滥，评亦推许过当。平心论之，研孙不失为才人之诗，而出之过易，未尽入细，是其所短。"

邹弢生。弢（1850—1931）字翰飞，又字瘦鹤，别署司香旧尉、潇湘馆侍者，江苏无锡人。光绪诸生。客苏州几及十年，与俞达为知交。后寓居上海甚久，与王韬、高太痴等游。晚岁迭遭不幸，贫病归里。寓沪时，尝作狭邪游。所撰《海上尘天影》（一名《断肠碑》），为狭邪小说代表作品之一。又熟于海上文坛掌故，著有《三借庐赘谈》八卷，其他骈散文诗词等合刊为《三借庐集》。

胡薇元生。薇元（1850—1920）字孝博，号诗舲，别署壶庵、玉津居士等，大兴籍浙江山阴人。光绪三年进士，出为广西天河令，后官四川、陕西等地。工诗文，擅词曲。先后刊有《天云楼诗》、《玉津阁文略》、《铁笛词》等数十卷，又有《壶庵论曲》及杂剧《壶庵五种曲》等。

公元 1851 年（咸丰元年　辛亥）

正月

七日，赵藩生。藩（1851—1927）字樾树，号介庵，云南剑川人。光绪元年举人，官至四川按察使，居官以清廉闻。入民国，当选为众议院议员。晚任云南图书馆馆长，颇留心乡邦文献。赵藩少好为诗，数十年间所作万数千首。有《向湖村舍诗集》、《文集》、《骈文集》，《小鸥波馆词钞》等。

释达受撰成《宝素室金石书画编年录》。达受是时在杭州南屏，书成后，一时名士多有题跋。按：达受（1791—1858）本姓姚，字六舟，别署南屏万峰退叟等，浙江海昌人。性喜金石，好谈艺，一时名流如何绍基、戴熙、管廷芬等皆与订交。所著诗文经兵燹后仅存《小绿天庵吟草》一卷。

温训为林昌彝《射鹰楼诗话》作序。温训（1788—1851）卒于本年，年六十四。《射鹰楼诗话》卷五："雄于古文词，其《登云山房文稿》，高者直入周、秦、两汉之室，海内论文者，罕有其匹。所著《梧溪石室诗钞》，原本汉、魏，五言古及五言律，尤浑朴可诵。"卷七："粤东岭南三家以后，其诗之卓然大家者，顺德黎二樵简也，钦州冯鱼山敏昌也，嘉应宋芷湾湘也，李秋田光昭也，番禺张南山维屏也，嘉应温伊初训也。……伊初以浑朴胜。"《晚晴簃诗汇》卷一百三十七收其诗六首，诗话云："伊初自言，半生精力多在古文，其次则诗。弱冠时即以二十年后当作陈无己自厉，诗沉郁壮浪，出入诸家而归宿于杜韩。有句云：我文实学韩，而无韩质存。我诗愿师杜，而与韩同源。盖自道渊源所出也。最为伊墨卿所知，谓：其诗本汉魏，得力尤在明远，古之伤心人也。虽澹泊拟陶，瘦削摹杜，要非山林中人。宇宙皆吾事，慷慨希昔贤，此何等抱负，谁知之耶？"

戴钧衡序刊《重刻方望溪先生全集》。《序》谓原编卷数未分，且近复残缺漫漶，集外又多关系重要之文，故贷金而全刊之。

二月

二十一日戊寅（3月19日），洪秀全在武宣东乡登极，称天王。

沈葆桢为《射鹰楼诗话》作《例言》。

三月

吴敏树辞官。先是于道光二十八年得浏阳县训导，既辞归，益日徜徉山水之间。

春

王拯从大学士赛尚阿至广西办理军务。《书愤》："元年辛亥春，我从丞相行。"

邹鸣鹤撰《世忠堂文集》成。有立春日张芾识语。按：邹鸣鹤（1793—1853）字钟泉，号松友，江苏无锡人。道光二年进士，官至广西巡抚。以征剿太平天国不力解职，赴江宁帮办军务。江宁陷，鸣鹤书绝命词，自率队出，遂死之。后追谥壮节。另有《宝素斋诗钞》等。

四月

二十七日，李星沅卒于武宣军中，年五十五。（按：《南村草堂诗钞》卷二十四《永州得李石梧宫保凶问，诗以哭之，即呈石甫、紫卿》，诗中注云："四月初二日移营武宣，十二日薨于舟次。"）《晚晴簃诗汇》卷一百三十六收其诗六首。

谢元淮、杜文澜相识于淮南监掣同知任上。（《憩园词话》卷二）按：杜文澜（1815—1881）字小舫，浙江秀水人。入赀为县丞，有干才，为曾国藩等所赏，以功晋布政使衔，历署苏藩、苏臬。工词，尝勘正万氏《词律》之讹。著有《采香词》、《憩园词话》、《曼陀罗华阁琐记》等，编有《古谣谚》一百卷。

春夏之际，姚燮编成《今乐府选》拟目。

五月

十一日，黄定齐卒，年七十八。黄定齐（1778—1855）原名定亢，字克家，号蒙叟，又号蒙庄，浙江鄞县诸生。有经济才，幕游铁保、麟庆、梁章钜、林则徐之门。晚归里，与同里文士结诗社唱和。著有《垂老读书庐诗钞》二卷，附《文草》一卷。《晚晴簃诗汇》卷一百二十四收其诗五首，诗话云："蒙庄从族兄东井学诗，习名法家言，有名。林文忠及康兰皋中丞皆延入幕，倚重之。诗有伉傻之气。"

二十四日，方东树（1772—1851）卒于祁门东山书院。郑福照撰《方仪卫先生年谱》："其文醇茂昌明，言必有本，随事阐发，皆关世教。诗则沉雄坚实，深得于谢杜韩黄之胜，而卓然自成一家。生平研精义理，最契朱子。"管同《方植之文集序》："同少时性喜为文，与海内文士往来，而桐城方君植之为之冠。……盖植之之学出于程、朱，观其《辨道》一论，明正轨，辟歧途，其识力卓有过人者，宜其文之冠于吾辈也。"马其昶《方植之先生传》："先生既上秉家学，又师事姚郎中，泛览秦汉以来载籍，自诗文、训诂、义理以逮浮屠、老子之说，无不综练。当汉学炽盛，姚郎中独毅然自守。先生继起，更昌言排之。……于是成《汉学商兑》一书，反复数千万言，以正其违谬。文达，汉学家所奉为宗主者也，晚年亦称先生文学，足以信今行远。盖其义理一本程朱，而考证之精、文词之辨，又足以佐之。……其为文浩博无不尽之意，诗则用力尤至。……为乡里大师，复称姚门高弟子焉。"金天翮《方东树宗诚传》："清自乾隆世经学家惠栋、戴震诸大师出，汉学益昌盛。诸儒渐排击宋五子，为宋儒学者益微。姚鼐独持平，以宋学自守，其言蕴藉。东树继起，则昌言尽摭其违失，汉宋门户益坚。阮元督两粤，开学海堂，一时名下士如江子屏藩、凌晓楼曙、许楚生珩及粤中吴兰修石华、李绣子黻平等，辐凑幕下。东树亦客其门，独发愤著书。……成《汉学商兑》一书，反复数十万言，独撄众谤，不怵权位。……始好文事，中岁为义理之学，晚耽憚悦，凡三变，皆有论撰。"《清史列传·儒林传》："四十后不欲以诗文名世，研极义理，于经史百家、浮屠老子之说罔不穷究，而最契朱子之言。……古文简洁涵蓄不及（姚）鼐，能自开大，以成一格。然桐城自东树后，学者多务理学云。"

夏

黄文琛《思贻堂诗集》刊出。邓显鹤点定，彭洋中为之序。（《南村草堂诗钞》卷二十四）彭洋中《序》："先生诗原本温厚和平之旨，清空澹远，不假雕饰，至于忠爱之忧，孝友之性，师弟朋友风义之笃，忧时感事，触物起兴，言近旨远之妙，莫不天真绝俗，抠之无尽。盖一以渊明为宗，而神明变化于盛唐诸家。"按：彭洋中（1803—1864）字彦深，一字晓杭，湖南湘乡人。道光八年举人，以大挑官邵阳县学训导，历官潼川知府。洋中弱冠举于乡，文名籍甚，与邓显鹤等游，至老不废吟事，著有《古香山馆文集》、《诗存》。

七月

二十四日，彭昱尧（1809—1851）卒于家。《射鹰楼诗话》卷十七："诗笔爽朗，如秋水半塘，疏烟一亩。其《秋怀》五言古四首，最为人所诵。"王拯《彭子穆墓表》："道光甲午乙未间学使者楚雄池公生春……一见大赏，目为国士……其声乃大起。君时方锐治诸经，为古文辞奔腾浩瀚，有苏洵轼辙父子之风，感知于楚雄公，尤激昂才气，自将不可一世，时为歌诗纵恣横逸，光色万变，每相引而益奇……又闻当世所称归方文法于吕（今按：吕璜），而抑节从之，一屏才气，委蛇绳尺中。……君又以所质于吕先生者质之（今按：梅曾亮），于是君文盖凡数变。顾其才气所长，得于天之独异而为人所不能齐者，故以见知于楚雄者为独真云。……而粤之人士之皆知学为古文辞者，乃实自君。"

二十五日，清廷谕军机大臣等查禁《水浒传》。谕云："又据片奏，该匪传教惑人，有《性命圭旨》及《水浒传》两书，湖南各处坊肆皆刊刻售卖，蛊惑愚民，莫此为甚。并著该督抚督饬地方官严行查禁，将书板尽行销毁。"

八月

十六日，刘存仁为谢章铤《赌棋山庄词话》作序。时词话初成一卷。

闰八月

初一日甲申（9月25日）太平军攻克永安。后洪秀全入城，建制，并颁行"天历"。

二十五日，邓显鹤（1778—1951）卒，年七十有五。程恩泽《南村草堂诗钞序》："有友寓书于余曰：湘皋将来湘，湘中之为诗者莫湘皋若也。其五言古诗，冲澹若渊明，变化若太冲；七言古诗，直接韩苏；七言律诗，直接少陵，溢而为山谷、遗山。余闻而震之。……湘皋内行纯笃，读书知所别择。外和而通，内刚毅不可犯。又抑塞磊落，多所磨淬，故明足以析理，辨足以破幽。其发于诗也，引之而高，邃之而深，激之而厉以长，涵之而夷以婉，大之治忽之故，小之身世之感，无弗赅焉。皆足乎己而止，不外徇乎人，庶几所谓巧专而外滑消者也。古今以诗传者，其本必不在诗，必其道与性情确然有以自立，然后其艺成，其言传，知此可以读湘皋之诗矣！"陶澍《南村草堂诗钞序》："余与湘皋交二十余年矣，每晤则其诗境益深夐。……湘皋之诗，导源于魏晋而驰骋于唐宋诸老之场，雄厚峻洁，磅礴沉郁，情深而意远，气盛而才大。"欧阳辂《南村草堂诗钞序》："盖其学无不窥，而性情之真至敦厚，足与古籍相发明，故其形为歌诗，因事揆象，适然若逢其故物，沛然意惬而理顺，使人诵之，知其人，知其性情，知其取精之多，而不以博淹矜，庶几先王六艺教士，使人发舒志意，引于缠绵恳挚之地，以著为骨肉朋友悲欢忧乐、是非惩劝之真者，遗意犹在，夫而后诗可存也。"曾国藩《邓湘皋先生墓表》："与同里欧阳绍洛碉东以诗相厉。客游燕、齐、淮阳、岭南，所至悲愉抑塞，一寓于诗。觇幽刺怪，过之使平，终岁颉颃，誓不履近人之藩，而又耻不逮古人。每有篇什，辄就碉东，与相违覆，引绳落斧，剖析毫厘；书问三反，或终不得当，交嘲互讼，神囚形瘃。已而，室极得通，则又互慰大欢，以为解此者，天下之至豪也。……其遗外时荣而有事著述，与碉东略同。然碉东持律矜严，体势稍褊；先生则波澜益壮，跌宕昭彰。碉东墙宇自峻，与人少可；先生则阐扬先达，奖宠后进。知之惟恐不尽，传播之惟恐不博且久。用是门庭日广，而纂述亦独多。诗歌所不能表者，益为古文辞以彰显之。其于湖南文献，搜讨尤勤。……辑《资江耆旧集》六十四卷。……为《沅湘耆旧集》二百卷。……衡阳王夫之，明季遗老，《国史儒林传》列于册首，而邦人罕能举其姓名，乃旁求遗书，得五十余种，为校刻者百八十卷。"《饮冰室合集》卷四十一《说方志》："邓湘皋为湘学复兴导师，于湖南文献搜罗最博，以独力私撰道光《宝庆府志》、《武冈州志》，最称精审。"

闰中秋，陈澧偕张维屏等珠江看月，有诗纪之。冬，北上会试，张维屏作《赠陈兰甫学博即送北上》诗赠行，有语云："君为古文辞，苍健得韩意。岂惟工散体，乃又擅骈俪，其骨则松筠，其馨则兰蕙，其声则鸾凤，其力则骐骥。诗歌不多作，有作则妙制……兴到偶填词，隽语足心醉，由胸有积书，故笔有余味。"（《陈东塾先生年谱》）

秋

符葆森、陈宝箴、李鸿裔、高心夔乡试中式。陈宝箴（1831—1900）字右铭，江西义宁人。以军功出身，官至湖南巡抚。在任与学政江标、按察使黄遵宪等推行维新，在各直省中最为卓著。戊戌政变后革职，庚子之变，忧愤而卒。能诗文，惟不自珍惜，遂散佚无专集。李鸿裔（1831—1885）字眉生，别号香严，晚号苏邻，四川中江人。从胡林翼、曾国藩军幕，由主事选擢监司，官至江苏按察使。谢事居苏州，与吴中绅宦胜流往还，称盛事。著有《苏邻遗诗》。按：黎庶昌《江苏按察使中江李君墓志铭》谓鸿裔既举顺天乡试，"才高而学赡，声誉翔起，公卿多折节枉交"。高心夔（1833—

1881)① 原名梦汉，字伯足，又字陶堂，号碧湄，又号东蠡，江西湖口人。咸丰九年进士，官吴县知县。心夔少擅诗文，客肃顺久，与王闿运、尹耕云等相契。及肃顺败死，心夔遂南归，奔走楚粤间数年，无所遇。同治末入直督李鸿章戎幕。光绪初，叙劳署吴县令，终以事被劾去，憔悴以终。著有《陶堂志微录》等。

胡盉朋江南应秋试不第，归作《汨罗沙传奇》二十出。《例言》云："传奇贵雅俗共赏。近人张漱石著《怀沙记》，颇极五花八门之奇。……余词全以意写，即间有铺叙原文，要必采其菁华，无苦涩艰深之语。"

十一月

二十五日，王树枏生。树枏（1852—1936）字晋卿，号陶庐、绵山老牧，河北新城人。光绪二十年进士，分户部主事，改四川县令，官至新疆布政使。辛亥后曾充清史馆总纂。树枏少善属文，为李鸿章、吴汝纶所重。初喜为骈俪文，及交吴汝纶、张裕钊，始专力古文。有《陶庐文集》、《文莫室诗集》等。

许光治自序《江山风月谱》一卷。此集收词及散曲。按：许光治（1811—1855）字龙华，号羹梅、穗嫣，浙江海宁诸生。以课徒为业，与费丹旭、蒋光煦等为友。博涉多能，精书画，工词曲，著有《红浪香馆集》、《声画诗》等。（《清人诗文集总目提要》）

十二月

初三，释敬安生于湖南湘潭。敬安（1852—1912）字寄禅，湖南湘潭人。本农家子，俗姓黄。孤贫不能自存，遂投湘阴法华寺为僧。历主上林、天童诸寺，民国元年公推为中华佛教总会首任会长。光绪三年秋，在四明阿育王寺燃两指供佛，以此号八指头陀。敬安不甚识字而于诗有神悟，与湘中王闿运、邓辅纶等游，诗名日著。生前刻有诗集数种，卒后杨度汇刻成《八指头陀诗集》十卷、《诗集续》八卷、《文集》一卷，今人复辑为《八指头陀诗文集》。

---

① 高心夔生卒年，诸书多据朱之榛所撰《事状》（《续碑传集》八十）推定，记为1835—1883。朱彭寿编著《清代人物大事纪年》亦持是说，年生当是据《咸丰己未会试录》，卒年或亦据《事状》推定。而心夔友杨岘撰《墓志》（《迟鸿轩文弃》卷二）作道光十三年（1833）生，光绪七年（1881）卒；今人江庆柏编著《清代人物生卒年表》引此书而未采其说。考心夔所著《陶堂志微录》等，皆其卒后由友人李鸿裔删定，诸书著录均谓光绪八年平湖朱氏经注经斋刊刻。《越缦堂读书记》载，光绪八年十月二十六、二十七两日分别阅新刻《高陶堂遗集》，知诸家著录无误。文中又云，光绪六年冬，高心夔再任吴县令，因事"病失心"，"一年卒"，则卒于光绪七年内。《春冰室野乘》亦谓心夔卒于光绪七年。故本书记心夔生卒年，取杨岘之说。

本年

棣华园主人辑《闺秀诗评》四卷刊出。静岚氏本年《序》谓："近人言诗，往往尚风格而不取性灵，甚至阅女子诗亦持此论，尤为迂阔。深闺弱质，大率性灵多，学问少，焉得以风格律之？故余所录诸作，取其温柔袅娜、不失女子之态者居多。"所载皆为并世闺阁中人。（引自张彭寅《新订清人诗学书目》）

北京篆云斋刊出《顾误录》。王德晖、徐沅澂合著。王字晓山，山西太原人，原有《曲律精华》；徐字惺宇，北京人，原有《顾误》。两书俱未刊，本年二人相识于京师，各出手稿，互相参校，合为《顾误录》刊出。（《顾误录》卷首周棠序）

包世臣《安吴四种》重付剞劂。

周沐润撰《复素堂文续集》五卷、《诗四集》四卷刊刻。沐润自道光二十九年后，改斋名柯亭子为复素堂，故如此名集。

蒋薰《云寮山人集》刊刻。内《文钞》八卷、《诗钞》四卷。

徐荣《怀古田舍诗钞》三十三卷刊刻。录嘉庆九年至道光三十年诗，前有龚自珍、朱绪曾、张维屏等序。按：徐荣（1792—1855）原名鉴，字铁生、铁孙，汉军正黄旗人。道光十六年进士，历官福建汀漳龙道，因抵御太平军殁于阵。著有《怀古田舍诗钞》。

新安孙氏萱荫堂刊出俞樾撰《好学为福斋文钞》。（《曲园自述诗》）

张祥河刻同邑姚椿所辑《国朝文录》。时祥河在西安陕西巡抚任上，两年中亲为校订，镌于节署终南仙馆。《国朝文录》八十二卷，搜罗历四十年，稿成于道光三十年。《国朝文录校勘题名》："初选是录，有宜兴吴仲伦德旋、镇洋彭甘亭兆荪、长洲王惕甫芑孙、永福吕月沧璜、桐城李海帆宗传、宝山毛生甫岳生、华阳汪少海仲洋辈，讨论其出入，今皆物故。近岁编次，其与于鉴定参订雠校之任者，又若干人，附著姓名于篇：侯官林则徐少穆、长洲陶樑凫芗、上元梅曾亮伯言、丹徒严学淦丽生、桐城姚莹石甫、华亭张祥河诗舲、钱塘吴振棫仲云、无锡邹鸣鹤钟泉、溆浦严正基仙舫、镇洋毕华珍子筠、监利王柏心子寿、武进庄仲方芝阶、平湖顾广誉访溪。"姚椿《自序》："其意以正大为宗，其辞以雅洁为主，间小有出入，要必于理无甚悖者，然后辑焉。"张祥河《序》："呜呼，一代之文章，一代之学术在焉。国初诸老，才大学博，然踵明世余习，有驳有醇，文不一律。泊乎康熙中叶，海内治安，士皆诵习经、子，研精性理。望溪方氏出，而文章一轨于中正。自是以后，学者翕然有向，咸知韩李欧曾之义法。而辨博之家又病其平淡而无所见长也，于是词章训诂之学起。至乾隆之末，而文体复歧出矣。桐城姚惜抱先生当其时，力欲救正之，而其势方炽，仅与其朋友弟子辈讲明而确守焉。其言曰：学问之事有三端，曰义理也，考证也，文章也。三者苟善用之，则足以相济；苟不善用之，则或至于相害。……姚君游惜抱之门，故其所录皆醇乎醇者。"椿门人沈日富《述例》云："是录依桐城姚先生《古文词类纂》例，而卷之离合、序次之先后微有不同。"按：沈日富（1808—1858）字沃之，一字南山，江苏吴江人。道光十九年举人。师事平湖方垌、顾广誉，后受业于姚椿，以诗古文闻。著有《受恒受渐斋集》。

林昌彝《射鹰楼诗话》刊出。沈葆桢《例言》："夫子《诗话》之作，意在射鹰，非同世之泛泛诗话也。故集中前二卷专言时务，末卷以《铙歌》结之，其用意深哉！……《诗话》详于射鹰，而有关风化者次及之，论诗又次及之，采师友诗又次及之。""夫子论诗极精，《诗话》中多补前人所未及。其于严沧浪'诗有别才非关学'一语，必力辨之，恐不读书者以《沧浪诗话》为藉口也。"按：鸦片战争之后，英人强据福州乌石山神光寺，昌彝感愤时事，绘《射鹰驱狼图》以见志，鹰谓英吉利也。《射鹰楼诗话》之作，自庚子至本年，历十年而成，此编前四卷记鸦片战争前后诗坛事特详，尤为世所称。

广东富桂堂刊出《绣球缘》。此书又名《烈女惊魂传》、《巧冤家》，四卷二十九回，不题撰人。叙明朝万历年间朱、黄两家雪冤报仇事。

朱骏声进呈所著《说文通训定声》等书。文宗披览，嘉其博洽，赏国子监博士衔。

曾国藩四十一岁，选录古文词。《曾文正公年谱》卷一："是岁公选录古今体诗凡十八家，又选录古文辞百篇以见体要。"

金玉麟《二瓦砚斋诗钞》十卷附词一卷刊刻。收道光二十一年至三十年之作，有固始蒋湘南序及自识。玉麟（1807—1863）字石船，四川阆中人。道光十八年进士，授兵部主事，出官宁羌知州，后卒于太平军战事。《晚晴簃诗汇》卷一百四十二收其诗三首。（卒年据《清代人物生卒年表》）

魏源五十九岁，重订《海国图志》成一百卷，重刊于高邮。自序谓："是书何以作？曰：为以夷攻夷而作，为以夷款夷而作，为师夷长技以制夷而作。"

孙鼎臣此数年中欲变骈体为古文。本年致书梅曾亮，曾亮复书谓："尊意欲变骈体为古文，而来书词旨明健，已绝去六朝嫮婳之习，此天姿高胜处，坐进于古人不难也。夫古文与他体异者，以首尾气不可断耳。……"（《柏枧山房文集》卷二《与孙芝房书》）

杨岘在杭州偕西湖灵芝寺释莲衣创解社。

李寿蓉、龙汝霖、邓辅纶、邓绎、王闿运在长沙立兰林词社，自标湘中五子。《湘绮府君年谱》："李丈篁仙既耽吟咏，遂约同人倡立诗社，龙丈皞臣年最长，次李，次二邓，次府君。每拟题分咏各赋一诗，标曰兰林词社。邓丈弥之尤工五言，每有所作，不取唐宋歌行近体。"先是，湖南有六名士之目，谓进士何绍基、举人魏源、生员杨彝珍、监生邹汉勋、童生杨季鸾、刘蓉，风流文采，倾动一时。"李丈乃目兰林词社诸人为湘中五子以敌之。自相标榜，夸耀于人，以为湖南文学尽在是矣。后以语曾文正公国藩，时罗忠节公泽南在曾幕中，居恒讲论，以道学为归，尤恶文人浮薄。一日李丈于曾所言五子近状，罗公于睡中惊起，曰：有近思录耶？李闻言勃然，曾公笑解之"。《湘绮楼诗文集·文》卷九《天影庵诗存序》："余年十五六时，天下方骛于科举。宣宗重翰林，多由府道两三年至督抚。一童生不二年可至二品官，出为学使乡考官，门庭赫烜，父母光荣，比之苏秦尤显。故父老甘心焉以科第望子弟，因督其伊吾帖括中，终身不悔。……（余）不喜制举程式，随例肄业城南书院……余与其长子皞臣交，及武冈二邓子，皆在城南讲舍。李君篁仙，亦从其外兄丁果臣居院斋。篁仙早入学，补廪生。皞臣亦举丙午乡试，下第还，侍父居内斋。皆谨饬。独余跅弛好大言。篁仙放诞自喜，余尤与相得，日夕过从，皆喜为诗篇。邓弥之尤工五言，每有作，皆五言，不取宋、唐歌行近体，故号为学古。其时，人不知古诗派别，见五言则号为汉、魏，故箑仙以当时酬唱者多，自标为湘中五子。后以告曾涤丈，罗罗山睡中闻之，惊问曰：‘有《近思录》耶？’时道学未衰，故恶五子之名云。”按：五子中唯李寿蓉后成进士，而未入翰林，故又云：“《天影庵诗存》一卷，庵名前未闻也。前诗题曰‘兰林词社’，保之因笑君慕词林，五子中乃无一词林。若在道光前，皆不得比士大夫，敢言诗乎？君固词林才，诡得卒失，余四人皆未第进士。明人有言，进士如朝饔夕飧，官如酒肴。人可无酒肴，不可不食。然则四子皆饿夫，君犹幸不饥，则诗固未穷也。”郭嵩焘《天影盦诗存序》：“箑仙与湘潭王氏壬秋，武冈邓氏弥之、葆之，攸县龙氏皞臣结诗社长沙，追踪曹阮二谢，以薪复古。箑仙之诗，稍演以肆，至其华妙处，不减宣城也。湖口高氏碧湄亦俊才年少。数君相与为石交，志节忼慨，敦友朋之谊。皞臣、弥之昆季，余凤好，后乃因壬秋而识箑仙，因箑仙而识碧湄，皆得读其诗。意数君之文与其为人，非今世之有也，而年皆未逾三十。天下多故，万事堕坏，无与枝柱。数君者，才皆杰出于世，其致力也有余裕，所以就成其志事者，独诗也哉？”

顾广誉举孝廉方正。时学使吴钟骏目为浙士之冠。按：顾广誉（1799—1866）字维康，号访溪，浙江平湖人。隐居教授四十余年，少潜心宋五子之学，晚致力于疏释经义，尤长于治《诗》。师事姚椿受古文法，复与陈寿熊、陈克家、沈曰富等以文字相切劘，著有《悔过斋文集》等。《清史稿·儒林传》有传。

张履卒，年六十。履（1792—1851）初名生洲，字渊甫，又字履初、子践，江苏震泽人。嘉庆二十一年举人，官句容教谕。尝受学于张海珊，讲程朱之学，精《三礼》，善古文词，著有《积石文稿》、《积石诗存》。《清史稿·文苑传》有传。《晚晴簃诗汇》卷一百二十六收其诗十六首，集评：“叶眷西曰：渊甫之学，主于治经穷理，故其为文，言皆有物。宗法考一书，为数十年心力专注之作，垂成而殁。诗亦高迥绝俗。张铁甫云，刻画清微，澄然风露之表。王亮生云，一真孤露，万象毕发，言与理会，道以神超。二君所论洵得其真际。”诗话云：“渊甫诗思清夐，语妙可传。其感时纪事之作，亦恻恻动人。特儒生闭户，殷忧所闻，非必征信。”

董毅卒，年四十九。毅（1803—1851）原名思诚，字子远，江苏阳湖人。士锡子。工词，尝辑有《续词选》二卷，自著《蜕学斋词》二卷。

王照圆卒。照圆（1763—1851）字瑞玉，号婉佺，山东福山人，栖霞郝懿行室。郝懿行为海内大儒，述作间取照圆之说。照圆自撰《列女传补注》等书，以女辈跻身乾嘉考据学者之林，时有“高邮王父子，栖霞郝夫妇”之誉。著有《婉佺诗草》一卷、《晒书堂闺中文存》一卷。《清史稿·列女传一》：“照圆文辞高旷，得六朝人遗意。懿行有所述作，照圆每为写定题识。……尤喜言诗，著《葩经小记》，书未成。懿行撰《诗问》，谓与照圆相问答，条其余义，别为诗说，皆采照圆说为多。”《晚晴簃诗汇》卷一百八十六收照圆诗六首，卷一百十四诗话云：“其（郝懿行）配王照圆亦能诗。有《和鸣集》，著《列女传》及《诗问》，并经进览。潘郑庵尚书序其集，谓休沐之暇，日与比肩人发议质难为笑乐，许慎谨案，刘炫规过，得诸闺阁中，尤前古所未有，亦儒林佳话也。”

路德卒。德（1784—1851）字闰生，陕西盩厔人。嘉庆十四年进士，授户部主事。以目疾请假归里，历主关中等书院三十余年，以时艺训蒙知名。卒后门人阎敬铭辑其全集，编为《柽华馆集》十二卷。《清史列传·儒林传上二》："平江李元度亦谓德行谊为文名所掩，其诗古文又为时艺试律所掩。然德弟子著录数百人，所选时艺，一时风行，俗师奉为圭臬，并取其《五经》节讲之本以教学者，不复知读其全，颇为世所诟病云。"《晚晴簃诗汇》卷一百二十一收其诗九首，诗话云："闰生以道谊高乡里，名为制义所掩，阎文介称其怀抱峻洁，遗弃荣利，言学言理切近踏实，教人以不外求、不嗜利，为治心立身之本，非寻常才士文人可同日语。今观其诗，雅赡修洁，不事涂泽，而一种雄直之气溢于楮墨，所谓不求工而自工者。"

简朝亮生。朝亮（1851—1933）字季纪，号竹居，世称简岸先生，广东顺德人。与康有为同受业于名儒朱次琦，而不立异说，终身服膺朱氏之学。五赴乡试不售，遂以著述讲学终其身。著有《读书堂集》等。

公元 1852 年（咸丰二年　壬子）

二月

初九日，廖平生。平（1851—1932）原名登廷，字旭陔，改名平，字季平，号六译，四川井研人。光绪十六年进士，历任射洪县训导，绥定龙安等府教授。主讲嘉定资州各书院。主今文经学，成说经之作多种。著有《四益馆杂著》、《文集》。

二十五日，朱铭盘生。铭盘（1852—1893）原字日新，改俶傝，号曼君，江苏泰兴人。光绪八年举人，在提督吴长庆幕中十数年，保举知州，以积劳致瘵卒于旅顺军中，照知府阵亡例赐恤。少负才名，壮参戎幕，与通州张謇、范当世、如皋顾锡爵、海门周家禄并以文行著重于海内。遗著有《桂之华轩诗集》四卷、《文集》九卷等。（郑肇经编《曼君先生纪年录》）

二十九日庚戌，太平军围攻桂林。巡抚邹鸣鹤、状元龙启瑞率绿营兵、团练固守。

四月

二十五日，赐章鋆等二百三十九人进士及第出身有差。（《清史稿》）本科为清文宗登极恩科，潘祖荫、吴仰贤、许宗衡等成进士。潘祖荫为一甲三名进士。吴仰贤（1821—1887）字牧驺，号鲁儒，室名小匏庵，浙江嘉兴人。官至云南迤东道。在官适值回乱，仰贤拊循安集，颇有政声。归，主武水鸳湖书院二十年。著有《小匏庵诗存》七卷、《小匏庵诗话》十卷。许宗衡（1811—1869）字海秋，江苏上元人。历官起居注主事。浮沉郎署，郁抑之气，一发之诗词，著《玉井山馆集》。

高心夔会试落第，为肃顺延揽门下。汤纪尚《高陶堂先生传》："计偕入都，宾于尚书肃顺之门"。《近代名人小传》："伯足幼而敏赡爽迈，十八举于乡，会试制艺篇至千五百言，违式被黜。乡人杨重雅偶读其文，曰：纵横若苏子瞻，奥折若王介甫，时文有此，二百年中数人而已。遂为延誉。肃顺闻而纳之幕中。"按：后太平军入江西，心夔回乡，领一军从曾国藩，久无功，仍至京师。

五月

二十日，凌祉媛卒，年二十二。祉媛（1831—1852）字芷沅，浙江钱塘人，丁丙继室，著有《翠螺阁诗词稿》。《先考松生府君年谱》："（祉媛）尤嗜诗，十岁后喜吟，吟亦辄工，作小词曼声自度，飘飘然有出尘之概。著诗稿四卷、词稿一卷。"至咸丰四年，丁丙刊出《翠螺阁诗词稿》并附以己作悼亡诗《离鸾集》。

莫友芝为郑珍《巢经巢诗钞》作序。是年春初，郑珍、莫友芝二人相约刊刻诗集。友芝《序》谓："圣门以诗教，而后儒者多不言，遂起严羽'别裁别趣，非关书理'之论，由之而弊竟出于浮薄不根，而流僻邪散之音作，而诗道荒矣。夫儒者力有不暇，性有不近，则有矣；而古今所称圣于诗、大宗于诗，有不儒行绝特、破万卷、理万物而能者邪？吾友郑君子尹，自弱冠后，即一意文字声诂，守本朝大师家法以治经……而才力赡裕，溢而为诗，对客挥毫，巂伟宏肆，见者诧为讲学家所未有；而要其横驱侧出，卒于大道无所牴牾，则又非真讲学人不能为。彼持'别材别趣'，取一字一句较工拙者，安足以语此哉？"按：《巢经巢诗集》九卷，录道光六年至咸丰元年诗，莫友芝批校，本年九月郑珍手写付其子知同刊出。又，莫友芝撰《郘亭诗钞》六卷本年由遵义湘川讲舍刊刻，收道光甲辰（1844）以下八年诗，郑珍为之删次并序。《序》云："入其室，陈编蠹简，鳞鳞丛丛，几无隙地，秘册之富，南中罕有其匹。而读书谨守大师家法，不少越尺寸。……以子偲为人若此，则其制境之耿狷，求志之专精，用心之谨细，非似古人之苦行力学者欤？其形诸声发于言而为诗，即不学东野、后山，欲不似之而不得也。虽然，孟于韩，陈于苏，犹漹之去滮，仅一染耳。子偲方强仕，学日宏日邃靡底极，余恶知今之东野、后山者，不旋化为退之、子瞻者耶？"

六月

黎恂撰《千家诗注》二卷刻行，郑珍为序。恂（1785—1863）字迪九，号雪楼，又号拙叟，贵州遵义人。嘉庆十九年进士，由知县历官云南巧家厅同知。弟恺及子侄辈郑珍、黎庶昌等俱以诗文名。著有《蛉石斋诗钞》四卷。

七月

七夕，潘曾沂招吴嘉洤、潘遵祁等观荷，有诗。（《小浮山人年谱》）

二十八日，太平军围攻长沙。至十月十九日丙申，解围去。

沈兆沄撰《蓬窗随录》十四卷附录二卷成并自序。

八月

十五日，周乐清为严廷中《秋声谱》作序。称："一唱三叹，妙有余音，万紫千红，遍留春色。掷金声而应地，君其冠帜一军；炼卷石以补天，我愿退师三舍。（原注：时索余《补天石》拙著）"按：周乐清（1785—1855）字安榴，号文泉，别号炼情子，浙江海宁人。荫生。初官湖南，任祁阳、沅陵等知县，有政声。道光末官山东知县，咸丰初晋知州衔，旋以病衰辞官，未几卒。乐清工诗文，精音律，擅词曲，官湘中时，与沈道宽、欧阳辂、邓显鹤、黄本骥等交好，与宜良严廷中交尤密。著有《静远堂诗文集》、《桂枝乐府》、《静远堂诗话》、《静远堂麈谈》及《补天石传奇》（实为杂剧）八种。严廷中（1796—1864），字秋槎，号石卿，一号岩泉山人，又署秋槎居士。云南宜良人。诸生。父烺，为乾嘉间滇南名诗人。廷中少喜豪侈，构园京师，与名士觞咏为娱，家遂中落。后官山东，有政声，晚官两淮盐运司经历。廷中工诗文，擅词曲，尝开春草诗社。著有《红蕉吟馆诗集》、《岩泉山人词稿》、《红豆箱剩曲》、《试帖试》、《红蕉吟馆启事》、《药栏诗话》、《拈花一笑录》、《两间草堂古文》、《岩泉山人四选诗》等。有杂剧三种，总名《秋声谱》。

何绍基简放四川学政。十一月到任。

张之洞应顺天乡试，中式第一名举人，时年十六。《大清畿辅先哲传》卷七《名臣传七》："举乡试第一，一时才名满都下。"

汤贻汾、侯云松、蒋敦复等唱和于秦淮河。蒋敦复《丽农山人自叙》："咸丰二年秋，与贞愍重会于白门。贞愍年七十五，侯广文云松年八十六，置酒秦淮河房，大治声伎，群艳毕集，上下江名士咸在。……甚盛举也。"

黎庶蕃中举。庶蕃（1829—1886）字晋甫，别号椒园，贵州遵义人。黎庶昌仲兄，郑珍表弟。咸同间贵州扰攘，庶蕃在乡办团练有功，后入曾国藩幕，积功官至两淮盐大使。著有《椒园诗钞》四卷、《雪鸿词》二卷。

九月

二十七日，林纾生于闽县。纾（1852—1924）原名群玉，字琴南，号畏庐，又号冷红生、蠡叟、践卓翁、六桥补柳翁等，福建闽侯人。光绪八年举人。壮岁尝游幕台湾，归客杭州，主东城讲舍。光绪末入京，就五城学堂聘，复主讲京师大学堂。辛亥后，以"清处士"自誓，尝十谒德宗皇帝陵。新文化运动起，林纾诋斥甚力，卒后门人私谥贞文先生。纾自幼喜诗文，中岁翻译法国小说《巴黎茶花女遗事》，一时风行，遂致力于此，所译凡百数十种，与同时严复并称译才。唯不通西文，所译皆待魏易等人口译，而已笔述之。然林纾自负者仍在古文，晚岁居京师，昌言文法，一时学士多宗之。自著诗文杂著有《闽中新乐府》、《畏庐诗钞》、《畏庐文钞》、《春觉斋论文》、《春觉斋论画》、《韩柳文法研究》，小说有长篇《京华碧血录》及短篇小说集《畏庐漫录》等，传奇有《蜀鹃啼》等。译作合称"林译小说"，《巴黎茶花女遗事》而外，《块肉余生录》、《黑奴吁天录》、《孝女耐儿传》等四十余种均译自名家。

杨恩寿谱成《鸳鸯带》二十四出。按：始撰于初夏，后以"插叙时事，语多过激"焚去。恩寿（1837—1891）字鹤俦，号蓬海，别署蓬道人，湖南长沙人。同治九年举人。于湘黔等地设馆作幕多年，后官湖北盐运使，升湖北候补知府。能诗赋，兼工词曲，自谓以曲子为最。著有《坦园文录》、《诗录》、《词录》，传奇《姽婳封》等六种合刊为《坦园六种曲》。（注：生于道光十六年十二月初九）

秋

张金镛为王拯《龙壁山房词》作序。《序》云："芳意悦魄，古愁荡魂。铢黍不忒，情旨毕罄。方诸两宋，洵可高揖清真，平视圣与。牧之序昌谷诗曰云烟绵联，不足为态，又曰春之盎盎，水之迢迢。以语君词，讵云多让。"时王拯自广西戎幕归，寓宣武城南，所居与金镛密迩，时相唱和。又，是秋黄燮清亦曾寓宣武城南，与金镛唱和。

十月

初一日戊寅（11月12日），捻党张乐行起事于安徽亳州。

十一月

二十九日乙亥（1853年1月8日），清廷命曾国藩帮同湖南巡抚办理本省团练。时国藩以丁母忧在籍，此后官江南十数年，幕府宾僚极一时之盛。薛福成《叙曾文正公幕府宾僚》："昔曾文正公奋艰屯之会，躬文武之略，陶铸群英，大奠区宇，振颓起衰，豪彦从风，遗泽余韵，流衍数世。非独其规恢之宏阔也，盖其致力延揽，广包兼容，持之有恒，而御之有本。以是知人之鉴为世所宗，而幕府宾僚，尤极一时之盛云。窃计公督师开府，前后二十年，凡从公治军书，涉危难，遇事赞画者，闳伟则李公鸿章、郭公嵩焘筠仙，刘公蓉霞轩，李元度次青。明练则郭崑焘意城，何应祺镜海，邓辅纶弥之，程桓生尚斋，甘晋子大，陈鼐作梅，许振祎仙屏，钱应溥子密，蒋嘉棫莼卿，凌焕晓岚。渊雅则方朔元子白，李鸿裔眉生，柯钺筱泉，程鸿诏伯敷，方骏谟元征，向师棣伯常，黎庶昌莼斋，吴汝纶挚甫。右二十二人，李公功最高。公之志业，李公实继之。郭公、刘公与公交最深。所议皆天下大计。凡以他事从公，邂逅入幕，或骤致大用，或甫入旋出，散之四方者，雄略则左公宗棠，彭公玉麟雪琴，李云麟雨苍，周开锡寿珊，罗萱伯宜，吴坤修竹庄，李鹤章季荃。硕德则李公宗羲雨亭，李公瀚章筱泉，梅启照筱岩，唐训方义渠，陈兰彬荔秋，陈士杰俊臣，王家璧孝凤。清才则孙衣言琴西，周学浚缦云，何栻莲舫，高心夔碧湄。隽辩则周腾虎韬甫，李榕申甫，倪文豹蔚岑，王定安鼎丞。右二十二人，左公彭公功最高。李云麟闻公下士，徒步数千里从公。皆才气迈众，练习兵事，而受知于公最先。凡以宿学客戎幕，从容讽议，往来不常，或招致书局，并不责以公事者，古文则吴敏树南屏，吴嘉宾子序，张裕钊廉卿。闳览则俞樾荫甫，罗汝怀研生，陈学受艺叔，夏燮谦甫，莫友芝子偲，王开（闿）运纫（壬）秋，杨象济利叔，曹耀相镜初，刘瀚清开生，赵烈文惠甫。朴学则钱泰吉警石，方宗诚存之，李善兰壬叔，汪士铎梅村，陈艾虎臣，张文虎啸山，戴望子高，刘毓崧北山，刘寿曾恭甫，唐仁寿端甫，成蓉镜芙卿，华蘅芳若汀，徐寿雪村。右二十六人，吴敏树、罗汝怀、吴嘉宾名辈最先。敏树与张裕钊之文，所诣皆精。莫友芝、俞樾、王闿运、李善兰、方宗诚、张文虎、戴望皆才高学博，著述斐然可观。凡刑名钱谷盐法河工及中外通商诸大端，或以专家成名，下逮一艺一能，各效所长者，干济则冯焌光竹儒，程国熙敬之，陈方坦小浦，任伊棣香，孙文川澄之。勤朴则洪汝奎琴西，刘世墀彤阶，李兴锐勉林，王香倬子云。敏赡则有何源镜芝，李士棻芋仙，屠楷晋卿，萧世本廉甫。右十有三人，皆能襄理庶务，刓繁应琐；虽其用之巨细不同，亦各有所挟以表见于世。"（注：引文省人物爵里）陈三立《畸人传四首》："国藩督师东南，遂为江南总督……当是时，海内硕儒奇士辐凑幕间，言兵言经世大略，有李鸿章、彭玉麟、李元度，言性理政事有涂宗瀛、杨德乾、方宗诚、汪瀚，言黄老九流文学著述则有张文虎、汪士铎、刘毓崧、戴望、莫友芝、张裕钊、李鸿裔、曹耀湘之属。"

十二月

十六日，姚莹（1785—1853）**卒，年六十八**。莹以道光三十年被起用，办理广西军务，后随军至湖南，权按察使，因疾卒于官。南丰吴嘉宾、合肥徐子苓、桐城徐宗亮等为作碑传。子濬昌《重刊中复堂集后序》："先府君……文学私淑先高祖姜坞府君而及惜抱先生之门，尝曰：吾集未可以文论，当纯疵并存，俾览者得其生平焉。"又，《姚石甫先生年谱》："府君于书无所不窥，顾不好经生章句，平居慕贾谊、王文成之为人，为学体用兼备，不为空谈，文章善持论，指陈时事利病，慷慨深切。诗自明七子入，而以盛唐为宗。大抵于古人善处别有会心，不肯貌袭，往往成一家言，或以与先儒稍异疑之，府君笑而不答。所交同里诸先生外，上元管异之同、梅伯言曾亮、甘泉汪孟慈喜孙、江右吴兰雪嵩梁、湖南邓湘皋显鹤、鄱阳陈伯游方海、番禺张南山维屏、光泽高雨农澍然、建宁张怡亭绅及其弟亨甫际亮、武进李申耆兆洛、山阳潘四农德舆、临桂朱伯韩琦、晋江陈颂南庆镛、益阳汤海秋鹏、南丰吴子序嘉宾、道州何子贞绍基、宝山毛生甫岳生、宜兴吴仲伦德旋、江都梅蕴生植之……皆以文章经济见推重。"徐子苓《诰授通议大夫广西按察使司按察使姚公墓志铭》："先生坦怀乐善，老而弥笃。其在九江，孟涂已前死。余识方（今按：东树）先生于桐城，为附书，先生读书未竟，面赤，须怒张，曰：'咄，植之与我都老大，乃屡呵我如小儿。'徐谢曰：'顷失辞。植之直亮多闻君子也。微植之，夫孰镌吾过？'……先生文刊行者总四部，曰《奏议》，曰《纪行》，曰《诗、文集》，建宁张际亮好大言，少许可，读而序之，谓简明似王文成。"《清史稿》本传："莹师事从祖鼐，不好经生章句，务通大意，见诸施行。文章善持论，指陈时事利害，慷慨深切。"《射鹰楼诗话》卷二十一："其《后湘集》，诗笔纵放，七言律为前明七子之遗。"

十七日，太平军克武昌，曹懋坚（1786—1853）**死之**。时懋坚官湖北按察使，年六十七。《清史稿·忠义四》本传称懋坚"豪于诗"。《十朝诗乘》卷十六："在'吴门十子'之列，诗学玉溪。"《晚晴簃诗汇》卷一百三十六收其诗十一首，诗话云："艮甫官谏垣时……风裁甚峻。出为湖北盐法道……武昌再陷，不知所终，二子并殉，世以哀之。少负才气，滇黔纪游多精警之作，集中诸体，藻韵并饶，自是作手。"《憩园词话》卷三："（集）中有《风怀》二百韵，《闲情》三十律，风流蕴藉，可为曝书亭替人。其词悉宗南宋诸人，于玉田尤肖。字字稳惬，文生于情。"

二十日，潘曾沂（1792—1853）**卒于家，年六十一**。冯桂芬《潘功甫先生暨严宜人墓志铭》："诗文澹远名隽，自成一家，中多忧时感事之言，尤惓惓于东南赋重财竭，农田水利之不讲，民生之日蹙，思有以挽回而补救之，几于举笔不忘。盖先生学问经济之大者，实在于是，称之者曰高隐，曰好佛，曰诗人，皆目论也。尝自言一生大略尽于数卷诗中。"吴嘉淦《潘功甫舍人家传》："少颖悟，读书不为章句之学。稍长即喜为诗，自抒心得，语意清远，尝自谓一生行事尽于数卷诗中，舍此求之，不得也。与里中诸子吟赏谈燕，殆无虚日。洎举孝廉，直内阁，则与都下名公钜卿以文章风节相砥砺，然非其人则弗与通也。时文恭公门生故旧半天下，而识其面者殆不数人。"《晚晴簃诗汇》卷一百二十六收诗七首，诗话云："功甫为相国文恭公长子，少有异才，澹于荣利，壮岁即谢职归，杜门学道，自称前身为僧。诗初近樊榭，以幽秀为宗，继放之为东坡诚斋，生辣又近姜白石，晚乃取径寒山，以识解胜。喜猿喜鹤，时时咏之，盖以自况也。"

王韬、蒋敦复相识。后敦复卒，王韬为刻其集数种。

冬

胡焯卒。焯（1804—1852）字光伯，湖南武陵人。道光二十一年进士，授翰林院编修，历官侍读，出为广西学政，卒于任所。著有《楚颂斋诗集》、《楚颂斋文稿搜存》。

本年

刘存仁《屺云楼诗选》二集四卷本年刊于福州。

沈兆沄《纤帘书屋诗钞》十二卷刊出。收嘉庆三年至咸丰元年诗近九百首，依年编次。又，本年自序《篷窗随录》二卷，后于咸丰七年刊出。

福谦堂刊刻陆费瑔撰《真息斋诗钞》。是集四卷，有屠倬序。陆费瑔（1784—1857）原名恩鸿，字玉泉，号春帆，浙江桐乡人。嘉庆十三年副贡，官至河南巡抚。

周树槐自刻《壮学斋文集》十二卷。树槐（1786—1858）字星叔，湖南长沙人。嘉庆十六年进士，官山西、江西等地知县。

雷以诚撰《藿郊诗存》二卷刊刻。此书同治五年江汉书院重刻，改题《雨香书屋诗钞》二卷，录道光九年迄咸丰二年诗。按：雷以诚（1795—1884）字春霆，号鹤皋，湖北咸宁人，道光三年进士，由刑部主事历官光禄寺卿，有《雨香书屋诗钞》。（按：《清史稿》本传谓生于1806，此据《清代人物大事纪年》）

彭蕴章撰《松风阁诗钞》刊刻。二十六卷，分《涧东》、《花南》等集，罗惇衍等序。

何玉成撰《揽翠山房诗草》刻于射洪。

杨棨撰《蝶庵赋钞》二卷刊刻。

庄棫二十三岁，始学为词。（《蒿庵词》自序二）按：庄棫（1830—1878）字希祖，号中白，别号蒿庵，江苏丹徒人。治易、春秋，兼通纬候，好微言大义，善言名理，客游京师，无所遇，曾国藩延致淮南书局，勘定群籍，甚敬礼之。同辈若戴望、袁昶、谭廷献皆钦服其学。著有《周易通义》、《蒿庵集》。

余治四十四岁，乡试不第。《余孝惠先生年谱》："先生五赴棘闱，两荐不售，至是……乃绝意进取，专以挽回风俗救正人心为汲汲，遂汇资将所辑训蒙各书次第刊布，同人题曰《尊小学斋》。"

黄燮清作《绛绡记》传奇九折。事本《聊斋志异·西湖主》，演书生陈弼与龙女西湖公主事。

吴大廷从吴敏树等闻古文法。是年大廷以拔贡入京应试，寓京师，先后与溆浦舒焘、巴陵吴敏树交，"稍闻古文法。于是始知酷好望溪文集矣"。明年，吴大廷至奉天教读，钞成古文约，取旧作古今体诗二三百首焚之。（《小酉腴山馆主人自著年谱》）按：吴大廷（1825—1878）字桐云，湖南沅陵人。咸丰五年举人，任内阁中书，官至台湾兵备道，晚年驻沪操练海军。著有《小酉腴山馆集》二十二卷。（注：大廷生于道光四年十二月初八）

王闿运数往南昌，与邓绎、孙麟趾唱和。

符葆森入都，得交陶樑等人。后陶樑等为之鸠资刊刻《国朝正雅集》。（《国朝正雅集》卷五七）

宝廷年十三，始学诗。《先考侍郎公年谱》："十三岁，始学诗。公性颖悟，于诗尤近。是岁和杜甫咏凤凰诗，长老惊喜，以为大器，自是遂肆力于诗。"

父庆源七十岁，约卒于此后不久。庆源（1783—?）字三庆，号积堂，浙江钱塘人，诸生。有《小栗山房集》。叶绍本《小栗山房诗钞序》云："其诗根本于天性，取藉于群籍，风力丹采，两兼之矣。"《晚晴簃诗汇》卷一百二十九收其诗二首。

姚元之（1776—1852）卒，年七十七。《清史稿》本传："元之学于族祖鼐，文章尔雅，书画并工。习于掌故，馆阁推为祭酒。爱士好事。"金天翮《姚元之姚柬之传》："元之初问学于从族祖鼐。多记旧闻国故，能为诗，工隶书，兼精绘事。通籍后，誉望甚美。……桐城诸贤好谈文章及理学，而元之独以艺事称。……风流蕴藉，如醇醪饮人。……衡文，能识奇士于风檐寸晷中，如（李）棠阶（张）亮基，皆一时将相之才。甄藻之公，虽符伟明、许文休之徒，何以加哉！"《晚晴簃诗汇》卷一百十七收其诗十首，诗话云："膺青文翰从容，雅负时望，诗俊亮有格，亦多寓感时纪事之作。所著《竹叶亭笔记》，多载旧闻国故，分隶为世所珍，画笔精妙，小品尤超逸，有南田新罗遗意。前辈风流，令人作贞元朝士之想。"

程颂藩生。颂藩（1852—1888）字伯翰，号叶庵，湖南宁乡人。同治十二年拔贡，官户部七品小京官。后南归侍亲，居乡数年，与欧阳中鹄、皮锡瑞等切劘经学。后赴都，升户部主事，寻卒。颂藩嗜学，与其弟颂万并负才名，工诗，著有《程伯翰先生遗集》。

公元 1853 年（咸丰三年　癸丑）

正月

许宗衡作《金缕曲》（书余淡心《板桥杂记》后并叙），感慨时事。《赌棋山庄词话》续编卷五"许宗衡玉井山馆诗余"条，盛称此词及作于上年之《霓裳中序第一》："中有二阕，最足感人。嗟乎，酒场歌板，举目沧桑，氛尘颂洞，此真回肠荡气时也。"

二月

八日，朱次琦辞官。次琦于上年七月始授襄陵县，在任仅百九十日。时战事方殷，遂暂栖山西，至咸丰五年六月始抵里。

十日乙酉（1853年3月19日），**太平军攻占南京。**二十日乙未建都于此，改称天京。二十二日丁酉，天平军占领镇江，同日，清廷钦差大臣向荣督军万人抵南京，结营于城东，建立江南大营，阻太平军东下苏杭。二十三日，太平军占扬州。三月九日，琦善在扬州三汊河建立江北大营，以围堵太平军。

初十日，邹鸣鹤（1793—1853）**卒，年六十一。**

十二日，汤贻汾（1778—1853）**以南京城陷，赴水死。**事闻，予谥贞愍。贻汾友侯云松（1765—1853）亦自经死，年八十九。顾寿桢《汤将军传》："（贻汾）寄家江宁。……其所自意雅歌、诗、书法皆绝人，至于小词曲艺，靡有不工。其所游，必尽与其文学士相结，其居金陵，士之所凑，尤独名好客，客未尝不满座也。时则有若侯云松、秦耀曾、梅曾亮之属，皆以能文章负当世名，相过从无虚日。于时海滨稍稍多事矣。江宁未深创，犹殷赈丰澹（赡）。……山楼水榭之胜，甲于天下。承平积阜，乘华炫丽……癸丑之岁，大盗薄江浒……城陷，聚其家人而告之曰：先人有言矣，父死忠，子死孝。奈何乎每生于是？皆自杀。"《汤贞愍公年谱》载，所赋绝命辞有"死生轻一掷，忠义重千秋"等语，"远近属和者不翅数百家，后人并诸载记汇为《怀忠录》刊行于世"。又谓："综公操行艺学，任取一长，皆足以传世。足迹半天下，平生奇事甚多，所交当代闻人数百辈……论其一门风雅，则有似赵集贤；耆年觞咏，则有似白太傅；放意山水，则有似谢康乐；乐志田园，则有似陶彭泽。而幽燕老将之气，轻裘缓带之风，则又仿佛李北平、羊南城，固不仅以临难不苟重也。"《清史稿》本传："尚气节，工诗画，政绩文章为时重。"《晚晴簃诗汇》卷一百四十收其诗十八首，诗话云："贞愍累世忠荩，居官有政绩，风流文采倾动一时。画为嘉道后大家，与戴文节同称绝艺，同完大节，齐名画苑，上继四王恽吴诸家矣。诗亦卓然作者，歌行尤胜，权奇排奡而有沉毅之气流露行间，此言为心声也。国朝画家工诗者，南田最为超绝，贞愍之俊健，殆堪追配。"

二十一日，姚椿（1777—1853）**卒。**《清史稿》本传："以国子监生试京兆，日与洪亮吉、杨芳灿、张问陶辈文酒高会，才名大起。顾试辄不遇。既，又受学于姚鼐，退而发宋贤书读之，屏弃夙习，壹意求道，泊如也。……其论文必举桐城所称，曰：'好学深思，心知其意。'又曰：'文之用有四：曰明道，曰记事，曰考古有得，曰言词深美。'其录清代人文八十余卷，一本此旨。"沈曰富《姚先生行状》："先生自言于诗用力多，故可自信为通一艺，文则初好骈俪，三十后始为古文，故称晚学云。（今按：椿诗集名通艺阁，文集名晚学斋）……论文必举桐城。……又论古人所作及文之极诣，则曰：退之出，一洗旧习矣，学之过者则又有前此之失；欧曾起而天下一轨于正，然而肤庸牵率之病又兴焉。有豪杰者作，酌唐之文以准宋之理，庶乎可矣。而其本原别自有在。……论本朝人诗，尝曰诗者性情之事，才与学皆后起者也。王文简标举神韵，天下翕然宗之，数十年来，其弊也，流于塞弱而貌似。于是学诗之士务以才力相胜，而通儒钜公又以其学问之余溢为咏歌，至于推原本始，则犹有间焉。"《射鹰楼诗话》卷十八："其诗出入唐、宋诸大家，而律诗取法在杜子美，盖其近体胜于古体也。布衣负必欲行之学，久藏于心志，发而为诗，其情正，其植厚，故怨而弥婉，质而弥华。"《晚晴簃诗汇》卷一百二十三收其诗十九首，诗话云："春木以贵游子弟绩学砺行，最服膺姚惜抱，故学派近之。所辑《国朝文录》宗旨甚正。晚年家居讲学，吴中推为耆硕。诗尤雅正醇懿，才锋俊拔而以酝酿出之，迥异浮响，盖能矫衰、赵末流者也。"

陈澧改题《灯前细雨词》为《忆江南馆词》。澧以先世为江南上元人，闻太平军据江宁，故重定甲辰所编词集，改题以寄意。（据《陈东塾先生年谱》）

宋翔凤撰《过庭录》十六卷成并自序。

三月

四日，刘遵海卒，年七十三。遵海（1781—1853）字聿南，号滇观，河南祥符人。道光二年进士，历官顺天北路同知。有政声，尤以折狱精敏称。著有《深致轩集》。

程玉澍生。玉澍（1853—1906）原名玉树，字惕庵，江苏盐城人。光绪十四年举人，大挑选教谕，不赴。不慕荣利，以讲学著述为务，当时名流如蒯光典、柯逢时甚推重之。著有《后乐堂诗钞》、《文钞》等。

春

袁嘉卒。嘉（？—1853）生年不详，钱塘人，袁枚长孙女，天长诸生崇一颖室。著有《湘痕阁诗稿》二卷。嘉依父居金陵，城破，嘉投水不死，复服阿芙蓉以死。

梅曾亮避地王墅村。后辗转依河督杨以增，据章炳麟《书梅伯言事》，则世传曾亮尝仕于太平天国。（《柏枧山房诗文集》附录）

蒋春霖作词叙南京失陷事。《台城路·惊飞燕子魂无定》叙云："金丽生自金陵围城出，为述沙洲避雨光景，感成此解。时画角咽秋，灯焰惨绿，如有鬼声在纸上也。"《甘州·悔年时刻意学伤春》叙云："洪彦先与秦淮女子有桃叶渡江之约，未果而金陵陷，不可寻问矣。彦先哀之，为赋此解。"春霖是年三十六岁，任富安场大使，一年之中词作多写江南战乱。除夕，赋《水龙吟·一年似梦光阴》，有句云："一年似梦光阴，匆匆战鼓声中过。"

四月

初一日，太平军李开芳、林凤祥自扬州北征。至九月，进逼保定、天津，京畿大震。

十二日丙戌，太平军西征。

二十五，志锐生。志锐（1853—1912）字公颖，又字伯愚，别号迂安、廓轩、穷塞主。满洲正红旗人，陕甘总督裕泰孙，光绪帝瑾妃、珍妃兄。光绪六年进士，改庶吉士，授编修，官至礼部右侍郎。幼侍父广州，交文廷式等人。光绪中与黄体芳、盛昱辈相励以风节。后以其妹瑾、珍两妃贬贵人，降授乌里雅苏台参赞大臣，守边庭逾十载。辛亥年，新疆新兵起应武昌起义，推志锐为都督，不从，遂死之。事闻，赠太子少保，谥文贞。有《廓轩竹枝词》一卷附词《穷塞微吟》、《志文贞公诗册》一卷。

二十五，赐孙如仅等二百二十二人进士及第出身有差。（《清史稿》）丁宝桢、薛时雨、傅寿彤、颜宗仪等成是科进士。按：丁宝桢（1820—1886）字稚璜，贵州平远人。官至四川总督，谥文诚。有《十五弗斋诗存》、《文存》各一卷，《丁文诚公奏议》二十六卷。薛时雨（1818—1885）字慰农，一字澍生，晚号桑根老人。安徽全椒人。历官杭州知府、候选道。辞官归，历主杭州崇文、江宁惜阴等书院，一时吴下文士多出其门。工诗词，著有《藤香馆集》。傅寿彤（1818—1887）字青余，晚号澹叟，贵州贵筑人。改庶吉士，授检讨，历官河南按察使。以事为御史所劾，遂挂冠去。定居长沙，筑止园自娱，与郭崑焘、郭嵩焘、王闿运等觞咏往还。有《澹勤室诗》等。颜宗仪（1826—1881）字挹甫，号雪庐，别号笠梦道人，海盐人。改庶吉士，授编修，官广东候补道。著有《梦笠山房诗存》等，后人辑为《清邃堂遗诗》六卷。

林昌彝进呈所著《三礼通释》二百八十卷。奉谕赐官教授，后司教福建建宁、邵武二府未久即离任。

李慈铭在越中作长调二十余解。《玉可庵词存序》："仆二十余岁时，喜赋绮词，癸丑四月间，尝倚长调二十余解，多伤春怨别之辞。尔时越中士大夫无言此事者。……其词久付劫灰，此外尚记两句云：'淡淡楼台，偏做一家梅雨。'亦颇为一时传诵云。"按："越中士大夫无言此事者"，非事实，时李慈铭隶"益社"社籍，与周星誉诸人唱和。

黄爵滋（1793—1853）卒于京师，年六十一。《晚晴簃诗汇》卷一百三十一收其诗至二十二首，诗话云："树斋在谏垣，言论风采为一时清流领袖。疏请严禁鸦片，世称谠论，然发大难之端，不可复收，当亦非先事所及料。诗循杜韩正轨，纵横跌宕，才气足以发其所学。徐廉峰尝作四子论诗图，以张亨甫、潘四农与树斋并列，树斋为题《有酒》八章。源本风骚，持论必衷于正，为诸人所推服。晚年刻集，汇录徐东松、郭羽可、艾至堂、汤海秋及亨甫、四农平日评论所及，以为自序，盖信其诗之可传也。"

五月

二十五日，张謇生于海门。謇（1853—1926）字季直，号啬庵，江苏南通人。为诸生时，即腾誉乡国。光绪八年，入提督吴长庆幕，二十年成一甲一名进士，授修撰。时中日事起，张謇一意主战，及海陆军俱败，乃南归创办实业。主张维新立宪，尝列名强学会，后又参与筹组立宪国会，为晚清立宪派重要活动家。张謇工诗文，与朱铭盘、周家禄等为友，尝问古文于张裕钊。著有《张季子文录》、《张季子诗录》等。

六月

二十七日庚子（8 月 1 日），《遐迩贯珍》时事月刊在香港刊行。此刊由英国伦敦布道会创办，传教士麦都思、奚礼尔、理雅各等先后任主编，咸丰六年停刊。

八月

五日，上海小刀会起事。据上海城，至咸丰五年正月，清军始复上海。

九月

十八日，魏正庸自序《绣云阁》。是书八卷一百四十三回，演神灵精怪事，至迟于本月完成，原刊当在咸丰间，同治八年有重刊本。序云："吾见世之术慕神仙而欲学神仙之为人者，往往为外道所惑。……无怪乎邪教诬民结党害世者，层见于历朝矣。……人多入迷途而不知，予也不揣固陋，编辑《绣云阁》一书……不辞琐碎，逐一分明，谓为学道而误入旁支者大声而疾呼焉。亦谓为人类而迷于酒色财气者大声而疾呼焉，亦无不可。"末署"拂尘子自记于莲香别墅"。魏正庸字文中，生平不详。

陈三立生。三立（1853—1937）字伯严，号散原，广西义宁人。湖南巡抚陈宝箴子，与谭嗣同、丁惠康、吴保初齐名，世称清末四公子。光绪十五年进士，官吏部主事。宝箴抚湘时，一时名辈如黄遵宪、江标、梁启超、徐仁铸、熊希龄、唐才常并集长沙，力行新政，而三立实左右之。戊戌康梁事败，宝箴以此挂吏议，而三立亦革去主事职，寓居金陵、杭州、庐山各地。辛亥后，以遗老自居，寓居上海。民国二十一年迁北京，郑孝胥等劝其任职伪满洲国，坚辞不赴，二十六年，倭寇入北平，绝食卒，年八十五。三立少即工诗，戊戌变政，受谴家居，遂壹志为诗，诗名益盛。著有《散原精舍诗》、《散原精舍文集》。

沈道宽（1772—1853）**卒于江苏泰州，年八十二。**《晚晴簃诗汇》卷一百二十八收其诗共九首，诗话云："栗仲先世为四明望族，官湖南，抚江华猺，有异政。罢职后寓邢上。工书善琴，诗尤擅名。七言古近体皆健拔，律句隶事精当，出入玉溪山谷。"

帮办江北军务刑部侍郎雷以诚首在扬州之仙女庙等镇行厘捐助饷。

秋

李联琇简放福建学政。江湜为幕客，论诗不合。黄华《江弢叔先生传》："咸丰癸丑，重入闽中李小湖学使幕。先生与论诗，辄不合，逾岁辞去，赠诗称为江诗人，复以书招之，竟谢不赴。"按：江湜《小湖以诗见问戏答一首》谓："词曰诗者情而已，情不足者乃说理。理又不足征典故，虽得佳篇非正体。一切文字皆贵真，真情作诗感得人。后人有情亦被感，我情那不传千春？君诗恐是情不深，真气隔塞劳苦吟。何如学我作浅语，一使老妪皆知音。读上句时下句晓，读到全篇全了了。却仍百读不生厌，使人难学方见宝。"而联琇有《伏敔堂诗录题词》谓："我与弢叔友，蒙疾发深痼。我读弢叔诗，钝根豁通悟。开卷摹韩终运杜，中间博涉苏黄趣。观其自言所作位置处，伊郁东野怀，清奇后山句。……脂化琥珀忘松身，肺肝槎牙心轮困。造语非复人间闻，实皆探喉各欲云。……江诗人，恣幽讨，朝欷暮唶不可道。我欲置之蓬莱岛，变尔商声赓丽藻。……"

十一月

二十六日丁卯（12月26日）清军收复扬州。

汪士铎逃离金陵。至同治三年甲子冬十一月始得还里，十余年中，曾在鄂入胡林翼等幕。

十二月

初十日，严复生于闽县。复（1854—1921）初名传初，改宗光，字又陵，又改复，字几道，晚号瘐樊老人，别号尊疑，福建侯官人。少肄业于马江船政学堂，后留学英国，习海军。归国，任马江船政学堂教习，调北洋水师学堂任总教习。甲午战后，专力于翻译著述。先后成《天演论》、《原富》、《法意》、《穆勒名学》等书，影响晚清思想界甚巨。宣统中，赐文科进士，任京师大学堂监督兼文科学长。与林纾同以古文译西籍，并称译才。亦能诗，晚作始多。著有《瘐樊堂诗》二卷、《严几道诗文钞》六卷等，今人汇为《严复集》。

十五日乙酉（1854年1月13日）太平天国开科取士。是日为太平天国"天历"十二月九日，为天王生日。旋改以每年天历十月初一日开天试，复改为每年三月初三日考文秀才，十三日考武秀才；五月初五日考文举人，十五日考武举人；九月初九日考文进士、翰林、元甲，十九日考武进士等。又于每岁正月十五日试选各省提考举人之官。

本年

太平天国定都南京后，自此与清廷对峙十一年。本年设删书局衙，冬，颁布《天朝田亩制度》。

郑珍编《播雅》二十四卷刻成。明年编唐树义诗一卷，增作二十五卷。

方宗诚、戴钧衡选《桐城文录》七十卷。《方柏堂先生谱系略》："（咸丰）三年癸丑先生年三十六。春正月粤贼破安庆。先生修墓山中，至是乃归城授经马征君三俊家。著《人谱补正》，示其子复震。辑《养蒙彝训》，示诸生。……冬十月，桐城陷。先生携子培濬避之柏堂。柏堂者，家庙也。庭有古柏，故谓之柏堂。因自号曰柏堂逸民。文集之名柏堂自此始。学者遂称柏堂先生。是年始著《俟命录》四卷、《辅仁录》一卷，与戴孝廉钧衡选《桐城文录》七十卷。"

戴钧衡三刻其集。此刻为《味经山馆文钞》四卷、《诗钞》六卷。

王庆勋撰《诒安堂集》十九卷自本年至咸丰五年刊刻。

叶名澧撰《敦夙好斋诗初编》刊刻于京师。是集十二卷，刘存仁序，录道光五年至咸丰三年诗，《城南集》、《雁门集》、《南征集》等集。后此之作，则卒后由其子恩颐编为《敦夙好斋诗续编》十一卷。

刘存仁撰《屺云楼集》三十六卷自本年至光绪四年刊刻。内《诗初集》八卷、《二集》四卷、《三集》十二卷、《文钞》十二卷，陈偕灿、谢章铤、林鸿年、林昌彝序。

孙瀜辑刊《同人词选》。内收胡咸临《炙砚词》、汤贻汾《琴隐园词稿》、陆豫《东虬草堂词》、秦兆兰《听松涛馆词稿》、李曾裕《枝安山房词草》、王庆勋《沿波舫词》、薛时雨《西湖舻唱词》、丁瀛《倚竹斋词草》及己作《瀞月楼词稿》各一卷。

《荡寇志》初刊于苏州。徐佩珂《序》谓：“余友仲华俞君，深嫉邪说之足以惑人，忠义盗贼之不容不辨，故继耐庵之传，结成七十卷光明正大之书，名之曰《荡寇志》。盖以尊王灭寇为主，而使天下后世，晓然于盗贼之终无不败，忠义之不容假借混朦，庶几尊君亲上之心，油然而生矣。”

厦门出版《天路历程》，译者署“宾”。

谭献始学填词。《复堂词录叙》：“献十有五而学诗，二十二旅病会稽，乃始为词，未尝深观之也。然喜寻其旨于人事，论作者之世，思作者之人。三十而后，审其流别，乃复得先正绪言，以相启发。年逾四十，益明于古乐之似，在乐府；乐府之余在词。昔云：‘礼失而求之野’；其诸乐失而求之词乎？然而靡曼荧眩，变本加厉，日出而不穷，因是以鄙夷焉，挥斥焉。又其为体，固不必与庄语也，而后侧出其言，旁通其情，触类以感，充类以尽；甚且作者之用心未必然，而读者之用心何必不然；言思拟议之穷，而喜怒哀乐之相发，向之未有得于诗者，今遂有得于词。如是者年至五十，其见始定。”又，《复堂词话》：“予初事倚声，颇以频伽名隽，乐于风咏；继而微窥柔厚之旨，乃觉频伽之薄。又以词尚深涩，而频伽滑矣。”

自辛亥至本年，张祥河在陕西巡抚任上。著《纪程诗》四卷，《鹤在集》一卷。

孔继镣集去年及今年之诗为《壬癸诗录》二卷。李肇增《序》谓：“孔宥函先生邃于诗者数十年，得诗千百首，大抵关于朝野身世之故，流连景物之制概略焉。《壬癸诗录》尤先生感时伤遇者也。东南敝于寇者三四年，壬癸两岁为尤甚……先生痛其祸之巨、疮痍之深……”

孙鼎臣以上疏不用请假归里。奉母读书四年，“益取古今言学术、治道诸书，钩抉奥秘，成《畚塘刍议》、《河防纪略》”。（《清史列传·文苑传四》木传）

蒋敦复在沪。作《汤将军传》，复成《愤言》三篇、《战守二策》，冀动当事者之听。（《丽农山人自叙》）

王闿运是年起日必钞书。《湘绮府君年谱》：“始叹先辈精专，虽遭颠沛犹不辍业，乃定每日钞书之课。……自是日必钞书，道途寒暑不少辍。五十年中，书字以万万计，盖自二千年以来学人钞录之勤，未有盛于府君者也。”

尹湛纳希约在是数年中创作《散诗新篇》。此为尹湛纳希最初之作，亦为今所知尹湛纳希所撰惟一诗集。（据吉尔嘎拉《尹湛纳希的创作实践及其思想发展》）尹湛纳希（1837—1892），汉名宝衡山，字润亭，蒙古族著名作家，著有小说《一层楼》、《泣红亭》、《青史演义》（《大元盛世青史演义》）等。

谢元淮（1784—？）调广西右江道。卒年不详。《憩园词话》卷二："诗学甚深，亦作长短句，名《海天秋角词》。又刻《碎金词谱》，仿白石道人歌曲旁注工尺，谱虽甚精，恐不免如冬心先生之自度曲，以意为之，未敢遽信。"《听秋声馆词话》卷十七："自著《碎金词》，仅《秋柳》一词差工耳。……余则披沙盈斛，绝少星金矣。"《晚晴簃诗汇》卷一百二十二收其诗三首。

鲁一同佐吴棠守清河。《晚晴簃诗汇》卷一百三十八："（吴棠）移宰清河，值寇至，鲁一同通甫为擘画，橄淮徐扬海风颍滁泗八府州县为八约，督民御寇，自是声绩大著，迭邀峻擢。"按：吴棠（1813—1876）字仲宣，又作仲仙，号棣华，谥勤惠。江苏盱眙人。道光十五年举人，官至四川总督。著有《望三益斋存稿》等。

金和是年在南京城中。与其妻从弟张继庚谋为清军内应，尝数至向荣大营，而清军屡爽期。金和诗多纪此期见闻。《今传是楼诗话》一三五条："金陵沦丧，君举家陷贼中，备历危苦，故所为诗皆沉痛惨淡，有少陵同谷之遗。集中多长篇纪事，亦可当咸同间诗史读也。"

陈克家入军幕。先入向荣幕，后为张国樑记室。

陈廷焯生。廷焯（1853—1892）字亦峰，原名世焜，字耀先，江苏丹徒人，后流寓泰州。光绪十四年举人。少为诗歌，年几三十，复好为词。所与研探者仅正定王耕心、同里李慎传数人，亦间从其父之从母弟庄棫得闻绪论。其初有《云韶集》、《词则》，均弃去，最后成《白雨斋词话》八卷，附《白雨斋诗钞》、《白雨斋词存》各一卷，卒后其弟子刊出。廷焯于同时词人最推庄棫，论词服膺张惠言而标"沉郁"之说。

潘谘（？—1853）卒于句容。《射鹰楼诗话》卷七："（诗）闲淡超旷，绝去世俗笔墨畦径，如素娥鼓瑟，游鱼为之出听，诸体诗惟七言古稍逊耳。……名篇络绎，佳句琳琅，集中《万里游》五言长古一篇，万有余言，世以大才许之，吾无取焉。"汤纪尚《潘布衣传》："间为诗古文，称心而言，语出理著，闲淡超旷，自辟町畦。……上自公卿，下至妇孺，咸知有潘先生者。"《晚晴簃诗汇》卷一百三十三收其诗十一首，集评："姚伯昂曰：少白诗怡然得心，以声应之，非所谓见道之深、积学之厚、性情各适其自然者耶？符南樵曰：……集中有诗一篇，凡千二百韵，自古有诗以来，未见如是长篇者。"诗话云："少白好奇，学综道艺，足迹半天下，熟知风俗利弊、政治得失。道光中游京师，以清德名理为群公所倾倒，与归安姚镜塘驾部志同道合，一时方闻才辨之士，并折节下之。程春海侍郎谓其人由狂返狷，文则自奇入正，惜其不为世用。诗境清旷，每于流连景物，触处天机皆自道所得之言也。"《越缦堂读书记》："少白足迹半天下，借终南为捷径，旅京华作市隐，笠屐所至，公卿嗜名者争下之；而邑人与素游者，皆言其诡诈卑鄙，盖公道可征也。然其文实修洁可喜，虽洼泓易尽，而一草一石，风回水萦，自有佳致；写景尤工，惟满口道学为可厌耳。……然在本朝自当作一名家，越中与胡稚威差可肩随；铁崖、天池则跨而上之矣。"

朱启连生。启连（1853—1899）字跂惠，浙江萧山人，侨居番禺。启连自少力学，而无意于科举，一试不第，遂弃去。尝游于汪琼之门，与陶邵学为友。雄于文词，有《棣坨集》四卷、《外集》三卷等。

曾懿生。懿（1853—1927）字朗秋，一字伯渊，四川华阳人。户部主事曾咏长女，湖南提法使袁学昌室。母左锡嘉、姨母左锡璇、妹曾彦等俱能诗文。曾懿幼承家学，博览群书，能诗词，善书画。书长于篆隶，画善山水。性好金石，光绪末，复习医学，并热心女子教育。著有《古欢室集》。《清史稿·列女传》有传。

公元 1854 年（咸丰四年　甲寅）

正月

十二日，黄绍箕生。绍箕（1854—1908）字仲弢，号鲜庵，浙江瑞安人。体芳子。光绪十六年进士，改庶吉士，授编修，历官湖北提学使。绍箕有志经世，甲午后国事濒危，尝参与议定强学会章程，戊戌新政，进张之洞所著《劝学篇》。政变起，韬晦自全。绍箕少承家学，又师事张之洞，诗亦如之。卒后冒广生辑为《鲜媲遗稿》。

二十八日戊辰（2 月 25 日），湘军出衡州。曾国藩率湘军一万七千余人自衡州起程，会师湘潭，发布《讨粤匪檄》。称："逆贼洪秀全、杨秀清称乱以来，于今五年矣。……自唐虞三代以来，历世圣人，扶持名教，敦叙人伦，君臣父子，上下尊卑，秩然如冠履之不可倒置。粤匪窃外夷之绪，崇天主之教……士不能诵孔子之经，而别有所谓耶苏之说，《新约》之书。举中国数千年礼义人伦、诗书典则，一旦扫地荡尽。此岂独我大清之变，乃开辟以来名教之奇变，我孔子、孟子之所痛哭于九原！凡读书识字者，又乌可袖手安坐，不思一为之所哉！"

朝鲜吴庆锡（元秬）来京，与孔宪彝、叶名沣、潘祖荫等为文酒之会。元秬之师李尚迪（藕船）上年亦至京师与中国士夫往还。（《潘文勤公年谱》）

二月

潘祖荫集上年词为《涟漪阁楘意》，自序旧所作《芬陀利室词》。又，本年作《两汉碑表》；始纂《海东金石录》，至明年成二十四卷并自为序。

三月

桂文熠卒。文熠（1807—1854）字子淳，号星垣，广东南海人。道光九年进士，改庶吉士，授编修。出为江南常州知府，调苏州，有善政。有《清芬小草》、《席月山房词》。

春

蒋春霖在东台赋《虞美人·风前忽堕惊飞燕》。叙云："金陵失，秦淮女子高蕊陷贼中数月，今春见于东淘，愁蛾蓬鬓，不似旧时矣。"春霖时年三十七，权富安场大使。

四月

二十五日，潘世恩（1770—1854）卒，年八十六。《晚晴簃诗汇》卷一百九收其诗九首，诗话云："文恭相宣宗垂二十年，世不甚传其相业。而在翰林时严拒和珅，文宗初年疏荐林文忠，皆表表者。诗自写胸臆，有清超之致。"

钱泰吉自编《甘泉乡人稿》二十四卷成，沈濂为之序。是集本年读旧书室刊出。《警石府君年谱》："十年来同人屡劝府君以诗文寿世，府君时以晬石先生（按：泰吉从兄仪吉）诗文未全刻为憾。每曰：给谏之文，天下之文也，予之文，譬之于人，勉为一乡之善士云尔，未可问世也。是年蒋君光焴刻《晬石先生记事续稿》成，府君欣然色喜，乃节修脯所入刊《甘泉乡人诗文稿》二十四卷。"

张祥河实授礼部侍郎。《先温和公年谱》："先君自甲寅被召来京，部务暇日，尝集同人为九老会，如陶凫芗樾侍郎，潘木君铎、陆稼堂应穀两中丞，李朴园芷太守，何子贞绍基太史，最称莫逆。每会必拈题分韵，唱和为乐，先君自谓诗酒之兴，不减三十年前在京时也。"

五月

下旬，朱绍颐撰成《红羊劫》传奇十二出成并自序。此剧写当时江南情状，"借江南哀感，聊抒庾信之悲"（《自序》）。绍颐（1832—1882）字子期，养和，号劫余道人。祖籍江苏溧水，寄居江宁。工诗文，与邓嘉缉、顾云等并称石城七子。著有《挹翠楼诗文集》等。

王闿运在长沙作《哀江南赋》。七月作后记。《湘绮府君年谱》："时洪寇之乱，蔓延七省，府君忧之，以为苏浙湖广江西皆古江南地也，因用庾子山旧赋名作《哀江南赋》，赋成，传诵一时。"

六月

二十一日，马三俊战殁。三俊（1820—1854）字命之，号融庵，安徽桐城人。咸丰元年以优行贡太学，复举孝廉方正。后在籍办理团练，本月，率练勇追击太平军至周瑜城，战殁。三俊祖、父皆以经学显。三俊师从方东树，与方宗诚等为友，习古文辞。卒后方宗诚辑其著作为《马征君遗集》六卷。宗诚《马征君传》："负侠气，喜饮酒击剑，好读屈原、庄周、太史迁、贾谊、刘向、朱子之文……为经义诗文，粹然深醇，然幽忧之思，悲愤之意，亦时不觉其流于词也。"

七月

初四日，范当世出生于通州。当世（1854—1905）初名铸，字铜士，易名后字无错，号肯堂、伯子。通州人。九试秋闱而不得一第，中岁后，绝意科举，以布衣终。当世与弟钟、铠齐名，世称"通州三范"。初闻艺概于兴化刘熙载，继偕张謇、朱铭盘谒张裕钊，裕钊誉为通州三子。后以吴汝纶之召北游直隶，从汝纶研求文学。以汝纶介，婿于桐城姚氏，与马其昶、姚永朴、永概游处。晚任江宁三江师范学堂总教习，以病卒于上海。尤工诗，有《范伯子诗集》十九卷、《文集》十二卷。《清史稿·文苑传》有传。

陈澧序沈世良《楞华阁词钞》。

八月

黄燮清评阅张鸣珂《寒松阁词》。语云："雅驯秀洁，自是隽才，诵之欢喜无量。再求沉著幽警，以防走而不守之失。"明年春再评云："合观两册，笔姿清秀，非庸俗所能，词之根苗具矣。至于缠绵沉著，幽微曲折之境，均尚未到，宜多选宋词，细加体会，久自有得。"按：张鸣珂（1830—1908）字玉珊，中年改字公束，晚号窳翁，寒松老人，浙江嘉兴人。咸丰十一年拔贡，同治间曾任江西知县。受业于全椒薛时雨、海盐黄燮清，所作词以婉丽称，李慈铭、谭献交推之，著有《寒松阁集》。（注：鸣珂生道光九年十二月二十）

九月

二十一日，刘文淇卒，年六十六岁。按：刘文淇（1789—1854）字孟瞻，江苏仪征人，嘉庆二十四年优贡。博通经史，与刘宝楠有扬州二刘之目，尤精于《左传》。有《青溪书屋文集》十卷、《诗》一卷。《清史稿·儒林传》有传。丁晏《刘君墓志铭》称："古文渊雅淳茂，不为无用之作，大抵考订经史及阐幽之文为多。"

二十五日，吴廷香战殁于庐江。廷香（1806—1854）字奉璋，号兰轩，安徽庐江人。咸丰元年举孝廉方正。师事方东树，并学文于戴钧衡、方宗诚、马三俊等，颇得古文义法。工书法，又善诗，清亮婉激，多感时之作。有《吴征君遗集》。

宝鋆撰《奉使三音诺彦纪程草》一卷、《塞上吟》一卷成并自序。按：宝鋆（1807—1891）字佩蘅，满洲旗人，道光十八年进士，官至武英殿大学士，谥文靖。所著另有《典试浙江纪程草》、《还辕纪游草》等。

太平天国西征军攻入湖南。

秋

周乐清在莱阳刊出严廷中所撰《秋声谱》。时严廷中以事至莱阳，作有自记。

十一月

二十四日，宋伯鲁生。伯鲁（1854—1931）字子钝，一字芝栋，亦作芝洞，号芝友、竹心，改号芝田，陕西醴泉人。光绪十三年进士，改庶吉士，授编修，历官山东道监察御史。甲午战后，上疏陈新政。戊戌政变作，被革职，逃至上海。入民国，尝任参议院议员。有《海棠仙馆诗集》、《蕤红词》等。（生年据《清代人物大事纪年》）

冬

方宗诚编《柏堂集前编》十二卷,《书札》二卷,《志学录》十卷等。宗诚是年三十七岁,避难柏堂。

本年

广西天地会胡有禄、朱洪英起事。占领灌阳,建立"升平天国",至咸丰八年五月败。

英、美两国提出改约要求。

姚燮所著《复庄骈体文榷》刊出。至丙辰(1856)《文榷》二编刊出。

丁氏延庆堂合刊丁丙撰《舞镜集》一卷及其亡妻凌祉媛撰《翠螺阁诗稿》。

钱塘蒋氏刊刻蒋坦撰《息影庵初存稿》八卷《集外诗》五卷、关锳撰《梦影楼稿》一卷。按:关锳(1822—1857)字秋芙,浙江钱塘人,蒋坦室,工诗词。

沈筠撰《守经堂诗集》刊刻。是集六卷,归安杨岘序。

张维屏撰《张南山诗文集》七十四卷刊刻。此为维屏集足本。又,赵惟濂羊城铅印《松心诗录》十卷。

龙启瑞、唐岳辑《涵通楼师友文钞》刊于临桂。内收梅曾亮撰《柏枧山房文钞》二卷、吕璜撰《月沧文钞》一卷、朱琦撰《来鹤山房文钞》二卷、彭昱尧撰《致翼堂文钞》一卷、龙启瑞撰《经德堂文钞》一卷、王拯撰《龙壁山房文钞》二卷,附龙启瑞《春柳词钞》、王拯《瘦春词钞》、苏汝谦《雪波词钞》各一卷。刻成后,龙启瑞致书梅曾亮。

吴大廷在奉天从事于理学。(《小酉腴山馆主人自著年谱》)

郭嵩焘本年后作诗渐少。后嵩焘自编诗集,《自序》谓"予自三十六七以来,遂废诗文之业"。至晚岁辞官归,复肆力为之。

薛时雨抵浙需次。暇日辄以长短句自遣,积久成册,题曰《西湖舻唱》。(《西湖舻唱》自序)

魏源辞官归。

邵懿辰坐河防无效罢归。

严保庸卒于袁浦。保庸(1796—1854)字伯常,号问樵,江苏丹徒人。嘉庆二十四举江南解首,道光九年进士,官山东栖霞知县。天才高旷,诗词书画,声曲弦管,靡不精通。尝演《红楼梦》故事为《梦中缘杂剧》,都中梨园盛演,致为弹章所劾。晚岁落魄无聊,奔走乞食。制杂剧《同心言》、《奇花鉴》、《红楼新曲》等六种,今仅见《盂兰梦》一种,另有《严问樵杂著》。(按:生卒年据《清人诗文集总目提要》)张祥河《盂兰梦跋》:"传奇家工于言情,迷离惝怳,莫如《四梦》,得此,则成五梦矣。必传!必传!"江瀚《跋》:"问樵太史仁弟,旷代逸才,夙精音律,二十年前名噪京师。其所制如《同心言》、《奇花鉴》、《红楼新曲》各种,每一曲成,部中争购之,纸为贵。……(《盂兰梦》)尤为极才人之能事。"柳诒徵《跋》引《丹徒县志·文苑传》:"天才高旷,于书画、诗词、声曲、弦管,靡不工细。久客京师,好作狭斜游,视金钱如土芥。既之山东，以官署为词场歌榭，坐是罢官。……又尝著《同心言》、《奇花鉴》、《红楼新曲》诸院本，风行都下。唐陶山方伯集句赠之云：'孺子亦知名下士，乐人争唱禁中诗。'纪实也。"

张应兰卒。应兰（1805—1854）原名兰阶，字佩之，号南湖，江苏金匮人。道光二十三年举人，候选知县。咸丰三年从军，入太平军刺探军情，被杀于临清。清廷追赠知府。能诗，少喜艳体及偶俪之文，中岁弃去。著有《张南湖诗词存》。《晚晴簃诗汇》卷一百四十四收其诗一首，诗话云："意所不可，辄抵几叫骂，人不能堪。尝以事与河南守某意不合，贻书绝交，传诵京洛。故为诗多清隽侧艳，而卒以骂贼死，闻者壮之。"

陈世庆卒。世庆（1796—1854）字聪彝，江西德化人。诸生。诗文绝俗，吴嵩梁赏爱之，妻以次女。后依嵩梁居京师。咸丰中避兵抚州，卒。著有《九十九峰草堂诗钞》。

曾钊卒。钊（1789—1854）字敏修，号冕士，又号勉士，广东南海人。道光五年拔贡，官合浦县教谕，调钦州学正。笃学好古，阮元督粤延为学海堂学长。著述甚丰，有《面城楼集》等。《清史稿·儒林传》有传。

蒋湘南（1796—1854）**卒。**刘元培《七经楼文钞·目录序》："先生之文，以力戒八家为主，故归震川、方望溪两家之法，在所不用，以八家之流弊皆自两家开也。"《晚晴簃诗汇》卷一百三十八收其诗十三首，集评："洪幼怀曰：君尝揽海岱，驾伊凉，南条北条之水，太华空同贺兰之山，鄂尔多斯、厄鲁特之人，皆足荡胸襟而抒志气，则拓于境矣。治经宗许郑，著十四经日记数十万言，旁通象纬历律舆地水利农田诸学，不凿空，不泥古，故其诗经籍璘彬，古香古色，则密于学矣。"诗话云："子潇诗气奇语壮，骨采飞腾，颇近洪北江，故与幼怀（按：洪辅孙，亮吉子）论诗最契。集即幼怀所定。《朱仙镇吊岳忠武》、《上栗河帅论黄河》诸作，词辨澜翻，为当时所推，似落言诠，非其至者。七律健举而能蕴藉，特为擅场。"

安维峻生。维峻（1854—1925）字小陆，号晓峰，晚号柏崖，甘肃秦安人。光绪六年进士，改庶吉士，授编修，转御史。中日事起，严劾李鸿章等误国，并言及慈禧太后。被革职，发往张家口效力赎罪。直声震中外，人以铁汉目之。释还，起授内阁侍读，充京师大学堂总教习。著有《望云山房诗文集》、《谏垣存稿》等。

公元 1855 年（咸丰五年　乙卯）

正月

太平天国西征军于鄱阳湖口大败清军。

魏源撰《书古微》十二卷成并自序。

二月

徐荣（1792—1855）**战殁。**《清史列传·文苑传四》："少从张维屏游，工诗。……诗不分唐宋界，托意深远。庚子以后诸作，沉思独往，语重心长，五古尤精刻。"《晚晴簃诗汇》卷一百三十九收其诗六首，诗话云："铁孙少有才名，受诗于张南山。以学海堂试十台诗为督部阮文达所赏。……铁孙作令浙中几十年，以清惠著。……旁及分书画梅，靡不精善。完颜崇文勤序《怀古田舍诗集》云：铁生徐公以其高才博学，发而为诗，雄视海内，集且四十卷，八旗中之为诗无若公之多且美者。"

四月

十六日戊申，太平军北伐首领李开芳被俘，至此北伐失败。"是后（太平军）不复北犯"，而数月后，各地捻党大会于雉河集，推张乐行为盟主，"捻匪蜂起，粤寇与之联合，或令分扰，或令前驱，以牵制我军"。（《清史稿》洪秀全传）

二十日，费念慈生。念慈（1855—1905）字屺怀，号西蠡，江苏武进人。光绪十五年进士，官翰林院编修。典试浙江，务搜雅才，取卷多不中绳墨，揭晓后谤议纷起。会稽李慈铭劾四编修，念慈即其一。自经挫折，遂家居不出，抑郁以终。念慈博涉多通，精鉴赏，工书善画，能诗，不轻作，著有《归牧集》。

五月

方玉润始从军江淮，继游宦南北。（《鸿濛室主人自订年表》）玉润（1811—1883）字友石，又字黝石，号鸿濛子，别署鸿濛室，云南宝宁诸生。尝入曾国藩等幕，后官至陇州州判，卒于甘肃。博学多识，有经世之志，而潦倒不遇。著有《鸿濛室诗钞》十卷、《文集》二卷、《诗经原始》十八卷等。

六月

河南、安徽各路捻军于皖北起事，推张洛行为盟主。

梦庄居士撰成《双英记》并自序。是书十二回，又名《方正合传》，实为才子佳人小说《玉支玑》之改编本，以两女主人公名方奇英、卜娇英，故题"双英"，有本年十二室藏版本。梦庄居士生平不详。

七月

初一日，何绍基出游峨眉。先是，绍基条陈地方情形，以"妄言"去官。此游匝月，成《峨眉瓦屋游草》二卷。至九月，又定游秦，成《去蜀入秦诗》一卷。

梅曾亮《柏枧山房集》刊刻。时曾亮依其同年友杨以增河督以避太平天国乱，以增为刊其集。朱琦《柏枧山房文集书后》："（是集）在先生未没前，疑其自定，间增损益旧稿，视涵通楼刊本小异，而多近数年作。其中碑志记序之类益峻以洁。"

九月

十三日，徐世昌生于河南卫辉府。世昌（1855—1939）字卜五，号菊存，一号鞠人，晚号叕斋、水竹邨人、石门山人，天津人。光绪十二年进士，官至东三省总督、协办大学士。入民国，任北洋政府总统。著有《水竹村人集》、《退耕堂集》等，并组织编著《清儒学案》、《晚晴簃诗汇》等。

十四日甲戌（10 月 24 日），贵州苗民拥张秀眉起事。至同治十一年春败。张秀眉后，复有李文学于六年四月率彝民等起事，据哀牢山，至光绪二年败；杜文秀于六月八月率云南回民起事，至同治十一年事败。李永和、蓝朝鼎于九年夏起事。十余年间，西南战乱频仍。

二十四日，马其昶生。其昶（1855—1930）字通伯，晚号抱润翁，安徽桐城人。少承家学，后从同邑方宗诚、吴汝纶，武昌张裕钊诸先生游，文益进。及游京师，交柯劭忞等，进而治经。数应乡试不获举，遂以教授为业。入民国，应清史馆总纂之聘，主修儒林、文苑诸传。著有《抱润轩文集》、《续集》、《尺牍》、《存养诗钞》、《桐城文录》、《桐城耆旧传》等。

刘宝楠（1791—1855）卒，年六十五。

方濬师、吴大廷、杨岘乡试中式。又，本年李士棻中式副榜贡生。

秋

吴存义充云南乡试正考官，留任学政。

十月

初五日，许南英生于台湾。南英（1855—1917）字子蕴，号蕴白，又号窥园主人等，台湾安平（今台南）人。光绪十六年进士，授兵部主事，旋辞归。甲午后，反割台运动起，为筹防局统领。事败，内渡居汕头，任广东知县。南英擅诗词，尝参与牡丹诗社，著有《窥园留稿》。

十八日，戴钧衡（1815—1855）病卒于怀远，年四十二。《清史列传》卷七三："所为文以才气胜。其始尚才华，继好伦理及事之有关实用者。后遭丧乱，益喜为感时论事、表彰忠义节烈之文。"《清史稿·文苑三》："（钧衡）自谓生方、姚之乡，不敢不以古文自任。与（苏）惇元重订望溪集，增集外文十之四。其后荣成孙葆田更得遗稿若干篇刻之，方氏一家之言备矣。"《射鹰楼诗话》卷十八："（《蓉洲初稿》）格调高逸，音节宏亮。余从梧溪翁处读其诗，其诗瓣香太白，跌宕纵横，有昂头天外之概，其诗五古胜于七古，五绝胜于七绝。……余谓存庄于诗，每下笔，往往皆有作诗之人在，故佳。"张舜徽《清人文集别录》卷十八论《味经山馆文钞》："其治学为文，奉其乡先辈矩矱，不敢越尺寸。自言游于方东树之门，以姚氏《古文辞类纂》为宗，又进求之宋五子书以明其理，求之经以裕其学，求之史以广其识，于是所学益进。（原注：详是集自序）而其平生持论，与东树无二致。……大氐桐城诸家标榜文辞，而必附托于义理，自方苞、姚鼐以来皆然，钧衡特袭其陈迹耳。抑钧衡之才之学，不逮方、姚又远甚，其文辞亦气弱不能自振，虽欲从方东树之后，以卫道自任，亦何足以肩斯文之重，徒衍为空论而已。是集……可传者不多也。"

十二月

十九日，施士洁生。士洁（1856—1922）字应嘉，一字芸况，号沄舫，晚号耐公，台湾安平人。诗人施琼芳子。光绪元年举人，联捷成进士，授内阁中书，旋弃官归台，掌教彰化白沙、台南崇文等书院。甲午中日事起，组织练勇抗日，事败内渡，归晋江故里。工诗文，尝参与许南英所创之崇正社、唐景崧所创之牡丹诗社，有《后苏龛合集》。（生年据《清代人物生卒年表》）

二十日，顾印愚生。印愚（1856—1913）字印伯，又字蔗孙，号所持，四川成都人。光绪五年举人，历官武昌县知县。印愚为张之洞尊经书院高材弟子，长期居之洞幕中，与幕客宾僚如梁鼎芬、易顺鼎等间有唱和。辛亥后，穷愁潦倒，卒于北京。以工书名，诗宗玉溪、玉局，故名其居曰双玉龛。有《成都顾先生诗集》十卷、附遗一卷。

本年

钱宝琛年编次《存素堂诗集》十二卷刊行。后有续作，本年至咸丰七年之作题为《捶琴集》，八年、九年之作题为《酬赠集》。

吴清鹏（1786—?）辑刊《吴氏一家稿》。收入自撰《笏庵诗》二十卷、《试帖》一卷。《晚晴簃诗汇》卷一百二十七收清鹏诗十二首，集评："符南樵曰：笏庵为杀人祭酒哲嗣，诗有家法。论诗十首中云：伤廉必捐爱，知难务去陈。初奏有万端，终曲无二旨。新机无故守，幽理无显呈。偶触似有得，欲语仍难名。尽得此中甘苦之味，非而苟作者矣。"诗话云："笏庵历谏垣，擢府丞，去官后主讲扬州，遂家焉。出处颇有家风。诗格出入西江，性情挚而骨干峻，与有正味斋旨趣不同。读渔洋集戏题云：长白山头感神女，小黄园里吊昭灵。秦祠汉冢知多少，动费先生雪涕零。略见微意。"

孙鼎臣撰《苍莨诗集》二十六卷刊刻。吴敏树《序》谓："（诗）自汉魏六朝以及唐人之体制，靡不仿效为之，而归宗于杜氏。"

郭嵩焘序李寿蓉《天影庵诗存》。

百保撰《冷红轩集》刊刻。是集诗二卷、词一卷，前有恭亲王、彭蕴章、陶樑序。

蒋敦复《啸古堂诗集》后四卷刊出。

郑献甫《愚一录》十二卷成。

王闿运选《唐十家诗钞》。按：是年，闿运以邓辅纶之邀至武冈教其弟子读，始治三礼。"又于其时选高岑王孟李杜韦储钱常各体为唐十家诗钞，并加圈点评语焉。"（《湘绮府君年谱》）

李慈铭二十六岁，是岁复记日记。孙宝圭《会稽李慈铭传》："先生十七岁时即有日记之作，至二十岁而中辍。二十六岁复记，自是逐日为之，至老而无间。……都凡七十二册，至四十载，积数百万言。论者以为册中说经证史记事，以及评骘人物、杂记方俗、囊括诗文，综厥所长，殆兼数善。近之可方湘乡日课之勤，远之可继亭林日知之博云。"

庄棫始与谭献、尹耕云等交。棫是年二十六岁，家道中落，入京谋捐官，以乏资滞留都下，"献揖君顾亭林祠下，遂称知己。一时结道义交者李汝钧子衡、杨传第听庐、易佩绅卡子、吴怀珍子珍也"。至明年，"西人要盟天津……于是投书时相，言甚激切，桂林朱给谏琦规以出位。君感其言，后有哀愤，则托于乐府古诗，回曲其词以寓意。至倚声为长短句，皆是物也"。（谭廷献《亡友传·庄械传》）又，是数年间，谭献亦游京师，至咸丰八年始归，在京交朱琦、冯志沂、王拯、许宗衡等。

陶樑、张祥河等在京师为"七老会"。《十朝诗乘》卷十九："咸丰初，（樑）在京师与顾彦和、李朴园两太守、林鞠史观察、兴润斋参赞为'五老会'；后潘木君中丞以四品卿入都，张诗龛入为少宰，同与斯集，又名'七老。'"又，张茂辰等编《先温和公年谱》咸丰七年下又载有"九老会"。

约在本年，姚燮与蒋敦复在沪冶游唱酬。其间姚燮尝序蒋敦复《芬陀利室词》。《芬陀利室词话》卷二："与余论词于海上，旨趣颇合。其序余词……云：'诸公方弓刀乞贵，我辈犹花月言愁（按：当作脂粉蘸穷）。'洋洋大篇，推许过当。"按：词话谓时在上海遭"粤匪"之后，所言即小刀会。小刀会起事于咸丰三年八月，本年春事败。故姑系于是年。又，《瀛壖杂志》卷一载姚燮咸丰三年曾在沪作狭邪游，有《苦海航》，为《沁园春》组词一百八首。

约在此年或稍后，尹湛纳希创作长篇小说《红云泪》。此书叙蒙古族贵族青年如玉、紫舒爱情悲剧，具自传色彩。又，在此后约十数年间中，尹湛纳希又创作《一层楼》、《泣红亭》两部长篇小说。《一层楼》三十二回，书前有"《一层楼》序"、"《一层楼》中援引《红楼梦》之概略"，书中情节、笔意均颇受《红楼梦》影响。《泣红亭》二十回，情节续接《一层楼》。（吉尔嘎拉《尹湛纳希的创作实践及其思想发展》）

许光治（1811—1855）卒，年四十五。

陈起书（1798—1855）字通甫，号松心，湖南郴州人，起诗弟。贡生，候选训导。在乡办理团练，为太平军所俘，绝食而死，有《撼山草堂遗稿》三卷。《晚晴簃诗汇》卷一百四十收其诗十首，诗话云："松心少负远略，从兄吏部郎起诗学为诗文辞，讲经世学。……是编松心自订仅百首，前有何子贞绍基、罗研生汝怀序。研生谓松心之诗，取径幽迥，不甚涉唐宋诸家，不为牵率酬应，亦不事修饰边幅，往往孤吟闲寄，自写怀抱。魏默深云，集中精华全在五古，律体感时之作亦媲美杜陵。诗虽不多，而怀抱之奇，性情之笃，亦可以得其大凡矣。"

包世臣（1775—1855）卒，年八十一。丁晏《书包倦翁安吴四种后》："倦翁与余交契三十年。既成《安吴四种》，亟寄一部以示余。余读其文，激宕遒美，其敷陈剀切，皆经世之言，有关国计民生，不为空疏无用之学。近儒之魁士名人也。余独惜其好言利，以贻无穷之害。倦翁好奇人也，以好奇之过，敢为大言，訾毁成法，变更旧章，务为可惊可喜之论，以炫世骇俗。而不意其害之至此极也。"《越缦堂读书记》："其书每类皆有自序，俱以第一人自命。于赋则比班扬，于诗则比曹阮，词亦自附大雅，睥睨南宋。今平心读之，其赋模句勒字，不知伦类，忽汉忽唐，舛音漫节，不足与朱（竹君、石君）刘（圕三、金门）张（皋文）彭（甘亭）作奴仆；诗亦枯率槎牙，绝无酝酿；词亦不足言。而二十数阕之中，优伶之名如陈郎桂衾、杨郎紫炘、刘郎莲似、徐郎依云，连篇接简，其为依云题所藏《进象图》，系以小序，乃有表妹义妹之称，恐亦元明人所罕见也。其文中用系字渠字甚多，而自云同人得书者，多苦句读之难，因为离句，重付梓人，真不知是何等人矣！其于乾隆至道光三朝耆儒魁士，无不力加排抵，而所极称重者，董晋卿之文赋及村陋不堪之上饶李祖陶，一物不识之桐城姚柬之。盖其取友亦不过如是。惟纪载详尽，多有裨于文献，筹河议刑奸夷诸论，尤足为同世者所取资，其学不足言，其书则不可少耳。"金天翮《包世臣陈艾传》："世臣学术自许与顾炎武相埒，为文章深有得于荀、吕二子，要其成名，独在书法。"《射鹰楼诗话》卷十二："诗廉质峻整，五言古直登鲍、谢堂庑。"《晚晴簃诗汇》卷一百二十收其诗至二十首，诗话云："慎伯谙习朝章国故，务为经世之学，其时河漕盐三政皆极弊，慎伯详究利病，思为之整齐。凡所规画皆近实可见施行，绝不过为高论。其论书法，自谓得古人用笔精意，要在悬腕运指，使笔锋开而毫平，字画皆中实，尤前人所未发。于诗文持议亦极精到，自谓取法六朝顿挫悠扬、手挥目送，然其所自构，每关家国治乱，言之务尽，纡徐委备之体多，顿挫悠扬之指少，而敷陈指切，即友朋酬唱，辄以学术经济相砥砺。要为不苟作者，以视风云月露之辞，固不可同日而语也。"

范元亨卒，年三十七。元亨（1819—1855）原名大濡，字直侯，号问园主人。江西德化人。咸丰二年举人，一生困顿，仅有田舍亦毁于兵燹，贫病而死。元亨少即以名士称，尝与邓辅纶、高心夔、李寿蓉等友善，尝相约偕隐。著有《红楼梦批评》、《问园诗文集》、《问园词稿》等，今传世者唯《问园遗集》一卷及《空山梦传奇》八出。《晚晴簃诗汇》收其诗二首。种秋天农《空山梦传奇序》谓："随住生情，因情换境，拟之成法，可谓不伦。核其攸归，亦无定在。大都绮靡，发为悲哀，当情文之相生，遂洋溢而莫遏。……全无结构之规模，不仿金元之院本。……殆所谓自凭悲愤，别作文章者欤！"

周乐清（1785—1855）卒，年七十一。王易《中国词曲史·振衰第九》："晚清作家寥寥，仅传奇作家之著者，尚有周文泉作《补天石》八种。"

郭曾炘生。曾炘（1855—1928）原名曾炬，字春榆，号匏庐，福建侯官人。光绪六年进士，改庶吉士，授礼部主事，官至典院掌院学士，卒后，清室谥文安。曾炘为礼官垂三十年，尝请以顾、黄、王三儒从祀孔庙，为庚子直谏诸臣许景澄等请谥，为世所称。辛亥后始致力于诗，著有《匏庐诗存》九卷。

萧道管生。道管（1855—1907）字君珮，一字道安，福建侯官人，同县举人陈衍室。著《列女传集解》、《说文重文管见》诸书。工诗文，有《道安室杂文》、《萧闲堂遗诗》、《戴花平安室词》各一卷。

刘孚京生。孚京（1855—1896）字镐仲，江西南丰人。光绪十二年进士，授刑部主事，改饶平知县。著有《绣岩诗存》、《求放心斋集》（重刊时改题《南丰刘先生文集》）。《清史稿·文苑传》有传。（生卒年据江庆柏《清代人物生卒年表》）

裴景福生。景福（1855—1926）字伯谦，号睫闇，安徽霍丘人。光绪十二年进士，授户部主事，改官南海知县。后以触忤上官遣戍新疆。入民国，曾任安徽省政府秘书长等职。著有《睫闇诗钞》、《河海昆仑录》等。

126

公元 1856 年（咸丰六年　丙辰）

正月

十七日，倪鸿（云癯）招陈澧、张维屏、黄培芳、梁廷枏、谭莹、李长荣（紫薇）集寄园，祝倪云林生日。（《陈东塾先生年谱》）

二十四日壬午（2 月 29 日），马神甫事件发生。

梅曾亮（1786—1856）卒，年七十一。《射鹰楼诗话》卷八："以古文词名大江南北者数十年……其为文传其师法，文词古雅。余尤喜其诗坚致古劲，神锋内敛，非时辈所能及，特以文名太盛，诗为之掩耳。"吴敏树《梅伯言先生诔辞》："为古文词之学于今日，或曰当有所授受。盖近代数明昆山归太仆，我朝桐城方侍郎，于诸家为得文体之正。侍郎之后，有刘教谕、姚郎中，皆传侍郎之学，皆桐城人。故世言古文有桐城宗派之目。而上元梅郎中伯言，又称得法于姚氏。予曩在京师，见时学治古文者，竞趋梅先生以求归、方之所传。"《清史稿·文苑三》："少时工骈文。……久之，读周、秦、太史公书，乃颇瘁，一变旧习。义法本桐城，稍参以异己者之长，选声练色，务穷极笔势。……居京师二十余年，与宗稷辰、朱琦、龙启瑞、王拯、邵懿辰辈游处，曾国藩亦起而应之。京师治古文者，皆从梅氏问法。当是时，管同已前逝，曾亮最为大师。"朱琦《柏枧山房文集书后》："自曾涤生、邵蕙西、余小颇、刘椒云、陈艺叔、龙翰臣、王少鹤之属，悉以所业来质。"《桐城文学渊源考》卷七："其为文，义法一本之桐城，稍参以归有光。精悍简质，清夷往复，独深于性情。实有精到处，能窥昌黎门径。其胜处最在能穷尽笔势之妙，磐控纵送，无不如志。"《晚晴簃诗汇》卷一百三十收其诗二十一首，诗话云："伯言初为骈体文，既闻姚惜抱古文之学，始专力于古文辞。论者至以姚梅并称。诗不逮其文，然质直浑朴，得诗教敦厚之指，此境亦未易几也。"

按：姚鼐高材弟子管同、方东树、刘开、姚莹等已前卒，至是凋零殆尽。兹略引前人著述，以见其受授源流。曾国藩《欧阳生文集序》，前已录；王先谦《续古文辞类纂序》："道光末造，大多高语周秦汉魏，薄清淡简朴之文为不足为。梅郎中、曾文正之伦，相与修道立教，惜抱遗绪，赖以不坠。"李崇元《清代古文述传·梅伯言先生》："嘉庆后迄咸丰时，天下之士始从姚先生者，又莫不惟先生是归，门下亦多名家。先生居京师久，京师四方之凑，学士大夫之至者，莫不以一登梅郎中之门为幸，视之比科第得失为尤重，故先生名益高。一时朝彦，亦益归之。当时自朱伯韩、曾涤生、邵位西、余小坡、孙芝房、刘椒云、陈艺叔、龙翰臣、王定甫、杨性农诸先生，莫不以古文来相质正。而陈石士、管异之、姚春木、方植之皆与先生交厚，以古文互砥砺，称姚门高第，而先生名尤重。吴南屏素不依附桐城旗帜，于先生亦深致倾倒焉。"陈柱《中国散文史·清代桐城派之散文》："方苞……为清代桐城文派之开宗。……其私淑方苞者有沅陵吴大廷，大廷弟子有湘乡刘蓉，与曾国藩、吴敏树、郭嵩焘以古文相切劘，此皆方氏之嫡传也。传刘大櫆之学者，有歙县吴定、程晋芳、金榜，榜并受经学于江永、戴震；而桐城姚鼐亦亲受文法于大櫆及姚范，其成就尤在方刘之上，所撰《古文辞类纂》一书，士人尤服其精鉴；门下有娄县姚椿，上元梅曾亮、管同，桐城方东树、李宗传、刘开、姚莹、方绩，新城陈用光，无锡秦瀛，宜兴吴德旋，阳湖李兆洛，皆最有文名；同子嗣复，宗传弟子山阴宗稷辰、曲阜孔宪彝，亦传姚氏之学；瀛又传其学于同邑安诗、武康徐熊飞；用光传于寿阳祁寯藻。其私淑姚鼐者有嘉兴钱仪吉、仪吉从弟泰吉，湘乡曾国藩。国藩尝自谓粗解古文由姚氏启之，列姚氏于圣哲画像三十二人中，可谓备极推崇矣。然曾氏为文，实不专守姚氏法，颇熔铸选学于古文；故为文词藻浓郁，实拔戟自成一军。湖南言古文者，继曾氏之后，有长沙王先谦，为文专宗姚氏，粹然一出于雅，撰《续古文辞类纂》一书，取精用宏，论者谓足继姚氏而无愧，此皆姚氏之嫡传也。传国藩之学者有溆浦向师棣，遵义黎庶昌，无锡薛福成、福保，南丰刘庠，武昌张裕钊，桐城吴汝纶；而汝纶尤高才博学。传吴德旋之学者有永福吕璜，宜兴吴谔，武进吴铤，歙县王国栋，阳湖吴承宗，婺源程德贲。吕璜再传于平南彭昱尧及德旋子吴瑾。传姚椿之学者有吴江沈曰富、陈寿熊，平湖顾广誉，秀水杨象济，娄县张尔耆。传梅曾亮之学者有南丰吴嘉宾，马平王拯，善化孙鼎臣，临桂朱琦、龙启瑞，代州冯志沂，长沙周寿昌，汉阳刘传莹，武陵杨珍彝，瑞安孙衣言；而南皮张之洞复学于从舅朱琦。传方东树之学者，有桐城戴均衡、方宗诚、马起升、马三俊；而歙县汪宗沂复学于方宗诚。传李兆洛之学者，有阳湖蒋彤、薛子衡、杨梦篆，江阴夏炜如、承培元、王堃，怀宁郑传密。皆姚氏之支与流裔也。传张裕钊、吴汝纶之学者，有武强贺涛，新城王树枏，泰兴朱铭盘，潍县孙葆田，通州范当世，桐城马其昶、姚永朴、永概，此皆曾氏之支与流裔也。当姚氏倡古文极盛之时，有武进张惠言、恽敬，亦学为古文，世所称阳湖派者也。然陆祁孙《七家文钞序》云：'吾常自荆川之殁，此道中绝，后有作者，复趋于岐涂以要一时之誉。乾隆间钱伯坰鲁思，亲受业于海峰之门，时时诵其师说于其友恽子居、张皋文。二子者始尽弃其考据骈俪之学，专以治古文。'则阳湖派亦未始不源于桐城也。传张惠言之学者，有惠言弟琦，武进董士锡、陆耀遹、陆继辂、汤洽，富阳周凯、罗梅，歙县江承之、金式玉，山阴杨绍文，吴江吴育；而钱塘戴熙，又从周凯受业；阳湖董祐诚，则从陆耀遹受业。传恽敬之学者，有武进谢士元、谢崛，而私淑恽敬者有阳湖方诠，金匮秦臻。此逊清一代为古文散文者之大略也。然则谓桐城派古文实左右逊清一代之文学，岂过言邪？然要而论之，清代之散文家，足以卓然特立者，亦不过数人而已，曰方苞，曰刘大櫆，曰姚鼐，曰张惠言，曰恽敬，曰梅曾亮，曰曾国藩，曰张裕钊，曰吴汝纶。而其言论足以支配一代者，又不过四人，曰方苞，曰刘大櫆，曰姚鼐，曰曾国藩。……统观方、刘、姚、曾之持论虽高，其自为实多不逮。虽比于明之唐、归有过之而无不及，然欲上比宋六家则瞠乎其后矣。此无他，八股有以害之也。"

二月

八日，**李文瀚**（1805—1856）**卒于四川**。值东南战乱，卒后十年，始得归葬故里。冯桂芬《四川候补道嘉定府知府李君墓志铭》："会中原多故，桑梓烽烟，回首黯然，思慕成疾，以捐升开缺为归养地，而疾已亟，临殁犹以为憾。少以诗古文词雄于时，余事知音律，工画，尤善写兰，朝鲜人有以百金购之者。"《晚晴簃诗汇》卷一百三十二收其诗七首，诗话云："云生诗才气纵横，意兴豪迈，古体尤极恣肆。妻周阆云亦工诗善画，闺中唱和合绘为乐。"

二十八日丙辰（4月3日），太平军破清军江北大营。再占扬州，旋撤离，还攻江南大营。

陆以湉撰《冷庐杂识》八卷成，自为序。

三月

初八日，罗泽南卒于武昌军中，年五十。泽南（1808—1856）字仲岳，号罗山，湖南湘乡人。（按：生于嘉庆十二年十二月二十二日）咸丰元年举孝廉方正，及兵事起，以诸生从军，屡建战功，时称名将。与太平军战武昌城外，中枪而殁，谥忠节。宗述宋五子，著有《西铭讲义》、《人极衍义》等。诗文杂著辑为《罗忠节公遗集》。曾国藩撰《神道碑》："假馆四方，穷年汲汲，与其徒讲论濂洛关闽之绪，瘏口焦思，大畅厥旨。未几，兵事起，湘中书生多拯大难、立勋名，大率公弟子也。"郭嵩焘《罗忠节公年谱》卷上："先生自少为文即不求与时合，其义理充足，灏气流行，实追陶苓，每于世道人心，撷写透辟。时喜自负，人莫测其涯量。"《晚晴簃诗汇》卷一百五十一收其诗十五首，诗话云："忠节起儒生，治团练，毅然以灭寇为己任，转战而前，寇为披靡。咸丰丙辰攻武昌，中炮，越数日而卒。卒时索纸笔仰卧书曰：乱极时站得定，才是有用之学。临绝握胡文忠手曰：死何恨，恨事未了，君与迪庵好为之。迪庵李忠武字也。曾文正表其墓，推为豪杰。"

春

符葆森再入都。陶樑同张祥河为之鸠资刊刻《国朝正雅集》。

四月

八日，陈衍生。衍（1856—1937）字叔伊，号石遗，福建侯官人。光绪八年举人。尝渡海客台湾巡抚刘铭传幕，旋归，旅居上海。后入湖广总督张之洞幕，光绪末任职学部。辛亥后任教于各大学。少受学于从兄陈书，后与郑孝胥等交，倡"同光体"之说，与沈曾植论诗，又有"三元"之说。著有《元诗纪事》、《石遗室诗话》、《近代诗钞》、《石遗室诗》、《石遗室文集》等。

九日，欧阳勋卒。勋（1827—1856）字功甫，湖南湘潭诸生。欧阳兆熊子。尝从学于吴敏树等人，锐意古文辞，以瘵早卒。著有《秋声馆遗集》八卷，内诗集五卷、文集二卷、小题文钞一卷。曾国藩《欧阳生文集序》："其文若诗清缜喜往复，亦时有乱离之慨。"

十二日，汤金钊卒，年八十五。金钊（1772—1856）字敦甫，号勖兹，浙江萧山人。嘉庆四年进士，改庶吉士，授编修，官至吏部尚书、协办大学士，谥文端。著有《寸心知室存稿》。鲁一同撰《神道碑》："公敭历三朝，四典乡试，再充会试总裁，一知贡举……其学以治经为务，主敬为本，自明季姚江之学盛行，本朝诸儒矫之，遂成水火。公不立门户，不争异同，大约本明道敬义，夹持而兼有取于良知即慎独之说，以刻意砺行为宗，尤笃于本行。"《晚晴簃诗汇》卷一百十四收诗三首，诗话云："不沾沾词章，善楷隶……自序存稿云：吾诗无足观，奚必存？顾一生性情气象在其中，不忍弃也。亦俾世远子孙有所考耳。"

　　十五日，屠寄生。寄（1856—1921）字归甫，号师虞、敬山、结一宧主人，江苏武进人。光绪十八年进士，改庶吉士，授工部主事。后任京师大学堂教习，辛亥后任清史馆总纂。著有《结一宧骈体文》、《诗略》等。

　　二十五日，赐翁同龢等二百一十六人进士及第出身有差。（《清史稿》）翁同龢、孙毓汶、李寿蓉、叶衍兰、铭安、潘祖同、陈寿祺、董文涣等成进士。翁同龢（1830—1904）字声甫，一字瓶生，号叔平，晚号瓶庐、松禅、瓶庵居士等，江苏常熟人，大学士翁心存子。本年一甲一名进士，授修撰，官至户部尚书，协办大学士。同龢为德宗师傅，最受倚任。宏奖士类，工诗文，精书法。著有《瓶庐诗钞》、《词钞》、《文钞》、《松禅相国尺牍》、《翁文恭日记》等。孙毓汶（1834—1899）字莱山，山东济宁人。本年一甲二名进士，授编修，官至兵部尚书，谥文恪。毓汶起家高第，迭掌文衡，能诗，多散佚，有《集杜诗》一卷刻行。叶衍兰（1823—1897）字兰台，又字南雪，广东番禺人。改庶吉士，授户部主事。供职京师二十余年，归讲越华书院。衍兰精鉴赏，工书画，早岁能诗，晚乃一意为词，与汪瑔、沈世良并称粤东三家，著有《海云阁诗钞》、《秋梦庵词》等。铭安（1829—1911）字鼎臣，叶赫氏，满洲人。（按：生于道光八年十二月十九日）选庶吉士，授编修，官至吉林将军，谥文肃。早岁诗不存稿，光绪中罢官归里，结社吟咏，著有《止足斋诗存》。潘祖同（1829—1902）字桐生，号琴谱，江苏吴县人。大学士世恩孙，吏部左侍郎潘曾莹子。咸丰八年以科场案被逮问，后遂归里不出，以收藏图书吟咏诗歌为乐，有《竹山堂集》。陈寿祺（1829—1867）本名源，字子毅，一字珊士，浙江山阴人。改庶吉士，授刑部主事。寿祺少警敏，能诗文，与同邑李慈铭交尤密。有《篆喜堂诗集》、《青樽阁词》等。董文涣（1833—1877）原名文焕，字尧章，号研秋，又号研樵、岘樵，山西洪洞人。改庶吉士，授检讨，历官甘肃甘凉道。文涣精研声律，诗才敏捷，官京师时与王拯、冯志沂、许宗衡诸人唱和最多。著有《岘樵山房诗集》十二卷、《藐姑射山房诗集》二卷、《声调四谱图说》十二卷等。

五月

　　十八日甲辰（6月20日），太平军破清军江南大营，天京围解。

六月

　　《明月台》十二回至迟于本月完成。著者题"烟水散人"，实为翁桂所撰。翁桂，字凝香，号烟水散人，洞庭东山人，寄迹萧县。据作品前序，晚年因亲子不孝，故借写小说以舒胸中之郁结。另有小说《清风亭》，今已佚。

何绍基至山东。主泺源书院，间至吴中、京师，咸丰十一年二月始返湘中。

夏

郭嵩焘检录旧作，得诗九卷。（《养知书屋诗钞》卷九后附识）

七月

二十八日，郑文焯生于河南开封。文焯（1856—1918）字俊臣，号小坡，又号叔问，别署瘦碧、冷红词客、大鹤山人等，满洲正黄旗汉军籍。河南巡抚瑛棨子。光绪元年举人。游幕苏州，家焉。辛亥后自居遗老，行医鬻画以终其身。性风雅，通音律，工词，守律綦严，著有词集《瘦碧词》、《冷红词》、《比竹余音》、《苕雅余集》，后删存为《樵风乐府》，并《词源斠律》等合刊为《大鹤山房全集》。另有《大鹤山人诗集》。

八月

四日戊子（9 月 2 日），太平天国发生天京变乱。

九月

十日甲子（10 月 8 日），亚罗号事件发生。英以此为借口，联合法国发动第二次鸦片战争。二十五日己卯，英海军进攻广州。

秋

陈澧、谭莹、许其光、沈世良、徐灏结西堂吟社。

史梦兰撰《全史宫词》锓版。此书二十卷，许乃普、陶樑等序，杨翰、张祥河诸家题词。许《序》谓："是编溯自有熊以及胜国，其中列国诸王偏安僭号，靡不搜罗入咏，其取材则自正史别史以及各丛书之纪载有征、文义雅驯者……其词绮丽，其气流迁，其均铿锵，富于征引而无撏撦故实之迹，长于讽刺而有和平忠厚之风，令阅者晓然于正变之义，慨然于治乱之故，四千余年，兴亡一辙，莫不为之击节而綖，掩卷而泣……"此编创稿于道光丙申（1836），至是刊版，后又于光绪丙戌（1886）年修订重刊。《清史列传·文苑传》本传："书成，朝鲜、越南使臣争购，致归其国。"

十一月

初七日，潘祖荫奉旨在南书房行走。此后数年，屡和御制诗。

二十六日，文廷式生于广东潮州府。廷式（1856—1904）字道希，又作道羲、道兮、道溪，号芸阁、纯常子等，江西萍乡人。光绪十六年一甲二名进士，授编修。德宗超授侍讲学士，以忤太后意，褫职，戊戌后流徙江湖以死。工骈体，文辞超拔，意境尤高，诗备各体，著有《云起轩词钞》、《文道希先生遗诗》、《纯常子枝语》、《知过轩随录》、《闻尘偶记》等。

本年

墨海书馆刊出英国学者托马斯·米纳尔所著《大英国志》。英传教士慕维廉译，是为近代最早译成中文之英国专史，蒋敦复尝为慕维廉润色文字。

祁寯藻在京刊《𬮤欲亭集》三十二卷。是集录嘉庆十七年至咸丰四年致仕前所作诗。按：寯藻前已于咸丰四年冬致仕，是年六十四岁，居京疗疴，读《后汉书》。

《西湖遗事》十六卷刊出，题"东冶青坡居士搜集"。书首"青坡居士"自序云"搜辑旧事未经传诵者录之"，然大多采自《西湖二集》，余则采自《西湖佳话》。

王轩自订诗草。杨思濬编《顾斋简谱》："先生《诗录》自序曰'删辛丑迄乙巳作，十不存一，为一卷，曰《洪崖集》。丙午迄己酉，五不存一，为二卷，曰《太岳集》。鲁川（今按：冯志沂）先生曰汰之，海秋（今按：许宗衡）先生曰留之，疑焉而未能决也。姑留为前编，以俟更删。庚戌迄乙卯曰《壮游草》，丙辰迄辛酉曰《羁官稿》，已削者十三，未订者十七，共十卷，为初编'云云。前编次第当即是年所订。"

方宗诚编著《文章本原》等书。《方柏堂先生谱系略》："著《续辅仁录》、《文章本原》各一卷，编《斯文正脉》、《戴存庄遗集》。"

清闻山馆刊刻郭嵩焘撰《云卧山庄尺牍》八卷年。

金兰自刻所撰《碧螺山馆诗钞》六卷，里人冯桂芬为之序。

袁翼撰《哀忠集》刊刻。

朱壬林撰《小云庐晚学文稿》八卷刊刻。此集有光绪二十六年重刻本，陆沅序其集，称其"三十余年，离合悲欢之致，登临眺览之奇，历历俱有纸上"。（据《清人诗文集总目提要》）

浮槎仙客撰《金陵恨》传奇十八出并自序。取材于近事，叙太平天国据金陵后，书生张炳增在金陵谋为清军内应事。

孔继鑅撰《壬癸诗录》四卷、《于南诗录》二卷刊于南清河。

邓辅纶为廉兆纶所劾，解兵职归武冈。此后以读书讲学，不复出。

杨季鸾（1799—1856）卒，年五十八。《海天琴思录》卷四："本朝善学太白诗者，吾闽则有张亨甫孝廉，楚南则有杨紫卿太学。"《晚晴簃诗汇》卷一百四十收其诗十四首，诗话云："紫卿年十二以春草诗得名，入京师后，有'长安车马地，花落不开门'之句，名公卿咸折节与交。足迹遍天下，所至执诗坛牛耳。与何子贞同庚生，相友善，殁后子贞题其墓云：两人足迹轻天下，千古诗怀在永州。其诗古体磊砢自意，于太白退之为近，近体多清新婉约之作。佳句如《三月三日独行》云：一天草色怀公子，三月桃花泥酒人。……皆可诵也。"

赵棻卒。棻（1788—1856）字仪姑、婉卿，号子逸，户部侍郎赵秉冲女，乌程汪延泽妻，汪曰桢母。著有《滤月轩集》。

黄本骥（1780—1856）卒。张舜徽《清人文集别录》卷十五："（本骥）以长于金石考证有声道咸间。其实本骥所营泛杂，金石亦未能名家。……（《三长物斋文略》）亦无可传之作。综其一生病根所在，不外读书太少，见闻不广。虽与邓显鹤交甚密，而学不逮显鹤之醇。其诗与文，皆不免有村夫子气。文尤卑卑，故无佳构。……有清一代征实之学，如日中天，而湖湘先正，无以媲美吴、皖，不足怪也。本骥虽有志于考核之学，而其时湘中风气未开，冥行孤索，劳而少功，亦其势然耳。"

黄兆麟卒，年五十。兆麟（1807—1856）字叔文，号瀓卿，湖南善化人。道光二十年进士，官至光禄寺少卿。与弟黄倬同中举，同成进士，同官翰林，时比之宋郊宋祁。著有《古樗山房遗稿》。

穆彰阿（1782—1856）卒，年七十五。

戴䌹孙卒。䌹孙（1796—1856）字筠帆，一作云帆，云南昆明人。道光九年进士，授工部主事，历官御史。少与池生春等有"五华五子"之目，居京师与梅曾亮等游，著有《味雪斋集》等。《射鹰楼诗话》卷十七："昆明戴袭孟侍御䌹孙深于诗，为滇南风雅之冠，诗境苍深雄健，如老将临敌，纵横挥霍而纪律森然。"

金蓉镜生。蓉镜（1856—1930）字甸丞，号潜父，一号潜庐，又号香严，浙江秀水人。光绪十五年进士，官工部主事。光绪末官湖南永顺知府，与王闿运、王先谦等过从甚密。辛亥后自居遗老，寓上海，从沈曾植学诗，世谓最能得其法乳。所著辛亥前有《潜庐全集》，辛亥后有《滮湖遗老集》。

单士厘生。士厘（1856—1943）字受兹，浙江萧山人，嘉兴县学教谕恩溥女，出使荷兰、意大利大臣归安钱恂室。少承家学，工诗文，勤于著述，有《受兹室诗钞》、《清闺秀艺文略》、《归潜志》。钱恂任职驻日使馆时，士厘屡渡海探视，成有《癸卯旅行记》，为我国第一部女子出国记。

韩邦庆生。邦庆（1856—1894）初名三庆，改名邦庆，又名奇，字子云，号太仙，别署大一山人、花也怜侬，江苏娄县诸生。屡赴乡试不第，乃寓居沪上，卖文为活。好狭邪游，又吸食鸦片，贫病以终。尝任《申报》编辑，后自创《海上奇书》，为我国较早之纯文艺杂志。著有文言小说集《太仙漫稿》及狭邪小说《海上花列传》。

公元 1857 年（咸丰七年　丁巳）

正月

初一日（1 月 26 日），《六合丛谈》月刊创刊于上海。是为外资经营之中文杂志，英人伟烈亚力主编，上海墨海书局印行。次年迁日本，不久即停刊。今见一至十三号。所载为宗教科学文学与新闻等。大半出主编伟烈亚力手，余系投稿。创刊号载有英人艾约瑟所撰《希腊为西国文学之祖》，介绍荷马史诗、三大希腊悲剧作家及喜剧作家阿里斯托芬作品。此后尚刊有《希腊诗人略说》、《罗马诗人略说》、《和马传》等，为较早介绍西方文学之中文刊物。

二月

魏源（1794—1857）卒，年六十四。源以咸丰四年辞官归，避兵侨居兴化，不与

人事，惟手订生平著述，终日静坐。上年秋初游杭州，寄僧舍，至是卒。《清史稿·文苑三》："源兀傲有大略，熟于朝章国故，论古今成败得病，学术流别，驰骋往复，四座皆屈。"《射鹰楼诗话》卷二："默深经术湛深，读书渊博，精于国朝掌故，海内利病，瞭如指掌。著有《书古微》、《诗古微》、《春秋公羊古微》，专阐西汉今文之学，博而能精。《圣武记》及《海国图志》，尤为有用之书，诚经国之大业，不朽之盛事也。所编《经世文编》，已家有其书。又有《元史新编》、《古微堂文集》，卓然巨册。默深所为诗文，皆有裨益经济，关系运会，视世之章绘句藻者，相去远矣！诗笔雄浩奔轶，而复坚苍遒劲，直入唐贤之室，近代与顾亭林为近；虽粗服乱头，不加修饰，而气韵天然，非时髦所能蹑步也。道州何子贞师谓：'默深诗如雷电倏忽，金石争鸣，包孕时感，挥洒万有。少作已奇，壮更蹴实。'诚为切论。……兼精内典……默深论诗，喜吾闽漳浦黄石斋及昆山顾亭林。余谓默深诗，奇处似石斋，厚处又似亭林也。"郭嵩焘《魏默深先生古微堂诗集序》："默深先生喜经世之略，其为学淹博贯通，无所不窥，而务出己意，耻蹈袭前人。人知其以经济名世，不知其能诗，而先生之诗顾最夥。游山诗，山水草木之奇丽，云烟之变幻，瀚然喷起于纸上，奇情诡趣，奔赴交会。盖先生之心，平视唐宋以来作者，负才以与之角，将以极古今文字之变，自发其嵚崎历落之气。每有所作，奇古峭厉，倏忽变化，不可端倪。又深入佛理，清转华妙，超悟尘表。而其脉络之输委，文辞之映合，一出于温纯质实，无有幽深扦格使人疑眩者。其于古诗人冲夷秀旷，宕逸入神，诚有不足，然岂先生之所屑意哉！先生所著书流传海内，人知宝贵之，而其诗之奇伟，无能言者。……天地之生才无穷，而文章之变日新月盛，有非古人所能限者，此亦以见斯文之广大，而豪杰伟人出于其间，随所得之大小浅深，树立椠椠，以自殊异。诗可以观，其谓是矣。"黄象离《重刊古微堂集跋》："先生文与龚定盦氏相伯仲。……近日持论家谓龚、魏两家皆深于释氏之学，龚氏之于释氏，固自谓造深微，先生盖深于道家言，其《论学篇》往往见之，而《老子本义》序尤为深至明晰。余尝谓龚氏文深入而不欲显出，先生文深入而显出，其为独辟町畦，空所倚傍一也。至其经史掌故舆地之学，则两家盖周、召分封之望云。"《晚晴簃诗汇》卷一百四十七收其诗至二十六首，诗话云："默深淹博群书，熟于掌故，尤精舆地之学，与龚定盦齐名，时称龚魏。平生足迹遍天下，名山大川罔不游历。为文发抒心得，不蹈故常，奥如衍如，自成一格，作诗亦然。其雕镂造化、搥险凿幽之笔，能使山无遁形，水无匿响，凡难显之状，未道之景，一经摅写，如鼎铸象，如镜印影。自汉魏唐宋以来，亦别为一体，盖其才大学博，不能以常格绳之也。"

三月

符葆森自序《国朝正雅集》。此集本年在京师及广州刊出。上接沈德潜《国朝诗别裁》，略依其体例，收乾隆、嘉庆、道光朝诗人二千余家、诗八千余首。初名《寄心集》，后经陶樑、张祥河改用此名。

四月

二十二日，夏孙桐生。孙桐（1857—1941）字闰枝，一字悔生，晚号闰庵，江苏江阴人。光绪十八年进士，授编修，历任湖州、宁波、杭州知府。深于史学，民初入清史馆，又佐徐世昌辑《晚晴簃诗汇》及《清儒学案》。孙桐中年始为词，与王闿运、郑文焯、朱祖谋唱和。与朱祖谋为姻亲，祖谋尝言其从事倚声，实由孙桐诱导云。著有《悔龕词》、《观所尚斋诗存》、《文存》等。

石达开率部出走，转战江西。捻军张洛行部渡淮南下，与太平军联合作战。

五月

初三日，陈夔龙生。夔龙（1857—1948）字筱石，一作韶石，别号庸庵。光绪十二年进士，官至湖广总督。尝问学于丁宝桢、王闿运，能诗。辛亥后寓沪上，与友人结超社唱和。著有《华近楼诗集》、《松寿堂诗存》等。

张应昌自序《国朝诗铎》。此书之辑始于咸丰六年；至明年六月、七月上海王庆勋、金陵朱绪曾分别为之序。自序谓："尝读子美《潼关吏》、《石壕吏》诸篇，及香山、文昌、仲初新乐府，洵所谓言易知而感易入者也。当今之世，不少子美、香山、文昌、仲初之咏，散见于各集中。爰就所见，选辑汇编，名曰《国朝诗铎》。以是为遒人之警路，以是佐太史之陈风，览者苟兴起其好善恶恶之心，岂曰小补之哉？"按：张应昌（1790—1874）字仲甫，晚号寄庵，浙江钱塘籍，归安人。嘉庆十五年举人，官内阁中书。道光初回籍，闭户著书。自谓嗜《左传》成癖，著《春秋属辞辨例编》。擅词翰，工诗词，自谓诗不及词。著有《寿彝堂诗集》、词集《烟波渔唱》。

方宗诚作《古文简要序》。宗诚以其友张宗瀚之请，选取韩欧八家之文以便初学，遂"取其晰理之明辨而不支者，纪事之详简而有体者，抒情之笃厚而不欺者为一册，以复于张君"。又，本年著《续文章本原》。（《方柏堂先生谱系略》）

六月

孙鼎臣自里抵京。补原官，与吴大廷等讲论诗文。明年丁忧归里。吴大廷《小酉腴山馆主人自著年谱》："孙芝房侍读鼎臣来京，投分甚洽，相居亦迩；张鹄臣因差来京，馆余家四月，友朋之乐，五六两年中所未有也。"

七月

二十一日，朱孝臧生。孝臧（1857—1931）字藿生，一字古微，号沤尹，改名祖谋，晚仍用原名，又号彊邨，浙江归安人。光绪九年二甲一名进士，改庶吉士，授编修，历充国史馆协修、会典馆总纂总校，擢侍讲学士。二十六年，义和拳起，两次上疏请阻团民攻击外国使馆，以敢言闻。二十七年辛丑，两宫回銮，擢礼部侍郎。次年简放广东学政。三十二年，以病乞解职，卜居吴门。辛亥后，不问世事，往来湖淞之间，以遗老终。清廷予谥文直。孝臧始以能诗名，及交王闿运，弃而专为词，遂成一代大家，与王闿运、郑文焯、况周颐并称清季四大词人。著有词集《彊邨语业》二卷、补刻一卷。又勘校《宋元明百六十三家词》，又手辑友朋词为《沧海遗音》，辑《湖州词征》、《国朝湖州词征》等，汇刊为《彊邨遗书》行世，有功词学甚巨。

八月

十五日，童槐（1773—1857）**卒，年八十五。**（《显考尊君府君年谱》）《晚晴簃诗汇》卷一百十七收其诗四首。

朱琦自编《怡志堂诗初编》八卷成。杨传第本月为之序，谓："先生于文学桐城，能自以才力充拓之，故常沛然有余于所为文之外。诗则浑雄，不立纲宗而自成体势。"此集本年刊出。宗鉴成《怡志堂诗集书后》谓："先生尝为余言：早年取径香山，及与伯言梅郎中游，始改师杜韩及北宋诸家。"按：其《怡志堂文初编》六卷，同治三年朱氏刻于京师运甓轩。

九月

初一日，刘鹗生于江苏六合。鹗（1857—1909）原名孟鹏，字云抟，号铁云、洪都百炼生等，江苏丹徒人。能读书，而放旷不守绳墨，喜治杂学，奉太谷学派李光炘为师。尝行医于扬州、经商于沪上，至投效吴大澂治河有功，声誉乃大起。后上书请敷设铁道，建议开山西煤矿，事成而世俗交谪，指为汉奸。庚子之乱，以贱值购太仓储粟于欧人，或云实以赈饥，全活甚众。后数年政府以私售仓粟罪之，流新疆死。鹗著述颇丰，有治河、算术、医药之书多种，其《铁云藏龟》为我国首部著录甲骨文字之专著，另有诗文杂著《铁云诗存》等，而尤以小说《老残游记》最为知名。

十六日，苏惇元卒。惇元（1801—1857）字厚子，号钦斋，安徽桐城人。咸丰元年举孝廉方正。师事方东树，服膺桐城家法。私淑方苞，尝与戴钧衡重订《方望溪文集》，成《望溪年谱》。著有《钦斋诗文钞》。《清史稿·文苑传》本传："其学近张杨园，文似方望溪。"方宗诚《苏厚子先生传》："主修辞立诚，不涉旁蹊曲径。"

王闿运中式湖南乡试第五名举人。时南方各省唯湖南稍得休息，故朝议补行壬子、乙卯两科乡试。（《湘绮府君年谱》）

十一月

十四日辛卯（12月29日）**英法联军陷广州。**俘两广州总督叶名琛，军事统治广州近四年。

十二月

徐鼒以事赴东台，与周腾虎、蒋春霖订交。旅次得诗数十首。（《敝帚斋主人年谱》）按：徐鼒自咸丰二年出京，时在籍办团练。又，本月末，徐鼒在东台为《水云楼词》作序，据此，则蒋春霖在此前后已筹刻《水云楼词》。

本年

张维屏《松心文钞》十卷刊出。

边浴礼撰《健修堂集》十八卷刊刻。浴礼先有《东郡趋人集》一卷；辑入《晚香唱和集》道光间刻。

周沐润再刊其集。自咸丰元年刊集后，再改斋名，新著编为《养生四印斋文三集》六卷、《诗五集》二十二卷，虞山官廨传忠堂刊刻。

孔宪彝增刻《对岳楼诗续录》为八卷。录道光十九年至咸丰六年诗，据宪彝《对岳楼诗续录自序》，咸丰三年秋尝编定诗集十卷，《诗续录》乃选刻前编并增入四年以后诗。

李肇增撰《琴语堂文述》二卷吴门刊印。此后所作，辑为《琴语堂杂体文续》一卷，同治三年自刻于扬州。

顾广誉撰《悔过斋文稿》七卷刊刻。殁后辑为《悔过斋文续稿》十卷、《诗稿》三十卷等，光绪三年朱之榛刻。

《三子诗选》刊于京师。蔡寿祺辑，收邓辅纶《白香亭诗》一卷，谭献《复堂诗》一卷、《复堂词》一卷，庄棫《蒿庵诗》一卷、《蒿庵词》一卷。

邱心如著《笔生花》弹词四卷三十二回刊行。邱心如，生卒年不详，江苏山阳人。举人邱广业女，同县张某室。晚丧爱子，家贫甚，乃回母家，设帐授徒，奉母以终。心如约于道光十四年始撰《笔生花》弹词，历时二十余年告成，约一百二十余万言，叙明正德间杭州文、姜两世家子女文炳、姜德华等情事。向与《再生缘》齐名，后又有商务印书馆排印本。陈同勋本年《序》："抱婕妤之奇才，成大家之女诚。……褒忠显孝，激义扬仁。而其人之口吻如生，形神逼肖。斯真与侯香叶夫人（今按：侯芝，字香叶，梅曾亮母，尝订《再生缘》弹词，并撰续集《再造天》上下卷十六回）一辈并驾争驱，共占坛坫者也。""若夫立意之精奥，措词之典雅，清奇浓淡之无不具，起伏照应之无不周，更不待言。"吉水《近百年来皮黄剧作家》"李云庆"条："尝言《笔生花》一书，虽事迹过于故常，不脱《再生缘》窠臼，而文采之胜，则当首屈一指。其另撰姓名，而攻驳《再生缘》之谬，亦较《金闺杰》仍写皇甫少华、孟丽君而作翻案文字者，为得法云。"（引自《弹词叙录》）

朱次琦居南海九江，九江先生之称自斯始。（《朱九江先生年谱》）

余治以俚语撰各种劝世诗歌。"盖先生著书之旨，至是托体愈卑而用心亦良苦矣"，至明年，以宣讲功由附生保举训导并加光禄寺署正衔。（《余孝惠先生年谱》）

释六舟主杭州解社，与杨岘等往还甚密。（《貌叟年谱》）

王轩在都。《顾斋简谱》："三月三日再祭顾祠，符葆森选其诗入《正雅集》，假以金，劝由赀郎进，遂援例授主事。"

孙麟趾本年随张子龢至上海。以前所刻十数种词集版遭乱不存，拟综前后所作，另刻为《零珠》、《碎玉》集，并请蒋敦复作序。（《芬陀利室词话》卷三）

郑献甫自桂林避乱至广州。旋至东莞，至同治元年九月归粤西。在广州与陈澧等多有唱和。（《陈东塾先生年谱》）

江湜纳赀为尉，分发浙江。至杭州，在都转盐运司使营务处掌管文书。

杨守敬十九岁，始闻清朝诸儒之学。杨守敬编、熊会贞续编《邻苏老人年谱》："是年长阳谭先生力臣大勋常往来馆中……先生曾馆于江都汪孟慈（今按：汪中子喜孙）家，得庸甫（汪中）先生绪论，守敬每侧听之而欣然，盖守敬得闻国朝诸儒之学自此始。"按：杨守敬（1839—1915）字惺吾，号邻苏老人，湖北宜都人。同治元年举人，官黄冈教谕，加中书衔。曾随黎庶昌赴日本，搜古籍，多得唐宋善本。晚主讲两湖书院、存古学堂。性喜藏书，积至数十万卷，学识通博，书法尤精。为文工骈体，所作箴铭，古奥笃拔。著有《水经图注》、《日本访书志》、《晦明轩稿》等。

胡盍朋以试《朐山立石赋》受知于学使李联琇。

陶樑（1772—1857）卒，年八十六。所撰《红豆树馆诗稿》十四卷附《词稿》八卷、《补遗》一卷，道光间至本年刊刻，又有光绪六年其子彦寿刻本。《清史稿》本传："樑早有文名，曾从侍郎王昶助其纂述。历官所至，提倡风雅，宾接才俊，辑《畿辅诗传》行世。晚登朝右，时值军兴，耆旧凋落，其犹见乾、嘉文物之盛者，惟大学士祁寯藻与樑二人，为士林所归仰云。"王昶《湖海诗传》卷四五："凫乡风流儒雅，为近日吴闽文士之冠，尤擅倚声，吴谷人、倪米楼诸君敛手推之。予撰《续词综》，搜采编排，多其所助，诗不多作，少学《长庆集》，而能去其浅率，无乖正始之音。"《晚晴簃诗汇》卷一百十九收其诗十二首，集评引祁寯藻语："先生方壮盛，以文词号当时，由翰林出守郡，浸至监司，入历名卿，为少宗伯，犹以风雅提倡日下名流，时年已八十余。诗之教，温柔而敦厚，古昔作者多至耆耋，而躬贵寿之福。顾其人与其诗，亦必得于大者独优，一归于夷犹冲邈，若别有所悠然而自得者。每于先生私有会焉。"又张祥河语："王述庵少寇《湖海诗传》、《金石萃编》之刻，凫乡先生实与搜罗校勘，先生爱才恤士，又复留心文献，故乡邦斯文系属渔庄，而后咸推凫乡，大年硕望，亦如骖之靳。平居论议平实，见后进有学识者，辄嗛然虚抱，惟恐不罄挹所长，老成典型，于是乎在。"诗话云："道光初，崔念堂、高寄泉采辑畿辅诗未成，凫乡守大名，延寄泉于署斋课子，与梅树君、边袖石商榷选事，得诗八百六十余家，刊《畿辅诗传》六十卷。晚官京朝，与诗舲尚书同为耆英领袖。有诗云：八十朝班同辈少，三千矩步圣人知。自注：余日行三千步，寒暑不辍，曾于召对时仰蒙垂询甚悉。卒年八十六。门人樊文卿彬校辑诗稿十四卷，别有《晚香唱和集》、《红豆树馆词》、《书画记》、《词综补遗》诸编，《湖海诗传》所收则皆其少作也。"

陆费瑔（1784—1857）卒，年七十四。《射鹰楼诗话》卷二十三："诗笔雄深，五古及五律尤为雅健，其《大沽观日出》一诗，不愧盛唐之遗。……中丞由牧令而至封圻，公余之暇，不废吟咏，近有《真息斋诗稿》，尤为士大夫传诵。"《晚晴簃诗汇》卷一百二十收其诗九首，诗话云："春帆力追唐贤，尤工五古。《与许三夜话》云：月气凉到门，不觉人影湿。《夜访同人清玉山堂》云：静极不知永，孤灯如有情。皆古淡幽秀，深得左司神理，余体微嫌著迹。"

方士鼐卒。士鼐（1803—1857）字羹梅，一字庚眉，号调臣，安徽定远人，贡生，官东流教谕，有《四持轩诗钞》二卷，其子溶师同治八年肇罗道署退一步斋刊出。《晚晴簃诗汇》卷一百五十一收其诗八首，诗话谓："调臣为莲舫太守之弟，久困场屋，以广文终。诗喜三李，晚学香山放翁，亦究心于苏。书法松雪，小楷尤工绝，寸缣尺楮，人皆宝之。包慎伯见其书，咋舌曰吾望而生畏也。"

关锳（1822—1857）**卒**，年三十六。所著辑为《三十六芙蓉馆诗存》一卷，本年钱塘蒋氏刻。

杨锐生。锐（1857—1898）初字退之，改叔峤，又字钝叔，四川绵竹人。光绪十一年举人。少肄业尊经书院，为张之洞所赏，为张第一亲厚弟子，后之洞督湖广，招之办理文牍。甲午战后，感愤国事，与康有为过从甚密，参与发起强学会。二十四年与刘光第、谭嗣同、林旭同参新政，时号军机四章京。政变作，死之。有《说经堂诗草》二卷、《杨叔峤先生文集》一卷。

辜鸿铭生。鸿铭（1857—1928）名汤生，以字行，别署汉滨读易者，福建同安人。出生于英属马来西亚之槟榔屿，为当地华侨。早岁至爱丁堡大攻读英国文学，复游德、奥诸国，通其政艺。年三十始返求中国学术，深研四书五经，兼涉群籍，国学大进。笃信孔孟之学非西方哲人所能及，译《大学》、《中庸》诸典籍成英文。张之洞、周馥奇其才，历委办议约。辛亥后，自居遗老，尝任教于北京大学。汉文著作有《读易草堂文集》、《张文襄幕府纪闻》，译著有《痴汉骑马歌》等。《清史稿·文苑传》有传。

蒯光典生。光典（1857—1911）字礼卿，一字季逑，安徽合肥人。德模子。光绪九年进士，授检讨，历官淮扬海道。以吏能显，喜言兴学，曾倡议建江宁高等学堂。初，以名家子多接当代胜流宿学，从冯桂芬、刘熙载、汪士铎请业，群经大义及训诂、目录、算数、掌故无不究览，著述甚丰，惜稿焚于火，仅存《金粟斋遗集》八卷。

裘廷梁生。廷梁（1857—1943）字葆良，后更名可桴，江苏无锡人。少时究心经史之学，甲午后，忧国之将亡，始留心新学，以开启民智为己任，提倡白话，自创《无锡白话报》，编《白话丛书》，组"白话协会"。著有《可桴文存》。

曾彦生。彦（1857—1890）字季硕，四川华阳人，曾咏女，张祥龄室。母左锡嘉、姨母左锡璇、姊曾懿均能诗，彦承家学，亦工诗文，兼擅书画。张祥龄为尊经书院高材生，而彦亦得闿运称赏。后随夫出川，寓居吴中，与郑文焯等唱和，病卒。有《桐凤集》、《虔共室遗集》。

吴之英生。之英（1857—1918）字伯朅，号西蒙愚者，四川名山人。早岁肄业尊经书院，为王闿运高材弟子。后任通材书院主讲、尊经书院都讲。博通经史，能诗文，擅骈体，著有《寿栎庐丛书》。

公元 1858 年（咸丰八年　戊午）

二月

初五日，康有为生。有为（1858—1927）原名祖诒，字广厦，号长素，戊戌后易号更生，张勋复辟失败后易号更甡。光绪二十一年进士，授工部主事。早岁酷好《周礼》，后见廖平所著书，乃尽弃旧说，著《新学伪经考》、《孔子改制考》，倡孔子托古改制之说，聚徒讲学于万木草堂。光绪二十一年，入都会试，适甲午战败，联各省举人上书请拒和、变法，复设强学会于京师倡言变法。二十四年，以徐致靖荐召对，上变法次第疏。政变作，出走海外，游历南洋及欧美诸国，立保皇会，与革命党人论战。辛亥后归国，为清室遗老。工诗文，有《康南海先生诗集》、《康南海文集》等。

三月

王轩等在京祭梅曾亮。与祭者有冯志沂、朱琦、孔宪彝、何兆瀛、王拯等。（《微尚斋诗集初编》卷二《梅先生祥祭日……》）

春

俞樾始有意治经。俞樾五年八月放河南学政，七年秋因人言免官。本年春，自汴梁归，以故里无家，遂寓苏州。《曲园自述诗》："十年春梦付东流，尚冀名山一席留。……是年春夏间无事，读高邮王氏《读书杂志》、《广雅疏证》、《经义述闻》诸书而好之，遂有意治经矣。"

四月

八日癸丑（5月20日），英法联军陷大沽炮台，进犯天津。十六日辛酉（5月28日），中俄《爱珲条约》签订。至五月三日丁丑（6月13日），《中俄天津条约》签订。八日，又签订《中美天津条约》。十五日签订中英、中法《天津条约》，规定耶稣教、天主教教士得入内地自由传教。第二次鸦片战争暂告结束。

五月

十九日，杜堮卒，年九十五。堮（1764—1858）字石樵，一字次崖，山东滨州人，嘉庆六年进士，官至礼部侍郎，卒谥文端。子受田，为文宗师傅，最得信任，故堮亦得礼遇。著有《遂初草庐诗集》等。《晚晴簃诗汇》卷一百十六收其诗九首，诗话云："集中以视学畿辅、两浙时行役咏古之作为多，神韵不匮，犹守新城遗轨。"

六月

释达受（1791—1858）**卒，年六十八。**《晚晴簃诗汇》卷一百九十七收其诗四首，诗话云："六舟善草书，能画，尤以墨梅名。嗜金石，储彝鼎碑牌甚富。……阮文达抚浙，招至文选楼，目为金石僧。……钱警石司训海昌，撰《备志》，六舟为搜辑金石，多所考订。"《宝素室金石书画编年录》鹿泽长识语："两浙旧称诗薮，方外士称诗翁者，比比皆是。六舟禅师其尤著者也。"

潘祖荫奉旨充陕甘正考官，常熟翁同龢充副考官。以七月出都，途中唱酬之作甚夥。试事既毕，翁留视学政；潘复命，即命署国子监祭酒，于往返百余日中成《秦辀日记》一卷。（《潘文勤公年谱》）

八月

三日，陈庆镛（1795—1858）**卒于泉州团练公所，年六十四。**陈棨仁《陈公墓志铭》："文章朴懋渊古，晚而益进。"《晚晴簃诗汇》卷一百三十六收其诗四首，诗话云："生平精挈汉学，而服膺宋儒。文章博赡，诗直抒胸臆，奇字古训，贯串奔赴，自有朴茂之致，学人之作，胎息固厚也。"

十七日，王闿运作《秋醒词》。朱祖谋《望江南·杂题我朝诸名家词集后》题云："《秋醒》意，《抱碧》契灵襟。生长芷兰工杂佩，较量台鼎让清吟。欣戚导源深。"

孔继镠（1802—1858）**卒。**是月清军江北大营溃，继镠死于军中。所撰《江上集》诗二卷本年刊刻。卒后辑所著总为《心向往斋集》。吴昆田《孔宥函太仆传》："继镠能文章，好为古歌诗。师事山阳潘德舆，与同郡鲁一同、宜黄黄爵滋、歙徐宝善、益阳汤鹏、建宁张际亮、汉阳叶名澧以气节相尚，赋诗酬倡，一时京师坛坫，称极盛焉。"冯煦《孔宥函先生传》："先生少负盛名，师友率贤豪长者……而友朋之最著者：义理则南丰吴太史嘉宾、宝应朱司马百顺、高邮胡征君泉、嘉兴高文学均儒；经术则海州许大令乔林、江都汪郡守喜荀、仪征刘明经文淇、宝应刘大令宝楠；经济则泾包大令世臣、邵阳魏大令源、益阳汤户部鹏、山阳鲁孝廉一同、宿迁臧孝廉纡青、阳湖周刺史腾虎；志节则临桂朱侍御琦、晋江陈给谏庆镛、宜黄黄侍郎爵滋、武进汤贞愍贻汾、山阳韦驾部坦；词章则歙徐太史宝善、建宁张孝廉际亮、郴州陈考功起诗、上元梅户部曾亮、顾文学櫰三、道州何太史绍基、江都梅孝廉植之、甘泉王文学翼凤、李大令肇增。……尤善汲引单门后进，有一艺之善，辄称道不去口，且折行辈交之，时以比李元礼、陈仲弓云。……于诗宗汉魏，其五言之善者，凌越凡近。既丁时艰，一取则于子美，所造益深，时运之夷塞，身世之荣郁，尤三致意焉。又善书，有李北海遗意。……所为文，浑厚奥衍，不规规于西汉，而能得其神似。顾为诗名所掩，世罕知者。"《晚晴簃诗汇》卷一百三十九收诗二首，诗话谓："宥函能文章，好为古歌诗，师事山阳潘德舆，以气节相尚。性喜陶诗，尝以所作用陶韵诗凡百余首，别为一册刊行。"

九月

初五日，易顺鼎生于湖南常德府龙阳县。顺鼎（1858—1920）字实甫，又字中硕，自署曰忏绮斋，又号眉伽，晚号哭庵。湖南龙阳（今汉寿）人，易佩绅子。光绪元年举人，捐赀得刑部郎中，历官广东钦廉道。辛亥后隐居上海，又至北京，穷困抑郁以死。中岁尝客武昌，主讲江汉书院；又于庐山筑琴志楼以隐；甲午之战，又渡海谋划抗倭。自撰《哭庵传》，谓少为神童，为才子，继为酒人，为游侠少年，为名士，为经生，为学人，为贵官，为隐士，忽出忽处，操行无定，为文章亦然，或古或今，或朴或华，莫能以一诣绳之云云。顺鼎诗篇既美且富，足迹几遍天下，所至成集，随地署名，合编为《琴志楼集》。

十二日，太平军克福建顺昌，袁绩懋（1817—1858）**死之，宣统中追谥文节。**所撰《味梅斋诗草》四卷、《烬余草》四卷，同光中刻。《清史稿》本传："绩懋性通敏，书过目辄成诵，号称淹雅。"

龙启瑞（1814—1858）卒于江西布政使任，年四十五。后其继室何慧生投缳以殉。慧生（？—1858）字莲因，湖南善化人，能诗，有《梅神吟馆诗集》。《晚晴簃诗汇》卷一百四十收启瑞诗十四首，诗话云："翰臣研韵学，擅古文，著作斐然，咸丰初在籍偕朱伯韩侍御治团练有声。诗不拘一格，寄托遥深，与伯韩诗如骖靳也。"卷一百九十收慧生诗九首，诗话云："莲因于咸丰癸丑（1853）归翰臣方伯，甫五载翰臣卒，投缳以殉。邵半岩有题其《梅神吟馆集》诗云：三湘秀色入房帏，八桂才名动主知。金殿胪句原首唱，彩毫同梦忽双枝。不劳点窜修眉笔，无限翻新咏絮词。便恐红窗希觅句，年年文葆得佳儿。盖初归龙氏时也。"

祁寯藻序何秋涛撰《北徼汇编》。

十月

十六日，朱骏声（1788—1858）**卒于黟县石村，年七十一岁。**

二十九日，沈瑜庆生。瑜庆（1858—1918）字志雨，号爱苍，别号涛园，福建侯官人。葆桢子。光绪十一年举人，官至贵州巡抚。瑜庆工书能诗，擅檄文章奏。平生最熟《左传》、苏诗，落笔为诗篇，罔不镕铸二家。抚黔年余，即值辛亥光复，乃徙居海上，以诗人终老，清廷予谥敬裕。有《涛园集》。

十一月

二十三日，宋育仁生。育仁（1858—1931）字芸子，一字芸岩，四川富顺人。光绪二十年进士，授编修，尝充驻英、法、意、比参赞。辛亥后，颓唐已甚，作《共和真谛》，妄议复辟。少颖异，早工诗文，与杨锐等同为尊经书院高材生，时以为蜀学翘楚。著有《问琴阁文录》、《诗录》、《哀怨集》，另有《泰西各国采风记》等。

冬

杨岘成《周礼名物制度考》四十巨册待删。（《藐叟年谱》）

王闿运入京应礼部试，途中至建昌军营访曾国藩。与曾幕中诸人及王必达、何栻等唱和。（《湘绮府君年谱》）

本年

顺天科场案发。《清史稿·选举志三》："咸丰八年戊午，顺天举人平龄朱、墨卷不符，物议沸腾，御史孟传金揭之。王大臣载垣等讯得正考官大学士柏葰徇家人靳祥请，中同考编修浦安房罗鸿绎卷。比照交通嘱托、贿买关节例，柏葰、浦安弃市，余军、流、降、革至数十人。副考官左副都御史程庭桂子郎中炳采，坐接收关节伏法，庭桂遣戍。盖载垣、端华及会审尚书肃顺素恶科目，与柏葰有隙。因构兴大狱，拟柏葰极刑。论者谓靳祥已死，未为信谳也。然自嘉、道以来，公卿子弟视巍科为故物。斯狱起，北闱积习为之一变。"

王庆勋辑刊《同人诗录》。内收袁翼撰《邃怀堂诗集》、黄富民撰《过庭小草》、黄燮清撰《倚晴楼诗集》、张文虎撰《舒艺室诗》、江湜撰《伏敔堂诗集》等十家之作各一卷。按：王庆勋（1814—1867）字叔彝，一字菽畦，上海人。附贡生，历官严州知府。有《诒安堂集》。袁翼（1789—1863）字毂廉，江苏宝山人。道光二年举人，官玉山知县。工诗词，尤善骈文，著有《邃怀堂全集》三十七卷，内文四卷、诗十五卷、骈文十六卷、《小清容山馆词钞》二卷。黄富民（1795—1867）字小田，号萍叟，安徽当涂人。黄钺子。世居芜湖。道光五年拔贡，历官礼部郎中。工诗画，著有《过庭小草》及《礼部遗集》。张文虎（1808—1885）字孟彪，又字啸山，别号天目山樵，江苏南汇人。少习时文，后见惠栋、江永、戴震之书而好之，遂读汉、唐、宋人经籍注疏，旁及子史，以博学闻。同治中入曾国藩幕，后尝主讲南菁书院。文虎工诗文，著述甚丰，有《舒艺室诗存》、《读续存》、《索笑词》等，曾评点《儒林外史》。

祁寯藻在京师校刊《馤馝亭后集》十二卷。是集录咸丰四年致仕后至本年所作诗。（《观斋行年自记》）

黄燮清撰《倚晴楼诗集》十二卷拙宜园刊出。有翁心存及钱塘蒋坦序，录道光三年至咸丰八年诗。后此诗作编为《倚晴楼诗续集》四卷，同治九年刻。

鲁一同自编《通甫诗存》四卷成并自序。

赵对澂辑所作为《小罗浮集》四十五卷刊出。

潘祖同三十岁，刊刻所撰《竹山堂诗稿》二卷，附《词稿》一卷。又，本年祖同以涉嫌科场案被逮，免官，绝意进取，以文史自娱。居京邑二十年，后返吴中，与德清俞樾等往还。

紫贵堂刊出《宋太祖三下南唐》。此书又名《侠义奇女传》，八卷五十三回，好古主人撰。书演宋太祖平定南唐三次被困寿州事，多妖仙怪异之谈。后有同治四年丹桂堂刊本。

庄棫二十九岁，刻词四十首于都下。按：庄棫咸丰五年入京，是岁仍滞留都下，后间有作，不复著录。至同治五年（1866）夏始复稍稍为之。

谭献自京师归，旋游幕福建。同治四年始归浙中。

李联琇呈请开缺。先是，联琇以咸丰五年调江苏学政，至是任满，遂请开缺。既而以曾国藩之请，主钟山、惜阴两书院讲席十四年。（《续碑传集》卷十七汪士铎撰《墓志铭》）

孙衣言出守安庆。王拯作《送孙琴西出守安庆序》，慨叹京师友朋零落："余往来京师二十余年……道光壬寅、癸卯间，梅先生伯言、汤丈海秋、宗丈涤甫及余小坡、邵位西、龙翰臣、吴子序诸君子者，相与师友，切劘道艺，一时交游，颇谓极盛。数年假归，及从粤征以还，则诸君子死者、归者、显名位、遭迁谪者散离颠倒，殆不复有一人而在。于是寂然以谓当无复有交游聚处之乐。"

方宗诚著《俟命录》十卷成。（《方柏堂先生谱系略》）

黄燮清五十四岁，此年已不甚填词。燮清本年评题张鸣珂《寒松阁词》云："综阅全卷，清洁淡雅，一空俗障，处是作者本色。然总欠酝酿沉著，味之殊少深趣。宜以白石之苍峭、梅溪之幽隽药之，当更有进境。……予近悔绮语，已不复作词。"

杨守敬二十岁，在宜都，与顾文彬等相识。《邻苏老人年谱》谓，宜都为荆州末县，向来读书人少；是时江南战乱频仍，吴中人士多辗转流徙，顾文彬亦以避乱至此。"以吾屋转租元和顾子山文彬，顾本吴中文豪，见余好古，亦大加青眼"。

李祖陶卒，年八十三。祖陶（1776—1858）字钦之，号迈堂，江西上高人，嘉庆十三年举人，辑有《国朝文录》、《国朝文录续编》、《金元明八家文选》等，自著有《迈堂文略》等。（生卒年据《清代人物大事纪年》）《清史列传·文苑传世》："既长，博综群籍，工古文辞，深非北宋以后无文之说，谓文无古今，惟得神解者为贵。"

沈曰富（1808—1858）**卒，年五十一。**所撰《受恒受渐斋集》计诗文各六卷，咸丰九年弟曰康刊出。姚椿跋谓："辞气朴茂，议礼文字尤为精切。"

郑用锡卒，年七十一。用锡（1788—1858）字在中，号祉亭，台湾淡水人。道光三年成进士，为清代台湾本土人士考中进士之第一人。累官至礼部员外郎，后乞养归里，以著述育人自娱。著有《北郭园全集》十卷。

汪笑侬生。笑侬（1858—1918）本名德克俊，又作德克清、德克金，字俊清，又字润田；后更名僢，号仰天，别号竹天农人，满洲人。光绪五年举人。笑侬自少流连酒肆歌场，尝署一县令，因事落职，遂下海为伶。光绪末，与柳亚子、陈去病等创《二十世纪大舞台》杂志，宣统间，转济南演出，被聘任戏剧改良所所长。入民国，任正乐育化会（伶界联合会）副会长，仍任戏剧改良社社长。民国七年卒于上海。汪笑侬工诗善画，善编剧，创作及改编整理之剧目有《哭祖庙》、《受禅台》、《瓜种兰因》等三十余种，诗词辑为《竹天农人诗辑》。

沈汝瑾生。汝瑾（1858—1917）字公周，号石友，自号钝居士，江苏常熟诸生。自谓少时性钝，读《庄子》而忽有所悟，后乃淹贯群籍。性耽诗，著有《鸣坚白斋诗集》十二卷、《月玲珑馆词》一卷。

潘飞声生。飞声（1858—1934）字兰史，别署老兰、剑士、水晶庵道士，广东番禺人。少肄业于广州学海堂，为陈澧等所赏。光绪中，应聘赴德国柏林讲授汉语言文学。归国后，旅居香港十年。晚年旅居上海，入南社，又与淞社、鸥社。以诗、文、词名于世，著有《说剑楼集》。

公元1859年（咸丰九年 己未）

正月

曾国藩在建昌营中作《圣哲画像记》。《曾文正公年谱》卷六："作《圣哲画像记》，图画昔时圣贤先儒三十三人，系之以说，明抗希古人之意。略依孔门四科及近世桐城姚氏论学以义理、考据、词章三者分门，依类而图之。"《圣哲画像记》论及国藩诗文祈向，其中有云："西汉文章，如子云、相如之雄伟，此天地遒劲之气，得于阳与刚之美者也。此天地之义气也。刘向、匡衡之渊懿，此天地之温厚之气，得于阴与柔之美者也。此天地仁气也。……文章之变，莫可穷诘，要之，不出此二途，虽百世可知也。""余钞古今诗，自魏晋至国朝，得十九家……余于十九家中，又笃守夫四人者焉。唐之李、杜，宋之苏、黄，好之者十而七八，非之者亦且二三。""姚先生持论闳通，国藩之粗解文章，由姚先生启之也。""姚姬传氏，言学问之途有三：曰义理，曰词章，曰考据。戴东原氏亦以为言。如文、周、孔、孟之圣，左、庄、马、班之才，诚不可以一方体论矣。至若葛、陆、范、马，在圣门则以德行而兼政事也。周、程、张、朱，在圣门则德行之科也。皆义理也。韩、柳、欧、曾、李、杜、苏、黄，在圣门则言语之科也。所谓词章者也。许、郑、杜、马、顾、秦、姚、王，在圣门则文学之科也。顾、秦与杜、马为近，姚、王与许、郑为近，皆考据也。此三十二子者，师其一人，读其一书，终身用之，有不能尽。"《清代学术概论》十九："咸同间，曾国藩善为文而极尊桐城，尝为圣哲画像赞，至跻姚鼐与周公孔子并列。国藩功业既焜耀一世，桐城亦缘以增重，至今犹有挟之以媚权贵欺流俗者。"

方宗诚往山东藩署依吴廷栋，其出游自此始。 在山东交涤，秋，因廷栋迁直隶按察使，随之直隶。是年著《东游笔记》四卷。（《方柏堂先生谱系略》）

二月

丁丙在杭州西湖结吟会。杨象济、高望曾、邵懿辰等与会，时相倡和，月必一举。（《先考松生府君年谱》）又，四月丁丙诗《松梦寮初集》凡古今体诗四百余首选定，后毁于燹。按：杨象济（1825—1878）字利叔，号汲庵，浙江秀水人。咸丰九年举人。少负才誉，与陈寿熊、沈曰富、顾广誉游，勤于学。咸同间曾入张亮基、曾国藩等幕，叙劳得拣选知县。工诗文，著有《汲庵文存》、《汲庵诗存》等。

三月

十七日，孙鼎臣（1819—1859）卒，年四十一。《射鹰楼诗话》卷二："昔王若虚评白乐天诗：情致曲尽，随物赋形，所在充满，殆与元气相侔。至长韵大篇及乐府，动数百千言，语语顺适，中含讽劝，是古诗人和平中正之响。余友善化孙芝舫鼎臣太史诗，逸秀雄深，宏亮高隽，不必与香山同调；要其和平之旨，沁人肝脾，又多讽劝之辞，可谓异曲同工者矣。……太史气度娴雅，望之如魏晋间人，尤工骈四俪六文。其《送张蕉泉游金陵序》一篇，囊括金陵历朝掌故，伤今吊古，视庾子山《哀江南赋》不是过也。"吴敏树《翰林院侍读孙君墓表》："性好诗歌文辞，穷究源流，探择体要，剖析微眇，既精既严，然后举其才力从之，故才益丰，文益高。及居翰林……益深考古今学术、政教、治乱所由及盐漕、钱币、河渠、兵制诸大政事实利害，而察其通变所宜与其所不可者为书论数十篇。其言绝明达，适治体，屏斥小利，要归大道，盖古之论政事议盐铁者不能过。"《清史列传·文苑传四》本传："后与上元梅曾亮游，乃变骈体为古文，曾亮称其词旨明健，绝去婷阿之习。……所为诗峭悍醲险。"《晚晴簃诗汇》卷一百四十六收其诗十二首。

145

四月

二十五，赐孙家鼐等一百八十人进士及第出身有差。(《清史稿》) 孙家鼐、李文田、龚易图、高心夔等成进士。按：孙家鼐 (1827—1909) 字燮臣，号蛰生，晚号澹静老人，安徽寿州人。本年一甲一名进士，授修撰，历官各部尚书、协办大学士。光绪二十四年主办京师大学堂，三十一年充学部大臣。卒谥文正。李文田 (1834—1895) 字畲光，一字仲约，号若农，广东顺德人。本年一甲三名进士，官至礼部右侍郎，宣统中追谥文诚。文田学问淹雅，博涉群籍，尤长于元史及西北地理。典试视学，称能得士。著有《元秘史注》、《和林金石录》等，存诗不多，门人为辑《李文诚公遗诗》一卷。龚易图 (1836—1893) 字少文，号蔼人、蔼仁、含晶、含真，福建闽县人。本年二甲一名进士，官至湖南布政使。少好为诗，尝与邑中同人结南社唱和。光绪中罢官归里，广筑园林，与陈宝琛、叶大庄等吟咏其中。著有《乌石山房诗存》。(注：易图生于道光十五年十二月十四日)

王闿运会试报罢，寓居法源寺。《湘绮府君年谱》谓，"于时名贤毕集，清流谋议，每有会宴，多以法源寺为归"，闿运兰林词社同人龙汝霖馆于户部尚书肃顺宅，李寿蓉供职户部，俱为肃顺所赏；"肃公才识开朗，文宗信任之，声势烜赫，震于一时，思欲延揽英雄以收物望，一见府君激赏之"。

五月

初八日，王照生。照 (1859—1933) 字小航，又字藜青，号水东，直隶宁河人。光绪二十年进士，由庶吉士改礼部主事。戊戌维新，尝上疏劾礼部尚书许应骙阻新政，政变作，逃亡日本，仿日本片假名创官话字母。后潜返国内，传播拼音新字。入民国，任读音统一会副会长。著有《水东集》九卷，内《小航文存》四卷、《方家园杂咏纪事》一卷等。

彭蕴章充国史馆正总裁。六月，刻《归朴龛续稿》。

六月

初六日，梁鼎芬生。鼎芬 (1859—1919) 号星海，字节庵，广东番禺人，为广东大儒陈澧得意门生。光绪六年进士，改庶吉士，散馆授编修。旋因参劾北洋大臣李鸿章罢官。后得张之洞荐拔，任湖北按察使。光绪末，复以参劾奕劻、袁世凯被斥，归粤。辛亥后，为清朝遗老，晚年在清室毓庆宫授溥仪读书。清廷予谥文忠。著有《节庵先生遗诗》六卷、《钦红楼词》一卷。

沈兆沄辑《蓬窗续录》二卷成并自序。

夏

吴廷栋在山东布政使任上，与何绍基等唱和。又，此时南方战乱方殷，文士多逃至他方。方宗诚《吴竹如先生年谱》："先生官直隶山东时，适值安徽大乱，凡士子避乱北来者，先生必为安置，或资给之，初不形于言色。洪琴西、何子永、涂朗轩及宗诚先后至署，先生公暇即为讲论实学。"

七月

二十七日，钱宝琛（1785—1859）卒，年七十五。《晚晴簃诗汇》卷一百二十八收其诗六首。

王拯自序《茂陵秋雨词》。序谓："《茂陵秋雨词》者，大都山人病余之所作也。始自潘岳悼亡之岁，泊乎王粲从军之年，往往床空竹簟，药裹金疮，哀动长言，感存微旨。其间中年恶疾，远道沉痾，皋桥赁庑，伯鸾则永噫而歌，樵泾负薪，翁子乃同声以唱，其创益甚，所作实多。夫词虽小文，道由依永。情文缭绕，家风既愧碧山，声谱荒唐，工匠大惭红友。爰事删夷，都为斯集。"此二卷，于明年秋刻出。

八月

初一日，叶名澧（1811—1859）卒于杭州，年四十九。刘存仁《敦夙好斋诗集初编序》："体素储洁，冲漠夷旷，肆而不流，廉而不刿，高情远韵，翛然笔墨之外。"《射鹰楼诗话》卷八："余极喜汉阳叶润臣诗，以不事雕绘，旨趣天成，居然把臂陶、韦。"《清史列传·文苑传四》："中岁遍游江汉吴越，南抵黔中，北至雁门，所至皆纪以诗。一时名士如汤鹏、王柏心、陈文述、宗稷辰、戴绹孙、姚燮、张际亮、符葆森诸人，皆与订交。诗有真意，托体在陶韦王孟之间。际亮称其深得唐贤三昧。"《晚晴簃诗汇》卷一百三十九收其诗六首，诗话云："润臣治金石考订，绳其家，业舍人久次，得迁侍读，同时士大夫以学问名节著者，皆与结纳，蔚腾清誉。"

九月

十八日，张维屏（1780—1859）卒，年八十。陈澧《墓碑铭》："自嘉庆、道光、咸丰数十年，同辈诗人零落殆尽，而先生岿然独存。"谢章铤《赌棋山庄词话》续编卷三："南山曰：词家苏辛秦柳，各有攸宜，轨范虽殊，不容偏废。又曰：以情胜者恐流于弱，以气胜者恐失于粗。然南山词豪宕自喜，盖有意苏辛而不至者，尚不能自践其言。其梦游仙曲三十首填法驾导引，盛得时名，究之仍是五七言诗耳。"《射鹰楼诗话》卷二："番禺刘藻林彬华《岭南群雅》称太守诗出入汉、魏、唐、宋诸大家，取材富而酝酿深，气体则伉爽高华，味致者沉郁顿挫。余谓太守诗清新婉丽，体物浏亮，如海底木难，斑驳眩目。粤东有人从海舶归，言米利坚国人有识中国字者，见扇头有太守所书诗，欣然诵之，且与扇示其友曰：'此张南山也。'米利坚为海外极远之国，而其国人闻太守之名，诵太守之诗，此与唐时鸡林国人诵白香山诗，同为艺林佳话。"卷十三："番禺张南山太守古歌谣，辞旨简质，意味深长，真能神与古会。"又："张南山太守咏物诗，风韵婉丽，浑脱无痕，如白云初晴，幽鸟相逐，真有绘影绘声之妙。"《晚晴簃诗汇》卷一百三十收其诗八首，诗话云："子树早有诗名，与谭康侯、黄子实号粤东三子。以诗游京师，一时倾倒。覃溪（按：翁方纲）称为诗坛大敌，尝编诗人征略，又为艺谈录，捃摭详备，有功文献。诗高华沉著，不专一格。"

徐鼒在在福宁知府任辑《未灰斋诗钞》成。鼒钞录所著书，初不欲留诗，林昌彝致书谓："君诗佳者即梅村、仲则不能过之，请留之以雪言朴学者不能诗之耻。"因检存稿畀昌彝校订。是冬开梓。（《敝帚斋主人年谱》）

王星诚（1831—1859）卒，年二十九。星诚是秋应顺天乡试，中副榜，榜发两日而卒。李慈铭《越中三子传》："甫成童，为文即刻意自异，不蹈故常。为诗歌镂心擩肾，见者敛手。"李佳《左庵词话》卷上："山阴王星诚，年少有才名，诗工而多秋气。"周星誉《王君星诚传》："尤喜为诗，初无指授而天资华赡，妙悟特奇。……于诗古文辞无所不工，而尤长于诗与骈俪，惊心异藻，冠绝一时……所为诗清奇变化，学无专师，往往好为幽深僻奥之词，而寻绎实有至理；惟悲穷怨逝，多噍杀之音，如羁臣行唫，寡妇夜哭，读之率掩被涕下不能终篇。李模、周星诒往共评同人诗曰：平子清而至于寒，哀而流于惨，非贵寿之征也。竟如其言。"

鲁一同自编《通甫类稿》四卷成，汤修本月为之序。此集及《续编》二卷、《诗存》四卷、《诗存之余》二卷，合为《通甫诗文集》十二卷，本年刊刻。

赵之谦、杨象济等本年乡试中式。又，宋翔凤以乡举重逢赏加知府衔。"按：赵之谦（1829—1884）字益甫，号㧑叔，晚号悲庵，浙江会稽人。五应会试不第，以誊录劳叙官，分发江西，历署鄱阳、奉新、南城知县。性兀傲，于并世作者多所摘议，坐是不谐于世。篆刻书画用力至深。亦工诗文，著有《悲庵居士诗剩》等。

秋

福州聚红词社为吟菊之局。谢章铤《赌棋山庄词话》续编卷五"王彝招吟菊之局"条："咸丰己未之秋，闽县王子舟（彝）孝廉，购菊花三百盆……招诸君为吟菊之局。"此会之后，未几王彝家道中落，又未几而病逝，"而词榭中遂无人能为东道主者"。按：聚红词社为咸丰间文学团体。《赌棋山庄词话》词话卷五"聚红词社"条："初余录诸同好满江红调赠文樵，且系之曰：他日杯酒相逢，各出长技，请目为聚红词社可乎。文樵喜，乃自号聚红生，颜其寓斋曰聚红轩。"续编卷三"吴鼒百萼红词"条："昔钱塘高文樵以满江红词与余定交，喜甚，作词遂不用他调，自号聚红生，名余辈填词之处曰聚红榭。并自镌聚红社中人小印。"续编卷五"聚红词榭"条云："自余倡聚红词榭，不过二十年耳。始四五人，继十五六人，至于今，亡且八九。其时李星村为祭酒，不幸亦有左邱之疾，余皆牢落不自得。"同卷"徐一鹗词"诸条，品评社中诸人云："四十年前，有乌山十才子，徐云汀一鹗教谕其一也。君早以诗名，善为淡远偶句，同人传为云汀派。既而为词，萧疏自喜。""词榭中能作温尉李主之语，以闽县陈子驹（遹祺）副贡为第一。君昔与永福黄笛楼（经）倡和，有《双邻词钞》两卷……诗文清丽，兼工绘事，跌宕醋嬉，见之俗情自远。""长乐梁洛观（履将）秀才……出笔秀削，宜于倚声，年未三十而卒。有木南山馆词一卷……魏子安（秀仁）、梁礼堂（鸣谦）亦皆有序。子安有云：'一鳞一爪，一泪一声。鸷鸟盘空，天有苍凉之色。哀蝉乍警，时多凌厉之音。'读者可以知其词境矣。""梁礼堂观察……素工俪体，后有志治古文，每与余言，辄终日。词笔清华，而时露抑塞之意。想其橐笔饥驱，久尝世味，固亦有不自得者乎。""长乐林锡三（天龄）……其填词不苦思，不险语，随势宛转，而恰如其意。"词社曾刊有《聚红树唱和诗词》，收谢章铤及侯官刘云图（绍纲）、长乐梁洛观（履将）、闽县马子翙孝廉（凌霄）、刘寿之（三才）、李星村（应庚）、长乐陈彦士（文翙）、闽县王子舟（彝）诸人所作。丁绍仪《听秋声馆词话》卷十九"聚红树唱和诗词"云："长乐谢枚如广文（章铤）侨居榕城，好与同志征题角胜，曾裒刊《聚红树唱和诗词》，词学因之复盛。虽宗法半在苏辛，亦颇饶雅韵。……题多咏物，惜仅词中一体而已。"谭献《复堂词话》："阅《聚红树雅集》诗词。倚声似扬辛、刘之波，惟枚如多振奇独造语；赞轩较和婉入律。"又："闽中词人，道咸间唱和颇盛。予在闽所识，如刘赞轩、谢枚如辈，皆作手也。社集有《聚红树诗词》之刻。"

丁绍周充四川乡试正考官，成《蜀游草》诗一卷。

十月

王闿运至济南。闿运为肃顺所青睐，其乡先辈严正基举"柳柳州急于求进，卒因王叔文得罪，困顿以死"为诫，闿运遂假事至济南。又，本年闿运选汉魏六朝诸家诗为《八代诗选》，与同人分写而自加评语焉。（《湘绮府君年谱》）

十一月

初五日，陈黻宸生于浙江瑞安县。黻宸（1859—1917）字介石，晚年更名芾，浙江瑞安人。光绪二十九年进士，授户部主事。先后任京师大学堂及广东诸学堂。辛亥后任浙江民政部长，旋辞去。袁世凯复辟，忧愤卒，门人私谥文介先生。少有大志，与乐清陈虬、平阳宋衡称温州三杰，尝与陈虬结求志社。一生著述甚多，诗文集为《饮水斋集》十卷、《外集》四卷。

李寿蓉因事籍产下狱。至十一年八月始出狱复官，以遭此祸，改其斋名波庵为天影盦。

冬

洪仁玕著《资政新篇》刊印。

吴大廷在京成《刘海峰古文选》。

张道撰成《梅花梦》传奇。谱扬州女子乔小青事，谓小青乃梅花仙子，被谪凡尘，慧解诗书，嫁钱塘冯云将，不容于正妻，郁郁而死。上下二卷，三十四出，原署"劫海逸叟钱塘张道填词"。光绪二十年刊出。按：张道（1821—1862）原名炳杰，字伯几，号少南，别署劫海逸叟，浙江钱塘诸生。同治初避兵萧山，病卒。张道以工诗词著名里中，与秦缃业、王彦起、王塾等为友，《梅花梦》传奇外，尚著有《鱼浦草堂诗集》、《南翁文集》、《雪烦词》、《影香词》等。

本年

自去年至本年，俞樾撰《日损益斋诗钞》十卷、《日损益斋骈俪文钞》四卷在吴门刊出。

孙衣言撰《逊学斋诗钞》十卷吴门刊刻。俞樾《序》谓："其诗上追汉魏，而近作尤似苏黄。"按：《春在堂随笔》卷一："余与孙琴西衣言三为同年：道光十七年丁酉科，君得拔贡，余中副榜；廿四年甲辰科同举于乡；三十年庚戌科同成进士。相得甚欢而论诗不合。故余尝赠以诗曰：'廿载名场同得失，两家诗派异原流。'然君刻《逊学斋诗》十卷，止余一序。余于咸丰九年刻《日损益斋诗》十卷，亦止君一序也。"秋心《集雋诗话》谓："孙琴西衣言诗笔高迈，同时作者无与抗衡。尝与俞曲园论诗，各有意见，不相合焉。盖孙所师者黄山谷而俞所师者白乐天也。然孙所著《逊学斋集》斫有曲园一序。此犹黄仲则与洪稚存论诗不合，而黄诗卒经洪手选定之也。"

王拯撰《龙壁山房文集》五卷由善化向万鑅刊刻。是集文九十八首，王拯手录，梅曾亮订正，皆论跋序传。又，《龙壁山房诗草》十二卷桂林杨氏博文堂初刻。

宝鋆著《佩蘅诗钞》八卷刊刻。此集后增为十二卷，更名《佩蘅诗草》，咸丰间刻。

陈澧改题《东塾类稿》为《钟山集》。《类稿》刊于道光二十九年，此后复随作随刻，至是改题。（据《陈东塾先生年谱》）

李慈铭三十岁，入赀为部郎。孙宝瑄《会稽李慈铭传》："咸丰九年北游，将入赀为部郎，而为人所给，丧其资，落魄京师，母恭人亟鬻田成之。……晚清间京曹冗杂，额外司员多不治事。其以赀郎进者大都徒尚酬酢交游，造谒报谢无虚日，暇则征歌狎饮以为常。先生耻与之伍，则键户读书，非其人不与通声气。自经史子集以及稗说梵笈、词曲传奇，无不博涉。"《清史稿》本传："诸生，入赀为户部郎中。至都，即以诗文名于时。大学士周祖培、尚书潘祖荫引为上客。"樊增祥《二家词钞序》："自己未入都，乙丑还浙，中间羁旅幽忧，兵戈危慄，感时伤逝，永叹长言，所为乐府，探原《小雅》，把臂三闾，温韦以下，不中作仆。迨辛未，计偕再官农部，自是遂无归山之日。贺湖烟水，禹庙莺花，一篇之中，三致意焉。时或结兴兰荃，寓情巾帼，要归无邪之义，无衍正始之音。泊乎晚年，弥入化境。"

余治五十一岁，集《庶几堂新戏》试演于江阴、常熟等处。《余孝惠先生年谱》："先生谓梨园之作，原以激发忠孝，沿习既久，浸失古意，如演《水浒传》则以盗贼为英雄，演《西厢记》则以狎邪为韵事，此风俗之大害也，于是即借梨园曲白宣布训言，著《后劝农》、《同胞案》、《英雄谱》、《绿林铎》等剧十余种，教习试演。其正乐微意，救世苦心，并详先生所著《庶几堂引言》及《题词》中。"

曾国藩、吴敏树论桐城宗派之说。国藩友欧阳兆熊之子欧阳勋前卒，本年其集《秋声馆遗集》八卷刊出，国藩应兆熊之请作《欧阳生文集序》。《序》论及桐城派授受源流，列敏树于桐城派中。敏树知之，致书国藩，不满宗派之说："文章艺术之有流派，此风气大略之云尔，其间实不必皆相师效，或甚有不同；而往往自无能之人，假是名以私立门户，震动流俗，反为世所诟厉，而以病其所宗主之人。如江西诗派，始称山谷、后山，而为之图列，号传嗣者，则吕居仁。居仁非山谷、后山之流也。今之所称桐城文派者，始自乾隆间姚郎中姬传称私淑其乡先辈望溪方先生之门人刘海峰，又以望溪接续明人归震川，而为《古文辞类纂》一书，直以归、方续八家，刘氏嗣之，其意盖以古今文章之传，系之己也。如老弟所见，乃大不然。姚氏特吕居仁之比尔，刘氏更无所置之；其文之深浅美恶，人自知之，不可以口舌争也。自来古文之家，必皆得力于古书。盖文体坏而后古文兴，唐之韩、柳，承八代之衰，而力挽之于古，始有此名。柳不师韩，而与之并起。宋以后则皆以韩为大宗，而其为文所以自成就者，亦非直取之韩也。韩尚不可为派，况后人乎？乌有建一先生之言，以为门户涂辙，而可自达于古人者哉？弟生居穷乡，少师友见闻之益，亦幸不遭声习濡染之害。……往时见功甫（今按：欧阳勋）喜寻时人之论，称姚、刘之学，以为习于名而未稽其实，私欲进之；其于论诗，述梅伯之说，云当自荆公入，尤为害道。此等言议，殆皆得之陈广敷。广敷才虽高，不能为文士，而论说多未当于人心。今侍郎序文所称诸人学问本末，皆大略不谬，独弟素非喜姚氏者，未敢冒称；而果以姚氏为宗，桐城为派，则侍郎之心，殊未必然。"（吴敏树《与篠岑论文派书》）国藩于十二月初二日复书敏树，称："篠泉前寄示尊书，以弟所作《欧阳生集序》中，称引并世文家，妄将大名胪于诸君子之次，见谓不伦。李耳与韩非同传，诚为失当；然赞末一语曰：'而老子深远矣。'子长胸中，固非全无泾渭。今之属辞连类，或亦同科。至姚惜抱氏，虽不可遽语于古之作者，尊兄至比之吕居仁，则亦未为明允。惜抱于刘才甫，不无阿私，而辨文章之源流，识古书之真伪，亦实有突过归、方之处。尊兄鄙其宗派之说，而并没其笃古之功，揆之事理，宁可谓平？至尊缄有云：'果以宗桐城为派（按：王先谦《续古文辞类纂》作：以姚氏为宗，以桐城为派），则侍郎之心，殊未必然。'斯实搔著痒处。往在京师，雅不欲溷入梅郎中之后尘。私怪阁下幽人贞介，何必追逐名誉，不自閟惜！昔睹馥菱之面，今知君子之心。……尊兄诗骨劲拔，迥越时贤。姚惜抱氏谓诗文宜从声音证入，尝有取于大历及明七子之风。尊兄睥睨姚氏，亦颇欲参用其说否？"（《复吴敏树》）按：曾国藩本年正月初二日《加欧阳兆熊片》有云："拙著此序，盖深悯后起者之不可多觏。便能中请寄南屏先生一阅，以为何如？"十月二十日《复欧阳兆熊》有云："得九月初六日惠书并南屏一缄，敬悉一切。南屏不愿在桐城诸君子灶下讨生活，真吾乡豪杰之士也；而直以姚氏为吕居仁之比，则贬之已甚。姚氏要为知言君子，特才力薄弱，不足以发之耳。其《古文辞类纂》一书，虽阑入刘海峰氏，稍涉私好，而大体固是有伦。其序跋类渊源于《易·系辞》，赋类仿刘歆《七略》，则不刊之典也。国藩之为是叙，不过于伯宜（按：罗萱，字伯宜，湘潭人）处略闻功甫（按：欧阳勋）生平之言论风指，而纵笔及之，非谓时流诸君子者，足以名于世而垂于后，不特不和之，且私独薄之。南兄识得鄙意，曰侍郎之心殊未必然，所谓搔着痒处，固当相视而笑，莫逆于心也。"（见《曾国藩全集·书信》）

祁寯藻六十七岁，在京师。祁寯藻编、祁世长续编《观斋行年自记》："读岳本《毛诗》。……先君性喜读毛诗，以其感发性情，长于讽谕，于朱子《集传》诗义折中悉讲求贯串，即在官时无岁不觉诵一过。暇辄讽咏数篇。"

文宗览何秋涛所撰《北徼汇编》，赐名《朔方备乘》。

莫友芝春官不售。因试官王拯晋谒祁寯藻，旋引见，以知县用。郑珍在贵州，寓桐梓避兵乱，秋成《说文新附考》。

王必达、何栻与曾国藩及其幕客李元度、许振祎等在建昌唱和。曾国藩以客军驻建昌，时李鸿章兄弟、李元度、许振祎俱在幕府，王必达任知县、何栻任知府。《湘绮楼文集》卷三《王兵备诗序》谓幕中诸人"交口誉之，且称为文人"，"其时知府何君莲舫，亦饶才藻，下笔万言。与君相得，同作《除夕》十六章，太傅和之，盛传于时。何君疏放自喜，为沈巡抚劾罢，贩盐至大富。其才气不羁，诗不持格律。仙屏与邓弥之友善，专学杜子美。太傅喜效韩退之，间衍溢为黄鲁直。而君诗从容冲淡，纯于唐中叶之音。由今思之，虽居京师，盛致才彦，求如建昌寂寞愁苦中暇相唱酬，岂可得哉?"又，《曾国藩全集·书信》本年十二月初二日《复吴敏树》："国藩自癸丑以来，久荒文字，去岁及今兹，作得十余首，都不称意……平生好雄奇瑰伟之文，近乃平浅，无可惊喜。一则精神耗竭，不克穷探幽险，一则军中卒卒，少闲适之味。惟希严绳而详究之。诗则八年不作，今岁仅作次韵七律十六首，不中尺度。"（今按：国藩有《次韵何廉昉太守感怀述事十六首》）

郭仪霄（1775—1859）卒，年八十五。仪霄字羽可，江西永丰人。嘉庆二十四年举人，官内阁中书。撰有《诵芬堂集》。《清史列传·文苑传四》："工诗，出入汉魏唐人，而能自抒词藻，卓然名家。新乐府尤深妙古浑，一时莫与抗手。"《晚晴簃诗汇》卷一百二十八收诗九首，诗话云："羽可初从张鹤舫（今按：琼英，有《白水堂诗集》）受诗法，所为诗集诸大家之长，乐府尤深妙古浑。尝言才各有大小，学各有浅深，故家数之成就者不同。又言凡人聪明各有独到处，故论诗不界唐宋，不持门户之见，惟以得性情之真者为宗。集中诗有曰：作诗写性情，酝酿出天妙。又曰：肝胆得所泄，真气为之生。又曰：读书务根柢，浩气方弥沦。盖自道甘苦语也。吴兰雪访羽可于黄树斋所，因论两人诗工拙，云羽可之诗，乐府特佳，余皆酝酿深醇，粗枝大叶，不假修饰，其拙处往往不工对仗，然不碍其为可传。己诗如一匹天孙锦，五色斑斓，无瑕可指，然真气亦坐此彫损。树斋以为确论。羽可工画竹，朝鲜使每朝贡至京师，辄索羽可诗集书画去。张亨甫赠诗云，过海诗名远，摩天竹意奇。"

黄培芳卒。培芳（1779—1859）字子实，号香石，自号粤岳山人，广东香山人。嘉庆八年副贡生，授浮源、陵水教谕，晋内阁中书。少有诗名，与冯敏昌、刘彬华等游，翁方纲视学粤东，称培芳与张维屏、谭敬昭为粤东三子。著有《岭海楼诗文钞》、《香石诗钞》、《香石诗话》等。《清史列传·文苑传四》："诗格高浑，有山水清音。"《射鹰楼诗话》卷十三："诗境冲旷。……尝三游罗浮……其诗亦缘是益进，盖山水清音，兼有琴筑钟镛之奏，冲和骀宕，旨趣遥深矣。"《晚晴簃诗汇》卷一百十七收其诗六首。

洪齮孙卒，年五十六。齮孙（1804—1859）又名德方，字锷甫，又字子龄、芝龄，江苏阳湖人。洪亮吉幼子。道光十九年举人，官广东镇平知县。著有《淳则斋骈体文》、《诗集》等。

文汉光（1808—1859）卒，年五十二。《晚晴簃诗汇》卷一百五十八收诗二首。

王伯明生。王伯明（1859—1942）名照寓，以字行，陕西扶风人。清末举人，官陕西同州知府。入民国，创办易俗社，撰有多种改良剧本。

刘光第生。光第（1859—1898）字裴村，四川富顺人。光绪九年进士，授刑部广西司主事。二十四年参与新政。政变作，遇害，为戊戌六君子之一。能诗文，善书法，著有《衷圣斋文集》、《介白堂诗集》，今人辑有《刘光第集》。

李详生。详（1859—1931）字慎言、审言，号窳生、媿生、百药生等，江苏兴化人。光绪十一年贡生。性嗜学，自谓生平所学于"四刘"居多，谓刘向《七略》、刘义庆《世说》、刘知几《史通》及刘勰《文心雕龙》。于校勘目录之学，堪称大家。长于文学，尤工骈体，刻有《学制斋骈文》二卷，今人辑有《李审言文集》二册。

李葆恂生。葆恂（1859—1915）字叔默，一字文石，号猛庵，晚号凫翁，辽宁义州人。河南巡抚李鹤年子。屡试不利，遂客东河总督许振祎幕，累劳保知府，擢道员。葆恂工书法，尤精于鉴赏，端方叹为钱大昕后一人。著有《击楫集》、《读画诗》、《然犀录》、《猛庵文略》等。

李绮青生。绮青（1859—1925）字汉珍，晚改汉父，号倦庵，广东惠阳人。光绪十六年进士，历官吉林宁安知府。民国后闲居北京，卖文为生。工骈文诗词，著有《倦庵吟稿》、《听风听水词》、《草间词》。《广箧中词》卷一云："汉父丈为词卅载，功力甚深，清迥丽密，可匹草窗、竹屋。"

公元 1860 年（咸丰十年　庚申）

正月

初三日，汪康年生于杭州。生月余，杭州即遭兵燹，自始生至四岁，无日不在流离之中。按：汪康年（1860—1911）初名灏年，字梁卿，后改今名，字穰卿，一字毅伯，晚自号恢伯，钱塘人。光绪十八年会试中式，二十年补行殿试。在武昌，主自强书院、两湖书院讲席，归浙，创杭州求是书院。与黄遵宪、梁启超创《时务报》，任经理。康年主张君主立宪，为晚清立宪派重要活动家、政论家。著有《汪穰卿遗著》、《汪穰卿笔记》等。（汪诒年编《汪穰卿先生年谱》）

余治自序《庶几堂今乐》。序谓："乐章之败坏，未有甚于今日也，诲淫淫盗之风，亦未有如今日之极也。……则今日今乐之当变更何可缓耶？余不揣浅陋，拟善恶果报新戏数十种，一以王法天理为主，而通之以俗情。意取劝惩，无当声律，事期征信，不涉荒唐。以之化导乡愚，颇觉亲切有味。自知下里巴人，不足当周郎一顾，而彰善瘅恶，历历分明，触目惊心，此为最捷。"按：《庶几堂今乐》又称《劝善杂剧》，四十种，今尚传《岳侯训子》、《英雄谱》、《义犬记》、《硃砂痣》等二十八种。此为皮黄戏专集。《例言》间涉皮黄兴盛之缘由，谓："一，坊本《缀白裘》所选多系昆曲，久已风行海内，惟《阳春白雪》赏雅不能赏俗。兹刻原为劝喻愚蒙起见，皆系皮簧俗调，习之既易，听者亦入耳便明。词白粗鄙，明知不足以登大雅，识者当能谅之。一，传奇全部太长，若摘取一二出，又觉没头没脑，观者毫不知其原委，有何意味？兹所刻皆其事之始末演成一回，不分段落，不能摘取，庶观者一望而知。"

何秋涛进呈《北徼汇编》。赐名《朔方备乘》，命在懋勤殿行走。

二月

二十七日，太平军破杭州。

二十九日，杭州在籍侍郎戴熙（1801—1860）**自尽。**薄暮题绝命诗四句，整衣冠投池死。至五月，予谥文节。《晚晴簃诗汇》卷一百三十六收其诗八首，诗话云："画家品第，三百年来以山水名者，前推四王、吴、恽，后即继以汤、戴，中间擅能事者无虑百十家，皆弗及也。文节以画见知宣宗，出督广东学政，陛辞，谕曰：汝能画，饱看岭外山，画当益进。其眷遇如是。晚岁罢内直，请老降秩，许致仕。相传尝内敕征画，濡滞未即进，坐是忤旨，盖进退始终皆以画云。及沉渊抗节，与贞愍（汤贻汾）同归，文艺益以忠义重矣。"三月初一日，戴熙弟煦亦投井死。戴煦（1805—1860）初名邦棣，字鄂士，号鹤墅，又号仲乙，浙江钱塘人。性狷介，精算学，与李善兰等并著名于时，有著述多种。工诗画篆刻，著有《汲斋剩稿》等。

江湜在杭州。杭城陷，"避入僧寺，五日不食，缒城奔禾中而免。会江南大营溃，苏、常失守，赠公殉难，母夫人严挈女七姑同赴水死。绝消息五月，先生初未知也。……闻讣一恸几绝"。（黄华《江弢叔先生传》）

贵州起事苗民势益张，郑珍走避至桐梓。遂寓魁崖赵旭（晓峰）家，因号五尺道人，又号且同亭长，秋乃还山。

太平军克广德，赵对澂（1798—1860）**死之，年六十三。**《今传是楼诗话》一八八条："吾邑风雅，盛于嘉道，而赵氏一门能诗者尤多。"《复堂词话》："赵对澂野航《小罗浮阁词》，功力颇深，心思婉密，亦尝染指苏辛，不徒柔腻；惟以兼治散曲，声味不无阑入，韵杂律疏，未能多诵。"

三月

十二日，严修生。修（1860—1929）字范孙，天津人。光绪九年进士，授编修。二十年甲午授贵州学政，屡上疏请废制艺，开设经济特科。戊戌政变后，乞休归里，唯以兴学为务。学部成立，尝任左侍郎，仍引疾归。入民国，与张伯苓创办南开大学。著有《蟫香馆使黔日记》、《古近体诗存稿》等。

王闿运由济南返京师。《湘绮府君年谱》：春正在济南，与何绍基、郭嵩焘同登历山，"三月复还京师，居法源寺，其时同人居京者，蔡舅与循、郭丈筠仙、龙丈皞臣、邓丈弥之；黔蜀则莫丈子偲、赵丈元卿、李丈眉生；云南则刘丈景韩兄弟；江南则尹丈杏农；江西则高丈伯足、许丈仙屏。迭为文酒之会。其后失意四散，子偲丈述杏农语为诗云：'吾军久摧颓……'。盖胜游文会未久而风流云散矣"。闿运《丙寅人日因散帙见高大心夔庚申人日见寄诗忆旧游作示知者》诗谓："昔寻风云游上京，当前顾盼皆豪英，五侯七贵遍相识，行歌燕市心纵横。"诗中所及有高心夔、李榕、李鸿裔、郭嵩焘、龙汝霖、黄锡彤、许振祎、潘祖荫、莫友芝、邓辅纶等近二十人。

闰三月

十二日，郑孝胥生于苏州。孝胥（1860—1938）字苏堪，又作苏龛，又太夷，别号海藏，福建闽县人。光绪八年解首，与陈衍、林纾等同榜。由内阁中书改官江苏试用知县，旋派为驻日使馆官员。归国任总理各国事务衙门章京，戊戌后至武昌。后督办广西边防事务，以事解职，寓上海，筑海藏楼。孝胥工诗，为张之洞、陈宝琛所推重。而孝胥自负经世之略，锐志功名。张勋复辟，应溥仪召至北京候用；伪满洲国立，又任总理大臣。著有《海藏楼诗集》。

十七日，江标生。标（1860—1899）字建霞，江苏元和人。光绪十五年进士，授翰林院编修。标留心时事，尝诣同文馆习外务。出任湖南学政，与陈宝箴、黄遵宪等推行新政，创刻《湘学新报》以开通风气，取士不依常格，许即制义言时事，一决数百年拘牵忌讳之藩篱。新政既败，落职还籍，居一年，卒。标博学多识，编有《灵鹣阁丛书》，自著有《红蕉词》一卷等。

二十一日乙卯（5 月 11 日），太平天国命李秀成率部东征。于一月半内连克丹阳、常州、无锡、苏州、江阴、嘉兴、昆山、太仓、嘉定、青浦、松江等地，除上海之外，苏南地区大部为太平军所占领。

二十九日，陈克家（1812—1860）卒。时丹阳军溃，死之。《清史列传·文苑传三》："少为桐城姚莹所器重，娄县姚椿称为唐魏文贞公一流人。诗学黄庭坚。"所存仅道光二十九年前之作，刻为《蓬莱阁诗录》十二卷。《蜕翁所见诗录·感逝集》："诗中于世道人心消长之几，沉忧远虑……岂得仅以诗人目之邪？"《晚晴簃诗汇》卷一百四十五收其诗十三首，诗话谓："梁叔诗思力骨韵俱超俗，有赠人句云：师法不推吴祭酒，骚坛可压沈尚书。可见微尚。最为姚石甫所赏，孙芝房谓当时大江南北以徐毅甫、鲁通甫及梁叔卓然鼎峙，皆能自树立、高视人表者。……军中同殉难，故晚年诗不传。"

粤督劳崇光聘陈澧总校补刊《皇清经解》事。同总校者郑献甫、谭莹、孔广镛。至同治元年蒇事。（《陈东塾先生年谱》）

春

曾国藩辑《经史百家杂钞》。《曾文正公年谱》卷六："二月……虽羽檄交驰，而不废书史，是月始辑录《经史百家杂钞》以见古文源流，略师桐城姚氏鼐之意而推广之。""闰三月……二十二日编《经史百家古文杂钞》成，又约选四十八篇以为简本。公寄书家中。名其所居曰八本堂，其目曰：读书以训诂为本，诗文以声调为本……"曾国藩《经史百家杂钞题语》："姚姬传氏之纂古文辞，分为十三类。余稍更易为十一类：曰论著，曰词赋，曰序跋，曰诏令，曰奏议，曰书牍，曰哀祭，曰传志，曰杂记，九者，余与姚氏同焉者也。曰赠序，姚氏所有而余无焉者也。曰叙记，曰典志，余所有而姚氏无焉者也。曰颂赞，曰箴铭，姚氏所有，余以附入词赋之下编。曰碑志，姚氏所有，余以附入传志之下编。论词微有异同，大体不甚相远，后之君子，以参观焉。村塾古文有选《左传》者，识者或讥之。近世一二知文之士，纂录古文，不复上及六经，以云尊经也。然溯古文所以立名之始，乃由屏弃六朝骈俪之文而返之于三代两汉，今舍经而降以相求，是犹言孝者敬其父而忘其高曾，言忠者曰我家臣耳，焉敢知国，将可乎哉？余钞纂此编，每类必以六经冠其端，涓涓之水，以海为归，无所于让也。姚姬传氏撰次古文，不载史传，其说以为史多不可胜录也。然吾观其奏议类中，录《汉书》至三十八首，诏令类中，录《汉书》三十四首。果能屏诸史而不录乎？余今所论次，采辑史传稍多，命之曰《经史百家杂钞》云。"

四月

二十八日，赐钟骏声等一百八十三人进士及第出身有差。本科为清文宗三旬万寿恩科。黎培敬、秦焕等成进士。黎培敬（1826—1882）字开周，号简堂，又号竹间道人，湖南湘潭人，本年二甲一名进士，官至江苏巡抚，卒谥文肃。有《求朴拙斋文略》、《黎文肃公遗书》等。秦焕（1818—1891字）字文伯，江苏山阳人。授户部主事，历官广西按察使，有《剑虹居诗集》、《文集》等。

太平军下无锡，顾翰因伤而卒。翰（1782—1860）字木天，号兼塘，又号兼堂，江苏无锡人。嘉庆十五年举人，官安徽泾县、宣城县令，晚归主东林讲席。能诗，尤工倚声，论者谓兼竹垞迦陵之长。晚年辑所著为《拜石山房诗钞》二十一卷，附《补遗》、《词钞》各一卷。《复堂词话》："兼塘先生倚声名家，自成馨逸。朋辈中频迦、伯夔，莫能相掩。"蔡宗茂《拜石山房词钞序》："凡姜张清隽，苏辛豪宕，秦柳妍丽，固已提袂而合唱，无俟改弦而更张已。"谭献《重刻拜石山房词序》："先生早饮香茗，诗篇深美而闳约，五言善者，妙绝时人。虽登选楼，亦亡愧色。刻意填词，思旨高迥，声哀厉而弥长，又未尝不折衷柔厚，使人识安雅之君子。"《晚晴簃诗汇》卷一百二十一收其诗九首，诗话云："兼塘与从弟兰厓翊（翃）并有才名，诗浏漓浑脱，一气盘旋，无挦扯短钉之习。尤工倚声，谨守白石玉田轨范。"

五月

初九日，俞明震生。明震（1860—1918）字恪士，一作确士，号觚斋，晚号觚庵，顺天宛平籍，浙江山阴人。光绪十六年进士。曾参与台湾抗倭事，事败随唐景崧内渡。二十八年为江南陆师学堂总办，尝赴上海查办《苏报》案。宣统中任甘肃提学使，署布政使。明震年少能诗，自矜重，不多作。晚归江南，与陈曾寿及妹婿陈三立等多有唱和，诗稍多。著有《觚庵遗诗》。

杨恩寿客游武陵，撰《姽婳封》传奇六出。此为《坦园六种》之一。据《麻滩驿自叙》，是剧取材《红楼梦》一书所云姽婳将军林四娘事，借以赞清军将领周云耀。此剧有同治九年（1870）《杨氏曲三种》刊本及光绪间《坦园丛稿》本，首同治九年王先谦序、杨恩寿自序。

六月

二十七日，张金镛（1805—1860）卒。《晚晴簃诗汇》卷一百四十四收其诗九首。杜文澜《憩园词话》卷四："往与勒少仲中丞（按：方锜）论时人之词，最称许平湖张海门太史。谓曾读其绛跗山馆全集，间有失律处，为百中之一二。……黄韵甫大令云：'其词清微眇眇，矜炼之极，归于自然。盖积毕生功力为之，所解悟深也。王少鹤京卿比之清真、中仙，殆非虚语。'"杨彝珍《躬厚堂集序》："所作诗文，多因时设旨，能自树栌构，无所因袭倚藉……所为诗余，清扬要眇，能抒其芬芳悱恻之情。"

七月

初四日，周树模生。树模（1860—1925）字少朴，号沈观、朴园、泊园，湖北天门人。光绪十五年进士，官至黑龙江巡抚。入民国，与樊增祥、左笏卿都下唱酬，有"楚中三老"之目。著有《沈观斋诗》。

五日丁酉（8月21日），英法联军陷大沽炮台，入天津。先是，英法联军于咸丰八年陷大沽、逼天津，迫使清廷与之签订《天津条约》。至九年五月，英、法借口"换约"，至大沽口寻衅，为清军击退。遂再次发动战争，至是再陷大沽，入天津，并北犯京师。

李慈铭撰《桃花圣解盦乐府》杂剧二种。《蓬莱驿》（一名《舟觐》）一折，本唐小说《支生传》，演施弄珠、支生离合事；《秋梦》（一名《星秋梦》）一折，叙江南书生莫峤客居京师，梦中与恋人婴娘相会，携手游故园事。《桃花圣解盦乐府自序》谓："庚申初秋，闲居京师。风雨积晦……时江浙警日至，家书杳然；念辄心悸。因读稍倦，则分题作乐府杂剧，以延寸晷之景。……会海上事又急，夷舶入据津门，都人士相率避去，而两人益读且作不已。每一篇成，互相叹赏，绝不以时事参怀。"周星誉《秋梦跋》："诗降而词，词降而曲，况斯下矣。搢绅学士，屏之弗谈，而一二乡曲唇吻之徒，又率意为之。曲之为道，遂以日晦。……（《秋梦》）淫思古意，哀感顽艳，几几与玉茗翁《惊梦》、《叫画》诸曲，较分刌之出入。下者犹与《南柯》、《紫钗》二梦争长。人但赏其用意之婉笃，措词之绵丽，以为才人极笔，不知其移情荡气，有溢于字句之外，仆亦不能言其故也。殆所云悟之通于理者矣。吾师乎，吾师乎！"曾朴《跋》（《小说林》刊本）云："其淫思古意，哀感顽艳，几与法国嚣俄（按：今译雨果）《秋叶》、《晚霞》诸剧争校分刌。"是时李慈铭客居京师，与周星誉往还甚密。又，金武祥《二品顶戴两广盐运使周公传》载，周星誉"服既除，还官京师，公卿中如商城周文勤公、仁和沈文忠公、新城陈子鹤尚书皆折节争致，以得其赠诗为宠。同时闻人如潘伯寅尚书、孙琴西太仆、林颖叔方伯、王定甫通政咸先顾定交，流连过从，谈䜩无虚日"。

高心夔于本月后出京。《翁文恭日记》本月："饯高碧湄、莫子偲于湖广馆。……观碧湄诗稿，多拟汉魏，沉雄峭拔。""送高碧湄行。碧湄曳裾侯门，为时讪笑，然其人倜傥磊落，非凡夫也。"《越缦堂读书记》："（心夔）朝考以诗出韵，置四等归班。先以己未会试中式，覆试诗亦出韵，置四等，停殿试一科，其出韵皆在十三元。湖南人王闿运嘲以诗云，平生双四等，该死十三元，京师以为口实。……然高实名士，文学为江右之冠，己未、庚申两榜中人罕能及之者。"

八月

咸丰帝逃至热河避暑山庄。二十九日（10月13日），英法联军侵入北京，九月三日乙未（10月18日），英法联军纵掠之后，焚毁圆明园。《十朝诗乘》卷十七：自和议后，"通商不禁，园苑荒虚，鞠为茂草矣！……一时词客如汪梅村、高碧湄，各有书感之作，俞曲园先生诗尤沉痛"。

方宗诚为吴廷栋编《拙修集》成。按：是时吴在直隶按察使任上，方宗诚因避南方兵乱在吴署中。至明年正月，方宗诚应曾国藩之邀，始启行南旋。

王闿运离京，往祁门视曾国藩。按：本年四月曾国藩始授两江总督之命，是时驻军祁门。

陆嵩卒。嵩（1791—1860）原名介眉，字希孙，自号方山，江苏元和人。陆润庠祖。贡生，官镇江府训导。少以经学诗赋受知于学政陈用光、汤金钊，而屡赴乡试不第，遂致力于诗。著《玉溪生诗解》、《杜诗一得》等，诗文有《意苕山馆集》。《晚晴簃诗汇》卷一百二十二收其诗六首，诗话云："其诗由玉溪以溯杜陵，道咸之际，身历兵事，感时之作为多。"

九月

十一、十二日（10月24、25日），中英、中法《北京条约》签订。英法联军退出北京。

秋

王轩移馆董氏邸舍。董文焕昆季从之游，与朱琦、许宗衡、王拯、李汝钧、何秋涛、吴昆田、黄云鹄、林寿图、沈秉成、卞宝第等皆以论学投契。（《顾斋简谱》）

吴大廷在京成《陶诗选》。又，本年在京与易佩绅讲习，与郭嵩焘缔交。（《小酉腴山馆主人自著年谱》）

十月

二日（11月14日），中俄《北京条约》签订。

十一月

三十日，季芝昌（1791—1861）卒。至明年正月，其子为刊《感遇录》一卷、《律赋》二卷、《试帖》二卷。曾国藩《闽浙总督季公墓志铭》："道光之末，咸丰之初，公以正卿内知枢密……海内贤士，亦第宗其文章，而若忘其政事之美。公于文裁量完密，宫徵锵鸣，当世叹为台阁夷怿之音，而又忘其营度之苦。……累迁至内阁学士，兼礼部侍郎。由是举朝慕公遇合之隆，台省耆宿交口称公诗赋，以讽勉后进；侪辈敛衽，皆以为不及；高才未达，皆传钞而模范之。虽天子亦以君臣文字契合，为足乐也。"《清史稿》本传："芝昌以文字受宣宗特达之知，尝曰：'汝为文，行所无事，譬之于射，五矢无一失。'"《晚晴簃诗汇》卷一百三十六收诗九首，诗话云："文敏晚达，散馆第一，宣庙预以朱笔书魁字于名签，遂受特达之知。大考连列第三，纪恩有句云：九重知己温言逮，三度同符盛事传。其诗指事类情，自然工稳。晚年乃见风格，雅近东坡。"

十二月

十日己巳（1861 年 1 月 20 日）总理各国事务衙门成立。

本年

数年间，江南文士避兵至泰州一带者甚众。《清朝野史大观·清人逸事》卷七："当咸丰季年，江南全省沦陷，仅江北十余州县地。"

李肇增辑刊《淮海秋笳集》，集十二同人词各一卷。

邓辅纶著《白香亭诗存》一卷刊刻。此集江州高心夔序，录道光二十五年迄咸丰七年间，古近体诗百二十首，白敦文校刻于满洲东湖公馆。

陈钟祥自刊《趣园初集》。钟祥字息帆，号抑叟，浙江山阴人，侨寓贵州贵筑。生卒年不详。道光十一年举人，官至直隶赵州知州。此集内收《依隐斋诗钞》十二卷、《夏雨轩杂文》四卷及《香草词余》、《鸿爪词》等。《晚晴簃诗汇》卷一百三十五录其诗六首，诗话云："息帆始为诗，最服膺渔洋三昧，自师事吴兰雪，乃遍究唐宋金元大家，尤得力于苏陆。游京师时，名动公卿。及得助山川，康邮、东航两草，所历皆绝境奇观，尤瑰异可喜。"

汪士铎作《读史兵略注》，明年刊成。

杨庆琛七十八岁，自序《绛雪山房诗续钞》。此《续钞》六卷，后刊于同治中。

周馥《玉山诗集》存诗起于本年。

邓瑶撰《双梧山馆文钞》二十四卷南村草堂刊刻。

方玉润撰《鸿濛室文钞》十二卷刊刻。至明年又刊出《鸿濛室诗钞前集》十卷。

吏隐园刊出谭莹撰《乐志堂集》。内文集十八卷，诗集十二卷，明年复刊《乐志堂文续集》二卷。

张之洞、李文田等在京师以博洽闻。《十朝诗乘》卷十九："京师论翰詹中能文学者有二人，张广雅、李若农也。别有半人者不得其名，或疑为周荇农（按：寿昌），周亦闻之，因深恶此语。自曹文正主殿廷考试，偏重楷法，翰詹但工卷摺而已。之数君者犹知务学，若农尤博赡。"

蒋春霖四十三岁，似已移居泰州。与乔松年、金安清议论政事，与杜文澜唱和。金武祥《蒋君春霖传》："庚、辛之际，兵事方急，徐沟乔勤恪公松年，嘉善金运使安清，先后争致之。君抵掌陈当世利弊甚辩，睿侃奋发，不以属吏自桡，上官亦礼遇之，不为牾也。"《清朝野史大观》卷七《金梅生之钻营》条云"金以运使驻泰州……所用综核之员，其最著者曰杜文澜"。

潘曾莹引疾解职。 吴汝纶《前工部侍郎潘公神道碑》："（穆宗既践祚）竟不获更进用，自是闲居京师十有七载，纂著自娱，所为书都二十六卷，而诗尤多。时时招携故人游咏郊畿，徜徉山水间，闻其风者慨然想见嘉道人物、平世公族余韵焉。"

马建忠年十六，避兵上海，决意研求欧西政艺。 马氏《适可斋记言记行序》："发逆陷大江南北，随家转徙，凡十八迁，而抵上海。方执笔学举子业，而苏松又陷。未几，而又有庚申之变。余乃深惟发逆蔓延半天下，而其残忍嗜杀，势同流寇，仅足为目前患。独洋人以师舟于数万里外载一旅之师北上款成，全师屯上海，民与安焉，若罔知有变故也者。而我朝士夫，被此莫大之耻，专务掩匿覆盖，以绝口不谈海外事为高。直无有深求其得失之故，以冀得一当者。然则，他日彼族为祸之烈，不察可知矣。于是决然舍其所学，而学所谓洋务者。"

吴嘉淦以苏州为太平军所下，避难至崇明。 至同治三年始归，其间著有《乘桴小草》等。

莫友芝、李鸿裔先后出京。 先入胡林翼幕，明年八月林翼卒，遂入曾国藩幕。黎庶昌《江苏按察使中江李君墓志铭》：在武昌，与黎兆勋善，亦弟视庶昌。及至安庆，"文正开幕府治事，辟召天下英俊，程其器能，君恒为之冠"。黎庶昌《莫征君别传》："君以截取知县候选在都，时端华、肃顺方擅权，欲收召天下知名士……往客太湖胡文忠公林翼所，为校刻《读史兵略》，胡公卒，又从曾文正公安庆。……自是客文正者逾十年。"

宋翔凤（1796—1860）**卒，年八十五。** 刘师培《论近世文学之变迁》列宋翔凤入常州一派，谓："常州人士，喜治今文家言，杂采谶纬之书，用以解经，即用之入文，故新奇诡异之词，足以悦目。且江南之地，词曲尤工，哀怨清道，近古乐府，故常州之文，亦词藻秀出，多哀艳之音，则以由词曲入手之故也。庄氏文词，深美闳约，人所鲜知。其以文词著者，则阳湖张氏、长洲宋氏，均工绵邈之文，其音则哀而多思，其词则丽而能则，盖征材虽博，不外谶纬、词曲二端。若曲阜孔氏，亦工俪词，虽所作出宋氏之上，然旨趣略与宋氏同，则亦治今文之故也。近人谓治《公羊》者必工文，理或然欤！"张舜徽《清人文集别录》卷十三："翔凤自少时好为俪语，上规八代，集中文字，亦以骈体为多。与沈钦韩交最密，行文气息，亦复相似。此正两家病痛所在，不必曲为之讳也。昔颜之推有言，钝学累功，不妨精熟，拙文研思，终归蚩鄙。以余观翔凤、钦韩之才，均于问学为长，词翰为短。乾嘉诸师，以朴学而擅华藻者，自孔广森、洪亮吉三数家外，罕能兼之。至于汪中之文，镕铸周秦汉魏，成一家之体，单复并施，无所不可，此殆汪氏自序所云，斯惟天至，非由人力。嘉道以还，靡有嗣音。抑又翔凤、钦韩无能为役者矣。"

孙麟趾（？—1860）**卒于是年，年六十余。** 刘履芬《词迳跋》："长洲孙君月坡，以词名道咸间。"《复堂词话》："嘉庆以来五六十年，南国才人，雅词日出，不仅常州流派，大都取材南宋，婉约清超，拍肩挹袖。王侍郎《词综》成，肤语未濯，而名手以隐秀相尚者，不为所掩。吴人孙麟趾月坡，掉鞅词坛，往往有汐社遗风，分题唱和，不欲为筝琶俗响。尝举樊榭、蠡槎、枚庵、縠人、频伽、小竹、稚圭为《七家词选》，五十五篇，以示揭橥。复辑《词综》以后作者，撰《绝妙近词》，去取矜慎，殆可继踵草窗；冲澹幽微，如读中唐七言诗。"蒋敦复《芬陀利室词话》卷三称"月坡，今之玉田"，同卷"张孙词各有病"条："余老友二人，皆致力于词，皆成一家，必传无疑。要各有病……其一酷嗜张叔夏山中白云，心摹手追，寸步不失，工力积久，具体而微，如桓宣武学刘越石，终有一不似处，此病在爱好，长洲孙月坡（麟趾）《秋露》、《绣鸳》等词是也。"

陈锐生。锐（1860—1922）字伯弢，又作伯涛，号袌碧，湖南武陵人。少肄业长沙校经堂，从王闿运受学，称高才生，才锋隽出。举光绪十九年乡试，屡赴会试不第，以同知衔官江苏试用知县。以词见推于朱孝臧、郑文焯，而所遭益困。辛亥后归故里。著有《袌碧斋集》。（生卒年据《民国诗话丛编》作者小传）

李桐轩生。桐轩（1860—1932）名良材，字桐轩，以字行，号莲舌居士，陕西蒲城人。光绪末与本县张百云等组织求友学堂。入民国，发起易俗社，任社长。创作改编剧本数十种。

陈澹然生。澹然（1860—1930）字静潭，亦字剑潭，号晦堂，安徽桐城人。光绪十九年举人，宣统元年举硕学通儒，入民国，曾任安徽通志局总裁。以古文自鸣，而好纵横家、兵家言，进而求欧西学说，卒返归于儒。著有《晦堂文稿》、《晦堂诗稿》等。

沈世良（1823—1860）卒。所撰《小祇陀盦集》七卷内诗钞四卷词钞三卷，郑献甫、谭莹、陈澧为之序，至同治元年刊竟。

公元 1861 年（咸丰十一年　辛酉）

正月

十八日，**唐鉴**（1778—1861）卒，年八十四。所著《唐确慎公集》光绪元年刊出。《晚晴簃诗汇》卷一百二十一收唐鉴诗八首，诗话云："镜海潜研性道，宗尚闽洛，晚年致仕，主讲金陵，文宗朝召赴阙下，进对十五次，以力陈衰老，不强服官，令还江南。矜式多士。其纪恩诗云：若将书院同祠禄，更与崇阶作告身，即指此事。稽古之荣，洵一代所罕见也。"

方宗诚在大梁，著《豫游笔记》一卷。（《方柏堂先生谱系略》）

四月

吴大廷出都。在京师日，因郭嵩焘之介与王拯订交，"所作古文，经少鹤勘定，称为入震川望溪之室，并以示代州冯鲁川郎中，称之亦然。盖余之术业与两君同，而少鹤古文尤胜，鲁川则诗较佳。鲁川之称余诗，亦如少鹤之称余文也"。既出都，至皖，与曾国藩幕府文士游。（《小酉腴山馆主人自著年谱》）

五月

中旬，李肇增为杜文澜《采香词》作序。时杜文澜在江北输转军饷，后自刻《采香词》于《曼陀罗华阁丛书》中。

陈澧为郑献甫作《补学轩文集序》。

夏

王韬逃亡至香港。上年冬，王韬返苏州省母，化名黄畹上书天平天国苏福省长官刘肇钧（《上逢天义刘大人禀》）。事发，当道捕之急，不得已航海至香港，更名韬，字仲弢，一字子潜，自号天南遁叟。入英华书院，佐英人理雅各译中国经籍。《弢园老民自传》："自此杜门削迹，壹意治经，著有《毛诗集释》，专主毛氏，后见陈硕甫《毛氏传》、胡墨庄《毛诗后笺》，遂废不作。"

七月

十五日，西湖散人为云槎外史所撰《红楼梦影》作序。《序》云："海内读此书（今按：《红楼梦》）者，因绛珠负绝世才貌，抱恨夭亡，起而接续前编，各抒己见，为绛珠吐生前之凤怨，翻薄命之旧案，将红尘之富贵，加碧落之仙姝，死者令其复生，清者扬之使浊，纵然极力铺张，益觉拟于不伦。此无他故，与前书本意相悖耳。"按：此书在续《红》诸书中确能把握原著精神，有光绪丁丑（1877）北京聚珍堂刊本。云槎外史即顾春，西湖散人或亦顾春托名。顾春（1799—1877）字子春，号太清，自署西林春、太清春，晚号云槎外史，满洲镶蓝旗人，贝勒奕绘侧室。奕绘工诗词书画，顾春才亦相敌，奕绘著《西山樵唱》，顾春著《东海渔歌》，闺中唱酬，时人艳之。另有《天游阁集》等。

十七日癸卯（8月22日），咸丰帝病逝于热河行宫。诏立载淳为皇太子，命载垣、肃顺等八人为赞襄政务王大臣。载淳即位，定次年改元为祺祥。《清史稿·文宗本纪》："文宗遭阳九之运，躬明夷之会。外强要盟，内孽竞作，奄忽一纪，遂无一日之安。而能任贤擢材，洞观肆应。赋民首杜烦苛，治军慎持驭索。辅弼充位，悉出庙算。乡使假年御宇，安有后来之伏患哉？"

八月

二十五日，王乃徵生。乃徵（1861—1933）字聘三，号平山，又病山，四川中江人。光绪十六年进士，历官贵州布政使。著有《嵩洛吟草》、《病山遗稿》等。

江湜再至闽。十月初抵福州，为螺江陈氏授经，即于本年刊其诗集《伏敔堂诗录》，明年三月刻成。此集有徐宗干、符兆纶、蒋如洛、陈其泰、李联琇等题词。符兆纶《题词》有句云："百家入大炉，铸成一个我。以我御古人，纵横无不可。"此集之刻，得其友符兆纶之助，《晚晴簃诗汇》卷一百三十七："与江湜相得，湜刻诗集，雪樵力助成之。赠以诗云：忍住饥寒尚赋诗，天涯相见此何时。岂惟吴越忧方大，遂恐东南势不支。万种愁深聊自写，千秋事重与谁期。眼看如此平生了，尊酒逢场且莫辞。两人身世之感，慨乎言之。"又，本年结识赵之谦。之谦《书江弢叔伏敔堂诗录后》："江南畸人，浙江小官，余兄事者长洲江弢叔。……既旦夕见，又闻所论说。弢叔之言曰：辞章者，人之元气。若状貌、情性、声息、嗜好，一人具一象，一象自具一体。……毋依附，毋假借。"

九月

初一日，况周颐生。况周颐（1861—1926），原名周仪，以避溥仪讳，更名周颐，字夔笙，别号玉梅词人、蕙风词隐、阮盦、阮堪。广西临桂人。光绪五年举人，遵例官内阁中书。后以会典馆纂修叙劳用知府，分发浙江，加三品衔。湖广总督张之洞、两江总督端方先后延之入幕。晚居上海，以鬻文为活。周颐自幼聪颖，嗜倚声，官京师日与同里王闿运共晨夕，所作益进。著有词集《新莺词》、《玉梅词》等，合刊为《第一生修梅花馆词》，晚年复删定为《蕙风词》二卷。此外著有《蕙风词话》等。（按：生年据马兴荣撰《况周颐年谱》）

三十日（11 月 2 日）清廷发生"辛酉政变"。慈禧太后诛肃顺等人，取得实权，复议定改年号"元祺"为"同治"。

徐鼒自编《未灰斋文集》九卷《外集》一卷成并自序。此集本年刊于建宁郡斋。

秋

冯志沂简守庐州。王拯作《送冯鲁川出守庐州序》，谓："昔余小坡出守雅州时，（今按：在道光二十二年）与上元梅先生及鲁川诸子为文送之，当时交游最盛。嗣是惟孙琴西出守安庆，余亦为文以送，回念送小坡时，已不胜其友朋聚散盛衰之感。琴西行，独余与鲁川犹在京师。今年春，鲁川乃复得庐州守，及秋且去。于是京师旧游，一时以道艺相切劘，遂无复有一人在矣。"

十月

初六日，肃顺以罪处斩。载垣、端华以罪令自尽。《清史稿·肃顺传》："肃顺日益骄横，睥睨一切，而喜延揽名流，朝士如郭嵩焘、尹耕云及举人王闿运、高心夔辈，皆出入其门，采取言论，密以上陈。"《雪桥诗话续集》卷八："及（肃顺）事败，往来门下者皆自异，独伯足（今按：心夔）有死生之谊。"《晚晴簃诗汇》卷一百五十六："（高心夔）初第尝客肃西亭所，西亭既败，仕宦不得志。《中兴篇》言曾、胡诸帅成功，西亭未始无居中调护之力；《城西》二首，愍其以骄侈掇祸，而微雪其无不轨之谋。眷念旧游，不以盛衰易节，是亦足多也。"

初九日，皇长子爱新觉罗·载淳嗣登大位。

冯桂芬著《校邠庐抗议》书成。《自序》谓："为治者将旷然大变，一切复古乎？曰：不可！古今异时，亦异势。……去其不当复者，用其当复者。""间有私议，不能无参以杂家，佐以私臆，甚且羼以夷说，而要以不畔于三代圣人之法为宗旨。""凡为篇四十，旧作附者又二。用后汉《赵壹传》语，名之曰《抗议》。即位卑言高之意。明知有不能行者，有不可行者。夫不能行则非言者之过。而千虑一得，多言或中，又何至无一无行。存之以质同志云尔。"

十一月

二十八日壬子，李秀成再克杭州。至同治三年二月二十四日，清军始克复。朱琦、邵懿辰、百保等死之。

朱琦（1803—1861）**卒，年五十九。**朱琦守清波门，城陷死。《清史稿》本传："慕同里陈宏谋之为人，以气节自励。迁御史，值海疆事定，祸机四伏，而上下复习委靡，言路多容默，深以为忧。"宗鉴成《怡志堂诗初集书后》："早年取径香山，及与伯言梅郎中游，始改师杜韩及北宋诸家。"龙启瑞《怡志堂诗初集·评跋》：古体"以奇气驱遣其词采，浏漓顿挫，不拘故方"，近体"尤能运盛气于排偶之中，俪词比事，天然凑泊"。潘曾绶《怡志堂文初编序》："根柢经术，博参史传，而又运以气，驭以法，雄深峻迈，莫不有真性情以鼓铸其间。"《射鹰楼诗话》卷一："侍御留心经济，尤深于诗，乐府及五七言古诗，气韵沉雄，风骨俊逸，有如千岩竞秀，万壑争流，源出浣花，旁及昌黎，而能独成一子。遒劲似刘诚意而魄力胜之；忠爱似郑少谷而真挚过之。桐城姚石甫谓侍御诗'天赋本高，兼以学古之锐，敛才啬气，渊味邈音，乃神与古会'，可谓知言。……往谒道州何子贞师，论海内能诗之士，师曰：'近海内能诗者，以伯韩为最。'及读其诗，信侍御所诣不朽矣。"建宁张亨甫孝廉尝谓人曰：'伯韩，今之少陵也。'其所为诗，悉属侍御手定。亨甫尝赠句云：'巨手开西粤，洪波涨北溟。力雄出激宕，思远入沉冥。'则倾倒至矣。"

邵懿辰（1810—1861）**以十二月初一日死，年五十一。**《清史稿》本传："性峭直，能文章，以名节自厉。于近儒尤慕方苞、李光地之学。……久官京师，因究悉朝章国故，与曾国藩、梅曾亮、朱琦数辈游处，文益茂美。"《晚晴簃诗汇》卷一百三十六收其诗二十五首，诗话："位西诗出入苏黄，以典雅清奇为主。燹后散失几尽，吴县潘文勤公曾刻其遗诗于滂喜斋丛书，光绪末年，其孙伯絅又于朱修伯、方勉甫、边拙存数处录得数十首，存者不及十之一矣。"

满洲女诗人百保卒。百保（？—1861）姓萨克达氏，字友兰，满洲旗人。百保嫁桂良之子延祚，夫殁，抚遗腹子麟趾成立，后随其子居杭州。太平军围攻杭州，百保令其子率军巷战，已怀印赴署后园池死。著有《冷得轩诗集》、《冷红词》各四卷。《晚晴簃诗汇》卷一百八十六收诗十八首。

满洲作家铭岳（1799—1861）**卒于杭州之陷。**

周馥至安庆，入李鸿章营，襄办文案。按：周馥（1837—1921），安徽旌德人。初名复，字玉山，别字兰溪，后在李鸿章幕，为李所倚重，官至两广总督，谥悫慎，著有《玉山诗集》四卷等，汇刊为《周悫慎公全集》。

黄燮清自杭州经上海之任湖北，访蒋敦复于上海。又，燮清弟子张鸣珂是秋避兵于上海，以《寒松阁词》就质于敦复。蒋敦复跋《寒松阁词》谓："（燮清）访予于沉香阁修志局。彼此神交二十余年矣。至是始得一合并。握手论词，相与叹近日词风盛行，词学转衰，盖吾两人少时颇好倚声，迄今悔不欲作，诚知其难也。""时彦诧于人，辄云姜、张、朱、厉，其实于玉田、樊榭仅得皮毛，竹垞已不可及，若白石之一往庸峭，非貌为清空者可袭而取。蒙尝欲以北宋诸名家救其弊，上之可以接迹唐贤，下之不至流为空滑。又往时与汤雨生都督论词于白门，雨翁举董晋卿之言曰：词以无厚入有间。余争之曰：词以有厚入无间。雨翁叹服吾言。今所著《芬陀利室词话》，大旨不越乎此。"

英商奚安门创办《上海新报》，系上海第一家中文日报。

本年

蒋春霖撰《水云楼词》刻于东台。此为春霖自定本，其友杜文澜刊之曼陀罗华阁丛书中。前有徐鼒等序。何咏《序》："长卿善病，平子工愁。四时得秋气为多，八音惟金声最响。"李肇增《序》："蒋君鹿潭，负文学气义，与世牴牾。……吾独异夫君为诗恢雄骯脏，若《东淘杂诗》二十首，不减少陵秦州之作。乃易其工力为长短句，镂情刓恨，转豪于铢黍之间，直而致，沉而姚，曼而不靡。呜呼！君之词亦工矣。君尝谓：词祖乐府，与诗同源。偎薄破琐，失风雅之旨。情至韵会，溯写风流，极温深怨慕之意，亦未知其同与异否也。故以此悉力于词，登山临川，伤离悼乱，每有感慨，于是乎寄。"

杜文澜辑《古谣谚》一百卷刊出。又，本年刊吴文英《梦窗词》（甲乙丙丁四集各一卷，补遗、续补遗各一卷）及周密撰《草窗词》二卷补遗二卷，于曼陀罗华阁丛书中。

王轩订《耨经室诗集》。（《顾斋简谱》）

郭绥之撰《畹香村会稿》八卷刊出。

杨象济撰《易鹤轩烬余草》三卷刊出。

李联琇撰《好云楼初集》二十八卷刊刻。

薛时雨撰《藤香草堂诗稿》不分卷刊刻。

边浴礼增辑《健修堂集》为二十五卷刊刻。

冯志沂撰《西陬山房集》自本年至同治八年洪洞董文涣刊刻。

罗汝怀撰《耐庵文存》六卷刊刻。后续新作则编为《绿漪草堂集》。

郑献甫集再刻。《补学轩文甲集》四卷、《文乙集》二卷、《诗集》八卷善化劳氏采薇堂刊刻。

吴振棫自定全集付刻。是年振棫寓居西安，编其全稿为《花宜馆诗钞》十六卷、《无腔村笛》词二卷。后同治四年重刻于京师，又增其晚年所作为《诗钞续存》一卷。

彭泰来撰《诗义堂后集》七卷刊出。

柯蘅在潍县结西园诗社。柯蘅以避难至潍，与妻党及郭绥之等结西园诗社。

缪荃孙十八岁，以避兵乱寓淮安。《艺风老人年谱》："无力从师，自携《随园诗话》、《吴会英才集》，洪、黄两家诗文选，辄仿为之。"

沈涛（1792—1861）卒于泰州。《晚晴簃诗汇》卷一百二十一收其诗十一首，集评："宗涤楼曰：柴辟亭者，浙水所东注，越国之北塞。匏庐先生哀诗成集，因地立名焉。冥会元精，纲罗庶物，孤标峻格，陶范众流。其敛也，如澄潭一碧，峭巇万仞；其纵也，如跃马大漠，扬帆巨川；其正也，如佩玉曳裾，雍容朝堂；其奇也，如惊雷坼土，怒挺草木。诚足感泣鬼神，震荡金石者矣。"诗话云："西雍年十四受知于阮文达，刻其文入诂经精舍集中。……历官畿辅数郡，搜考金石，流连觞咏，同时与陶凫芗分主坛坫，文士多归之。其诗少作幽奇哀艳，中年后多咏古之作，才锋骏发，跌宕波澜，不落考据诗窠臼。所著《常山金石志》及文集、笔记、诗话诸书，并称赅洽。"

陈偕灿（1790—1861）卒。《射鹰楼诗话》卷十："《鸥汀渔隐诗钞》十卷，江西宜黄陈少香先生偕灿著。先生天才敏捷，好吟诗，下笔千言，执纸立就。……刺史吴兰雪先生尤服其诗，决其必传。……少时，好六朝沉博绝丽之文，尤喜庚开府，既而服习两汉，下逮韩柳欧苏诸家，每下笔，驰骤纵横，不可一世，绝类老苏。诗初学剑南，次学香山，又学东坡，四十后诗格出入三唐，尤与大历十子为近。"

蒋坦（1823—1861）卒，年三十九。《晚晴簃诗汇》卷一百四十收其诗五首，诗话云："蔼卿室关蹊秋芙工词能画，尝学书于魏滋伯、吴黟山，秀媚可人。曾为蔼卿录《西湖百咏》，其友郭季虎为题《秋林著书图》云：诗成不用苔笺写，笑索兰闺手细钞。即指此也。蔼卿贫乏，曾赋诗示秋芙云：一寒至此怜张禄，再拥无由惜谢耽。箧为频搜卿有意，胠亦可挂我何惭。后秋芙死，蔼卿为制《秋灯琐忆》，皆幽闺遗事。庚申粤匪陷杭州，出走慈溪，寻还杭，终以馁死。可哀已。"

伊念曾卒。念曾（1790—1861）字少沂，号梅石，福建宁化人。秉绶子。嘉庆十八年拔贡，官严州同知。善书画，亦能诗，著有《守研斋诗钞》。

汪藻卒。藻（1814—1861）字翰辉，浙江钱塘籍，吴县人。道光二十一年进士，历官工部郎中，候选道，有《静怡轩诗钞》。

梁廷枏（1796—1861）卒，年六十六。

汪兆镛生。兆镛（1861—1939）字伯序，号憬吾，晚号元粤东遗民、清溪渔隐。浙江山阴籍，广东番禺人。汪瑔子。光绪十五年举人。兆镛少随父读书于随山馆，既而肄业学海堂，受经史于陈澧。尝为粤督岑春煊幕客。辛亥后隐居澳门，著述以终。工骈散文，尤长于考订。编有《碑传集三编》，自著有《微尚斋诗文》、《雨屋深灯词》等。

秦树声生。树声（1861—1926）字右衡、宥横，又字晦鸣，号乖庵，河南固始人。光绪十二年进士，授工部主事，累迁广东提学使。辛亥后任清史馆总纂十余年，卒年六十有六。著有《乖庵文录》等。

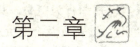

第二章

同治元年至光绪十九年（1862—1893）共 32 年

·引　言·

　　吴汝纶《与姚仲实书》：桐城诸老，气清体洁，海内所宗，独雄奇瑰玮之境尚少。……曾文正公出而矫之，以汉赋之气运之，而文体一变，故卓然为一代大家。近时张廉卿又独得于《史记》之谲怪，盖文气雄俊不及曾，而意思之恢诡，辞句之廉劲，亦能自成一家。是皆由桐城而推广，以自为开宗之一祖，所谓“有所变而后大”者也。

　　薛福成《寄龛文存序》：至乾隆中叶，而姬传姚先生踔起，先生亲受业望溪弟子刘君大櫆，及其世父编修君范，其论古文曰：义理、考据、辞章，三者缺一不可。一时著籍门下高第弟子，各以所习相传授，自淮南子以南，上溯长江，西至洞庭、沅、澧之交，东尽会稽，南逾服岭，言古文者，必宗桐城，号桐城派。其渊源所渐远矣。厥后流衍益广，不能无窳弱之病。曾文正公出而振之。文正一代伟人，以理学经济，发为文章，其阅历亲切，迥出诸先生上。早尝师义法于桐城，得其峻洁之诣。平时论文，必导源六经、两汉，而所选《经史百家杂钞》，搜罗极博，《文选》一书，甄录至百余首。故其为文，气清体闲，不名一家，足与方、姚诸公并峙，其尤嵷然者，几欲跨越前辈。余谓自桐城派盛行，而海内假托者亦众，近世高材生言古文者，或遂厌弃桐城，然以文正之贤，不能不取义法于桐城，继乃扩充，以极其才，然则桐城诸老所讲之义法，虽百世不能易也。

　　钱基博《现代中国文学史》：近来诗派大别为三宗：清季王闿运崛起湘潭，与武冈邓辅纶倡为古体，每有作皆五言，力追魏晋，上窥《风》、《骚》，不取宋唐歌行近休。……章炳麟诗不多作，每出一篇，韵古格高，欲轶湘绮。其弟子黄侃，五言颇窥庾鲍，皆属此宗。……樊山者，恩施樊增祥也……颇究心于中晚唐；吐语新颖，则其独擅。龙阳易顺鼎，固能为元、白、温、李者。于是流风所播，中晚唐诗极盛。然学者颇多，而佳者卒鲜；何者？盖此体易入而难精也。至同光体者，闽县郑孝胥之伦，所为题目同、光以来诗人，不专宗盛唐者也；出入南北宋，标举梅尧臣、王安石、黄庭坚、陈师道、陈与义以为宗尚，枯涩深微，包举万象；盖衍桐城姚氏、湘乡曾氏之诗脉，而不屑寄人篱下，欲以自开宗者也。此宗又分为两派：一派以清苍幽峭，自《古诗十九首》、苏武、李陵、陶潜、谢灵运、王维、孟浩然、韦应物、柳宗元以下逮贾岛、姚合、宋之陈师道、陈与义、陈傅良、赵师秀、徐熙、徐玑、翁卷、严羽、元之范椁、揭傒斯，明之钟惺、谭元春之伦，洗炼而烹铸之，体会渊微，出以精思健笔；字皆人人能识之字，句皆人人能造之句；及积字成句，积句成韵，积韵成章，遂无前人已言之意、已写之景；又皆后人欲言之意、欲写之景。此一派当以郑孝胥为魁垒。其同县陈宝琛，亦此中之健者；而五言佐以孟郊，七言参以梅尧臣、王安石及金之元好问；斯则郑孝胥之所独矣。……其一派生涩奥衍，自《急就章》、《鼓吹词》、《铙歌十八曲》以下逮韩愈、孟郊、樊宗师、卢仝、李贺、梅尧臣、黄庭坚、薛季宣、谢翱、杨维桢、倪元璐、黄道周之伦，皆所取法；语必惊人，字忌习见；此派推义宁陈三立为巨子；而嘉兴沈曾植作诗喜用僻典，与三立之好用奇字，又少异焉。

汪辟疆《近代诗派与地域》：近代诗家，可以地域系者，约可分为六派：一湖湘派；二闽赣派；三河北派；四江左派；五岭南派；六西蜀派。此六派者，在近代诗中，皆确能卓然自立蔚成风气者也。湖湘风重保守，有旧派之称，然领袖诗坛，庶几无愧。闽赣则瓣香元祐，夺帜湖湘，同光命体，俨居正宗，抑其次也。北派旨趣，略同闽赣，虽取径略殊，实堪伯仲。江左稍变清丽，质有其文，风会转移，亦殊暴哲。岭南振雄奇之逸响，西蜀泻青碧之灵芬，并能本其风土，播诸声诗，驰骋骚坛，允无愧怍。其他诸省部，或以僻处而声气鲜通，或以诗少而面目难识，无从诠次，姑附阙如。惟八旗淹雅，皖派坚苍，今以便于叙述之故，入八旗于河北，附皖派于赣闽，亦以同声之和，具审渊源，非仅地域之接壤而已。湖湘派近代诗家，或有目为旧派者。其派以湘潭王闿运为领袖，而杨度、杨叔姬、谭延闿、曾广钧、程颂万、饶智元、陈锐、李希圣、敬安羽翼之。樊增祥、易顺鼎则别子也。王氏为晚近诗坛老宿，得名最盛。平生造诣，乃在心模手追于汉魏六朝，而稍涉初唐。……显然与同光派诗家异趣。……与湘绮同时，善为选体诗者，有武冈邓辅纶。……当湘绮昌言复古之时，湘楚诗人，闻风兴起。其湖外诗人之力追汉、魏、六朝、三唐与王氏作桴鼓之应者，亦不乏人。而湖口高心夔氏为尤著。稍后则文廷式、李瑞清、章炳麟、刘师培诸家，虽不出于王氏，然其卓然自立，心模手追于六朝三唐之间，则又所谓越世高谈自辟户牖者也。闽赣派或有径称为江西派者，亦即《石遗室诗话》所谓同光派也。……同光派者，陈石遗、郑太夷目近贤学三元体者之戏称。三元者唐开元、元和、宋元祐也。此派以杜甫、韩愈、苏、黄为职志，而稍参以李白、王维、白居易、柳宗元、孟郊、梅尧臣、王安石、陈师道诸家，以其人并生三元前后，共拓疆宇，颇有西方探险家觅殖民地开埠头本领。……近人以同光派称闽赣派者，即源于此。此名称之由来也。闽赣派诗家，实以宋人为借径。……此派诗家，流衍于同光之际，亦隐分二派：其一派生涩奥衍……近代郑子尹《巢经巢集》为弁冕，莫子偲羽翼之。至义宁陈散原则集此派之大成者也。其一派清苍幽峭……近代陈太初《简学斋诗》为弁冕，魏默深羽翼之。至闽县郑海藏则集此派之大成者也。……闽赣派近代诗家，以闽县陈宝琛、郑孝胥、陈衍、义宁陈三立为领袖，而沈瑜庆、张元奇、林旭、李宣龚、叶大壮、何振岱、严复、江瀚、夏敬观、杨增荦、华焯、胡思敬、桂念祖、胡朝梁、陈衍恪羽翼之。袁昶、范当世、沈曾植、陈曾寿，则以他籍作桴鼓之应者也。……当闽赣派主盟同光坛坫之时，海内诗人，以苏黄为职志，而归宿于少陵者，实不乏人，而与赣接壤之皖省为尤著。近代皖派诗家，以桐城吴汝纶行辈为早……其乡人姚永概、方守彝皆能诗……此三家者，渊源略同，即拙厚之气，亦无不同。此皖派之近江西派者也。近代河北诗家，以南皮张之洞、丰润张佩纶、胶州柯劭忞三家为领袖，而张祖继、纪钜维、王懿荣、李葆恂、李刚己、王树柟、严修、王守恂羽翼之。若吴观礼、黄绍箕，则以与北派诸家师友相习处之故，受其薰化者也。此派诗家，力崇雅正，瓣香浣花，时时出入于韩苏，自谓得诗家正法眼藏；颇与闽赣派宗趣相近。惟一则直溯杜甫，一则借径涪翁，斯其略异耳。……此外有隶旗籍而久居北方，诗名又为人所具知者，有宝廷、盛昱、杨钟羲、志锐、三多、唐晏诸家，其派虽与二张宗趣不同，然渊源固可述也。至道咸而后，风会变迁，江左一派，乃不能坚其壁垒，而稍济以金石流略之学，于清新绵纩之中，存简质清刚之体。此江左派渊源之可溯者也。江左（按：含江浙二省）派诗家著称于近代者，以德清俞樾、上元金和、会稽李慈铭、金坛冯煦为领袖，而翁同龢、陈豪、顾云、段朝端、朱铭盘、周家禄、方尔咸、屠奇、张謇、曹元忠、汪荣宝、吴用威羽翼之。若薛时雨、李士棻、周星誉、星诒、勒深之、王以慜、欧阳述诸家，则以他籍久居江左而同其风会者也。此派诗家，既不侈谈汉魏，亦不滥入宋元，高者自诩初唐，次亦不失长庆，迹其造诣，乃在心模手追钱、刘、温、李之间，故其诗华典赡，韵味绵远，无所用其深湛之思，自有唱叹之韵。才情备具者，往往喜之；至斗险韵，铸伟辞，巨刃摩天者，则仆病未能也。近代岭南派诗家，以南海朱次琦、康有为、嘉应黄遵宪、蕉岭邱逢甲为领袖，而谭宗浚、潘飞声、丁惠康、梁启超、麦孟华、何藻翔、邓方羽翼之，若夏曾祐、蒋智由、谭嗣同、狄葆贤、吴士鉴，则以它籍与岭外师友相习而同其风会者也。此派诗家，大抵怵于世变，思以经世之学易天下，及余事为诗，亦多咏叹古今，指陈得失。或直溯杜公，得其沉郁之境；或旁参白傅，效其讽谕之体。故比辞属事，非学养者不至，言情托物，亦诗人之本怀。其体以雄浑为归，其用以开济为鹄，此其从同者也。蜀中近代诗家，以富顺刘光第、成都顾印愚、荣县赵熙、中江王乃征为领袖，而王秉恩、杨锐、宋育仁、傅增湘、邓镕、胡琳章、林思进、庞俊羽翼之。此派诗家，体在唐宋之间，格有绵远之韵，清而能腴，质而近绮。张广雅督学川中，以雅正导其先路，王湘绮讲学尊经，以绮靡振其宗风，风声所树，沾溉靡涯。惟蜀中诗派，自有其渊源可寻，广雅、湘绮虽启迪之，蜀人未能尽弃其所学而学之也。

　　汪辟疆《近代诗派与地域》：或有疑近代诗为宋诗者。曰：此亦但指同光体而言之者也，即指同光，亦殊不类。……诗文遭变之交，往往有借径古人，而成就各不相犯。道咸以后，丧乱云隖。诗人吟咏，固尝取径宋贤。……迹其所诣，取拟宋贤，实多不类。其尤显然者，可得言焉：宋诗承三唐之后，力破余地，务为新巧，大家如东坡、临川，亦复时弄狡狯，以求属对之工、使事之巧。……近代诸家，虽尝问途宋人，然使事但求雅切，属对只取浑成。其异一也。诗歌以蕴蓄为极致，……两宋诗家，力求意境之高，终鲜洄溯之致。……近代诗家虽尝学宋，然力惩刻露，有惘惘不甘之情，故调高而思深，言近而旨远。其异二也。……宋人病其（今按：指晚唐诗家）啴缓，救以古调，专事拗掀，其运古入律者，往往古律不分……末流所届……钩章棘句，至不可读，则力求生涩之过也。近代诗家，审音辨律，斟酌唐宋之间，具抑扬顿挫之能，有谐鬯不迫之趣。其异三也。其尤有进于是者：……两宋诗家，承三唐声律极盛之后，独出手眼，别开面貌，其精思健笔，洵足惊人！然尔时作者，惜多不学。……近代诗家，承乾嘉学术鼎盛之后，流风未泯，师承所在，学贵专门，偶出绪余，从事吟咏，莫不镕铸经史，贯穿百家。……要足与学相俪，则又两宋诸诗家所未逮也。……近代诗家，亦尝尊宋派，而郑、何、陈、沈，实不相犯，故不曰宋诗而曰清诗。有清二百五十年间，使无近代诗家成就卓卓如此，诗坛之寥寂可知。诵晚清百年内之诗，此又应知之一义也。

黄曾樾《陈石遗先生谈艺录序》：吾闽文教之开，较中土为晚。……朱明一代，闽中十子……皆不出明人貌似汉魏、盛唐之习。沿至胜清道咸之间，程侍郎、祁相国以杜、韩、白、苏倡于京师，为世宗仰，而八闽诗人尚株守其乡先辈，摹仿成法。同光而还，郑海藏、陈听水、陈木菴三先生出，以宛陵、半山、东坡、放翁、诚斋诸大家为宗，同时江右陈散原先生力足祖山谷。于是数百年来之为诗者，始一变其窠臼。大抵以清新真挚为主，海内推为"同光派"。

《复堂词话》：载园独居，诵本朝人词，悄然于钱葆馚、沈遹声，以为犹有黍离之伤也。蒋京兆选《瑶华集》，兼及云间三子。周稚圭有言：成容若，欧晏之流，未足以当李重光。然则重光后身，惟卧子足以当之。嘉庆时，孙月坡选《七家词》，为厉樊榭、林蘙樵、吴枚庵、吴縠人、郭频伽、汪小竹、周稚圭，去取精审。予欲广之，为前七家，则辕文、葆馚、羡门、渔洋、梁汾、容若、遹声，又附舒章、去矜，其年为十家。后七家，则皋文、保绪、定盦、莲生、海秋、鹿潭、剑人，又附翰风、梅伯、少鹤为十家。词自南宋之季，几成绝响。元之张仲举，稍存比兴。明则卧子直接唐人，为天才。近代诸家，类能祧南宋而规北宋。若孙氏与予所举二十余人，皆乐府中高境，三百年所未有也。

陈衍《剑怀堂诗草序》：吾闽诗人，至宋而大昌，至明而力足以左右天下风气；清则苶然以衰，瓯香、雁水后，莘田、荔乡以风韵胜，檀河、亨甫以才气称，此外驱驰中原，为海内所指数者，未数数然也。今之人，喜分唐诗、宋诗，以为浙派为宋诗，闽派为唐诗，咎同、光以来，闽人舍唐诗不为而为宋诗。夫学问之事，惟在至与不至耳，至则有变化之能事焉，不至则声音笑貌之为尔耳。唐人之声貌至不一矣：开、天、元和，一其人，一其声貌，所以为开、天、元和也；开、天之少陵、摩诘，元和之香山、昌黎，又往往一人不一其声貌。故开、天、元和者，世所分唐、宋诗之枢干也。庐陵、宛陵、东坡、临川、山谷、后山、无咎、文潜，岑、高、杜、韩、刘、白之变化也；简斋、止斋、沧浪、四灵，王、孟、韦、柳之变化也。子孙虽肖祖父，未尝骨肉间一一相似，壹壹化生，人类之进退由之；况非子孙，奚能刻意薪肖之耶！天地英灵之气，古之人盖先得取精而用宏矣。取之而不能尽，故《三百篇》、汉、魏、六朝而有开、天、元和、元祐以至于无穷，在为之至与不至耳。己舟先生，以名孝廉，屡困公车，值天下兵革，往来戎马寇盗间，中更悼亡，《剑怀堂诗》，凄恻者追莘田，牢落者近亨甫，身世然也。因纵论唐、宋离合之故，非强以声音笑貌为者，为先生之诗叙。

蒋兆兰撰《词说》：清季词家，蔚然称盛。大抵宗二张止庵之说，又竭毕生心力为之。本立言之义，比风雅之旨，直欲突过清初，抗衡两宋。后有作者，试研几张（景祁）、谭（献）、许（增）、郑（文焯）及四中书（端木埰、许玉瑑、王闿运、况周颐）、张（仲炘）、朱（孝臧）诸贤所作，当知吾言之不谬也。

冯叔鸾《京剧二百年之历史序》：自乾隆之末，以迄道光六七十年间，昆曲浸渐式微，皮黄起而代之。自咸丰以降，经同治、光绪，以迄宣统，终清之世，皮黄盛极一时，盖又垂六十余年矣。海派名词，浸成固定，京剧遂蜕变，而失其故步。笃于旧者，每太息于正音不作，格律全非。而不知声乐，每随时代为转移。

赵尊岳《新编戏学汇考序》：方胜朝同、光盛时，湖广二黄之盛蔓衍于京师，西秦梆子之新崛起于异地，南中昆曲亦为一时士大夫所乐道，分镳竞美，得之于故老相传者，历历可考。余生也晚，勿获觏矣。既而人事代谢，犹得汪、谭、孙之须生，陈德霖、王瑶卿之青衣，俞菊生、杨月楼之武生，田桂凤、侯俊山之花旦，金秀山、黄润甫之净角，程继仙、朱素云之小生，罗百岁、刘赶三之小丑，以名于时。至于挽近，并此硕果亦渐渐零落。所以名乎今世者，若梅兰芳、杨小楼、余叔岩诸辈后起之秀，屈指可得也。

公元 1862 年（同治元年　壬戌）

正月

十四日，张祥河（1785—1862）卒，年七十八。《晚晴簃诗汇》卷一百二十八收其诗九首，诗话云："温和工书善画，得董香光及其先天瓶居士家法。诗亦守娄东宗派。早岁笔力精悍，几欲驾吴白华、王兰泉而上。初刻诗稿十二卷，为姚春木、毛申甫、王海客所参订，多可录者。续稿二十卷，分为骖鸾、桂胜等十余集，则皆开藩桂林以迄被召还朝后之作，虽吟兴不衰，而多涉酬应。尝自言，为诗喜对宾客，不耐苦思，曾谒姚姬传于钟山书院，姬传论诗古文尤谨义法，乃知此事固不易为，然亦不能捐弃故步也。"

二十五日，何绍基游永州。杨翰作陪。

四月

李慈铭在都辑所作词为《霞川花隐词》。《自序》谓咸丰五年后作词更稀，"入都以后，行事乖迕，精神流漂，感触益多，篇什稍富。盖美人香草之旨，所不免矣。士友传写，遂在人口"。

五月

初五，赐徐郙等一百九十三人进士及第出身有差。平步青、谢维藩、王轩等成进士。按：平步青（1832—1895）一名庸，字景荪，号栋山、侣霞、霞外、三壶侠史等，浙江山阴人。历官江西粮道。后以疾归里，从事著述，校辑群书。步青闻见渊博，著有《读经拾渖》、《读史拾渖》、《霞外捃屑》等，合为《香雪崦丛书》。又有《安越堂外集》。制有戏曲《杨华婿》、《退红衫》等共计五十九种，总题《蚬斗庵乐府》。（生卒年《清代人物生卒年表》）谢维藩（1834—1878）字翙天，号麈伯，湖南巴陵籍，侨居陕西。改庶吉士，授编修，出为山西学政。著有《雪青阁集》。

张道避兵萧山，自叙《梅花梦》传奇。《自叙》云："古学不讲久矣。诗人词客，寥寥如琴上星，刿金元乐府哉？"又言是书成后，欲就海盐黄燮清正谱，数访不得耗，已而杭城陷，书稿几失，而传闻黄燮清已殉节萧山。又作《自题词》云："梦里故园归不得，天涯沦落剩惊魂。烽烟如此家无定，翰墨千秋更弗论。"

六月

四日，何秋涛（1824—1862）卒于保定。是年黄彭年离燕之蜀，举何秋涛代主莲池书院，未几即卒。

二十二日，周之琦（1782—1862）卒，年八十一。《稚圭府君年谱》："府君诗古时艺靡不纯粹以精，然以此特试艺，不甚重之。……惟于制词最为专精，自得万阳羡《词律》，愈益精进，久之复别有神悟。程公春海谓府君词声律精严，为词家第一；又谓府君词纯是起承转合，竟合作词中八股，府君极以为知言。"《芬陀利室词话》卷一"周稚圭词"条："词之合于意内言外，与鄙人有厚入无间之旨相符者，近来诸名家指不多屈。周保绪先生外，有周稚圭者，名之琦，祥符人，官通显。顾其词蕉萃婉笃，恤乎若有隐忧。"《复堂词话》："稚圭中丞撰《心日斋十六家词选》，截断众流，金针度与；虽未及皋文、保绪之陈义甚高，要亦倚声家疏凿手也。"陈乃乾《清名家词》小传："词学元张翥，托体至高。黄燮清评之曰浑融深厚，语语藏锋。北宋瓣香，于斯未坠。谭献称其截断众流，金针度与。虽未及皋文保绪之陈义甚高，要亦倚声家疏凿手也。又有《心日斋十六家词选》，颇精审。"刘毓盘《词史》："张氏（今按：济）之说为浙派所非，则偏之为害也。嘉庆中，周之琦起而救其偏，作《十六家词选》，以究其本末。其《心日斋词》七卷，一字不苟，觉厉氏（今按：鹗）于律之疏也；一往而深，觉张氏于意之浅也。周氏大梁人，可以接中原之统矣。而无门户之见者，亦曰文无古今，惟其是而已。"龙榆生《近三百年名家词选》录其词十首，《晚晴簃诗汇》卷一百二十收其诗五首。

林昌彝《衣讔山房诗集》八卷开雕于广州。前有阮元、何绍基、林则徐、陈寿祺、陶樑、陈庆镛等诸家评赠。林则徐评题："风骨沉雄，情韵凄婉，天姿学问两者具备。……感慨时务，蕴抱宏深，纪世大略，不朽盛事，当今作者，安得不以此事推袁，读竟为之袷袵赞叹，得未曾有。"

管庭芬校录《重订曲海总目》毕，自作跋语。

七月

初四，沈兆霖卒，年六十二。按：沈兆霖（1801—1862）字尺生，号雨亭，后改朗亭，浙江钱塘人，道光十六年进士，官至户部尚书，署陕甘总督。带兵出省，途中猝遇山洪暴涨，人舆俱没，予谥文忠。著有《沈文忠公集》。

十八日，郭嵩焘作《诗集自序》。据序，知嵩焘于咸丰三四年间废诗文之业，及咸丰九年称疾引退，"深惟古人立言之义，颇思有所撰述，而又被命出山，乃使吾心所郁蓄，曾不得一究所业以质之后世，泯焉以终身。拊心自惜，其何能已"，故临行将甲寅以前所录存古今体诗九卷付罗汝怀及其弟崑焘等点定。

二十三日，周腾虎病卒于上海，年四十七。腾虎（1816—1862）原名瑛，字韬甫，江苏阳湖人。周仪暐子。幼颖异，李兆洛目为奇童。尝侍父陕西凤翔任所，为林则徐所赏。咸丰末入曾国藩幕。腾虎有干济之才，亦能诗文，著有《餐苕华馆集》十四卷。

二十五日丙午（8 月 20 日），总理各国事务衙门奏设京师同文馆。谓"各国皆以重资聘请中国人讲解文艺，而中国迄无熟习外国语言文字之人，恐无以悉其底蕴"，得旨允行。初设英文馆，次年设法文馆、俄文馆，同治六年添设天文算学馆，光绪二十二年又设东文馆。光绪二十七年并入京师大学堂，改组为译学馆。按：京师同文馆，实为中国新制学校之始。《清史稿·选举志二学校》："学校新制之沿革，略分二期。同治初迄光绪辛丑以前，为无系统教育时期；辛丑以后迄宣统末，为有系统教育时期。自五口通商，英法联军入京后，朝廷鉴于外交挫衄，非兴学不足以图强。先是交涉重任，率假手无识牟利之通事，往往以小嫌酿大衅，至是始悟通事之不可恃。又震于列强之船坚炮利，急须养成翻译与制造船械及海陆军之人才。故其时首先设置之学校，曰京师同文馆，曰上海广方言馆，曰福建船政学堂及南北洋水师、武备等学堂。"恭亲王《奏请开设同文馆疏》："臣等……并非务奇好异，震于西人术数之学也。盖以西人制造之法，无不由度数而生。今中国议欲讲求制造轮船机器诸法，苟不藉西士为先导，俾讲明机巧之原，制作之本，窃恐师心自用，枉费钱粮，仍无裨于实际。……论者不察，必有以臣等此举为不急之务者，必有以舍中法而从西人为非者，甚且有以中国人师法西人为深可耻者，此皆不识时务也。……夫天下之耻，莫耻于不若人。查西洋各国数十年来讲求轮船之制，互相师法，制造日新。东洋日本近亦遣人赴英国学其文字，究其象数，为仿造轮船张本，不数年亦必有成。西洋各国雄长海邦，各不相下者无论矣。若夫日本蕞尔国耳，尚知发愤为雄。独中国狃于因循积习，不思振作，耻孰甚焉！今不以不如人为耻，而独以学其人为耻，将安于不如而终不学，遂可雪其耻乎？"

八月

初九日，徐鼒（1810—1862）卒于福建福宁府，年五十三。《敝帚斋主人年谱》："作文则本之史汉骚选之渊雅，而去宋元来空疏不学之弊，亦不为近人琐屑撰述之言，故为文核而通，大而有体。……同时名宿如湘乡曾文正公、旌德吕文节公、道州何子贞太史、光泽何愿船比部、邵阳魏默深刺史、平定张石州征君争相质难，士大夫翕然宗之。"

闰八月

张道（1821—1862）卒，年四十二。所撰《渔浦草堂诗集》七卷，同治十年其子预刻。薛时雨《序》："繁而不缛，简而不竭。"秦缃业《序》："其诗自言专学东坡，然雄奇瑰丽，平澹天真，无所不有。意君于八代三唐之源流正变，胥能融会贯通，非墨守一家言者。"《晚晴簃诗汇》卷一百五十九收其诗七首。《梅花梦》传奇光绪间刻，有谭献、薛时雨、秦缃业、张景祁等诸家题词。

叶廷琯自编《楙花盦诗》二卷成并自题。廷琯（1792—1869）字调生，一字苕生，号十如居士，别号龙威邻隐、蜕翁，江苏吴县诸生。同治初，举孝廉方正，不就。尝搜刻诸家未刻诗为《同人诗略》，凡百六十人，分存殁二集。自著有《楙花盦诗》、《感逝集》等。

秋

蒋春霖等在泰州大兴词会。春霖有《军中九秋词》，计《霓裳中序第一》（秋暑）、《霜叶飞》（秋枥）、《长亭怨》（秋堠）、《辘轳金井》（秋灶）、《一枝花》（秋镝）、《夺锦标》（秋幢）、《烛影摇红》（秋幕）、《疏影》（秋堞）、《水龙吟》（秋角）。按：杜文澜《憩园词话》引丹徒赵彦俞《瘦鹤轩词》自序云："壬戌游海陵，晤蒋鹿潭于客舍，时兴词会，鹿潭与同人作九秋词，强余拈题，得秋角，赋《征招》一阕，许以能词。"冒广生《小三吾亭词话》卷一"蒋春霖水云楼词"条："翁尝权东台场大使，其时带甲天地，四方才士，多寓江北，若王雨岚、杨柳门、姚西农、黄琴川、钱揆初、黄子湘诸人，皆以诗名。翁以舞剑扛鼎之雄，出轻拢缓拨之调，哀感顽艳，穷而愈工。"

十月

十五日，董文涣、王轩等祀东坡。又，本年王轩编成《十八叠山房唱和草》，集同人唱酬之作，后董氏刊行。（《顾斋简谱》）

吴汝纶二十三岁，作《呓语》。郭立志编《桐城吴先生年谱》：汝纶咸丰元年辛亥十二岁始为论说之文，本年十月，"大病，昏不知人，经时乃愈，既愈，作《呓记》。……此文用意甚奇，生平学问志业已豫定于此，而集中不载。"

黎庶昌二十六岁，上书论事。《清史稿》本传："同治初元，星变，应诏上书论时政，条举利病甚悉，上嘉之。以廪贡生授知县，交曾国藩差序。"按：星变事在七月。

十一月

初七日，翁心存卒。心存（1791—1862）字二铭，自号邃庵，江苏常熟人，道光二年进士，改庶吉士，授编修，官至体仁阁大学士，因病乞休，复起以大学士衔管工部，赠太保，谥文端，有《知止斋诗集》。《先文端公年谱》："初入词馆，才名籍甚公卿间，然于词赋实非所深好，独好经史实学儒先说理之书及古名臣论奏。"陈澧撰《神道碑铭》："早年词赋伟丽，擅名于时。非所好也。中年研精经史，敦尚实学。尝告陈澧曰：汉儒之学如治田得米，宋儒之学如炊米为饭，无偏重也。此公学问大旨。"《晚晴簃诗汇》卷一百三十收诗八首，诗话云："文端幼慧，七岁能属文，唐陶山见而奇之，使从授学，淹贯经史百家言。及贵，务持大体，尤以引拔人材为急，而不居其名。久赞讲帷，因事纳诲，计虑深远。发为歌吟，亦有讦谟定命气象。诸子并显，世比韦平，系海内士望焉。"

初九日，彭蕴章（1792—1862）卒，年七十一岁。《彭文敬公自订年谱》："少攻词赋，出入汉唐诸名家，不徒以骈丽为工；治经尤精于《易》，潜心汉学；诗法盛唐，晚年尤力追少陵。"董沛《彭文敬公传》："原本家学，诵法洛闽，为朝野推重。"《晚晴簃诗汇》卷一百三十八收其诗五首，诗话云："文敬系出南昀，生平学行以紫阳为宗，尤服膺安溪李文贞。精于易学，久参密勿。值中原多故，蒿目时艰，发为歌咏。'乾隆之季世丰盛，大臣黩货民力殚'，洞见乱源，可称诗史。"

十二月

十五日，陈庆年生。庆年（1863—1929）字善余，江苏丹徒人。光绪十四年优贡生，授江浦教谕。肄业南菁书院，与唐文治、孙雄等同学，称高材生，为王先谦、黄以周所器重。平生致力于学，精三礼春秋，尝入张之洞及端方幕，并创江南图书馆。工文辞，尤善单辞短简，当时江南诸名宿敛手推服，王先谦曾比之汪中。著有《横山乡人类稿》、《古香研经室笔记》等。

本年

陆心源《仪顾堂集》八卷本羊城刊刻。至同治十三年福州刻本增为十六卷，光绪二十四年刻本增为二十卷。

董文涣所著《岘樵诗录》刊刻。

孙廷璋自序其诗。此《莲华居士遗集》一卷，钞本。

富经堂刊出《莲子瓶演义传》（又名《银瓶梅》、《后唐奇书莲子瓶传》）四卷二十三回。不题撰人。是书叙唐明皇时平叛、征寇及忠奸故事。书首佚名者序云："观《莲子瓶》一书，善者善，恶者恶……善者昌大于后，天有以神之；恶者祸殃于后，亦天有以惩之。……善恶之报，如影随形，天道报获，原无不爽也。"后有同治十年、光绪庚子年等刊本。

缪荃孙始学骈文。时年十九岁，为吴棠拔取入丽正书院，受业于丁晏。（《艺风老人年谱》）

向师棣至安庆入曾国藩军幕。薛福成《向伯常哀辞》："同治元年，伯常持秋农荐士书走数千里谒相国安庆，留佐戎幕。而秋农遽卒于家。伯常得尽交海内贤士，所学益大进。"按：向师棣（1835—1865）字伯常，湖南溆浦人。少与同里严咸、舒焘有"溆浦三俊"之目。入曾国藩军幕，以功保举江苏补用知县。著有《涵古楼文钞》、《诗钞》各一卷，皆辑入《溆浦三贤诗文钞》内。又按，舒焘（1826—？）字伯鲁，约卒于咸丰四年之前，年未及三十。尝以年家子问业于梅曾亮，著有《绿漪轩集》五卷，好作悲语，不称其年。严咸（1840—1869？）字秋农，著有《受庵诗文钞》。王闿运甚推其诗而惜其早卒，《论同人诗八绝句》云："我欲避君天不肯，不然捶碎湘绮楼。"

黄遵宪十五岁，有名于乡里。时与同里姑夫张心谷（士驹）及从兄锡璋均以早慧知名，里中称为三才子。

姚燮《今乐考证》约成书于本年。《今乐考证》十三卷，内《缘起》二卷、《宋剧》一卷、《著录》十卷，载录宋元至清咸丰以前戏曲作家五百余人，杂剧传奇作品二千余种，并及道光、咸丰时流行之地方戏剧剧目。

严廷中自选其未刻诗为《红蕉吟馆诗选》二卷。据自记，道光十六年（1836）年之前所作诗十二卷已刊于扬州；十七年后所作成诗若干卷，以无力付梓，姑选存十分之四五以候他年付剞劂。（据《清人诗文集总目提要》）

周闲在上海参加萍花社雅集。是年，吴宗麟（冠云）在上海继萍花诗社后设萍花画会于西城关庙，江浙名士一时咸集。是会本年凡六集，集二十四人，周闲亦其一。（据丁义元《任伯年年谱》）

吴藻（1799—1862）卒，年六十四。陆萼庭《女曲家吴藻传》："以词曲名震一时，论者拟诸李易安，并时闺秀尤多推崇。"徐珂《近词丛话》"吴蘋香词似漱玉"："吴蘋香女史，初好读词曲，后乃自作，亦复骎骎入古。钱塘梁应来题其《速变男儿图》有句云：'南朝幕府黄崇嘏，北宋词宗李易安。'非虚誉也。著有《花帘词》一卷，逼真漱玉遗音。……女史父夫皆业贾，无一读书者，而独工倚声，真夙世书仙也。"《白雨斋词话》卷五："蘋香父夫俱业贾，两家无一读书者，而独呈翘秀，殆有夙慧也。词意不能无怨，然其情亦可哀矣。"《晚晴簃诗汇》卷一百八十七收其诗四首，诗话谓："蘋香好读词曲，后肆力于诗，治家事外，手执一卷，兴至辄吟。父夫俱业贾，两家无一读书者，而独见秀异，殆有夙慧。"

宋衡生。衡（1862—1910）初名存礼，字燕生，更名恕，号六斋，复更名衡，字平子，浙江平阳人。少与瑞安陈黻宸、乐清陈虬为友，称温州三杰。瑞安孙锵鸣赏之，妻以女。讲南宋永嘉学派经制之学。屡赴乡试不第，乃出游，先后谒张之洞、李鸿章，说以变法诸议，皆不能用。南归，与谭嗣同、夏曾佑、章炳麟等相契，尝主笔杭州《经世报》，宣传维新。所著《六斋卑议》，德清俞樾以为似王符《潜夫论》、仲长统《昌言》，梁启超亦盛称之。又有《六斋无韵文集》二卷，今与《六斋卑议》等合刊为《宋恕集》；《六斋有韵文集》已佚。

姚永朴生。永朴（1862—1939）字仲实，晚号蜕私老人，安徽桐城人。姚莹孙，姚濬昌子。光绪二十年举人，候选训导。永朴自少濡染家学，与弟永概、姊夫马其昶、范当世相与谈艺论学，又游同里吴汝纶之门，学益宏邃。以赴会试不第，遂绝意进取，殚心教育，主各书院、学堂。民国后，任职清史馆，成《清史稿》四十余卷。著有《蜕私轩集》等。

公元 1863 年（同治二年　癸亥）

正月

二十二日，江苏巡抚李鸿章奏请于上海、广州设外国语言文字学馆，从之。二十九日，上海外国语言文学堂创立，称"广方言馆"，亦称"上海同文馆"。

二月

方宗诚入忠义局。归安庆，修《两江忠义录》，居忠义局凡五年。

春

赵之谦至京师。寓山阴会馆，以卖字刻印度日，与潘祖荫等游。

四月

二十五日，赐翁曾源等二百人进士及第出身有差。（《清史稿》）本科为穆宗登极恩科，张之洞、黄体芳等成进士。张之洞二十七岁，成一甲三名进士。《张文襄公年谱》："二十一日廷试，对策指陈时政，不袭故常，阅卷大臣皆不悦，议置三甲末。文靖公宝鋆亟赏之。置二甲第一。试卷进呈，两宫皇太后拔置一甲第三。"黄体芳（1832—1899）字漱兰，浙江瑞安人。改庶吉士，授编修，历官兵部侍郎、通政使司通政使。同治、光绪间，与张之洞、张佩纶、于荫霖屡上书言事，时称翰林四谏。晚主大梁等书院。体芳学博而著述不多，诗有风棱而无专集，后人辑有《漱兰诗葺》，另有《憨山老人梦游草》，亦门人所辑。

六月

二十九日，陈奂（1786—1863）**卒于上海。**

张曜孙（1808—1863）**卒于上海，年五十六。**《复堂词话》："往者阳湖张仲远叙录嘉庆词人为《同声集》，以继《宛邻词选》。深美闳约之旨未坠，而佻巧奋末者自熄，顾有以平钝雷同相訾者。"

七月

二十七日，潘祖荫编《文宗显皇帝诗文全集》刊刻进呈。

八月

二十八日，徐仁铸生。仁铸（1863—1900）字砚父，号缦愔，江苏宜兴人，寄籍直隶宛平。礼部侍郎徐致靖子。光绪十五年进士，甲午战后倾向维新，继江标为湖南学政，与梁启超等提倡新学。政变作，致靖革职监禁，仁铸革职永不叙用。仁铸能诗，著有《涵斋遗稿》。

二十九日，黎恂（1785—1863）**卒，年七十九岁。**郑珍《云南东川府巧家厅同知舅氏雪楼黎先生行状》："古今文冲夷典雅……于古今诗尤所长，早年落笔千言，纵横自恣，后出入唐宋，不主一家。以前贵州诗人未能或之先也。"《晚晴簃诗汇》卷一百二十六收其诗八首。

桂超万（1784—1863）**卒于福建按察使任，年八十。**《晚晴簃诗汇》卷一百三十七收其诗三首。陈诗《尊闻室诗话》："五古真挚，七古奇警，五律深健，洵皖南之作者也。"

秋

金安清等在泰州开九秋词社。杜文澜《憩园词话》卷三：本年春，金安清驰驻泰州，设筹饷局以安军心，"三五月间，竟得爬梳就绪，乃以公暇，广招才士，大开词坛。时乔鹤侪中丞师都转两淮，复能主持风雅，文墨之盛，远近所传，无殊王渔洋、卢雅雨之在扬州也。比有军中九秋词社，为秋角、秋塅等题，同作九人。今眉生与钱揆初观察、黄子香（湘）太守、黄琴川刺史、姚子箴、张子和两大令、蒋鹿潭参军均归道山，仅宗湘文太守及余存耳，可胜黄垆之感。"所列九人为：金安清、钱勪、黄文涵、黄琴川、姚子箴、张上龢、蒋春霖、宗源翰、杜文澜。又，宗源翰《水云楼词续序》："同治壬戌以后，予居泰州数年。兵戈方盛，人士流离，渡江而来，率多才杰。一时往还，如王雨岚、杨柳门、姚西农、黄琴川、钱揆初、黄子湘，皆以诗名。而蒋鹿潭之词尤著。"所谓九秋，即军中秋毡、秋枥、秋塅、秋灶、秋镝、秋幢、秋幕、秋塈、秋角。按：自咸丰末，避兵乱寓泰州者已众，屡有举词会之举。此九秋词社，特其著者。至明年，金安清革职，杜文澜等相继调任，词社遂告中止。金安清（1816—1878）字眉生，一作梅生，号偈斋，浙江嘉善人。国子监生，后弃举业，游林则徐、曾国藩等幕，有干才，尤善理财。咸丰同治间，居泰州督办军饷，支持大军。以不检细行为漕督吴棠、御史宋学笃所劾，遂被押解回籍。晚筑偶园，时与文士作诗酒之会。善诗文，所撰见于著录者多种，今存有《登岱诗》一卷、《西泠竹枝词》一卷等。（金安清生卒年据《清代人物生卒年表》）

十月

夏曾祐生。曾祐（1863—1924）字穗生，又字穗卿、遂卿，号碎佛，别署别士，浙江杭州人。光绪十六年进士，授礼部主事。尝与严复等创办天津《国闻报》，提倡小说；又与梁启超往还，倡新学之诗。梁启超誉为近世诗界三杰，而诗向无专集，今人赵慎修辑有《夏曾祐诗辑校》。

祁寯藻偕倭仁、李鸿藻上疏请黜浮靡以固圣德。《清史稿》本传："寯藻提倡朴学，延纳寒素，士林归之。疏言：'通经之学，义理与训诂不可偏重。后学不察，以训诂专属汉儒，义理专属宋儒，使画分界限，学术日歧。'因举素所知寒士端木埰、郑珍、莫友芝、阎汝弼、王轩、杨宝臣，经明行修，堪资器使。"按：是年寯藻以大学士领礼部尚书。

弹词《双珠凤全传》十二卷八十回由净雅书屋刊出。不题撰人，有海上一叶道人本月题序。叙明朝洛阳才子文美与霍定金、李珠凤等情事。此书见于丁日昌查禁小说书目。

十一月

廿日，钱泰吉（1791—1863）卒于安庆旅舍，年七十三岁。先是，咸丰十年二月太平军下杭城并及浙东，泰吉辗转播迁以避兵乱，最后由江西以达安庆，曾国藩甚礼遇之，然精力已衰，至是遂卒。曾国藩《海宁州训导钱君墓表》："自弱冠后，远近已盛称嘉兴钱氏二石云。""嘉庆中，海内犹尚考据之说，尊汉而黜宋，先博览而后躬行。独桐城姚氏鼐，恪守程朱，孤行不惑，宗主义理，不薄考据。而二石风指乃与姚氏相近，其论文亦颇法姚氏。"钱应溥《警石府君年谱》："其于文章流别，辨析至严而一归于和厚中正，乐道人之善而不议论人得失。友人文字有涉嬉笑怒骂者必深规之，谓古人立言，称其善者，而不善者自见。每举昌黎语以示学者而引伸之，曰：行峻而言厉，不如心醇而气和也。又曰：诗文以意为主，气为辅，意必真必厚，气必潜必和。此府君生平文字之宗旨也。"《晚晴簃诗汇》卷一百三十四收其诗十二首，诗话云："于先代文献勤搜宝守，稿中有与晬石述家世文字书二十七通，论者谓为有数文字。诗温厚真朴，与晬石亦如骖之靳。每及师友弟昆，缠绵悱恻，故是香树、莑石家法。"

冬至后，何绍基与黄文琛等为五老消寒会。又，本年起绍基主长沙城南书院。

十二月

二十四日丁酉，清军收复苏州。

王闿运至广州，与陈澧等游。据《湘绮府君年谱》，闿运本年居长沙省城，与陈钟英、严咸等多有倡和，至广州，"陈兰甫先生澧主粤雅堂讲席，夙负盛名，见府君，与之抗礼"。汪宗衍编《陈东塾先生年谱》则谓："王闿运游粤，来谒谈经，先生大屈之。"闿运此行有骈文《到广州与妇书》。钱基博《现代中国文学史》："乃身之广州，写所经途，有《广州与妇书》……诵者谓'辞章之美，情必极貌以写物，辞必穷力而追新'；先民有作，鲍照《大雷》差相拟也。"

本年

李长荣序刊《柳堂师友诗录初编》。此集李长荣辑，录其师友张维屏、李星沅、戴熙等二百一十七家诗，家各一卷。

张祖同《湘雨楼诗》二卷西刊刻。此集后增为三卷。祖同字雨珊，号词缘，湖南长沙人。同治元年举人。

黎庶焘撰《依砚堂诗钞》三卷、《琴洲词》二卷刊刻。其集后经郑珍、莫友芝删汰点定，编为《慕耕草堂诗钞》、《琴洲词》二卷，辑入《黎氏家集》，光绪十四年日本使署刻。

汪曰桢撰《莲漪文钞》八卷本年刊刻。

严廷中选其未刊诗为《岩泉山人诗四选存稿》一卷。此集民国间刻，据本年自序，此《选存稿》自其道光十七年（1837）至本年二十七年中所得诗中选存十之一二。（据《清人诗文集总目提要》）

汪士铎刊《大清一统舆图》，明年二月刊成，进呈。

弹词《南词雅调绣像文武香球》十二卷七十二回二酉室主人刊出。申江逸史改编及序，各家弹词目均作二乐轩主人著，当为原作者。叙元顺帝时龙官保、侯月英等情事。

　　杨岘往依曾国藩。按：上年太平军克杭州城，杨岘家人除弱妻次女外，俱死于杭城被破之时，"所著诸稿本尽化劫灰"。"曾文正公延接知名士甚夥，皆相往还，虽贫悴，然不寂寞"。（《藐叟年谱》）

　　王轩游西山，有《西山游草》。又订董文涣《声调四谱图说》，为作序。

　　宝廷等在京结日下联吟社。《先考侍郎公年谱》："是岁，公与札库穆伯时先生志润结日下联吟社，同社数十人，选胜探幽，极一时诗酒之盛，得诗数千首。昆明简南坪先生宗杰选订，诗以公压卷，词以伯时先生压卷，公次之，绥芬伯敦先生宜垕出金梓之。"按：简宗杰（1825—1880）字敬甫，号南屏，别号居敬斋主人。云南昆明人，同治二年进士，授户部郎中。著有《敬居斋诗钞》十四卷。

　　方濬颐官广东，成《岭南新乐府》三十章。林昌彝《海天琴思录》卷七曰："余游岭南三载，察其风土民情，欲制《岭南乐府》未就，及读定远方子箴都转同年濬颐《岭南乐府》三十章，有关世道人心，煌煌巨制，可以远树白乐天《新乐府》之帜，近夺朱莲甫《新铙歌》之席矣。"

　　吴汝纶应试皖城，始从方宗诚游。（郭立志编《桐城吴先生年谱》）

　　缪荃孙二十岁，得诗一卷。《艺风老人年谱》："寓淮安……晤杨慧生卫守备，负博雅名，诗文卓然成家，一见如旧识，并约至别墅谈二日，告以诗学渊流，专重明几社派而薄随园。……是年得诗一卷，曰《萍心集》。"

　　易顺鼎六岁。是年顺鼎随父佩绅居汉中府，太平军启王梁成富部下汉中，顺鼎陷太平军中。留半年余，启王照拂甚周。至明年春，太平军由陕回兵救天京，僧格林沁率部截击，得顺鼎，能自书父讳及己姓名，僧格林沁甚惊异之，称为神童，属应山知县将护归易佩绅。程颂万《易君实甫墓志铭》："方六岁，作《述难篇》，世称为神童。"

　　贝青乔（1810—1863）病卒，年五十四。黄富民《半行庵诗存稿序》："境苦而诗益工，实能缒凿天险，雕镂世态。……语奇而卓，笔纤能达。"《瀛壖杂志》卷四："子木工于诗，跌宕有奇气，忠义激发，溢于言表，盖瓣香于老杜者。"《晚晴簃诗汇》卷一百四十八收其诗十首，诗话云："子木有干济才，壮岁尝佐扬威将军奕经戎幕，集军中所见者成《咄咄吟》两卷，皆纪实也。既抑郁不自得，乃复间关远涉，自黔而滇而蜀，足迹半天下，迄无所遇。庚申之变，子木自浙迎母以去，越岁杭城再陷，母子相失。子木出没死生，寻母不获，引为深慝。不得已就直督刘公之聘，未及相见，卒于旅邸。……咸同诗人遭遇之穷，莫子木若也。"

　　孔宪彝（1808—1863）卒，年六十四。《射鹰楼诗话》卷二十："舍人尝谓：'诗有真性情，则体例俱在，才与气辅之而已。'此舍人自道得力也。舍人弱冠即能诗，津门梅树君学博建梅花诗社，名流毕集，互角旗彭，舍人以弱龄独整一队。既游江、淮，交游益广，同时诗人如潘四农之严谨，龚定菴之高旷，张亨甫之豪雄，莫不推襟送抱，相见恨晚。舍人诗才华骏越，韵致缠绵，龚定菴谓其诗位置在随州、樊川之间，非溢语也。"郭嵩焘《韩斋文集跋》："绣山观察居京师，好友多文，天趣盎然。尤喜韩公之文而思效之，因以'韩'名其斋。其恢宏近道，得公性情固多耶？惜乎其年之不遐，未足究其所学也。然而自宋以来，法韩公之文而得其奇趣者，盖亦无几矣。"吴汝纶

《孔叙仲文集序》："先生少师事李方伯宗传，为桐城古文学。……及入京师，则数与梅伯言、曾文正往来，其于姚氏之学，既沉渐而癖好之，尝寄诗伯言，自诡出桐城门下，用相矜宠。暇则从诸公为文酒之燕，见在诗集者，往往一会至数十人。"《晚晴簃诗汇》卷一百三十一收其诗六首。

袁翼（1789—1863）**卒**，年七十五。《晚晴簃诗汇》卷一百三十一收诗三首，诗话云："诗以工秀胜，晚遭乱离，渐归苍老。亦工为骈文，门人高安朱舲为之笺注。"

符葆森（1814—1863）**卒**。钟骏声《养自然斋诗话》："《国朝正雅集》一百卷，以为可接沈文悫公《别裁集》，然体列不相符也。其自著诗为《寄鸥馆集》，律句为佳。"袁祖光《绿天香雪簃诗话》："符南樵孝廉葆森选《国朝正雅集》，搜采宏富，计百卷，为归愚《别裁集》之嗣响。所著《寄鸥馆集》，佳句如'江波随石折，云气挟山行'，'暮山争抱市，野水别成溪'……皆卓卓可传。"（生卒年据《清代人物生卒年表》）

鲁一同（1804—1863）**卒**。吴昆田《鲁通甫传》："宝山毛岳生见其文，谓七百年来文患于柔，惟此为能得刚之美；建宁张际亮以诗名天下，见古歌行，自以为不及。"汤纪尚《鲁通甫先生传》："其为文昌明洞达，切于事情而以静俭为本……道咸时文士辈起，若会稽潘谘、嘉兴钱仪吉、仁和龚自珍，其尤魁垒逸群之选也。曾文正序欧阳生文，颇事甄叙而略未旁及。即先生极为文正悦重，亦不一称焉。甚矣，时习相囿之概，依古已然。"《清史稿·文苑传》："为文务切世情，古茂峻厉，有杜牧、尹洙之风。"徐嘉《论诗绝句五十七首》（论《通甫类稿》）："孤隼惊风下大荒，鲁侯年少气飞扬。生逢天宝须诗史，一瓣心香旧草堂。"《晚晴簃诗汇》卷一百三十八收其诗十三首，诗话云："通父与同县潘德舆四农、建宁张际亮亨父肆力于诗，出入李杜苏陆诸大家，沉著老重，一循正轨。文亦严守八家矩矱，浑灏流转不懈而及于古。"

孙家振生。家振（1863—1939）字玉声，以字行，别署警梦痴仙、海上漱石生，上海人。家富有，性好冶游。年二十九，编辑《新闻报》，遂以卖文为生，后尝为多种报刊主笔，为我国早期著名之报人。撰小说三十余部，以《海上繁华梦》最为知名。另有《退醒庐笔记》等。

公元 1864 年（同治三年　甲子）

正月

叶德辉生。德辉（1864—1927）字奂彬，一作焕彬，号直山，一号郋园，湖南湘潭人。光绪十八年进士，授吏部主事。旋归里，专事著述。与王先谦投契，方湖南推行新政，与先谦弟子苏舆等起而力抗。辛亥后以藏书刻书为务。民国十六年大革命时被杀。能诗文，著有《观古堂诗录》、《郋园山居文录》、《郋园北游文存》、《观古堂骈文》等。

赵之谦撰成《寰宇访碑录》五卷并自序。

二月

十九日，吴嘉宾（1803—1864）阵亡于江西金溪，年六十二。《清史稿·儒林三》："嘉宾学宗阳明，而治经字疏句释以求据依，非专言心学者。其要归在潜心独悟，力求自得。尤长于礼。"

二十三日，李惺卒，年七十八。惺（1787—1864）字伯子，号西沤、老学究、拙修老人。四川垫江人。嘉庆二十二年进士，改庶吉士，授检讨，擢左赞善。道光十二年丁父忧归，遂不出，主讲眉、泸、剑、潼诸郡书院者三十年。著有《西沤全集》。《晚晴簃诗汇》卷一百二十七收其诗十五首，诗话云："西沤天姿英敏，嗜古力学，博极群书，陶镕鼓铸而成一家言，诗古文词清空高澹，一扫浓纤之习。"林思进《清寂堂集·题西沤先生函稿册子》："有清二百余载，蜀中无学术之可言，言学术必自西沤先生始。先生躬行竺践，而文采焕然，照映一世。"

王甲荣学为诗，作《书怀》一首。编年诗自此始。

四月

二十三日，姚燮（1805—1864）卒，年六十。姚儒侠《疏影楼词序》："野桥为甬上名秀才，生禀异资，于学无所不窥，凡经史艺术诸书，皆能凿肠掏肾，冥搜旷求，萃毕生之心思才力，与之颠倒而出入之。诗古文其末也，词又其末也。……乃其生平得力之处，追踪秦柳，胎息贺史，取法于梦窗草窗白云白石之间，沉幽固闷，挥洒流落，体制不名一长，能兼众美。……近人洵无与敌者。"《芬陀利室词话》卷二"姚梅伯词"条："名场跌荡，豪迈风流。为学务博，下笔千言，诗古文骈体外，尤工于词，久已剞劂问世。余谓其少作微嫌纤碎，虽为人传诵，当自悔也。近造诣日深，自然名家。"徐时栋《姚梅伯传》："余尝评梅伯所著，骈体文第一，诗次之，填词又次之，余所横溢皆可观传人也。而梅伯自言：'有诗万余首，遴之至三千，可以视古无愧色。'闻者笑之。余固知梅伯言不妄也。"《重修浙江通志稿·厉志叶元墀姚燮传》："诗骨雄健，文笔清新，尤精绘事。……著述之富且工，为邑中罕有。"董沛《姚复庄先生墓表》："徐舍人时栋尝评其所作……余则曰词第一，诗次之，骈体文又次之。先生评余为知言。"《清史列传·文苑传四》："诗笔力雄健，自遭海夷之乱，出入干戈，备尝艰苦。……所为诗，乃愈苍凉抑塞，逼近少陵。骈体文亦沉博绝丽，与彭光苏相近。尤工倚声，其《疏影楼词》，读之者以为厉鹗复生。"

六月

十六日，清军攻占南京（太平天国天京）。施补华《江安傅君墓表》："往余从曾文正公客金陵……是时江表新脱寇乱，书多散亡，人持书入市，量衡石求售，价轻贱如鸡毛比，行者掉头不顾。"

新疆回民举事。

夏

方濬颐出其诗使杨懋建编次。复自删定为《二知轩诗钞》十四卷。

八月

二十日，黎兆勋卒。兆勋（1804—1864）字伯庸，号檬村，晚号碉门居士，贵州遵义人。黎恂子，黎庶昌从兄。工诗古文，著有《侍雪堂诗钞》六卷、《葑烟亭词》四卷等。《晚晴簃诗汇》卷一百四十八收诗二十首，诗话云："幼慧，九岁即能占五七字诗戏赠同辈。长与郑子尹珍同学，贯串博洽，纵才力为诗，选词隽颖，摆脱凡近，以苍老之笔运深沉之思。游楚而后，格律益进，薄宦羁旅，抑郁不平而必出以蕴藉，与子尹诗从入不同，成就无异。"

林昌彝《海天琴思录》八卷成，自作《弁言》。十二月，定远方濬颐作《叙言》，称："前选《射鹰楼诗话》，力追正始，已沨沨逮人。兹游粤，出其箧中所藏平日订定朋旧诗篇及诗教得失之旨，兼采粤中风雅，名曰《海天琴思录》。"此书本年刊出。《越缦堂读书记》："林昌彝《衣讔山房诗集》，卑冗鄙陋。其《海天琴语录》，杂载近人诗词，全是谄媚达官富儿，书仅数卷，于定远方氏记载至百余条，其厮养婢仆之诗，亦加谀颂，以数年来游乞粤东，而方氏兄弟相继为彼邦监司也。中朝官于尚书宝鋆之诗，采至百余首，其语言之夸诞俚鄙，亦足相副，阅之令人作恶。伯寅题其首曰乞食之书，真不谬也。"

王拯再成《茂陵秋雨词》二卷，附庚申原刻二卷后刊出。自跋谓："自维倚声一事，本强作解人，聊以宣幽导郁，不自爱重，遂亦不甚检点。声谱荒唐，而音韵尤非素习也。中年以往，精力渐疲，文辞潦倒，亦颇知自悔艾。乃以溧阳再役，比辛酉秋，重有悼亡之戚，往往情不自禁，独弦哀歌，虽声文幼眇之间，依然卤莽从事，而用律用韵，时较前刻稍知谨慎，抑不知果能免咎戾否。"

九月

十七日，郑珍（1806—1864）卒，年五十九。黎庶昌《郑征君墓表》："先生之学鸿肆而核辩，经术所不能尽者，益播为诗古文辞以昌大之，瑰奇孤邈，力辟陈常，论者以为汉学家所未有。"《晚晴簃诗汇》卷一百三十九收诗三十一首。集评云："翁药房曰：子尹诗简穆深厚，时见才气，亦有风致。诗派于苏黄为近。王子寿曰：子尹诗削凡刷猥，探诣奥赜，瀹灵思于赤水之渊，拔隽骨于埃壒之表，不规规肖仿古人，自无不与之合。莫子偲曰：子尹为诗若非所甚留意，而率然应之，要害曲折转益洞快。论平生著述，经训第一，文笔第二，歌诗第三，惟诗为易见才，当其兴到，顷刻千言，无所感触或经时不作一字。其盘盘之气，熊熊之光，浏漓顿挫，不主故常，视近世日程月课、楦酿篇牍自张风雅者，其贵贱何如也。黔诗纪略后编：先生诗蚤岁措意眉山，晚乃由韩孟以规少陵，才力横恣，范以轨度，冥心妙契，直合古人。又通古经训诂，奇字异文，一入于诗，古色斑斓，如观三代彝鼎。篆法远绍冰、斯，从容合矩，兴趣所至，间亦点染山水，苍朴萧散，超绝时史。"诗话云："子尹礼经小学，纂述博综，余诣为诗，能运健笔，委折达所欲言，意象开拓，力避庸惯。郘亭与之齐名，当日互道心得，庶几各惬分际。初刻诗九卷，贵筑高氏刻；后集四卷，华阳王氏再刊于粤中，补录遗集一卷。其诗世多称诵，故为审择以存。"朱祖谋《冬夜检时贤诗集率缀短章》："郘亭朴学本沉酣，诗派经巢共一龛。锋锻洞穿凡艳洗，宗风何止振黔南。"（录自《彊邨弃稿》）

金陵女子黄淑华自尽于湘潭。淑华（1848—1864）字婉梨，江苏上元人。能文善诗，太平军陷南京，全家以农圃为生。本年六月，清兵破金陵，掠淑华至湖南湘潭，屡施非礼未遂。淑华施计杀湘勇于旅舍，自缢死节。死前作《绝命诗》十绝及序，书之于帛及纸，一怀于身，一糊于壁。后裴荫森辑为《金陵黄烈女遗诗》一卷。金和诗作《烈女行纪黄婉梨事》、徐鄂传奇《梨花雪》（一作《白霓裳》）等俱本此事。

十月

《万国公法》在京师刊出，是为京师同文馆所刊第一种书，由美教习丁韪良译。书首《凡例》云："是书之译汉文也，本系美国教习丁韪良视其理足义备，思于中外不无裨益。"此书对后来维新运动影响甚大。

钱振伦、振常辑《樊南文集补编并笺注》十二卷成。

王式通生。式通（1864—1931）原名仪通，字志盦，号书衡，又号邧庐，祖籍浙江山阴，著籍山西汾阳。光绪二十四年进士，分刑部，官至大理院少卿。入民国，先后任司法次长等职。自少好学，博览经史百家，多所贯综。尤练国典，以文辞名当世。晚岁勤于著述，尝预修清史，又从徐世昌撰辑《清儒学案》、《清诗汇》等，自著有《志盦文稿》。

十一月

吴汝纶中式江南乡试第九名举人。乡举既毕，谒见曾国藩。先是，五月间方宗诚荐吴汝纶于曾国藩，《桐城吴先生年谱》引曾国藩日记："五月二十七日阅桐城吴某所为古文，方存之荐来，以为义理考据词章三者皆可成就。余观之信然，不独为桐城后起之英也。"

十一月

十九日，彭洋中（1803—1864）病卒。《郭嵩焘文集》卷十九《署理四川潼川府知府彭公墓志铭》："文章书法，卓绝一时。尤喜表章先贤伟节轶行。新化邓先生（湘皋）撰《沅湘耆旧集》，纂辑郡志，建前后五忠祠、十先生祠……倡其议者邓先生，赞襄考订，与为始终，緊公之力。"《晚晴簃诗汇》卷一百三十二收其诗五首，诗话云："彦深以名孝廉为邵阳学官，值天下多故，尝手订条教。佐宝庆知府魁联兴办团练保甲，石达开以二十万众围宝三不能下。曾文正、骆文忠交章论荐，后随骆入川，服官多惠政，性好吟咏，属纩前一日，以浣花笺书遗诗四章，苍劲不减平时。郭养知、刘霞仙皆深惜之，谓未尽其用。"

王闿运在山东齐河作《思归引》。按：闿运本年七月由广州还，十月至江宁访曾国藩。复北上，"十一月至齐河，冰合船胶，宿草舍，大雪五尺，慷慨身世，作《思归引》"，此后闿运专意著书讲学。（《湘绮府君年谱》）

朱庭珍始成《筱园诗话》四卷，自作序。此诗话后于同治七年（1868）补订，至光绪三年（1877）再作补订，始写定。

冬

曾国藩奏请补行江南乡试。《蒙叟年谱》："日月重光，普天同庆。……冬，曾文正公奏请补行江南乡试，盖十许年来无此盛典矣。"

方宗诚编邵懿辰遗文。《方柏堂先生谱系略》："十二月，曾公奏举先生以知县留江苏补用，奉旨俞允。是年著《师友言行记》，编邵位西先生遗文，选《柏堂师友文录》数十卷。"

本年

俞樾《世室重屋明堂考》刻于天津。《曲园自述诗》："是岁天津张少岩汝霖取《群经平议》中《世室重屋明堂考》刻之，余书行世实始于此。"按：俞樾壬戌春避南方兵乱流寓天津，凡三载有余，此间撰《群经平议》，《诸子平议》亦成大半。

苏廷魁撰《守柔斋诗钞初集》四卷《续集》四卷刻于都门。

冯志沂撰《微尚斋诗集初编》四卷庐州郡斋刊刻。又，其《微尚斋诗续集》二卷、《适适斋文集》二卷，则卒后其乡人董文涣于同治九年刊刻。

薛时雨任杭州太守。又旋去官，掌教崇文书院三年。谭廷献《薛先生墓志铭》："延进文士，从容讲艺……浙东西知名士著弟子籍数百人。"顾云《桑根先生行状》："月课士湖上……浙东西知名士无弗与者，时以文物之盛，虽经寇乱无异承平时。微先生不及此。……教士之暇，与名流觞咏湖上，一篇之出，争相传诵。"

缪荃孙是年得诗一卷，曰《巴歈集》。按：荃孙上年随父入湖南，今年复随父至成都居。

黄遵宪《人境庐诗草》存诗自本年始。

吴存义以户部侍郎简放浙江学政。"是时浙江全省被寇，城邑萧然"，至六年任满，乞休归。（《续碑传集》十二谭献撰《行状》）

严廷中（1796—1864）卒，年七十。《蕙风词话续编》卷二："维扬本莺花薮泽。自昔新城司李，狎主词盟。红桥冶春，香艳如昨。浮湛宦辙，代有名流。如项莲生、蒋鹿潭，并倚声专家，希踪北宋。宜良严秋槎（廷中），亦后来之秀。需次两淮，有《岩泉山人词》、《麝尘集》。其《扬州好》若干阕，尖艳浑雄，各极其妙。充其才力所至，庶几嗣响《水云》。端木子畴前辈评《麝尘集》曰：'天分甚高，下笔有镂醻造物之致。而瑕瑜互见。想见其傲岸自雄，不受切磋处。'然则秋槎固托于狂士以自晦者也。"

黄燮清（1805—1864）**卒，年六十。**张炳堃《倚晴楼诗余序》："盐官黄君韵甫，少负异姿，长耽群籍，恣玄览于中区，以文章为小技。龙门遐历，讵甘孤愤之书，杜陵抗怀，雅有经纶之愿。至于吐角含微，析分寻刌，四候之感，秋气偏多，五弦之旨，高调寡和。语必惊座，忧能伤人。……即论其词，无愧于古。联绵旷邈，哀感顽艳，截竹依永，累黍罔忒。固已挹周柳之袖，入姜张之室。"潘曾莹《国朝词综续编序》："黄君韵甫以文章著称两浙，尤邃于词学，所著《倚晴楼集》潄芳味腴，务合闲轨。"《晚晴簃诗汇》卷一百三十八收其诗五首，诗话云："韵珊工词曲，所谱传奇为藏园九种之亚。《帝女花》述长平公主事；《桃溪雪》为永康吴绛雪作，哀感顽艳，尤脍炙人口。"吴梅《顾曲麈谈》："《倚晴楼七种曲》，为海盐黄韵珊燮清所著。《帝女花》、《桃溪雪》自是上乘，惟其词秾丽柔靡，去古益远。余尝谓学玉茗者，须多读元曲，上可单读'四梦'，所谓取法乎上，仅得乎中者也。自藜花、百子之词，专学玉茗之秾艳，而各成一特别景象。百子尖颖，藜花蕴藉，皆成名而去。藏园亦学玉茗，而变其貌，倚晴尤从藏园中讨生活，是不啻玉茗之云仍矣。然就曲论之，亦不可多得也。倚晴善作'金络索'，《帝女花》之《宫叹》，《桃溪雪》之《题筝》，《凌波影》之《仙忆》，《鸳鸯镜》之《忏情》，皆以此牌写之，而首首都佳，亦一奇也。"吴梅《帝女花跋》："韵珊《倚晴楼七种》，可以颉颃藏园。而排场则不甚研讨，故热闹剧不多，所谓案头之曲，非氍毹伎俩也。《帝女花》二十折，赋长平公主事。通体悉据梅村挽诗而文字哀感顽艳，几欲夺过心余。虽叙述清代殊恩，而言外自见故国之感。惟《佛贬》、《散花》两折，全拾藏园唾余。于是陈烺、李文翰辈，无不效之，遂成剧场恶套。韵珊自序云：声捐靡曼，不同燕子吟笺，事涉盛衰，窃比桃花画扇。其微尚盖在云亭，不知云亭之曲，仅工绮语，本色语则终卷不多见。韵珊此作，亦复似之，乃知此道之难矣。"

莫友芝从曾国藩至金陵。黎庶昌《莫征君别传》："江南底定，寓妻子金陵，遍游江淮吴越间，尽交其魁儒豪彦，与南汇张啸山文虎、江宁汪梅村士铎、仪征刘伯山毓崧、海宁唐端甫仁寿、武昌张廉卿裕钊、江山刘彦清履芬数辈尤笃。其名益高。"

林昌彝以郭嵩焘之招游粤，与方濬颐定交。（《海天琴思续录》卷五）

瞿鸿機学为骈俪之文。《止盦年谱》谓，是年初为八股文，"读《史记菁华录》及《文选》诸书，文思稍稍勃发，窃学为骈俪之文"。

艾畅（1787—1864）**卒，年七十八。**《射鹰楼诗话》卷七："近代江右诗家，蒋藏园士铨、吴兰雪嵩梁而外，则为艾至堂畅及陈少香先生偕灿、汤茗孙舍人储璠。……至堂诗多超悟。"《晚晴簃诗汇》卷一百四十三收其诗七首，诗话云："至堂乡会试皆以第三人获隽，颇有文誉。黄树斋同里友善，相与论诗，至堂言：昔人谓诗不关理，天下岂有无理可立言者，特比兴杂陈，微婉多讽，所主非一理耳。今观其诗，沉郁顿挫，骎骎入古，特不免有意欲以理胜，亦不可谓非一蔽也。"（生卒年据《清代人物大事纪年》）

陶邵学生。邵学（1864—1908）字子政，号颐巢。祖籍浙江会稽，广东番禺人。光绪二十年进士，以内阁中书用，旋辞归，主讲星岩书院。工诗文，著有《颐巢类稿》等。

李希圣生。希圣（1864—1905）字亦元，一作亦园，湖南湘潭人。光绪十八年进士，授刑部主事。为诸生时，已受知于学使张亨嘉。少有经世之志，及官京师，著《光绪会计录》等，切于世用。后任京师大学堂提调，以事忤权贵，言不见用，发愤呕血卒。工于诗，著有《雁影斋诗》。

陈诗生。诗（1864—1942）字子言，号鹤柴，安徽庐江诸生。宣统中尝入甘肃提学使俞明震幕，民国居上海，以鬻文为生。学诗于吴保初。辑有《皖雅初集》，著有《尊瓠室诗》、《尊瓠室诗话》等。

程颂万生。颂万（1864—1932）字子大，号十发居士，湖南宁乡人。少孤，受学于从兄颂藩。后入湖广总督张之洞幕。辛亥后，长为寓公，遨游各地，诗酒自娱。颂万于诗文词均有造诣，少时尝与兄颂藩、易顺鼎等结湘社，后遨游南北，诗名益甚。生平著述数十种，合刊为《十发居士全集》。

丘逢甲生。逢甲（1864—1912）名仓海，又名沧海，字仙根，号蛰仙，以逢甲子生，故又名逢甲。祖籍广东镇平，居彰化。光绪十五年成进士，不仕，归掌教全台各书院。甲午中日事起，捐家资编全台壮民为义军，为反割台运动领导人物之一。事败内渡，回镇平原籍，主讲韩山、景韩、东山各书院。辛亥革命起，被推为粤省教育司长，代表粤民赴南京参政，选为临时参议院议员，寻病卒。著有《岭云海日楼诗钞》等。

公元 1865 年（同治四年　乙丑）

正月

初一，黄宾虹生。宾虹（1865—1955）原名质，字朴存、朴人，中年改字宾虹、予问、虹庐，安徽歙县人，居金华。少即工书画，以从事反满活动，逃至上海，与邓实合编画报《神州国光报》，出版《美术丛书》。后入南社。著有《宾虹诗草》、《宾虹杂著》、《黄宾虹书简》等。

廿二日，曾国藩作古文"八美"赞语。《日记》本日载："阅《经文世编》十余首，将选入'鸣原堂'，无称意者。二更后温韩文数首，朗诵，若有所得。余昔年尝慕古文境之美者，约有八言：阳刚之美曰雄、直、怪、丽，阴柔之美曰茹、远、洁、适。蓄之数年，而余未能发为文章，略得八美之一以副斯志。是夜，将此八言各作十六字赞之，至次日辰刻作毕。附录如左：雄：划然轩昂，尽弃故常；跌宕顿挫，扪之有芒。直：黄河千曲，其体仍直；山势若龙，转换无迹。怪：奇趣横生，人骇鬼眩；《易》《玄》《山经》，张韩互见。丽：青春大泽，万卉初葩；《诗》《骚》之韵，班扬之华。茹：众义辐凑，吞多吐少；幽独咀含，不求共晓。远：九天俯视，下界聚蚁；瘄痳周孔，落落寡群。洁：冗意陈言，类字尽更；慎尔褒贬，神人共监。适：心境两闲，无营无待；柳记欧跋，得大自在。"又，国藩本年作《鸣原堂论文》。金陵既克复，国藩弟国荃称病乞退，国藩选古今名臣奏议为《鸣原堂论文》付之。曾国荃《序》："国荃受而读之。盖人臣立言之体，与公平生得力之所在，略备于此。"

二月

十三日，谭嗣同生于京师宣武城南。嗣同（1865—1898）字复生，号壮飞，别署东海褰冥氏，湖南浏阳人。湖北巡抚继洵子。少喜任侠击剑，后六试省试皆不中，遍游直隶、新疆、甘肃、台湾诸省，行程八万余里。光绪甲午后，发愤提倡新学，戊戌参与新政，政变作，与杨锐等死之，时称戊戌六君子。嗣同初师欧阳中鹄，诗文兼长，后与梁启超、夏曾祐诸人作新学之诗。所汇所著《寥天一阁文》等为《东海褰冥氏三十以前旧学四种》刊出，后人辑其所著为《谭嗣同全集》。

魏秀仁撰成《陔南山馆诗话》十卷。本书意在叙史，尤以卷五以下详记鸦片战争与太平天国之事为其特色。

三月

严蘅《女世说》刊出。

春

吴大廷《小酉腴山馆集》在杭州刊刻。（吴大廷编《小酉腴山馆主人自著年谱》）

赵晓峰删存《播川诗钞》八卷、《播川文钞》四卷。（佚名编《石知府君年谱》）

四月

二十五日，赐崇绮等二百六十五人进士及第出身有差。唐景崧、王先谦、吴汝纶、濮文暹、任其昌、曹秉哲等成进士。按：濮文暹（1830—1910）字青士，初名守照，晚号瘦梅子，江苏溧水人。分刑部主事，历官南阳知府，有善政。著有《见在龛集》。任其昌（1831—1901）字士言，甘肃秦州人。官户部主事。后辞官归里，历主天水、陇南讲席，成就人才甚众。著有《敦素堂集》。

清廷命曾国藩督湘、淮军赴山东进攻捻军。是时，江南已定，而直、鲁、豫三省捻军仍十分活跃。

夏

薛福成、薛福保同入曾国藩幕，结识黎庶昌、向师棣等人。福成《向伯常哀辞》："四年夏，相国督师剿寇北上，招余入幕府，俾与伯常及遵义黎庶昌莼斋同居。……纵论古今大局成败兴废之所以然暨曩哲建树博臆学术纯驳，追溯文章源流以究其升降利病甘苦证焉，至夜分不辍。"又，《拙尊园丛稿序》："余入曾文正公幕府。文正告余幕中遵义黎君暨淑浦向师棣伯常可交也。余始与二君以学业相砥镞。伯常志豪才健，不幸遭疾以没。莼斋恂恂，如不胜衣。而意气迈往，若视奇绩伟勋可掊契致。文正意不谓然，顾时时以文事奖勉僚属。一见许余有论事才。谓莼斋生长边隅，行文颇得坚强之气，锲而不舍，均可成一家言。……当是时，幕府豪彦云集，并包兼罗。其治古文辞者，如武昌张裕钊廉卿之思力精深，桐城吴汝纶挚甫之天资高隽。余与莼斋咸自愧弗逮远甚。文正没后，同人散之四方，罕通音问。莼斋踪迹虽隔，而情意益亲。数万里外，往往互达手书。有无未尝不相通也，升沉未尝不相关也，文艺未尝不相质也。"

七月

初七日，东仙自序《养怡草堂乐府四种》。该本内收杂剧《芋佛》、《赋棋》、《逼月》、《平济》四种各一折。有同治十三年刊本。东仙姓名、里居均未详。自序谓平生于曲家最喜汤显祖，黄之骥《书〈养怡草堂乐府〉自序后》云："东仙既效玉茗之为书，又自序以表其微尚，而半生坎坷，沉沦下僚，感喟低徊之意，毕见于字里行间，盖诗之比兴、风雅之变，以及骚人之歌，胥于是乎得之，而其情弥悲矣。"

十一日，杨钟羲生于湖北省寓。钟羲（1865—1940）原名钟广，字子晴，又作子勤、芷晴，号留垞、雪桥、圣遗居士等，满洲正黄旗人。光绪十五年进士，授编修。尝入端方幕，官江宁知府。钟羲终身读书，喜谈文论艺，尤留心八旗文献，尝与盛昱合编《八旗文经》，编校八旗词人总集《白山词介》等，著有《圣遗诗集》、《雪桥词》、《雪桥诗话》。（据《雪桥诗话初集》附《自订年谱》）

八月

李鸿章奏请设立江南制造局于上海。同治七年，该局附设翻译馆，聘徐寿、华蘅芳、徐建寅任笔述，英人伟烈亚力，美人傅兰雅、玛温高任口译，翻译格致、化学、制造等西方科学书籍。

九月

迟至本月，江湜已复来杭州。湜于同治三年摄长林场盐课大使，旋受代。"浙中同僚闻先生至，唱酬无虚日。有王叔彝《同人诗选》之刻，续有叶调生百三十家诗选，其中均以先生诗为多"，薛时雨亦推重之。（黄华《江弢叔先生传》）按：《同人诗录》刊刻在湜咸丰末官杭州时。

薛时雨约在本月辞官，重亲翰墨，订诗稿、词稿。又，迟至明年十一月，成《江舟欸乃》词一册。（《西湖舻唱》及《江舟欸乃》自序）

十月

十二日，何绍基邀黄文琛等为消寒第一集。"论史评文诗事颇盛"。（《何绍基年谱》）

十六日，唐文治生。文治（1865—1954）字蔚芝，号茹经，江苏太仓人。光绪十八年进士。早年肄业江阴南菁书院，为高材生。通籍后尝出使日本英国考察政艺，后任上海高等实业学堂监督。晚主讲于无锡国学专修学校。工文辞，著有《茹经斋文集》。

吴嘉淦（1790—1865）卒于里第，年七十六。嘉淦既卒，吴中七子凋谢已尽。《芬陀利室词话》卷二："吴郎中少时，为吴中七子之一。今酉生、闰生、顺卿、井叔诸君，俱归道山。词坛领袖，岿然灵光。所著有《仪宋堂文集》，古文瓣香六一，与归熙甫、汪苕文相伯仲间。……词笔如春兰初花，幽芳袭人。……余最爱其'鸳鸯照影立多时'七字，艳情入妙，正以不著墨为佳，此则花间遗韵也。"又，同卷："七子词皆得读之。酉生（按：朱绶）宗梦窗，闰生（按：沈传桂）宗梅溪，井叔（按：王嘉禄）宗碧山，余草堂、竹屋，各有专尚。顺翁（按：戈载）词集最富，不名一家，惟用心于律，订万氏之讹，他人或苦之，弥津津乐道也。晚年自袁江归住山塘老屋，提唱后学。余自知持论与之不甚合，竟不往见。"亢树滋《吴先生传》："噫，先生卒，而吴中之风雅不可复作矣。……所为古今体诗，出入唐宋，不拘一格，而古文则专法庐陵，清真雅正，卓然可传。自谓平生词不如诗，诗不如古文，亦定论也。"《晚晴簃诗汇》卷一百四十二收其诗三首。

吴汝纶入曾国藩幕。《桐城吴先生年谱》："入京会试中式第八名进士，以内阁中书用，遂入曾公幕。曾公日记十月十五日：吴挚甫来，久谈。吴桐城人，本年进士，年仅二十六岁，而古文经学时文皆卓然不群，异材也。"

《王船山先生遗书》凡三百二十二卷在金陵刻竣。曾国藩《王船山遗书序》："道光十九年，先生裔孙世全始刊刻百五十卷。新化邓显鹤湘皋实主其事。湘潭欧阳兆熊晓晴赞成之。咸丰四年，寇犯湘潭，板毁于火。同治元年，吾弟国荃乃谋重刻，而增益百七十二卷，仍以欧阳君董其役。南汇张文虎啸山、仪征刘毓嵩伯山等，分任校雠。庀局于安庆，蒇事于金陵。先生之书，于是粗备。"

十一月

初九日，李棠阶卒于京寓，年六十八。棠阶（1798—1865）字树南，号文园、强斋，河南河内人，道光二年进士，改庶吉士，授编修，官至礼部尚书，谥文清。有《李文清公诗集》。《晚晴簃诗汇》卷一百三十收其诗五首，诗话云："同治初元，登用老成，文清其一人也。正色立朝，遇有大政事，谠言侃侃，中外传其风采。诗颇涉理趣，集有口占二绝句，自注云：吴佩斋梦行夹墙间，几不得出。予谓何不拆之。拆尽天下之墙，则天下一家，中国一人，岂不游行自在。其意趣襟度亦即可见一斑矣。"

十八日，向师棣（1835—1865）随军北上，卒于徐州。薛福成《向伯常哀辞》："其为文，不屑屑以桐城轨范自拘，每至得意疾书，如洪波汪洋，虽浮沙淤泥未暇澄清而不能阻其百折必东之势。"

本年

俞樾自天津归吴，以同年李鸿章荐主紫阳书院。按：俞樾自丙寅以后主江浙讲席二十余年。《曲园自述诗》："主紫阳讲席止丙寅、丁卯两年，然人文颇盛。吴清卿河帅、张幼樵学士、陆凤石侍读皆预焉。旋受浙抚马端敏公之聘，辞紫阳而就诂经，因选刻《紫阳课艺》两卷以存文字之缘。"

王轩、董文涣等在京唱和，有《笃旧集》刊行。杨思瀿编《顾斋简谱》："五月二十八日同董蓉舫四祭顾祀。六月十二日同董研樵、王蓉洲、孙莱山、祁世长、张孝达、黄翔云、王信甫、杜鹤田、朝鲜人韩鲜、沈裕庆、李樵叟祀山谷生日于豫章别墅。七月五日同林颖叔祀康成生日于谏草堂松筠庵。九月十九日五祭顾祠，十一月十七日同许海秋、张午桥、潘伯寅、黄翔云、李若农、孙莱山、张孝达、董研秋作消寒局。二十九日同潘伯寅、李若农作消寒二集。孙琴西录所作为《笃旧集》刊行。"

王闿运三十四岁，以倦游率妻子由长沙至衡阳石门定居。

谭献刊《复堂诗》十一卷。

刘熙载督学广东。至明年五月引病归，当道延主上海龙门书院，凡十四年以终。所著书皆在书院自为校刊行世。

叶英华卒。英华（1802—1865）字莲裳，号梦禅，广东番禺人。以诗词名道咸间，著有《斜月杏花屋诗钞》四卷、《花影吹笙词钞》二卷、《小游仙词》二卷。《复堂词话》："梦禅居士有《小游仙词法驾导引》一百首，托兴幽微，辞条丰蔚，谈者与樊榭老人绝句三百首并称，不愧也。"

卢德仪卒。德仪（1820—1865）字俪兰，一字梅邻，浙江黄岩人。举人卢埙女孙，同县王维龄室。早慧，通五经大义，旁及文史。咸丰末避兵乱于山中，后返故居，以劳悴卒。既卒，其家搜辑成《焦尾阁遗稿》一卷，所著《焦尾阁脞录》二卷、《正气集》四卷，均佚。《晚晴簃诗汇》卷一百九十收其诗十七首。

朱鉴成卒，年四十五。鉴成（1820—1865）字眉君，号麋坰，四川富顺人。同治三年举人，官内阁中书。家富藏书，博览群籍，为何绍基所赏，工吟咏，著有《题凤馆诗集》。

符兆纶卒。兆纶（1796—1865）字雪樵，号卓峰、雪樵居士，江西宜黄人。道光十二年举人，官福建崇安知县，以事系狱，后遂不出，以著述自娱。以诗名，著有《卓峰草堂诗钞》、《梦梨云馆诗钞》。《射鹰楼诗话》卷十二："宜黄符雪樵明府兆纶，著有《梦梨云馆诗钞》。诗笔清拔，亦多激切之音。"江湜《卓峰草堂诗钞序》："其诗有丽者，逸者，雅者，奇者，清而远者，壮而激发者。……其于古有似杜者，似白者，似苏者，似陆者，似贾岛、张籍者，似晚唐间人与南宋人者。……独人独出，百状千状万状，莫能名也。"《晚晴簃诗汇》卷一百三十七收其诗八首，诗话云："雪樵诗自摅性情，独往独来，经纬变化，兼备诸体，于五古尤长。"

高继珩卒，年六十九。继珩（1797—1865）字寄泉，直隶迁安人，寄籍宝坻。嘉庆二十三年举人，授栾城教谕，以军功擢广东博茂盐场大使。少负才名，与边浴礼、华长卿并称畿南三子。工骈俪，兼工词曲，著有《培根堂诗钞》、《铸铁砚斋诗》、《海天琴趣词》、《养渊堂古文》等。

承龄卒。承龄（1814—1865）字子久，又字尊生，满洲镶黄旗人，道光进士，官至贵州按察使，著有《大小雅堂诗集》、《冰蚕词》。

黎庶焘卒。庶焘（1827—1865）字鲁新，别号筱庭，贵州遵义人。黎庶昌长兄。咸丰元年举人。致力于诗，著有《慕耕草堂诗钞》、《依砚斋诗钞》、《琴洲词》等。郑知同《慕耕草堂诗钞序》："舅氏诗派，于陈、黄为近，高者窥王孟之藩，若其绵邈隽永之致，则深造自得。"郑珍《题评》："天资于宋人近，于唐人不近；即极力学唐，适成就一个好宋派。"《晚晴簃诗汇》卷一百五十三收其诗十五首，诗话云："子尹论筱庭作诗，天资于宋人近，于唐人不近；邵亭教其当以洗炼坚洁见长。筱庭存诗皆经郑、莫点定，故多可传。"

寿富生。 寿富（1865—1900）字伯茀，号菊客，满洲人。宝廷子。光绪二十年进士。尝在京师立知耻学会，号召八旗子弟敦学，宗族目为病狂。以鼓吹维新，政变作，几遭骈诛，遂杜门不出。庚子事变，联军犯京师，与一弟二妹一婢五人同时仰药以殉。喜与当代名流往还，能诗，著有《日本风土志》、《搏虎集》等。

沈宗畸生。 宗畸（1865—1926）原名宗畴，字孝耕，号太侔、南雅、聋道人等，广东番禺人。光绪十五年举人，官至光禄寺署正。工诗词散文，中年因《落花诗》得名，入京师，创著涒吟社，并刊行《国学萃编》。后参加南社，病卒于北京。著有《两雅楼诗斑》、《繁霜词》、《晚闻室随笔》、《便佳簃杂钞》等，辑有《今词综》等。

赵衡生。 衡（1865—1926）字湘帆，河北冀县人。光绪十四年举人，大挑得候选教谕，不赴，任教河北信都书院、文瑞书院。入民国，尝充徐世昌公府秘书，任四存学会副会长。少时文采为吴汝纶所赏，及从汝纶及贺涛学，文益进。著有《叙异斋文集》。

曹元忠生。 元忠（1865—1923）字夔一，亦作揆一，号君直，别署凌波居士。江苏吴县人。少师从名儒管礼耕，为江苏学政黄体芳所赏。举光绪二十年乡试，捐内阁中书，迁内阁侍读学士。辛亥后居乡不出。元忠工诗，早岁尝与常熟徐兆玮、张鸿等相约作西昆体，于同光体外，别兴吴中诗派。亦能词，著有《笺经堂遗集》，另有《凌波词》（亦名《笺经堂词》）等。

章钰生。 钰（1865—1937）字式之，又字坚孟、茗理，号蛰存、负翁、晦翁，晚号霜根老人。江苏长洲人。光绪二十九年进士，授刑部主事。辛亥后曾任清史馆纂修。工诗文，精校勘，旁及金石考据之学，著有《四当斋集》。

梁霭生。 霭（1865—1890）字佩琼，一字飞素，广东南海人。番禺潘飞声室。工诗，著有《飞素阁遗诗》一卷。

郭绥之《餐霞集》四卷刊刻。

施山撰《望云诗钞》十二卷刊刻。

黎庶蕃撰《娱志堂诗钞》四卷附《雪鸿词钞》一卷刊刻。

何栻半亩园自刊《悔余庵集》三十一卷。先是，何栻于咸丰间刊有《悔余庵集》三十二卷，本年所刊《悔余庵集》三十一卷，编次不同。

许宗衡撰《玉井山馆文略》五卷刊刻。其《文续》三卷、《诗》十五卷《诗余》一卷《西行日记》一卷，同治九年刻。

熊少牧自序《读书延年堂文钞》。

张应昌《彝寿轩诗钞》十二卷收诗止于本年。此集同治间南昌旅舍刻。

舒焘《绿漪轩集》五卷刊出。

公元 1866 年（同治五年　丙寅）

二月

四日，彭泰来（1790—1866）**卒，年七十七岁。**陈旦《彭春洲先生墓表》："而因时以兴慨，即慨以动物，则诗与文尤独到。尝自言：我作诗心无古人，作文常有古人在心。"李光廷编《彭春洲先生诗谱》后跋："（《诗义堂后集》）绚云绵之七襄，韵清瑟于三叹，亦复抗高遒商，凄悲动徵。盖出入于少陵、昌黎、香山、长吉、东坡、遗山、梅村诸家，炼钢镕金，自铸一子。"《晚晴簃诗汇》卷一百二十九收其诗七首。

斌椿自沪启程，随同海关总税务司英国人赫德前往法、英、俄、德诸国游历。此行著有《乘槎笔记》，载游历泰西见闻，同治七年善成堂刊出。《乘槎笔记》："初八日，总理各国事务衙门行知：斌椿奉命外国游历，采访风俗，饬将所过地方山川形势、风土人情，详细记载，绘图贴说，带回中国以资印证等因……"又，随员张德彝此行著有《航海述奇》，光绪十七年《小方壶斋舆地丛钞》刊出。

三月

二十五日，苗民破荔波城，赵晓峰（1812—1866）**投水死，年五十五。**佚名编《石知府君年谱》："生平著述，悉被烧毁，家中只存《播川诗钞》前集、《舍人注》、《北征日记》三种。"《晚晴簃诗汇》卷一百四十八收其诗六首，集评："郑子尹曰：晓峰日泽以古，发于声者又必出之以极思苦吟。莫子偲曰：读晓峰诗，其一往耿峭不可磨灭之劲骨，犹当撑拄纸上，以得其为人。"诗话云："晓峰留意乡邑故事，辑《桐梓荃》十卷，又有《桐梓耆旧诗文钞》。郑子尹避寇魁崖，尝与唱和。"

邓瑶卒。瑶（1812—1866）字伯昭，亦字小芸、小耘，湖南新化人。显鹊子，显鹤侄，道光二十七年拔贡。谒选得麻阳县教谕。咸丰中以助守新化县城功，保知县。同治初入川，出峡，至巴东舟覆死。瑶少能文，季父邓显鹤广交游，章牍丛积，瑶年十八九，常给笔札。与郭嵩焘兄弟交密。著有《双梧山馆文钞》、《诗钞》等。（卒年或作同治四年，此据郭嵩焘撰《邓伯昭墓志铭》）

李元度撰《国朝先正事略》六十卷成并自序。

许瑶光自序《雪门诗草》。瑶光（1817—1882）字雪门，晚自号复叟，湖南善化人。道光二十九年拔贡，久官浙江，官至嘉兴知府。著有《谈浙纪略》四卷，诗集《悠游集》、《蒿目记》、《上元》等汇编为《雪门诗草》。

春

吴廷栋乞病告归。此后以曾国藩、李鸿章之请寓居江陵。

四月

十六日，吴趼人生。趼人（1866—1910）名宝震，又名沃尧，字小允；初号茧人，后改趼人，别署我佛山人、趼廛等，广东南海人。曾祖吴荣光官至巡抚，至吴趼人生时家已中落。为谋生计，至上海习商，旋入江南制造局为书记。后任《字林沪报》副刊《消闲报》编辑，更历主各小报，以撰写小品名。《新小说》创刊后，始学为长篇，成《电术奇谈》、《九命奇冤》、《二十年目睹之怪现状》，名于是日盛，而末一种尤为世间所称。先后成长篇十余部，又成短篇小说集《趼人十三种》。他著尚有诗集《趼廛诗删剩》，笔记《趼廛剩墨》、《趼廛笔记》、《中国侦探案》，小品《俏皮话》、《滑稽谈》、《新笑林》等。

五月

郭嵩焘自广东巡抚任归里。陈澧、王拯、吴嘉善、丁日昌、陈璞诸人饯于荔湾。陈璞作《荔湾话别图》。（《陈东塾先生年谱》）

六月

福州船政局成立。

夏

庄棫居金陵官书局，始复稍稍为词。《蒿庵词》自序一："戊午刻词四十首于京师，后间有作，不复著录。今年夏，李君冰叔序薛慰农《江舟欸乃集》词，言薛君之作，中多郁伊，非漫为也。索居白下，风雨如晦，稍稍为之，归次旧日所作，遂乃成帙，予无升沉得丧之戚，其善自怀思，则自少壮至今，固无殊也。"

七月

初三日，江湜（1818—1866）卒于杭州旅舍，年四十九。《伏敔堂诗续录》四卷本年杭州刊出。《蜕翁所见诗录·感逝集》："弢叔之言诗以情为主，而归于一真字，又其意欲独立门户，不肯步人后尘，并见于与李小湖、陆雪亭论诗诸篇。故其所为诗不假雕饰，纯用白描。骨肉朋友之怀，死生离别之感，言之颇觉沉著痛快。其才力亦充然有余，用笔能辗转不穷，屈曲透达。在吾吴数百年来诗家中，洵足别开生面，自副所言。至其于古人宗派，评之者或以为专法昌黎、山谷，然亦时有似东野、后山处，逮后诗境益熟，渐趋平易，遂大类诚斋、石湖手笔，因此未免间有率滑之语，此其生平作诗大略也。"黄华《江弢叔先生传》："（少）慷慨论天下事，冀得尺寸以自效。既而东南大乱，诸子相继逝，先生笃念师友，又重以国家之痛，饥驱流转，席藁茹荼，终其身不获一日安，无所表异，乃托于诗以自见。凡胸中郁结不平，千怪万态，悉于诗歌发之，殆所谓穷而益工者。……论者谓先生诗清处见骨，真处入情，奄有诸家之长，而能卓然自成一家。其真率处，若不经意，实则戛戛独造，运实于虚，杜诗韩笔，无一字无来历，上绍风人，下开来者，所谓豪杰之士，非耶？"王揖唐《今传是楼诗话》"江湜诗自开户牖"条："有清咸同中之能作宋派诗者，时论以《伏敔堂》与郑子尹之《巢经堂集》、金亚匏之《秋蟪吟馆》并称，盖能于举世不为之日，自开户牖，戛戛独造，亦云难矣。李越缦论豸叔诗，以为有劲气而多病粗率，实则粗率二字未免失当。豸叔久官闽浙，终于卑官，故诗中时多抑塞凄苦之作，要亦其境地使然。""江湜叹老嗟贫"条："叹老嗟贫，文人结习，识者鄙之。……豸叔处境至困，悉见于诗，其能以曲达之笔状难写之情，而又无寻常怨愤悻悻之意，尤难。"《晚晴簃诗汇》卷一百五十九收其诗十八首，集评："彭咏莪（蕴章）曰：豸叔诗古体皆法昌黎，近体皆法山谷，无一切谐俗之语错杂其间，戛戛乎其超出流俗矣。"诗话云："豸叔诗兀臬戕削，以瘦成其坚。自序述彭文敬及青浦熊其英苏林一再称其笔力，盖所自负者在是。生乱离之世，不得志于有司，一尉终沦，半通仅假，内悼身世，上念庭闱，傍徨郁勃，发为危若之言，要亦有不能自已者。至其性成习染，蹈宋人科臼，在所不免，此正其诗病。诸者勿沿流而忘源也。"钱钟书《谈艺录》第三三则补遗二："至作诗学诚斋，几乎出蓝乱真者，七百年来，唯有江豸叔；张南湖虽见佛，不如豸叔之如是我闻也。世人谓《伏敔堂集》出于昌黎、东野、山谷、后山，盖过信彭文敬、李小湖辈序识耳。"

十七日，孙雄生。雄（1866—1935）原名同康，字师郑，号郑斋，晚号铸翁、仆庵、诗史阁主人，江苏昭文（今常熟）人。光绪二十年进士，曾任吏部主事，京师大学堂文科监督。辛亥后以遗老自居。工诗，著有《郑斋类稿》、《郑学斋文存》、《眉韵楼诗》、《眉韵楼诗话》、《道咸同光四朝诗史》等。

俞樾自序《宾萌外集》。

八月

伍光建生。光建（1866—1943）原名光鉴，字昭扆，一字君朔，广东新会人。毕业于天津水师学堂，为严复高足。后留学英国习海军，归国执教母校，宣统二年与严复同赐文科进士。庚子后南下上海，从事翻译，文笔初效左氏，后改用语体，在清末译有大仲马《侠隐记》（即《三个火枪手》）等三种，入民国，所译至数十种，多为世界名著。

八月初十日，曾广钧生。广钧（1866—1929）字重伯，号龋庵，湖南湘乡人，国藩孙。光绪十五年进士，授翰林院编修，官至广西知府。生有异禀，博览群籍，王闿运尝目为圣童。为诗与李圣希同宗晚唐，不学韩、黄。著有《寰天室诗集》。

清廷以陕甘回民起事，调左宗棠为陕甘总督。

九月

初十日，薛绍徽生。绍徽（1866—1911）字秀玉，号男姒，福建侯官人，同县举人陈寿彭（字逸儒、绎如）室。辑有《国朝闺秀词综》十卷、《外国列女传》八卷，与其夫合译《八十日环游记》等，自著为《黛韵楼遗集》内诗四卷、词二卷、文二卷。（陈锵等编《先妣薛恭人年谱》）

十二日，祁寯藻（1793—1866）卒，年七十四岁。《清史稿》本传："寯藻提倡朴学，延纳寒素，士林归之"，同治初元，"寯藻、（翁）心存三朝耆硕，辅导冲主，一时清望所归焉"。秦缃业《祁文端公神道碑铭并序》："笃于故旧，每恤其后人，刻其遗书，如歙程侍郎恩泽诗集及平定张穆、肃宁苗夔诸人著作，多公所助刊也。……公以文学受知先帝，故所为诗古文词皆卓然成家。"《晚晴簃诗汇》卷一百二十六收其诗至二十二首，诗话云："文端素忧清节，为时名臣。道咸之间，海内多事，朝贵中尚文学接士流者，惟文端为硕果。时论尤归之。于诗致力甚深，出入东坡剑南而归宿于杜韩。论古述今，每关掌故。罢政后，所作托意深婉，诗境益进。昔年通籍，出文恪（按：寓藻子世长，谥文恪）门下，渊源遥溯，跂慕弥深。"黄曾樾辑《陈石遗先生谈艺录》："学文字，当取资大家。小名家佳处有限，看一遍可也。……清初诗人，王、朱外，足观者少。嘉道间程恩泽、祁寯藻尚有取焉。"《十朝诗乘》卷十七："诗宗韩杜，寔承程春海衣钵。"

秋

庄棫自序《蒿庵词》。

十月

十五日，胡盍朋（1826—1866）卒，年四十一。吴绍矩《胡子寿先生事略》："著《汨罗沙》传奇，凄馨哀艳，几欲悲鼯狖而泣鬼神。先师建陵老人……许为东塘、藏园后身。……惟是先生一生心血，敲诗填词而外，尤邃于赋学。"

二十日，姚永概生。永概（1866—1923）字叔节，安徽桐城人。濬昌子。光绪十四年解元。后以大挑选授太平县教谕，不就。历主各学堂、大学以终。少承家学，治义理词章，后师从吴汝纶最久，文益进，著有《慎宜轩文集》等。

三十日，许乃普卒于里第，年八十。乃普（1787—1866）字季鸿，一字滇生，号养园，别号观奕道人。浙江钱塘人。嘉庆二十五年一甲二名进士，授编修，官至吏部尚书、太子少保，谥文恪。初以拔贡生授小京官，直军机处，旋登上第，迭掌文衡。咸丰季年，将幸滦阳，抗疏力谏，旋乞病归。工书，学欧阳询，得神似。能诗，著有《堪喜斋集》。《晚晴簃诗汇》卷一百二十八收其诗五首。

孙廷璋（1825—1866）卒。李慈铭《越中三子传》："幼精悍跅弛，喜为刻雕藻绘之文……（为诗词）务镵镂隐僻，几至腐颖，每一篇出，千锻百炼，必于奇丽，盖其天性也。"《晚晴簃诗汇》卷一百四十九收其诗十首，诗话云："莲士为诗词，务镵镂隐僻，几至腐颖。每一篇出，千锻百炼，归于奇丽。喜经疏小学，楷书精绝，而结体必依说文。诗词经乱多毁，潘文勤与莲士为学正同年，刻其遗作，合陈珊士、王孟调为越三子集。"

十一月

初六日，黄辅辰病卒。辅辰（1798—1866）字琴坞，贵州贵筑人。道光十五年进士，官京师，直谅能事，时目为硬黄。后调陕西凤邠道，以屯田自任，劳悴卒于官。著有《小酉山房文集》等。《清史稿》有传。

冬

张景祁跋薛时雨《江舟欸乃》。末署"钱塘受业张景祁"。按：张景祁（1827—1895）原名左钺，又作祖钺，字孝威，后字蘩甫，一字韵梅，别号新蘅主人。浙江钱塘人。弱冠即喜为词，尝受教于黄燮清、黄曾，与张应昌等人切劘，后受业于薛时雨。词名早著，谭献等奉为导师。通籍后，以庶吉士改官县令，先后任福建武平、台湾淡水等县，有政声。著有《新蘅词》九卷、《外集》一卷及《挛雅堂诗集》、《文集》、《骈文集》。

本年

兰心戏院建于上海。此为最早之西方剧场。又，西方侨民于上海租界所组织之浪子剧社、好汉剧社合并为上海西人业余剧团（Amateur Dramatic Club Of Shanghai），简称 A·D·C 剧团。是为最早在中国演出话剧之团体。（《近代上海戏剧编年》）

尹耕云著《心白日斋集》四卷刊刻。后增新作，编为《心白日斋集》六卷，光绪十年刻。

方濬颐《二知轩诗钞》十四卷刊刻于羊城。濬颐自辑其诗三千余首，选为二千首有奇，前有陈澧、李光廷、林昌彝、张清华、杨懋建及王拯序，收道光八年迄同治四年诗。《晚晴簃诗汇》卷一百四十五诗话云："子箴官京朝，由翰林历台谏，人不甚知其能诗。及官两广盐运使，王定甫通政道出广州，子箴以诗集索序，定甫称其诗多且奇，为不可测。"

徐子苓《敦艮吉斋诗存》二卷刊出。此集自定，英翰刻于颍州，后于同治十年再刻于皖。

何曰愈《存诚斋文集》十四卷皖江藩署刊刻。

张亨嘉为吴大廷所赏，招入署中读书。

瞿鸿禨入城南书院受业，为何绍基所赏拔。至同治八年以后，郭嵩焘主讲城南，常置鸿禨前列，"故予于二先生得力为多焉"。（《止盦年谱》）

林昌彝、方濬颐唱和。时昌彝将自粤回闽，濬颐挽留唱和，得诗百余首，名曰《东瀛唱答》。又，至同治七年，昌彝又自粤归闽，濬颐又挽留唱和，共得诗二百余首，名曰《鸿雪联吟》。两集均付梓。（《海天琴思续录》卷五）

缪荃孙始为考订之学。（《艺风老人年谱》）

王树枏十六岁，入县学。树枏年幼即习为诗、赋、文，上年学为骈体文。本年，"县试第六名，府试第一名，院试以第十一名入学。时新城知县为胡公岳……胡公最赏识余文，曰：清庙明堂器也"。（《陶庐老人自订年谱》）

黄濬（1779—1866）卒，年七十八。林则徐《壶舟诗存序》："浑涵万有，不主故常；汪洋恣肆，惟变所适；若长江之放乎渤澥，竹木艑舻，不遗巨细而无不达。"

顾广誉（1799—1866）卒于上海龙门书院，年六十八。《桐城文学渊源考》本传："其为文，原本经术，高简有法，气适理足。"

王松生。松（1866—1930）字友竹，号寄生，沧海遗民，台湾新竹人。少有奇气，博览群籍，而鄙弃科举。甲午后日本割台湾，遂携眷内渡。途遇海盗，尽丧其资，不得已返台，号沧海遗民。屡拒日本殖民当局出山从政之请，隐居故里以终。平生著述多毁于火，存者有《台阳诗话》、《沧海遗民剩稿》。

杨增荦生。增荦（1866—1933）字昀谷，一字延真，号滋阳山人，后更名僧若，江西新建人。光绪二十四年进士，历官刑部主事、四川候补知府。辛亥后，任国史馆协修、司法部秘书等职。任刑部时，与赵熙、胡思敬等唱酬，入民国与樊增祥、易顺鼎、陈衍等交游，诗益进。著有《杨昀谷先生遗诗》。

蒋智由生。智由（1866—1929）字观云，别号因明子，浙江诸暨人。甲午战争后力言变法，光绪二十八年游学日本，参加《新民丛所》编辑工作，后与梁启超等组政闻社。后渐颓唐，入民国，寓居上海，自居遗老。能诗，以其喜作新派诗，梁启超誉为近世诗界三杰之一。晚年自订诗稿，尽删早岁新派之诗。著有《居东集》、《蒋观云先生遗集》。

黄人生。黄人（1866—1913）原名振元，字慕庵。改名黄人，字摩西，别署蛮，室名揖陶梦梨拜石烟之室，常熟人。诸生。少习剑术及诸异术，年三十，始倦游知返。受聘为东吴大学教授，与庞树柏组织三千剑气文社。后与曾朴等组小说林社，与王文霈创办国学扶轮学，编辑《国朝文汇》。民国元年突发狂疾，次年卒。黄人博学多能，素称奇士，著有《摩西词》、《石陶梨烟室诗存》、《中国文学史》等。

公元1867年（同治六年　丁卯）

二月

二十九日，李伯元生。伯元（1867—1906）名宝嘉，又宝凯，号南亭亭长，别署游戏主人、讴歌变俗人等，江苏武进诸生。少擅制艺及诗赋，以第一名入学，赴乡试不第，乃赴上海入《指南报》馆，后别办《游戏报》、《海上繁华报》等小报。庚子后，编辑《绣像小说》杂志，自撰《官场现形记》、《文明小史》、《庚子国变弹词》等，为晚清小说名家。另有《南亭笔记》、《南亭四话》等行于世。

陈寿祺（1829—1867）**卒**，年三十九。李慈铭《越中三子传》："文章警敏，不由师授，尤喜为诗词，情藻艳发。既年少入翰林，篇什流播，人争传诵。"《晚晴簃诗汇》卷一百五十五收其诗四首，诗话云："珊士温粹好学，改官刑部，勤习曹事，暇则事吟咏，治小学。"

冯志沂（1814—1867）**卒**，年五十四。《清朝野史大观》卷十《雁门冯先生纪略》："古文私淑惜抱，以上元梅伯言为师，以仁和邵位西、洪洞董研樵、平定张石洲、满洲庆伯苍为友，皆当时攻经学、肆力于诗古文词者。"《晚晴簃诗汇》卷一百三十九收其诗六首。

五月

十八日，曾习经生。习经（1867—1926）字刚甫、刚父，号蛰庵，广东揭阳人。光绪十六年进士，授户部主事，迁员外郎。清末改户部为度支部，晋右丞。精于理财，有政声。辛亥后以遗老终其身。习经少肄业于广雅书院，为梁鼎芬高材弟子，精于诗，后与鼎芬并称岭南大家。亦精于词，复工书画。著有《蛰庵诗存》、《蛰庵词》。

俞樾至京陵谒见曾国藩。《曲园自述诗》："丁卯五月，余自上海……至金陵谒曾文正师，留宿署中，并招集江南诸名士陪余燕集。"

六月

十三日，康广仁生。广仁（1867—1898）名有溥，字广仁，以字行；号幼博，又号大中、大庵。南海人，康有为弟。自幼不事举业，尝为小吏浙中。后助康有为、梁启超等推行维新。戊戌政变作，死之。著有《康幼博茂才遗稿》。

八月

初九日，刘毓崧卒。毓崧（1818—1867）字伯山，又字崖松，江苏仪征人。道光庚子优贡，自少从父文淇客游四方，助之校书，为江淮经学大师。著有《通义堂集》等。

缪荃孙以寄籍华阳监生应举，中一百二十八名举人。"房师朱厚川师，座师孙莱山师毓汶、李仲约师文田。以经策受知。"（《艺风老人年谱》）

九月

十三日，赵熙生于四川荣县。熙（1867—1948）字尧生，别号香宋，四川荣县人，清光绪十八年进士，授翰林院编修，转官监察御史，有直声。清末在都中与陈衍等唱和，入民国，退居荣县，修志讲学外，唯以读书吟咏为事。生平著作，生前刊者为《香宋词》及纂修之《荣县志》，卒后门人印成《香宋诗前集》。今人辑有《赵熙集》。

二十八日，张元济生。元济（1867—1959）字筱斋，号菊生，浙江海盐人。光绪十年进士。以支持维新，戊戌政变后革职，乃赴沪，任南洋公学译书院院长，后入商务印书馆。毕生出书、出刊、办报、办学，为我国近代出版事业之开拓者。编印有《四部丛刊》、《百衲本二十四史》等。

樊增祥、谭献、诸可宝、王棻、孙诒让等中举。又，本年薛福成、福保兄弟中式副榜贡生。

秋

姚濬昌在安福县重刊姚莹《中复堂集》，并作序。据马其昶撰《姚按察传》，濬昌约在此前数年谒曾国藩于安庆，国藩知为名家子，"留之幕府。见其诗益喜，令从独山莫子偲先生学诗"。按：姚濬昌（1833—1900）字孟成，号慕庭、寒皋，晚号幸余生，桐城人。姚莹子，监生，历官江西安福、湖北竹山知县。古文能守家法，治诗尤勤，有《五瑞斋遗文》、《五瑞斋诗钞》、《幸余诗稿》等。

张之洞充浙江乡试副考官。《张文襄公年谱》："九月十五日榜发，所取多朴学之

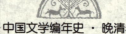

士。知名者五十余人，尤著者袁昶、许景澄、陶模、孙诒让、谭廷献、沈善登、钱丙奎、王棻等。其后皆成就卓卓。为前后数科所不及。"出闱，奉旨简放湖北学政，十一月抵任。

广东盐运使方濬颐创菊坡精舍，请陈澧任掌教。

十一月

初一日，宗稷辰（1792—1867）卒，年七十六。《越缦堂读书志》："涤翁喜言道学，不能为有韵之文，故哀诔序记之作多可厌，笔苦冗滞，读书又少，故复时病陋弱。然其文法颇能由望溪震川以上溯欧曾，中年以后，所作碑志，往往有佳者。……又每于起结间叙处见之，而唱叹往复，情味油然，是尤得力于望溪者，惜气力散弱，拙于叙次。……要之涤翁文，自可与包孟开、梅伯言骖驔后先，在吾乡中正与潘少白分军角立，此言固天下公论，非有所爱憎者尔。"又，《王选续古文辞类纂跋》："此选不及宗涤甫《躬耻斋文集》，尝与周自菴阁学寿昌言之，并贻祭酒书；而已刊行，不能补入矣。《躬耻斋文集》，病在太多，又喜剿袭道学门面语，然叙事言情，颇多佳篇，道光以后，无能及之者。当选录二三十首，足为此集增色。……所以举补宗越岘者，以越岘亦为姚氏之文，守其家法，以传马平王定甫者也。定甫为越岘姻家子弟，其文远不及越岘，选王而遗宗，失其平矣。"王柏心撰《墓志铭》（《碑传集补》卷十七）："进用稍晚，然所践地望清要，直凤池枢廷，文翰敏赡，同时硕彦敛手交推……其为文章专宣泄胸中所积，洸浑滂沛，卷舒回薄，而析理造微，六通四解，挈然曲当于人心。虽世之工于言者，无以加也。"《晚晴簃诗汇》卷一百三十收其诗二十二首，诗话云："涤甫早岁研精理学，复留心经世之书，所著论说，自深虑至俟命凡十八篇，生平蕴蓄略具。为御史，遇事敢言。尝上平寇需才疏，胪列人才，以左文襄首荐。于任城修方正学祠，重刊逊志斋遗书；于京师建正气阁以祀国殇，在里创立四贤讲社，李越缦、王于迈皆招致。……其诗力追正始，胸有古人，非苟为炳烺者。自序少作，谓方望溪先生有言，诗小道也，古人弗重。然则士大夫所重，有主乎诗之中者，而诗可名诗，亦不可不名也。蒙之于诗，不克审格律求工炼，意之所欲言，抒之于笔，意尽则止。诚不敢令真诗人见，亦不可令伪诗人见也。可以知其祈向所在矣。"

十二月

十一日庚寅（1868年1月5日），东捻军败于扬州瓦窑铺。

十七日，蔡元培生。元培（1868—1940）字鹤卿，号民友，改号孑民，浙江绍兴人。光绪十六年会试中式，十八年补行殿试，改庶吉士，散馆授编修。甲午战争后涉猎西学，后辞官南归，提倡新学及新式教育。创中国教育会，任事务长，复被推为爱国学社及爱国女学总理，提倡民权，宣传排满革命。三十年，与陶成章等成立光复会。三十三年留学德国。辛亥后归国，先后任教育总长、北京大学校长等职。论者以为元培实我国现代教育开山之祖，亦为我国现代美学先驱。有《蔡元培全集》。

冬

王韬随英人理雅各至欧洲佐译中国经籍。在欧洲三年，游英、法，九年二月返。《弢园文录外编》卷十一《弢园老民自传》："遂得遍游域外诸国，览其山川之诡异，察其民俗之醇漓，识其国势之盛衰，稔其兵力之强弱。"

本年

方宗诚编定方东树之《仪卫轩文集》。(《方柏堂先生谱系略》)

俞樾《群经平议》刻成。(《曲园自述诗》)

曾之撰《登沄社稿初集》不分卷本年刊刻。之撰(1842—1899)原名令章，字诠仲，号登瀛，江苏常熟人，光绪元年举人，官刑部郎中，长于金石之学。

郭绥之《聊复集》三卷刊刻。此集收录同治四年至六年诗，其友柯蘅选，郓城赵康侯等序。

钱振伦撰《示朴斋骈体文》六卷本年袁浦崇实书院刊刻。

徐时栋《烟屿楼诗集》十八卷刊刻。此集自定，门人慈溪叶鸿年虎胛山房刻。其文集四十卷，则殁后其甥葛祥熊光绪元年葛氏松竹居刻。

顾复初撰《乐余静廉斋集》自本年至光绪四年刊刻于成都。

长沙无园刊何绍基所著诗文。此刊为绍基自辑《东洲草堂诗钞》三十卷、《文钞》二十卷等。

冯询撰《子良诗存》二十二卷刊刻。此集数刻，至同治十一年刊出足本《子良诗录》四十九卷。

张凯嵩在江夏辑刊《樾湖十子诗钞》。内收夏汪运撰《剑峰诗钞》一卷、杨继荣撰《柳塘诗钞》一卷、商书濬撰《麓原诗钞》一卷、曾克敬撰《芷潭诗钞》一卷、朱琦撰《伯韩诗钞》五卷、龙启瑞撰《翰臣诗钞》二卷、彭昱尧撰《子穆诗钞》三卷、李宗瀛撰《小庐诗钞》五卷、赵德湘撰《澹仙诗钞》二卷、黄锡祖撰《香圃诗钞》一卷。

《龙图耳录》一百二十回存有本年钞本。按：此书系道光、咸丰间著名说书艺人石玉昆演出《龙图公案》之记录本，故名"耳录"，且全书尽是白文，唱词于记录时略去。此书问世当在咸丰间，存有钞本数种。傅惜华藏本有署本年者，故系于此。·

王树枏十七岁，喜为温李体诗。《陶庐老人自订年谱》："余喜为温李体诗，尤酷嗜昌谷。先大夫教之曰：从难中入，尚须从易中出。古人诗各有安身立命之处，剧场歌舞，摹拟古人，何尝不令人击节，然终非自家面目也。故学古人者，患其不似，而其病则在太似。若李义山、黄山谷七言律诗之学杜，实成为自家面目，乃善于学杜者也。"

严复十五岁，入马江学堂习海军。上年招考，严复文为船政大臣沈葆桢所赏，遂录取第一，本年入学，计五年而卒业。(严璩编《侯官严先生年谱》)

蒋敦复(1808—1867)卒，年六十。所撰《啸古堂文集》，王韬编，同治七年应宝时上海道署刻；《啸古堂诗集》八卷附《遗集》一卷，光绪十一年松隐庐刻。《晚晴簃诗汇》卷一百五十九收其诗十一首，集评："王子潜曰：剑人诗慷慨激昂，沉雄郁勃，有把酒问天，拔剑斫地之概。才既奇特，性尤兀傲，以狂名著，落魄江淮间，奇穷，复罹奇祸，以至削发逃方外。及返初服，举博士弟子员，豪气已减，低首佣书，犹好谈兵事，上书当道，多不见用。晚乃得一席地，特以羁縻之耳。"诗话云："剑人早负隽才，犹及见阮文达、姚石甫诸公，皆盛称之。请益于姚春木，谓其于前辈相似处多，勖其自进于古，殆笃论也。其才分不减孙子潇、舒铁云诸人，在咸同间洵为江东之秀。"

冯询卒，年七十六。询（1792—1867）字子良，广东番禺人，嘉庆二十五年进士，历官吴城同知，署九江饶州知府。有政声。为张维屏弟子，能诗，著有《子良诗存》、《子良诗录》、《子良文存》。《晚晴簃诗汇》卷一百二十八收其诗三首，集评："张南山曰：冯子良天资聪颖，癖好韵语，其诗时而皋鹤长鸣，时而春莺自啭，时而风雄虎啸，时而月冷猿啼，惟能自达其情，遂觉适如人意。"诗话云："子良政余吟咏，篇什甚富，其诗边幅壮阔，不名一体。论者谓其乐府格韵深古，近体风格雄浑，五七古气吞笔先，声大而远，陈理皆新，不可方物，道光间为岭南诗人之最云。"

杨庆琛（1783—1867）卒，年八十五。《射鹰楼诗话》卷二十三："光禄诗如初日芙蓉，晚风杨柳，风格神韵，迫近晚唐人。"《晚晴簃诗汇》卷一百二十八收其诗三首。

黄富民（1795—1867）卒，年七十三。《晚晴簃诗汇》卷一百三十二收其诗二首。

唐才常生。才常（1867—1900）字伯平，一字黻丞，号佛尘、洴澼子，湖南浏阳人。贡生。早年就学于长沙校经、岳麓及武昌两湖书院。甲午战争后与谭嗣同、梁启超等主张维新，任《湘学报》主笔、《湘报》总纂述。政变作，逃亡日本。后归国，于上海创正气会，旋改名自立会，筹自立军，欲在汉口举事勤王讨贼，事觉，死之。才常工诗文，著有《唐才常集》。

李瑞清生。瑞清（1867—1920）字仲麟，号梅庵、梅痴，晚号清道人。江西临川人，寄籍长沙。光绪二十年会试中式，次年补殿试，成进士。光绪末改官道员，分江苏。辛亥革命起，强起为江宁布政使。后孑身走沪上，为道人装，匿姓名，自署清道人，鬻书画自给。卒，清廷予谥文洁。瑞清能诗文，精书画，所著辑为《清道人遗集》四卷。《清史稿·文苑传》有传。

公元 1868 年（同治七年　戊辰）

正月

缪荃孙以应会试在京，始收书，为目录之学。后出都返蜀，八月，吴棠到川督任，招入书局校刻《朱子全书》，"与刻书人作缘，始于此"；又荃孙是年汇钞两年诗一卷曰《北马南船集》。（《艺风老人年谱》）

二月

俞樾至诂经精舍开课。

许宗衡撰《旧游日记》一卷成并自序。

三月

十七日，俞陛云生。陛云（1868—1950）字阶青，浙江德清人。俞樾孙。光绪二十四年一甲三名进士，授编修。辛亥后，曾入清史馆。陛云幼承家学，尤谙诗词，著有《绚华室诗纪》、《小竹里馆吟草》（附《乐静词》）、《诗境浅说》等。

春

高心夔谒选入都。取道苏州，与李鸿裔流连旬日，后又致书坚其引退之约。（据李鸿裔《高碧湄心夔同年春谒选入都……》诗）

四月

二十五，赐洪钧等二百七十人进士及第出身有差。（《清史稿》）本科成进士者有宝廷、陈宝琛、何如璋、洪良品、吴大澂等。按：何如璋（1838—1891）字子峨，广东大浦人。改庶吉士，授编修。后充出使日本国大臣，归国，任福建船政大臣，中法之战以失机罪革职遣戍。戍还，主韩山书院以终。著有《使东述略》、《何少詹文钞》、《袖海楼诗草》等。洪良品（1827—1896）字右臣，别号龙冈山人，湖北黄冈人。改庶吉士，授编修，由御史官户科掌印给事中。治经史，崇信古文《尚书》。能诗，著有《龙冈山人诗钞》、《龙冈山人古今体诗》等。吴大澂（1835—1902）字清卿，号恒轩、愙斋，江苏长洲人。官至湖南巡抚。甲午之战兵败革职。善书法，喜金石，著有《愙斋诗存》等。俞樾《前湖南巡抚吴君墓志铭》："（大澂）七年成进士，改庶吉士，散馆授编修，时海内犹无事，翰苑诸人皆以文采风流相尚。"

吴敏树东游至江宁。曾国藩及其幕僚有诗和之，一时称盛事。吴敏树即于此年单行《东游草》一卷。杜贵墀《吴先生传》："当东南初定，先生棹舟金陵，因以其间陟石钟、匡庐、大小孤山，游宴西湖……作重九而归。时同治戊辰岁也。其在金陵文正公馆为上客，幕府故多贤豪，而一时名流以公故，多客金陵，沿江诸营亦往往而有，闻先生至，则皆相就交欢。公贻先生诗章，大江南北继先生和者三百余人。海内传为筵邰倡和诗。筵邰者，诗首尾二韵。上相吐握之勤，文人声气之广，中兴盛事，盖近今仅见云。"

王甲荣文为陆润庠所赏。《部昀府君年谱》："（卫恩祥）以府君文过陆文端公润庠曰：此子才气如野马踔厉，若范以驰驱，则神骥矣。文端公亦奇赏之，遂亦执贽列门下。"

江苏巡抚丁日昌大规模禁毁小说、戏曲。三月初十日，清廷发布禁毁传奇小说通谕。至是月十五日，丁日昌颁布告示，云："淫词小说，向干例禁：乃近来书贾射利，往往镂板流传，扬波扇焰，《水浒》、《西厢》等书，几于家置一编，人怀一箧。原其著造之始，大率少年浮薄，以绮腻为风流；乡曲武豪，借放纵为任侠；而愚民鲜识，遂以犯上作乱之事，视为寻常。地方官漠不经心，方以为盗案奸情，纷歧迭出。殊不知忠孝廉节之事，千百人教之而未见为功，奸盗诈伪之书，一二人导之而立萌其祸，风俗与人心，相为表里。近来兵戈浩劫，未尝非此等逾闲荡检之说默酿其殃。"又云："惟是尊崇正学，尤须力黜邪言，合亟将应禁书目，粘单札饬。札到该司，即于现在书局，附设销毁淫词小说局，略筹经费，俾可永远经理。并严饬府县，明定限期，谕令各书铺，将已刷陈本，及未印板片，一律赴局呈缴，由局汇齐，分别给价，即由该局亲督销毁……此系为风俗人心起见，切勿视为迂阔之言。并由司通饬外府县，一律严禁。本部院将以办理此事之认真与否，辨守令之优绌焉。"附应禁书目。二十一日（5月13日）续颁应禁书目。所禁书目有二百六十九种之多。此为继道光二十四年以来第二次大规模禁书，阿英《小说二谈·关于清代的查禁小说》："（所禁之书）并不止于淫词一类，大概有关于秘密结社，攻击贪官污吏，讲儿女私情，写淫秽行为，怪诞不经，以及所谓有关风化的全都在禁例之内。"

五月

十四日，吴昌绶生。昌绶（1868—1924）字伯宛，又字甘遯，号耘存、词山、印臣、松邻等，浙江仁和人。光绪二十三年举人，官内阁中书。精目录金石之学。诗词笺奏，涉笔皆工，尤工词。著有《松邻遗词》、《松邻书札》、《定盦先生年谱》等，辑刻《松邻丛书》、《双照楼宋元人词》等。

庄棫自订所作词，得八十余阕。（《蒿庵词》自序二）

六月

二十八日甲戌（8月16日），西捻军败于山东荏平徒骇河。捻军起事凡十六年，战争地区达江苏、安徽、湖北、山东、河南、陕西、山西、直隶八省，至此全军覆灭。

七月

十九日甲午（9月5日），美国传教士林乐知主编之《中国教会新报》创刊于上海。同治十三年改称《万国公报》，光绪三十三年停刊。

八月

苏松太道应宝时为张应昌所辑之《国朝诗铎》作序，即出资代为刊刻。此书辑录清初至同治间诸家"能本国风变雅之遗意"，"有关人心世道吏治民生"之作，"以事标类，以类统诗"，（应《序》）分岁时、财赋、漕船、关征诸目，凡二十六卷，计收九百余家之作，末附以张应昌本人所撰。

九月

吴存义（1802—1868）卒，年六十七。所撰《榴实山庄遗稿》十卷，同治十年刊刻。《晚晴簃诗汇》卷一百四十二收其诗七首，诗话云："和甫三为学政，两至云南，后莅浙江，有句云：宦游多在皇华路，又云：卅年报国知何事，怀握丹铅愧此衷。盖纪实也。……诗华赡和雅，台阁之音。"

十月

杨昌濬序俞樾撰《春在堂诗编》八卷。此集本年刊出，光绪中又有《春在堂诗编》十卷刻本。

吴汝纶、张裕钊、方宗诚等相与论文。《桐城吴先生年谱》："九月朔阅张廉卿文，廉卿湖北武昌县人，名裕钊，所为文多劲悍生炼，无恬俗之病，近今能手也。……（十月）十二日杂访诸同事，夜与张廉卿久谈为文之法，廉卿最爱古人淡远处，其谓气脉即主意贯注，言最切当。又谓为文大要四事，意格辞气而已。……十五日，与张廉卿、方存翁（宗诚）夜话，畅言文章，兼及经史。"

十一月

三十日（1869 年 1 月 12 日），章太炎生。太炎（1869—1936）初名学乘，又名炳麟，慕顾炎武为人，改名绛，字枚叔，一作梅叔，号太炎。浙江余杭人。早岁入杭州诂经精舍从俞樾受学，治经史。甲午战争后，交梁启超等，昌言维新变法。戊戌政变后避祸走台湾，复昌言革命排满。组光复会，后加入同盟会。清季尝参与《时务报》编辑，后任《民报》主编，为文宗晚周魏晋。著作合刊为《章太炎全集》。

冬

蒋春霖（1818—1868）自沉于吴江垂虹桥，年五十一。金武祥《蒋君春霖传》："两公（今按：乔松年、金安清）既去，君忧时念乱，益牢落寡合，浮湛下僚者六七载，而年且垂垂老矣。同治戊辰冬，将访上元宗兵备源翰于衢州，道吴江，舣舟垂虹桥，一昔而卒，年五十一。"卒后其友宗源翰刊出《水云楼词续》一卷，后江阴金武祥辑其佚诗为《水云楼剩稿》一卷，刊入《粟香室丛书》，光绪宣统间刻。金武祥《蒋君春霖传》："君故力于诗，追源究流，靡不洞贯，积稿累数寸，中岁乃悉摧烧之，语所知曰：'吾能诗匪难，特穷老尽气，无以薪胜于古人之外，作者众矣，吾宁别取径焉。'用是一意于词，以终其身，然亦卒成大名。晚年删存诗仅数十篇，而传世者为《水云楼词》二卷，盖几几饮井水处，无不唱鹿潭词矣。……虽其志其学，无由大伸于世，而文彩光气，终必发襮于身后，没世而名以不朽者，固断断可知也。……金武祥曰：词之为道，至我朝而尊矣。雍乾以来，倚声之学，吾州号称极盛，阳湖张先生惠言，宜兴周先生济，该正变，兼讽谕，英绝领袖，郁为两大宗。厥后闰位余裔，旨乖趣岐，家骛众炫，稍稍衰息。鹿潭起而坠绪以振，其流派不尽守宛邻之旧，然相望百余年间，水云一家，遂与茗柯、止葊三鼎其足，天所以蹇其遭，吝其年，坎壈其身，以昌其词，庸偶然耶。仁和谭献仲修曰：咸丰兵事，天挺此才，为倚声家老杜，推揠至矣。知言哉！知言哉！"杜文澜《憩园词话》卷四："性好长短句，专主清空，摹神两宋。……鹿潭一往情深，性复倜傥，有豪侠气。为词专取神韵，酒酣辄琅琅自歌之。尝为余言，欲采中晚唐佳句入词，冀益深厚。今宗湘文太守续刻其遗词四十九阕，果能不负所约，惟稍务色泽，不免间涉钉饾耳。"谢章铤《赌棋山庄词话》续编卷三："《水云楼词续》一卷，江阴蒋鹿潭春霖撰。宗源瀚序云：鹿潭先刻《水云楼词》于东台，同时作者，莫不敛手。而鹿潭慨然自谓欲以骚经为骨，类情指事，意内言外，造词人之极致。誉以南唐两宋，意弗满也。按此亦前人已发之论，然得其意则可耳，若但涂泽字面则非矣。且亦惟短调能存古意，使长调故为惝恍之辞，似可解似不可解，读之终编，不得其注意之所在，岂得谓之工哉。鹿潭长调颇觉郁晦，正坐此病耳。然其说则不可废也。"谭献《箧中词》五："文字无大小，必有正变，必有家数。水云楼词，固清商变徵之声，而流别甚正，家数颇大，与成容若、项莲生，二百年中，分鼎三足。咸丰兵事，天挺此才，为倚声家杜老，而晚唐、两宋一唱三叹之意则已微矣！或曰：'何以与成、项并论？'应之曰：阮亭、葆馥一流为才人之词，宛邻、止庵一派为学人之词，惟三家是词人之词，与朱、厉同工异曲，其他则旁流羽翼而已。"《白雨斋词话》卷五："蒋鹿潭《水云楼词》二卷，深得南宋之妙。于诸家中，尤近乐笑翁。竹垞自谓学玉田，恐去鹿潭尚隔一层也。"同卷："词至国初而盛，至毗陵而后精。近时词人，庄中白复乎不可尚已。谭氏仲修，亦骎骎与古为化。鹿潭稍逊皋文、庄、谭之古厚，而才气甚雄，亦铁中铮铮者。""鹿潭深于乐笑翁，故措语多清警，最豁人目。……（《谒金门》、《甘州》）两篇，情味尤深永，乃真得玉田神理，又不仅在皮相也。""鹿潭穷愁潦倒，抑郁以终，悲愤慷慨，一发于词。"朱祖谋《望江南·杂题我朝诸名家词集后》："穷途恨，斫地放歌哀。几许伤春忧国泪，声家天挺杜陵才。辛苦贼中来。"手批《箧中词》："水云词，尽人能诵其隽快之句，嘉、道间名家，可称巨擘，宜复翁仰倒赏击，而有会于冰叔（今按：李肇增）之言也。顾其气格驳而不纯，比之莲生差近之，正惟其才仅足为词耳。"《小三吾亭词话》卷一："水云楼词，多清商变徵之音，而流别甚正。谭仲修谓：'咸丰兵事，天挺此才，为倚声家老杜。'仲修固不为妄叹者也。"《清史稿·文苑一》："工词。时方乱离，彷徨沉郁，高者直逼姜夔。"金武祥《水云楼剩稿》序："其古近体诗剩稿不及百首，恢雄沉厚，亦多可传。……咸同间何悔余（栻）太守文采藻耀，侨寓维扬。鹿潭以醝官需次淮南，两人集中竟无往来赠答之作，岂以处境不同，诗派各异欤？而鹿潭之诗，固足为吾邑后劲，悔余亦未能驾而上之也。……余谓即以诗论，实亦神似少陵。"《晚晴簃诗汇》卷一百五十八收其诗八首，诗话云："谭仲修论有清一代词学，以纳兰容若、项连生及鹿潭三家为真词人之词，而鹿潭遭际兵间，忧时感事，天挺此才，为倚声家老杜。自谓于诗未能薪胜古人，剩稿仅存数十篇，盖亦取法于杜而能得髓者。"

本年

李祖陶辑《国朝文录续编》六十六卷附自撰《迈堂文略》四卷刊刻。

《两江忠义录》十卷成，方宗诚等人所修。

陆黼恩撰《读秋水斋诗集》十六卷刊刻。

雷以诚辑新作为《雨香书屋诗续钞》四卷刊出。

刘铭传撰《大潜山房诗钞》一卷刊刻。

吴廷栋在籍自校《拙修集》，作《自序》。

王轩录丙辰至戊辰诗为《耨经室诗续编》，门人校刊行世。

张纶英《绿槐书屋诗稿》三卷本年刊出。按：张纶英（1798—?）字婉紃，阳湖人。张琦第三女，同县诸生孙劼室。与姊张㧑英等俱善为诗，称阳湖张氏四女。此集有道光间二卷本，本年重刻，纶英仍在世，卒年不详。《晚晴簃诗汇》卷一百八十七收其诗十六首，诗话云："婉紃体弱，若不胜衣，而作书由北碑上溯西晋，归宿于汉，刚健沉毅，不可控制。为二三寸正书，神采奕奕，端严遒丽；为分书，格势峭逸，笔力沉厚。……中年始为诗，不苟作，长于五言，神似陶谢。"

薛时雨刊出《薛氏五种》。内收自撰《藤香馆诗钞》四卷《续钞》二卷、《藤香馆词》一卷。

庄棫《蒿庵文集》八卷刊出，内多考证文字。时庄棫三十九岁，任奔走江淮间，以校书谋食。

杨岘返杭州。《庬叟年谱》："忆自己未离乡，至是始返辔，洊罹兵燹，湖山狼藉，不胜丁令威化鹤之感。然旧雨如绩溪胡子继培系、仁和曹柳桥籀、会稽赵㧑叔之谦、同郡戴子高望、施君甫补华、陆存斋心源皆获重逢，亦甚乐。"

蒋师辙客商丘。《颙园诗话》："绍由同治戊辰客商丘，与兄又瞻（今按：师轼字幼瞻）、梁西桥、席星府倡和，有梁园四子之目。"

方濬师简授广东雷琼道。此后在粤十年，与陈澧、苏廷魁、林昌彝等唱酬论学。方濬师（1830—1889），字子严，号梦簪，安徽定远人，咸丰五年举人，官内阁中书，充总理衙门章京，历官广东雷琼道、肇罗道，摄两广转运使，调直隶永定河道，署按察使，长于吏治。有《退一步斋集》、《蕉轩随录》十二卷、《续录》二卷。（据金天翮《方濬颐濬师传》）

黄遵宪二十一岁。作《杂感》诗，有云："我手写吾口，古岂能拘牵。即今流俗语，我若登简编，五千年后人，惊若古烂斑。""吁嗟制艺兴，今亦五百载。世儒习其然，老死不知悔。精力疲丹铅，虚荣逐冠盖。劳劳数行中，鼎鼎百年内，束发受书始，即已缚杻械。英雄尽入彀，帝王心始快。"又有别创诗界之论。黄遵宪晚年《与丘炜萲书》曰："少日喜为诗，谬有别创诗界之论。"（钱仲联《黄公度先生年谱》）

施琼芳（1815—1868）**卒，年五十四。**琼芳原名文龙，字见田，一字昭德，又字星阶，号珠垣，台湾台南人。施士洁父。道光二十五年进士，乞养回籍，主讲海东书院，成就甚众。著有《石兰山馆遗稿》二十二卷。

曹寿铭（1828—1868）**卒，年四十一。**寿铭初名炳言，字烺斋，后字文孺，又字文儒，浙江会稽人。咸丰八年优贡，候选知县。尝在里中结皋社，与李慈铭等为友。著有《曼志堂遗稿》。《晚晴簃诗汇》卷一百五十六收其诗十一首，诗话云："文孺以制艺名，久困场屋，遂致力于诗，与里中皋社同人相唱和，作诗必求一字之安，殚思精索，志在传世。殁后李越缦侍御哭以诗云：只有文章能损寿，须知禄命本无官。可以见其平生矣。"

丁惠康生。惠康（1868—1909）字叔雅，号惺庵，广东丰顺诸生。丁日昌子。与陈三立、谭嗣同、吴保初并称清季四公子。不事科举，喜言维新，广交游，常居于京沪两地，遍交一时贤俊。能诗文，著有《丁叔雅遗集》。

吴芝瑛生。芝瑛（1868—1933）字紫英，自署小万柳堂，安徽桐城人。吴汝纶侄女，无锡廉泉室。以慈善爱国称中外女子间。夙以书法擅名，光绪三十二年，倡女子国民捐以分任庚子赔款，自制小万柳堂帖以售，得赀悉充捐款。家有遗产，将万金，用以创办小学堂。宁河王照以事入狱，助其得脱。又资助秋瑾东渡日本，秋瑾遇难后，与徐自华为之营葬，立秋社以祀之。严复尝撰《吴芝瑛传》，表章其爱国慈善能自树立。通文史，工词章，著有《吴芝瑛夫人遗著》。

公元 1869 年（同治八年　己巳）

正月

庄棫再序《蒿庵词》，自述学词历程。序谓："余自壬子学为词，至今十八年。综所作计之，几三百首，始以为难，继以为易。丙寅以后，由易而知难矣。于是向从北宋溯五代十国，近复下求南宋得失离合之故，戊辰五月，订所作，得八十余阕，讽咏数过，庇累毕呈，因益加删削，以附诗后，周草窗云：作词难，改词更难，吾于今益服斯言矣。"

春

彭玉麟与俞樾定交。后又申之以婚姻，皆始于此。（《曲园自述诗》）

四月

曾纪泽前所为诗文多毁于火，后遂不常为诗。（曾纪鸿《归朴斋诗集序》）按：曾纪泽（1839—1890）字劼刚，湖南湘乡人。曾国藩长子，袭一等毅勇侯，官至户部侍郎，谥惠敏。少负隽才，究心经史，留心时务，长于外交。尝与俄罗斯谈判《伊犁条约》改约，能维护我国利益，尤为世所称。工诗文，著有《曾惠敏公遗集》十七卷，内奏疏六卷、文集五卷、诗集《归朴斋集》四卷、日记二卷。

八月

十一日庚戌，丁宝桢在山东巡抚任，杀安德海。

王闿运始留所作七律。《湘绮府君年谱》："八月十一日，莫姬与大姊同日生辰，置酒家宴，欣然赋诗。府君三十七岁以前所作七律向不存稿，是岁始立日记，间一存之。"后从日记中录出，题为《杜若集》。

方宗诚以曾国藩奏调赴直隶。本年编订《仪卫轩杂著》六种。（《方柏堂先生谱系略》）

九月

许宗衡（1811—1869）卒，年五十八。《复堂词话》："阅许海秋《玉井山房诗余》。幽窈绮密，名家之词。"又，"海秋先生伤心人别有怀抱，胸襟酝酿，非寻常文士，度越少鹤通政（今按：王振），为近词一大宗。齐名者有上元何青耜观察（今按：何兆瀛）。"《赌棋山庄词话》续编卷五："近日古文，自梅伯言曾亮之后，众推上元许海秋宗衡。其文夷犹自得，不为桐城末派所囿，诗词亦入格。盖海秋固先治词赋，与以古文余力作韵语者不同也。"《晚晴簃诗汇》卷一百五十三收其诗五首。

十一月

王拯自广东归粤西，陈澧有诗送之。

十二月

十七日，叶廷琯（1792—1869）卒，年七十八。《晚晴簃诗汇》卷一百三十三收其诗二首。（编者注：生卒年据江庆柏《清代人物生卒年表》）

十八日，徐珂生。珂（1870—1928）初字仲玉，改字仲可，一作中可，浙江杭县人。光绪十五年举人，尝入袁世凯幕，戊戌政变后归里，绝迹政界。好为骈文诗词，后从父执谭献学，所造益深。辑谭献论词之语为《复堂词话》，又辑有《清稗类钞》四十八卷等，自著有《真如室诗》、《纯飞馆词》、《小自立斋文》、《近词丛话》、《清代词学概论》等。

罗汝怀领《湘潭县志》总纂。王闿运等同入志局。

本年

俞樾撰《宾萌集》五卷、《外集》四卷刊于广东。正集分论篇、说篇、释篇、议篇、杂篇，外集皆骈文。

林昌彝《海天琴思录续录》八卷刊出。

吴敏树所撰《柈湖诗录》六卷《文集》十二卷刊出。

黎庶昌选郭绥之续作为《沧江诗集》十卷刊出。

林寿图《华山游草》不分卷本年刊刻。

华长卿撰《梅庄诗钞》十六卷东观室刊刻。

吴大廷是年赴陕办理军需，冬回闽中。春成《仪卫轩文集序》一首；五月，在陕与林寿图定文字交。"是年周历十一省，往返数万里，成诗一百十余首，工力较前大进矣"。（《小酉腴山馆主人自著年谱》）

王仁堪在京。王孝绪等编《先公年谱》："夏鹭门先生集京僚中英俊子弟十余人为文社，公屡冠其曹，文名籍甚。"

方濬颐任两淮盐运使，提倡风雅。金天翮《方濬颐濬师传》："开淮南书局，延海内方闻士，校刊群籍。增梅花、安定两书院课额，选课高才生。署中固有题襟馆，就其旁筑仪董轩，续修《扬州府志》，网罗文献。……幕中宾客有桐庐袁昶、仁和谭廷献、丹徒庄械、泰兴朱铭盘、秀水高行笃，皆一时东南文学之选。暇则与邦人棋酒文宴，相与精研吏治，剧切古学，论者称卢见曾以后一人而已。"

薛时雨以江督聘主江宁尊经书院兼惜阴书院。此后掌教十七年，"著弟子籍盛于浙江，更筑薛庐，壮于西湖"。（谭献《薛先生墓志铭》）

冯煦入金陵书局。时东南硕彦毕集，故师友之间，犹及侍汪士铎、张文虎、戴望等，若成肇麐、顾云、邓嘉辑、陈作霖、蒋师辙等，相与商确今古，学乃益富。"全椒薛慰农先生时雨主尊经、惜阴两书院，宏奖士类，于公嘘植尤挚，公奉手且久，亦依为归宿。院课每一艺出，士林皆敛手传诵，有江南才子之目。复历为钟山院长李小湖、林颖叔诸先生所优礼"。中间与成肇麐校书冶山之巅最久，"旁究声律，一以南唐北宋为则。成为心巢先生子，与公为母昆弟。时誉并称冯成"。（蒋国榜撰《金坛冯蒿庵先生家传》）

樊增祥二十四岁，在宜昌，为学使张之洞所赏。余诚格《樊樊山集叙》："会南皮张先生视学至宜昌，见先生文，奇赏之，招致宾座，又荐为潜江院长。先生虽天资高异，而己巳岁以前，无书可读，见南皮后，始知学问门径。南皮亦奇其敏惠，尽以所学授之。故先生存稿，断自庚午，犹宋人以'见黄'名集云。"又："先生自居潜江，又移主江陵讲席，日夕肆力于古，所为诗文稿草，岁尝逾寸，旋作旋弃，如剥笋箨，如断蔗梢。自汉及今名篇俊句，手所甄录者，不下数十卷。盖于此事独得圣解，益以精思博学，手熟心虚，故其所作称心而出，如人人意中所欲言，而实人人所不能言。"又："先生无他嗜好，以文字友朋为性命。丁卯，南皮典浙试，得士最盛，先生馆南皮久，故与浙士最亲。"按：后樊增祥所交如袁昶、谭献等，皆为张之洞典试浙江所得士。樊增祥《樊山续集自叙》："余九岁始就傅，七岁已能属对。时方读唐诗，先君曰：汝能对开帘见月否？余应声曰：闭户读书。先君心喜而虑其狂也。诃曰：书可对月耶？时架上所有，自太白、香山、放翁、青丘而外，惟袁、蒋、赵三家，余不喜蒋而嗜袁、赵，放言高咏，动数百言，长老皆奇赏之。十五以后，专攻举业而不废歌咏。自丁巳讫己巳，积诗千数百首，大半小仓、瓯北体，自余则香奁诗也。庚午岁，从南皮师游，始有捐弃故技，更授要道之叹。举前作悉火之，故存稿断自庚午。"

张謇十七岁，识通州范当世等人。（《啬翁自订年谱》）

何绍基应聘主扬州书局校刊《十三经注疏》。此后数年往来吴越间。

陈衍十四岁，习举业，学为律赋。又多读秦汉六朝人文。（陈声暨等《侯官陈石遗先生年谱》）

康有为作《侍连州公登城北画不如楼》。有为时年十二岁，此为《南海先生诗集》存诗之始。

汪春源生。春源（1869—1923）字杏泉，号少义，晚号柳塘，台湾安平人。少肄业海东书院，师事施士洁，年十四成举人，时论誉之。日本割台湾，耻为异族之民，遂寄籍漳州。光绪二十四年会试中式，二十九年成进士。历任大庾等知县。辛亥后，参与厦门菽庄吟社，与社中台籍诗人施士洁、许南英等多有唱和。著有《柳塘诗文集》。

桂念祖生。念祖（1869—1915）又名赤，字伯华，江西德化人。光绪二十三年举人。从梁启超等主沪上报馆，政变作，匿居乡里，旋至金陵从杨文会学佛，与欧阳竞无等并称高弟子。沈曾植资之使东渡日本，研求梵文精义，卒客死东京。早工词翰。著有《净声诗选》一卷。亦能词，无专集。

吴保初生。保初（1869—1913）字彦复，号君遂，晚号瘿公，安徽庐江人。提督吴长庆子，以荫补刑部郎中。光绪二十三年秋，上疏言朝政时事，多他人所讳言者，尚书刚毅抑之不达，遂引疾归。二十七年辛丑，复上疏请孝钦后变法归政，直声震天下。时革命议渐起，保初心实是之，故与章太炎等皆有交。工诗古文，善书，著有《未焚草》、《北山楼集》。

孙德谦生。德谦（1869—1935）字受之，一字寿芝，号益葊，晚号隘堪居士，江苏元和诸生。初喜高邮王氏之学，久之，病其破碎，遂治经学，研读先秦诸子之书，于诸子学最为专家。擅骈文，与李详并称曰李孙。入民国，加入孔教会，以力阐名教为己任，历任各大学教授。著有《四益宦骈文稿》、《六朝丽指》、《古书读法略例》、《诸子通考》等。（今按：生年据王蘧常撰《行状》推知）

公元 1870 年（同治九年　庚午）

正月

陈澧复掇《学思录旨要》为《东塾读书记》，有自序。至光绪元年，以刘熙载来书之请，先以成者付刻，为十二卷。又，本年二月，刻所编张维屏《听松庐诗略》二卷于学海堂丛书中，并为之序。（《陈东塾先生年谱》）

俞樾自编《春在堂词录》三卷成并自序。又，本月自订《宾萌集》五卷成，王凯泰为之序。

春

海阳逸客跋许善长所撰《瘗云岩》传奇。二卷，十二出，另有《传概》。有《碧声吟馆丛书》本，光绪三年刊。《瘗云岩》演太平军起事间，金陵女子夏爱云事。跋称此剧不半月而成，当亦作于是年春。又是年冬郑忠训《序》："西湖名流玉泉樵子著《瘗云岩》一书，远近传钞，争先快睹。……事多征实，语必生新。其写洪君也，则一往而深，缠绵宛转，如游丝一缕，无限低徊也。其写爱娘也，则百折不移，淋漓悲恻，如镜花水月，不染一尘也。……作者洵有心人哉！足以维持风化而主持风雅矣。其与《桃花扇》、《香祖楼》诸传本，其文、其事、其人，并堪千古，作传奇观可也，作正史读亦可也。"王天璧《序》："作者……固已妃白俪黄，极文人之乐事，裁红刻翠，传闺阁之柔情矣。独是太史采风，语归忠厚，诗人咏物，意在表章。"刊本有王先谦、李士棻等二十余家题辞。按：许善长（1823—1889后）字季仁，号栩园，别署玉泉樵子、西湖长。浙江仁和人。同治间尝任职江西，光绪间升至江西建昌知县、广信府知府。著有传奇四种、杂剧两种，合称《碧声吟馆六种》，另有《谈麈》四卷。

何绍基至吴门。以曾国藩、丁日昌聘主苏州、扬州书局校刊大字本《十三经注

疏》，又以浙抚杨昌濬聘主孝廉堂，往来吴越，觞咏留连，意兴颇适。（《何绍基年谱》）

四月

二十日，丁传靖生。传靖（1870—1930）字秀甫，号闇公，别号召隐行脚僧，江苏丹徒人。光绪二十三年丁酉副贡，宣统二年，朝廷召试举贡，以江苏首选上，报罢，陈宝琛惜其才，荐为礼学馆纂修。晚居天津，与陈宝琛过从甚密。传靖学诵渊茂，尤精贯乙部之学，纂述至老不倦。工诗文，精词曲。有《秋华堂诗》一册，又有《闇公诗存》六卷、《文存》六卷，有《沧桑艳传奇》、《霜天碧传奇》、《七昙果传奇》等。

五月

二十三日戊子（6月21日），天津教案发生。

夏

杨恩寿撰《理灵坡》传奇二十二出。叙明末张献忠陷长沙，长沙司理蔡道宪被擒拒降而死事。有本年《杨氏曲三种》刊本及光绪中《坦园丛稿》刊本，为《坦园六种》之三。署"同怀兄彤寿鹿笙正谱，长沙杨恩寿朋海填词，同里王先谦逸梧评文"，书首有自序及杨彝珍序。据自序，恩寿于同治戊辰（1868）冬，入省志局，本年夏，"以余不任事，为总纂所屏，遂辞志局"，家居多暇，遂谱此剧。杨彝珍《叙》："（恩寿）心切欲救世之弊，尝不惜为危苦之言，杂呜咽泣洟而出之，以警愦愦者。至于是编，则以古准今，一宣泄其无端愤郁，意气悲远，举见情辞，俾邦人士有以激其忠烈之忱，而维持夫气数之变。"

九月

初一，陈洵生。洵（1870—1942）字述叔，一作术叔，广东新会人，补南海生员。早岁家贫，授徒自给。年三十始填词，当时相与唱酬者，不过里中数子而已。入民国，所诣益深，及朱孝臧为刊布所著《海绡词》，誉其与况周颐为并世两雄，其名大显。后数年，中山大学聘主词学讲席。著有《海绡词》、《海绡说词》，此外《秌音集》，收有陈洵与黎国廉唱和之作。（按：陈洵生年据刘斯翰《海绡词笺注》所附年谱简编）

吴敏树至长沙，与闿运论《诗》。时龙汝霖、李寿蓉等俱以丁忧居长沙。（《湘绮府君年谱》）

赵铭、施补华、杨恩寿、王闿运、瞿鸿禨中举。

秋

杨恩寿撰《桂枝香》传奇八出。有本年《杨氏曲三种》本及光绪间《坦园丛稿》

本，为《坦园六种》之一。书首有王先谦序及作者自序。是剧取材于《品花宝鉴》，演优伶李桂芳资助书生田春航事。《自序》云："桂伶操微贱业，能辨天下士。一言偶合，万金可捐，虽侠丈夫可也。是乌可不传，且田君以伟男子乞食长安，当时所谓负人伦鉴者，未尝过而问焉。卒令乞怜鞠部，成豪侠一日之名，斯亦足以羞当世矣。感愤所积，发而为文，岂仅为梨园子弟浪费笔墨哉？"又：本年十二月《桂枝香》、《理灵坡》及《双清影》刊出，为《杨氏曲三种》。《双清影》为作者早期作品，叙太平天国战事中，池州太守陈源兖城陷自缢事。后未收入《坦园丛稿》。

十月

十五日，宣鼎于江苏桃源县撰成《返魂香》传奇。此剧四卷四十出，有光绪三年申报馆刊本。叙明末扬州都司沃田抗倭史实及民间所传道人王鉴事。谓王鉴多善行而惨死，二十年后，有鲁中丞来道人墓前，即道人再世。则已少年掇巍科、仆从如云矣。墓旁梅树，道人所植，久枯，亦复萌，寒香馥郁，谓其香为返魂香。宣鼎本月自序谓：是剧之作，"不敢作儿女相思烂套"，"卷中以神道作关键，足见报应昭昭，其应如响，使贫贱如道人者，知所励焉"。按：宣鼎（1832？—1880？）字瘦梅，一字子九，号香雪主人，别署瘦尊者等，安徽天长诸生。曾作幕于江苏桃源、山东兖州等地，常以售书鬻画谋生。著有《夜雨秋灯录》、《三十六声粉铎图咏》、《铎余逸韵》及《返魂香传奇》等。

张之洞湖北学政任满，入京复命。始与潘祖荫、王懿荣、吴大澂、陈宝琛诸公定交。（《张文襄公年谱》）

十一月

吴振棫（1792—1870）卒于里第，年七十九。《花宜馆诗钞自序》谓："少年之诗浅，中年之诗杂，晚年之诗率。"陈三立《兵部尚书云贵总督吴公墓志铭》："生平嗜学，所为诗闳雅，成一家之言。"《晚晴簃诗汇》卷一百二十六收其诗至三十九首，集评引姚椿语曰："仲云黔行诗雄健古直；其赴官滇中诗曰《苍雪集》，老劲之外，益见秀媚。于时下质澹空滑之习一无著染，而奋然自进于古。"引贺长龄语曰："仲云少时已斐然有作，入官以后乃愈老愈朴。其目之所触、身之所历，关民生疾苦者，累歔重噎，长言咏叹，间及边防国计，则援古刿今，惩前毖后。盖躬其事则虑之也周，历其难则言之也痛。其或事与愿违，每怒焉自责自伤，虽至无可如何，而流连往复之余，时复不能自已。乃至中更颠踬，而无改其度，卒乃复振，亦若视为固然。此其意境为何如乎？是亦变风变雅之遗也。而优柔平中，犹见先民之轨则焉。仲云黔中之诗，曰：汉官清，夷人平。余虽不敏，请事斯语。"诗话云："仲云累叶称诗，思深力厚，风格老苍。嘉道以还，为一大家。同年祁文端尤推重之。历官清介，耄岁归休，平生宦游之迹，滇黔最久。《正雅集》记其'风云百开合，今古一鸿濛'二语，谓足尽摹状山水之妙。洽熟故事，有《养吉斋丛录》二十六卷、《余录》十卷。孙庆坻、曾孙士鉴并入翰林，有时名，绍其世学。"朱庭珍《筱园诗话》卷二："近人吴仲云尚书《花宜馆诗》，亦是浙派，但无其（今按：指厉鹗）替代琐屑诸弊，圆秀冷峭，门径弥小，幸神韵犹较深远，亦近代一小名家也。”

冬

陈书、陈衍为诗钟之戏。《侯官陈石遗先生年谱》：“两世父每集朋辈吟折枝，斗菊为胜负。家君得菊较夥颐。折枝者，拈不对两字嵌在七言对句中，约定嵌第几字，对仗工整者胜，亦名诗钟，即古人击钵催诗意。”又，陈衍时年十五岁，学为骈体文。

本年

《绣像六美图》弹词三十卷三十回刊出。不题撰人，佚名序谓为朱镜江、章维善合著。另有光绪三十年萧佐清序本。叙明正德年间金陵书生杨华与陈淑贞等六女情事。

林纾十九岁，始作诗，且文名渐著。时与林崧祁及另一林某，称福州“三狂生”。

樊增祥二十五岁，从张之洞问学，存诗自本年始。樊增祥《二家咏古诗序》：“同治庚午，从孝达师于武昌试院，纵言至于诗。师曰：‘诗非有事勿作，吾少时流连光景雕绘风霞之什，大半轶去，独通籍后与同年数人作咏古诗，既熟史事，且觇学识，每一篇中必取材于本传之外，以为旁搜博识之验，凡数十首，今亦不存矣。’”《樊山续集自叙》：“庚午岁，从南皮师游，始有捐弃故技，更授要道之叹。举前作悉火之，故存稿断自庚午。时迭主潜江、江陵讲席，稍稍以余金买书，或从人借读，且读且抄且作。夙昔下笔千言，至是七言八句，或终夕不成，或脱稿斤斤自喜，阅时又焚弃之。自庚午至乙亥所作，又千余首，痛自芟薙，存其十之一，厘为上下二卷，曰《云门初集》。”

陶方琦欲刻词集，为李慈铭所止。樊增祥《二家词赓跋》：“同治庚午，子珍将以所作《金罍词》付梓，求序于李炁伯师。师报书，历叙词学源流，而归本于玉田清空质实之论，以箴其失。且曰：必欲付手民者，即以此书为弁。乃止不刻，而檀栾金碧、婀娜楼台之习弗能改也。”

李鸿裔年四十，退居吴中。黎庶昌撰《江苏按察使中江李君墓志铭》：“君既罢官闲居，乐吴中山水，徙家苏州，得瞿氏网师园葺治之……生平游宴甚广，而契谊最笃，若吴县潘尚书祖荫、湘乡曾袭侯纪泽、开县李制军宗羲、嘉兴钱太仆应溥、吴县潘方伯曾玮、归安吴观察云、剑州李方伯榕、湖口高大令心夔、独山莫征君友芝，此尤海内共知者，可以观所与已。”居吴中，与高心夔等交游甚密。

陈森（1796—1870）**卒，年七十五。**陈森撰有《梅花梦》传奇及小说《品花宝鉴》。张盛藻《梅花梦》跋：“快读一过，丽情思，奔赴笔端，如泉涌花发，以此传奇，此奇可传矣。”《品花宝鉴》前已见。

胡思敬生。思敬（1870—1922）字瘦唐，一字瘦篁，亦作漱唐，号退庵、退庐居士，江西新昌人。光绪二十年会试中式，次年补行殿试，改吏部主事。宣统中，清政府预备立宪，思敬数上疏反对，不报，乃自劾去。张勋复辟，闻报急驰赴任。途中闻事败，仍归隐里中。少以诗文自豪，官京师，与陈衍、赵熙等时相唱和，多感时抚事之作。著有《退庐文集》、《退庐诗集》、《驴背集》、《戊戌履霜录》等。

丁绍周撰《浮玉山房诗文钞》一卷刊刻。绍周自同治九年任浙江学政，后卒于任所。

张之洞本年在湖北学政任上选刻《江汉炳灵集》，樊增祥助之。分上下两卷，收录经心书院课文，为科举利器。又，左绍佐是年受知于张之洞。傅岳棻《应山左笏卿先生墓碑》："（左绍佐）弱冠，受知于南皮张文襄公，所刻《江汉炳灵集》，大率公与樊樊山丈改定，于先生文，一字未易也。"

尹湛纳希始续撰《青史演义》。此书全称《大元盛世青史演义》，又译《大元勃兴青史演义》，今存六十九回，为蒙古族唯一长篇历史演义小说。此长篇巨著最初由其父旺钦巴拉撰写，未完。尹湛纳希此后以二十年时间续撰。（吉尔嘎拉《尹湛纳希的创作实践及其思想发展》）

公元 1871 年（同治十年　辛未）

二月

吴大廷自上海至苏州。晤何绍基、李鸿裔，并为孙衣言《逊学斋文集》作序。

三月

吴汝纶至江宁与张裕钊、曾国藩论文。先是，汝纶奉旨补深州知州，回籍迎养，因抵金陵。《桐城吴先生年谱》："三月初八日，至凤池书院与廉卿留连竟日，邕论文字。""初九日谒曾相作辞。……数见曾相，泛论今古，所言多可牖启人意气者。二十九日以后，率以间日一谈，其言皆甚切至。"又，四月入城见莫友芝。

春

俞樾刻《第一楼丛书》。《曲园自述诗》："两平议已播东瀛，第一楼书亦告成。却忆湘乡谐语在，竟将性命博微名。""余所刻群经、诸子两平议，流播人间，远及日本。辛未春，又刻第一楼丛书三十卷，曾文正师尝语人曰：李少荃拼命做官，俞荫甫拼命著书。嗟乎，杀君马者路旁儿，斯言其殆讽我乎？"按：至七月，撰《第一楼丛书》序目，丛书于说经之作外，尚收有《湖楼笔记》七卷、《诂经精舍自课文》二卷等。

樊增祥二十六岁，结识李慈铭。增祥《二家词钞序》："辛未春为登龙之始，一见若平生欢。"余诚格《樊樊山集叙》："辛未，见会稽李先生，深相慕结。及丙子夏课，遂与陶子珍（按：陶方琦）、仲彝昆季俱受业焉。李先生尝曰：吾与子珍、云门所为乐府，天下无双。先生惊谢，李先生叹曰：得失寸心知，子自视宁不佳耶？"按：增祥乡举后尝三应会试，本春入京应试，故结识李慈铭。时李慈铭四十二岁，以诗文负盛誉于京师。

四月

二十五，赐梁耀枢等三百二十三人进士及第出身有差。（《清史稿》）张佩纶、吴

观礼、

瞿鸿禨、劳乃宣、陈宝等成本科进士。按：吴观礼（1833—1878）字子盦，号圭盦，浙江仁和人。何绍基女夫。在左宗棠军幕最久，积功至道员。通籍后始居京师，张佩纶、陈宝琛等为文字骨肉。殁后，陈宝琛手写其诗《圭盦诗录》刊出。（注：生于道光十二年十二月三十日）

五月

初一日，张之洞、潘祖荫觞客于龙树寺。时王闿运居衡阳已七年，春，复北游，以三月抵京师会试，故得与此盛会。《湘绮府君年谱》："五月，潘侍郎伯寅以世家高科久居京师，主持坛坫，张编修香涛新从湖北学政归，提倡风雅，因府君入京，乃以朔日招聚四方英彦，约饮龙树寺。……酒酣，潘侍郎出纸索书，府君赠潘张诗各一篇。"谱载集者有无锡秦炳文、南海桂文灿、绩溪胡澍、吴县许赓飏、会稽李慈铭、赵之谦、洪洞董文焕、遂宁陈乔森、钱塘张预、福山王懿荣、南海谭宗浚、瑞安孙诒让等十七人。

二十二日，三多生。三多（1871—1940）原姓钟木伊，改汉姓张，字六桥，号鹿翁。蒙族。先世驻防杭州，遂以为籍。先后任杭州驻防官、奉天都统、绥远都统、库伦驻防大臣。三多生长杭州，喜文事，与杭州文士如俞樾、谭献等俱有交往，后以樊增祥为师，工于隶事，得其师法。尤熟于满蒙各地方言，与故实稍雅驯者，多以入诗。著有《可园诗钞》。（生卒年据《清代人物大事纪年》）

六月

八日，清政府重又发布禁毁小说书报通谕。

王闿运在京作《圆明园词》。《湘绮府君年谱》："徐侍郎寿蘅、周学士荇农见之，以为笔墨通于情性，回首当年情事，读之悲恸欲绝，乃叹诗之感人，一至于此。未数日，京师文人传写殆遍。"

王韬译《普法战纪》前后二编成。又，《瀛壖杂志》撰成于本年。

七月

王闿运离京南归，京朝名士宴集送行。张之洞有诗送之，小序谓："壬甫才调冠时，善谈经济，《哀江南》一赋，海内知名。遍历诸侯，朝贵折节。"按：闿运咸丰十年出京，至是已十年。是时，京中诗名与闿运相埒者有李慈铭。李慈铭《越缦堂日记》同治十一年四月六日："前日香涛言：近日称诗家，楚南王壬秋之幽奥与予之明秀，一时殆无伦比。然明秀二字足尽予诗乎？盖予近与诸君倡和之作，皆仅取达意，不求高深，而香涛又未尝见予集，故有是言也。若王君之诗，予见其数首，则粗有腔拍，古人糟粕尚未尽得者。其人予两晤之，恚妄言，盖一江湖唇吻之士，而以与予并论，则予之诗亦可知矣！香涛又尝言：壬秋之学六朝，不及徐青藤。夫六朝既非幽奥，青藤亦不学六朝，则其视予诗亦并不如青藤矣。以二君之相爱，京师之才亦无如二君者，香涛尤一时杰出，而尚为此言，真赏不逢，斯文将坠，予之碌碌，不可以休乎！逸山尝言，以王壬秋拟李莼伯，予终不服。都中知己，惟此君矣。"又光绪五年十二月二日记："王闿运……盛窃时誉，妄肆激扬，好持长短。虽较赵之谦稍知读书，诗文亦较通顺，而大言诡行，轻险自炫，亦近日人海倦客一辈中物也。"徐一士《一士类稿·李慈铭与王闿运》："王闿运与慈铭，并时噪誉文坛，而慈铭之于诗，深不然之，羞于为伍，盖操途辙有异，真未免文人相轻之见也。……闿运之所自负，亦大有目无余子之概，若慈铭者，殆非所愿齿及云。"

八月

俞樾自编《春在堂杂文》二卷成并自序。此集后有续编。

九月

十四日，莫友芝（1811—1871）卒于兴化舟次。赵恺编《郑子尹先生年谱》："吴县尚书潘祖荫称之曰：郑子尹、莫子偲、黎伯庸三人皆黔之通人也。《郎潜纪闻》曰：子偲子尹相劘以许郑之学，世称西南两子。"张裕钊《莫子偲墓志铭》："黔中官师徒友，交口推毂莫子偲郑子尹，而两人名遂冠西南。子偲之学，于苍雅故训，六经名物制度，靡所不探讨，旁及金石目录家之说，尤究极其奥赜，疏导源流，辨析正伪，无铢寸差失。所为诗及杂文，皆出于人人，而于诗治之益深且久。……自通州大邑，至于山陬岭海，公卿巨人，学士大夫，咸推子偲以为不可及。"《晚晴簃诗汇》卷一百三十六收诗二十四首。集评谓："翁药房曰：凡为诗不尚流美，非恶流美也。未至于流美则蕲其流美；能流美矣，而专务以说世，不入于卑靡不止。是故贵有以矫厉之，然后风骨高而性情出。一切文章之事皆然。子偲之诗可谓不务流美者，子偲天性惇朴，家多藏书，而又能善读之，以蕴蓄为辞章，故能远去尘俗，不失涪翁质厚为本家法。"诗话称："子尹序邵亭诗，拟以东野、后山，谓其制境之耿狷，求志之专精，用心之谨细，似古人之苦行力学者。读集中诗，密栗隐秀，其称元道州曰：疏花透凝寒，落落自真态。殆足自喻也。经籍碑版论定详审，开后来五十年风气，穿穴贯串多前辈所未逮。"

许瑶光撰《谈浙》四卷成并自序。

秋

蒋超伯撰《南漘楛语》八卷刊刻。

十月

谭莹（1800—1871）卒，年七十二。陈澧《谭君墓志铭》："（其诗）初以华赡胜，晚年感慨时事，为激壮凄切之音。"《清史列传》本传："（骈体文）沉博绝丽，奄有众长。粤东二百年来，论骈体必推莹，无异辞者。"《晚晴簃诗汇》卷一百四十五收其诗三首，诗话云："玉生幼颖悟，于书无所不窥，尤长于词赋，为阮文达、翁文端所激赏。以文行矜式乡间，性坦率，与人交不作应酬语，若与论学术是非、人品心术邪正、诗文得失，咸推勘入微，凡所讥诃，悉中症结。"

玉屏山馆重刊俞万春《荡寇志》。按：咸丰七年曾重刊，此次重刊又增钱湘等序跋。钱湘《序》云："咸丰三年，五岭以南，崔苻四起，以绛帕蒙首，号曰红兵，蜂屯蚁聚，跨邑连郡。……当道诸公急以袖珍板刻播是书于乡里间，以资劝惩。厥后渐臻治安，谓非是书之力也，其谁信之哉！……于是以《荡寇志》盛行于大江南北，巨本之有批注者，为发逆所嫉，毁于姑苏。当时有识者曰：'贼其遂亡乎，自知其非义而去之也！'已而果然。"末云："昔板桥氏自序其集曰：'有私刻以渔利者，吾必为厉鬼以击其脑！'吾于是书亦云。"

本年

涂宗瀛刊吴廷栋所撰《拙修集》及所校《理学宗传辨正》。廷栋晚年所作，殁后编为《拙修集续编》四卷，光绪九年六安涂氏求我斋刻。

天空海阔之居刊出齐学裘《见闻随笔》二十六卷巾箱本。是书杂记清代后期怪异杂事。齐学裘字子贞，一字子治，号玉溪，江西婺源人。

许善长《风云会》传奇二十四出约成于本年。据唐人小说《虬髯客》改编，谱李靖、红拂、虬髯客事。有光绪三年刊本。

曾国藩在金陵与吴廷栋论学。《曾文正公年谱》："吴公傲寓金陵五年……公每月必一再过访，谈论移时。公前官京师相与讲学之友，岿然独存矣。"

谭献自编《群芳小集》一卷刊刻。

丁绍周自辑《浮玉山房赋钞》附《浮玉山房试帖》刊刻。

傅寿彤撰《澹勤室诗》六卷刊刻。

释敬安二十一岁，在岐山参禅，始学诗。《晚晴簃诗汇》卷一百九十八："出家后，尝省舅氏至巴陵登岳阳楼，诸人分韵赋诗，寄禅独凝神趺坐。忽得'洞庭波送一僧来'之句，归述于人，咸谓有神助。遂发愤学诗，用力甚苦，至忘寝食。"

张謇十九岁，始识海门周家禄，与为友。

陈衍十六岁，在侯官，始学填词。《侯官陈石遗先生年谱》："多阅唐宋元明人笔记小说，喜张皋文《词选》、黄仲则《两当轩诗》。……有《浣溪沙》二阕，《摊破浣溪沙》一阕。"

说唱艺人石玉昆卒。石玉昆（约1810—1871）字振之，天津人。道光（一说咸丰）至同治间，在北京以说书为业，倾动一时。以自编自演《龙图公案》闻名，后经人纪录整理，成为章回小说《龙图耳录》与《三侠五义》。其所创唱腔，后成为著名杂牌曲子，称"石派书"或"石韵书"。

公元 1872 年（同治十一年　壬申）

正月

初四日，清廷颁布军流徒不准减等条款一百四十六条，内云："造刻淫词小说及抄房捏造言词寻报各处，罪应拟流者。"

二十二日（3 月 1 日），曾朴生。朴（1872—1935）谱名朴华，改名朴，初字太朴，改字孟朴，又字小木、籀斋，别署铭珊、东亚病夫、病夫国之病夫等，江苏常熟人。光绪十七年举人。父之撰为时文名家，官刑部，所交多能文之士，曾朴幼侍父游，又娶汪鸣銮之女，故熟谙文坛政界掌故。入赀为内阁中书，被荐入同文馆习法文。后南归，潜心著述并大量阅读法国文学作品。游上海，与徐念慈等创小说林社，撰《孽海花》小说，风行一时。民国后，尝入政界，晚仍至上海，办《真美善》杂志。年六十四，卒。撰《孽海花》小说外，尚有自传体小说《鲁男子》六部曲（未完），翻译作品有《九十三年》（雨果原著，今译《九三年》）、《钟楼怪人》（雨果原著）。

二月

初四日，曾国藩（1811—1872）卒于金陵，年六十二。郭嵩焘《墓志》："公始为翰林，穷极程朱性道之蕴，博考名物，熟精礼典，以为圣人经世宰物，纲维万物，无他，礼而已矣。浇风可使之醇，敝俗可使之兴，而其精微具存于古圣贤之文章。故其为学，因文以证道。尝言：载道者身也，而致远者文。天地民物之大，典章制度之繁，惟文能达而传之。俛焉日有孳孳，以求信于心而当于古。其平居抗心希古，以美教化、育人才为己任，而尤以知人名天下。"李鸿章撰《神道碑》："公为学覃究义理，精通训诂，为文效法韩欧而辅益之以汉赋之气体。其学问宗旨以礼为归，尝曰古无所谓经世之学也，学礼而已。于古今圣哲自文、周、孔、孟下逮国朝顾炎武、秦蕙田、姚鼐、王念孙诸儒，取三十有二人，图其像而师事之。自文章政事外，大抵皆礼家言。"王韬《重刻曾文正公文集序》："大抵公于文主庐陵，故体裁峻絜，而不尚词藻；于诗主昌黎、山谷，故词句斩新，而不蹈袭故常。公又湛深经术，宗法汉学，出入服、郑，于高邮王氏尤为服膺。盖公具海涵地负之才，出其余力为词章，已足以弁冕群贤，推倒一世。近代英绝领袖之士，且皆退避弗遑，必得公一言以重于九鼎。而公亦时以提倡风雅为己任，虽军书旁午，而文人诗客、名上雅流以行卷干者，无不即时延见，幕府所征多才略之彦，节钺所至，风尚为之一变。虽兵戈扰攘垂二十年，而武功既耀，文事并隆，公之势位，又足以奔走天下而有余。以是虽经丧乱祇离，而斯文不至于澌灭者，公之力也。江南甫定，书局即开，海内著述渐次勃兴，郁郁彬彬，比美嘉、道，然则公之功业，岂不盛哉！……又公之麾下，虽偏裨将校，亦知世故，庀图书，敬礼贤俊，有轻裘缓带，雅歌投壶之风，其被于公之雅化也如此。盖公之相业似韩、范，公之勋名似李、郭，公之文学足以并孔、邢、欧、曾而无愧色，不独一代之完人，亦一时之全才矣。"（《弢园文录外编》卷九，此为日本刻本序）朱祖谋《冬夜检时贤诗集率缀短章》论曾国藩："正音大雅莽榛菅，健者今生必杜韩。独把西江奉初祖，淄渑一别有澄澜。"薛福成《寄龛文存序》："至乾隆中叶，而姬传姚先生踔起，先生亲受业望溪弟子刘君大櫆，及其世父编修君范，其论古文曰：义理、考据、辞章，三者缺一不可。一时著籍门下高第弟子，各以所习相传授，自淮以南，上溯长江，西至洞庭、沅、澧之交，东尽会稽，南逾服岭，言古文者，必宗桐城，号桐城派。其渊源所渐远矣。厥后流衍益广，不能无屭弱之病。曾文正公出而振之。文正一代伟人，以理学经济，发为文章，其阅历亲切，迥出诸先生上。早尝师义法于桐城，得其峻洁之诣。平时论文，必导源六经、两汉，而所选《经史百家杂钞》，搜罗极博，《文选》一书，甄录至百余首。故其为文，气清体闲，不名一家，足与方、姚诸公并峙，其尤峣然者，几欲跨越前辈。余谓自桐城派盛行，而海内假托者亦众，近世高材生言古文者，或遂厌弃桐城，然以文正之贤，不能不取义法于桐城，继乃扩充，以极其才，然则桐城诸老所讲之义法，虽百世不能易也。"黎庶昌《续古文辞类纂序》："姚先生（按：姚鼐）于兴于千载之后，独持灼见，总括群言……是由古今之文章，谬悠殽乱、莫能折衷一是者，得姚先生而悉归论定。即其所自造述，亦浸淫近复于古。然自百余年来，流风相师，传嬗赓续，沿流而莫之止，遂有文敝道丧之患。至湘乡曾文正公出，扩姚氏而大之，并功德言为一涂，挈揽众长，轹归掩方，跨越百氏，将遂席两汉而还之三代，使司马迁、班固、韩愈、欧阳修之文，绝而复续，岂非所谓豪杰之士，大雅不群者哉！盖自欧阳氏以来，一人而已。余今所论姤，其品藻次第，一以昔闻诸曾氏者，述而录之。曾氏之学，盖出于桐城，固知其与姚先生之旨合，而非广己于不可畔岸也。循姚氏之说，屏弃六朝骈丽之习，以求所谓神理、气味、格律、声色者，法愈严而体愈尊；循曾氏之说，将尽取儒者之多识、格物、博辨、训诂，一内诸雄奇万变之中，以矫桐城末流虚车之饰，其道相资，无可偏废。"《晚晴簃诗汇》卷一百四十二收其诗至四十三首，诗话云："文正勋业文章，皆开数十年风气。余事为诗，承袁赵蒋之颓波，力矫性灵空滑之病，务为雄峻排奡，独宗西江，积衰一振。题彭旭集诗云：自仆宗涪公，时流颇欣向。盖自道得力处，实有陶铸一世之功能也。"

曾广钧以荫赏举人。

三月

十六日，**瑞常卒**。瑞常（1805—1872）字芝生，蒙古旗人，道光十二年进士，官至户部尚书、文华殿大学士，卒赠太保，谥文端。著有《如舟吟馆诗钞》。《晚晴簃诗汇》卷一百三十六收其诗三首。（生卒年据《清代人物大事纪年》）

二十三日（4月30日），**《申报》创刊于上海**。初由英商美查创办，宣统元年为席裕福收买，民国元年转于史量才，至民国三十八年五月停刊，为近代中国历史最久之报纸。

二十三日，**郭嵩焘等在长沙絜园为展禊之会**。据《郭嵩焘文集》卷二十五《〈絜园展禊图〉记》，与会者罗汝怀、吴敏树、李元度、郭嵩焘、郭崑焘、杨翰、朱克敬等十一人。以《兰亭序》"此地有崇山峻岭茂林修竹"十一字为韵，人赋一诗，并以齿序。吴敏树为之记，郭嵩焘作后序。

春

俞樾入闽省母。途次得杂诗五十八首，又有《闽行日记》一卷，刻之《曲园杂纂》中。（《曲园自述诗》）

四月

十二日，《申报》刊载海上逐臭夫（袁志祖）所撰《沪北竹枝词》，其中有云："自有京班百不如，昆班杂剧概删除。"

十五日（5月21日），《申报》开始连载《谈瀛小录》，至本月十八日毕，英国斯威夫特原著，译者不详。此月刊载作品又有小说《一睡七十年》，此系美国作家欧文《睡谷传说》改编而成。

夏

潘祖荫在京与诸名士销夏联吟。《潘文勤公年谱》："兄首唱六律，一拓铭，二读碑，三品泉，四论印，五还砚，六检书。张孝达、李惹伯、严汝成、胡甘伯、王正孺、陈逸山皆有和作，刻《壬申销夏诗》。"又，本年潘祖荫刻《越三子诗》等书多种，"《越三子诗》，其一为孙廷璋莲士，兄庚戌学正同年，其一为陈寿祺珊士，丙辰分校礼闱所得士，其一则王星篱孟调也"。

王诒寿撰《花影词》一卷成并自序。

七月

五日，潘祖荫在京为康成（郑玄）生日会。

八日（8月11日），陈兰彬、容闳率梁敦彦、詹天佑等赴美留学。是为中国公派之第一批留学生。

十五日夜，陈澧偕汪瑔（芙生）南园看月，有诗。（《陈东塾先生年谱》）

九月

初八日，傅增湘生。增湘（1872—1950）字淑和，号沅叔，别号藏园居士，四川江安人。光绪二十四年进士，署直隶提学使，创天津北洋女子师范学堂及京师女子师范学堂。入民国，尝任教育总长，后长期从事图书收藏及版本目录研究。增湘早岁肄业保定莲池书院，能诗文，著有《秦游日记》、《衡庐日记》等，诗为时所称而未见专集。

谭献序王诒寿撰《笙月词》四卷。此集后由许增涉园刊出时，辑未刻词编为第五卷。（据《清代人物大事纪年》）

十月

十一日（11月11日）《瀛寰琐纪》创刊于上海，月刊，每月朔日刊出，蠡勺居士主编，出版者申报馆；同治十三年十二月（1875年1月）停刊，共出二十八卷。是为我国最早之文学专业刊物，以刊载诗词、散文为主，兼及小说、笔记、政论等。创刊号载蠡勺居士所撰《瀛寰琐记序》云："或可以助测星度地之方，或可以参济世安民之务，或可以益致知格物之神，或可以开弄月吟风之趣，博搜广采，冀成巨观。"按：近今学者认为，蠡勺居士为杭州蒋子让，寓居上海，别署小吉罗庵主、小吉庵主人、蠡勺渔隐、蘅梦庵主、西泠下士等。

郑献甫（1801—1872）卒，年七十二。陈澧《象州陈君传》："尤熟诸史，为文章贯串古今，直抒所见，绝去修饰。……尤不喜近之为文者，其言曰：道无所谓统也……文无所谓派也，文有派，其始于明人所选唐宋八家文乎？自道之统立，文之派别，遂若于先秦以来之贤人君子，东汉以来之鸿篇巨制皆可置之不论。夫一代之世运与一代之人才，合而成一代之文体。文体不同，而精采皆同。若具一孔之见，勒一途之归，则陈陈相因而已。……国朝二百余年，儒林、文苑之彦叠出海内，及风气既衰，而郑君特起于广西，学行皆高，可谓豪杰之士矣。"《晚晴簃诗汇》卷一百三十八收其诗十四首，诗话云："诗直抒胸臆，无所依傍，骨韵甚秀。当时粤西诗人以朱伯韩、王少鹤、龙翰臣为最著，小谷颉颃其间，其伉爽之气，清越之音，亦拔戟自成一队。"《射鹰楼诗话》卷八："诗笔娴雅，幽艳如马守真画兰，秀气灵襟，纷披楮墨之外；又如倩女临池，疏花独笑。"

十二月

《瀛寰琐纪》第三卷开始连载英国小说《昕夕闲谈》，至同治十三年十二月毕，译者署蠡勺居士。蠡勺居士《昕夕闲谈序》云："小说者，当以怡神悦魄为主，使人之碌碌此世者，咸弃其焦思繁虑，而暂迁其心于恬适之境也。……其感人也必易，而其入人也必深矣。谁谓小说为小道哉？"

冬

萧穆始客游海上，此后与刘熙载还往凡八九年。（《敬斋类稿》卷十二《刘融斋中允别传》）按：萧穆（1835—1904）字敬甫，又作敬孚，安徽桐城人。同治间县学生。早年师事钱泰吉、刘宅俊、方宗诚等，受古文法。客上海三十年，留心四方文献。著有《敬孚类稿》十六卷。

宝廷游田盘山，成《田盘歌》长诗。《先考侍郎公年谱》载，六月补授翰林院侍讲，十二月充文渊阁校理，"是岁服阕，乃偕伯时先生遍游西山诸胜，为《西山纪游行》数千言，冬又游田盘山，为《田盘歌》数千言。五言长诗，自《孔雀东南飞》后，有《北征》、《南山》诸作；七言长诗于古少见，公始创为之"。

本年

乐善堂刊出《珠玉圆》弹词四卷四集，凡四十八回。署仁和柳浦散人编辑，钱塘西麓山人评点，山阴觉轩居士校阅。此书一名《侠女舍身缘》，又名《女儿花》，大旨以劝诫溺女为主，唯演出种种善恶果报，不脱乡愚迷信恶习。

废闲堂刊出《十五贯》弹词。八集十六卷十六回，署鸳湖逸史撰，有同治六年自序。

方宗诚在直隶枣强任上重校《柏堂集》。又编校《求阙斋文钞》等。（《方柏堂先生谱系略》）

潘曾祁撰《西圃集》自本年至光绪中陆续刊刻。本年常熟杨沂孙为之序。

缪荃孙汇写数年诗曰《惊乌集》。时年廿九岁，仍在成都书局。

张之洞在京充翰林院教习庶吉士。《张文襄公年谱》："是岁清秘无事，得诗最多。"

况周颐年十二，始学填词。是年得《蓼园词选》读之，"由是遂学为词，盖余词之导师也"。（《蓼园词选序》）徐珂《近词丛话》："尝自述其填词之所历曰：'余自同治壬申癸酉间，即学填词，所作多性灵语，有今日万不能道者，而尖艳之讥，在所不免。……'"又，是年受知于乡先辈王拯。

赵国华撰《青草堂集》五十一卷自本年陆续刊刻。

程鸿诏撰《有恒心斋集》刊出。

林寿图自序《黄鹄山人诗初集》。

薛时雨《藤香馆诗钞》八卷收诗止于本年。按：时雨初刻其集为《藤香草堂诗稿》不分卷，再刻其集为《藤香馆集》八卷，内《诗钞》四卷《续钞》二卷《词》二卷，秦湘业等序，录咸丰三年至本年诗，辑入《薛氏五种》。

江顺诒刻《愿为明镜室词》，属谭献论定。（《复堂日记》壬申）按：江顺诒（1822—?）字子毅，一字秋珊，号窳翁，别署明镜生、愿为明镜室主人，安徽旌德人。廪贡生。同治中署浙江钱塘县丞，与曲家宗山等结社唱酬。工诗词，善戏曲，著有《梦花草堂诗钞》、《梦花草堂诗话》、《愿为明镜室词稿》等，辑有《词学集成》等。

文廷式始于菊坡精舍从番禺陈澧游。廷式时年十七岁，与贺县于式枚推高第弟子。

沈曾植"偶为应世之文，有誉于京师"。时年二十三岁，在京师。（王蘧常《嘉兴沈寐叟先生年谱初稿》）

何栻（1816—1872）卒，年五十七。《晚晴簃诗汇》卷一百四十四收其诗十首，诗话云："廉昉诗乃孙子潇、舒铁云之流亚。曾文正极赏之，谓其权奇倜傥，才气不可及。惜俗调未除，又喜作工对，韵味反减。其时有透到语，读之意豁，则才人本色也。"

何曰愈卒，年八十。曰愈（1793—1872）字德持，号云畡，别号退庵，广东香山人。出身州县吏，历官岳池知县。长于边事。能诗，著有《余甘轩诗钞》。《晚晴簃诗汇》卷一百三十四收其诗三首，诗话云："云畡负才忼慨，长于论兵，宦蜀四十年，潦倒不遇。尝驰七八千里，入乌斯藏，故唐时吐蕃牙帐地，留三载乃还。王柏心叙其诗，谓五古乐府追踪两汉而入其堂奥，七古歌行如风樯阵马，迅利无前，至涉边障蛮落者尤为雄杰。"

张印（1832—1872）**卒，年四十一。**张印字月潭，陕西潼关人，山东巡抚张澧中女，陕西布政使林寿图继室。著有《茧窝遗诗》。《晚晴簃诗汇》卷一百八十八收其诗多至五十一首，诗话云："喜艺术，善画花卉翎毛，临摹名迹辄神似。兼精绘绣，有针神之目。……欧斋邃于诗，月潭固能诗者，观摩有得，所诣弥工。惟时为家政所间。欧斋言月潭之于诗，有终岁不著一语，有一夕得数十韵。不事雕饰，以陶写性灵为主。使无儿女累而日益精焉，传不传正未可量。月潭殁后二十余年，其子得稿于旧屋夹壁中，已虫蚀过半。后刊于闽中，依手订金台、青门、南归诸稿，署曰茧窝遗诗。茧窝者，生前所居室名也。诗多叹逝伤离、忧时感事之作，性情识力——可见。结思真挚，出以清超，意境在白陆间。"

陈世镕（1787—1872）**卒。**《射鹰楼诗话》卷二十二："著有《求志居集》。大令幼负神童之目，九岁赋《雁字》诗，为熊藕颐先生所激赏，其诗风华绰约，姿态横生，诸体俱工，近体尤胜于古体。"陈诗《尊瓠室诗话》："奇肆而能敛，翔实而能腴，为道咸时吾皖一大名家。"《晚晴簃诗汇》卷一百五十收诗三首。

孙仁玉生。仁玉（1872—1934）名瑗，字仁玉，陕西临潼人。光绪二十八年举人，后入同盟会。民国元年与李桐轩等共同发起易俗社。著有戏剧作品多种。

李刚己生。刚己（1872—1915）字刚己，河北南宫人。光绪二十年进士，署代州直隶州知州。尝师事张裕钊、吴汝纶、贺涛、范当世，受古文法，诗文成就特出，论者以为张、吴门下第一。著有《李刚己遗集》。

吴虞生。虞（1872—1949）原名姬传，改名虞，字又陵，一作幼陵，别署爱智、爱智庐主人等。四川新繁（今成都）人。少从业于吴之英，又请业于廖平，为王闿运再传弟子，甲午后提倡新学，后赴日本留学，始抗言非孔。既归国，在成都创法学研究会，任成都府立中学教员，因反孔非儒被逐出教育界。民国后著《吃人与礼教》等文，先后任北京大学、四川大学等校教授。著有《秋水集》诗及《吴虞文录》、《文续别录》，今人汇为《吴虞集》。

张春帆生。春帆（1872—1935）名炎，以字行，别署漱六山房，江苏常州人。尝寓居苏州，后移居上海，以卖文为生。以所撰狭邪小说《九尾龟》名于时。入民国，创办《平报》。计撰、译长篇小说凡数十种。

罗惇曧生。惇曧（1872—1924）字掞东，号瘿庵，晚号瘿公，广东顺德人。光绪二十九年副贡，历官邮传部郎中。尝受业于康有为。入民国，任总统府秘书等职。善书。能诗，与黄节等称岭南近代四家，著有《瘿庵诗集》。（生年据《清人诗文集总目提要》）

黄世仲生。世仲（1872—1912）字小配，又字配工，别署黄帝嫡裔、禺山世次郎、黄棣荪等，广东番禺人。尝与胞兄伯耀赴南洋谋生，任邱菽园所主保皇派刊物《天南新报》记者，后倾向革命排满，入同盟会。撰小说《大马扁》以讥刺康、梁，又撰《洪秀全演义》以鼓动排满。合其他小说，共十余种。

公元1873年（同治十二年　癸酉）

正月

二十一日，**金天羽生**。天羽（1873—1947）初名懋基，改名天翮，又名天羽，字松岑，号鹤望、鹤舫，别署爱自由者、天放楼主人等，江苏吴江人。光绪末，尝被荐经济特科，不赴。至上海，与章太炎、邹容、蔡元培、吴稚晖等抵掌论革命，苏报案发，避居故里，以著述讲学为务。入民国，参与发起苏州国学会。天羽博综群籍，根柢槃深，著译俱能，尤以诗歌为高，著有《天放楼诗集》、《文集》等，所撰《皖志稿》士林推为一代良史。

二十六日，**梁启超生**。启超（1873—1929）字卓如，号任公，别署饮冰子、饮冰室主人等，广东新会人。光绪十五年举人。初肄业于学海堂，锐意于训诂词章之学。后与陈千秋同请业于康有为，千秋早卒，启超遂为康有为最著名之弟子，助康有为倡言变法。戊戌政变作，亡命日本。先后创《清议报》、《新民丛报》、《新小说》、《政论》诸报刊，宣传维新思想，提倡诗界革命、文界革命、小说界革命。辛亥后归国，仍投身政界。民国八年后一意著述，十八年病卒。启超涉猎极广，著述等身，总约千余万言，都为《饮冰室合集》。

黄节生。节（1873—1935）原名晦闻，字玉昆，号纯熙，改名节，别署晦翁、黄史氏等。广东顺德人。早年师事简朝亮。光绪二十七年在广州创群学书社以启迪民智，后至上海，与邓实等创国学保存会。入民国，任北京大学教授，间一从政。自著诗集为《兼葭楼诗》二卷，所著学术著作极夥，有《黄史》、《中国通史》、《中国文学史》等。

二月

二十六日，**戴望卒于金陵书局，年三十七**。望（1837—1873）字子高，浙江德清诸生。幼孤贫，力学不息。始为词章之学，已为性理之学，最后请业于陈奂，遂专力于考据训诂。遗作由赵之谦辑为《谪麐堂集》。

刘熙载成《艺概叙》。叙谓："艺者，道之形也。学者兼通六艺，尚矣！次则文章名类，各举一端，莫不为艺，即莫不当根极于道。顾或谓艺之条绪綦繁，言艺者非至详不足以备道。虽然，欲极其详，详有极乎？若举此以概乎彼，举少以概乎多，亦何必殚竭无余，始足以明指要乎？是故，余平昔言艺，好言其概，今复于存者辑之，以名其名也。"

郑观应撰《救时揭要》刊行。木刻版，共二十四篇。（夏东元《郑观应传》修订本）

三月

张文虎本月起始评点《儒林外史》。

春

潘祖荫重刻道光间周济所选《宋四家词选》。

张德彝撰成《三述奇》（今名《随使法国记》）并自序。德彝为职业外交官，尝以同治丙寅、丁卯岁游欧美诸国。同治九年天津教案起，德彝随崇厚出使法国"谢罪"，至同治十一年春归国抵京师，录出使见闻为《三述奇》。孙家榖《序》："我朝幅员辽广，迥越前代；两汉使臣绳行沙度而间一至者，今皆隶我版图。……于是通所不通，而泰西人五大洲之说兴焉。……（张君）三至外洋，凡所闻见，山川风土，语言文字，下及草木鸟兽虫鱼之细，悉笔诸书而详记之，命曰《三述奇》，是亦今之博望、宜僚也。国家声教所讫，廓而愈远。从古不通中国之域，皆玉帛结好。一介往来，如在庭户。而伏居里巷者，每少见多怪而非笑之。"《自序》谓："地舆之广，非航海莫穷其极。惟古今来称远游者，虽汉之张骞，唐之玄奘，亦只游印度而止。周流九州外，往返数万里，称天使而遍历于外洋者几人哉？……自问之，自奇；询之人，亦咸以为奇。既有此奇，不即其奇而志之，斯世或未尽知其奇也。……更即此次日见日闻胥书之，颜曰'三述奇'，非以矜奇，正以述实。识者其知录之非奇而诚奇欤？"《凡例》："一、海邦政俗，近年诸星使著作如林，久已脍炙人口，余则不过窃其绪余而已。""一、是书本纪外洋风土人情，故所叙琐事不嫌累牍连篇。至于各国政事得失，自有西士译书可考。"按：是书藏稿于家，今人始刊入《走向世界丛书》。

四月

二十四日，徐自华生。自华（1873—1935）字寄尘，号忏慧，浙江石门人，南浔梅韵笙室。尝受聘主南浔浔溪女学校务，与秋瑾订生死交。出奁金资助秋瑾起事，秋瑾遇难后，为之营葬并立秋社以祀之，时称其风义。自华之祖宝谦，官庐州知府，性爱词章。自华少承家学，喜吟咏，与妹蕴华等并工诗词，后人南社，为南社著名作家。著有《听竹楼诗》、《忏慧词》等。

汪宗沂至迟于本月撰成《后缇萦》传奇十出。是剧叙康熙间泰州孝女蔡惠为父雪冤事。此剧光绪十一年刊出，卷首有刘贵曾本月序及陈作霖、朱绍颐等十余家题词，卷末有江阴缪祐孙跋。

五月

十三日，王柏心（1799—1873）卒。郭嵩焘《王子寿先生墓志铭》："嵩焘自少学为文，则知先生。而读其《枢言》上下篇，以为怀文抱质，有道君子之言也。先生长于嵩焘二十年，是时年未逾四十，文章已冠绝海内。湖南北讲论经史文艺，必归先生。即有所述造，老师大儒皆咋伏，莫敢与并。先生亦自以其诗文启诱后进才俊，见人一技之长，誉之不容口，推毂而策励之，必使有所兴发，以成其善。……以其道德文章独步江汉间五十余年，然先生远揽古今，勤求时要，日思所以振厉一世之人心而厝之安，岂思以文士终哉！"《射鹰楼诗话》卷二："诗音节高壮，格律浑雄，平揖荔裳，可无愧色。诗境如岱华云开，天地秋色，不知胸中吞几许云梦也。集中诸体皆工，余尤爱其五七言律，其高者直摩杜垒，次亦不落钱、刘而下，可以独出冠时。……余生平论诗，不意于叶润臣、朱伯韩、魏默深而外，复逢畏友。比部自题其诗集云：'少时喜观献吉、仲默诗，常以气格声韵为主，高才之士，咸笑其拘，才分所限，终不敢离而去之。'余谓比部诗，其出于何、李者，其诗之气格也；其胜于何、李者，则其诗之性情也。朱伯韩谓其诗'蔼然忠孝之旨，为诗人之杰，不独与李、何并驱'。信哉！"樊增祥《草窗诗叙》："吾乡道光以来，号能诗者，莫如监利王比部，与同县蔡黄楼，天门刘孝长，钟祥张觉山，号楚四家。又与龚九尊、郭南村诸人，号监利十子。其《漆室吟》、《百柱堂集》，风行雷动，震暴一时。流派延沿，竞高声采。"《晚晴簃诗汇》卷一百四十五收其诗十三首，诗话云："子寿学识过人，有国士之誉。诗少宗王李，既乃变化，雄丽深博，探源汉魏。军兴以来，感时书事，引古喻今，汪洋恣肆，别辟门径，直上夺少陵之席，天宝后无此作也。尝论汉魏唐宋明之诗，各有从入之途。汉魏从兴入，故离合往复，其旨最远；唐人从声入，故抗坠疾徐，其调最永；宋人从理入，故切近详密，其趣日新；明人从格入，故俯仰步趋，其变易穷云。"

六月

丁绍周（1821—1873）卒于杭州浙江学政任，年五十三。《续碑传集》卷十七孙衣言撰《墓志铭》："幼嗜学，而尤精于科举之文。"俞樾《蜀游草序》谓：诗赋"雍容大雅，不矜才使气"，"姚武功云'格调江山峻，功夫日月深'，君诗之谓矣"。

宝廷浙江乡试副考官。在浙取惠泉一瓶归，邀诸故人作惠泉社；是年得诗千余首，曰《使越集》。（《先考侍郎公年谱》）

闰六月

初一日，吴廷栋（1793—1873）卒，年八十一。方宗诚《吴竹如先生年谱》称，吴尝学于刘海峰门人陈家勉，年未冠即善为诗，然实究心理学。"海峰以诗古文名天下，陈先生亦嗜为诗。先生独慨然以文艺为末，尝于残书中得五子《近思录》读而好之，遂欲求明夫性分之所固有，职分之所当为，于诗古文制艺之属，虽亦研究之，而不屑藉此以成名也"。方潏师《予告刑部右侍郎霍山吴公墓志铭》："本朝理学名臣，最著者曰睢州汤公、平湖陆公。……百数十年，继陆公而得婺源真脉，厥惟霍山吴公。……诗一卷，法律直追韩杜。"按：潏师墓志铭谓卒于六月初一。

诸可宝在鄂州作《国朝词综续编序》。按：《词综续编》为黄燮清遗著，至是年始刻出。

夏

潘祖荫与李慈铭等联吟，后刊成《癸酉销夏诗》。

七月

二十日，何绍基（1799—1873）卒于苏州寓所。《射鹰楼诗话》卷五："何子贞师读书数万卷，下笔如潮如海，胸次高旷浑穆，游其门者，如坐春风之中。近刊《使黔诗草》，中有《飞云洞》七言古一篇，倏忽变幻，鱼龙出没。"同卷："其于学无所不窥，博涉群书，于六经子史，皆有著述，尤精小学，旁及金石碑版文字，凡历朝掌故，无不了然于心。尝论诗以厚人伦、理性情、扶风化为主。其为诗，天才俊逸，奇趣横生，一归于温柔敦厚之旨。长篇歌行，鞭笞雷电，震荡乾坤，蹴昆仑使东走，排沧海使西流，腾骧变化，得诗家举重若轻之妙，是能合太白、昌黎为一手，盖二百年独见斯作也。临桂朱伯韩侍御谓其诗随境触发，郁勃横恣，适如其意之所欲出，得吾师作诗之旨矣。书法具体平原，上溯周、秦、两汉古篆籀，下至六朝南北帖，搜辑至千余种，皆心摹手追，卓然自成一子。海内求书者门如市，京师为之纸贵。善化贺耦耕中丞题其《使黔诗草》云：'忠孝郁至性，一卷三绸缪。行身式曾闵，余事兼韩欧。'可谓确论。"《晚晴簃诗汇》卷一百三十九收其诗二十八首，诗话云："子贞诗根柢深厚，盘郁而有奇气，多可传之作。自序云性既平拙，复守庭训，一切豪诞语、牢骚语、绮艳语、疵贬语皆所不喜。其严于自律如此。殁后仅五十年，书法益为世所重，得其片楮，珍若球图。独其诗尚未有极力扬榷之者，盖为书名所掩也。"

包兰瑛生。兰瑛（1873—?）字者香，又字佩荣，江苏丹徒人，如皋朱兆蓉室。幼即广涉魏晋六朝及唐宋诸家诗作，后随父宦游浙江、安徽，登山临水，篇什日富，尝在杭州与女友结诗社唱和。著有《锦霞阁诗集》。（编者注：生年据江庆柏《清代人物生卒年表》）

八月

十一日，吴敏树（1805—1873）卒于长沙书局，年六十有九。王先谦《桦湖文集序》："博观载籍，洞晰精微。而于古人为文之道，孤往冥会，意量渊然，常有以自得者。""始居京师，以文见推于梅郎中曾亮。时梅先生方以桐城文派之说启导后进，其言由国朝姚、刘、方三君，上溯明归震川氏，以嗣音唐宋，为古文正宗。先生顾谓文必得力于古书，不当建一先生之言以自隘。其后曾文公为文叙述文派，称引及先生，遂与友人书极论之，所以自别甚力。盖先生之文，词高体洁，实能自进于古。而世俗寻声逐影之说，无所系于其心。故观其为文与其人之生平，足以壮独行之胸，而激懦夫之气，可不谓卓然雄俊君子与！吾楚近日功名之途日开，而山林遗逸，世或罕能留意。叙斯集而传之，使知如先生之全于天者，尤可贵也。"郭嵩焘《吴南屏墓表》："自少读书常兼人，为文章力求岸异，刮去世俗之见。……视人世忻戚得丧，无累于其心，以自适其超远旷逸之趣。此君文之所以独绝于人也。""湖南二百年文章之盛，推曾文正公及君。而君意趣旷然，无忤于物，而物亦卒莫浼，有得于古文人之风。夫人苟有得于其心，则常内自足焉，以无愿乎其外，视外物之至，无加损益于其心也，是以乐之终身而无所歉。君之于文，其庶矣乎！然观其为人，益足知其文之深也。吾故表而著之，以告楚人之能为诗古文者。"《晚晴簃诗汇》卷一百三十七收诗十首，诗话云：

"国初古文家推侯魏汪姜，自望溪以义法倡，后进海峰、惜抱继之，海内遂有桐城派之目。南屏崛起湖湘，亦推挹望溪，而于刘、姚二家，皆致不满。其论文大旨，具见于与欧阳篠岑书中。诗则取径陶韦，间亦参以杜法。关中徐太常法积典试湖南，搜遗卷，得六人，南屏与左文襄在焉。粤寇起，湘中人士多投笔从戎，骤致贵显。南屏独闭户著述，转徙兵间，不废啸咏，所著春秋三传义求、诗国风原指诸书，皆确有心得，异乎寻常经生家言。"

字林沪报馆出版《蜃楼外史》（一名《芙蓉外史》）四十回铅印本。题"雪溪八咏楼主述，吴中梦花居士编"。书叙明嘉靖间张文龙、沈楚材平倭及与奸臣严嵩党羽斗争事。未完，书末云尚有二集，今未见。唯书中插入阿芙蓉公主一事，则实隐喻鸦片之害。

九月

成肇麐乡试中式。

王季烈生。季烈（1873—1952）字君九，别号螾庐。苏州人。光绪三十年进士，历任京师译学馆监督、学部专门司司长。精研词曲，善度曲，与吴梅、俞宗海合称近代三曲家。曾在天津组织审音社，毕生从事昆曲传统曲谱研究整理，辑有《集成曲谱》等，自著有《人兽关》传奇、《西浦梦》杂剧等。

秋

张之洞充四川乡试副考官，出闱后奉旨简放四川学政。

徐继畲（1795—1873）卒，年七十九。杨笃《太仆寺卿前福建巡抚徐公家传》："于书无所不读，为文博大宏深，制举业尤成一家言，蔚为当代宗工。""（诗）具体张王，每一篇出，人争传诵。"《晚晴簃诗汇》卷一百三十二收其诗四首，诗话云："尝辑《瀛寰志略》，当时海通不久，译材未备，得此已不易。"

十月

初一日，刘蓉病卒，年五十八。蓉（1816—1873）字孟蓉，又作孟容，号霞仙，湖南湘乡人。诸生。少负奇气，能文，不事科举，与同邑曾国藩、罗泽南力求程朱之学，蹑而从之，尤务通知古今因革损益，得失利病。咸丰兵事起，追随曾国藩，以军功官至陕西巡抚。同治五年，为西捻军所败，解职家居。著有《养晦堂诗文集》十四卷、《思辨录疑义》二卷。

十一月

八日，徐时栋（1814—1873）卒，年六十。《重修浙江通志》徐时栋时樑等传："诗文多浩落自喜。主四明坛坫三十余年，后进高材多出其门。"董沛《徐先生墓表》："先生论文，汉以司马氏为宗，而参以刘向，唐以韩氏为宗，而参以柳宗元，故所作宏深雅健，奄有众长；诗则浩浩直达，无门户之习；乐府法汉魏；词近苏辛，其余事也。"《晚晴簃诗汇》卷一百四十七收其诗十二首，诗话云："柳泉为全谢山再传弟子，学有渊源，家居著述，主四明坛坫三十余年。所纂《鄞县志》，搜考详密，为方志所仅见。诗笔遒健，不懈而及于古。新乐府尤擅场，所咏多关军中史事，有资劝惩，采风者当有取焉。"

十五日（1874 年 1 月 5 日），王韬与同人在香港设印局，创设《循环日报》。《弢园文录外编》卷十一《弢园老民自传》："癸酉，香海诸同人醵赀设印局，创行日报，延老民总司厥事，老民著述乃得次第排印。"此为中国首种公开宣传变法之报刊，王韬主编并大量撰文鼓吹变法自强，开报章文体之先河。

二十九日，林獬生。獬（1874—1926）又名万里，字少泉，笔名白水、宣樊、退室学者、白话道人，以笔名白水行，福建侯官人。少嗜学，好侯方域及魏禧文，不屑屑举子业。光绪二十七年在杭州刊《杭州白话报》，为我国较早白话报刊之一。后至上海，从事反清运动。南社成立，白水为早期会员。入民国，后仍从事新闻。十五年，为军阀张宗昌所杀。著有《林白水先生遗集》。

冬

劳乃宣入黄彭年所主之《畿辅通志》局。《韧叟自订年谱》："时李文忠公为直隶总督，奏修畿辅通志，聘贵筑黄子寿先生彭年为总纂，开局于省城古莲华池，网罗才俊，一时文士辐辏。是冬予承延聘为襄纂。予究心义理之学有年，见举世胥尚通脱，以道学为诟病，意谓古道不能行于今世，内颇自馁。及见黄先生言行一出于正，毅然无所挠，始知今之世犹有不随流俗者，气为之壮，益用自厉焉。后之所就，得力于此者不少矣。"按：劳乃宣时年三十一岁，在保定，后在局凡六年。

本年

施补华《泽雅堂诗集》六卷刊出。此集所收均四十岁前所作。施补华（1835—1890）字均甫，浙江乌程人。同治九年举人。入左宗棠幕，随军西征，以功擢知府。后入山东巡抚张曜幕，总理营务。工诗文，著有《泽雅堂诗集》六卷、《诗二集》十八卷，《泽雅堂文集》十卷。

汪鸣銮撰《汪柳门稿》不分卷本年刊刻。

孙衣言撰《逊学斋文钞》十二卷刊刻。有同治二年钱泰吉及同治十年吴大廷序。

杨翰撰《息柯居士集》二十六卷刊刻。内《息柯白笺》八卷、《杂著》六卷、《裒遗草堂诗钞》十二卷，羊城九曜山房刻。

何兆瀛撰《心盦诗存》十二卷、《诗外》一卷刊刻。《诗存》有秦缃业序。

丁丙、丁申兄弟同编《杭郡诗三辑》。至明年四月，重刊《杭郡诗辑》于粤东；明年五月，复辑《历朝杭郡诗》。

陈鸿墀辑《全唐文纪事》一百二十二卷本年广州刊刻。

吴汝纶三十四岁，在深州知州任上，锐意兴学。《桐城吴先生年谱》谓：王树枏、范当世为汝纶到冀州后延聘以开文教者；贺涛则汝纶官深州时所得士，后主冀州讲席十余年，深冀文化，涛提倡之力尤多。汝纶在天津所得严修、在深州所得贺涛等，志廉学行皆天下选，在冀州则李刚己、吴镋二人最著。"刚己赠镋诗曰：吾土荒凉故蜀同，初开榛莽自文翁。廿年文学成通里，三辅英豪尽下风。顾我真成貂尾续，见君遂似马群空。闭门尚草凌云赋，未信诗书可救穷。此诗能得先生造士大略，一时学子多诵之"。

郑文焯十八岁，在随父居通州。《补梅书屋诗稿》编古今体诗为《癸丙集》，从是年起讫丙子三月。

黄钧宰所撰《金壶七墨》刊出，有本年闰六月春明倦客序。序谓："自道光甲午至同治癸酉，先后四十年中，时会之变迁、军务之起迄，与夫耳目闻见、可惊可愕之事，生平悲欢离合之遭，按迹而求之，触类而伸之，固已略具一斑矣。古人小说谓纪事实、探物理、示劝戒、资谈笑则载之，《七墨》有焉。"按：黄钧宰（？—1876）初名振均，字宰平，一字仲衡，号天河、钵池山农，江苏山阳人。道光二十九年拔贡，官奉贤训导。诗文词曲皆工，著有《香草庵诗词集》、《比玉楼遗稿》、《比玉楼闲话》，又有《金壶浪墨》等七种，称《金壶七墨》，《比玉楼传奇》四种。

林昌彝为王韬《瓮牖余谈》作序。

陈廷焯始学为词。《白雨斋词话》卷七："癸酉甲戌之年，余初习倚声，曾选古今词二十六卷，得三千四百三十四首，名曰《云韶集》。自今观之，殊病芜杂。"

谭献以纳赀得县令。遂官安徽久，至光绪十三年始告归。

赵之谦以誊录叙劳分江西。在江西尝与修《江西通志》，又与张鸣珂等谈文论艺。

那逊兰保卒。那逊兰保（？—1873）字莲友，自署喀尔喀部落女史，蒙古旗人。宗室副都御史恒恩室，祭酒盛昱母。著有《芸香馆遗诗》。《晚晴簃诗汇》卷一百九十收其诗七首。诗话云："博尔济吉特夫人七岁入家塾，十二岁能诗，十五通五经，十七归雨亭副宪，以贤孝称。中岁喜读有用书。及同治丙寅副宪逝世，遂绝不为诗。癸酉殁后，子伯羲祭酒取手钞本益以搜辑所得，共九十二首，编为二卷，李越缦为之序。"

曾元澄卒，年六十六。元澄（1808—1873）字亦庐，福建闽县人。道光十一年举人，大挑分发浙江试用知县，历任乐清、黄岩知县。少即喜为诗，尝于福州结小西湖吟社。著有《养拙斋诗存》。《射鹰楼诗话》卷十："大令诗纵横跌宕，豪迈腾骧，七言古尤独树一帜。昔陈卧子谓李献吉诗'峥嵘清壮，原出《秦风》'，余于大令亦云。"郭曾炘《序》谓："公诗古体多于近体，尤长于咏古之作。早岁尝游左海门……诗格亦与左海相近。"《晚晴簃诗汇》卷一百三十五收其诗三首。

魏秀仁（1818—1873）卒，年五十六。

林思进生。思进（1873—1953）字山腴，别署清寂翁，四川华阳人。光绪二十八年举人。三十一年赴日本考察教育，归则创办成都府学堂等。宣统中入京为内阁中书，与都下结社唱酬。革命后定居成都，以作育人才兴扶文教为职志。思进工诗文，陈衍、陈三立等甚推之，著有《清寂堂集》、《华阳人物志》等。

宁调元生。调元（1873—1913）字仙霞，又字太一，湖南醴陵人。先后入华兴会、同盟会，创办《洞庭波》杂志。以策应萍浏醴起义被捕，系狱三年余。民国后，以策划反袁被捕就义。调元工诗，为南社重要作家，著有《朗吟诗草》、《明夷诗钞》等，今人汇编为《宁调元集》。

冯开生。开（1873—1931）字君木，号阶青，学者称回风先生，浙江慈溪人。光绪二十三年拔贡，授丽水县学训导。旋辞归，与同邑陈晋卿等结剡社，晚居上海，与朱孝臧、况周颐等游。著有《回风堂诗文集》，《回风堂词》一卷，孝臧尝刊之《沧海遗音集》中。

刘成禺生。成禺（1873—1952）本名问尧，字禺生，笔名壮夫、流公、刘汉，湖北武昌人。早岁肄业西湖书院，后以官费生留学日本，与李书城等创办《湖北学生界》宣传革命。平生广见闻，著述甚丰，尤以诗名，民初所著《洪宪纪事诗》传诵一时。

狄葆贤生。葆贤（1873—1921）字楚青，又字楚卿，别号平子、平等阁主等。江苏溧阳诸生。戊戌变法期间，与梁启超、谭嗣同等交往，政变后逃亡日本，从事新闻活动，宣传保皇立宪。其诗为梁启超所称赏，而实不多作，所长在评论小说、诗词。论诗，有《平等阁诗话》；提倡新小说，则有《论文学上小说之位置》等文。

周桂笙生。桂笙（1873—1936）名树奎，以字行，笔名有辛盦、新庵、知新室主人等，上海南汇人。幼年入广方言馆，后入中法学堂，习法文，兼习英文。梁启超创《新小说》杂志，约任译著事。后任《月月小说》总译述。译著有《新庵谐译》、《新庵译萃》、《毒蛇圈》等，以侦探小说为多，亦当时译界名家。

冒广生生。广生（1873—1959）字鹤亭，号瓯隐，亦号疚斋，蒙古族，江苏如皋人。光绪二十年举人，历官刑部郎中等。后与试经济特科，以卷中引用卢骚（卢梭）语被黜。广生幼从外伯祖周星誉受词章之学，复从外祖周星诒受校雠目录之学，从番禺叶衍兰学词。后间从吴汝纶、俞樾等学，承家学而转益多师，故所成就甚广。工诗文，兼善词曲，著有《小三吾亭文集》、《诗集》、《词集》、《笔记》、《词话》及《疚斋杂剧》八种等。

曾孝谷生。孝谷（1873—1937）字延年，号存吴，四川成都人。光绪末留学日本，尝与李叔同发起春柳社，为我国早期话剧创始人之一。创作剧本《画家与其妹》、《鸣不平》等。

公元 1874 年（同治十三年　甲戌）

正月

二十九，张尔田生。尔田（1874—1945）一名采田，字孟劬，号遁斋，又号遁堪居士，许村樵人。浙江钱塘人。少从屠寄、秦树声、章钰习制举文，与同里夏曾佑尤相得；清季尝与夏敬观同官吴中。民国初，与修《清史稿》，晚为燕京大学总导师。治史学及佛典甚深，尤精词学。父上龢，能词。尔田承家学，复从朱祖谋、郑文焯游，所造益深，为清代词学后劲。著有《遁庵乐府》、《遁庵文集》等。

《瀛寰琐记》第十七卷刊出。内有愿为明镜室主人（江顺诒）《红楼梦竹枝词序》、《读红楼梦杂记》等文。按：《读红楼梦杂记》一卷后刊于杭州。

二月

陈衍考取福州致用书院。《侯官陈石遗先生年谱》："学院初主讲席者为前陕西布政使林颖叔先生寿图，未谙朴学。……道咸以来，读书人专力时文，罕治实学，福州尤甚。自张广雅尚书之洞《輏轩语》、《书目答问》出，而后人知读书门径；自王补帆抚部（讳凯泰，江苏宝应人，谥文勤）巡抚福建，设致用书院，专考经史，而后福建人知读书门径。"

三月

张謇从李联琇、薛时雨问业。张謇时年二十二岁，任太仓孙寿祺书记。春，至江宁投考钟山、惜阴两书院，"钟山院长临川李小湖先生联琇取第一。复以他名试经古课于惜阴书院，院长全椒薛慰农先生时雨亦取第一，二先生皆传见。……从李先生闻治经读史为诗文之法。"（《啬翁自订年谱》）

春

容闳创办《汇报》于上海。后改名《彙报》，再改名《益报》。

方濬颐始有意为文。许奉恩《二知轩文存目录书后》："以诗名著海内者垂四十年……而文则不轻作也。甲戌春，先生晋六十觞，命丹青写为《周甲箸书图》，始有意为文。"至冬，合新旧之作仅三十余首，明年春，"文思益锐而苦无题，乃博览诸子，各为书后，得文九十余首。复商之奉恩，就历代史传择其要者，或为书后，或箸为论。……长篇日则一篇，短篇三首、五首不等。……遐迩闻先生为文，接踵争求……先生有求斯应，无不各满其欲而去"。金天翮《方濬颐濬师传》："三年中得文三十有四卷。其敏与赡，古未尝有也。"

四月

八日，黄遵宪在汕头途次作《诗草》序。四、五月间，遵宪抵京师，寓嘉应会馆，与胡曦为邻，昕夕过谭，论文甚乐。六月，廷试报罢，时其父在京为户部主事，遂留侍京师。乡先辈何如璋、丁日昌等尤推重之。按：胡曦（1844—1907）字晓岑，别号壶园，广东兴宁人。黄遵宪友。同治十二年拔贡，后闭户著述。有《湛此心斋诗集》等。

十三日，冯桂芬（1809—1874）卒于家，年六十六。殁后其子编其集为《显志堂集》十二卷附《梦奈诗稿》一卷，光绪二年冯氏校邠庐刻。《晚晴簃诗汇》卷一百四十三收其诗四首，诗话云："景亭私淑亭林，学期经世，所著《校邠庐抗议》四十篇，坐言可以起行，平吴减赋，功在桑梓。集中文多有用之言。诗虽余事，雅赡而不失格。"

二十五日，赐陆润庠等三百三十七人进士及第出身有差。（《清史稿》）谭宗浚一甲二名及第，张百熙、孙葆田、傅培基、张景祁等亦成本科进士。

六月

丁福保生。福保（1874—1952）字仲祐，号畴隐居士、济阳破衲，江苏无锡人，光绪诸生。精算学医学，勤于搜集整理古籍，先后编辑印行《汉魏六朝名家集初刻》、《全汉三国晋南北朝诗》、《历代诗话续编》、《清诗话》等书，民国十五年起主持编写《四部总录》，未成而卒。

七月

八日，朱翊清自序笔记小说《埋忧集》于浔溪寓舍。是书十卷、续集二卷，所记皆历史故事之奇异者，多从他书编录，亦载其见闻。此书本年杭州文元堂刊出。后有上海扫叶山房石印本及《笔记小说大观》本。朱翊清字梅叔，号红雪山庄外史，浙江归安人。

叶景葵生。景葵（1874—1949）字揆初，号卷盦，存晦居士，杭州人。光绪二十九年进士，后以实业家闻名。晚年致力古籍收藏整理。著有《卷盦文存》、《诗存》、《题跋》等，合刊为《叶景葵杂著》。

八月

吴苢卒。苢（？—1874）字珮缥，一字纫之，吴县人，汪钟霖嗣母。有《佩秋阁古今体诗赋集》、《佩秋阁词》。《晚晴簃诗汇》卷一百九十收其诗二十七首，诗话云："吴苢家邓尉山南，幼慧，嗜读，日手一编，寒暑不辍。归汪氏七月而寡。其诗卷初名《聊生草》，兼工骈体文，有拟鲍明远《芜城赋》、《清河双贞传》、《征题佩秋阁图诗启》、《池上草堂消寒图跋》附刻诗稿后。"

张謇从张裕钊问古文法。时张裕钊为凤池书院院长，"叩古文法，先生命读韩昌黎，须先读王半山，读《晋书》"。（《啬翁自订年谱》）

九月

初四日（1874 年 10 月 13 日），许奉恩自序志怪小说集《里乘》。序中述及小说流变，极赞《聊斋志异》、《阅微草堂笔记》，又言："小说虽小道，岂易言哉？……言者有褒有贬，闻者忽喜忽怒，事之有无，姑不具论，而借此以寓劝惩，谁曰不宜？"此即作者立意所在。此书十卷，有光绪五年抱芳阁刊本，上海扫叶山房丛钞本作四卷，《笔记小说大观》本作八卷。

丁丙重刊《樊榭游仙诗》。《先考松生府君年谱》："此樊榭先生集外诗也，凡三百首。府君诗学素宗樊榭，因刊此书以志私淑也。"

谭献自京南还。至十一月赴官安庆，道出嘉善，金安清招饮，中坐以周济《宋四家词选》见贻。

潘祖荫成《南苑杂事诗》及并《与南斋同直诸公唱和诗》。祖荫八月随扈南苑，诗作于本月初返京途中。（《潘文勤公年谱》）又据《郭嵩焘文集》卷八《潘伯寅〈直庐唱和诗〉跋》，祖荫辑癸酉十一月迄甲戌十二月同直诸公唱和诗为《直庐唱和诗》一册。《跋》谓祖荫诗"感叹流连，意余于词，盖犹寓李空同氏悲歌泣孝宗之旨"。

十月

八日，**余治**（1809—1874）**卒于苏州，年六十六岁**。《余孝惠先生年谱》："先生精力虽日衰，然……暇则征引故事，抒写新乐，计自丙寅（1866）而后，又续撰得二十余出。其迫于救世之心，即病中亦不略释。……属纩前三日，命门人手条呈一册过德清俞荫甫太史樾，是夕犹以淫词小说根株未绝，留书致应方伯严示饬禁，并以所著《教化两大敌论》一篇相质正。"俞樾《例授承德郎候选训导加光禄寺署正衔余君墓志铭》："莲村余君卒于苏州。苏之人，无识不识，咸太息曰：善人亡矣。……劝善杂剧之作，大意以俳优侏儒最害风俗，然由来久远，既不能废，则莫如因而用之，乃仿元人杂剧，采取近事，被之管弦，使善者可以为法，恶者可以为戒，乌乎，君之用心可谓曲而至矣。生平善事不胜书，其规条说所著《得一录》中，而戒溺女、禁淫书则其尤用意者。"彭慰高撰《梁溪余君墓表》："同治初元，东南肃清，而残破之后，华夷杂处，人心日趋秒下，君益为近俗之论著说惩劝，又本桴亭陆氏论乐之说，撰忠孝词曲授乐部演之。览者为之感动。……君遭时益降，不得已而托于因果报施之言，较墨氏而更下，推其恻隐之衷，固非其始愿之所及，然则世之以兼爱目君者，殆未观君所值之时为何如也。"

萧道管与陈衍成婚。道管时年二十。

十一月

十五日（12 月 23 日）朝廷重申军流徒不准减等条款一百四十六条，内云："造刻淫词小说及抄房捏造言词寻报各处，罪应拟流者。"

申报馆出版《昕夕闲谈》二册。

十二月

初八日，**杨度生**。度（1875—1932）原名承瓒，字晳子，改名度，号虎公，别号虎禅师等，湖南湘潭人。光绪二十年举人。早岁师事王闿运，后留学日本，与梁启超等创政宪会。入民国，组筹安会助袁世凯复辟。晚岁先后入国民党、共产党。礼佛。杨度工诗词，擅政论，所著今人辑为《杨度集》。（生卒年据江庆柏《清代人物生卒年表》）

五日甲戌（1875 年 1 月 12 日），**同治帝载淳死，庙号穆宗**。立醇亲王奕譞之子载湉承继，以明年为光绪元年。《清史稿·穆宗本纪》称："穆宗冲龄即阼，母后垂帘。国运中兴，十年之间，盗贼划平，中外乂安。"

冬

朱铭盘受聘为方濬颐记室。《曼君先生纪年录》："两淮盐运使定远方子箴濬颐聘公为记室，公去扬州，师事方公。……识武进管才叔乐、高邮董策三对廷、东台陈伯生宝，与为友。"

本年

本年起，曾国藩撰、辑各书由传忠书局次第刊出，总称《曾文正公全集》。本年刊出者为《十八家诗钞》二十八卷、《经史百家简编》二卷、《曾文正公诗集》四卷、《文集》四卷、《孟子要略》五卷附录一卷（朱熹撰、刘传莹辑、曾国藩按）；光绪二年刊出者有《曾文正公奏稿》三十六卷、《经史百家杂钞》二十六卷、《曾文正公书札》三十三卷、《曾文正公批牍》六卷、《曾文正公杂著》二卷、《求阙斋读书录》十卷、《求阙斋日记类钞》二卷及黎庶昌撰《曾文正公年谱》十二卷；光绪五年刊出者有《曾文正公家书》十卷、《曾文正公家训》二卷。又《鸣原堂论文》二卷，前有同治十二年励志斋刊本；亦汇入《全书》。

张文虎撰《舒艺室随笔》六卷本年刊出于金陵。后有《续笔》一卷、《余集》三卷，分别刊于光绪五年、七年。

陆心源撰《仪顾堂集》十六卷本年刊于福州。按：陆心源（1834—1894）字刚父，号存斋，晚称潜园老人。浙江归安人。咸丰九年举人，历官广东南韶兵备道。精郑许之学，与同郡戴望、施补华等以古学相切劘，时有七子之目。喜搜求校勘古籍，建皕宋楼。著有《仪顾堂文集》等，合署曰《潜园总集》凡九百四十卷。

许鸿磐撰《六观楼北曲六种》本年刊出。

方宗诚在直隶枣强任上，辑《柏堂丛录》十余种。

董文涣辑所作为《岘樵山房诗集》八卷刊之。又，王轩编前刻诗为《耤经庐诗初编》八卷刊出，亦董氏为之刊刻。

李慈铭《白华绛跗阁诗初集》录诗止于本年。此集又名《越缦堂诗初集》，有光绪十六年王继香刻本。

董沛撰《六一山房诗集》十卷刊刻。此集录道光二十六年至同治九年诗，双铁蕉馆郑炎禧刻。

金安清《登岱诗》一卷刊出。

许瑶光刊出《雪门诗存》十四卷。此集分《悠游》、《蒿目》、《上元》三集，录道光二十年至同治十三年诗凡近二千首，附《衍古谣谚》五十五首。后又有《上元二集》二卷，为《雪门诗钞》第十五十六卷，录光绪元年至八年诗，光绪二十四年刻。

吴棠撰《望三益斋存稿》刻于成都。

方玉润于陇州刻《鸿濛室诗钞后集》十卷。

易顺鼎刻诗词各一卷，名《眉心室悔存稿》。顺鼎时年十七岁，上年应秋试不第，填《沁园春》词，已谓："下第文章，犹累他人万口传。"

陈作霖分修《上江县志》。作霖（1837—1920）字雨生，号伯雨，尝筑可园娱乐亲，学者称可园先生。江苏江宁人，光绪元年举人。三上礼部不第，以撰述兴学终其身。尤留意乡邦文献，成《金陵通纪》十六卷、《通传》四十九卷等。能诗文，与邓嘉缉等并称石城七子。著有《可园诗存》、《文存》、《词存》、《可园备忘录》四卷等，辛亥后又成《可园诗话》八卷等。

林寿图致书刘存仁，谓刘所撰《屺云楼诗话》"以道义为归，使人务得其性情之正"，故而"可传"。《屺云楼诗话》六卷，当于本年撰成，此书于古人盛推白居易、陆游，于时人则推重吴嵩梁与张际亮。

谭嗣同从欧阳中鹄受业。嗣同是年十岁，居京师浏阳会馆。

钱塘谭献、山阴李慈铭、桐庐袁昶皆在都，文酒往还，极一时之乐。

王闿运入京为内阁中书。

王树枏入《畿辅通志》局。任分纂，此后数年间均在志局，与劳乃宣等共事。（《陶庐老人自订年谱》）

马其昶二十岁，师事吴汝纶、方宗诚。陈祖壬编《桐城马先生年谱》本年："同里吴至父汝纶、方柏堂宗诚两京卿以文章负海内重望，先生师事之。吴先生诏先生多读周秦两汉书，毋作宋元人语；方先生则曰：文不衷理道，则其用亵，宜本经史，体诸躬，旁及大儒名臣论著。先生生平持躬谨严，为文湛深经术，不涉凡近，盖本两先生之学也。"按：上年马其昶始应乡试，聘姚氏。姚氏祖姚莹，父姚濬昌，兄弟姚永朴、永概等俱能文。

康有为十七岁，始见《瀛寰志略》。

施补华从左宗棠军西征。此后在边陇十三年，自谓得益于阅历，诗文俱能自立。《复张廉卿书》："所刻拙诗（今按：指同治十二年刻《泽雅堂诗集》六卷），皆四十岁以前之作，规抚古人，未离迹象。乃蒙称赏，惭恧何如。甲戌以后，至去岁丙戌，一十三年中，续得千数百篇，似乎变化从心，能自树立，非于功名有加也。自甲戌策马而西，逾秦度陇，观其山川雄厚，关塞险阻，与其人民性情习尚之殊，广野穹林，坚冰积雪，孤栖独游，感慨凄怆。……中间又被谤谗，遭弹劾，忧愁疾病，形状憔悴，神识颠倒，为俗子厌鄙讥骂，仰视天，俯视地，万里一身，无可告语，其遇至困，其心至悲，一一发之于诗。又虑志之衰也，蓄之使壮，气之激也，揉之使和。此一十三年来，于诗稍能树立。劳苦患难而成，匪由于呫哔也。"

樊增祥、陶方琦书问往还数年，本年始相识于京师。增祥《二家词赓序》："是时李莼伯民部师为词坛祭酒，独厚吾两人，有黄梅能、秀之契。尝以两家词卷示潘文勤，文勤答书曰：两生皆俊人，陶词是野桥一派体格，大段成就；樊词稍浅而气清，他日必名家。君见书不怿，余乃自惭谫薄，不懈益进，举文勤所见者悉焚弃之。……顾其（今按：方琦）为文，专工涩体，乐府尤近梦窗，每出一篇，十色五光，眩人心目。蹑其踪由，渺无定处，屡举乐笑翁七宝楼台之喻以相规切，而君逌然弗顾也。"又，《二家词赓跋》："余初见君，自知弗如远甚，然服其才多，惜其理少，尝曰：吾词唯恐人不解，君词唯恐人解。我诚伤于浅，君毋乃伤于深乎？弗听。时同辈数十人，皆出其下。骫于惊才绝艳，同声叹服，而都下不求其所以然。独余自附净友。"

约在是年前后，陈三立居长沙，结识易顺鼎、陈锐诸人。

宝廷三十五岁，上疏言事自是年始。

俞崧龄（1833—1874）卒，年四十二。崧龄字寿民，江苏丹徒人。咸丰十一年举人，官沛县训导。著有《种梧吟馆诗存》一卷。冯煦《序》谓："辞旨敦厚，不繁缛以为富，不坦率以为真。"

张应昌（1790—1874）卒，年八十五。《晚晴簃诗汇》卷一百二十一收其诗二首，诗话云："仲甫著述甚富，年登大耋，其《春秋属辞辨例编》六十卷，同治朝曾进呈，有耆年好学甚属可嘉之谕。所辑《诗铎》二十六卷，采有裨于史治民风人心世教之作，又《正气集》若干卷，则皆咏歌忠孝节义之事。"

凌焕（1819—1874）卒，年五十六。凌焕字筱南，号损窝，安徽定远人。道光二十四年举人，尝入曾国藩幕，以功得道员，署江南盐巡道。平生淡于仕进，精算术，工诗，著有《损窝诗钞》。

程鸿诏卒。鸿诏（1820—1874）字伯敷，安徽黟县人，祖籍顺天大兴。道光二十九年举人，历官山东候补道。少师事同里宿儒汪文台、俞正燮，弱冠即有声。咸丰中在乡办理团练，曾国藩闻其名召入幕中。后任《安徽通志》总纂，稿将成，卒。著有《有恒心斋集集》等。朱师辙《黟三先生传·程鸿诏》："为文务闳丽，虽精博不逮其师（按：汪文台、俞正燮），而文采过之。"《晚晴簃诗汇》卷一百四十九收其诗七首，诗话云："伯敷通经学，工文辞。曾文正罗致幕府，屡列剞劂，自校官累迁观察使。……薛庸庵追纪文正宾朋之盛，以渊雅推伯敷，与黎莼斋、吴挚甫并列。"

丘炜菱生。炜菱（1874—1941）原名德馨，字菽园，别署星洲寓公、啸虹生。福建海澄人。光绪举人。炜菱幼年即赴新加坡，既长，为当地华侨领袖。甲午后创办《天南新报》，鼓吹维新变法，尝资助康有为保皇会活动。工诗文，性嗜小说，尤喜小说批评，著有《菽园居士诗集》、《菽园赘谈》、《五百石洞天挥麈》、《挥麈拾遗》等。

李涵秋生。涵秋（1874—1923）名应漳，以字行，号沁香阁主、韵花馆主等，江苏江都人。光绪诸生。清末以设馆授徒为业，民国初年，以小说家闻名，撰有《广陵潮》等长篇小说三十余部，近千万言。

陈去病生。去病（1874—1933）字佩忍，号巢南、垂虹亭长。笔名季子、南史氏等，江苏吴江人。光绪二十一年秀才。早年即投身爱国运动，后留学日本，创办《江苏》杂志，归国，参与创办《二十世纪大舞台》等刊。宣统中，与柳亚子、高旭等发起南社以鼓吹革命。入民国，曾职任护法军政府，执教东南大学。二十一年归里，次年受戒出家，旋病逝。工诗，著有《浩歌堂诗钞》十卷，辑有《笠泽词征》、《松陵文集初编》等。

易孺生。易孺（1874—1941）原名廷熹，字季复，号晬民，更名孺，号大厂、大庵，广东鹤山人。早年肄业广雅书院，为梁鼎芬、朱一新弟子。后留学日本，习师范。归国后，尝入江宁提学使幕襄理学务。辛亥后寓居上海，教授于各大学。易孺工诗文词曲，旁及金石、书画、声韵，尤以词名家。著有《大厂词稿》、《宣雅斋词》等。

许承尧生。承尧（1874—1946）字际唐，又作霁塘，一字讷生，号疑庵、疑翁，安徽歙县人。光绪三十年进士，授翰林院编修，兼国史馆协修。入民国，任职军政界，后归里，主持编纂《歙县志》。工诗，著有《疑庵诗》。

公元 1875 年（光绪元年　乙亥）

正月

《四溟琐记》创刊于上海，月刊，申报馆刊行，与《瀛寰琐记》先后相接，至本年十二月（1876 年 1 月）停刊，共出十二卷。

王韬在香港撰成《遁窟谰言》十二卷并自序。此书为传奇体小说，多取耳闻目见，亦载奇异之事，有光绪六年木活字本、二十六年江南书局本、《申报馆丛书》本等。《中国小说史略》二十二谓，《阅微草堂笔记》出，而仿《聊斋》摹绘之笔者渐少，"迨长洲王韬作《遁窟谰言》（原注：同治元年成）、《淞隐漫录》（光绪初成）、《淞滨琐话》（光绪十三年序）各十二卷，天长宣鼎作《夜雨秋灯录》十六卷（光绪二十一年序），其笔致又纯为《聊斋》者流，一时传布颇广远，然所记载，则已狐鬼渐稀，而烟花粉黛之事盛矣"。

二月

十四日，乔松年卒，年六十一。松年（1815—1875）字健侯，号鹤侪，山西徐沟人。道光十五年进士，官至陕西巡抚、东河总督，谥勤恪。咸丰同治间驻军泰州，主持风雅，一时称盛。著有《萝藦亭文钞》、《萝藦亭遗诗》等。

张之洞、吴棠在成都立尊经书院，专课经古。时张之洞为四川学政，吴棠为总督。《张文襄公年谱》："是年春尊经书院成，送高材生百人肄业其中。……又撰《𫐓轩语》、《书目答问》二书以教士。吴勤惠公（棠）雅尚经术，开书局，刊行小学经史诸书。公扩而大之，流布坊间，资士人诵习。"吴虞《重印曾季硕桐凤集序》："胜清之世，文学不兴，远轶前古。康、乾、嘉、道之际，作者如林；而吾蜀之士，乃阙然莫预。至同治十三年，始建尊经书院于省城以造士。张香涛、谭叔裕、朱肯夫先后督学，振拔淹滞，宏奖风流；而吴仲宣、丁稚璜、易笏山诸当道，爱才乐士以左右之；又得王壬秋先生高才硕学为之师表；于是蜀士彬彬向学，同风齐鲁矣。其时则有若吾师名山吴伯褐先生、井研廖季平、德阳刘建卿、富顺陈元睿、新津周雨人、酉阳陈子京、华阳顾印愚、成都胡念孙、汉州张子馥、绵竹杨叔峤，靡不洋洋炳炳，蔚然并著；其他瑰玮淹雅之材，不可胜数。"《大清畿辅先哲传》卷七《名臣传七》："蜀士多聪敏有才智，而习尚浮谫，专以时文帖括苟取科名为事，凡经史子集四部之书，多束而不观。间有向学者，亦苦无师资，茫然不得其涂径。之洞奏设尊经书院，选高材生肄业其中。复建尊经阁，广置书籍。开印书局，刊行小学经史诸书。又撰《𫐓轩语》、《书目答问》二书，发明宗旨，示以读书之法。"姜方锬《蜀词人评传》："慨吾蜀自献贼乱后，声名文物，悉委劫灰。司马扬王之遗风，荡然扫地，靡有孑遗。有清二百余年，诗古文辞，工者亦鲜。遑论倚声。……顾以岷峨钟灵、江山毓秀论之，潜蛰郁积既久，当必有所谓文学魁杰者出。故张南皮、王湘绮来蜀后，吾蜀文运，斐然奋发、蹶然丕振。人才之盛，不仅一二数。"杨锐、廖登廷、张祥龄、彭毓嵩、毛瀚丰、宋育仁、顾印愚等并为院中优材。按：张祥龄（1853—1903）字子苾，汉州人。少肄业于尊经书院，先后受教于张之洞、王闿运。后与易顺鼎为友，寓居苏州，与郑文焯等结词社。光绪二十年成进士，官陕西知县，二十九年卒。著有《受经堂词》、《半篋秋词》，另有《词论》一卷。

三月

二十八日，清廷命左宗棠以钦差大臣督办新疆军务。

甘建侯、蒯光典钞汪士铎诗文稿去，谋为刊布。

蒋曰豫卒，年四十六。曰豫（1830—1875）字侑石，江苏阳湖人。少从父宦游越中，北至燕赵，皆有文誉。纳粟入官，历署元氏知县、蔚州知州。晚佐黄彭年修《畿辅通志》。学有本原，诗才雅健，著有《滂喜斋学录》、《问奇室集》、《秋雅词》。《晚晴簃诗汇》卷一百五十九收其诗十七首，集评："黄子寿曰：侑石十岁咏诗，效长庆体，见者惊曰诗中飞将也。为学以实事求是为宗，以声音文字为穷经之要，尝论学曰：纯内不克以综事，纯表不克以阐道，博学详说，将以反约。使天假年，无以测其所至。"诗话云："侑石承常州学派，以北江、渊如、皋文为矩矱。年逾冠即为令，有惠政，久佐军幕，露布封章倚戈立就。与修《畿辅通志》，同列推其精博。诗雅健，喜效北江，而藻韵俶丽，才与学足以充之，骈文填词书法无不工。"

四月

十三日，薛福成应诏陈《治平六策》、《海防密议》十条。

五月

瞿鸿禨奉旨充河南正考官。明年简放河南学政，时傅寿彤方权布政使，遂相深知。（瞿鸿禨等《止盦年谱》）

八月

初一日乙丑（1875 年 8 月 31 日），总理衙门奏准以候补侍郎郭嵩焘为出使英国钦差大臣，是为中国正式派遣驻使之始。嵩焘后于光绪五年还朝，以疾乞休。

十五日，杨恩寿于武陵自序《桃花源》传奇。本年五月恩寿往云南佐幕，在武陵度夏，因本陶潜《桃花源》记等，作此传奇六折。有光绪间《坦园丛稿》刊本。

王闿运、黄文琛、杨翰、罗汝怀、黄锡彤、李桓等在长沙"文酒谈宴无虚日"。（《湘绮府君年谱》）按：李桓（1827—1891）字叔虎，号黻堂，湖南湘阴人。李星沅子。以荫得道员拣发江西，至江西布政使，以事降级，遂归不出。以读书著述为务，著有《国朝耆献类征初编》七百二十卷、《国朝贤媛类征初编》十二卷，自著《宝韦斋类稿》。

缪荃孙入张之洞门下受业。《艺风老人年谱》："八月执贽张孝达先生门下受业，命撰《书目答问》四卷。"按：后人考证，缪荃孙实仅协助撰写。

九月

初一日，杨恩寿自序《麻滩驿》于武陵行馆。此剧本年夏撰于武陵，叙明末女子沈云英坚守道州，得封守备事。十六出，有《坦园丛稿》刊本。按：乾隆中，董榕成《芝龛记》传奇，合叙明末奇女子秦良玉、沈云英事，盛传于时。杨恩寿自谓《麻滩驿》之作可救《芝龛记》头绪繁杂之弊。

二十五日，杨恩寿自序《再来人》传奇。本月，恩寿由武陵至云南，是剧即成于舟次。十六出，有光绪中《坦园丛稿》刊本。取材于沙氏《再来诗谶记》、叶氏《闽中事》及张氏《感应篇广注》，演福建老儒事。谓侯官老儒陈仲学穷老不第，濒死自缄其文，逾二十年，季毓英入闽典试，启其缄，则获隽之文，皆老儒宿构，始悟为老儒转世。《自序》谓："嗟乎，老儒特三家村学究耳。非有匡时济世之略，亦非有卓绝千古不可磨灭之文。其喷喷者，不过制科应举，猥琐帖括已耳。平日，徒苦于衣食，溺于妻子，时有妻妾宫室，车马衣服之见搅于中，亟求科第以厌其欲，求之不得，则固求之，挟百折不回之志，生可以死，死可以生。券署其易世而后之富与贵，一若余取余求，应念而获者，岂如彼教之了然去来哉？心为之也，向令超于科第之外，以进于道，则为忠为孝，为名臣，为硕儒，虽百易其身，而不一死其心，非吾道之幸哉！惜老儒所求如彼，所得如此，适成为老儒耳。人苟从而怜之、羡之，亦老儒而已。"此剧向推为《坦园六种》之冠。至本年，杨恩寿《坦园六种》全部撰成。

张之洞在四川学政任上撰成《书目答问》四卷。《书目答问》版本极多，流传甚广。光绪五年湘乡成氏重刊本《书目答问》成邦干序称：此书"使夫成人、小子各就其性之所近，循诵习传，寻源竟委，祛其瑜陋，正其歧趋，洵文苑之指南、儒林之极轨也"。之洞本月撰《序》称："近人撰述，成而未刊、刊而未见者尚多，要其最著者约略在是。"卷四集部别集类所列道光二十年（1840）以后在世之作家别集如次。"国朝考订家集"列有：阮元《揅经室集》六十一卷；张澍《养素堂集》三十五卷；严可均《铁桥漫稿》八卷；钱仪吉《衎石斋记事稿》十卷、《记事续稿》十卷；钱泰吉《甘泉乡人稿》二十四卷；张穆《斋文集》二卷；杭州诂精精舍诸生《诂经精舍文钞初集》十四卷、《续集》八卷、《三集》某卷；广州学海堂诸生《学海堂初集》十六卷、《二集》二十二卷、《三集》二十四卷。古文家集分"不立宗派古文家"、"桐城派古文家"及"阳湖派古文家"三子目。"国朝不立宗派古文家集"列有：包世臣《安吴四种》；龚自珍《定盦文集》某卷、《诗》某卷；《曾文正公文集》四卷。"国朝桐城派古文家集"列有：吴德旋《初月楼集》八卷；方东树《仪卫堂文集》十二卷、《诗》五卷；姚莹《东溟文集》二十六卷；梅曾亮《柏枧山房集文》六十卷、《诗》十五卷。"国朝阳湖派古文家集"列有：李兆洛《养一斋文集》二十六卷。"国朝人骈体文家集"列有：姚燮《复庄骈俪文榷》八卷；（按：附彭兆荪后，并注云："体与彭近，逊于彭。"）董基诚、董祐诚《栘华馆骈体文》四卷。"国朝词家集"列有：姚燮《疏影楼词》；周之琦《金梁梦月词》；承龄《冰蚕词》；边浴礼《空青词》。同卷"国朝箸述诸家姓名略"，序谓："所录诸家，其自箸者及所称引者，皆可依据。词章诸家，皆雅正可学。""凡卷中诸家，即为诸生择得无数之良师也。果能循途探讨，笃信深思，虽僻处深居，不患冥行矣。"不录当时尚存世者。其中所列道光二十年后在世作家如次。古文家："不立宗派古文家"为包世臣、龚自珍、鲁一同、曾国藩、魏源；"桐城派古文家"为方东树、梅曾亮、吴嘉宾、朱琦、戴均衡；"阳湖派古文家"为李兆洛。骈体文家为阮元、谭莹。词家为周之琦、姚燮、承龄、边浴礼。

又，《輶轩语》亦作于本年，初名《发落语》，为指导学子攻读应考之用。其中论读古人文集，语曰："读国朝人文集，有实用，胜于古集：方（苞）全（祖望）杭（世骏）袁（枚）彭（绍升）李（兆洛）包（世臣）曾（国藩）集中，多碑传志状，可考当代掌故、前哲事实；朱（彝尊）卢（文弨）戴（震）钱（大昕）孙（星衍）顾（广圻）阮（元）钱（泰吉）集中，多刻书序跋，可考学术流别、群籍义例；朱（彝尊）钱（大昕）翁（方纲）孙（星衍）武（亿）严（可均）张（澍）洪（颐煊）多金石碑跋文，可考古刻源流、史传差误：此类甚多，可以隅反。（后两体，国朝人开之，古集所无。）"又，"词章家宜读专集"，"古文家除世称八家外……国朝之方（苞）姚（鼐）恽（敬）包（世臣）曾（国藩）诸家，皆宜一览"。

郑文焯、易顺鼎、冯煦、陈作霖、刘光蒉、曾之撰等乡试中式。

十月

三十日，杨圻生。圻（1875—1941）榜名朝庆，更名鉴莹，复更名圻，字云史，一字野王，江苏常熟人。御史杨崇伊子，李鸿章长孙女婿。光绪二十八年举人。入民国，尝依吴佩孚等军阀。圻早岁即工吟咏，与汪荣宝、何震彝、翁之润皆以名公子擅文章，号江南四公子。擅七古长篇及五言组诗，著有《江山万里楼诗钞》、《词钞》。

十一月

范当世往海门访张謇兄弟。审定张謇诗草，并出日记、时艺请季直点窜。是年范当世二十二岁。

十二月

十三日，丁晏卒于里第，年八十一。晏（1794—1876）字俭卿，号石亭、柘亭、颐志老人，江苏山阳人。道光元年辛巳举人，候选内阁中书，平生勤于著述，刊有《颐志斋丛书》，自著有《颐志斋文诗集》十六卷等。

冬

严复被派赴英肄业。入英之格林尼次海军大学，至光绪五年卒业东归。

本年

此数年间，日报渐行于中土。《弢园文录外编》卷七《论日报渐行于中土》："华地之行日报而出之以华字者，则自西儒马礼逊始，所刻《东西洋每月统纪传》是也，时在嘉庆末年。同时，麦君都思亦著特选撮要，月印一册。然皆不久即废，后继之者久已无人。咸丰三年，始有《遐迩贯珍》刻于香港，理学士雅各、麦领事华陀主其事。七年，《六合丛谈》刻于上海，伟烈亚力主其事，采搜颇广。同时，有《中外新报》刻于宁波，玛高温、应理思迭主其事。同治元年，上海刊《中西杂述》，英人麦嘉湖主其事。嗣皆告止。近则上海刊有《教会新报》，七日一编，后改为《万国公报》，林君乐知主其事。而《中西闻见》亦刊于京师，艾君约瑟、丁君韪良主其事。顾此皆每月一编者，兼讲格致杂学、器艺新法，尚于时事简略。惟香港孖刺之《中外新报》，仿西国日报式例，间日刊印，始于咸丰四五年间，至今渐行日远。其他处效之者，上海《字林之新报》，广州惠爱馆之《七日录》，又港中西洋人罗郎也之《近事编录》，相继叠出。三四年间，又益之以德臣之《华字日报》，而我局之《循环日报》行之亦已二年。上海则设有《申报》。自《申报》行而《字林之新报》废。去岁春间，粤人于上海设有《汇报》，旋改为《彙报》，近数月间，又有所谓《益报》。闻福州亦设有日报，但行之未广，未得多见也。港中日报四家，上海日报两家，皆排日颁发，惟于星、房、虚、昴四日则停止耳。日报之渐行于中土，岂不以此可见哉？顾秉笔之人不可不慎加遴选，其间或非通材，未免识小而遗大，然犹其细焉者也；至其挟私讦人，自快其忿，则品斯下矣，士君子当摈之而不齿。至于采访失实，纪载多夸，此亦近时日报之通弊，或并有之，均不得免，惟所冀者，始终持之以慎而已。"按：《循环日报》创刊于癸酉冬，至是行之二年，故系于此。

高心夔、刘履芬刻杨岘诗。（《藐叟年谱》）

王韬《瀛壖杂志》六卷刊于广州。有蒋敦复等序及题辞。黄怀珍《序》："所刻《弢园文集》、《普法战纪》，凡夫天文舆地、国计民生，盛衰治忽之机，成败利钝之故，莫不洞如犀照，纬以鸿词。……迩者出其《瀛壖杂志》见示，上探原委，旁逮见闻，萃一方阛阓之全，作百年人物之志。……匪特颉颃于古人，尤资考据于来哲。"

方濬颐、陈宝、朱铭盘等在扬州唱和。《曼君先生纪年录》："公（朱铭盘）在扬州，与方公（濬颐）及王谦斋、许叔平、管才叔、陈伯生（宝）、董策三时有唱酬。是年冬，公等有消寒第一集至二十五集联句之作，而公尤为方公所重。……是年，方公为公序《桂之华轩文稿》，谓公甫弱冠，心匠既巧，腹笥又便，由此进而愈上，乌能限其所至。又序《桂之华轩诗草》，谓公五言善学太白，七律亦有奇气，五七古歌行则与昌谷少陵为近，年少才雄，家贫嗜古，自来扬州，角逐坛坫，足张一军。"至丙子年末，方濬颐补授四川按察使。按：陈宝（1837—1878）字百生，东台人。同治十年进士，改庶吉士，授检讨。与蒋春霖交密，能诗，著有《陈百生遗集》。

马其昶二十一岁，从张裕钊学为古文法。《桐城马先生年谱》："姚夫人来归。赴江宁应试。时武昌张廉卿舍人裕钊方主讲凤池书院，吴挚甫京卿为书介先生从之游，且媵以诗，有得之桐城者，宜还之桐城语。张大喜，为诗答吴，以为得先生晚也。而先生深自韬闭，以炫鬻为耻。"

郭崑焘入浙。《虚受堂文集》卷九《郭公神道碑》："公子庆藩官浙江，迎公就养。大江南北，暨浙东西，名山胜迹，游览都遍，益雄于诗。"

徐琪《冬日百咏》一卷刊刻。

汪宗沂撰《黄海前游集》一册刊刻。

施山撰《通雅堂诗钞》十卷、《续集》二卷刊刻。

陈良玉撰《梅窝诗钞》刊出。

吴子光撰《一肚皮集》十八卷附《小草拾遗》一卷双峰草堂刊刻。

史梦兰《尔尔书屋诗草》八卷本年止园刊出。

夏昌祺《雪窗新语》二卷刊出。是书多记怪异琐事。夏昌祺，字芝庭，江苏仪征人。

蒋超伯（1821—1875）卒，年五十五。《晚晴簃诗汇》卷一百四十六收其诗八首，诗话云："叔起初官水曹，继陟谏院，晚乃以观察使待阙粤东。尝赋《十国宫词》，属辞比事多出卷石斋之外，而以南唐别于朱梁五代各国，盖用马陆诸家之说分正闰也。诸体诗选材幽异，琢语安谐，力欲别开畦町。"

周闲（1820—1875）卒，年五十六。

麦孟华生。孟华（1875—1915）字孺博，号蜕庵，广东顺德人。光绪十九年举人。康有为弟子，长期与梁启超等从事维新变法宣传。能诗文，多不存稿，有《蜕庵集》。

李宣龚生。宣龚（1875—1953）字拔可，号观槿，晚号墨巢居士，闽县人。光绪二十四年举人，由中书舍人试令江苏桃源县，后改江宁，引疾自免。宣龚为林旭挚友，尝辑刊《晚翠轩诗集》。与同邑父执陈衍、林纾等游，为闽中诗人后劲。著有《硕果亭诗》、《墨巢词》、《硕果亭文剩》等。（生卒年据《清人诗文集总目提要》）

陈天华生。天华（1875—1905）原名显宿，字星台，又字过庭，别号思黄，湖南新化人。初肄业于岳麓书院，后留学日本。归长沙，与黄兴等成立华兴会，策划武装起义，事泄，逃亡日本，参与发起同盟会。光绪三十一年，以抗议日本取缔清国留学生规则投海自杀。著有《猛回头》、《警世钟》、《狮子吼》等。

林旭生。旭（1875—1898）字暾谷，号晚翠，福建侯官人。光绪十九年乡试解元。以参与戊戌维新，政变后遇害，为戊戌六君子之一。林旭少有文名，长老名宿多折节与之交。好为诗，喜为苦语，戛戛独造。著有《晚翠轩诗集》。

林朝崧生。朝崧（1875—1915）字俊堂，号痴仙，别号无闷道人，台湾台中人。光绪诸生。日本强割台湾后曾一度内渡，避泉州，后返里，课读为生。与林资修、赖绍尧等创栎社，借诗寓宗邦之思，负一时清望。著有《无闷堂诗存》。

夏敬观生。敬观（1875—1953）字剑丞，又鉴丞，号映庵、缄斋，江西新建人。生于长沙。光绪二十年乡试中式，旋入南昌经训书院，师从皮锡瑞治经学。后任上海复旦、中国公学监督，署江苏提学使。入民国，尝任浙江省教育厅厅长，去职，以著述自娱，鬻画为生。敬观通经史，工诗词，诗尤为当世所称。著有《忍古楼诗》、《映庵词》等。

诸宗元生。宗元（1875—1932）字贞壮，又字贞长、真长，别号大至居士，浙江绍兴人。光绪二十九年副贡。幼年随父在江西游幕，年二十即历佐江西各县文牍，终身处僚佐。初慕魏默深、龚定盦为人，题所居曰默定书堂，后尝与黄节等创国学保存会。治诗数十年，与夏敬观称二妙，为俞明震、陈三立等称赏。著有《大至阁诗》、

《吾暇堂类稿》等。

许指严生。指严（1875—1923）名国英，字志毅、指严、子年，别署甦庵、不才子等，江苏武进人。民国初年以创作小说名。（生年据江庆柏《清代人物生卒年表》）

公元 1876 年（光绪二年　丙子）

正月

《四溟琐记》改名为《寰宇琐记》。上海申报馆刊行，体例与《瀛寰琐记》、《四溟琐记》同，共出十二卷，原刊未署年月，当为月刊。

《格致汇编》创刊于上海。初为月刊，后改为季刊。

樊增祥自本月起至明年八月间诗为《北游集》。增祥时年三十一岁，《樊山续集自叙》谓："余三十以前，颇嗜温、李，下逮西昆，即《疑雨集》、《香草笺》亦所不薄，闲情绮语，传唱旗亭，化身亿千，寓言什九。"后集艳体诗为一册，如古人外集之例，附于诸集之后，曰《染香集》。又，本年夏，增祥与陶方琦同执贽李慈铭门下。《樊山续集自叙》："丙子报罢，居李慈伯师宅过夏，与师及子珍（按：陶方琦）、彦清迭相唱酬。既而假榻莲池，黄子寿（按：彭年）师实为盟主，褚叔寅、方子谨并同砚席，赓和愈多。丁丑通籍，侍南皮师于京邸，教以经世之学，书非有用勿读，卒亦未废吟啸，起丙子春，讫丁丑秋，得诗一卷，曰《北游集》。"余诚格《樊樊山集叙》："少与陶子珍齐名，人称陶樊。"当即此数年间。又，黄彭年此年在保定主持修纂《畿辅通志》，王树枬、劳乃宣等皆在局中。

春

王韬辞去《循环日报》编纂之职。又，本年序刊《弢园尺牍》。

《寰宇琐记》第二卷刊出《湖月归禅图序》。作者署"皖上瘦梅宣鼎"及"宾谷王寅"。按：宣鼎与《申报》馆联系较密。

四月

二十五日，赐曹鸿勋等三百二十四人进士及第出身有差。本科为清德宗登极恩科。朱一新、陶方琦、袁昶、缪荃孙、施士洁、顾家相等成本科进士。

王闿运、黄文琛、彭玉麟、杨彝珍等至碧浪湖修禊。

闰五月

二十九日己丑（7月20日），清军克复乌鲁木齐，新疆北路全部收复。

六月

潘祖荫进《穆宗毅皇帝全集》。

夏

徐子苓卒。子苓（1812—1876）字西叔，一字叔伟，号毅甫，晚自署南阳子、龙泉老牧、默道人，安徽合肥人。道光十五年举人。自少资力过人，博览群籍，究心天下利病，而不自检束。尝师事姚莹，咸丰同治间入江忠源、曾国藩幕，后授和州学正，未就，鬻文为活。工诗文，自谓"自时文、试帖、馆阁、赋、笺、表、颂、诔，旁及两汉三唐乐府，与夫流俗诽谐、祈神谀鬼、藏娇赠艳之作"，莫不能工，"当其快意，万言之富唾手可办"。（金天翮《皖志列传稿》本传）著有《敦艮吉斋诗存》、《文钞》。姚莹《诗存》题词："（诗）古直浑坚，其源自汉魏来。皮相者以为山谷之学杜陵矣。五七言近体体洁思清，时获妙绪。佳者在高岑王孟间。"《晚晴簃诗汇》卷一百三十七收其诗九首，诗话云："西叔工诗古文辞，为江忠烈、曾文正所赏。谭复堂宰合肥，以西叔与戴家麟子瑞、王尚辰伯垣同刻为《合肥三家诗》。"

七月

十七日，沈兆沄（1783—1876）**卒**。《晚晴簃诗汇》卷一百二十七收其诗六首，诗话云："嘉道以来吾郡诗人以梅树君、崔念堂为最著。云巢先生名位较显，诗特和平安雅，无噍杀之音。"

八月

郭嵩焘以喜言洋务取罪于湘中士人。《湘绮府君年谱》："八月，湖南乡试，时郭侍郎筠仙出使英吉利，作《使西纪程》，颇言英法制修明，非中国所能及，时湖南风气闭塞，尤恶洋人，讹言上林寺居有洋人，来湘传教。乡试诸生恶之，约会玉泉山，议毁上林寺及郭氏居宅。"

吴汝纶入李鸿章幕。先是，汝纶丁忧在籍，五月北上。六月访张裕钊，"在金陵留七日。读张廉卿近著，文视前益奇。留凤池书院，与之盘桓连日，临别尚依依也"；七月，至德州，"单骑往访存之（今按：方宗诚）于枣强"。（郭立志编《桐城吴先生年谱》）

九月

刘鹗南京乡试落第。回淮安专心研究经世之学，本年尝至扬州，谒见太谷学派李光昕。

十一月

张之洞四川学政任满。谭宗浚继任。《张文襄公年谱》引袁昶《香岩老人六十寿言》："公两为学政，所至网罗通才宿士，若缪编修荃孙、樊大令增祥、王侍郎文锦、王祭酒懿荣、郑贡生知闻、蒯太史光典、左比部绍左、易分巡顺鼎、袁刑部宝璜、林吉士国赓，教以治经门径，通知时务。曾文正尝嗟异之，以前辈若洪亮吉之督黔学、朱筠河之视皖学闽学、阮文达之督浙学，无以逾也。"（按：王懿荣早岁官户部，与张之洞相识在同治九年，初无师生之谊，此微有误。）

许善长撰《茯苓仙》传奇成并作《自序》。许善长本年权守建昌，秋间卸篆后，登麻姑山，饮麻姑酒，感兴而成四五折，至是足成十四折，演麻姑事。刊本有郑由熙、张鸣珂等题辞。

十二月

十九日，高心夔、刘履芬、杨岘、叶昌炽、王颂蔚等在吴为东坡生日会。汤纪尚《高陶堂先生传》："晚与归安杨岘、江山刘履芬、山阴傅怀祖为笃古交，而洁修正学，独重溧阳强汝询先生。"杨岘《陶堂志微录叙》："陶堂读书高才，不通狎流俗，而独善余。"

冬

文学月刊《侯鲭新录》创刊于上海。沈饱山主办，上海机器印书局印行，体例与申报馆所刊之《瀛寰琐记》、《四溟琐记》、《寰宇琐记》同。首期蔡尔康撰《侯鲭新录序》谓："搜瑰玮之撰述，联翰墨之因缘。行文则或整或散，要以不戾乎古；纪事则可惊可愕，总期不诡于正。旁逮诗歌，下及词曲……异事同登，奇文共赏。"

王树枏作《盐铁论书后》。《陶庐老人自订年谱》："是冬，李文忠公由津回省，院试诸生，以《盐铁论书后》命题。得余文，拍案惊赞。……谓先会元（按：树枏祖振纲，戊戌会元）公曰：苏长公后，不见此等文字矣。名儒名臣，拭目俟之。"又据谱，本年树枏仍在畿辅通志局；乡试中式第十一名；桐城吴汝纶、湘乡曾纪鸿、无锡薛福成、秀水赵铭等，皆来纳交。

本年

邵亨豫在京编次历年所作诗文。《雪泥鸿爪》："豫性耽吟咏，以学植薄，卒无所成就，然五七字近体积渐多，计半生阅历患难恒在是，因择丁酉后所作润色之，手录《岱东》、《宣南》、《洛阳》、《皖南草》八卷。"又，至光绪三年，"陆续手录《海东》、《日下》、《闽南》、《冀北草》八卷，《试帖》二卷，《奏稿》四卷，《杂文》一卷"。

俞樾撰《曲园杂纂》五十卷。（《曲园自述诗》）

敦厚堂刊出《狐狸缘全传》六卷二十一回。此书后有光绪十四年文酉堂刊本、善成堂刊本、漱石山房刊本，作者均署"醉月山人"；光绪十九年上海书局石印本题《绘图仙狐窃宝录》，不署作者，另镌"鸳水散人题"。

古虞喜雨山房刊出《荆钗记全传》弹词六卷二十回。不题撰人，首有润东漱石主人本年序。又有上海书局光绪二十七年刊本。叙宋真宗时状元王十朋与钱玉莲事。

郑由熙约于本年撰成《雾中人》传奇二卷十六出。此为《暗香楼乐府》三种之一，演太平军攻占徽州，书生庾怀信避难曹竹寺，因大雾而得走脱事。殆为作者自身经历写照。卷首有张检之光绪十二年序、程秉钊六年序，末有胡承谟十六年跋。程《序》谓："大著律度谨严，词归雅正，创巨痛深之旨，正使局外局中，同声一哭。谁谓杂剧中无南史董狐笔也？"张《序》谓："痛定追思，有呵壁问天之意，酒阑起舞，为拔剑斫地之歌。他年风采轺轩，允继杜陵诗史。"按：郑由熙（1827—1898 后）字伯庸，号晓涵，别署啸岚道人。安徽歙县人，寄居江宁。同治间优贡生。官江西瑞金、新昌、靖安等县知县。工诗文，长于戏曲，与许善长为友。著有《晚学斋诗文集》、《莲漪词》，传奇三种，总题《暗香楼乐府》。（生卒年据《清人诗文集总目提要》）

张謇仍在江宁惜阴书院。"读陆宣公奏议、《日知录》"，识海州邱心坦、江宁顾云、邓嘉辑等，与为友；从张裕钊治古文。（《啬翁自订年谱》）

沈曾植二十七岁，"始闻诗有二李晚唐之说"。（王蘧常《嘉兴沈寐叟先生年谱初稿》）

严复二十四岁，在英国格林尼次海军大学，与使臣郭嵩焘论交。《侯官严先生年谱》："湘阴郭侍郎嵩焘为出使英国大臣，见府君而异之，引为忘年交。每值休沐之日，府君辄至使署，与郭公论述中西学术政制之异同。"

黎庶昌调充驻英等国参赞。《清史稿》本传："光绪二年，郭嵩焘出使英国，调充参赞。历比、瑞、葡、奥诸邦，著书以撮所闻见，成《西洋杂志》。晋道员。七年，命充出使日本大臣。"

马其昶作《李泌论》。《桐城马先生年谱》："应乡试不第。时外侮迭乘，士大夫竞言夷务，先生为《李泌论》以寄慨。"

郑文焯在山西。戴正诚编《郑叔问先生年谱》："夏，兰坡先生陈臬山右，先生侍奉之任。……《补梅书屋诗稿》从是年四月起迄丁丑二月，编古今体诗为《春芜集》。"

陈衍杂治词章考据之学。《侯官陈石遗先生年谱》："阅严铁桥、段懋堂、王菉友诸先生书。家君雅不喜治举业，每至大比年春后始集数友人为文会。报罢则如脱羁绁。取所谓词章考据之学杂治之。"

陈黻宸十八岁，获交宋衡。（陈谧《陈介石先生年谱》）马叙伦撰《陈先生墓表》："（黻宸）少与平阳宋衡、乐清陈虬密相切磋。衡为锵鸣女夫，又师俞樾，其学则近王符、仲长统、徐干。虬则与苏轼、陈亮为近。先生于学，虽无所不窥，然亦宿于性理、文章、经制。"

王韬在香港以活字版排印《弢园尺牍》八卷。自序称："尺牍一道，少即留意。当弱冠时，曾搜集所遗朋友书，为《鸿鱼谱》。"又，刻后不及三年，以求者日多，乃谋重付手民，复检数年间往来简札，厘为四卷，合之都十有二卷。《重刻弢园尺牍自序》："余与人书，辄直抒胸臆，不假修饰，不善作谦词，亦不喜为谀语。少即好纵横辨论，留心当世之务，每及时事，往往愤懑郁勃，必尽倾吐而后快，甚至于太息泣下，辄亦不自知其所以然。"（《弢园文录外编》卷九、十）

丘逢甲十三岁，诗名渐著。丘瑞甲《先兄仓海行状》："性聪颖异人，六岁能诗，七岁能文，十三冠童军。受知于巡抚丁日昌、唐景崧。"罗香林《丘逢甲传》："年十三补博士弟子员。时吴子光设教吕氏筱云山庄，藏书富。逢甲负笈从，博览群籍，遂以诗鸣海国。"按：吴子光，字芸阁，广东嘉应人，寄籍台湾淡水，能诗文，尝分修《淡水厅志》，著有《一肚皮集》。

陈廷焯初识庄棫。《白雨斋词话》卷五："近人为词，习绮语者，托言温韦，衍游词者，貌为姜史，扬湖海者，倚于苏辛，近今之弊，实六百余年来之通病也。余初为倚声，亦蹈此习。自丙子年，与希祖先生遇后，旧作一概付丙，所存不过己卯后数十阕，大旨归于忠厚，不敢有背风骚之旨。过此以往，精益求精，思欲鼓吹蒿庵，共成茗柯复古之志。蒿庵有知当亦心许。"

何如璋出使日本。至光绪六年召回，任内与日本朝野名士往来甚密，撰《使东杂咏》。

顾文彬在怡园与同人唱和。《憩园词话》卷三："丙子丁丑（1876—1877）间，吴中文讌，多在顾子山观察之怡园。……苏城既复……因得东坡旧琴，又葺坡仙琴馆，凡十六景，同人分咏。主人则一景一诗一词，并集苏诗为绝句二百四十四首。又创作《怡园词》一千二百余阕，还存六百余阕，皆'望江南'调也，刊传于时。观察素喜收藏，骏叔（按：其叔子）亦好古如饥渴。先有过云楼，藏庋已夥，数年来苦心搜集，遂冠吴中。"

杨岘撰《迟鸿轩诗偶存》一卷刊刻。

康有为始从朱次琦学于九江礼山草堂。尝用《史通》体裁，作《五代史史裁论》（文不存），朱次琦许为可以"著书"。

林昌彝（1803—1876）**卒，年七十四**。《晚晴簃诗汇》卷一百四十五收其诗三首，诗话云："芑溪研精经术，著有《三礼通释》及《小石渠阁经说》。从来治经之士兼长诗笔，代不数人，陈恭甫乃称芑溪之诗直合亭林、竹垞为一手，未免阿好。芑溪《论诗绝句》一百五首，于岭南三家欲祧药亭而配以二樵，又进蒋苕生退赵瓯北，皆具有别裁。"

吴棠（1813—1876）**卒，年六十四**。黄云鹄《吴勤惠公传》："著有《望三益斋存稿》、《读诗一得》，义蕴醇厚如其人。"《尊瓠室诗话》："诗宗唐宋，兼有沉劲萧疏之妙。"《晚晴簃诗汇》卷一百三十八收其诗三首，诗话云："集中和李文忠明光题壁诗，有忧民之言，是时文忠正佐曾文正戎幕，勤惠亦犹令清河也。"

黄宰钧（1826—1876）**卒，年五十一**。洪葆荣《金壶七墨序》："钵池黄君才本谈天，笔能扛鼎，援就咸同间所见所闻，掇拾成书，类分七种，名曰《金壶七墨》。而其一种闲情别致，异想奇思，有令人执卷披吟，而爱不释手者。"

王拯（1815—1876）**卒，年六十二**。陈三立《龙壁山房文集叙》："自有明归氏擅欧王之传，独以古文辞义法推重于世，国朝方先生苞文之以经术，其言益尊于时。其乡刘氏大櫆、姚氏鼐之徒引推大，煽而愈张，海内之所称桐城派者是也。方刘既殂，姚先生岿然为老师，徒党相和，桐城家之言几遍天下。后数十年，上元梅曾亮氏最称高第弟子，复守姚氏之绪，讲艺京师，四方魁桀笃敏之士萃焉。当是时，梅先生之学大昌，颇踵迹姚氏。先生亦与其乡朱氏琦、龙氏启瑞治术业相高，且于梅先生游处讲习，最号为有名者也。……桐城家之言兴，相奖以束于一途，固以严天下之辨矣，而墨守之过，狃于意局，或稍无以厌高材者之心。……然先生之所为文，虽若敛退，无瑰玮瑰特之观，而类情指事，啴谐通恕，肖其心之所自出而寓于不敝，以视桐城诸老儒先所得之美，未有以异。知言之君子综考流别，究其终始，而尽其变以览观焉。"《晚晴簃诗汇》卷一百四十四收诗至二十九首，诗话云："久历兵间，诗伤时感事，跌宕苍凉，如《书愤》与《自题滦阳日乘卷后百韵》、《拟古》十二首，皆不愧一朝诗史。古今诸体功力夙深，京朝名辈，更倡迭和，蔚为大家。……兼擅倚声。"

包天笑生。天笑（1876—1973）原名清柱，改名公毅，字朗孙，号天笑，别署钏影楼主等，江苏吴县人。光绪诸生。以报人及小说家名于世，曾主编《小说时报》、《小说大观》、《小说画报》、《星期》等刊。初多译作，仿林纾以史汉之笔意述外国政治、教育、言情等小说多种，以《迦茵小传》为最知名。后以创作为主，仍多用章回体。鸳鸯蝴蝶派作家颇受其影响。后定居香港以终。在晚清译、著长短篇小说约五十种。

齐如山生。如山（1876—1962）名宗康，以字行。河北高阳人。出身宦门，博习经史。光绪二十年入京师同文馆习德法语，曾三次旅欧，归国后追随孙中山从事国民革命。终身致力于戏曲整理与研究，尝为梅兰芳编排时装戏《一缕麻》，古装戏《黛玉葬花》、《嫦娥奔月》等，后组织北平国剧协会。著有《国剧概论》、《国剧要略》等。

陆士谔生。士谔（1876—1943）名守先，以字行。江苏青浦人。早岁赴沪行医，后见小说颇受欢迎，改业图书出租，业余遍览说部，自谓悟其中要领，遂撰著小说，声名渐起。于是求医者亦日多，遂号中医名家，撰有医学著作多种。士谔创作速度惊人，至宣统三年正月，自称所撰已不下五十部，创作之多，几居晚清之最。盖因善揣人意，故所撰多黑幕小说及以滑稽取胜之拟旧小说。入民国，又以撰著武侠小说知名。自谓一生所著小说多至百部，著名者有《新上海》、《七剑八侠》等。

姚华生。华（1876—1930）字一鄂，号重光，又作崇光，晚改字茫父，号弗堂，贵州贵筑人。光绪三十年进士，后留日习政法，归国任职邮传部。入民国，任教于各大学。擅书画，精研音律，著有《弗堂类稿》、散曲集《菉猗曲》及论曲之作《菉猗室曲话》、《曲海一勺》等。

公元 1877 年（光绪三年　丁丑）

二月

十五日，宣鼎自序《夜雨秋灯录》。叙其生平及创作经过云：四十岁时，"取生平目所见、耳所闻、心所记忆且深信者，仿稗官例，先书一百余目，每夕作文一篇或两篇"，又云："樵歌牧唱有时上献刍荛，鬼董狐谐无语不关讽劝"。本书八卷，多记怪异故事，有本年上海申报馆丛书本。《笔记小说大观》本作初集、续集、三集各四卷。按：宣鼎约卒于光绪六年。沈家珍《夜雨秋灯录序》："是录语以隐而弥显，意似奇而实庸。美刺悉本风诗，事属子虚而不害；毁誉总存直道，言虽孤愤而何伤。况乎书奇事，则可愕可惊；志畸行，则如泣如诉；论世故，则若嘲若讽；摹艳情，则不即不离：是盖合说部之众长，而作写怀之别调也。"

朱铭盘入吴长庆幕，与张謇、周家禄等交。《曼君先生纪年录》："是年二月，公至浦口，客庆军统领提督庐江吴公筱轩长庆军幕。始于军中识张季直、周彦升、束畏皇、邱履平、林怡庵，与为友。谨按：彼时各行省文武大臣能以采纳忠谠敬礼士大夫著重于海内者，在粤惟张靖达公树声，在苏惟吴武壮公长庆。于时张公幕府则有武进何梅孙嗣焜、贺县于晦若式枚、如皋顾延卿锡爵，吴公幕府则有通州张季直謇、江都束畏皇纯、海门周彦升家禄、闽县林怡菴葵及公，并为海内知名之士，聚处一军，以文章义理相切劘，辨难纵横，意气激发，极朋友之乐，而未尝有厌薄之志。而公尤为张季直所推崇。"张謇《啬翁自订年谱》本年："始于军中识泰兴朱曼君铭盘、无锡杨子承昌祐、武进何眉孙嗣焜，与为友。"

张云骧在济南撰成《芙蓉碣》传奇并自序。此剧二卷十四出，本高继珩《蝶阶外史》，叙文安县李蓉姑及其婢陈春华贞烈事。有作者自序、樊增祥序，吴孝绪跋及易顺鼎、盛昱、蒋师辙等题词，王梦湘评。王梦湘《总评》："合观十四折，才情富有，波澜老成。有云亭音节之高，兼藏园书卷之富。视笠翁辈专以场面见长，直卧之楼下矣。"吴梅《跋》谓："近人传奇，以此为最不堪入目。乖音舛律，全不合度，由见元明人杂剧少也。……传奇以自出心裁为主，元人杂剧，犹六经四书也。不以此入手，而惟于近人中讨生活，俱属荒唐，全无是处。"按：张云骧字南湖，河北文安人。光绪元年拔贡，官内阁中书。少有才名，擅词曲。《芙蓉碣》传奇外，尚著有《冰室友词》四卷等。

三月

初一，刘熙载在上海龙门书院作《昨非集序》。《昨非集》四卷，为刘氏作品集，始名《四旬集》，盖集中所编入，大都四十以前作。《序》云："余之少也，学不知道，虽从事于六经，然颇好周秦诸子，又泛滥诸仙释书，并骚人辞客之悲愁放旷、惜衰暮、感羁旅者，亦未尝不寓目焉。故当时所作，指趣多所出入，且有傲然自得而不知其非者，岂非沉溺之甚也哉！四十后乃始悔之。又后，则欲勿存之矣。"内卷二《寤崖子传》："寤崖子于古人志趣尤契陶渊明。其为学与教人，以迁善改过为归，而不斤斤为先儒争辨门户。"

初五日，高旭生于金山县。旭（1877—1925）字天梅，一字剑公，又字钝剑，别署慧云、哀蝉、万梅花庐等，又有斋名愿无尽庐、未济庐、变雅楼等。光绪三十年赴日留学，毕业于东京政法大学。曾任同盟会江苏分会会长。宣统元年与柳亚子等发起南社。毕生从事新闻、宣传、教育工作，以宣传革命为职志，先后编辑《觉民》、《醒狮》、《复报》、《大汉报》等。著有《天梅遗集》、《愿无尽庐诗话》等。

郑文焯《补梅书屋诗稿》自三月起，迄戊寅五月，编为《松楸集》。

四月

二十五日，赐王仁堪等三百二十九人进士及第出身有差。本科成进士者另有盛昱、樊增祥、胡薇元、董沛、谢章铤等。按：王仁堪为一甲一名进士，尤以工书名。《晚晴簃诗汇》卷一百七十二诗话云："康熙朝，陈鹏庐侍郎工为应奉之书，直内廷，御制书序碑文，缮写多出其手，时巡庆典岁朝令节，诸臣进册咸以笔札擅长。袁简斋为赵横山墓志，称其楷法秀润，如铺春云。盖中叶前，殿廷试卷未尝不兼重书法，特功令尚宽，往往各从所习，游刃自如。张文敏坠马伤臂，至以左手作书，人服其工。嘉道以还，体格日趋谨严，排比益求精整。莆田郭兰石、昆明赵文恪最有名，日能作万余言。《翰林禁经》、《干禄字书》遂成风气。龚定盦作《干禄新书序》，虽主文谲谏，而所列选颖、磨墨、膏笔、器具、点画、波磔、架构、行间、神势、气禀诸目，固习此者所有事也。前贤多摹法帖，至同光间，则隋唐碑版无不可敛宿以就，行墨用巧丽相胜，益以邵罗名墨，助其光气，擢高第者望而可决，若明人制艺之诩元灯。士夫束缚于是，浸违古法，而自具流派，后亦少惩其弊。比而论之，亦一代故实也。"

五月

王闿运始著《湘军志》。 按：闿运上年十一月始营湘绮楼，本岁居长沙，与湘中名士多有往还。正月李元度、王必达、邓辅纶来晤谈；十月九日，与黄文琛、杨彝珍、罗汝怀等为闰重九之会。

八月

樊增祥出都归里。 本月至明年七月诗为《东归集》。

九月

二十一日，蒯德模卒。 德模（1816—1877）字子范，晚号蔗园老人，安徽合肥人。以诸生办团练，以功保举知县，历官夔州知府，有政声。著有《带耕堂遗诗》。冯煦撰《蒯公墓志铭》："性耆学，尤洞于易。为文憻沉缅幽，不规规风尚。……善为诗，多忧生念乱之旨。"

越南贡使裴文沈在汉阳为杨恩寿《词余丛话》作序。 恩寿时为护贡官，二人倡和月余。

重阳后，陈书、叶大庄等为降神之戏，陈衍、萧道管夫妇亦与其事。《侯官陈石遗先生年谱》："重阳后……为降神之戏，夜夜净几明灯，倡和于沙盘木筴间。家君多彻夜不睡，岁暮，《骖鸾倡和集》厚径寸。先母亦有和作。今遗集中《绿母》、《水仙》诸作是也。"

至迟本月，邹弢完成《浇愁集》八卷创作。 朱寿康本月序谓："近人撰述，初不察古人立懦兴顽之本旨，专取瑰谈诡说，衍而为荒唐俶诡之辞。于是奇益求奇，幻益求幻，务极六合所未见，千古所未闻之事，粉饰而论列之。……梁溪邹翰飞秀才，撰次《浇愁集》八卷……余维其张皇幽渺，意在振聩发聋"。是书所记皆神鬼之事，有光绪四年申报馆聚珍版本。

十月

曾纪泽诗戊集编定。曾纪鸿《归朴斋诗集序》谓，纪泽往年尝为咏史四言数十百首，纪游、拟古、友朋酬唱为五言古诗三百余首，后毁于火，独近体数十首得全。尔后遂不甚作诗。以前毁于火者为甲乙丙丁集，故诗集始于戊集。戊集分上下卷，上卷收同治九年以前之作，下卷收九年后之作。后有己集，则收光绪四年以后之作。

十一日，秋瑾生于福建南部某地。秋瑾（1877—1907）原名闺瑾，字璿卿，号旦吾，别署鉴湖女侠；留学日本时易名瑾，字竞雄，又署汉侠女儿。浙江山阴人。瑾少长闽中，复随父湖湘，适湘潭王氏。光绪二十九年赴京定居，次年赴日留学，参与光复会、同盟会等组织。以抗议日本文部省颁布清韩留学生取缔规则，愤而归国，谋与徐锡麟同时发动皖浙两省起义。及徐锡麟安庆起义失败，秋瑾被捕，旋就义于绍兴。及民国立，孙中山题"巾帼英雄"以表彰之。工诗，著有《秋瑾集》。（按：瑾生年诸书记载不一，此从郭延礼《秋瑾年谱简编》）

二十九日，王国维生。国维（1877—1927）初名国桢，字静安，又字伯隅，号观堂、永观，浙江海宁人。少以文名，后应乡试不中，旋至上海主时务报馆任书记校雠之役。适时论谋变法自强，国维即入罗振玉所主之东文学社，习日文及欧西之学。罗振玉复资之使游学日本，拟专修物理，数月病作，归国，自是始决意从事于哲学，研习康德、叔本华诸家之说。复从事于文学，成《〈红楼梦〉评论》，刊《静安文集》、《人间词》等。光绪三十二年，随罗振玉入京，次年任学部总务司行走；宣统元年充京师图书馆编译，兼名词馆协修。寓京期间，专力治宋词元曲，著《人间词话》、《戏曲考原》、《优语录》、《曲录》、《宋大曲考》等。入民国，益深研国学，于文字、古史、西北民族史地诸学多有创获，学界奉为大师巨子。尝应清废帝溥仪之召，任南书房行走。民国十六年，自沉于颐和园之昆明湖，清室予谥"忠悫"。国维平生著述六十余种，辑为《王忠悫公遗书》、《海宁王静安先生遗书》、《观堂集林》等集。（据宋慈抱《海宁王国维传》等）

十一月

二十六日，黄遵宪抵日本，任驻日使馆参赞。

二十九日庚辰（1878 年 1 月 2 日），清军克复和阗，至此尽复新疆南路。

十二月

十一日，熊少牧（1794—1878）卒，年八十四。李元度《五品衔候选内阁中书熊雨胪先生墓志铭》："道咸中大湖以南以诗名天下者，推长沙熊雨胪先生。""胸中抑塞磊落不平之气，一发之于诗，其诗益奇以肆。"《晚晴簃诗汇》卷一百三十八收其诗五首。

二十六日，施淑仪生。淑仪（1878—?）字学诗，江苏崇明人，蔡日曦（南平）室。少以能诗名于时，曾主尚志女学及公立女子师范学校校长。著有《湘痕吟草》、

《冰魂阁诗存》，辑有《清代闺阁诗人征略》、《随园女弟子轶闻》。

吴大廷（1825—1878）卒于上海。按：其自订年谱止于十一月二十九日黄昏，临殁有诗示刘熙载。《晚晴簃诗汇》卷一百五十四收其诗四首。

本年

日本吞并琉球。

上海申报馆排印沈复《浮生六记》。沈复（1763—？）字三白，号梅逸，江苏长洲人。所著《浮生六记》凡六卷，后二卷已佚，是年刊出，盖上距成书已七十年。王韬《浮生六记跋》："笔墨之间，缠绵哀感，一往情深，于伉俪尤敦笃。"

徐琪撰《北游谭影集》一卷刊刻。

杨恩寿撰《坦园诗文集》由杨氏坦园刊刻。

黄宗彦编集《师蕴斋诗集》。

吴昆田撰《漱六山房全集》十一卷刊刻。

朱克敬在长沙刊出《浮湘访学集》。除自撰《瞑庵诗录》一卷外，均为朱氏湘中师友之作。内邓辅纶撰《白香亭诗》、龙汝霖撰《坚白斋诗存》、王闿运撰《湘绮楼诗》、杨彝珍撰《移芝室诗钞》、黄文琛撰《思诒堂诗》、郭嵩焘撰《养知书屋诗集》、邓绎撰《藻川堂诗集》、罗汝怀撰《绿漪草堂诗钞》、杨翰撰《袠遗草堂诗钞》、吴敏树撰《柈湖诗录》等各一卷。

宣鼎《夜雨秋灯录》八卷及《返魂香》传奇本年由申报馆排印刊出。

护花主人王希廉（雪香）评点百二十回本《红楼梦》由翰苑楼刊行。

许善长撰《瘗云岩》传奇二卷、《风云会》传奇二卷本年刊出。

易顺鼎本年始一意为诗。《丁戊之间行卷》自序谓："因念生平于诗，童而习之，亦有年矣。其间或作或辍，无甘苦自得之趣。其壹意为诗，自丁丑岁始也。"

简朝亮在朱次琦门下。《朱九江先生年谱》："敬问先生著述，举所以欲为书者而答，凡七书，而自谓为儒宗性学，发之而为政术，尚之而为风俗。得失虽微，即于中国人伦之大，天下强弱安然所存者，则尤属义而不敢草草焉。"

文廷式结识梁鼎芬等。据钱萼孙编《文云阁先生年谱》，本年文廷式在广州，客广州将军满洲长善幕府，其嗣子志锐、侄志钧皆英姿逾众，宾从如张鼎华、梁鼎芬、于式枚等，多渊雅之士，廷式皆得与交游。时廷式粤中交游，又有叶衍兰、李文田等人。又，本年梁鼎芬在广州从陈澧受业。（《陈东塾先生年谱》）

沈曾植得交番禺陈澧，讲学甚契。是年曾植二十七岁，省亲于广州。（王蘧常《嘉兴沈寐叟先生年谱初稿》）

彭祖贤始议修《顺天府志》，张之洞为总纂，缪荃孙等任纂修。据《艺风老人年谱》，至光绪十二年三月，《顺天府志》始成。同事者有刘恩溥、洪良品、傅云龙等。

陈廷焯与庄棫研讨词学。《白雨斋词话》卷五："生平与余觌面，不过数次，晤时必谈论竟夕。余出旧作与观，语余曰：'子于此道，可以穷极高妙，然仓卒不能臻于斯境也。'又曰：'子知清真白石矣，未知碧山也。悟得碧山，而后可以穷极高妙。'（原

注：此言在中白病殁之前一年。）余初不知其言之恳至也。十余年来，潜心于碧山，较曩时所作，境地迥别，识力亦开，乃悟先生之言，嘉惠不浅。思以近作就正于先生，而九原已不可作，特记其言如此。"

易顺鼎始受知于张之洞。是年顺鼎二十岁，春自贵州入京应会试，不第。时张之洞已回京，尝手书致顺鼎。

王必达授甘肃安肃道。端木埰《临桂王公神道碑铭》："君自官湟陇，竭蹶支拄，忘身忧国，自西商乘隙邀挟，语及洋务，未尝不叹惜痛恨，朔漠一官，离家万里，边风塞云，感慨时艰，发为诗歌，淋漓激昂，以子美夔州、东坡惠儋自况。"

薛时雨年六十，后不复作诗。《晚晴簃诗汇》卷一百五十四诗话云："六十以后不复作诗，属其门人谭献删订全集。献为仿山谷诗例，编《桑根老人精华录》二卷行世。"

董文涣（1833—1877）卒，年四十五。王闿运《夜雪集·论同人诗八绝句》诗并序："董研樵家业素封，少年高第，诗好杜子美同谷以后之作，坚苦枯寒，风骨愈老。尝备兵甘源，尤畏陇阪。服阕赴补，复得秦、阶，遂憔悴以死。锦衣玉貌尽风流，苦思孤吟听每愁。一片秋心无处写，为填诗债向秦州。"《晚晴簃诗汇》卷一百五十五收其诗十七首，诗话云："砚樵诗境清迥，寄托遥深，值咸同之间军事方殷，多感时之作。集中与王定甫、冯鲁川、许海秋诸人唱和最多，诗格亦相骖靳。已跻坊局，分巡关陇，如《检书》及《经院署》诸篇，殊有玉堂天上之思也。"

尹耕云（1815—1877）卒，年六十三。《晚晴簃诗汇》卷一百五十收其诗十一首，诗话云："杏农有经世才，咸丰中在谏垣，封章数十上，论军事多被采纳。忤权贵，以科场案降官，后复起，佐河南戎幕，颇有建树。诗伉爽沉郁，类其为人。如：支撑乱后封疆易，调护军中将帅难。时来将帅都论命，老去英雄只著书。皆非常语。"

蒋师轼（1846—1877）卒，年三十二。其弟师辙为辑刊《三径草堂诗钞》四卷，跋谓："其词舒，其音雅，得性情之正，而不为境物所移，自非学养深至，乌足语此。"《晚晴簃诗汇》卷一百七十收其诗九首，诗话云："幼瞻少负英气，已而深自敛退，究心关闽之学，故鲜过举。囊笔远游，与弟绍由并负时名，称金陵二蒋。诗秀而冷，如寒花初胎，偃蹇冰雪，惜年不永，未充所至。"

顾春（1799—1877）卒。《晚晴簃诗汇》卷一百八十八收其诗三十首，诗话云："八旗论词，有男中成容若，女中太清春之语。临桂况夔笙舍人周颐于光绪己丑（1889）得《天游阁诗》写本。其词名《东海渔歌》，夔笙初未求得。宣统己酉（1909）黄陂陈士可毅得诗五卷，阙第四卷，词四卷，阙第二卷。诗在四十前多偕游之作，及称未亡，家难旋起，携子女移居邸外，有诗纪事。嗣是抚孤感逝，涉笔皆哀。其论陈云伯（今按：文述）诗有云'绮语永沉黑暗狱'，端严可想。……太清有《金缕曲·为阮相国题宋本金石录》，其后半云：南渡君臣荒唐甚，谁写乱离怀抱？抱遗憾、讹言颠倒。赖有先生为昭雪，算生年、特纪伊人老。自注：相传易安改适事，相国及静春居刘夫人辨之最详云云。仁和吴伯宛谓，才媛不幸，大抵如斯。异代相邻，端在同病。"冒广生《小三吾亭词话》卷一："幼遐（王闿运）论词，尝以不得见渔、樵二歌为恨，谓朱希真樵歌及顾春东海渔歌也。顾春字太清，为贝勒（奕绘）侧室。

论满洲人词者，有男中成容若，女中太清春之语。"

陈景韩生。景韩（1877—1965）又名景寒，别署冷血、冷、华生、新中国之废物等，江苏松江人。同盟会员。为我国报坛耆宿，曾于上海《时报》首创"时评"栏。清季译著小说数十种，尤热衷虚无党小说及侦探小说。

戚饭牛生。饭牛（1877—1938）名牧，以字行，又字和卿，别署牧牛童、牛翁、白头宫监、蓑笠神仙等，浙江余姚籍，居苏州。民国小说家。

蔡东藩生。东藩（1877—1945）名郕，字椿寿，以号行，别署东帆。浙江萧山人。民国间著有历朝通俗演义。

公元 1878 年（光绪四年　戊寅）

正月

八日，李联琇（1821—1878）**卒于江宁钟山书院，年五十九。**汪士铎撰《墓志铭》："初为文，才气灏博，及从邓梦舟先生游，益沉酣笺注讲义、名大家为文轨辙，自辟畦町，撷其心所独得。"《晚晴簃诗汇》卷一百四十七收其诗十六首，诗话云："其学精于治经，而诗文亦夐夐独造，无一语落人窠臼。尝序黄明经旭《菰野诗》谓：诗有四体，又有四用。缠络为经，扶植为骨，灌输为血，敷衬为肉。四体合而诗之规模具，铿鋐为声，扬诩为色，融会为神，流溢为韵。四用周而诗之性情出。其论尤发前人所未发。"

李元度自编《天岳山馆文钞》四十卷成并自序。

范当世往兴化拜谒刘熙载。以弟子礼贽见，上所为文数十篇。有诗纪其事。后范当世序《通州范氏诗钞》，有"自当世甫冠，大人则以此事（今按：谓作诗）相督勉，往往读不终卷，辄喟然莫辨其微远所在，孰为高下，以此发愤游学。初闻《艺概》于兴化刘融斋先生"云云。是年当世二十五岁。

二月

丁松等铁花吟社结于杭州。《先考松生府君年谱》："首倡者为吴筠轩丈，会无定期定所，迭为宾主，月必一举，前后凡百集，与会者先后五十余人，与府君时相倡和者，则永康胡月樵丈凤丹、仁和沈辅之丈映钤、江夏王琳斋丈景彝、元和江秋珊丈顺诒、蒙古恺庭丈盛元，暨应敏斋姨丈、吴君子修、高君白叔、张君子虞也。兄修甫亦随侍。筠轩丈编集社诗，秦淡如观察选定四卷，未及刊而卒。"按：至光绪九年癸未九月重举于西湖，"先是戊寅二月，吴筠轩观察约同人创举铁花吟社，至是重建。庞祠傍有隙地，因构屋数椽，为春秋佳日联吟处，合前后凡百集，后因吟友凋谢，遂辍咏"。

陈澧七十寿辰，谭宗浚自四川寄骈体文寿序一首。（《陈东塾先生年谱》）

旱，诏求直言，张之洞为黄体芳通政具疏陈时政得失。

三月

初三，潘曾莹（1808—1878）病卒，年七十一。 俞樾撰《墓志铭》："以大臣子，风貌清严，文章尔雅，道光咸丰间屡蒙召对便殿。……画以青藤白阳为宗，书则初学吴兴，晚学襄阳，尤得其神髓。"《芬陀利室词话》卷二谓其词"清华朗润"。《憩园词话》卷二："多清丽芊绵之作，不为律缚。与同里戈顺卿、朱酉生相唱酬，深得宋人三昧。姚梅伯孝廉序其词曰：'绳尺之中，自有天籁。羽宫所在，能移我情。'诚为笃论。"《晚晴簃诗汇》卷一百四十四收其诗九首，集评："吴兰雪曰：星斋为芝轩先生仲子，与兄春泉、弟绂庭并擅诗名。其诗婉而多风，丽而有则。符南樵曰：星斋侍郎诗，语本性情，音涵雅颂，处华腴而不忘幽静者，如：松风倏然来，鹤氄洒石发。艾蒳积冻绿，兰芷扬凄馨。皆原出风骚，力标新颖。"诗话云："星斋诗画并清丽而有潋逸之致，纪游题画，刻划山水，吐纳烟霞，洵所谓诗中有画也。戴文节赠句云：玻璃水底铺金沙，上有风雾扬天葩。世间纤尘不可到，珠楼宝阁仙灵家。朝乘赤鲤暮元豹，天风两袖餐朱霞。君之诗境有如此，会书净本呈释迦。又云：就中最妙者冲澹，岂是七宝装成耶。评骘颇当。"

王树枏在畿辅通志局与袁昶等过从。《陶庐老人自订年谱》："季春，余回志局。余素喜考订之学，局中若崔芋堂迺翚、蒋侑石曰豫、袁爽秋昶、方子瑾恮、丁听彝绍基，皆方闻博雅之士，朝夕过从，质疑问难，获益良多。"

《二奇合传》十六卷四十回刊出，不题撰人。 书内封云"戊寅年三月重镌刻"，然此书之初刻本未见。书首"芸香馆居士"叙谓："二奇者，《拍案惊奇》、《今古奇观》也，合之辑之，故曰'二奇'也。"然亦有二回本事出《聊斋志异》。每卷一至四回不等，每回一故事，以编纂之意重在劝戒，故于各回回目下特以三字语著明劝诫之旨，如"劝积德"、"戒逞势"之类。

四月

二十六日，谢维藩（1834—1878）病卒于京师。 朱祖谋《冬夜检时贤诗集率缀短章》："《羽猎》微辞高汉京，边开伊郁至今情。饶他江左文章伯，低首空江长杜蘅。"《晚晴簃诗汇》卷一百六十一收其诗五首，诗话云："麐伯湘人而生长秦中，得西北高壮苍凉之气。诗宗法少陵，集中皆思亲怀友，悯乱伤离之作。麐伯早入承明，屡司文柄，顾一扫当时馆阁软美之习，可谓能自振拔者矣。"

潘曾玮、李鸿裔至嘉兴访金安清、杜文澜。 据潘曾玮编《养闲年谱》，是时，潘、李闲居苏州，金、杜闲居嘉兴。按：潘曾玮（1819—1886）字宝臣，号玉泉，一号季玉，吴县人，潘世恩幼子。荫生，历官刑部郎中，记名道。咸同间在籍办团练，曾在沪与冯桂芬、顾文彬同画赴皖迎李鸿章淮军东下之策。有《自镜斋集》。

范当世名己诗集曰《彦腩集》。 此乃首次为诗结集，后范当世自定诗集，存诗自本年始。

五月

初九日，樊增祥录成《东溪草堂词选》并自序。

二十二日，吴观礼（1833—1878）卒，年四十四。《今传是楼诗话》二二四条："圭庵集中，多隐切朝事之作。其著者为《冢妇篇》、《小姑叹》、《天孙机》、《邻家女》诸首。"

邓绎至长沙，与王闿运论诗。《湘绮府君年谱》："辛眉丈论诗法云：唐人能与古为新，学诗者宜先从唐入手，不从唐入，则为明七子也。唐诗选又以《诗归》为善，以其先隔断尘俗。《诗归》为世诟病久矣，非善学者不能用之有效也。府君以为知言。"

成都尊经书局开。

郑文焯《补梅书屋诗稿》自六月起迄明年正月，编为《梦余集》。

七月

谭献写定《箧中词》五卷并自作《叙》。谭献编选《箧中词》，始于同治五年，其年日记称："选次《瑶华集》，为予《箧中词》始事。"其选词旨趣，同治七年日记言："近拟撰《箧中词》，上自《饮水》，下至《水云》，中间陈、朱、厉、郭、皋文、翰风、枚庵、稚圭、莲生诸家，千金一冶，殊呻共吟：以表填词正变，无取刻画二窗，皮傅姜张也。"光绪二年日记中又云："阅王氏《词综》四十八卷、二集八卷。王侍郎（昶）去取之言，本之朱锡鬯，而鲜妍修饰，徒拾南渡之渖，以石帚、玉田为极轨，不独《珠玉》、《六一》、《淮海》、《清真》皆成绝响，即中仙、梦窗深处，全未窥见。予欲撰《箧中词》，以衍张茗柯、周介存之学，今始事王选所掇者，百一而已。"至是始成。（见《复堂词话》）

八月

樊增祥集本月至明年十一月诗为《涉江集》。

陈宝（1834—1878）卒，年四十五。朱铭盘为作墓表，至光绪十八年壬辰，复刊其遗集并作叙。《晚晴簃诗汇》卷一百六十五收其诗十首，诗话云："百生遭逢兵革，以孝廉从军，诗初学吴野人，及参戎幕，多言时事，其《军行杂咏》，语皆纪实，为时传诵。"

九月

俞达至迟于本月撰成《青楼梦》（一名《奇红小史》）六十四回。书首金湖花隐序，云："其书张皇众美尚有知音，意特为落魄才人反观对镜，而非徒矜言绮丽为也。……览是书者，其以作感士不遇也可，倘谓为导人狭邪之书则误矣。"次邹弢序，云："是书标举华辞，阐扬盛俗，为渡迷之宝筏，实觉世之良箴。"按：此书叙才士金吟香不为公卿士大夫所赏，特受青楼妓女爱重，卒与三十六美妓共结仙缘。作者署"厘峰慕真山人"，即俞达。邱炜萲《菽园赘谈》谓："此书专为自己写照，事实半从附会。"

俞达（？—1884）又名宗骏，字吟香，号慕真山人、花下解人，江苏长洲人。早岁尝为小吏，以不善治生，性喜冶游，家道中落，遁居洞庭山，贫病而卒。著有狭邪小说《青楼梦》四十六回，另有《艳异新编》、《醉红轩诗稿》等。《中国小说史略》列此书于"清之狭邪小说"类中，谓《青楼梦》所记"则吴中倡女，以发挥其'游花国，护美人，采芹香，掇巍科，任政事，报亲恩，全友谊，敦琴瑟，抚子女，睦亲邻，谢繁华，求慕道'（第一回）之大理想，所写非实，从可知矣"。此书本年申报馆排印刊出。

刘熙载撰成《四音定切》四卷并自作序。

易顺鼎编次《丁戊之间行卷》十卷并自序。序谓："窥其用意，聊以自慰而已。……故其所作，皆抒写己意，初不敢依附汉、魏、六朝、唐、宋之格调以为格调，亦不敢牵合三百篇之性情以为性情。于古者所以重，及世所目为甚轻，均未有当也。"是集录去年至本年所作歌诗，附以杂文词曲。

十月

刘熙载撰《说文双声》二卷成并自作叙。

聚珍堂刊出文康《儿女英雄传》活字本。此书又名《金玉缘》、《侠女奇缘》，四十一回。作者署"燕北闲人"，实即文康。观鉴我斋《序》谓："其书以天道为纲，以人道为极，以性情为意旨，以儿女英雄为文章。其言天道也，不作玄谈；其言人道也，不离庸行；其写英雄也，务摹英雄本色；其写儿女也，不及儿女之私。本性为情，援情入性。有时诙词谐趣，无非借褒弹为鉴影而指点迷津；有时名理清言，何异寓唱叹于铎声而商量正学。是殆有所为而作，与不得已于言者也！"此书颇流行，有光绪六年还读我书室主人（董恂）评点本、十四年上海蜚英馆石印本、二十四年上海苏报馆铅印本、申报馆排印本等。《中国小说史略》："明季以来，世目《三国》、《水浒》、《西游》、《金瓶梅》为'四大奇书'，居说部上首，比清乾隆中，《红楼梦》盛行，遂夺《三国》之席，而尤见称于文人。惟细民所嗜，则仍在《三国》、《水浒》。时势屡更，人情日异于昔，久亦稍厌，渐生别流，虽故发源于前数书，而精神或至正反，大旨在揄扬英侠，赞美粗豪，然又必不背于忠义。其所以然者，即一缘文人或有憾于《红楼》，其代表为《儿女英雄传》；一缘民心已不通于《水浒》，其代表为《三侠五义》。……（撰者）荣华已落，怆然有怀，命笔留辞，其情况盖与曹雪芹颇类。惟彼为写实，为自叙，此为理想，为叙他，加以经历复殊，而成就迥异矣。……书中人物亦常取同时人为蓝本……安骥殆以自寓，或者有慨于子而反写之。十三妹未详，当纯出作者意造，缘欲使英雄儿女之概，备于一身，遂致性格失常，言动绝异，矫揉之态，触目皆是矣。"胡适《五十年来中国之文学》："这五十年的白话小说出的真不在少数！为讨论的便利起见，我们可以把他们分作南北两组：北方的评话小说可以算是民间的文学，他的性质偏向为人的方面，能使无数平民听了不肯放下，看了不肯放下；但著书的人多半没有什么深刻的见解，也没有什么浓挚的经验。他们有口才，有技术，但没有学问。他们的小说，确能与一般的人生出交涉了，可惜没有我，所以只能成一种平民的消闲文学。《儿女英雄传》、《七侠五义》、《小五义》、《续小五义》……属于这

一类。……《儿女英雄传》的著者虽是一个八旗世家，做过道台，放过驻藏大臣，但他究竟是一个迂腐的学究，没有见解，没有学问。这部书可以代表那'儒教化了的'八旗世家的心理。……我们可以说，《儿女英雄传》的思想见解是没有价值的。他的价值全在语言的漂亮俏皮、诙谐有味。"

十一月

王闿运草创《湘军志》毕，始定蜀游。黄曾樾辑《陈石遗先生谈艺录》："王湘绮除《湘军志》外，诗文皆无可取。""《湘军志》诚是佳构，善学《史记》、《通鉴》。其多微辞，尤冷隽可喜。湘绮楼他文不称是，莫明其故。"按：本年八月，四川总督丁宝桢来书请闿运主讲尊经书院，闿运遂于十一月启行，十二月二十七日至成都，途次有《巫山高琴歌》诸篇。

十二月

初七日，张宗瑛生。宗瑛（1879—1910）字献群，一字雄白，直隶南皮人。为人有奇气，少喜言兵，既长习历代典章制度与舆地之学，从柯劭忞学诗。后出游亚、欧、美诸国，卒无所成。得张裕钊、吴汝纶文，甚惊喜，遂受业于汝纶弟子贺涛之门，涛谥之曰怪物。此后专志于文，能得韩文之雄奇，著有《雄白文集》。

《绘芳录》（又名《红闺春梦》）八十回至迟于本月完成。题"西泠野樵著"，书首自序署"始宁竹秋氏"，知作者为浙江上虞人。此书演才子佳人及伶官妓女之事，多巧合之笔。有本年《申报馆丛书》本。

本年

本年前后，申报馆大量、集中刊行小说作品入《申报馆丛书》。

嘉善孙氏望云仙馆刊出《国朝五家咏史诗钞》。此集孙福清辑，内谢启昆撰《树经堂咏史诗》二卷、曹振镛撰《话云轩咏史诗》一卷、鲍桂星撰《觉生咏史诗》二卷、王廷绍撰《澹香斋咏史诗》一卷、罗惇衍撰《集义轩咏史诗》四卷。

过路人撰《何典》十回，本年由申报馆排印刊出。

俞樾《耳邮》四卷（署"羊朱翁"）刊于申报馆丛书。自序谓："盖志怪搜神，从古有之矣，然窃以为惊心动魄之事，即在男女饮食之间，非必侈谈灵怪，然后耳目一新也。余吴下杜门，日长无事，遇有近事告者，辄笔之于书，大率人事居多，其涉及鬼怪者，十之一二而已。其用意措词，亦似有善恶报应之说，实则聊以遣日，非敢云意在劝惩也。"《中国小说史略》谓此书"颇似以《新齐谐》为法，而记叙简雅，乃类《阅微》，但内容殊异，鬼事不过什一而已"。

宏文堂刊出《铁冠图》八卷五十回。此书又名《忠烈奇书》、《崇祯惨史》，演明末李自成起义始末，题"松滋山人编，龙岩子校阅"。

方濬颐本年刻成《二知轩文存》三十四卷。又，自同治五年至本年，《二知轩诗续

钞》陆续刊出，本年刊出二十二卷本，此后诗未见结集。（据《清人诗文集总目提要》）

邓绎撰《藻川堂诗选》六卷刊刻。

吴仰贤撰《小匏庵诗存》七卷刊刻。

黄彭年兼长保定莲池书院。《陶庐老人自订年谱》："李文忠公聘子寿师兼长书院。创立学古堂于古莲花池，专课士子古学，北方士习自此一变。"

易顺鼎随父任黔东，填词甚多，后自辑为《摩围阁词》。《摩围阁词自序》："忆戊寅、己卯间，余与友人张紫帆、蒋次香同居黔东，刻意为词，酬唱殆无虚日。余所得颇多，遂成斯集。皆与二君切磋讲论之功。"

陈黻宸入学，文章为乡先辈孙衣言、孙锵鸣兄弟所推许。《陈介石先生年谱》引行述："当是时，孙太仆琴西、弟学士渠田掌教府中山肄经堂、县玉尺诸书院，憎抑嘉道后所谓墨调，而爱赏胎息周秦史汉之文，每得先君课作，辄叹曰：此真飞将军矣。则必以压诸卷。……由是五县贤达之流争纳交于先君矣。"

庄棫（1830—1878）卒，年四十九。其集前刻有《蒿庵文集》八卷，卒后其婿许承家辑其所作，编为《蒿庵遗集》十二卷，凡诗九卷、词三卷，光绪十二年钱塘许氏刻。《白雨斋词话》卷四："词盛于宋，亡于明。国初诸老，具复古之才，惜于本原所在，未能穷究。乾嘉以还，日就衰靡，安所底止。二张出而溯其源流，辨别真伪，至蒿庵而规模大定，而词赖以存矣。"卷五："（庄棫）穷源竟委，根柢槃深，而世人知之者少。余观其词，匪独一代之冠，实能超越三唐两宋，与风骚、汉乐府相表里，自有词人以来，罕见其匹；而究其得力处，则发源于《国风》、《小雅》，胎息于淮海、大晟，而寝馈于碧山也。"朱祖谋《望江南·杂题我朝诸名家词集后》题庄、谭二家，谓："皋文说，沆瀣得庄谭。感遇霜飞怜镜子，会心衣润费炉烟。妙不著言诠。"龙榆生《近三百年名家词选》录其词十一首，小传云："棫自序谓：'向从北宋溯五代十国，今复下求南宋得失离合之故'，足见其词学渊源所自。与谭献齐名。……二氏固常州派之后劲也。"《晚晴簃诗汇》卷一百六十七收其诗三首。

苏廷魁（1800—1878）卒，年七十九。《射鹰楼诗话》卷十九："侍御诗如幽葩奇石，移情动魄，名章迥句，处处间起，丽典新声，络绎腕下。"《晚晴簃诗汇》卷一百三十八收其诗九首，诗话云："赓堂官谏垣时，伉直敢言，与陈颂南、朱伯韩齐名，号三谏臣。诗则葩敷藻耀，时露感慨，律句亦有类中晚者。如《旅怀》云：众鸟尽知高树托，名花偏爱后时开。《晚望》云：少日风怀诗外减，故乡春色客边深。《衡山县遇风》云：衡岳雄吞麋子国，湘江青入洞庭湖。皆清婉可诵。"

杨象济（1825—1878）卒，年五十四。《桐城文学渊源考》卷八："其文简质真挚，灝灝有气，好论经世。"谭献《亡友传·杨象济传》："少志于学，尝题柱曰'私淑桐城铅山，亲炙长水娄江'，桐城谓姚郎中鼐，铅山谓蒋侍御士铨，长水者沈先生维𤩽，娄江者姚君椿也。君学不纯师，好论经世，文章灝灝有气。"《晚晴簃诗汇》卷一百五十七收其诗一首。

金安清（1816—1878）卒。《晚晴簃诗汇》卷一百五十八收其诗二首，诗话云："眉生熟于古今掌故，自负才略。海疆多事，士大夫往往主战，眉生独不谓然，刺取开国时事，为《能一编》。大旨谓，明不肯言和，兵连于东，寇兴于西，遂不可收拾。盖是时中原寇氛方炽，意谓非和戎不能靖乱。惓惓有陈古例今之意，当日能见及此者，殊不多得也。"

刘青生。青（1878—1932）又名文玠，字照藜，又字介玉，以别号天台山农知名于世。浙江黄岩籍，居嘉兴。辛亥后以书法名世，以卖文卖字为业，尝与孙玉声创办《小说新报》。著有小说多种，迄未成集。

连横生。横（1878—1936）字武公，号雅堂，又号剑花，祖籍福建龙溪，台南府人。光绪末曾与林朝崧等组织栎社，研究诗文，砥砺志行。时日本已强割台湾，连横多次漫游大陆，晚携眷定居大陆。撰有《台湾通史》、《台湾语典》，另有《剑花室文集》、《大陆诗草》、《宁南诗草》、《大陆游记》等。

汪荣宝生。荣宝（1878—1933）字衮父，一作衮甫，号太玄，江苏元和人。光绪二十三年拔贡。日本早稻田大学毕业，回国后任京师译学馆教员。入民国，选议员，任驻比利时等国公使。工诗词，精考据，亦工书法，诗法玉溪，不作江西派。著有《思玄堂诗集》、《西砖酬唱集》等。

陈曾寿生。曾寿（1878—1949）字仁先，湖北蕲水人。陈沆孙。光绪二十九年进士，官刑部主事。民国后参加张勋复辟，后追随溥仪至伪满洲国任职。晚南归。少肄业两湖书院，师事梁鼎芬，诗为陈衍、陈三立所推许。著有《苍虬阁诗》。亦工词，朱祖谋尝刻其《旧月簃词》入《沧海遗音集》。

范紫东生。紫东（1878—1954）名凝绩，字紫东，以字行，陕西乾县人。清末拔贡。民国初元加入易俗社，创作改编多种剧本，以秦腔剧作家名世，亦擅诗赋，工骈文。

恽铁樵生。铁樵（1878—1935）名树珏，字铁樵，以字行。别署焦木、冷风、黄山民等，江苏武进人。民国初元人商务印书馆主编《小说月报》，自著小说多种。

高燮生。燮（1878—1958）字时若，号吹万，别署志攘、寒隐、炊万，江苏金山人。早年即有排满兴汉思想，倡言革命。尝组寒隐社，后入南社。民国后主持国学商兑会，刊行《国学丛谈》。工诗文，喜辞赋，著有《吹万楼诗》、《吹万楼文集》、《吹万楼词》等。

公元 1879 年（光绪五年　己卯）

二月

陈书以丁日昌之荐入浙抚幕。陈衍有诗送之，"有'摇碧斋乘张春水，闹红舸放姜白石'、'诗社南屏罢晚钟，酒楼西穆无残瓶'等句传诵江湖"，至九月，陈衍乡试又报罢，访陈书于杭州，是为陈衍出游之始。（《侯官陈石遗先生年谱》）

刘熙载成《说文叠韵》二卷并自叙。

三月

八日壬子（1879 年 3 月 30 日），**日本侵占琉球。**废琉球国王，改置冲绳县。

二十日，于右任生。右任（1879—1964）原名伯循，字右任，以字行，笔名骚心、大风、神州旧主、太平老人等，陕西三原人。光绪二十九年举人。因刊行《半哭半笑楼诗草》讥议时政，亡命上海。先后创办《神州日报》、《民呼日报》、《民立报》、《民吁日报》等，人称为我国报业史上之"元老记者"。民国后从政，卒于台湾。工诗文词曲，擅书法，著有《右任诗存》、《文存》、《墨存》等。

"独逸窝退士"自序《笑笑录》六卷。此书采自古之说部及里巷传闻，凡足资噱嗓而雅驯不俗者，皆予以编入。有本年《申报馆丛书》本、《笔记小说大观》本等。

闰三月

初五，吴可读（1812—1879）自尽以殉穆宗，年六十八。刘枝彦《吴柳堂先生传》："先生为进士，文名噪盛。"《晚晴簃诗汇》卷一百五十收其诗五首，诗话云："光绪己卯，惠陵复工，柳堂时自谏垣左授铨曹，请从工次，大藏甫葳事，仰药以殉，遗疏请为穆宗立后。下王大臣集议，以本朝家法不立储难之，张文襄及宗室竹坡侍郎诸人皆与议，别疏论列，请以继大统者即为穆宗子。东朝纳其言，诏宣示中外，并奖柳堂以死建言，孤忠可悯，予以旌恤。一时士大夫诵其遗疏，群相倾仰，表所居南横街旧宅，岁时修祭，遂与椒山比烈矣。"

黄遵宪始与长洲王韬订交。（王韬《日本杂事诗序》）又，是年遵宪始创为《日本国志》一书。

春

杨翰（1812—1879）卒。杨彝珍《杨公墓志铭》："因为蜚语所中，即投黻归，遂淡百虑以游心于清邈，而自适其适，乃为粤西之游……凡游涉所得清峭幽异之境，悉回缭于胸中，一旦语随兴驱，逼肖其中之所得，出之能以古淡生新，无所缘染。"《晚晴簃诗汇》收其诗三首。

六月

易顺鼎刻《丁戊之间行卷》于贵阳。又，顺鼎本年在贵州，秋，侍父入京。冬至金陵，冒雪遍访六朝及胜国遗迹。顺鼎《琴志楼摘句诗话》："余以己卯冬公车北上，取道江南。骑一驴，冒大雪入金陵城……一日中成《金陵杂感》七律二十首，颇有警句。传诵当时者，如'地下女郎多艳鬼，江南天子半才人'、'淘尽旧院如脂水，住惯降王没骨山'……"

郭嵩焘自序《罪言存略》。

七月

八日，吴闿生生。吴闿生（1879—1949）原名启孙，字辟疆，号北江，安徽桐城人。吴汝纶子。诸生，官候选知府。入民国，入总统府任秘监以终。濡染家学，又师

事贺涛、范当世、姚永概，受古文法，为文雄古简奥，序次有节奏神采。著有《北江文集》、《诗集》等。

总理衙门以同文馆聚珍板印行黄遵宪《日本杂事诗》，凡二卷，都一百五十四首。体裁均取七绝。黄遵宪以三年冬赴日，居东二年，与其士大夫交游，稍稍习其文，读其书，发凡起例，创为《日本国志》一书。纲罗旧闻，参考新政，辄取其杂事，衍为小注，弗之以诗，曰《日本杂事诗》。送往总理各国事务衙门，至是刊出。

八月

二十四日，陈独秀（1879—1942）出生于安徽省怀宁县城。（《陈独秀年谱》）

九月

至迟于本月，聚珍堂刊出《三侠五义》一百二十回，题"石玉昆述"。《三侠五义》原为石玉昆说唱本，后有人入色加工为章回小说《龙图耳录》，再由入迷道人等改编为《三侠五义》。（见书首问竹主人序及退思主人、入迷道人序）本年刊本外，尚有光绪八年活字本、九年文雅斋复本等。后有俞樾改编本，题《七侠五义》；又有续作《小五义》等。问竹主人《序》云："是书本名《龙图公案》，又曰《包公案》。……兹将此书翻旧出新，添长补短；删除邪说之事，改出正大之文；极赞忠烈之臣，侠义之士。且其中烈妇烈女、义仆义鬟以及吏役平民僧俗人等，好侠尚义者不可枚举。故取传名曰'忠烈侠义'四字，集成一百二十回。虽系演义之词，理浅文粗，然叙事叙人，皆能刻画尽致；接缝斗榫，亦俱巧妙无痕。能以日用寻常之言，发挥惊天动地之事。"入迷道人《序》云："虽系演义，无深文，喜其笔墨淋漓，叙事尚免冗泛，且无淫秽语言。至于报应昭彰，尤可感发善心，总为开卷有益之帙。"入迷道人，多以为即文琳。文琳字贡三，汉军正黄旗，官至刑部右侍郎。此书为侠义小说代表作品，《中国小说史略》谓："凡此流著作，虽意在叙勇侠之士，游行村市，安良除暴，为国立功，而必立一名臣大吏为主枢，以总领一切豪俊，其在《三侠五义》者曰包拯。……至于构设事端，颇伤稚弱，而独于写草野豪杰，辄奕奕有神，间或衬以世态，杂以诙谐，亦每令莽夫分外生色。值世间方饱于妖异之说，脂粉之谈，而此遂以粗豪脱略见长，于说部中露头角也。"胡适《五十年来中国之文学》："《七侠五义》也没有什么思想见地。他是学《水浒》的。但《水浒》对于强盗，对于官吏，都有一种大胆的见解；《七侠五义》也恨贪官，也恨强盗，——这是北方中国人的自然感想，——但只希望有清官出来用'御铡三刀'和'杏花雨'的苛刑来除掉那些赃官污吏，只希望有侠义的英雄出来，个个投在清官门下做个四品护卫或五品护卫，帮着国家除暴安良。这是些侠义小说和公案小说的公同见解。但《七侠五义》描写人物的技术却是不坏；虽比不上《水浒传》，却也很有点个性的描写。"

顾印愚、况周颐乡试中式。

十月

二十九日，刘履芬（1827—1879）自尽于嘉定县署，年五十一。所著《古红梅阁遗集》明年刊出。高心夔《代理江苏嘉定县刘君墓志铭》："君承词宗，发其夙颖，筐篚之业，不斲而日精，能用著述缵名吴下。"《憩园词话》卷五："精古文辞，兼工长短句。"《听秋声馆词话》卷十六："浙之江山县，虽冲途而远界江闽，自来无讲倚声者。刘泖生太守（履芬）与弟玉叔上舍（观藻），生长江左，始以工词闻。"《晚晴簃诗汇》卷一百六十七收其诗十一首，诗话云："泖生博雅工文辞。权知嘉定，有折腰督邮之憾，又遇杀人狱未得主名，悒悒无聊，一夕自裁，极才人之不幸，一时士大夫深哀之。嘉定程序伯曾为郭频伽作《老复丁菴图》，泖生生于丁亥，与频伽岁纪正同，因属序伯仿其意作图，并有自叙一首，时道光己酉岁也。泖生后有《怀旧诗》云：名场踪迹感频伽，悔把词章换鬓华。孤负纪年同一样，竟教泛宅挈全家。"

十一月

初六日，沈葆桢卒于两江总督任。

纂修《穆宗圣训实录》告成。

康有为游香港。是年有为二十二岁，居西樵山，结识翰林院编修张鼎华，得读《西国近事汇编》、《环游地球新录》等书，重新研读《海国图志》、《瀛寰志略》等书籍。又，是年以后，诗作稍多。

冬

俞樾居右台仙馆，始撰《右台仙馆笔记》。据《右台仙馆笔记序》，本年夏，姚夫人卒，至冬，俞樾葬夫人于右台山，并筑屋其侧，颜曰右台仙馆。"右台仙馆安得无书？而精力衰颓，不能复有撰述，乃以所著笔记归之。"按：是书十六卷，所记皆奇异见闻，多鬼神之事。有《春在堂全书》本等，首明年自序。

本年

俞樾成《俞楼杂纂》五十卷。《曲园自述诗》："（己卯）时又援《曲园杂纂》之例，著《俞楼杂纂》亦五十卷，冀以著述传其名。"

龚易图四十五岁，由江苏臬司任丁忧回籍。"是岁校群书于乌石山房，撰《谷盈子》并《诗稿》十六集付手民刊之"。（《蔼仁府君自订年谱》）

抱芳阁刊出许奉恩撰《里乘》十卷。《中国小说史略》："桐城许奉恩之《里乘》十卷，亦记异事，貌如志怪者流，而盛陈祸福，专主劝惩，已不足以称小说。"

文廷式在南昌，始与义宁陈三立相识。

俞明震《觚庵诗存》存诗始于本年。

薛绍徽十四岁，以擅诗钟之戏而播为美谈。《先姚薛恭人年谱》："是时闽中诗钟特盛，多就庙宇结社，标二字，限以钳于第几字，成七言对偶二句。分左右两房，评甲乙。所取高下，以磁器文具洋货珍玩为彩，每卷卷资十余文，每唱有多至数千卷者。先姊刺绣之暇，偶有所得，令卖绣媪托伯舅名往投卷。尝列上选，得优彩，人咸异之。既而知伯舅赴粤，作者乃弱龄小妹，遂播为美谈。"又："诗钟之戏，本始于道光间，先大父偕同辈谢枚如山长、张亨辅、徐云汀两孝廉、何午楼茂才并刘赞轩云图两舅祖等设会于小西湖宛在堂，号飞社。制一盒，上立一架悬钟，以线系锤，中系香炷，下连盒盖，香残、线断、钟响、盒闭，后成之卷不得入。此器藏吾家者已三十余年，后起者闻诗钟名，多未见此制。"

王闿运主讲成都尊经书院。高材弟子有廖平等。六月游浣花溪，"廖平、范溶、胡延、张祥龄从游，遂与诸生论文，言古人之文，无笔不缩，无接不换，乃有往复之致"；十月，改定《湘军志》；冬返湖南。（《湘绮府君年谱》）又，约在本年，王闿运令尊经弟子钞录八代文言政治而本经义者勒为一帙，即后来所成之《八代文粹》。

郭嵩焘自海外使归。

王韬游日本，与日本文士及使臣黄遵宪等交游，返港后有《扶桑游记》。（《弢园老民自传》）又，至明年二月，王韬以活字版重印黄遵宪《日本杂事诗》于香港循环报馆，作《日本杂事诗》序。序曰："公度，岭南名下士也……又以从政事之暇，问俗采风，著《日本杂事诗》二卷，都一百五十四首。叙述风土，纪载方言，错综事迹，感慨古今，或一诗但纪一事，或数事合为一诗，皆足以资考证，大抵意主纪事，不在修词，其间寓劝惩，明美刺，具存微旨，而采据浩博，搜辑详明，方诸古人，实未多让。"

况周颐益专力于词。《蕙风词话续编》卷二："维此至己卯前时，作诗苦不入格。己卯已后，沉顿于词滋甚，与诗判为两途矣。"按：周颐词学宗旨，见于《蕙风词话》。卷一云："作词有三要，曰重、拙、大。南渡诸贤不可及处在是。""畏守律之难，辄自放于律外，或托前人不专家、未尽善之作以自解，此词家大病也。"又自叙作词经历："词中求词，不如词外求词。词外求词之道，一曰多读书，二曰谨避俗。俗者，词之贼也。""读前人雅词数百阕，令充积吾胸臆，先入而为主，吾性情为词所陶冶，与无情世事，日背道而驰。其蔽也，不能谐俗，与物忤。自知受病之源，不能改也。""读词之法，取前人名句意境绝佳者，将此意境缔构于吾想望中。然后澄思渺虑，以吾身入乎其中而涵泳玩索之。吾性灵与相浃而俱化，乃真实为吾有而外物不能夺。三十年前，以此法为日课，养成不入时之性情，不遑恤也。"

谭嗣同十五岁，始学诗。嗣同《三十自纪》："五岁受书，即审四声，能属对。十五学诗，二十学文。"《报刘淞芙书二》言其诗学取径云："嗣同于韵语，初亦从长吉、飞卿入手，旋转而太白，又转而昌黎，又转而六朝。近又欲从事玉溪，特苦不能丰腴。大抵能浮而不能沉，能辟而不能翕。拔起千仞，高唱入云，瑕隙尚不易见。迨至转调旋宫，陡然入破，便绷弦欲绝，吹竹欲裂，卒迫卞隘，不能自举其声，不得已而强之，则血涌筋粗，百脉腾沸，岌乎无以为继。此中得失，惟自己知之最审，道之最切。今时拟暂辍不为，别求所以养之者，久之必当有异。不然，则匪惟寡德之征，抑亦薄福之象。"

章太炎十二岁，从外祖学。外祖谓"夷夏之防，同于君臣之义"，太炎后以为"余

之革命思想伏根于此"。（据《章太炎学术年谱》）

钱振伦卒，年六十四。振伦（1816—1879）原名福元，字仑仙，后字楞仙，祖籍浙江乌程，后入归安。道光十八年进士，改庶吉士，授编修，升国子监司业。因岳父翁心存入相，遂避嫌绝意仕途，归主扬州梅花书院等。振伦学问淹博，工书，尤擅骈体文，著有《示朴斋骈体文》六卷等，并辑注骈体文集多种。

徐灏卒，年七十。灏（1810—1879）字子远，自号灵洲山人，原籍浙江钱塘，占籍番禺。贡生，以军功授广西知府，有政声。著有《通介堂文集》、《灵洲山人诗录》、《攘云阁词》等。《晚晴簃诗汇》卷一百四十八收其诗九首，诗话云："子远有经济才，历佐粤督幕府，著书百余卷。世多称其经小学，不知其诗有根柢。昔何仲默作《明月篇》，以为子美辞固沉著而调失流转。虽成一家语，实则诗歌之变体，博涉世故，出于夫妇者常少；致兼雅颂，而风人之义或缺。此其调反在唐初四子之下。子远则云：风雅本无二致，格调因乎其时。必托词夫妇始合风人，何不竟作四言而乃累为长句。少陵得雅之变，谓其旨近于民劳，六月则可耳，不当以格调论也。盖仲默与李献吉相倾，乃为此说。渔洋山人云王杨卢骆当时体，莫逐刀圭误后贤，实有微词，而人多不察。子远是言，固是通人之论。然少陵于唐初四子，亦云不废江河万古流，或乃欲竟废此体，则又失之妄矣。"

鲁荌卒，年四十九。荌（1831—1879）字仲实，江苏山阳诸生。鲁一同子。著有《仲实诗存》、《仲实文存》等。《清史稿·文苑三》："文有家法。善综核。"《晚晴簃诗汇》卷一百六十收其诗三首。

李约祉生。约祉（1879—1969）名博，字约祉，以字行，陕西蒲城人。易俗社初创人，李桐轩之长子，亦为易俗社主要成员。

陈蝶仙生。蝶仙（1879—1940）原名寿同，字昆叔，后改名栩，改字栩园，号蝶仙，别署天虚我生、太常仙蝶、惜红生等，浙江钱塘人。少时即喜为诗词小说，十余岁即作《惜红精舍诗》刊行于世，光绪二十一年任杭州《大观报》主编，三十三年赴沪创办著作林社，创办《著作林》杂志。民国后仍兼编辑作家于一身。著述甚多，光绪末撰《泪珠缘》小说，实开鸳鸯蝴蝶派先声，后亦为此派代表作家。

公元 1880 年（光绪六年　庚辰）

正月

三日辛未（2 月 12 日），清廷命驻英公使曾纪泽任出使俄国钦差大臣，取代崇厚与俄谈判。至明年正月，签订中俄《伊犁条约》，挽回部分权益。

申报馆刊出曾衍东撰《小豆棚》十六卷排印本，入《申报馆丛书》。该书原八卷，光绪间项震新整理为十六卷，有本月序。云："原本随得随录，意义尚烦寻绎，因为之分门别类，诠次成帙，计十六类。大而忠孝节义之经，次而善恶果报之理，常而艺文珍宝，变而神鬼仙狐，以及山川风土，鸟兽虫鱼，诗词杂记，诸凡备载。"

三月

彭玉麟等雅集于长沙浩园。《郭嵩焘文集》卷二十五《〈浩园雅集图〉记》："光绪六年春三月，新宁刘公（坤一）自粤移督两江，衡阳宫保彭公（玉麟）适巡江东下，相见长沙，而善化少宰黄公方以浙江督学假归省墓，于是李君次青（元度）、朱君宇田、李君仲云、黄君子寿（彭年）、张君力臣、邓君弥之（辅纶）及吾弟意城（崑焘），相与会觞于曾太傅祠之浩园。"

春

郑文焯始作幕苏州。自是在南中二十年。本年即交俞樾、彭玉麟诸人，《补梅书屋诗稿》从是年起编古今体诗为《扁舟集》。（《郑叔问先生年谱》）

望炊楼主人辑余治遗作《庶几堂今乐》刊行。按：余治《庶几堂今乐》诸作，前已屡有刊行。至上年，香山郑观应谋以全稿刊行，故有此次重辑合刊之举，共收剧作二十八种，为最完整之刊本。有望炊楼主人及郑观应跋。

易顺鼎至京师，从业于张之洞。

四月

二十五日，赐黄思永等三百三十三人进士及第出身有差。本科成进士者有黄绍箕、郭曾炘、王懿荣、志锐、安维峻、梁鼎芬、左绍佐、于式枚、王颂蔚、李慈铭、沈曾植等人。按：据王蘧常《嘉兴沈乙庵先生学案小识》，曾植通籍后，切劘于李慈铭、袁昶、李文田、洪钧，所见益恢。

范当世至江宁，陪张裕钊赴扬州，出文请张指教，得赏赞。范当世时年二十七岁。

五月

释敬安作《嚼梅吟自叙》。敬安是年三十岁，住宁波旅泊庵，与宁波诗人多有唱和。至明年，《嚼梅吟》诗集在宁波刊行，四明诗人多为之题跋。

张謇随吴长庆入觐，始识袁昶，与为友。至冬，复与郑孝胥定交。（《啬翁自订年谱》）

苏州扫叶山房创设分号、分店于上海。后即以上海为总店。

六月

三十日，罗汝怀（1804—1880）卒，年七十七。《郭嵩焘文集》卷十四《罗研生七十寿序》："湘潭罗研生先生，自少通训诂、舆地之学，闭门研讨。……于是推述元、明以来能文之士八百有余家，裒而辑之，为《楚南文征》。……曩者道光之季，新化邓湘皋先生为《沅湘耆旧集》，论述明季遗老义烈事尤详。大儒若船山王氏，亦至是始显。其后粤寇起，太傅曾文正公倡义旅东南，云集景从，震动天下，论者以为邓先生实兆其机于十数年之前。自顷数十年，楚人相尚以朴学，后生晚进，才智辈兴，则又将以先生是书开楚南文教之先。"卷二十《罗研生墓志铭》："自少读书，喜形声训诂之学，求得顾、汪、戴、段诸家之书，精研力索，曲畅旁通。乾、嘉之际，经师辈出，风动天下，而湖以南暗然，无知郑、许《说文》之学者。君居石潭万山中，承其遗论，独以治经必先识字，创意潜思，受成于心，不假师资。……湘乡曾文正公，道州何子贞编修以为有国朝经师之遗风。"

七月

朱铭盘至金陵谒张裕钊。郑肇经编《曼君先生纪年录》："公仍客浦口军幕。三月二十日公与张季直、范肯堂同舟至浦口，舟行联句。……七月，因范肯堂谒武昌张先生廉卿裕钊于金陵，问为古文法，执弟子礼。张先生尝语人曰：吾得通州三生，兹事有付托矣。"按：裕钊所谓通州三生，即朱铭盘、张謇、范当世。

九月

李叔同生。叔同（1880—1942）初名康侯，又名息，后改名岸，又名文涛、广侯，字叔同，号息霜，出家后法号弘一。早期戏剧团体春柳社发起人之一，南社社员。多才艺，工诗词，兼精书画篆刻，通音乐。诗文有《秋草集》等，创作或编译话剧话本有《茶花女》、《黑奴吁天录》等。

十一月

易顺鼎在上海自序《摩围阁词》。序谓："近世善言词者，推武进张皋文。皋文言词以比兴为主，于古人所作，必合以当时情事，而知其用心。今年春，余受业南皮张先生之门，先生于学，靡所不窥，而论词则笃守皋文家法。临别前一宵，犹畅论此旨，比归而识之曰：词非小技，乐之遗也。先王立教，节之以礼，和之以乐。故自成童以至入大学，始教之舞勺舞象，继教之操漫安弦，皆将以柔其性情，平其血气，使之无猛厉凌竞之病，而归宿于和平中正之途。……先生之论如此。"

冬

王仁堪简放山西学政。

陈康祺撰《郎潜纪闻》十四卷成并自序。

郑观应撰《易言》三十六篇本由中华印务总局刊行。另有二十篇本《易言》，上海淞隐阁排印本，刊行时间在此之后。（夏东元《郑观应传》修订本）

本年

俞樾著《右台仙馆笔记》十六卷成，而《茶香室丛钞》亦托始于本年。《曲园自述诗》："（庚辰）于右台山买地筑室一区，是为右台仙馆。"按：后《续钞》、《三钞》次第成书凡八十卷，又有《茶香室经说》十六卷。

龚易图在籍刊《乌石山房诗集》成。又，"与江西杨卧云（希闵，江西新城人）撰《乌石山房藏书目录》。设南社诗龛，祀少时同社诸子"。（《蔼仁府君自订年谱》）

李元度《天岳山馆文钞》四十卷本年爽溪精舍刊出。

《儿女英雄传》"还读我书室主人"评点本刊出。"还读我书室主人"即董恂，前已见。

上海美华书馆刊出《张远两友相论》十二回排印本。书内封题"耶稣降世一千八百八十年"，"光绪六年岁次庚寅"，又标"上海美华书馆重印"，初刊本未见。此书无回目，叙两好友，一名张，一名远，相与讨论耶稣为人及教义，以此传播基督教。

竹友斋刊行李世忠编《梨园集成》十八卷。共收京剧、昆剧剧本四十八种，颇多全本，其中存有稀见剧本《桃花洞》、《碧尘珠》等。

樊增祥集本年诗为《金台集》。《樊山续集自叙》："己卯冬入都。庚辰散馆，改知县，选司注牒，燕市行歌。是时言路方开，清流奋起，余坐听批鳞之论，间同歌酒之筵，讥之者曰遨游陇蜀之间，誉之者曰趋步申屠之后，皆弗恤也。庚辰、辛巳周一岁，得诗若干篇，曰《金台集》。"

易顺鼎二十三岁，本年第三次会试落第。纳赀为刑部山西司郎中。到部日，初见刑部尚书潘祖荫，潘曰："曾读《行卷》，惊才绝艳，倾倒久矣。"又语诸司官曰："此空前绝后一枝笔也。"与户部侍郎长沙周寿昌以谈艺相过从，周赠诗曰："此才岂止空当代，老眼欣犹见异人。"又以《丁戊之间行卷》呈张之洞请益。时张之洞尝语王秉恩曰："实甫，旷世天才也。"（王秉恩《摩围阁诗序》）在京识宋育仁，时宋亦同科会试下第。秋后返湘。明年春返京，旋于五月南归。

沈曾植成进士，名益隆。"自是公名益隆。先后得交朱蓉生侍御一新、袁爽秋太常昶、李仲约侍郎文田、黄漱兰侍郎体芳、宗室盛百熙祭酒昱、文道希侍读廷式、王幼霞侍御鹏运、李莼伯侍御慈铭。与莼讲习尤契，人称沈李。"（王蘧常《嘉兴沈寐叟先生年谱初稿》）

龚易图、**陈宝琛**、**陈与冏**（弼臣）、**叶大庄**（临恭）等在福州结净名社。

王树枏三十岁，在畿辅通志局。著《尔雅郭注异同考》一卷、《建炎前议》一卷。"桐城方存之先生宗诚，评《建炎前议》谓似刘知几《史通》。"（《陶庐老人自订年谱》）

是年前后，朱孝臧随父任在河南，才誉大起。夏孙桐《清故光禄大夫前礼部右侍郎归安朱公行状》："公幼即颖异，耽文学。光绪初，随官大梁，年甫冠，出交中州贤士，诗歌唱酬，才誉大起。……未几，公于壬午、癸未联捷，成二甲一名进士，改庶吉士。"按：是时孝臧父光第，官河南邓州知州。又：约是年前后，孝臧与王闿运在汴梁纳交。后孝臧从鹏运学为词，遂成文字骨肉。朱祖谋《半塘定稿》序："同在人海之中，相遭而为友，相友而又相知，而忽焉以逝者，莫不以为人事之至悲。况乎朋以文字相切劘，共历患难，及其别离，商订旧业，言笑若亲，而甫接其书，遽闻其死者，此予所由摧伤感欷而不能自已也。始予在汴梁纳交君，相得也；已而从学为词，愈益亲。及庚子之变，欧联队入京城，居人或惊散，予与同年刘君伯崇就君以居。三人者痛世运之凌夷，患气之非一日致，则发愤叫呼，相对太息。既不得他往，乃约为词课，拈题刻烛，于赓唱酬，日为之无间；一艺成，赏奇攻瑕，不隐不阿，谈谐间作，心神洒然，若忘其在颠沛兀臬中，而以为友朋文字之至乐也。比年，君客扬州，予来粤东，踪迹乖阻，书问时月相往还，每有所作，必以寄示。予谓词君于回肠荡气中，仍不掩其独往独来之概。君乃大以为知言。今年春，邮寄小象，属摹卷端，谓令人他日得见此老须眉。其风趣如此。方冀一二岁，予解组北去，从君襄羊山水间，各出其所作相质证，此乐正未有艾。未几而君讣至矣。悲乎悲乎！"

本年前后，曾彦从王闿运等游。 闿运《周甲七夕词六十一绝句·小园花石洒秋阴》自注："庚辰，携妾成都，小治亭馆。……杨锐、曾彦诸士女，亦及门受业知名者。"按：曾彦之夫张祥龄为尊经高材生，彦因与闿运及其女眷唱和。后尝登长沙湘绮楼，闿运谓登湘绮楼有二奇人，一为曾彦，一为文廷式。

陈锐与邓辅纶结为忘年交。 陈锐时年二十二岁，肄业湘水校经堂。（《袌碧斋诗话》）

陈三立此年从郭嵩焘游。 三立集中《郭侍郎荔湾话别图跋》即作于是年。《散原精舍文集》陈隆恪等识语："先君壮岁所为文，多与湘阴郭筠仙侍郎嵩焘、湘潭罗顺循提学正钧辈往复商榷，故去取独谨。"又，《散原精舍诗续集》卷中《留别墅遣怀》云："绮岁游湖湘，郭公牖我最。"则此前已从嵩焘游。

何如璋出使日本任满归国。 此行著有《使东述略》，后任马尾船政。

盛昱散馆授编修。 杨钟羲《意园事略》："简贵清谧，崇尚风雅，所交者皆一时魁杰，以文章道义相友善，文誉满海内……喜奖成后进，一介不遗，天下魁垒之士至京师者，莫不以为归。"

刘鹗偕毛庆藩至扬州，拜太谷学派传人李光炘为师。《十朝诗乘》卷二十："道咸间，江淮讲学者推周太谷星垣。太谷，石埭人，仪征李晴峰光炘、石埭张石琴积中，皆其入室弟子。石琴居黄厓山中，聚徒讲学。值寇乱，避难者多依之。其徒服古衣冠祭孔子，又置兵杖练团习战，忌者谓其图叛。阎文介抚东，使有司召之，畏畏不敢应，遂调重兵围而火之。避难者禁不得出，千余户俱烬。事后，悉以从逆入奏。……光绪季年，乔茂萱居谏垣，具疏白其冤。太谷之学，旁参佛、老，兼涉谶纬，故士大夫多嗤斥之，然实无异谋。"

刘存仁（1805—1880）卒，年七十六。《射鹰楼诗话》卷二十二："幼负隽才，诗闲淡隽永，如见性真，不假雕饰，自然合格。说者谓孝廉诗学香山，以其淡处似白也。"《晚晴簃诗汇》卷一百四十九收其诗四首。

管庭芬卒，年八十四。 庭芬（1797—1880）字培兰，一字芷湘，号渟溪渔隐，浙江海宁诸生。性耽典籍，尝刻《花近楼丛书》，多乡邦未刊孤本。善书画，工诗，能曲，著有《芷湘吟稿》、《南唐杂剧》等。

宣鼎约卒于本年。

王钟声生。 钟声（1880—1911）原名熙普，又作希甫，浙江上虞人。光绪中曾留学德国、日本，后组织新剧团体春阳社，从事戏剧改革。武昌起义后，谋在天津响应，事泄露被害。编演剧目有《张文祥刺马案》等多种。

王钟麒生。钟麒（1880—1914）字毓仁，一作郁仁，号旡生，别署天僇、天僇生、僇民、大哀等，祖籍安徽歙县，江苏江都人。国学保存会及南社成员。助于右任办《民呼报》《民吁报》等。于诗文、戏曲、小说创作及批评俱有建树。著有诗集《天僇生诗钞》、小说《玉环外史》、剧本《血泪痕传奇》等。

林资修生。资修（1880—1939）字幼春，号南强，晚号老秋，原籍福建平和，台湾台中人。栎社社员。工诗文，与连横、胡殿鹏称日据时代台湾三大诗人，著有《南强诗草》、《南强文集》。（生年据《清代人物生卒年表》）

徐树铮生。树铮（1880—1925）字又铮，江苏萧县人。光绪诸生，后毕业日本士官学校。入民国，任北洋政府秘书长。以政客、军阀著称，亦擅诗文，著有《视昔轩遗稿》五卷，内收《视昔轩文》二卷、《兜香阁诗》二卷、《碧梦庵词》一卷。

王诒寿撰《缦雅堂骈体文》八卷刊出。

王韬在日本铅印《蘅华馆诗录》。

李桓撰《宝韦斋类稿》刊刻。内《宝韦斋诗录》二卷、《文录》三卷、《尺牍》四十八卷，连同《奏疏》四卷《官书》二十四卷等，共九十六卷。

现代作家刘大白（1880—1932）生。

公元1881年（光绪七年　辛巳）

正月

黎庶昌充驻日本钦使。杨守敬以张裕钊力荐，被黎庶昌留任，始有刻《古逸丛书》之志。

方宗诚在安庆校阅所著各书，订《柏堂集》前编、次编、续编、后编等。（《方柏堂先生谱系略》）

二月

初三，刘熙载（1813—1881）卒，年六十九。俞樾《左春坊左中允刘君墓碑》："高论道德，下逮文章；至于声律，剖毫析芒；至于词曲，乃亦所长。君之所学，小大具臧，宜其翕然，令闻令望。天子嘉叹，巨公表扬，名在国史，泽在胶庠。学无宋元，亦无汉唐。一言居要，要在躬行。躬行君子，久而弥芳。"陈广德《古桐书屋六种跋》："其人粹然儒者，文亦如之。是集所列各体，虽言或多博涉而借喻，要其理之实以精，气之和以直，非为己慎独者，不能为也。世俗于文，不务立乎其本，徒以雕刻藻绘为贤。此即与之读刘子之书，知无以窥乎其际，况书之所不能尽者乎？夫然，故刘子益以远矣。"夏敬观《唐诗说》："自来阐明作诗之法，能透澈明晓者无过于刘融斋《艺概》中之《诗概》。"《清史稿·儒林传》："咸丰二年命值上书房，与大学士倭仁以操尚相重，论学则有异同。倭仁宗程朱，熙载则兼取陆王。……主讲上海龙门书院十四年，以正学教弟子，有胡安定风。"

二十一日（3月20），章士钊生。士钊（1881—1973）字行严，笔名黄中黄、烂柯山人、青桐、秋桐、孤桐等，湖南长沙人。光绪末在沪任《苏报》主笔，以文字鼓吹革命，后留学英国习逻辑学。入民国，官至北洋政府教育总长。深于传统诗文，其政论文章称逻辑文，流行一时。著有《甲寅杂志存稿》、《长沙章氏丛稿》、《逻辑指要》、《柳文指要》等。

王诒寿卒，年五十二。诒寿（1830—1881）字眉叔，浙江山阴人，诸生，官金华训导。著有《缦雅堂集》、《笙月词》。《晚晴簃诗汇》卷一百六十七收其诗二首，诗话云："眉叔工骈体文，久困场屋，贫瘁以终，尝入浙江书局从事校雠，与谭仲修、施均甫、张子虞诸人相酬唱。女绮亦能诗，李越缦题其稿有云：玉台诗格传娇女，解道花随燕过墙。"谭献《亡友传·王诒寿传》："性澹逸……诗篇雅令，间为南宋人小词，辄工，有《笙月词》二卷。尤精骈俪文字，芳润缜密，如梁陈间人。"

春

陈衍为武夷之游，往返计三十余日，得诗三十余首，其妻萧道管为钞《乾鱼集》一卷。又，本年陈衍草创《元诗纪事》。

夏

薛福保（1840—1881）病卒，年四十二。黎庶昌《青萍轩诗稿序》："文虽不多，颇具古人藩篱，卓然有以自立，且亦闻桐城遗风而兴起者。"《晚晴簃诗汇》卷一百六十八收其诗九首，诗话云："季怀为叔芸（福成）中丞之弟，高才通识……叔芸豪于文而不以诗鸣，季怀则诗学甚深，奄有荆公涪翁风味。遗集仅存数十篇，精悍坚栗，多非凡语。"

七月

十七日，吴汝纶答张謇（季直）书。其中云："吾子学赡而性通，得当代大贤而师事之，洵海内瑰玮雄隽士也。乃于下走引坡谷为比，此何敢当。吾意公当为当代少陵，仆虽才谢王李，而卜邻求识，窃有微尚耳。"（郭立志编《桐城吴先生年谱》）

杜文澜（1815—1881）卒，年六十七。《赌棋山庄词话》续编卷五："秀水杜小舫文澜词清笔婉，言外殊多感慨。……小舫曾重刻吴梦窗、周草窗二家词，搜罗校对颇备。自著《采香词》，即附刻于其后。又有《词律校勘记》，亦足弥红友之缺，皆肄业所不可少之书也。"

闰七月

初十日，吴汝纶赴冀州任，欲聘王树枏（晋卿）、范当世等就教于冀州书院。时树枏在黄彭年所主之《畿辅通志》志局；当世在《湖北通志》志局襄助张裕钊。

八月

初三日（9月25日），鲁迅（1881—1936）生于浙江绍兴府会稽县。（鲁迅博物馆鲁迅研究室编《鲁迅年谱》）

邹弢《三借庐笔谈》至迟于本月完成。书中颇含文坛掌故，书首有潘钟瑞本月序。

九月

毗陵刊出夏敬渠《野叟曝言》二十卷一百五十二回。夏敬渠，江阴人，康熙诸生。此书成书后以抄本流传，至此时方刊行。书首知不足斋主人本月序，云："《野叟曝言》一书，吾乡夏先生所著也。先生，邑之名宿，康熙间幕游滇、黔，足迹半天下，抱奇负异，郁郁不得志，乃发之于是书。其大旨以崇正辟邪为主，以智仁勇为用，以孝弟忠信、礼义廉耻为条目。"

十月

十五，魏熙元自跋传奇《儒酸福》。据跋，此剧始作于去年春，历五月而成十六出，谱科场士子丑态。本年玉玲珑馆刊出。此剧每出叙一事，各以"酸"字标题，首出标"酸因"，末出标"酸果"，故《例言》谓："传奇各种，多至四十余出，少只四出，均指一人一事而言。是曲逐出逐人，随时随事，能分而不能合，乃于因果两出中，暗为联络，而以十六个酸字贯串之。"魏熙元（1833—？）字玉岩，号玉玲珑馆主人，仁和人。咸丰八年举人，曾任桐乡教谕。著有《玉玲珑馆词存》，另有传奇五种，早年所著《餐英馆乐府四种》毁于兵燹，仅存《儒酸福》一种。倪星垣《儒酸福序》："必欲吐其抑塞磊落之气，惟此三寸不律，抒写胸臆，以自快其生平，此吾友玉岩魏君所以有传奇之作也。君于古今诗文，无不精妙，尤善词曲。同人咸集之际，设想倾谈，无奇不有。而君悉以傀儡当之，演为十六出，命之曰《儒酸福》。噫！福云乎哉。抑长歌当哭之意，吾不敢知，徒知其结撰之妙，众美毕臻，非寻常词余所能望其肩背。"（生年据《清代人物生卒年表》）

《湘军志》在成都刻成，王闿运取版以归。按：闿运是年五十岁。闰七月，作《营制篇》，至是《湘军志》始成，凡十六篇，九万余字。读者多称其叙事文笔变化之妙。"府君因语之曰：曾涤生公尝言画像必以鼻端为主，于文亦然。余文殊不尔，成而后见鼻口位置之美耳。其先固从顶上说到脚底，不暇问鼻端也。八家文凭空造出，故须从鼻起耳。余学古人，如镜取影，故无先后照应也。"（《湘绮府君年谱》）

张謇、朱铭盘、周家禄等俱客吴长庆登州军幕。《啬翁自订年谱》："仍客军幕，在登州。……军事简，读书之暇，与曼君、彦升、怡庵诸人时有唱酬。"

十一月

张之洞补授山西巡抚。

十二月

十九日，朱次琦（1807—1882）**病卒，年七十五。**初，本年八月，谢绝一切家人问故，专力著述，将定稿以成书，十月疾作，知难卒事，遂自燔其稿，竟日乃尽。门人搜诗文暨附录都为十卷，称《朱九江先生集》。简朝亮《朱九江先生集序》："先生为诗，谊原三百，如古之诗人，非今之诗人所可囿。录其大者，可厚人伦。"《晚晴簃诗汇》卷一百四十九收诗九首，诗话云："稚圭幼工诗，肄业越华书院，山长陈莲士常以新松命题，赋云：栋材未必千人见，但听风声便不同。陈为吟讽者久之。道光十三年西江大水，李村堤决，稚圭作赴李大招饮诗百韵，追赋其事，识者以为杜甫北征之遗。稚圭罢官归，晋人请留别，因集句云：且欲近寻彭泽宰，不妨长作岭南人。既归，讲学名高，学者称为九江先生。"

二十日，王必达（1821—1882）**卒于平凉途次。**《晚晴簃诗汇》卷一百四十四收其诗三首，诗话云："诗从容冲澹，雅近中唐。"

陈烺撰《仙缘记》传奇成并自序。（按：序署壬午立春后三日，实在本月。）此剧本唐人小说《孙恪》，叙灵猿化美女与书生孙恪成婚，生二子，后悟道归真。二卷十六出，据序知本年冬撰成于武林刘氏宅，初名《仙猿记》，旋改名《仙缘记》，又名《碧玉环》。另有吴唐林序及宗山、边保枢等题词。

本年

《续纂江宁府志》刊行，陈作霖曾与分纂之役。

龙汝霖《坚白斋集》刊出，内《诗存》三卷、《骈文存》一卷、《杂稿存》四卷。汝霖生卒不详，约卒于此前数年。郭嵩焘《龙皞臣坚白斋遗集序》："龙君皞臣，少与湘潭王壬秋，武冈邓弥之、葆之倡为古学，摈弃今世为诗文者，推源汉、魏，以上溯周、秦。壬秋、弥之各极其才力所致，变化开阖，出入神鬼，而君幽渺淡泊，深自敛抑，其才气纳之冲虚，颓然若相忘于人世，而诸君皆折节下之，语其文以为非今世有也。然君志节卓荦，见于行，施于有政，发扬蹈厉，颉颃古人，所至有光气，非若枯槁寂寞之为者。久与之处，及考之生平，沉潜乎经术，涵泳乎性情，一由其积累深厚，安而行之，无有矫饰矜张于其间，则宜其文高古纯懿称其人也。所谓立其诚者非耶？君诗古今体皆五书，而文独长于论事，所存稿皆其自定。……楚以南固多奇杰非常之材，而文学犹暗弗彰。自顷二十年，人文蔚兴，日新月异，实君与壬秋、弥之诸君发其端。"

释敬安撰《嚼梅吟》二卷于四明刊刻。

汪士铎撰《汪梅村先生集》十二卷《外集》一卷刊刻。

丁宿章辑《湖北诗征传略》四十卷孝感丁氏泾北草堂刊刻。

邹弢本年旅居上海，为申报馆记室。

黎庶蕃辑其诗为《椒园诗钞》六卷，刊于贵州独山。此集后增为七卷附《鸿雪词》二卷，黎庶昌撰辑入《黎氏家集》，光绪十四年日本使署刻。

秦荣光四十一岁，文为黄体芳所赏。秦锡田编《显考温毅府君年谱》："府君二十岁以后泛滥词章之学，为时文必溯源于成宏正嘉，故声希味淡，试辄不利，后虽稍稍贬其格，然仍不屑为时下墨。是年学使黄漱兰先生体芳科试得府君文，特赏异之，以为汪洋恣肆，深得龙门遗绪。"

李希圣本年有《有恒学士诗稿》一卷。按：后其集名为《雁影斋诗存》。（据《清人诗文集总目提要》）

朱铭盘、张謇、周家禄在登州吴长庆军幕。

王甲荣三十二岁，馆海宁州署，始笃志为六朝文，桐城严辰见而奇赏之。

严修谒见张佩纶，蒙奖借。时佩纶主问津书院。（《范孙自定年谱》）

薛绍徽诗集存诗始于是年。《先妣薛恭人年谱》："在家课绣余闲，则读唐宋人诗文集，意有所得，则录之，谓自八岁学诗，至此始知声调，故自删诗集，以是年为始。"按，绍徽上年三月与同县陈寿彭（字逸儒，一作绎如）成婚，寿彭亦擅诗，故闺中唱和颇多。

马其昶始游京师。与郑果、孙葆田、谭宗浚、吴传绮定交。"痛世风之偷靡，由于在上者之不能化民成俗，作《风俗论》以箴之"。（《桐城马先生年谱》）

郑文焯改题诗集为《瘦碧诗稿》。据《郑叔问先生年谱》，文焯时年二十六岁，在苏州，"性好山水，吴中名胜，游踪殆遍。……秋梦游石芝崦，其以'瘦碧'名集，自号'鹤道人'或'大鹤山人'，皆因梦境云然。"请名画家顾沄为绘《石芝诗梦图》，遍征诗词，题者有俞樾、王闿运、沈秉成、李鸿裔、黄彭年、钱葆青、费念慈、吴昌硕等，自此诗不用《补梅书屋》集。

李鸿章聘张裕钊主莲池书院，明年（光绪九年）四月至馆。

高心夔（1833—1881）卒，年四十九。所撰《陶堂遗集》八卷，李鸿裔删订，平湖朱之榛经注经斋明年刊刻。高心夔《陶堂志微录·自叙》："心夔弱而好诗，尤好渊明。溯焉而上，游焉而下。"李鸿裔《陶堂志微录序》："吾友高伯足未冠即以诗名，其才之雄昇，气之刚厚，辞之美富，足以为诗之达者。顾尝怪近世作家，或喜沿僿浅之习，刻意惩矫，韬才敛气，闷遏光采，托兴深远，必具内心，犹惧其易也。既醯既琢，揉而磋之，必泯刃迹，一字未惬，或至十易。及其辞与意适，天然奥美，镕炼之极，造于幽微，其工力之深重，并世诗人，殆未能或之先也。吾尝评其诗，能呀呷古作者之菁腴，而不模肖其貌，戛然自辟町蹊，不偕于古。然亦病其收摄艰苦之意多，宽博欢愉之趣少，虑其境或象之，尝以规伯足，且语诸同人。呜呼，孰知不幸吾言而中也！……伯足负干济之才，仕不得志，年未五十，郁郁以殁，而仅以诗传。余不意其穷乃至于此，可悲也已！"傅怀祖《序》："《志微录》者，吾友东蠡高子名其所为诗也。录史体也，其'志微'何？《春秋》之义，定哀之间多微辞，东蠡知夫言之不可箸也，故曰《志微录》也。其为诗大抵本风、雅之比兴，就晋、宋之声度。其思深，其指远。骤而陈之，渊冥靡涯；绪而绎之，则古今得失之迹，理乱之林。参之见闻，味其忧闷，已为陶也，人为非陶也。"徐景福《题跋》："吾尝叩作诗于高子，高子曰：自寻蹊径。意盖以猛造为宗主，以取别于世之软媚纤腻、无所得于己而恒恐不见好于人者。"朱之榛《陶堂先生遗集后序》："先生为诗，力拟比兴，寓意元奥，而体物综事，一归至正。世俗小夫，未窥宏旨，恒苦棘涩。……先生宏才伟度，雅不屑以文词显。

而冗僚踸踔，命与谗谋。推其襟抱，一寄篇什。言多凄怆，甚可痛也。即所成就，已足骖驔古昔，考镜性真，庶几上下千年，洁芬不沫。”汤纪尚《高陶堂先生传》：“既仕不达，益肱于文史。其诗撢简骚雅，剽剥儒墨，务喜刻陿，履危侧出，神凝大幽，骀宕魂魄，天挠耿襮，万怪腾进，哀以沉造，倏怒而飞。于凡俗语态，洒筵殆尽，暖姝小夫，几瞠不识字。未尝数为文，然为辄挺独，字纫句组，不屑屑蹈袭。就本事言，栗然止，不溢累黍。其峭鳌似刘蜕、元结，疑涩口不可读。然自谓为文识过于力，未为至也。”王闿运《夜雪集·论同人诗八绝句》诗并序：“高伯足诗，少拟谢、陆，长句在王、杜之间。中乃思树帜，自异湘吟，尤忌余讲论，矜求新古。尝刻意作《咏怀诗》廿余首，录稿传余，并探月旦。余云：‘五字相连，皆不能解，一二彻之，固自可识，吾无以名之矣。’高颇自失，及将卒前数年，偶见其歌行一二篇，逸气高情，足压同辈。惜乎其中夭也。剑气珠光逞少年，老来长句更芊眠。饶思秀涩开新派，终作《楞严》十种仙。”（《湘绮楼诗文集·诗》卷十七）《越缦堂读书记》：“诗文皆模拟汉魏六朝，取境颇高，而炫奇襮采，罕所真得。自谓最喜渊明诗，故号陶堂，然其诗绝不相似。大抵诗文皆取法于近人刘申甫、魏默深、龚定菴诸家，而学问才力皆远逊。然思苦词艰，务绝恒蹊，文采亦足相济，固近日之卓然者矣。”“其文亦多模近儒张皋文氏，而学力更远不逮，佳者可仿佛皇甫持正、孙可之，下者遂堕小说。文仅二十一首，如《灌园记》、《代理江苏嘉定县知县刘君墓志铭》其佳者也。”朱祖谋《冬夜检时贤诗集率缀短章》：“冰籁萧憀镇不怡，律声晋宋未多师。纷纷时世梳妆好，谁识西江高碧湄。”《晚晴簃诗汇》卷一百五十六收其诗至三十三首，诗话云：“碧湄自定诗集，序谓于诗好渊明，故曰陶堂。然观其所作，华而致，栗而纯，琢磨刻画，入奥出坚，盖且上规颜鲍，旁取韩孟，殊不似渊明。碧湄尝诵其《大雪歌》，有句云‘沙头跕躚出村人，一寸倾斜明可摘’，谓能写难状之景。又《登虎丘》首句云‘众下易为峣’，谓吴郡近郭无山，语约而境远。其平生好为深湛之思，大率类是。”沃丘仲子《近代名人小传》：“伯足幼而敏赡爽迈……晚岁憔悴以终。为文高视阔步，精者间法庄、列，非桐城诸家所及。俪体镗鞈典雅，唯词余于意。诗独喜戴叔伦、陆龟蒙之流，亦足与抗乎？”钱仲联《论近代诗四十家》：“人间径路绝，乃与风云通。陶堂诗似之，秀涩开一宗。楞严十种仙，见嘲湘绮翁。《陶堂志微录》学选体而能自辟町畦，千辟万灌，语不犹人，白香亭之匹。在江西则开陈三立之先声。《湘绮楼说诗》：‘高伯足诗早拟陆、谢，长句在王、杜之间’云云。又《论诗绝句廿二首》论高‘剑气珠光逞少年’云云，末语盖微辞。然《陶堂志微录》律如《汉将》四首、《城西》二首，七古如《鄱阳翁》、《苦雨》二首，或树杜陵之骨，或得玉溪之神，而俱以雕炼之笔出之。《匡庐山诗》七首，缒幽凿险，足使谢、柳却步。……‘楞严十种仙’……指未证佛道者。”

华长卿（1805—1881）**卒，年七十八。**《晚晴簃诗汇》卷一百五十二收其诗三首。

颜宗仪（1826—1881）**卒，年五十六。**

马君武生。君武（1881—1940）原名道凝，字厚山，改名同，再改名和，字贵公，又字君武，以君武行。广西桂林人。光绪末留学日本，初为梁启超所主之《新民丛报》撰稿，后成同盟会员，南社立，成社员。入民国，尝一任临时政府实业部次长，后任教于各大学。清末从事外国文学翻译，较早翻译外国诗歌。著有《马君武诗稿》，译有托尔斯泰《心狱》（今译《复活》）等。

叶恭绰生。恭绰（1881—1968）字裕甫，又字玉甫、玉虎、誉虎，晚自号遐庵，广东番禺人，居北京。毕业于京师大学堂，民国后入政界。少喜为词，终身不废吟咏，民国间与朱祖谋、冒广生等结词社，办词学季刊，辑有《广箧中词》。自著有《遐庵汇稿》、《遐庵词赘稿》等。

吕志伊生。志伊（1881—1940）原名占东，字天民，号金马、侠少等，云南思茅人。光绪举人，后成同盟会员，南社社员，以文字鼓吹革命。著有《逊敏斋诗集》、《偶得诗集》等。

朱少屏生。少屏（1881—1942）原名葆康，字少屏，以字行。号屏子，别署朱三、平子等，上海人。南社最早创始人之一，骨干成员。长期从事新闻宣传，诗文无专集。

公元 1882 年（光绪八年　壬午）

正月

廿二日，陈澧（1810—1882）卒，年七十三。《复堂词话》："兰浦先生孙卿、仲舒之流，文而又儒。粹然大儒，不废藻咏，填词朗诣，洋洋乎会于风雅，乃使绮靡、奋厉两宗，废然知反。"又："岭南文学，流派最正，近代诗家，张、黎大宗，余韵相禅。填词有陈兰浦先生，文儒蔚起，导扬正声。叶南雪为春兰，沈伯眉为秋菊，婆娑二老，并秀一时。约梁君将合二集，益以寓贤汪玉泉，为《粤三家词》云。"朱祖谋《望江南·杂题我朝诸名家词集后》："甄诗格，凌沈几家参。若举经儒长短句，岿然高馆忆江南。绰有雅音涵。"龙榆生《近三百年名家词选》录其词作六首。《晚晴簃诗汇》卷一百三十七收其诗四首，诗话："东塾兼通群籍，天文、地理、乐律、算数，古文、骈体、诗、词，篆隶真行，靡不覃究。学主沟通汉宋，于汉宗郑君，于宋宗朱子，博而能醇。所撰《东塾读书记》，详言经学源流正变，并博考周末诸子流派，表章汉晋以后醇儒。尤谆谆以开风气、造人才为先务，粹然为咸同间一大师。"

《湘军志》在长沙毁版。《湘绮府君年谱》："城中多言《湘军志》长短者，府君闻之，以谓直笔非私家所宜为，乃送刻版与郭丈筠仙，属其销毁，以息众议。"按：明年九月，复刻于蜀中，"府君因语诸生曰：此书信奇作，实亦多所伤，有取祸之道。众人喧哗宜矣。韩退之言修史有人祸天刑，柳子厚驳之固快，然徒大言耳。子厚当之，岂能直笔耶？若以入政事堂相比，则更非也。政事堂就事论事耳，史臣则专以言进退古今人，无故而持大权，制人命，愈称职愈遭忌也。若非史官而言人长短，则人尤伤心矣"。

二月

王闿运客武冈邓辅纶宅，以邓辅纶之请，作《论诗绝句》十四首，复作《论同人诗八首》。又至明年，闿运在蜀中刻李仁元《寿观斋诗》、严咸《受庵诗草》。

王先谦撰集《续古文辞类纂》成，自作序，刊之湘中。是年先谦四十一岁，是编之创，得益于桐城萧穆、长沙周寿昌诸人，成后曾就正于桐城吴汝纶。序云："是编创始，闻见苦隘。桐城萧穆敬甫于其乡先辈遗文，及海内名家专集，储藏略备，远道见饷，数逾百种，往复论列，裨益宏多。成书后，就正于吴冀州汝纶挚甫，开示大义，匡我不逮，可谓直谅多闻，当代之益友也。周自庵先生，商榷之余，间加评论，辄为刊入。生平于师友寸善，拳拳服膺。附书简端，以志永矢。"

三月

王闿运题陈锐诗文："从义山入手，振采齐宋之间，一洗俗氛，独标古艳，心细神清，迥非时手所及。文格在汪容甫胡稚威之间，尚当扩而大之。"按：陈锐《褒碧斋诗话》云："余年甫逾卯，即喜为诗，然所存绝少。五十以后作亦不多，虽嗜性于吟哦，实得力于师友。"陈锐为校经弟子，尝受业于王闿运，闿运屡评其诗文。据《诗话》载，辛卯（1891）春，加墨记之；庚寅（1890）九月、乙未（1895）夏、乙未冬、甲辰（1904）秋，俱有评题。

易顺鼎在湘，以《丁戊之间行卷》求质于王闿运。《湘绮府君年谱》："府君目为华才，非成道之器也。东坡六十而犹弄聪明，故佛家以敏悟为狂慧，圣人所以约礼，富哉言乎。"按：是年闿运暂归湘中，明年入川，仍主尊经书院。顺鼎是年二十五岁，官刑部郎中，请假南归。秋北上，冬，返黔省父（时其父佩绅任贵州按察使），刻诗集《摩围阁诗》于贵阳。

六月

程麟《此中人语》六卷至迟于本月完成。书记光绪初轶事，有本月长洲姚印诠序。

七月

初五日，黎培敬（1826—1882）卒于长沙，年五十七。

谭献所辑评《箧中词》附己作《复堂词》在江宁刻出。金坛冯煦序云："是选与青浦王氏、海盐黄氏颇有异同，旨隐辞微，且出二家外。"谭献《复堂词》自序："周美成云：'流潦妨车毂'，又曰：'衣润费炉烟'。辛幼安云：'不知筋力衰多少，只觉新来懒上楼。'填词者试于此消息之。"

八月

俞樾拟停止作文三年。《曲园自述诗》："（壬午）余以衰老多疾，戏作小诗布告海内诸君子，以壬午八月为始，停止作文三年，凡以碑传序记求者，概不应。是时各直省以仕途壅滞，往往请停止分发三年。余戏援此例也，其后又有再展三年之说，然亦究不能谢也。"

九月

郑孝胥成福建乡试解首，陈衍、林纾等同榜中式。《侯官陈石遗先生年谱》："九月，举于乡，登郑孝胥榜。同榜有林琴南丈群玉者，方肆力为文词，家君尝见其致用书院试卷骈文一篇，甚淹博，仿佛王仲瞿，至是苏堪丈问其为诗祈向所在，答以钱注杜诗、施注苏诗。苏堪丈以为不能取法乎上，意在汉魏六朝也。琴南丈甚病之。是科座主为礼部侍郎宗室宝廷，号竹坡。揭晓，家君往谒，知为搜遗卷取中，竹坡先生立朝直言敢谏，与吾乡陈弢庵阁学宝琛、丰润张幼樵学士佩纶为一时清流眉目。先生嗜酒耽诗，好山水游，归途坐江山船买榜人女为妾，自劾落职。福建典试差囊可得六千金，先生到手立尽。次年春，家君公车入都，往谒，则著敝缊袍，表破殆尽，绵见焉。"

文廷式中式顺天乡试第三名举人，文誉渐噪，交游渐广。钱萼孙编《文云阁先生年谱》引李慈铭九月十三日日记："顺天乡试揭晓，阅题名录，解元天津人黄耀奎，第三江西人文廷式，云是近日有文誉者。"《谱》谓："先生文誉噪京师，名公卿争欲与之纳交。本月十一日，先生至友梁节庵亦自粤来京。善化皮鹿门锡瑞始与先生相识。"

康有为二十五岁，应顺天乡试不第。归途经上海，大量购置西学书籍。

谭献《复堂词录》成，自序于安庆寓舍。此书选由唐至明之词为十卷，前集一卷，正集七卷，后集二卷，录三百四十余人、词一千四十七首，后附论词一卷。

申报馆出版《野叟曝言》二十卷一百五十四回排印本。书首"西岷山樵"序，叙其先五世祖韬叟与夏敬渠交往，及获此书抄本经过，谓上年毗陵刊本"不若吾家副本之全"，是以重刊。又，本年上海某书局出版亦刊出《野叟曝言》二十卷一百五十四回石印本。鲁迅《中国小说史略》列此书为"以小说见才学"类。

秋

宝廷充福建乡试正考官，得郑孝胥等若干人。《先考侍郎公年谱》："公入闽，以福省为有宋诸大儒之桑梓，因以《大学》圣经一章命题，又以时日本方争朝鲜，因发策问日本及火器战船诸事，榜发，得郑孝胥等若干人。"又，十二月，上途中买妾自行检举疏。

陈三立江西乡试中式，为陈宝琛所得士。

叶衍兰乞假旋里。

十月

初一日，吴昆田（1808—1882）卒，年七十五。高延第《刑部员外郎吴君稼轩墓志铭》"为文好沉思，不斤斤于文辞章句。"

二十九日，郭崑焘（1823—1882）卒，年六十。《晚晴簃诗汇》卷一百四十六收诗三首。

十一月

初七日，许瑶光（1817—1882）卒于嘉兴，年六十六。

樊增祥集本月至明年十月间诗为《淡吟集》。《樊山续集自叙》："辛巳春，以外忧归……自壬午冬迄癸未，凡十阅月，与子珍（按：陶方琦）同在鄂中书局，子珍叹余诗益高澹，因忆宋人诗'须放淡吟'之句，命之曰《淡吟集》。"

陶方琦在此前后手辑所著书。先是，方琦任湖南学政，丁母忧归，"葬礼成，湖北奏请总修省志，游于武昌，手辑所著书，未卒业。诗词骈俪文约略写定"。（谭献《陶编修家传》）樊增祥言，此时方琦诗词已捐弃故步，"自湘轺以后，诗词皆淡远明逸"。（《弄珠词·高阳台》序）又，增祥《二家词赓序》："同居鄂中书局，君谓余作靓深淡雅，而亦自变其秾丽之习。康乐芙蓉，尽谢珚饰。尝手定《兰当词》三十余阕，皆清真白石佳境，无复绮缛之旧。余篇篇评点，心形俱服。逾年入都，语怃伯师曰：子珍近词足传矣。"又，此间陈豪亦与陶方琦、樊增祥唱和。陈豪（1839—1910）字蓝洲，号迈庵，晚号止庵，浙江仁和人。同治九年优贡，以知县用，分发湖北，在鄂二十年，以循良闻。引疾归，书画自遣。著有《冬暄草堂诗集》等。

本年

清政府与日本订立条约，承认朝鲜为"中日公共保护国"。

英国吞并缅甸。

张文虎所撰《舒艺室诗存》七卷、《索笑词》二卷本年刊出。

缪荃孙是年供职京师，刊《万善花室文集》、《洪幼怀文集》，为其刻书之始。

张裕钊撰《濂亭文集》八卷刊出。此集门人查燕编，存文八十五篇，海宁查氏渐斋苏州刻。后又有光绪二十四年黄氏陕西刻本、宣统元年扫叶山房石印本等。卒后辑其所作，编为《濂亭遗诗》五卷、《遗文》五卷，光绪二十一年遵义黎氏刻。

易佩绅撰《函楼诗钞》八卷附词八十一阕刊刻。

陈烺《蜀锦袍》传奇本年撰成。二卷，十六出，叙明末史实，演四川石砫土司夫人秦良玉报夫仇，斩叛臣，对抗张献忠军有功，得崇祯帝赐蜀锦袍事。有宗山甲申（1884）秋序及边保枢、江顺诒、俞廷瑛等题词。宗山《序》谓："（董榕所谱《芝龛记》）传奇帝王仙佛，杂沓登场，观者目眩。……以秦良玉、马千乘为经，以客魏擅权迄闯、献授首，二十余年可惊可愕之事为纬，搜采极博，惜遣词命意，不足动人歌泣之怀。每以文与题不称，为之歉然。壬午需次杭州，与陈叔明先生结文字交，一日，出《蜀锦袍》传奇，示山读之，叹夫先生之才之大，其征引一踵正史，褒贬凛然，无小说诙诡之习。《播州克敌》、《平台奏勋》等出，忠义愤激之气，腾跃纸上。起结淡处著墨，余弦外音。良史三长，略具于此。视昔人之恣意妆点，正苦才短耳。天生奇女子，得奇文以传，幸矣。昔蒋苕生谱《四弦秋》，洪昉思制《长生殿》，一洗元人《青衫记》、《梧桐雨》之陋。先生命意，得无类是？此编出，不独压倒芝龛（按：董榕），即谓之媲美蒋、洪，非妄语也。"

宗山本年需次浙中，与陈烺结文字交。后此数年，皆在浙中，与陈烺、江顺诒、边保枢、吴唐林、俞廷瑛等俱喜为词曲，往还颇密。尝为陈烺序《蜀锦袍》、《海虬记》；与江顺诒结社，并合著《词学集成》；与边保枢、吴唐林、俞廷瑛等刊同人词集《候鲭词》。按：宗山（？—1886）字小梧，亦作啸梧、啸吾，号小吾，姓鲁氏，奉天铁岭人，隶内务府镶黄旗汉军。监生。官浙江候补同知，权乍浦理事同知。著有《啸吾遗著》四卷（内《窥生铁斋诗存》、《晦生铁斋词》、《希晦堂遗文》、《啸吾杂著》各一卷，谭献校订，光绪十六年刻）等。

黄体芳本年在江苏学政任上，建南菁书院。

潘曾绶在京颐养，与李慈铭等往还甚密。潘曾绶编，潘祖荫、潘祖年补编《潘绂庭自订年谱》："（光绪）八年壬午七十三岁，正月……初五日招亚陶、莼客、九芝、六希午集。三月十五日招莼客、六希法源寺看牡丹。……十一月初一日招柳门、六希、谊卿、伟侔、醉棠、蒂卿午集。"

王树枏主讲冀州书院，与吴汝纶朝夕讨论，自是专攻古文。《陶庐老人自订年谱》："吴挚甫先生知冀州，聘余为主讲冀州书院，以书致子寿师，求其允让。师见之大愠，复书语多讥讽，挚甫再以书请，有子夏设教西河，正以广传师道之语。辞极和婉。吾师坚持不允。挚甫立上辞职书于李文忠公，谓：某作官，一无所长，惟整顿学校，为国家造就人才，尚堪自信。今求一山长，而不得行其志，尚何面目尸此位乎？时文忠方遭母丧，乃请署督张靖达公树声代为和解，遂与吾师议定，保定冀州各住半月，而二人自此水火矣。是年子寿师特授湖北襄阳道。余偕同人饯送于二十里外。即赴冀州，州属五县。挚甫选送高材生七人于书院肄业……购置书籍数千卷，专讲求经史有用之学，以其间习时文试帖，若赵衡、李谐韺、刘登瀛、吴镗等，皆一时之秀也。挚甫为古文名家，朝夕讨论。余自是专攻古文，不复为骈俪文字矣。"

马其昶与柯绍忞订交。《桐城马先生年谱》本年："应乡试不第。与刘仲鲁、荣华卿、柯凤孙、黄再同定交。"

郑文焯二十七岁，在苏州探讨音律。《郑叔问先生年谱》："鄂人李复天廷璧精于琴律，得浦城祝凤喈秘传，先生从之讨论古音，大悟四上竞气之指，于《乐纪》多所发明。先生工词而又工于律自此始。"

陈黻宸等立求志社。时黻宸二十四岁。陈谧《陈介石先生年谱》："是岁与陈蛰庐孝廉及同州许拙学茂才启畴、金遽斋上舍晦诸子为布衣交，结社讲学，故自拔于俗，取隐居求志义，号曰求志社。友朋极一时之盛，东瓯布衣之名，自此闻于世。"引行述云："时孙太仆琴西方归田，提倡乡哲薛（季宣）郑（伯熊）、陈（傅良）叶（适）之学，设治善祠塾，奖掖后起，故瑞安谈文学数人才者必推治善祠塾，而求志社一旦遽出，掩其上，名闻于天下。然先君方戛戛深造，与古人居，不屑依傍门户，取流俗之声誉，师友之间有所讨论，必默识而衷以己意，不相唯诺附和或依违作两可语。每读一书既有得，辄思以才力追与抗衡，不肯低首相下，久而竟自过之，视千载下人物蔑如也。"

林纾三十一岁，交游渐广。上年，林纾与陈衍结识。至本年，与同科举人高凤岐、李宗言等人相识，结为诗社，名支社。诗社月数举，专赋七律唱和，约至光绪十九年始停止活动，光绪十七年有《福州支社诗拾》刊印，林纾撰序。序称："纾幼时学为短章，多萧寥悲凉之章。"李宗言家富藏书，林纾得借阅数万卷，自是文益进。长乐高凤岐（字啸桐）及其弟而谦（字子益）、凤谦（字梦旦）俱能诗文。又，明年入京应会试，与宝廷子寿富交，后寿富殉庚子之乱，林纾著小说《京华碧血录》影射其事。

黄文琛（？—1882）卒。《郭嵩焘文集》卷五《黄海华先生玩灵集遗诗序》："海华先生，两湖诗人之杰者也。始游京师，官国子助教，以诗名京师。嗣为同知湖南，南士能诗者无敢与先生比并，则以诗名湖南。""读其诗，惓怀朋旧，感伤时事，无苟作者，而一出于性情之正，所言皆有以内得于心，曲折以尽其意，其旁薄郁结，又若极其才力所极而内自惄焉，常任意余其辞。即嵩焘崎岖海外言之若甚有不适者，每为旁皇兴起，不能自已。然则先生为人，与其行政之美，其自得于诗也深矣。"《晚晴簃诗汇》卷一百三十一收其诗十三首，诗话谓："海华以乙科官成均，改外为丞倅，洊历郡守。宦迹所至，山川风物之胜，简书期会之劳，悉于诗发之。古体胜近体，七古又胜五古，体制学眉山。长篇短什，皆有浩浩落落之致，而字字必经洗炼而出，所谓成如容易却艰辛，异乎近世学宋诗者，以乱头粗服为能事也。"

朱绍颐（1832—1882）卒，年五十一。

郭则沄生。则沄（1882—1947）字啸麓，号蛰园，别号龙顾山人，福建侯官人。光绪二十九年进士，授翰林院编修，简任浙江温处兵备道，署浙江提学使。辛亥后曾任北洋政府国务院秘书长等职。著有《龙顾山房集》、《十朝诗乘》等。

李仪祉生。仪祉（1882—1938）原名协，字宜之，陕西蒲城人。易俗社成员。

周曾锦生。曾锦（1882—1921）字晋琦，号卧庐，江苏南通人，著有《藏天室诗》、《香草词》、《卧庐词话》各一卷，合刊为《周晋琦遗著三种》。

公元 1883 年（光绪九年　癸未）

正月

二十二日，**潘曾绶**（1810—1883）卒于京师，年七十四。《潘绂庭自订年谱》谓"新正方裒集近岁所作古今体诗"，竟以疾终。《晚晴簃诗汇》卷一百四十三收诗五首，集评云："阮芸台曰：绂庭诸作皆发抒性灵，意存忠厚，生长华阀而不役志于富贵，年逾弱冠而能力持乎风雅，继家风之清素，结朋簪于老苍，皆可于此集觇之。"诗话云："绂庭生有至性，官内阁，以文恭年高久致政，遂引疾乞养。迨遭亲丧，服除，不复仕。后以文勤贵，就养京邸。优游文史，宏奖后进，布衣萧然，无异寒素。老病杜门，独与会稽李越缦相往还。光绪癸未元日作书约越缦于三日挈其次子过。越缦曰：此儿未尝诣人，昔岁今兹两令诣君者，欲使后生见先辈风流，非以科名禄位言也。是月谢世。殁之前日，犹以书贻越缦，还日记并所借书。越缦为作墓志，称其幼颖悟，工诗文及词，晚岁尤嗜诗，无一日废书不观。今年正月方集近岁所作诗，手自校阅。盖亦在是时也。"

宝廷罢职，此后以山水诗酒之乐终其身。《先考侍郎公年谱》："正月公罢职。……公自是岁罢职，日偕故人及门生弟子，春秋佳日携酒临眺，樵夫牧竖久之皆相识，不知公之曾为卿贰也。自是岁结消寒社，明岁又结消夏社，公为之评定甲乙，指示诗法，有以时事问者，则默然不答，而数岁中凡遇时事之艰难，一发之于诗。或酒酣高歌，继以泣下。然自是岁闭门谢客，门生故人外罕得见者，遂以山水诗酒之乐终其身。"

二月

二十九日，张启鹏（1806—1883）卒，年七十八。郭嵩焘《诰封朝议大夫张府君墓志铭》："为文缒幽凿险，百怪森列，而辞与理副，洪纤应和，粹然一轨于正。举乙未科乡试，历游齐、鲁、皖、豫、吴越、豫章之境，而居鄂尤久。所至尽交其贤豪长者，考览山川形胜，增助气势，而文益奇，志亦益远。"《晚晴簃诗汇》卷一百三十八收其诗三首。

四月

二十五日，赐陈冕等三百八人进士及第出身有差。本科成进士者有朱孝臧、严修、张亨嘉、刘光第、沈家本、蒯光典等人。朱祖谋为二甲一名进士，改庶吉士，授编修。夏孙桐《清故光禄大夫前礼部侍郎朱公行状》："时辇下风气，崇尚古学，稍负才望者，各以考据辞章相矜诩，继则争谈时务，以变法为名高。公在馆职十余年，盱衡世变，忧时之念甚深，而不自表襮，足迹稀至朝贵之门。交游同志，所深契者，多清望劲闻贞介不苟之士。"

王韬在香港自序《弢园文录外编》。序云："自愧言之无文，行而不远，必为有识之士所齿冷，惟念宣尼有云'辞达而已'，知文章所贵，在乎纪事述情，自抒胸臆，俾人人知其命意之所在而一如我怀之所欲吐，斯即佳文。至其工拙，抑末也。鄙人作文窃秉斯旨，往往下笔不能自休，若于古文辞之门径则茫然未有所知，敢谢不敏。曰外编者，因其中多言洋务，不欲入于集中也。"按：是书十二卷，多客粤时所为鼓吹变法自强文字，本年在香港刊出，丁酉年（1897），王韬在上海重新校订印行。

易顺鼎第四次会试落第。会试前后，顺鼎与谭献等同和叶衍兰《鸳鸯诗》，后刻为《旧雨联吟》，时谭献以会试入京。

五月

王仁堪访陈宝琛、谢章铤于江西。是时宝琛督学江右，章铤主讲白鹿。

俞达撰成《艳异新编》（别题《新闻新里新》）五卷。是书收故事七十七则，多记里巷传闻及艳情狭邪事。本年上海王氏刊出，书首杨殿奎本月序云："若而纪事诡奇，足敌《齐谐》之新记，措辞妍丽，宛合《玉台》之新咏。……足以遣新睡、助新谈，而消释新愁与新恨，白窠尽脱，而花样斩新，新莫新于此矣。……诚能阅是书而洞其本源，不背乎新民新德之旨，则深识作者之隐衷；以为撷拾新奇，徒炫人耳目，抑矣矣。"

六月

初四，邵亨豫（1818—1883）**卒**。《雪泥鸿爪》："为文取法天崇、国初诸大家，以气举词，不尚堆砌，尤精于理境。通籍后，讲求实学，留心世务，不欲以词章自囿，喜读书，熟于史事……耽吟咏，少时学为古近体诗，积久成帙，尝属瑞安孙琴西太仆衣言评之，以古作音节未亮，劝多诵李杜韩苏以究其变。府君谓诗以言志，兴之所至，藉以抒写性情，性所不近，不欲貌袭古人以强求其工。自后遂不作古体，手订诗稿悉删古作，存者惟近体。所著奏疏，论事理多剀切详明，而仍出以委婉。……著有《奏议》五卷、《愿学堂诗存》二十一卷、《制艺》六卷、《诗赋》六卷、《杂著》一卷，皆手订待梓。"

王闿运在成都作《夜雪集序》。序云："七言绝句，和乐皆五句，盖仿于淋池《招商》。其平仄相间，唯作四句，则始于汤惠休《秋思引》。自是以后，盛于唐代，有美必臻，别为一体。然其调哀急，唯宜筝笛，大雅弗尚也。而工之至难，一字未安，全章皆顿。余初学为诗即惮之，故集中无一篇，间有所感，寄兴偶吟，旋忘之矣。既过强仕，阅世学道，上说下教，意所不能达者，辄作一绝句，等之稗官小说，取悟俗听。其词存日记中，暇一披吟，颇有可采，乃令儿子录之。仲章夭逝，代功弗能撰也，托契后生，其可悲乎？因发愤自录，仅得百首。《齐河道上》一篇，出处之所以决也，必存之，以示子姓为典故，故冠篇首。并采诗中字，题为《夜雪集》云。知我者览之，亦可以知源流有自，不敢妄作。拾所芟弃，或犹愈近代之享敝帚者尔。"

夏

俞樾选定日本国诗集。《曲园自述诗》："日本国人以其国诗集一百七十余家寄中华，求余选定。自壬午冬至癸未夏，为选定四十卷，又补遗四卷。其国之诗自元和宽永以来，略备于此矣。日本向无总集，此一选也，实为其国总集之大者，颇盛行于海东也。"又，秋间编成《诂经精舍文集》五卷。

七月

二十三日辛丑（1883 年 8 月 25 日），**法越《顺化条约》签订，越南沦为法国保护国。**

许善长撰《灵娲石》十二出，并作自序。此剧谱春秋战国时列国女子十二人事，人各一出。《自叙》："余初制此编，与憨寮拟议，择可谱者谱之，劝惩兼寓，原无成心，非一律彰美德也。乃憨寮命名曰《女师篇》。出示同人，或曰：十二人者不类，如伯嬴等十人，皆可为师。而西子为亡国之孽，郑袖为工妒之尤，岂足并列。余因更命曰《灵娲石》，似于本意无伤矣。或仍以为不然，必欲删去此二出，余不忍割爱，遂附于篇末，亦三百篇正变并存之意云尔。"此剧有《碧声吟馆丛书》刊本，光绪十一年三月刊，有郑由熙、张鸣珂等题辞。

易顺鼎至太原。是夏，顺鼎姊易莹殁于太原易佩绅布政使署中，本月，顺鼎闻讣至太原。易佩绅素信扶乩，设坛请仙，降乩者为李仙（李铁拐），并招易莹降灵，谓已成仙，号真一子，居玉虚斋。真一子与易佩绅、顺鼎父子唱和之扶乩诗后刻为《玉虚斋唱和诗》。李仙又作诗示顺鼎，书云：吹箫王子，乞食张郎。顺鼎自此遂自命为周王子晋、明苏州才子张梦晋后身。

八月

文廷式由粤赴浙，至杭州后，着手为《元史会要》、《通鉴注地理今释》。钱萼孙编《文云阁先生年谱》："先生于二十七八岁以前读书绝不作著述想……至是始从事撰述。"

九月

黄体芳建成南菁书院。先是，体芳于光绪六年督学江苏，八年任满，奉恩命仍留，于是谋就江阴建试院，八年九月始建，至是成。

十月

秦缃业（1813—1883）卒。《晚晴簃诗汇》卷一百四十七收其诗四首。

十一月

樊增祥集本月至明年七月间诗为《水浒集》。《樊山续集自叙》："癸未冬，谒选入都……与爱师（按：李慈铭）、敦夫、辛楣、爽秋（按：袁昶）、会生、伯熙（按：盛昱）昕夕过从，飞笺赌韵。南皮师自晋入觐，又日与再同侍侧，朋簪之乐，于斯为盛，命其所作曰《水浒集》。"

本年

朱铭盘客汉城吴长庆军幕，与朝鲜士大夫时有唱酬。按：因日本干涉朝鲜内乱，上年六月吴长庆奉命督师援护朝鲜，是年驻兵朝鲜。

陈衍二十八岁，偕陈书入都会试，识李慈铭诸人。《侯官陈石遗先生年谱》："至都，寓同乡陈汝翼编修寿许。识李莼客部郎慈铭，读其所撰某贽郎墓志。文学阳湖派，散体中时参以八字偶句。汝翼言莼客卖文篇必百金，吾二三十金即卖，然每岁生涯，吾常赢于莼客，盖价廉则求者多也，相与大笑。"又，陈衍本年仍辑《元诗纪事》，成《说文辨证》十四卷。

朱一新三十九岁，所撰《佩弦斋文存》二卷刊刻。按：一新卒后，其弟于光绪二十二年辑其诗古文杂著为《佩弦斋集》九卷，计文存三卷、骈文存一卷、诗存一卷、试帖存一卷、律赋存一卷、杂存二卷；光绪二十三年，门人满洲平远辑《义乌朱先生文钞》四卷刊刻。

薛绍徽十八岁，读《花间》、《草堂》诸集，始学填词。

冒广生始学词。 广生于本年至明年随母归省，得其外祖周星誉所著《东鸥草堂词》，辄能上口。

许善长撰《茯苓仙》一卷本年刊出。

方玉润（1811—1883）卒，年七十三。

吕碧城生。 碧城（1883—1943）字圣因、兰因，号遁天、信芳词侣等。安徽旌德人。姊妹三人，并工文藻。碧城与长姊惠如兼善填词，早岁为樊增祥所激赏。中年出国，卜居瑞士雪山中，专以弘扬佛法为务。然兴之所寄，不废倚声。第二次世界大战起，始经美洲归香港，民国三十二年病卒，年六十。初刊《信芳词》行世。晚年复自删订，益以后来所作，汇印为《晓珠词》四卷。

汤国梨生。 国梨（1883—1980）字志莹，号影观。浙江吴兴人，章太炎室。著有《影观诗稿》等。

欧阳钜元生。 欧阳钜元（1883—1907）名淦，字钜元，一作钜源，别署蘧园、茂苑惜秋生，寄籍苏州。光绪诸生。尝助李伯元编辑《游戏报》、《世界繁华报》、《绣像小说》，著有《负曝闲谈》等小说。性喜冶游，卒死之。

王闿运《夜雪集》一卷刻于成都。

董沛《六一山房诗续集》十卷刊出。

游智开撰《藏园诗钞》朝鲜吉云馆活字本刊出。 智开尝与朝鲜使臣卞元圭订交，卞氏编其诗刊出。

沈尹默（1883—1971）生。

公元 1884 年（光绪十年 甲申）

三月

盛昱劾枢臣怠职。 钱萼孙编《文云阁先生年谱》："本年法越构衅，三月宗室盛伯熙（昱）祭酒劾枢臣怠职，太后怒罢恭亲王奕䜣、高阳李兰孙鸿藻尚书出军机。先是朝士有所谓清流者，奉李高阳为魁，而南皮张孝达之洞、丰润张箦斋佩纶、宗室宝竹坡廷、闽县陈弢庵宝琛、瑞安黄漱兰体芳皆其杰，此前一辈之清流也。后一辈清流以伯熙为魁，瑞安黄仲弢绍箕、闽县王可庄仁堪、旭庄仁东、永明周荟生銮诒、合肥张蔼卿及先生等属之，其前后递邅之枢，则在光绪八年张振轩督直隶时……至本年而伯熙专折劾恭邸，恭邸去而高阳亦出军机，箦斋、弢庵皆调外，竹坡先以纳江山船女自劾免官，前辈清流自此告一结局，后辈清流遂起而代之。其后甲午之役，先生（按：文廷式）屡言事，隐然为后辈清流之重镇焉。"张謇《啬翁自订年谱》："闻盛昱严劾枢臣并及两广总督张振轩，朝局一变。时恭亲王秉国，高阳李相国为辅。高阳又当时所号为清流者之魁构。自昱劾罢恭邸、高阳，政权归醇亲王、孙毓汶辈。自恭王去，醇王执政，孙毓汶擅权，贿赂公行，风气日坏，朝政益不可问。由是而有甲午朝局之变，由甲午而有戊戌政局之变，由戊戌而有庚子拳匪之变，由庚子而有辛亥革命之变，因果相乘，昭然明白。以三数人两立之恩怨，眩千万人一时之是非。动机甚微，造祸甚大。……故谈朝局变者谓始于甲申也。"《清史稿》卷四三六："时当国益厌言路纷

287

嚣，出张佩纶等会办南北洋、闽海军务，余亦因事先后去之，风气为之一变。"

春

许善长撰成传奇《胭脂狱》十六出并作《自叙》。此剧本《聊斋志异》内《胭脂》一则，谱施闰章断案事。本年《碧声吟馆丛书》本刊出，后又有改良小说社石印本等。又，早于《胭脂狱》，约在去年秋至今春间，善长撰成《神山引》八出。取材于《聊斋志异》内《粉蝶》篇，并参以袁枚《神山引》诗，叙康熙间琼州士人泛海至神仙岛，与岛上婢女粉蝶相遇结缘事。有光绪十一年《碧声吟馆丛书》刊本，郑由熙、张鸣珂等题词。

四月

初一日，俞达（？—1884）以风疾卒。

十四日，《点石斋画报》（旬刊）创刊，由吴友如、金蟾香等执笔绘制。此为中国早期石印画报，每期八幅，点石斋石印局印行，随《申报》附送。阿英《小说三谈·清末石印精图小说戏曲目》云："清末自点石斋创立后，石印小说戏曲风行一时，长篇巨制，插图往往多至数百幅，至今为藏书家所珍。"按：先是，光绪二年，英商美查创设点石斋石印局于上海，七年，徐鸿甫、徐润等创办同文石印书局于上海，皆为较早引进石印术之出版机构。石印术于小说创作刊行颇有影响，光绪二十五年文贤阁石印本《续儿女英雄传》佚名序谓："自石印之法兴，而小说多出续本。"

二十八日，谕张之洞署理两广总督。七月初三日，奉旨补授两广总督。

成都龚氏刊出汪莼庵撰《梅花梦》传奇二卷十六出。按：此与陈森、张道所撰同名传奇情节不同，此剧演两世姻缘，谓上界掌书仙官与梅花仙子相恋，被贬凡间，再结姻缘。汪莼庵字号、生卒年均不详，四川长寿人。吉唐道人《序》谓："长寿汪莼庵明经，以不羁之才作为元人院本《梅花梦》传奇，其杰构也。全书摹仿蒋苕生《空谷香》，其组织之工、音律之细、宾白之佳，又差与《桃花扇》、《长生殿》伯仲，演诸氍毹，真足逸情动魄，可感可兴。"

五月

中旬，王韬在上海作《淞隐漫录》自序。《序》首言一切神仙鬼怪之说为不可信："自妄者造作怪异，狐狸窟中，几若别有一世界。斯皆西人所悍然不信者。诚以虚言不如实践也。西国无之，而中国必以为有，人心风俗，以此可知矣。斯真如韩昌黎所云'今人惟怪之欲闻'，为可慨也。西人穷其技巧，造器致用，测天之高，度地之远，辨山冈，区水土，舟车之行，蹑电追风，水火之力，缒幽凿险，信音之速，瞬息千里，化学之精，顷刻万变，几于神工鬼斧，不可思议。坐而言者，可以起而行，利民生，裨国是，乃其荦荦大者。不此之务，而反索之于支离虚诞杳渺不可究诘之境，岂独好奇之过哉？其志亦荒矣！"又谓著者"少抱用世之志，素不喜浮夸，蹈迂谬，一惟实事求是"，而是书之作，则以出而涉世，"以直遂径行穷，以坦率处世穷，以肝胆交友穷，以激越论事穷。困极则思通，郁极则思奋，终于不遇，则惟入山必深、入林必密而已，诚壹哀痛憔悴婉笃芬芳悱恻之怀，一寓之书而已"。譬之古人，则"屈原穷于左徒，则寄其哀思于美人、香草。庄周穷于漆园吏，则以荒唐之词鸣。东方曼倩穷于滑稽，则《十洲》、《洞冥》诸记出焉"，末言："世之见余此书者，即作信陵君醇酒妇人观可也。"（《弢园文录外编》卷十一）按：此书有本年上海点石斋画报石印本，后上海鸿文书局及积山书局重刊缩印本，改题《绘图后聊斋志异》。又按：王韬本年五十七岁，以丁日昌疏通，复返上海居。

陈夔龙至蜀，从丁宝桢、王闿运闻为学之道。陈夔龙编《水流云在图记》谓，是夏入蜀，就姻于丁宝桢署，以馆甥而为幕客，"文诚公官书之暇，辄携茶具来纵谈，评骘古今人物及其生平政治阅历有得之事，间涉经史文艺，名言娓娓"。时嬲运方主尊经书院，"每于皋比暇日，折柬招余坐讲室，纵谈经史文艺，或杂以嘲谑以佐宴笑。余少时攻习举业，于诗古文辞未暇精诣，偶有酬答，亦旋作旋弃，至是得窥门径，不觉所造之日进。李义山师云平生风义兼师友，讵不然欤？"

闰五月

吴长庆卒于金州，宾客星散，朱铭盘与张謇等南旋。有《金州述别》联句之作。又，约此后不久，长庆子吴保初至京习诗于宝廷。按：吴保初本年授主事，《尊瓠室诗话》卷三："服阕入都，分兵部学习，为闲曹。因得师事父执宝竹坡少宗伯廷讲论诗法，与宗伯子寿富为至友。所交皆一时名流，酬酢往还，饫闻故实，学术乃有根柢。"

王先谦自序所撰《东华录》。

七月

三日乙巳（8 月 23 日）中法马尾之战。福建水师损失惨重，福建船政大臣何如璋、会力福建海防大臣张佩纶并褫职遣戍。陈宝琛《涧于诗集序》："（佩纶）志在用世，官京朝日，不甚致力于诗，及沦谪边远，则身世之感，家国之故，一于诗发之。生平希慕苏文忠，遭际颇相类。所为诗闳壮忠恻，亦似玉局中年之作。且其一身之升沉荣悴，实为人才消长国运隆替所系。读者但羡其伐材之富，隶事之工，固未足以知其深也。"

张景祁约在此后不久作《秋江曲·马江秋感》词。当中法之战，景祁往来福建、台湾之间，作有《望海潮·插天翠壁》、《酹江月·楼船望断》、《秋霁·基隆秋感》等。《秋霁·基隆秋感》一阕，谭献《箧中词续》卷二评曰："笳吹频惊，苍凉词史，穷发一隅，增成故实。"

樊增祥出都，为宜川令。后二十余年中，主要活动于陕西。樊增祥《樊山续集自叙》："甲申春，得宜川令，秋孟出都，怨伯（按：李慈铭）师谓余曰：子之诗信美矣，而气骨少弱。关中，汉唐故都，山川雄奥，感时怀古，当益廓其襟灵，助其奇气，老夫让子出一头矣。重九后至秦，其行役之作曰《西征集》。自甲申冬讫丁亥，星纪再周，余自宜川而咸宁，而富平，而长安，易地者四，劳形案牍，掌笺幕府，身先群吏，并用五官，犹以余闲结兴篇章，怡情书画，尝以《春兴》八首寄恳伯师，报书曰：子诗日益道上，曩所许不虚矣。宰长安六阅月，以礼去官，在官所作曰《关中集》。"按：本年二月，李慈铭题樊增祥诗集谓："自有高歌动鬼神，樊英才调信无伦。谁言北地多浮响，未许东川说替人。一入蓬莱依日月，七传弓剑照麒麟。如今小试神明宰，种稻公田为养亲。题云门吾弟《十鞭斋诗集》，时将出宰宜川。"又评增祥诗："云门诗得力于信阳，而兼取北地，其七律足追踪唐之东川、义山，而古体胜之。"按：樊增祥是时以"十鞭斋"名集，后未用此名。

八月

初十日，苏曼殊（1884—1918）出生于日本横滨。（按：此据柳亚子《重订苏曼殊年表》另说生于八月二十一日。）苏曼殊本名戬，字子谷，小名三郎，后更名元瑛，又作玄瑛，别号曼殊。祖籍广东香山，母为日本人。曼殊多才艺，诗文、小说、绘画皆工，著译兼长，为清末民初重要作家，南社重要成员。著作达三十余种，清末民初以来其集刊行者凡数十种，柳亚子辑为《苏曼殊全集》，主要作品为诗约百首、小说七种及《拜伦诗选》等。

陈衍避马江之战至建溪。马江战后，陈衍有《七月初三后》杂诗五首。本月，全家避地建溪之房村，叶大庄招陈书卜居淘江，陈衍亦往访之，途中得七绝句，又有《八月十三日夜宿玉屏山庄叶损轩出读西溪诗》长句一首。

九月

周树模乡试卷为朱一新所赏。宋慈抱《义乌朱一新传》："（一新）心赏周树模卷，以策文触忌与己同，仿唐人授衣钵例，以己之名次与之。"

十月

二十七日，周寿昌（1814—1884）卒于京师，年七十一。卒后，其乡人王先谦辑其所著为《思益堂集》二十卷，与瞿鸿禨共捐资刻之，骈文又刊于《国朝十家四六文钞》中。周礼昌《周公荇农府君行状》："（咸丰中）入朝供职，回翔词苑又几十年，而公才名彻中外。"王先谦《思益堂集序》："先生于历代诗家，靡不抉精洞奥。故其为诗，奄有众妙，要以义山、剑南为归。晚遭困塞，转造平淡，盖所得益深矣。日札博综兼搜，尤详掌故，其文词皆清绝可喜，而于骈体之义法尤精，尝曰：'吾师胡稚威之博，而不取其僻；爱洪稚存之隽，而不学其纤。'自命如此，曾文正亟推其能。……四十以前，积稿盈寸，先生南归时，家人在都鬻书自给，误售之，存裁卅余篇，今又仅见其半，余既刊之十家四六中矣。文字之厄如此，岂亦有数存也？悲夫！"《近代名人小传》："其文精者非刘蓉、薛福成之流所及，诗婉约得风人之致。"《晚晴簃诗汇》卷一百四十七收其诗十四首，诗话："自庵少年喜为骈俪之文，自谓学二雅之隽博而去其纤僻，求阙斋极推其能填词，尤工小令。散文亦有义法，其补校史注、题跋书画、考订金石，旁及画理医学，靡不精审。余事为诗，奄有众妙，要以义山剑南为归，晚遭困窘，益造平淡，盖所得弥深矣。"

赵之谦（1829—1884）**卒于江西，年五十六。**《近代名人小传·文苑》："多识金石文字，工书画。诗宗陶苏，间法温李。画兼花木人物，笔意简傲，尤胜其书，惜世鲜觏耳。散体文不能工，俪体唯擅长小品，有齐梁间风范。"《晚晴簃诗汇》卷一百五十七收其诗五首，诗话云："篆刻书画用力至深，至今片楮为人所重。诗境力矫肤庸，倔强矫健，是其所长，潘文勤极称之。"

易顺鼎出都。按：是年春夏间，顺鼎在太原谒见山西巡抚张之洞，执贽请业，始列门墙。复至京师。本月出都，经上海，游吴、越诸名胜。十一月，溯江上，将由湖北入四川成都省父，时佩绅调任四川布政使。所作诗编集为《出都诗录》、《樊山沌水诗录》、《蜀船诗录》。

十一月

谢章铤为张鸣珂《寒松阁词》作序。序云："君生长词人荟萃之乡，濡染已非寻常。又得韵甫黄氏为之导师，卷首所载商榷诸言，可药末派，可起正宗。故君所涉笔，铜簧新炙无其脆，弹丸脱手无其灵，初写黄庭，神与体会，知此者皆能通之矣。"张鸣珂《寒松阁词》四卷本年刊出。

十二月

初一日，周作人（1885—1967）**生于绍兴。**

初九日，周星誉（1826—1885）**卒，年五十九。**《晚晴簃诗汇》卷一百五十收诗五首，集评："谭复堂曰：昀叔少擅高名而远想宏域，诗文俊逸，属草逾年月辄削弃之。涉笔清超，使人意远。今惟《粟香丛书》刻《东鸥诗》数十篇，高接中唐，次亦似明季嘉定四家之流。日记二卷，往往似世说新语。"

钦州冯子材提督大破法军于镇南关外。

文廷式序汪瑔《随山馆诗集》。钱萼孙编《文云阁先生年谱》："是年秋，先生南归，九月二十九日到广州，十二月为番禺汪穀庵瑔先生作《随山馆诗集序》，有曰：尝读钟嵘《诗品》，于诸家之诗必实其源自何人，论者或疑其附会，不知此古人分别流派之盛心也，然予犹惜其能辨文章之流别，而未能辨学术之流别，是以渊明之诗，儒家之言也，其意淡泊而有守，子建之诗，杂家之言也，其气荡佚而无制，许询近于道家，王俭近于礼家，如斯之流，未之分晰，遂使千载而下，篇章既佚，考索为难，斯读者可以深慨矣。又曰：夫风雅道微，辂轩不采下情，无以上达，而作诗者又不能原本学术，考察民隐，淆然为无谓之辞，或仅仅雕镂虫鱼，极命草木，而诗学几为天下裂。""先生论诗宗趣以雅正为归，不尚吊诡，于并时交游，若陈伯严诸人所为颇不苟同，以为矜奇之作，可以震眩于一时，成名固易，迨有大力者出，则一苔帚扫之矣。（原注：冒鹤亭先生言。）其论清人诗曰：国朝诗学凡数变，然发声清越，寄兴深微且未逮元明，不论唐宋也。固由考据家变秀才为学究，亦由沈归愚以正宗二字行其陋说，袁子才又性灵二字便其曲诱。风雅道丧，百有余年，其间黄仲则、黎二樵尚近于诗，亦滔滔清浅，下此者乃繁词以贡媚，隶事以逞才，品概既卑，则文章日下，采风者不能不三叹息也。（原注：《闻尘偶记》）（原按：《闻尘偶记》为先生丙申以后所作，兹取其论诗语类附于此，以见绪论。）"

陶方琦（1845—1885）卒，年四十。光绪十六年，其友谭献辑其诗词刊为《湘麇阁遗集》六卷，十八年会稽徐氏刻其《汉孳室文钞》四卷补遗一卷。《清史稿·文苑传》："（李慈铭）弟子著录数百人，同邑陶方琦为最。"李慈铭尝以为己作及樊增祥、子珍所作乐府天下无双，（余诚格《樊樊山集序》）樊增祥尝重锓其《兰当词》入《二家词赓》，所收词仍为辛未（1881）前所作，为子珍所欲吐弃者，而此后所作大进，惜已佚。增祥《序》谓："夫以是编之绮情浓至，妍词瑰密，非不度越时贤，高视一代，特邓将军已受要道，而仍传其捐弃之故技，则吾意不能无憾也。"《跋》谓："虽然，李贺、樊绍述之诗与文，绌于理解而奇丽沉博，江河万古，余少作虽清，必不可存；君少作虽涩，必不可废，才分相越，举隅可知。"

冬

郑文焯在苏州壶园作东坡生日会。此后为常例，与会者颇多苏州名流。

廖平撰《何氏公羊解诂论》三卷成并自序。

本年

《古逸丛书》在日本刻成。按：丛书之刻，黎庶昌领衔，而杨守敬实主之。《邻苏老人年谱》："《古逸丛书》已成，督印百部，黎公以赠当时显者，皆惊为精绝，其实所刻之书不尽要典……然黎公作主，何能尽如我意。"又：上年，"（在日本所刻之书）传至苏州，潘尚书伯寅祖荫、李廉访梅生鸿裔见之惊叹欲绝，谓宋以来所未有。国朝诸家仿刻不足言也。……又黎公本文章之士，于古书源流不甚了然。当初议刻丛书时，我即自任，为黎公每部代作一跋，而不署我之名，黎公则笑云：我自有我之跋，君自为跋可也。及为《原本玉篇》，跋各成一通刻之，黎公寄伯寅尚书，回书则云：君既嘱杨君任刻书，即请杨君代作跋，何必以空文为重佁，而黎公赧然，遂皆不自作跋，亦不愿守敬作跋，故丛书如《玉烛宝典》……诸书均有札记，皆辍不刻，至今尚存守敬箧中。"

谢章铤《赌棋山庄集》文七卷，词话十二卷、续五卷本年刊于南昌。按：谢氏又有《文续》二卷，十八年刊，《文又续》二卷，二十四年刊。《复堂日记》卷六："枚如尚友东汉而文则浩浩，自写胸臆，不立间架，论议真确，所谓放笔为直干，深可畏爱。"

薛福成本年刊出《筹洋刍议》一卷。

福州刊出李慈铭撰《湖塘林馆骈体文钞》二卷。

朱庭珍撰《筱园诗话》四卷刊刻。

李寿蓉撰《榆图读史草》一卷刊出。此卷为乐府诗，专咏汉代人物。

方宗诚自订《柏堂集外编》。(《方柏堂先生谱系略》)

诗钟之戏仍盛于闽。《先妣薛恭人年谱》："入冬，颇窘涩，各社诗钟之彩多舍玩物，以钱刀为等第，先妣（今按：薛绍徽）与家严（今按：陈寿彭）合谋造意炼句，必以奇胜，由是日赢数百文，夜则购酒肴行乐，且得存余酒度岁。"

王仁堪服阕，在京与诸名士往还。王孝缉等编《先公年谱》："是时师门潘伯寅、李兰孙、崇文山诸名公皆深器许，许执友、李莼客、樊云门、盛伯希、黄仲弢、梁节庵、袁爽秋、王莲生、陈缄斋、沈子培诸先生往还极契洽。公自通籍后，不欲为馆阁体所拘，曾习小篆并摹临魏唐各碑帖，十余年间楷法数变，故为人书楹联墓志碑铭，随时不同，各因所习异其体也。"

许南英三十岁。截自本年，存诗十二首，此后存诗渐多。(许南英《窥园先生自订年谱》)

王甲荣在广州题《珠江送别图》。王迈常、王遽常编《部昀府君年谱》："四月赴广东应长白瑞莘侯方伯璋之招。……一日方伯属题赠龚蔼人方伯易图《珠江送别图》，作柏梁体一篇。张文襄公之洞时总督两广，见之誉不容口，以为可比古作者。"

端木埰本年后与中书省同人唱和，词作渐多。《碧瀣词自序》谓填词始自道光二十八年，此后或作或辍，"甲申以后，与彭瑟轩太守多同日值，今比部许君鹤巢、阁读王君幼霞亦皆擅倚声，赓和益多"。

朱一新与周寿昌、王先谦等共治《汉书》。(宋慈抱《义乌朱一新传》)

雷以诚（1895—1884）卒，年九十。《晚晴簃诗汇》卷一百三十一收其诗二首。

刘师培生。师培（1884—1919）字申叔，改名光汉，号左盦，别署光汉子，江苏仪征人。光绪二十八年举人。会试落第，归经上海，结识章炳麟，撰《攘书》以倡言排满。入光复会、同盟会，因不获志，归国入两江总督端方幕。民国后尝入筹安会，仍主讲北京大学。仪征刘氏世以经学传家，师培少承家学，研精群籍，兼工诗文。论文承阮元之说，主张文笔有别。著有《刘申叔先生遗书》。

吴双热生。双热（1884—?）名光熊，字渭渔，以笔名双热行，江苏常熟人。民初鸳鸯蝴蝶派作家，著有小说《兰娘哀史》、《孽冤镜》等。

吴梅生。梅（1884—1939）字瞿安，一字灵鹍，号霜厓，别署癯安等，江苏长洲人，光绪诸生。南社社员。早岁即致力于诗古文辞，尤长于曲，清末著有《风洞山传奇》等。后所造益深，为近代著、度、演、藏各色俱全之曲学大师。著有《轩亭秋》等传奇、杂剧多种，另有《霜厓诗录》、《霜厓词录》等。

庞树柏生。树柏（1884—1916）字檗子，号芑庵，别署龙禅居士、绮盦等，江苏常熟人。光绪末曾与黄人结三千剑气文社，南社立，为最早会员之一。工诗词，著有《玉玎珑馆词》、《龙禅室诗》等，词为朱祖谋所赏，尝为之点定。

傅熊湘生。熊湘（1883—1931）初名德巍，字声焕，更名尃，字文渠，再改名熊湘，字君剑，复改名屯艮，改号钝安，别署钝剑等，湖南醴陵人。光绪末，与宁调元赴上海，共创《洞庭波》杂志鼓吹革命，入同盟会。南社立，为社员。能诗文，著有《钝安遗集》二十二卷，内收诗、文、词等。(按：生年据李澄宇《傅钝安墓志铭》推定。）

谢无量生。 无量（1884—1964）原名大澄，字仲清，号希范，别号啬庵，后改名无量，四川至乐人。光绪末赴上海，为各报刊撰稿，后为南社社员。民国后著有文学史著作多种，亦能诗文，著有《无量诗草》等。

王蕴章生。 蕴章（1884—1942）字莼农，号西神，别署西神残客、二泉亭长等，江苏无锡人。宣统中入沪创办《小说月报》，入民国，以小说名家称。著有小说《绿净园》、《西神小说集》等，另有小品、词话等。

公元1885年（光绪十一年　乙酉）

正月

初四日（1885年2月18日）朝廷颁布军流徒不准减等条款一百四十八条，内云："造刻淫词小说，及抄房捏造言词录报各处，罪应拟流者。"

初七，王闿运、端木埰、许玉瑑等中书词人唱和。端木埰《碧瀣词》有《一萼红·忆年时》序云："乙酉人日幼霞阁读招作清游，遍历西南诸刹，晚更招鹤巢共饮，同人相约和石帚调，先是甲申人日君尚留滞大梁，曾填此调奉怀，岁星既周，旧雨重聚，抚今思昔，快与感俱，仍填此志喜，即呈两君政和。"按：许玉瑑字鹤巢，原名赓飏，吴县人，同治十年任内阁中书。著有《独弦词》一卷，刊入《薇省同声集》。

人日，吴国榛自序其诗。序谓："少好学诗，辄逸绳尺。二十以还，粗窥途径。就少作删存若干首，为他日自镜云。"（《氄勤斋诗残稿》卷首）其子吴梅跋："右《氄勤斋诗残稿》，计古今体二十首，为府君删定本，皆二十岁少作。"

二十日，张文虎（1808—1885）卒，年七十八。闵萃祥《州判衔候选训导张先生行状》："先生雅不喜帖括，颇肆力于诗古文辞。……复以世人论古文辄曰唐宋八家，不知唐之与宋，原委既殊，门户各别，岂可概论。乃选录元道州以下十八家之文，为《唐十八家录》若干卷，以破唐宋八家之说之固陋。盖先生之学，博大宏达，既以经学小学苇算乐律立其本，泛滥以及其他，莫不洞悉源流，烛见幽隐，实事求是，由博以返约，勿肯苟于著述，亦勿囿于门户。溯自惠江戴钱诸家而后，可谓集大成也已。"

廿二日，薛时雨（1818—1885）卒，年六十八。蒋敦复《芬陀利室词话》卷二："（《西湖舻唱》词）读之天骨开张，具见风力，非尘俗吏也。佳篇名作，当不止此。"杨叔怿《江舟欸乃》序："惟其结思孤高，寄情绵邈，谢逋招隐，货骑买舟，故能本嵚奇磊落之胸，发窅渺幽微之韵，洄可远追白石，近抗迦陵也已。"金鸿佺《跋》："慰农观察才思超迈，长于诗章，妙解音律……（《江舟欸乃》）虽潜心按谱，仍能挥洒如意，一气卷舒，余一见即曰：此蒋心余先生遗音也。公相视而笑曰：舟中适展阅《忠雅堂集》，岂君有先见之明耶？夫文人拈毫托兴，贵在遇事即书，直抒胸臆，而无失唐宋清真之意，何必刻肾镂肝，始得为西昆词客乎？若乃红牙哲匠，致诮俳优，绮袖专门，共嗤轻薄。才士因此，激而改弦，力洗柔靡之习，亦安见铜琶铁板，不与搓酥滴粉，异曲而同工哉。"谭献《薛先生墓志铭》："先生诗歌博大如乐天，超逸如子瞻，先后行世二千篇……海内谈者皆谓先生之文之事媲白苏二公，知言也哉！"顾云《桑根先生行状》："其诗以真胜，而用密实矫空滑之弊，故自饶深稳，当时作者莫之或先。"《晚晴簃诗汇》卷一百五十四收其诗十一首，诗话云："慰农居杭最久，其诗亦如西湖山水，清而华，秀而苍，往往引人人胜。至伤时感事，沉郁顿挫，骎骎入少陵之室。"沃丘仲子《近代名人小传·文苑》："曾国藩聘主惜阴诸院讲席，一时吴下文人，多其弟子。时雨和厚旷达，不持仪节，士皆亲之。初以科举文鸣于世，时称其文足继武方苞，然实则浅薄。所为词章，机趣横生，不落窠臼，国藩谓宜少习古人义法。时雨谢无传世想，取自达意而已。然其近体诗，若黄山谷，亦未尝无法，特文非所长耳。偶为联语箴铭，皆有精思，而词不晦奥，如其为人。"

二月

初八日戊寅（1885 年 3 月 24 日），冯子材会诸军，败法人于镇南关。十三日，冯子材会诸军，克谅山。十九日，中法订立停战条约于巴黎。

百一居士自序《壶天录》。是书三卷，多记天人鬼怪动植灵异之事。有《申报馆丛书》、《清代笔记丛书》、《笔记小说大观》本。撰者淮阴人，生平不详。

四月

范当世应吴汝纶之聘至冀州；张裕钊致书汝纶，冀其勖励当世。郭立志编《桐城吴先生年谱》："公得之大喜。廉卿先生来书云：近所得海内英俊之士，惟肯堂及贺松坡。松坡深感阁下遗我奇宝，今肯堂又得亲承教益，尤为喜幸。伏望一铲去宾主形迹，勖励而诲之，俾得有成，亦我一大功德也。"又，既至，结识王树枏，多有唱和，《范伯子诗集》卷二有诗题为《余与晋卿往来数月，既尽读其诗歌骈文墨子之属，最后又得读其古文，益服其无所不能，携至保定视吾师，吾师叹嗟焉。七月余将南还，晋卿别以诗，和之得卅四韵》。时王在信都书院。

张謇入京。《啬翁自订年谱》："至京……识黄仲弢绍基、王可庄仁堪、旭庄仁东、梁节庵鼎芬、沈子培曾植、宗室伯熙盛昱、濮止潜子潼、王苾卿颂蔚、张伯纪云官、丁恒斋立钧，与为友。"又，秋张謇中顺天乡试第二名，"同榜旧识钱新甫贻元、沈子封曾桐、杨叔乔锐、屠敬山寄"。

五月

王闿运删定四十岁以前所作五言古诗。

六月

陈烺《燕子楼传奇》至迟撰成于本月。此传奇二卷十六出，叙唐代名妓关盼盼事。有本年碧梧山庄石印本及光绪十七年《玉狮堂十种曲》本。卷首有俞廷瑛序、汪学瀚本月序，及俞廷瑛、边保枢、江顺诒诸家题词。又，《海虬记》亦当成于本年或明年。《海虬记》二卷十六出，叙明代海寇海杰事。卷首有宗山序，吴唐林、俞廷瑛、宗山诸家题词。宗山卒于明年，故系《海虬记》于此。

本年江顺诒（1822—？）尚活动于杭州。谭献《复堂日记》壬申："江君秋珊，旌德人，刻《愿为明镜室词》，来属论定。有婉润之致，不侪劣也。欲为删削。江固有意重刻。词中一语，曰：'杨柳当门青倒垂'，七字名隽。"又本年补注："别十余年，秋珊词学大就，能求声音之原。又言词有衬字，辨相传又一体之非。有《词学集成》六卷。"（引自《复堂词话》）又，宗山《词学集成序目》："江先生秋珊，宏才绩学，尤工倚声。折肱于此，垂三十年，著有明镜词。山与先生有同好，倡和往还，多所指授。"杜文澜《憩园词话》卷六："屈在衙官，素称风雅。"谢章铤《赌棋山庄词话续编》卷三："《愿为明镜室词稿》……自序云：'余性刚而词贵柔，余性直而词贵曲，余性拙而词贵巧，余性脱略而词贵缜密，余性质实而词贵清空，余性浅率而词贵蕴蓄，学词冀以移我性也。'余谓此秋珊謇言，以写其不平耳。夫人文合一，理所固然，究之人自有人之性，文自有文之体，凡秋珊之所言者，其故在不深于情耳。深于情则刚无不柔，直无不曲。当于性中求情之用，若徒求柔求曲，则词格未工，而心术或先病矣。"

七月

二十七日癸亥，左宗棠（1812—1885）卒于福州，年七十四。上年七月，朝命左督办福建军务，至是卒于任。罗正钧编《左文襄公年谱》卷十："公殁后三年，公子搜辑遗书付梓，凡奏疏六十有六卷、书牍二十有六卷、批牍七卷、诗文集五卷。"

八月

十五日，李鸿裔（1831—1885）卒，年五十五。黎庶昌《江苏按察使中江李君墓志铭》："君书法甚精，诗古文亦窥古人堂奥，晚又好释典，皆以为寄。"《近代名人小传》："唯好为制举文，谓习八股可渐通理学以抉经心、执圣权。（李）榕为诗讥之，不省也。"《晚晴簃诗汇》卷一百五十三收其诗五首，诗话云："苏邻在幕府久，治事精敏，不废文艺。曾文正称其诗俊伟似牧之。晚习南北朝碑版，又杂治官帖，奄有晋唐风格，惜殁未六十，与其诗皆末竟其学。"

中秋，沈曾植会诸名士于陶然亭。"盛极一时，人或拟之稷下。"至明年，弟曾桐成进士，殿试用庶吉士，在京师有名，人称二沈。（王蘧常《嘉兴沈寐叟先生年谱初稿》）

九月

上海格致书院成立。发起者为上海英领事及英教士傅兰雅、华人徐寿、唐景星等，明年王韬任院长。

杨锐、沈瑜庆、梁济中举。

秋

严复乡试不第。 严璩编《侯官严先生年谱》："府君自由欧东归，后见吾国人事事竺旧，鄙夷新知，于学则徒尚词章，不求真理，每向知交痛陈其害。自思职微言轻，且不由科举出身，（当日仕进最重科举）故所言每不见听，欲博一第，入都，以与当轴周旋。既已入其彀中，或者其言较易动听，风气渐可转移。因于是秋赴闽乡试，榜发报罢。"按：严复自己卯年东归，任天津水师学堂总教习，自此年始，数赴乡试，均不第。至宣统二年庚戌，朝旨赐文科进士出身，时已五十八岁。

金和（1818—1885）**卒，年六十八。**《晚晴簃诗汇》卷一百六十七收其诗十五首，诗话云："亚匏负不羁之才，粤匪破金陵，全家俱陷于贼。时向忠武驻军城外，亚匏谍内应，往来贼中，而官军屡误期会，谋泄事败，仅以身脱，时论壮之。诗酒跌宕，老于宾客。凡清人之翱翔，黍离之颠覆，身亲目睹，故言皆实录，可当诗史。"钱仲联《梦苕庵诗话》："金亚匏和《秋蟪吟馆诗钞》初不为人所知，至梁任公序其集，始力张之。至谓有清一代，未睹其偶。此论一出，而金诗乃声价十倍。胡适之《论五十年来之中国文学》亦和梁之说。石遗老人亦极称之，以与郑子尹并举。传者谓亚匏子某多金，任某银行行长，以千金寿任公，丐其一序。钱能通神，而任公遂极嘘咈夸张之能技以揄扬之矣。新建胡步曾先骕及吾友汉川徐澄宇英，皆曾作专文贬之。其论又失之过苛。吾谓亚匏诗颇能密致，所欠者沉郁耳。持西江门户之见以衡量亚匏诗，必无当也。惟见道未深，语太犀利，此自才人通病，亦不必为亚匏讳也。集中名作，如《兰陵女儿行》、《烈女行纪黄婉梨事》等，俱奇作。太长不录。其《围城纪事六咏》中《说鬼》一首，揶揄西人，极诙诡之趣。然固胡步曾所讥为中朝士大夫夜郎自大之铁证、识者所齿冷者也。"

十月

黄遵宪以木版自刊《日本杂事诗》于梧州。 是年黄遵宪三十八岁，八月，由美乞假回国，往梧州省父，故刊于此地。

十一月

王先谦在江阴开设南菁书局。 是年先谦四十四岁，六月十五日奉旨补授国子监祭酒。八月初一日奉旨为江苏学政。十月二十六日，抵江阴，驻署。

十二月

二十八日，潘曾玮（1818—1886）**卒，年六十八。** 明年，《自镜斋集》刊出。《晚晴簃诗汇》卷一百五十一收诗五首，诗话引符南樵语曰："季玉为文恭公幼子，精倚声，论词诗云：意内而言外，妙在比兴先。与周介存先生所言有合。诗不多作，直追唐人。"

冬

缪荃孙等在京师举消寒会。李慈铭、沈曾植、沈曾桐、施补华等与会，"唱酬无虚日"。（《艺风老人年谱》）

本年

吴唐林辑同人《侯鲭词》五卷刊于杭州。内收邓嘉纯《空一切盦词》、俞廷瑛《琼华室词》、宗山《窥生铁斋词》、边保枢《剑虹盦词》及己作《横山草堂词》各一卷。按：因《侯鲭词》，谭献始知宗山，宗山卒后为其校定遗稿。

冯煦刊出《蒙香室赋录》二卷。

许善长撰《灵娲石》一卷本年刊出。

方宗诚自订《柏堂集余编》。

胡薇元撰《天云楼诗》四卷刊刻。

谭献《复堂类稿》二十五卷刊刻。内文四卷、诗十一卷、词二卷、日记八卷。

杜贵墀撰《桐华阁文集》十二卷附《词钞》二卷刊刻。贵墀（1824—1901）字仲丹，湖南巴陵人，光绪元年举人，从同邑吴敏树研讨古文。著有《桐华阁集》。

龙文彬撰《明纪事乐府》四卷承怀堂刻。

杨岘自定《迟鸿轩诗弃》四卷、《文弃》二卷刊刻。

秦荣光四十四岁，是年始属稿《上海县志札记》。兼辑《梓乡文献录》、《梓乡杂录》。

朱铭盘客江苏督学黄体芳幕，襄定《江左校士录》，作《南菁书院记》。

文廷式入都，在都名动公卿。钱萼孙编《文云阁先生年谱》："光绪十一年乙酉，先生三十岁。先生入都，（据《闻尘偶记》）在都名动公卿，有小刘金门之目。（汪曾武《萍乡文道希学士事略》）与福山王正孺懿荣、南通张季直謇、曾熟曾君表之撰称四大公车。（胡思敬《文廷式传》）又与闽县郑太夷孝胥齐名。（叶森《郑孝胥传》曰：二十三岁中光绪八年壬午科本省乡试第一名，三上春官不第，光绪十五年己丑考取内阁中书，以经济文才有声于时，先生与萍乡文廷式、义宁陈三立、南通张謇等齐名云。郑孝胥《海藏楼诗·闻文芸阁同年以八月二十四日卒于萍乡感赋诗》有公车回首齐名日句。）都中胜流宗室盛伯熙、桐庐袁爽秋昶、嘉兴沈子培曾植、子封曾桐、合肥蒯礼卿光典诸君皆与先生游。（按：《知过轩随笔》，先生曾有书与盛伯熙言李莲英随醇亲王出巡事，事在次年丙戌。袁昶《安般簃集》己丑年有《酬文道希诗》。子培、子封在己丑年曾招先生饮，见叶昌炽《缘督庐日记抄》。子培撰先生墓表云：余以文字言议与君契，相识廿年。蒯光典《郁华阁遗集》序云：余与文芸阁、张季直同试礼部日，尝借寓意园旬余。据此，则相识当俱在本年。）伯熙家在意园，饶林亭之胜，一时英才计偕入都者，多主伯熙家。先生及李仲约、沈子培、张季直、梁节庵、王正孺、志伯愚等皆意园坐上客。伯熙熟掌故之学，大至朝章国宪，小至一名一物之细，皆能详其沿袭改变之本末而因以推见前后治乱之迹。先生自谓二百年来事随举可答，盖渊源自伯熙也。（据吉川幸次郎译内藤虎次郎《意园怀旧录》）先生与子培尤为友善。（狄葆贤

《平等阁诗话》）上下古今无所不尽。（沈曾植《文君芸阁墓表》）尝问沈子培曰：余诗于古人奚似？子培曰：君诗自具一种冲和之气，殊肖王摩诘，此意外人那得知。则亦以为似青邱也。（狄葆贤《平等阁诗话》）荷花生日后之八日，姚柽甫庶常约先生及梁节庵往南河泡看荷花。时节庵罢官，将出都，有《台城》一词。（见梁鼎芬《欸红楼词》）先生和之。（见《云起轩词》手稿）"

陈衍三十岁，在家授徒，与郑孝胥相过从。《侯官陈石遗先生年谱》："郑苏堪年丈归自金陵，常过从。初苏堪丈论诗专主汉魏六朝，与家君多不合。（长青案：先生叙《海藏楼诗》，有云：初时持论若南山秋气之相与高，所谓否，不相假借。）至是丈诗由大谢而柳州而东野，出近作一册使家君圈点。丈以为不减渔洋之圈点莲洋集，因赋五言古近体各一首为赠，近体有'知我只元龙'句，古体自谓似颜延之《北使洛作》，有'起予有吾子，清言时见连。坐令平生抱，惘惘当风前'等语。家君有《苏堪属题其诗后即效其体》五言古，苏堪丈以为精进。《送苏堪之天津》五言律，陈弢菴阁学见之，以为清刚。"又，陈衍《海藏楼诗序》："君诗始治大谢，浸淫柳州。乙酉归自金陵，访余于西门街，则亟称孟东野。诣君案，有手钞东野诗四册，题五言古数章于上，有精语足资诗学。出示癸未、甲申诗数十首，属为评品题以诗。题一五言古还之。君乃以余诗为精进，时多过从夜谈，坐池旁树下老屋，尽两三烛而去。两家老屋皆有池有树，君赠诗所云'孤往希真侣，相逢亦冷踪。何缘疏淡意，频为说诗浓'者。未久，君将往天津，作五古一首为别，自谓似颜延之《北使洛》。喜余送行两五律，屡诵于陈弢菴，又喜诵余建溪数诗。余次年入都，都下所知有能诵之者。"是岁陈衍诗亦间作选体；治三礼学；《元诗纪事》粗成，自作叙。按：陈宝琛是时在籍丁忧。先是，中法之战，陈宝琛会办南洋军务，以力保唐炯、徐延旭可大用，二人败衄，原保大臣降五级调用，适丁内艰，归，遂不复出。

辜鸿铭以译学入张之洞幕。

况周颐游蜀，交蜀中词人张祥龄、胡延。（马兴荣撰《况周颐年谱》）

易顺鼎二十八岁，在成都。正月，经三峡、巫山、嘉陵江入成都。二月，侍父访王闿运于成都尊经书院，与王闿运门生宋育仁、廖平、张祥龄等相往还。四月，游峨眉山。九月，游青城山，在父四川布政使署中，与弟顺豫，妹易瑜及妹婿黄玉宗开诗钟社。《清稗类钞》"易实甫开诗钟社于蜀"条："光绪乙酉，易实甫随其尊人叔子方伯于川藩任所，趋庭之暇，与弟由甫、妹香畹及妹婿黄玉宗开诗钟社。时张子苾、曾季硕夫妇居署中，而署中群彦，有顾印伯、范玉宾、刘健乡、江叔海诸人，簪裾毕集，同作诗钟，往往酒阑烛烬，夜分不休。刻成四册，玉宾题签曰《仿建除体诗》。盖鲍明远集有建除诗一首，以建、除、满、平、定、执、破、危、成、收、开、闭十二字，分嵌于一诗中。六朝人多有之，有嵌数目者，有嵌五音、八音者，亦文人游戏之一，于诗钟相似者也。实甫命名之取材于此。"秋末出川，沿长江下，经海道进京。是年所作诗编集为《巴山诗录》、《锦里诗录》、《峨嵋诗录》、《青城诗录》。又，张祥龄（子苾）、曾彦（季硕）当亦是秋偕顺鼎出蜀游吴。

李士棻（1822—1885）卒，年六十五，所著《天瘦阁诗半》六卷亦于本年刊出。黎庶昌《李芋仙墓志铭》："以善诗为曾文正公所赏，时与中江李鸿裔、剑州李榕号四川三李。"《晚晴簃诗汇》卷一百五十四收其诗六首。

张岳龄（1818—1885）卒，年六十八。岳龄字南瞻，一字子衡，自号铁瓶道人，湖南平江人。道光二十九年拔贡。投胡林翼部，以军功擢至福建按察使，遽以病免。著有《铁瓶诗钞》九卷、《铁瓶东游草》一卷、《杂存》二卷。《晚晴簃诗汇》卷一百五十一收其诗四首，诗话云："晚年遍历名山，所至有诗，多可存之作。曾文正谓其五律近孟襄阳。七律未得古人门径，调较凡近。"

邹容生。容（1885—1905）原名绍陶，字蔚丹，一作威丹，四川巴县人。光绪二十八年留学日本，次年归国，加入爱国学社，与章炳麟等交。作《革命军》，盛言排满，一时风行。后苏报案发，被逮，瘐死狱中。中华民国成立，追赠陆军大将军。

陆镜若生。镜若（1885—1915）名辅，字扶轩，艺名镜若，江苏武进人。清末留学日本东京帝国大学，尝加入坪内逍遥博士所组之文艺协会，研习西方名剧。后参加春柳社，为社中重要成员。创作剧本有《家庭恩怨记》等。

徐哲身生。哲身（1885—?）名官海，以字行，别署邹应坤，浙江嵊县人。清末始从事小说创作，民国间以小说家名，著有《双姝泪》等长篇小说二十余种，另有《养花轩诗集》等。

周实生。实（1885—1911）原名桂生，字剑灵，改名实，字实丹，号无尽，别号和劲，又自署山阳酒徒等，江苏山阳人。南社成员，复自创淮南社，与南社通声气。宣统三年，武昌起义后，拟率淮安学生光复两淮，事败遇害。著有《无尽庵遗集》。

公元 1886 年（光绪十二年 丙戌）

正月

陈衍偕林纾、高凤岐等入京会试，都下已有诵其诗者。《侯官陈石遗先生年谱》："南通张季直先生来访，王可庄殿撰、旭庄舍人来访。时都下所知多能诵家君近诗，盖苏堪丈传之也。"按：陈衍应试不第，遂归里，九月应台湾巡抚刘铭传之招赴台。陈衍《海藏楼诗序》自述诗学历程，曰："余感君（按：谓郑孝胥）言，作诗盘郁往复于中者稍久，其出之也，必有自耐咀味者。乙酉后渡海游台北，溯江游湖南，亦遂变其前诗。"

陈衍在都中闻沈曾植能为"同光体"诗。《石遗室诗话》卷一："丙戌余在都门，苏堪告余，有嘉兴沈子培者，能为'同光体'。同光体者，余与苏堪戏目同光以来诗人不专宗盛唐者也。见子培数诗，雅健有意理。"据文意，迟至本年春，陈衍、郑孝胥已提出"同光体"之说。陈衍《沈乙盦诗序》："余与乙盦（按：沈曾植）相见甚晚。戊戌五月，乙盦以部郎丁内艰，广雅督部招至武昌，掌教两湖书院史学，与余同住纺纱局西院。初投刺，乙盦张目视余曰：'吾走琉璃厂肆，以朱提一流，购君《元诗纪事》者。'余曰：'吾于癸未、丙戌间，闻可庄（按：闽县王仁堪）、苏堪诵君诗，相与叹赏，以为同光体之魁杰也。'同光体者，苏堪与余戏称同光以来诗人不墨守盛唐者。"按：两处一称沈曾植为"同光体之魁杰"，一称称曾植"能为同光体"，两说所记时间亦有不同，姑系于是。"同光体"之说，陈衍张之甚力，略录其论诗之语。《黄秋岳聆风筱诗叙》谓："余生平论诗，以为必具学人之根柢，诗人之性情，而后才力与怀抱相发越，三百篇之大小雅材是已。"《璎庵诗序》谓："严仪卿有言：'诗有别才，非关学也。'余甚疑之：以为六义既设，风、雅、颂之体代作，赋、比、兴之用兼陈，朝章国故，治乱贤不肖，以至山川风土草木鸟兽虫鱼，无弗知也，无弗能言也。素未尝学问，猥曰：'吾有别才也'，能之乎？汉、魏以降，有风而无雅，比兴多而赋少；所赋者眼前景物，夫人而能知而能言者也；不过言之有工拙，所谓'有别才'者，吐属稳，兴味足耳。若《三百篇》，则朝章国故治乱贤不肖之类，足以备《尚书》、《逸周书》、《周官》、《仪礼》、《国语》、《公》、《毂》、《左氏传》、《戴记》所未有；有之必相吻合；其不有合，则四家之师说异同，齐、鲁、韩之书缺有间者也。未尝学问，猥曰：'吾有别才也'，能为之乎？汉、魏以降，其谋篇也，首尾外两两支对，拗体之律句而已；前写景，后言情，千篇而一致也。微论《大小雅》、《硕人》、《小戎》、《谷风》、《载驰》、《氓》、《定之方中》诸篇，六朝人有此体段乎？《绿衣》、《燕燕》，容有之耳。微论《三百篇》，《骚》之上帝喾，下齐桓，六朝人有此观感乎？'滋兰树蕙'，容有之耳。故余曰：诗也者，有别才而又关学者也。少陵、昌黎，其庶几乎！然今之为诗者，与之述仪卿之言则首肯，反是则有难色；人情乐于易，安于简，'别才'之名又隽绝乎丑夷也。"

四月

二十一日，丁宝桢卒于四川总督任上，年六十七。

二十五日，赐赵以炯等三百三十九人进士及第出身有差。本年成进士者有冯煦、吴庆坻、宋伯鲁、柯劭忞、徐世昌、刘孚京、秦树声、陈夔龙、宋育仁、王树枏等人。按：冯煦为一甲三名，太后谓其"老名士也"，《今传是楼诗话》一七九条："通籍最晚，故壮年诗多咽苦之音，而性情真挚，亦于诗可见。"

朱铭盘应礼部试不第，与张謇等出都至保定莲池书院起居张裕钊。

周树模会试不第，留京，馆于御史孝感屠仁守家。"侍御直声震天下，每有商榷，辄中窍要。君由是悟奏疏之秘，不为艰深，而沉潜于贾谊、陆贽之书，颇自谓有得也"。（左绍佐撰《周公墓志》）

六月

十五日，王闿运在长沙集道俗十九人看月碧浪湖，作《北湖夜集》诗。此即是碧浪湖诗社。《郭嵩焘诗文集》诗卷十五《六月三日王壬秋集饮碧浪湖》诗自注："去年六月十五日始开碧湖诗社，以暑热不赴。"释敬安与会。敬安是年三十六岁，住南岳。自此始得与湘中名士往还，声名渐著。

王先谦在江苏学政任上刊成《皇清经解续编》。又，是年先谦刻周寿昌诗文、词、日札共十九卷，总为《思益堂集》，有序；又刊成《南菁书院丛书》，有序。

廖平撰《今古学考》二卷成并自序。

八月

六日丙寅，续修《大清会典》书成。

十月

十一日，天津《时报》创刊，英教士李提摩太任主笔。

十二月

徐鄂在奉天京兆署撰成《梨花雪》（一作《白霓裳》）传奇十四折。是春，从其友秦本桢（眉生）闻太平天国期间金陵烈女黄淑华事，《梨花雪》即谱此事。有自序："夫必传之文，烈女自为之矣，余何赘焉？然恐吉光片羽，或易时而沉埋也，传纪陈言，或难晓诸庸俗也。曷若播之歌谣，付之优孟，使百世下愚夫愚妇，莫不闻风光起之为愈也？爰与眉声商榷，按其事之次第，晰为条目，得《白霓裳》曲十有四折。"茂名杨颐《叙》谓："嘉定孝廉午阁徐君，博学能文章，有闻于时……今读此编，叙乱离之惨，抒悲愤之情，发激越之音，志壹郁而谁语，声哀厉而弥长，为之掩卷太息，有不知涕之何从者。烈女有知，亦当快然无憾。君生九日而孤，母葛太孺人抚而教之。幼即嗜学，十余岁遭寇掠，母子相失，太孺人投水以殉。君以痛母故，遇贞妇烈女事之可惊可愕、可歌可泣者，恒思作为文章，以表扬幽懿，而寄夫思慕。此特其一耳。君既绩学工文，性复肫挚，操心尤苦。其文足以信今传后无疑也。顾奇人奇行，以奇文传之他日，事以文传，文以事传，均可券之以理。"此剧后与《白头新》合刊于《诵荻斋曲》中。

本年

李鸿章等重修《畿辅通志》三百卷成。

谭献辑《合肥三家诗录》二卷，本年刊出。

马其昶三十二岁，撰《桐城耆旧传》二十一卷成，有序。

二则堂石印吴大澂撰《愙斋诗钞》。此集不分卷，后辑为《愙斋诗存》九卷，有民国铅印本。

酣春楼主校刊《马如飞先生南词小引》二卷。

郑文焯三十一岁，为词自本年始。《大鹤先生词话》附录《郑大鹤先生论词手简》（一）："自乙酉丙戌之年，余举词社于吴，即专以连句和姜词为程课，继以宋六十一家，择其菁英，咸为嗣响。"《手简》（四）："为词实自丙戌岁始，入手即爱白石骚雅，勤学十年，乃悟清真之高妙，进求花间，据宋刻制令曲，往往似张舍人，其哀艳不数小晏风流也。"又，郑文焯是年与易顺鼎等在吴立社。《郑叔问先生年谱》："晋京会试，荐卷不第，南归。……时易仲实、易叔由昆季随其父笏山佩绅在苏州藩司任所，与先生及张子苾、蒋次香文鸿诸公立吴社联吟。歌弦醉墨，颇极文燕之盛。"

吴汝纶、张裕钊论古文。《桐城吴先生年谱》："七月六日答张廉卿书：'承示姚氏于文未能究极声音之道，弟于此事更未悟入。往时文正公言：古人文皆可诵，近世作者如方姚之徒，可谓能矣，顾诵之而不能成声，盖与执事之言若符契之合。近肯堂为一文，发明声音之故，推本韶夏而究极言之，特为奇妙。窃尝以意求之，才无刚柔，苟其气之既昌，则所为抗坠曲折断续敛侈缓急长短伸缩抑扬顿挫之节，一皆循乎机势之自然。非必有意于其间，而故无之而不合，其不合者必气之未充者也。执事以为然乎？'"

徐自华十四岁，存诗始自本年。

朱一新以上疏忤西太后意，乞养归。金武祥《陕西道监察御史朱君传》："既归……粤督张香涛尚书驰书延为肇庆府端溪书院山长，复延入广州，为广雅书院山长。……两广东西高才生咸请业焉。其论经学，深抑近时讲西汉公羊之流弊，谓其蔑古荒经；其论学术，谓学术与治术之分久矣，学与行亦未尝不分，迨及近世，则汉与宋分，文与学分，道与艺分，岂知圣门设教，但有本末先后之殊，初无文行与学术治术之别。……院中生徒有聪颖尚新奇者必导而返诸正大笃实。久之，皆信向。"

宗山（？—1886）卒。后谭献为其校定遗集为《啸吾遗著》四卷。内《窥生铁斋诗存》、《晦生铁斋词》、《希晦堂遗文》、《啸吾杂著》各一卷，光绪十六年刊出。《复堂词话》："诗篇秀逸，词旨遥深，杂著文外独绝，言之有味，且嗣宗至慎，颇有见道之语。"

黎庶蕃（1829—1886）卒，年五十八。方濬颐《椒园诗钞序》："即以诗论，风骨遒上，体格峻整，亦已不懈而及于古。"莫祥芝《序》："今观其诗，气昌体大，初不屑为琤琤细响，然读之敷腴斐恻，跌宕昭彰，洵所谓言之有物者。方以古人，虽其源出苏白，而晚乃深契一祖三宗之旨，故其所成又自各具机杼。百年论定，庶几剑南、初白之流亚欤！"《晚晴簃诗汇》卷一百五十四收其诗十一首，诗话云："椒园为筱庭（庶焘）弟。筱庭作诗，镂肝刻肾，工于写景，刻画山水，幽秀巉露，而才力稍弱。椒园诗有豪气，不耐苦吟。"

许啸天生。啸天（1886—1946）名家恩，字泽斋，别署则华、黄帝子孙之嫡派等。浙江上虞人。清末即开始从事文艺活动，先后加入春柳社、春阳社等，民国初创办《眉语》杂志，为鸳鸯蝴蝶派重要刊物。撰有长篇小说《清宫十三朝演义》等十余部。

邵飘萍生。飘萍（1886—1926）原名新城，又名镜清，改振青，字飘萍，以字行。浙江金华人。民国记者、作家。

徐仁锦生。仁锦（1886—1961）字云甫，号凌霄，一名彬，字彬彬，别署独尘、一尘、凌霄汉阁主，祖籍江苏宜兴，顺天宛平人。民国作家。

黄侃生。侃（1886—1935）原名乔馨，字梅君，改名侃，字季刚，又字季子，号量守居士，别署运甓等，湖北蕲春人。同盟会员。清末留学日本，从章太炎受经学、小学，后以精音韵训诂闻。工诗、文、词，稿成不自珍惜，多散佚，今存《黄季刚诗文钞》。另有《文心雕龙札记》等专著。

公元 1887 年（光绪十三年　丁亥）

二月

王闿运游京、津、沪各地。按：上年秋八月，闿运定东游之计，经山东，入京。在京晤袁昶，在沪晤曾广钧。本月末归湘中。

李慈铭为徐琪《玉可庵词存》作序。

易顺鼎游太湖，入包山林屋洞，所作诗编集为《林屋诗录》，王颂蔚为之序。按：是时顺鼎父佩绅官江苏布政使，顺鼎以是至苏州，与郑文焯交甚洽。秋，入都，由刑部郎中改捐试用道，分发河南。

三月

三日，王闿运等至碧浪湖修禊。五日复集上林寺新楼。

春

赵熙赴嘉定府入九峰书院，受学于山阴胡薇元山长。赵熙本年二十岁，始为诗，有《舟行》、《乌尤题壁》，存集中。

谭献里居，作《校刻衍波词序》。是夏，谭献罢官归浙，后遂不复出。

四月

徐鄂在奉天京兆署成《白头新》传奇六折。谱乾隆时山阳人程允元、刘氏夫妇事。秦本桢《跋》谓："其结构也，灭裁缝之针线；其运用也，化朽腐为神奇。而赵友之恳挚，曹弁之粗豪……即宾白科诨，亦各为之颊上添毫，文人妙来，何施不可！故能于《梨花雪》外，另辟蹊径，抑何变化之不可测耶！"此剧及前所撰《梨花雪》本月均由大同书局石印刊出，为《诵荻斋曲》四种之一。

王寅自序所编《今古奇闻》二十二卷。序谓尝浮海游日本，搜罗古书，偶得《今古奇闻新编》若干卷，急付梓人，以公同好。然实杂采各书而成。采自《醒世恒言》四篇，采自《娱目醒心篇》十五篇，采自《西湖佳话》、《过墟志》、《遁窟谰言》者各一篇。王寅，字冶梅，别号东璧山房主人，江苏上元人。东璧山房约于本月或稍后刊出此书，题"东璧山房主人编次，退思轩主人校订"。

闰四月

初六，柳亚子生。亚子（1887—1958），原名慰高，字安如，改名人权，字亚庐，又改名弃疾，字亚子，再改名亚子，字归一，另有别署多种，江苏吴江人。清末光复会、中国同盟会会员。与陈去病、高旭等创立南社，以文学提倡革命。著有《磨剑室诗词集》、《磨剑室文集》等，汇编为《柳亚子文集》。

张之洞在两广总督任上创建广雅书院，明年成。

五月

黄遵宪家居，作《日本国志》书成。为类十二，为卷四十，都五十余万言。有本月自序。《叙》中语云："昔契丹主有言，我于宋国之事，纤悉皆知；而宋人视我国事，如隔十重云雾。以余观日本士夫，类能读中国之书，考中国之事，而中国士夫好谈古义，足已自封，于外事不屑措意。无论泰西，即日本与我仅隔一衣带水，击柝相闻，朝发可以夕至，亦视之若海外三神山，可望而不可即，若邹衍之谈九州，一似六合之外，荒诞不足论议也者，可不谓狭隘欤。……书既成，仅志其缘起，并以质之当世士夫之留心时务者。"按：遵宪时年四十岁。稿本写成四份，一送总理各国事务衙门，一送李鸿章，一送张之洞，自存一份。至光绪十六年，交羊城富文斋刊刻，又迟至光绪二十一年即甲午战争之次年冬始刊出初刻本，二十三年夏秋间刊出改刻本。此后因维新运动需要，刊本渐多，有浙江书局、汇文书局、上海书局等本。

夏

文廷式往长沙与王闿运、陈三立等游。钱萼孙编《文云阁先生年谱》卷二："时造壬秋之湘绮楼，壬秋目为楼客之异者。……时义宁陈右铭宝箴、伯严父子寓通泰街蜕园，先生常往陈宅，文酒之会，几无虚日。"又：廷式六月入都，与志锐等检翰林院中存书，钞其诗文及说部之冷僻者，得千余纸，为《知过轩随录》；在京始与长洲王颂蔚相识。

谭献乞假还杭。

七月

十八日，王韬序刊《淞隐续录》。序云："前录所记，涉于人事为多，似于灵狐黠鬼、花妖木魅，以逮鸟兽虫鱼，篇牍寥寥，未能遍及。今将于诸虫豸中，别辟一世界，构为奇境幻遇，俾传于世。"又云："此书却已十有二卷，仍延精于绘事者，每一则为之图，渲染点缀，以附于前。合之前录，凡二十四卷。使蒲君留仙见之，必欣然把臂入林曰：'子突过我矣，《聊斋》之后，有替人哉！'虽然，余之笔墨何足及留仙万一，即作病余呻吟之语、将死游戏之言观可也。"是书十二卷，叙异事及妓女琐闻，旋由上海淞隐庐刊出排印本。

八月

王树枏部选四川青神知县。按：上年树枏成进士，冬改知县；此年至甲午，均在川中。

吴社同人成《吴波鸥语》和白石词一卷。凡八十余首，皆郑文焯、张祥龄、易顺鼎弟兄及成都蒋鸿文联句之作。顺鼎作《吴波鸥语叙》："言词于北宋必曰清真，于南宋必曰白石。顾清真以深美而好之者多，白石以骚雅而学之者盖寡。宋时方千里、杨泽民、陈允平辈，皆和清真词成一集，而白石道人歌曲无嗣音，岂非以神品超诣，如孤云野鹤，往来太空，意绝文外，诠遗象表者欤？余于清真词耆之不深，耆白石过清真远甚。然生平所作，多人于东坡、稼轩、玉田、梦窗诸家，于白石洁净精微之诣，未有合也。今年春，与叔问、子苾、叔由举词社于吴，次湘自金陵至。四子皆耆白石深于余，探幽洞微，穷极幼眇。……叔问所居小园，命之以壶，才可数弓。然有石，有池，有桥，有篱，有栏，有梅、竹、桃、柳、棕榈、木樨、芙蓉、芳树、杂华，有鱼，有鹤。数人者非啸于楼，即歌于园……于是遥吟俯唱，发思古之幽情，低回留之而不能去，《暗香》、《疏影》之曲，凡再和焉。……事起四月，讫八月，而和词竟。其间余有钟、庐两阜之游，次湘又听鼓金陵，故所作皆少。至于刊律寻声，晨钞冥写，则叔问功为多。……叔问者北海郑文焯，子苾者汉州张祥龄，次湘者成都蒋文鸿，叔由者余弟豫也。"

九月

二十七日，李元度（1821—1887）卒，年六十七。 郭嵩焘《李次青六十寿序》："少负干才，又勤苦力学，多知古今沿革损益之宜，慷慨激昂……在贵州军营，集国朝名臣耆旧事迹，为《国朝先正事略》，识者谓为一代人物朝章典故所系。而其文高雅纯悫，比之欧阳文忠公《五代史记》，亦无愧焉。文正公学行武功，震耀一时。君从事最久，受知亦最深，规模气象，仿佛近之，亦惟其文之足自显著以扬于无穷也。"王先谦撰《神道碑》（《虚受堂文集》卷九）："自少以文鸣，既老于兵间，闻见开广，益雄于词。"《晚晴簃诗汇》卷一百四十四收其诗四首，诗话谓："次青文章尔雅，尤通国故。"

十一月

十三日，王轩病卒，年六十五。 按：王轩自同治八年正月归里，主讲河东宏运书院；曾国荃抚晋，议修通志，延为总纂；张之洞抚晋，择高才生别设令德堂，使其兼讲席。至是卒于令德堂。杨思溥编《顾斋简谱》附录杨秋湄撰《行状》云："先生负海内重望，又值当道多贤，或推或挽，得行其志，从受业者类能知经史门径、文章轨辙，不为俗学所囿。"又："生平于文，不主八家而根底槃深，庄婉合度，尽其意之所止。诗崇韩孟，怵目刿心，穷极要眇，而出以隽逸。最严格律，砚秋观察（按：董文涣）所撰《声调四谱》即本其说而推演者也。"引许宗衡《答王霞举书》曰："阁下诗于诸君（今按：谓孙衣言、林寿图、王拯、潘祖荫、鲁一同诸人）为别出，体特精严，唐之少陵、宋之山谷，盖兼综其妙，而孤瘦刻峭，时入东林一派。遗山云'诗必字字作'，阁下诚得其丹诀矣。诗之为道，不实不虚，不融不浑，不虚则神不远，不浑则极不超，而要自实与融求之。实非掇拾，融非规仿，掇拾则气塞，规仿则体又弱矣。正我性情，学以道之，而不汩于俗，由是各极其才，徐观其变，无不胜者。非必相似也。潘丈不云乎：必澹雅浑大乃可示天下，宗衡以谓雅由于学，澹则有天。能葆其天而又精于学，斯浑大可几。然其原必自不求名始。宗衡荒落久矣，语非有得，然浊水有时而见影，维阁下鉴之。"符葆森跋王轩诗："三复之下，心知其托意深远而邃于古义，尤熟于水道今昔迁徙。虽一吟一咏，指画瞭然。此才可当著书，岂仅以诗卷传耶？不禁折服者久之。"

十二月

王闿运答尊经弟子选八代诗意，评《诗经》。《湘绮府君年谱》："吕雪堂翼父自成都来，尊经弟子也。问选八代诗之意，并问诗家流别。府君取诗选自汉魏至齐梁，分为四体，曰宽和，曰清劲，曰高华，曰纤仄，各识之于当篇，俾学者取径焉。评《诗经》一通，以授子女，使知三百篇之修辞及汉魏诸家之所从出。及门高足弟子颇有钞本，见之者皆以为非独前人所未道，即此可知府君诗法所自出。盖自汉魏以来，经入诗者唯谢康乐，用经典字面耳。府君之诗，不用经典字而能以经义入诗，实古人未辟之境也。"

冬

施补华致张裕钊书，自述历年诗文心得。《复张廉卿书》："古文初学永叔，已而苦其才弱，遂专力于退之。退之之门，习之深醇，持正奇崛，传授所自，并究心焉。介甫晚出，其文极似退之。譬之于人，退之肉坚骨峻，介甫过于戍削，骨多肉少，往往露筋。然彼三人者，固为善学退之者也。循流沿涉，历有岁年，又念识其子孙，不可不知其父祖。退之之学，固有自来。于是求之《左氏传》，求之《公羊》、《穀梁》，求之《庄子》，求之《国策》，求之司马迁《史记》，求之班固《汉书》，于诸书之中，颇见退之浸淫而得者。又欲专意治经，通其微言大义，以究退之之根本。所苦人事如麻，分其日力，心之所营而力不逮，力之所赴而才不高，才之所勉而年不假。一技之末，不获尽其业以待其成，况其大焉者乎？此区区隐憾于中，欲为知己告者也。"按：补华本年以山东巡抚张曜橄，入幕办理营务。

本年

广学会成立于上海。该会由英美基督教（新教）传教士韦廉臣、李提摩太等创，初名基督教及普及学识传布会，后改名广学会，标榜"以西国之学广中国之学，以西国之新学广中国之旧学"，编辑出版大量宗教、政治书籍，发行《万国公报》，宣传宗教、西学，鼓吹改良，影响中国维新派甚巨。

杨岘重刻其诗文，即《迟鸿轩诗弃》四卷、《文弃》二卷。岘上年自定其诗文稿，"时取零星诗文稿董理之，或增或删，或改，似胜乙亥旧刻"，至是由其婿汪煦重刻。（杨岘编、刘继增续编《藐叟年谱》）

宝廷是岁成《学不及斋待质稿》。

秦荣光四十七岁，撰《补晋书艺文水利学校》三志。学使王先谦科试，列秦荣光一等。

缪荃孙编《秋窗集》诗一卷。收通籍后之作，时荃孙四十四岁，供职京师。

梁启超十五岁，在学海堂从事训诂词章之学。《三十自述》："时肄业于省会之学海堂，堂为嘉庆间前总督阮元所立，以训诂词章课粤人者也。至是乃决舍帖括以从事于此，不知天地间于训诂词章外，更有所谓学也。"

谭献《复堂日记》八卷刊出。

薛福成《庸庵文编》四卷本年刊出。

易顺鼎撰《青城诗录》一卷本年刊出。

方昌翰撰《虚白室文钞》四卷本刊刻。

朱庭珍撰《穆清堂诗钞》三卷由滇省务本堂刊刻。后辑《续集》五卷，光绪末年刻。

秦际唐撰《南冈草堂诗选》二卷、《诗续》一卷刊刻。

徐嘉撰《味静斋诗存》八卷刊刻。

秦敏树刊刻《小睡足寮诗录》四卷。前有俞樾序，又咸丰十年同里冯桂芬序。

成肇麐选《唐五代词选》刊于金陵。《白雨斋词话》卷五："成肇麐《唐五代词选》，删削俚亵之辞，归于雅正，最为善本。"

冯煦选录《宋六十一家词选》成。陈匪石《声执》卷下："为挽近传诵之本。……择词尤雅，诽谑之作，则所无也。……前冠例言，只最后八条，义属发凡，为选录校雠之事。余皆评骘各家，而论其长短高下周疏之实，盖不啻六十一家之提要与六十一家之评论。与其所选之词参互观之，即可了然于何者当学，及如何学步，而仍非有宗派之见存，可谓能见其大者矣。"

潘飞声应聘至德国柏林任教，至十六年始返，其间作《柏林竹枝词》二十四首。

俞陛云此数年中学诗。陛云《诗境浅说》自序："忆弱冠学诗，先祖曲园公训之曰：学古人诗，宜求其意义，勿猎其浮词，徒作门面语。余铭座勿谖。"

傅寿彤（1818—1887）卒，年七十。《晚晴簃诗汇》卷一百五十四收其诗七首，诗话云："青宇早岁家贫力学，母氏典饰为购皇清经解。举乡试第二，揭晓时，监临贺耦耕中丞贺得人，主司为何子贞太史，书实事求是赠之。阮文达曾书此四字以贻子贞，示汉学相传也。馆选后从军中州，磨盾行间雅歌不辍。"

叶楚伧生。楚伧（1887—1946）原名宗源，字卓书，别署小凤、叶叶、湘君，江苏吴县人。清末民初作家。同盟会员，南社社员，工诗文，亦涉猎小说、戏剧，著有《楚伧文存》、《世徽楼诗集》及小说《古戍寒笳记》等。

吕南仲生。南仲（1887—1927）名律，字南仲，以字行，浙江绍兴人。民国初年易俗社成员，编著剧本多种。

汪辟疆生。辟疆（1887—1966）原名国垣，字辟疆，以字行。又字笠云，号方湖，别号展庵，江西彭泽人。民国学者、诗人。清末尝肄业于京师大学堂，攻中国文史。撰有《光宣诗坛点将录》等专著，自著诗集佚。今人辑有《汪辟疆文集》。

陈慎言生。慎言（1887—1958）名尔简，以字行，福建闽侯人。民国作家，著有《如此家庭》等小说二十余种。

林昶生。昶（1887—1916）一名景行，字亮奇，别号寒碧，福建侯官人。南社社员。工诗，著有《寒碧轩诗》一卷。

邵瑞彭生。瑞彭（1887—1937）字次珊，号次公，浙江淳安人。清末肄业于浙江省优级师范学堂。民国初为众议院议员，以反对曹锟贿选声震于世。南社社员，以文学名，尤工于词，著有《扬荷集》、《山禽余响》等。（生卒年据江庆柏《清代人物生卒年表》）

钱玄同（1887—1939）生。

公元1888年（光绪十四年　戊子）

正月

八日庚申（2月29日），英军侵略西藏。清廷一意妥协，延至明年，签订《中英会议藏印条约》。

王闿运就思贤讲舍。

二月

二十一日，方宗诚卒于皖城。马其昶《方柏堂先生传》："先生厉精于学，著述不辍，为文依理道，主于辞达。"金天翮《方东树宗诚传》："（宗诚）为文依理道，大仿东树，而彪显节义及妇女之贞烈者，一主于辞达。"《晚晴簃诗汇》卷一百五十九收诗一首，诗话云："柏堂为植之族弟，学期经世，曾文正、李文忠皆重之。归田后，学使疏陈其学行，加五品卿衔，文在桐城后起诸家中最为朴茂，诗不多作，集仅载数篇耳。"

况周颐自川入都，与王闿运相识。获观古今名家词作，就正于鹏运、端木埰、许玉瑑，寝馈其间者五年。《蕙风词话续编》卷二："戊子二月，余自蜀入都，始识半塘。"卷一："余与半塘五兄，文字订交，情逾手足。"

张云骧自编《南湖诗集》成，王树枏为之序。此诗集十一卷附《冰壶词》六卷、《芙蓉碣》传奇二卷，本年刊刻。

三月

二十六日，谭宗浚（1846—1888）卒于广西隆安旅次，年四十三。《晚晴簃诗汇》卷一百六十六收其诗二十六首，诗话云："叔裕才学淹博，名满都下，自编其诗为八集，大抵少作以华赡胜，壮岁以苍秀胜，入滇以后诸诗虽不免迁谪之感，而警炼盘硬，气韵益古。"

四月

郑由熙撰成《木樨香》、《雁鸣霜》两传奇并自序。《木樨香》二卷十出，取材于咸丰间实事，叙太平军攻歙县，县令骥元清孤立无援、城破自缢事。卷首有本月自序，余瑞璋光绪十六年后序及范金镛题词等。《雁鸣霜》一名《花叶粉》，二卷八出。叙丹阳女子贺双卿家贫而嗜吟咏事。卷首有作者本月序、光绪十五年刘光焕序，作者光绪十六年自跋、余瑞璋跋，许善长题词等。郑由熙自跋云："制曲，当考律于《大成九宫谱》，选韵于《中州音韵》，辑要旁参《元人百种》诸书，则分唱合唱之例，阴平阳平之音，抗坠疾徐，庶几无谬。余于此艺既非专家，诸书又非寻常坊肆所能购。兴之所至，任意弄翰。仅就习见《四梦》、九种各曲，仿佛腔拍，历年成院本三种，意在书事书人，寄托豪素。非欲浅斟低唱，风月赏音也。同郡友湖上醉渔，见而击节，谓事关惩劝，义合兴观，非琐琐儿女子语。为付剞劂氏，殆阿好欤！"刘光焕《序》谓："其制局严而有体，其缀藻婉而多风。寄感喟于无端，空中传恨；溯雅音于协律，字外生棱。祢正平之枹鼓参挝，王处仲之唾壶尽缺。被之管弦，绕梁定有余音；载在《玉台》，此种断推压卷。乃知作《列女传》者，不必更生；撰《遗芳集》者，复生牛女。"余瑞璋《跋》谓："先生抱鸿博大雅之才，工诗古文词，著书等身。间出其余，成乐府数种，以抒写怀抱，《雁鸣霜》其一也。"

五月

二十六日，吴汝纶致书张裕钊，论古文源流。郭立志编《桐城吴先生年谱》："与张廉卿云：前为《孔叙仲文集序》，实为漫率，执事指教，顿开愚蒙。……"按：吴汝纶《孔叙仲文集序》合曾国藩、桐城文派为一，语曰："郎中（按：姚鼐）君既没，弟子晚出者为上元梅伯言，当道光之季，最名能古文。居京师，京师士大夫日造门，问为文法。而是时湘乡曾文正公，尤以闳文系众望，其持论亦推本姚氏。故梅曾二家，宾客相通流。……方梅、曾在京师时，文章之士趋归之，相与讲论姚氏之术，可谓盛哉！往年汝纶侍文正公时，公数数为余称述姚氏之说……"

缪荃孙在史馆整理《儒林》等五传，撰成稿本。《艺风老人年谱》："五月，整理《儒林》等五传，撰成稿本，托陆提调呈堂。自辛巳潘文勤师为总裁，廖毂似寿丰为提调，奏办儒林、文苑、循良、孝友、隐逸五传，张幼樵佩纶、陈伯潜宝琛为总办，壬午荃孙传到，即充分纂。毂似外简，王小云贻清为提调；幼樵署副宪，改派钱馨伯；伯潜出为江西学政，改派汪柳门鸣銮。癸未，文勤师丁忧，徐荫轩相国桐为总裁，小云丁忧，柳门出为山东学政，馨伯辞退，改派李芯园端棻、邓莲裳蓉镜为提调，谭叔裕宗浚及荃孙为总纂。叔裕外简，荃孙独任其事，成《儒林传》上二十二篇，下四十九篇，《文苑》七十四篇，《循良》四十三篇，《孝友》二十九篇，《隐逸》十五篇，分并去取略具苦心。中有金人，谮之于徐相国，相国不知是非，以先人之言为主，随加挑斥，埋没苦心，今已完竣交馆。初稿拟即付梓人，与天下读书人共证之。如特旨宣付国史馆者，刘绎之空疏，李春之鄙俚，吴观礼之庸下，李联琇之拘滞，均不足以立传。刘熙载、桂文灿犹为彼善于此矣。（李任江苏督学，甚有时望。《好云楼全集》现已行世，则甚不副其名，亦其子编辑不当也。）"按：荃孙本年四十五岁，供职京师，编成《续经世文编》八十卷，七月辑《全辽文》；十二月以张之洞之招游广州，与旧友梁鼎芬等唱酬。

六月

陈烺《玉狮堂传奇》前集五种俱已撰成，本月俞樾为之序。按：《仙缘记》、《蜀锦袍》、《燕子楼》、《海虬记》四种前已述及。《梅喜缘》当成于光绪十一年至本年间，二卷十六出，取材于《聊斋志异·青梅》，叙书生张介受与程青梅、王阿喜事，以青梅、阿喜同归于张，故名《梅喜缘》。俞樾前集总序谓："潜翁陈君负干济之才，筮仕吾浙，浮沉下僚，温温无所试，乃以声律自娱。所著传奇五种……可歌可泣，卓然可传。余尤喜其《蜀锦》、《海虬》二种，音节苍凉，情词宛转，视尤西堂《黑白卫》等四种，吴石渠《绿牡丹》等四种，可以颉颃其间矣。"

王先谦编刻《皇清经解续编》一千四百三十卷成并自序。

七月

樊增祥在西安，集本月至明年三月诗为《后关中集》。又，本年又结青门萍社，冬，屡作消寒之集。《樊山续集自叙》："余以积瘁之身洊丁大故，遂得咯血疾。寅僚慰解，方药将护，至戊子春，杖而能起，侨居三辅，自比桐乡，将及小祥，瑟居无俚，乃结青门萍社，同志十许人，更唱迭和，裒其所作曰《关中后集》。"

史梦兰自编《尔尔文钞》二卷成。夏震武本月为之序。

九月

康有为上光绪皇帝书。康是年三十一岁，五月赴北京应顺天乡试，不第。《康南海自编年谱》："是时学有所得，超然物表，而游于人中，偶恍自喜。……时讲求中外事已久，登高极望，辄有山河人民之感。计自马江败后，国势日蹙，中国发愤，只有此数年闲暇，及时变法，犹可支持，过此不活，后欲为之，外患日逼，势无及矣。时公卿中潘文勤祖荫、常熟翁师傅同龢、徐桐有时名，以书陈大计而责之，京师哗然。值祖陵山崩千余丈，乃发愤上书万言，极言时危，请及时变法，黄仲弢编修绍箕、沈子培刑部曾植、屠梅君侍御守仁，实左右其事。自黎莼斋后，无以诸生上书者，当时大恶洋务，更未有请变法之人，吾以至微贱，首倡此论，朝士大攻之。"按：有为此次上书，呈"变成法"、"通下情"、"慎左右"三议，虽未能上达，然自是与京朝名流往还，声气日广，国子监祭酒盛昱（伯羲）亦与纳交。本年存诗文数十首，有《赠盛伯羲祭酒》、《题黄仲弢编修龙女行云图》、《为仲弢题吴彩鸾骑虎图》、《再游宣武门枣花寺题青松红杏图我国朝二百年名士殆题遍矣示沈乙盦刑部索和》、《上清帝第一书》、《责潘祖荫、翁同龢、徐桐宜主持变法书》等。

姚永概中举，为江南解元。是科李文田、王仁堪充江南乡试考官。王孝绪等编《先公年谱》："取中举人姚永概等若干名，多大江南北知名之士，时学政王益吾先生先谦，曾书所识拔之二十人示两主试，比榜发，获隽者竟得十九人。"

范当世兄弟同应江南乡试，皆不中。当世因九赴乡试均不举，遂绝意仕进，不再入场。

十月

月初，张裕钊归鄂主江汉书院，时莲池书院无人主持，吴汝纶遂辞冀州任，来为主讲。汝纶《送张廉卿序》："盖自廉卿之北游，五年于兹，吾与之岁相往来，日月相问讯，有疑则以问焉，有得则以告焉，见则面相质，别则以书，每如此。"

十一月

十五日壬戌（12月17日），北洋海军成军。

十二月

廖平撰《知圣篇》一卷成并自识。

冬

刘鹗以治河功得保举。按，上年八月，河决郑州，下游大水成灾。本年刘鹗赴郑州投效河工，至冬河堤合龙。后因山东巡抚张曜檄调至山东治河，至光绪十八年数年间在山东。后所撰《老残游记》多叙治河及山东事。

郑文焯《瘦碧词》二卷刻行。《郑叔问先生年谱》："冬，刻行《瘦碧词》两卷，俞曲园先生、张子苾太史、易仲实先生、刘子雄中书（子雄四川德阳人，湘绮先生之高弟）、嚼梅先生等为之叙。又著《南献遗征》一书，皆记南中著作家未刊之书，并识稿本所在，黄子寿方伯为刻于苏官书局。"郑文焯自序："古之乐章皆歌诗。……唐宋歌词之法，虽变古律，犹可考见燕乐之旧谱耳。古人谓词以可歌者为工，近世善言词者，金昧于律，知律者又不丽于词，而一二悬解之士，如方成培（《词麈》）、许穆堂（《自怡轩词谱》）、谢默卿（《碎金词谱》）辈，于声歌递变之由，漫无关究，徒沿明人沈伯英九宫十三调之陋说，率以俗工曲谱为穀梁……余幼嗜音，尝于琴中得管吕论律本之旨。比年雕琢小词，自喜清异，而苦不能歌，乃大索陈编，按之乐色，穷神研核，始明夫管弦声数之异同，古今条理之纯驳，杂连笔之于书，曰《律吕古义》，曰《燕乐字谱考》附《管色应律图》，曰《五声二变说》，曰《白石歌曲补调》，曰《词源斠正》，曰《词韵订》，曰《曲名考原》。凡兹所得，虽孤学荒冗，未为佳证，庶病于今，弗畸于古焉。世有解音善歌如尧章者，齐以抗坠，取余词而声之，倘亦乐府之一缒哉？"刘子雄《瘦碧词序》："夫近今作者，益伦靡矣。叔问独取径白石，自成雅调，若其寄兴江山，托情哀乐，固以生际承平，优游吟啸，非有幾微身世之感，蹈纤士之恒态也。"郑文焌（嚼梅居士）序："予从弟小坡，少工侧艳之词，而不尽协律。南游十年，学琴于江夏李复翁，讨论古音，乃大悟四上竞气之指，于乐纪多所发明。故其为词，声出金石，极命风谣，感兴微言，深美闳约，如杨守斋所讥，转折怪异、成不祥之音者庶几免与。兹先梓《瘦碧词》二卷，皆其手自勘定，少乖于律，虽工弗录，故少作咸弃之。"易顺鼎于开封撰《序》，谓："国朝肇兴，文学武功并盛，自天潢以讫兰锜，称诗者亡虑千数，至填词，则二百数十年，仅成德容若、承龄子受两家……叔问家世兰锜，累叶通显……文章恢雅，怨而不怒，哀而不伤，故尝论其身世，微类玉田，其人与词，则雅近清真白石。"俞樾序："元明以来，词学衰息，迨本朝万氏词律出，而后人知词之不可无律，然万氏止取诸名家之词，排比以求其律，而律之原，固未之知也。戈顺卿氏踵其后，似视万氏所得有进矣，乃戈氏深于律，而不甚工于词，读其词者惜焉。夫律之不知，固不足言词，而词之不工，又何以律为。高密郑小坡孝廉精于词律，深明管弦声数之异同，上以考古燕乐之旧谱，姜白石自制曲，其字旁所记音拍，皆能以意通之，余尝戏谓君真得不传之秘于遗文者也。乃其所为词，又何其清丽婉约，而情文相生欤。如绕佛阁寿春楼诸调，皆不易作，而诵之抑扬顿挫，飒飒移人，岂非深于律而又工于词者乎？"

本年

王闿运所辑《四印斋所刻词》刊行。

陆心源辑《唐文拾遗》七十二卷《目录八卷》、《唐文续拾》十六卷本年潜园刊出。

张鸣珂辑《国朝骈体正宗续编》八卷寒松阁刊刻。

廖平分《古今学考》为《辟刘篇》、《知圣篇》。

李桓撰《宝韦斋诗录》二卷，本年刊于长沙。

《赌棋山庄集》诗十四卷本年刊出。

陈三立等编释敬安诗为《八指头陀诗集》五卷刊出。此集录同治十二年至光绪十四年诗。至光绪二十四年，叶德辉重印此五卷，并辑光绪十五年至二十四年所作为五卷，合为十卷刊行。

赵藩撰《向湖村舍诗初集》十二卷刊出。

成都刻胡薇元撰《玉津阁文略》九卷。

诸可宝撰《璞斋集》五卷刊出。此集内诗二种，为《昔游云稿》、《浪游碎稿》，录咸丰十年迄于光绪十二年诗；末卷为《捶琴词》八十四阕。

邓辅纶撰《白香亭诗》三卷有本年刊本。

汪琼序叶衍兰《海云阁诗钞》一卷。

天津时报馆刊出《海国妙喻》。署"（希腊）伊所布著，张赤山译"。

曾朴约在本年后不久撰《雪昙梦》传奇三十二出。是剧系悼亡之作，曾朴丧偶事在本年。

吴汝纶与姚实朴论古文。郭立志编《桐城吴先生年谱》："与姚仲实云：在津盘桓数日，深敬深敬，大著匆匆读竟，所附记者大抵得于所闻，非有心得相益。文事利病，亦有不必人言，徐乃自知者，从此不懈，所诣必日进。桐城诸老，气清体洁，海内所宗，独雄奇瑰玮之境尚少，盖韩公得马扬之长，字字造出奇崛，欧阳公变为平易，而奇崛乃在平易之中。后儒但能平易不能奇崛，则才气薄弱，不能复振，此一失也。曾文正公出而矫之，以汉赋之气运之，而文体一变，故卓然为一代大家，近时张廉卿又独得于《史记》之谲怪，盖文气雄俊不及曾，而意思之诙诡，辞句之廉劲，亦能自成一家。是皆由桐城而推广，以自为开宗之一祖，所谓有所变而后大者也。说道说经，不易成佳文，道贵正而文者必以奇胜，经则以义疏之流畅，训诂之繁琐，考证之该博，皆于文体有妨，故善为文者尤慎于此。退之自言执圣之权，其言道止原性原道等一二篇而已，欧阳辨易论诗诸篇，不为绝盛之作，其他可知。至于常理凡语，涉笔即至者，用功深则不距自远，无足议也。"

程颂藩（1852—1888）卒，年三十七。程颂万《程伯翰先生行状》："文之气象，不可伪为，其平易近人、言之亲切有味者，必其反身修德，而血气已平者。"

王钝根生。钝根（1888—1950?）名晦，字耕培，号钝根，以号行。江苏青浦人。南社社员。清末任《申报》编辑，首创《自由谈》栏。民国初创办《礼拜六》杂志，为鸳鸯蝴蝶派最著名之杂志。著有《聂慧娘弹词》等，诗词杂文迄未成集。

汪优游生。优游（1888—1937）本名效曾，字仲贤，安徽婺源（一说上海）人。清末即参加各种新剧活动，著有剧本《好儿子》等。

郑正秋生。正秋（1888—1935）原名芳泽，字伯长，亦字伯常，号药风，广东潮阳人。为民国新剧界代表人物，我国早期电影创始人之一。编导戏剧、电影数十部。

公元 1889 年（光绪十五年　己丑）

正月

月初，范当世在江西安福与姚倚云（蕴素）成婚。 按：范当世时年三十六岁，先是，范当世妻早卒，在冀州时以吴汝纶引介，遂续娶姚慕庭女倚云。倚云为姚浚昌女、姚莹孙女，时年二十六岁。姚永概《范肯堂墓志铭》："是时，君方丧前夫人，吴先生为介，聘吾仲姊，因就婚先子江西安福署中。先子故能诗，吾姊亦娴吟咏。君往来二年，得诗益多。其后，吴先生居保定，吾往从之。君方携吾姊客李文忠所，见即饮酒，赋诗诙调。间作别十日，不见君寄诗，即寄声诮责以为乐。"马其昶《范伯子文集序》："张（裕钊）先生尝为书抵余外舅姚竹山君，盛称通州三生。三生者：朱君铭盘、张君謇及范君当世也。朱工骈文，惜早逝；张以干济称；而范君字肯堂，孝友恺悌，诗才雄健，尤为吴（汝纶）先生所激赏。时方失偶，而竹山次女曰蕴素，亦娴吟咏。吴先生为媒介焉，遂与余称僚婿。尝一见于金陵，再见于天津。君时居李文忠幕府，为课其公子；吴先生都讲莲池，往来津、沽间，诗酒文宴之乐，盛称一时。自曾文正督畿辅，喜延揽人士，其流风未沫，犹可想见焉。君恨余不为诗，督之甚力。吴先生曰：'子毋然。子为诗，徒见短耳！终莫能胜彼。'因相与一笑罢。"

三月

十七日，沈曾植、曾桐兄弟招张謇、郑孝胥、叶昌炽、文廷式诸人饮。 又，袁昶、江标、黄遵宪等亦在京。

吴汝纶本月与人书，论及京中风气。 郭立志编《桐城吴先生年谱》："答马月樵云：闻讲求宋贤义理之学，弟前在都时，倭（仁）、吴（廷栋）诸公当道，都中理学成市，弟颇厌之。及再入都，则诸老凋谢，求一理学而不可得，故有志之士，学不为人，当为于众人不为之时，乃可贵耳。今则都中贵人以小学金石考订为号，趋者鱼鳞杂袭。执事乃退藏于密，归依宋贤。可不谓豪杰特立不惑之士欤。"

四月

二十五日，赐张建勋等三百三十一人进士及第出身有差。成本科进士者有周树模、费念慈、曾广钧、江标、徐仁铸、叶昌炽、杨钟羲、金蓉镜、陈三立、丘逢甲、杨深秀等。按：陈三立于光绪十二年会试中式，本年始与殿试。又，《雪桥诗话余集》卷八论是科："吴公督序《涵斋遗稿》，谓光绪戊子己丑间，海宇无事，朝廷右文，一二名公巨卿主持风会，凡以科目进者，多闳通博赡之才。论者谓嘉庆己未而后，得人以己丑为最云云。然如张皋文、王伯申、郝兰皋、汤敦甫，则同年实无其人也。"（据杨氏《自订年谱》）

薛福成奉使出使英、法、义、比四国。按：明年正月始出国，至光绪二十年归国，著有《出使英法义比四国日记》。

樊增祥去西安回里。《樊山续集自叙》："己丑四月，归营窀穸，由丹江沿汉而下，至于彝陵，途次所作曰《还山集》。是时南皮师督粤，子寿（按：黄彭年）师抚苏，皆飞电见招。六月如吴，寄家沪上。七月从子寿师至金陵，监临乡试。九月返沪。十月如粤，会南皮师移节两湖，相从还鄂。明年庚寅二月释服，八月入都，两岁之中，经行万里，命其诗曰《转蓬集》。在金陵时，与子寿师撼闱中杂事，咏之以备掌故，别为《紫泥酬唱集》一卷，附《转蓬集》后。"

五月

俞樾成《曲园自述诗》一百九十九首。此后又有补作。

王先谦在长沙辑刻刘开、董基诚、董祐诚、方履籛、梅曾亮、傅桐、周寿昌、王闿运、赵铭、李慈铭《十家四六文钞》成。自序云："余曩类纂古文，赓续惜抱。既念骈俪一道，作者代出，无愿古人，而标帜弗章，声响将闷。故复采干遗集，求珠时髦。……都为一集，共得十人。"按：先谦是年四十八岁，上年回籍修墓后，奉旨开缺。本月，郭嵩焘亦为之序，称"今所缺者芝房之文，而所存亦极一时之隽矣"，则以为当选入孙鼎臣之作。

王闿运作《陈怀庭诗集序》。序称："湘洲文学盛于汉、清。故自唐宋至明，诗人万家，湘不得一二。最后乃得衡阳船山。其初博览慎取，具有功力；晚年贪多好奇，遂至失格。及近岁，闿运稍与武冈二邓探风人之旨，竞七子之业。海内知者不复以复古为病。"（按：《湘绮楼诗文集》文集卷九录是文，系辑自光绪十五年己丑五月十八日日记。）

陈衍应湖南学使张亨嘉之召，至长沙襄校试卷。《侯官陈石遗先生年谱》："时学使者方考长沙府属，文风极盛……所得士如湘乡李希圣、常德戴德诚、展诚、祁阳李馥、善化饶智元、任元德、凤凰厅熊希龄等。"按：上年八月，"四川学使朱咏裳编修善祥、湖南学使张铁君编修亨嘉、河南学使陈芸敏给谏琇莹三处皆函聘总襄校，家君以为河南文风鄙塞，名胜荒废，四川山水雄奇，而路险远，独湖南差近而文风蒸蒸日上，张编修又以长函极道洞庭衡岳天下伟观，江胡曾左中兴伟人，必有人士文章继起者夸示之，以要其必往。家君乃辞豫蜀而京湘"。本年春，陈衍入都会试，与王仁堪、郑孝胥、沈瑜庆等往还，榜发不第，遂至长沙。

七月

七日，汪士铎（1802—1889）卒，年八十八岁。《晚晴簃诗汇》卷一百四十三收诗十二首，诗话称："梅村覃精朴学，著述数十万言，遇乱半毁弃。今行世者桑经班志各有专书，又为南北史补志，皆精洽翔实，卓然可传。诗朴属微至，择言尤雅，良由经腴史馥，根柢既深，所谓学人之诗，其所蕴者厚也。"

十二日丙辰（8月8日），清廷调张之洞为湖广总督，以李瀚章为两广总督。

十六日，俞樾修订《三侠五义》，改名为《七侠五义》，并作《重编七侠五义传序》。序云："往年潘郑盫尚书奉讳家居，与余吴下寓庐相距甚近，时相过从。偶与言及今人学问远不如昔，无论所作诗文，即院本传奇平话小说，凡出于近时者，皆不如乾嘉以前所出者远甚。尚书云：'有《三侠五义》一书，虽近时所出，而颇可观。'余携归阅之，笑曰：'此《龙图公案》耳，何足辱郑盫之一盼乎！'及阅至终篇，见其事迹新奇，笔意酣恣，描写既细入毫芒，点染又曲中筋节，正如柳麻子说《武松打店》。初到店内无人，蓦地一吼，店中空缸空甓，皆瓮瓮有声。闲中著色，精神百倍。如此笔墨，方许作平话小说；如此平话小说，方算得天地间另是一种笔墨。乃叹郑盫尚书欣赏之不虚也。"又谓原书第一回叙狸猫换太子事，书涉不经。而书名《三侠五义》，亦不知三侠、五义所指何人，与书中所叙不副。因改写原书首回，改题《七侠五义》。此改编本主要刊本有光绪二十二年上海广百宋斋排印本，上海广益书局石印本，上海大成书局石印本，商务印书馆排印本等。鲁迅《中国小说史略》谓："（此本）乃与初本并行，在江浙特盛。"

八月

文廷式考取内阁中书第一名。始谒见翁同龢、李鸿藻两尚书。（钱萼孙编《文云阁先生年谱》卷二）

冯煦为王闿运校刻之《阳春集》作序。

盛昱因病奏请开缺。杨钟羲撰《意园事略》："家居剧门，日惟考订古籍，益陈三代彝器法书名画以自虞乐。……甲午之役，丧师失地……端居深念，撄心蒿目，益郁郁寡欢，由是寄情山水，游屐所经，动淹旬朔，不复关预人事。"

初一日，清廷派李鸿章、张之洞会同海军衙门筹办芦沟桥至汉口铁路，并派直隶按察使周馥等随同办理。

九月

郑叔问在苏州结词社。钱萼孙编《文云阁先生年谱》卷二："九月出都……南下至苏州，与汉军郑叔问文焯暨王壬秋游。……与叔问暨蒋次湘、汉州张子苾祥龄、龙阳易实甫顺鼎、由甫顺豫兄弟结词社于叔问之壶园。旋往广州。"王闿运是年二月北游，三月至天津，八月至上海，旋至苏州，与张祥龄、郑文焯等游，十一月还长沙，有《游吴杂诗》等。《郑叔问先生年谱》：本年春，郑文焯应礼部试不第，取道天津还，闻王闿运至，遂造访，约游吴门。"中秋后七月，壬秋先生果浮家至苏，寓湖南宾馆，距先生壶园只隔一桥，欢言晨夕，风雨亦相过从。时黄子寿方伯与壬秋先生固闻声相慕者，先生为之先容，又壬秋先生老友遵义刘景韩亦新擢廉使来苏，于是文酒雅宴，殆无虚日。而壬秋先生方注墨子，日课必手录三篇始应宾客，尝为先生言：今泰西之学，多原于墨家，盖由南方之墨流传于西洋，又去其明鬼节用诸篇不便于其国者，演为彼教一家之言，试诵墨经上下，则西人所神其学于光声诸学者又明明在也。先生因取毕校道藏本，证以壬秋先生所注，叹其精博远过孙毕，遂相从斟讐，尽取墨子十五篇为之章句且日订数事以相质。"

梁启超中举。李端棻、王仁堪充广东乡试考官，王孝缉等编《先公年谱》："是科网罗文学之士为各直省冠，当时有五凤之誉，庚寅会榜联捷者十余人，先后通籍任方面者尤不乏人。梁公启超登是榜，年最少云。"

汪康年应浙江己丑恩科乡试，中式第六名。汪诒年编《汪穰卿先生年谱》："主试为顺德李若农少詹事文田、衡山陈伯商编修鼎。首题君子之道孰先传焉孰后倦焉譬诸草木区以别矣。次题日月星辰系焉，先生以吸力解系字，罗列最新天文家言，原原本本，如数家珍，三题由孔子而来一节，先生以离骚体行之。……李詹事得卷，诧为实学奇才，一时无两，欲拔以冠多士，寻格于众议，乃列第六。"林纾撰《汪穰卿先生墓志铭》："主试者为顺德李公文田，诧为奇才，将置第一，以第三篇为离骚体……抑置第六。"唐文治《同年汪穰卿先生传》："顺德李公文田本拔置第一，以孟艺用离骚体，抑第六。"

王甲荣乡试中式。

徐珂以年家子呈所习骈文诗词谭献点定。《复堂词话》："点定徐生仲玉行卷，填词婉约有度，诗篇能为直干；骈俪音采凡近，不见体势；情韵则非所长也。"徐珂按语云："光绪己丑，珂自余姚迁杭，应秋试。帅方罢官里居。以通家子相见礼上谒（时犹字仲玉，明年改字仲可），呈所习骈文诗词就正，皆十八岁前作。师奖勉殷拳，纳之门下。越二年为辛卯，师点定寄还，即师加墨之行卷也。"

十一月

陈烺《回流记》传奇至迟于本月撰成。此剧叙明代宁王朱宸濠反叛，王妃娄氏屡谏不从，遂投江事。八出，卷首吴唐林本月序，谓："以才子之妙笔，谱轶事于前朝。百折心凄，三升泪下。"又有俞廷瑛等题词。

顾文彬（1811—1889）卒，年七十九。《憩园词话》卷三："其为词，集名《眉绿楼》，厚寸许，长调短令，无不丰神潇洒，出笔欲仙，不拘一格，而自能入律。且才气丰溢，每一题一调，辄叠赋不已。如道光、咸丰间，于都中举秋词社，拈百二十题，各限一调，自作三十余阕。"又："子山观察长于集句，所藏书画卷册自题者，大半集宋人词。别有《百衲琴言》一卷，述情叙事，如无缝天衣，诚推绝技。有'南浦'一调，咏春水多至三十六阕，内十阕杂集宋、元人词。此外二十六阕，则专集二十六家之句，如苏、黄、柳、辛诸家词多者，或尚易成。乃周少隐、侯彦周、仇山村、石次仲等，亦各就其词集成一调，其用心亦良苦矣。"

十二月

十八日，王闿运书所为词付王先谦刊之。"王祭酒欲刊《湘绮楼词》，检所存旧稿，自书与之，府君所作词，殆数百首，皆随手散失，今存者殆十之一焉。"（《湘绮府君年谱》）

冬

黄遵宪以袁昶之荐充驻英二等参赞。时袁昶为总理各国事务衙门总章京，薛福成使欧，袁昶密荐黄遵宪，至是遵宪遂被命以二品顶戴分省补用道充驻英二等参赞。又，本年黄遵宪四十二岁，在京师先后识满洲志锐詹事、满洲志钧编修、宗室盛昱祭酒、顺德李文田侍郎、萍乡文廷式编修、桐庐袁昶主事、长洲王颂蔚主事、瑞金陈炽主事、嘉兴沈曾植主事、成都杨宜治员外、福山王懿荣编修、贺县于式枚主事、灌阳唐景崇侍读、台湾丘逢甲主事、番禺梁鼎芬编修、瑞安黄绍箕编修、嘉兴许景澄星使等。袁昶与遵宪交尤契。（据钱仲联《黄公度先生年谱》）

本年

慈祥太后宣布归政于光绪帝。

广学会发行《万国公报》。

顾云撰《钏山文录》八卷、《诗录》二卷刊于南京。诗文皆光绪五年至十五年所作。

刻鹄斋刊刻谭献撰《复堂文续》五卷。

受经堂刊出曾彦撰《桐凤集》二卷。卒后又辑为《虔共室遗集》一卷，光绪十七年受经堂刻。

黄彭年撰《陶楼杂著》本年刊出。

谢章铤撰《酒边词》八卷本年刊出。

薛福成撰《庸庵文编》续编二卷本年刊出。

郑孝胥三十岁，《海藏楼诗集》存诗始于本年。陈衍《海藏楼诗序》："君诗始治大谢，浸淫柳州。乙酉归自金陵，访余于西门街，则亟称孟东野。……己丑、庚寅入都，君寓可庄（按：王会堪）所及官学，案上手钞诗本有晚唐韩偓、吴融、唐彦谦诸家，北宋梅圣俞、王荆公诸家，君诗已一变再变，为姚合体，为北宋，服膺荆公。"又：陈衍《石遗室诗话》卷一："苏堪所刻《海藏楼诗》，尽弃少作。"又："苏堪三十以前，专攻五古，规模大谢，浸淫柳州，又洗练于东野。沉挚之思，廉悍之笔，一时殆无与抗手。三十以后，乃肆力于七言，自谓为吴融、韩偓、唐彦谦、梅圣俞、王荆公，而多与王荆公相近，亦怀抱使然。"

况周颐与王闿运交游，改变词风。徐珂《近词丛话》"况夔笙述其填词之自历"："况夔笙……尝自述其填词之所历曰：'……光绪己丑，薄游京师，与半塘共晨夕，半塘词夙尚体格，于余词多所规诫。又以所刻宋、元人词属为校雠，余自是得窥词学门径。所谓重拙大，所谓自然从追琢中出，积心领神会之，而体格为之一变。半塘亟奖藉之，而其它无责焉。夫声律与体格并重也，余词仅能平侧无误，或某调某句有一定之四声，昔人名作皆然，则亦谨守弗失而已，未能一声一字，剖析无遗，如方千里之和清真也。如是者二十余年，继与沤尹以词相切磨，沤尹守律綦严，余亦恍然向者之失，断断不敢自放，乃悉根据宋、元旧谱，四声相依，一字不易，其得力于沤尹，与得力于半塘同。人不可不无良师友，不信然欤。大雅不作，同调甚稀，如吾半塘，如我沤尹，宁可多得。半塘已矣，于吾沤尹，虽小别亦依黯。吾沤尹有同情焉。岂过情哉，岂过情哉。'半塘即幼霞也，沤尹即古微也。"

番禺叶衍兰以《秋梦庵词》，属谭献读定。

薛绍徽二十四岁，学为骈体文。

康有为三十二岁。在京师南海会馆汗漫舫著成《广艺舟双楫》，成《上书不达，谣诼高张，沈乙盦、黄仲弢皆劝勿谈国事，乃却扫汗漫舫，以金石碑版自娱，著〈广艺舟双楫〉成，浩然有归志》一诗纪之。后于八月出京，十二月还粤。

廖平至粤晤康有为。

况周颐会试不弟，遵例官内阁中书。又，是年得顾春（太清）《天游阁诗》写本。（《况周颐年谱》）

方濬颐（1815—1889）卒，年七十五。《晚晴簃诗汇》卷一百四十五收诗五首，诗话曰："子箴官京朝，由翰林历台谏，人不甚知其能诗。及官两广盐运使，王定甫通政道出广州，子箴以诗集索序，定甫称其诗多且奇，为不可测。平生喜读杜韩苏三家诗，常有句云：游踪已遍九行省，门径愿窥三古人。陈兰甫题其续集，谓力量愈充足，工夫愈纯熟，工巧愈工巧，真朴愈真朴，盖非虚语。"金天翮《方濬颐濬师传》："濬颐都转两淮，颇有意于风流文采，继卢见曾之往躅。两淮当全盛时，匪特官能好事而已，即业盐荚者，拥巨赀，无不慕为君子之行。河润千里，四方文学之士萃于维扬，至道咸间而稍衰矣。濬颐值干戈凋敝之余，一切施设亦颇不让于卢见曾。卢见曾吐属风雅，其文字不得与于作者之林。濬颐诗既多，晚岁又学为古文辞，冀得一集以传于后，而不知所传之不在此也。斯亦不免于通人之蔽与。"

方濬师（1830—1889）卒，年六十。至光绪十八年，《退一步斋集》刊出，松椿序曰："说经不歧汉宋为二，论学亦不以时代为囿，故其文自导一源，而众体赅备性不喜规仿摹拟，以为堕斯道于优孟。"《晚晴簃诗汇》卷一百五十四收其诗七首。

柯蘅卒，年六十九。蘅（1821—1889）字佩韦，室名春雨堂、蒨雨草堂、旧雨草堂，山东胶州人。少时随宦闽中，从陈寿祺受许、郑之学，研精经史，尤长于《诗》，著有《声诗阐微》二卷、《旧雨草堂诗集》四卷，其说经、说史之作，门人集为《旧雨草堂札记》。《清史稿》入儒林传。《晚晴簃诗汇》卷一百五十九收其诗十三首，诗话云："尤长于五言诗，论者谓可追踪襄阳，不但无愧于乡先生王阮亭也。七律亦清疏亮拔。"《清史列传·儒林传下二》陈寿祺传附："尤长于诗，论者谓可配其乡先辈王士禛、赵执信。"

严独鹤生。独鹤（1889—1968）名桢，字子材，以笔名独鹤行世，浙江桐乡人。民国小说家，著有短篇小说集《独鹤小说集》及长篇小说《人海梦》。

欧阳予倩生。予倩（1889—1962）原名立袁，号南杰，艺名莲生，别署春柳、桃花不疑庵主等，浏阳人。清末从事新剧活动，为春柳社、新剧同志会等组织成员。民国间兼电影编导、京剧演员。著有《欧阳予倩选集》等。

徐枕亚生。枕亚（1889—1837）名觉，以字行，别署泣珠生、东海三郎等，常熟人。南社社员。民国初年以小说家著名，撰有《玉梨魂》、《雪鸿哀史》等小说，另有《枕亚浪墨》、《花月尺牍》等。

现代作家李大钊（1889—1927）生。

公元 1890 年（光绪十六年　庚寅）

正月

章太炎肄业诂经精舍，从俞樾学，并就谭献问文辞法度。太炎《自述学术次第》云："余少已好文辞，本治小学，故慕退之造词之则，为文奥衍不驯，非为慕古，亦欲使雅言故训，复用于常文耳。……时乡先生有谭君者，颇从问业。谭君为文，宗法容甫、申耆。虽体势有殊，论则大同矣。"

二月

易顺鼎在开封，刻两年内所作诗为《游梁诗賸》。先是，顺鼎于戊子二月分发至河南，适郑州河决，河道总督吴大澂委以贾鲁河督办，及河复，复充三省河图局总办，以进呈《修三省黄河图说》得保荐，加按察使衔，二品顶戴。其间与河道总督吴大澂多所唱和。至是刻游梁之诗，遂于本年三月，请假回籍养亲。

陈烺《海雪吟》传奇至迟撰成于本月。叙明末南海秀才邝露有古琴一张，县令索之不得，欲置之法，邝露遁至粤西，及返乡，清军已破广州城，遂抱琴投海。八出，卷首有杨葆光本月序及刘炳照等题词。杨《序》谓："先生胸抱骊珠，手披鸿宝，登高能赋，皆六代之文章，吐词为经，述先士之盛藻。而乃乍探秘府，遽就卑官；能如柳下之和，不嫌裋褐，善读花间之集，悉协宫商。然必推本性情，激扬孝义；苍凉恣其遐瞩，胸目偏孤；山川触其冲襟，琴尊妙合。此玉狮堂诸曲，俱有遥情，而《海雪》一唫，凄凉独绝已。"

闰二月

施补华（1835—1890）**卒**。所撰《泽雅堂诗二集》十八卷本年两研斋刊刻。《晚晴簃诗汇》卷一百六十四收其诗十四首，诗话云："均父起自孤露，刻苦就学，通敏识时务，佐左文襄、张勤果二公幕，多所毗赞。诗阂伟沉挚，有句云：好忆高堂泪，临行滴汝衣。黄金富天下，难买是春晖。又云：客行无远近，门外即天涯。皆自至性流出。或议其学杜落科臼，此言正未易当也。"

曾纪泽（1839—1890）**卒，年五十二**。俞樾撰《曾惠敏公墓志铭》："自幼究心经史，喜读《庄子》、《离骚》，所为诗古文辞，卓然成家，兼通小学，旁涉篆刻、丹青、音律、骑射，靡不通晓。"《晚晴簃诗汇》卷一百六十八收其诗十一首，诗话云："惠敏文正公长子，诗托体苏黄，时复出入义山。海外诸篇，尤壮健而有深隐之思，警句如：从知混沌犹余窍，始信昆仑别有天。南北自教鹏运海，古今非复貉同邱。洵足开拓万古心胸。其杂感无题诸作，弥觉思深虑远，若有抑郁难言者，劳臣甘苦于此见之。"

三月

彭玉麟（1817—1890）**卒于湘东里第，年七十五**。《晚晴簃诗汇》卷一百五十一收其诗十七首，集评："俞荫甫曰：公幼娴词翰，每为诗，摇笔立成。尝同游云栖，公左手执杯，右手把笔，即席成诗六章。余诗所云：篮舆有约到云栖，白发彭郎兴不低。左手持杯右持笔，六章诗在席间题。纪其事也。少年诗颇效法西昆，对属工丽，体格沉雄，晚年间有流于率易者，多成于谈笑之顷故。歌行不多作，然如泊甘棠湖看五老峰一首，硬语盘空，可与昌黎争席。贞女行叙次详赡，音节古雅，则又与孔雀东南相伯仲。非致力于诗者深，能若是乎？"诗话云："刚直佐曾文正治军，始创水师，勘定功最多。事平，巡阅长江，上流起湘鄂，下游逮苏杭，戎旃所莅，兼察庶政，谙民间疾苦，黜墨吏，刈莠氓，威棱甚肃。诗特其余事，而浑浩流转，劲气直达，亦可想见其为人。尤好画梅，老干繁花，意为挥洒。所至湖山胜处辄留诗画，则羊公岘首意也。"

四月

二十七日，赐吴鲁等三百三十六人进士及第出身有差。本科为清德宗亲政恩科，吴鲁（一甲一名）、文廷式（一甲二名）、程秉钊、王乃徵、廖平、夏曾祐、许南英、俞明震等成进士。

张之洞在武昌创两湖书院。陈三立《余尧衢诗集序》："当是时，张文襄方督湖广，竞争兴学，建两湖书院，选录湖南北高才数百人，设科造士，海内通儒名哲就所专长延为列科都讲……院中前后凿大池，长廊环之，穿楼复阁临其上，岁时佳日辄倚君（按：指余尧衢）要遮群彦联文酒之会，考道评艺，续以歌吟，文襄亦常率宾僚临宴杂坐，至午夜乃罢，最称一时之盛。"

俞樾序陈烺所撰《同亭宴》、《错姻缘》两传奇。《同亭宴》叙秦始皇求长生术，为众仙所警而罢事。八出，为《玉狮堂传奇》后集五种之首。当成于《回流记》之前，约在上年已成。《错姻缘》取材于《聊斋志异·姊妹易嫁》，八出，为《玉狮堂传奇》后集五种之末一种。

易顺鼎由南康入庐山。 上月，顺鼎请假回籍养亲，至是月游庐山，夏，筑琴志楼于庐山，有终焉之志。顺鼎前此尝游庐山，后居琴志楼数年，又尝偕陈三立等游庐山，为诗颇多，结为《庐山诗录》。此集收诗始于本月，《重游匡庐卜居纪游杂诗二十七首》前数首即本月作。秋，重游西湖包山，得诗结集为《包山集》。岁末归里。又，前所撰《林屋诗录》一卷本年刊出。

廖平撰《公羊春秋补证》二卷成。 本月潘祖荫为之序。

五月

文光楼刊出《忠烈小五义传》（一名《续忠烈侠义传》）一百二十四回，不题撰人。 书首文光楼主人本月序，云："《小五义》一书何为而刻也？只以采访《龙图阁公案》底稿，历数年之久，未曾到手，适有友人与石玉昆门徒素相往来，偶在铺中闲谈，言及此书，余即托之搜寻。友人去不多日，即将石先生原稿携来。共三百余回，计七八十本三千多篇，分上中下三部，总名《忠烈侠义传》。原无大小之说，因上部《七侠五义》为创始之人，故谓之《大五义》。中下二部'五义'，即其后人出世，故谓之《小五义》。余翻阅一遍，前后一气，脉络贯通，与坊刻前部略有异同。此书虽系小说，所言皆忠义侠义之事，最易感发人之正气，非若淫词艳曲，有害纲常；志怪传奇，无关名教。自诩天生峻笔，才子文章，又何足多哉！余故不惜重赀，购求到手。本拟全刻，奈资财不足，一时难以并成。因有前刻《七侠五义》，不便再为重刊，兹特将中部急付之剞劂，以公世之同好云。"又"知非子"序，内有"现刷印五千余部"之语。是书接《三侠五义》，叙诸侠士后人诛灭豪强事。另有光绪二十二年上海广百宋斋排印本等。

陈烺《玉狮堂传奇》后集五种《同亭宴》、《回流记》、《海雪吟》、《负薪记》、《错姻缘》至迟于本月全部撰成。 《负薪记》传奇，取材于《聊斋志异·张诚》，八出。俞廷瑛序曰："先后作传奇十种，其《负薪记》一种，即采《聊斋·张诚》事。以文章之波澜，为戏剧之关目，剪裁有法，翰采烂然，以视《聊斋》，殆所谓异曲同工者。吾知此剧一出，梨园小部必且竞相肆习。而一唱三叹，使人友于之爱，油然而生。其于风俗人心，所裨匪细，虽作《孝友传》观可也，传奇云乎哉？"余四种前已见。

七月

黄遵宪在驻伦敦使馆修订《日本杂事诗》并作自序。 原有一百五十四首，本年改定，上卷删二首，增八首，下卷删七首，增四十七首，共有诗二百首，是为定本。序谓：诗初成时，"时值明治维新之始……余所交多旧学家，微言刺讥，咨嗟太息，充溢于吾耳。虽自守居国不非大夫之义，而新旧同异之见，时露于诗中。及阅历日深，闻见日拓，颇悉穷变通久之理，乃信其改从西法，革故取新，卓然能自树立，故所作

《日本国志》序论，往往与诗意相乖背。久而游美洲，见欧人，其政治学术，竟与日本无大异。今年日本已开议院矣，进步之速，为古今万国所未有。时与彼国穷官硕学，言及东事，辄敛手推服无异辞。使事多暇，偶翻旧编，颇悔少作，点窜增损，时有改正，共得诗数十首；其不及改者，亦姑仍之"。按：此《日本杂事诗》版本极多，约在二十种以上。

八月

梁启超从学于康有为。先是，本年三月，陈千秋从康有为学，至是梁启超因陈千秋之介亦从学于康有为。二人并为康有为门下两大弟子。后千秋早卒，启超成为变法运动中影响最大之宣传家。又，梁启超《三十自述》谓本年会试下第归，"道上海，从坊间购得《瀛寰志略》读之，始知有五大洲各国"。"其年秋……因通甫（陈千秋）修弟子礼，事南海先生。……先生乃教以陆王心学，而并及史学西学之梗概。自是决然舍去旧学，自退出学海堂而间日请业南海之门，生平知有学，自兹始。"

樊增祥自鄂入都。本月至明年二月出都之官陕西，所作诗为《京辇题襟集》。《樊山续集自叙》："入都与悫伯师相见，别七年矣。执手悲喜，文宴无虚日，时则潄兰丈乔梓（按：黄体芳、绍箕）、子培昆季（按：沈曾植、曾桐）、敦夫、渔笙、弢甫、紫潜、伯循、再同、伯熙（按：盛昱）、廉生（按：王懿荣）结驷连镳，朋簪云合，自秋徂春，唱和至数百首，分为二卷，曰《京辇题襟集》。"又，在京尝征序于张佩纶，佩纶撰《樊山诗集叙》谓："武威樊君，次其近诗曰《关中集》者一卷、曰《东归集》者一卷、曰《转蓬集》者一卷，征言于余。……学识英博，倜傥有奇气，诗则调采葱昽，音韵铿锵，使人味之不倦。自言初涉温李，后溯刘白，于此事颇具甘苦。余玩其名篇，以情经文，以辞纬理，殆兼取四家之长，而不囿于四家者也。昌黎称樊绍述……无所不学，海涵地负，放恣横纵，不烦绳削而自合。然绍述文字晦涩，不副昌黎所称。若君其足当之与。君方再入秦，于其行也，叙而归之。"按：时樊增祥有意刊刻其集，故本年亦尝寄诗词于乡举同年谭献审订。

十月

三十日，潘祖荫（1830—1890）卒于京师，年六十一。潘祖年编《潘文勤公年谱》："先兄弱冠即出与海内名流订揽环结佩之交，洎通籍，振拔寒素，惟恐不及。……文章勋业，彪炳当世。"《晚晴簃诗汇》卷一百五十四收其诗二十一首，诗话云："文勤师家世通门，早跻华选，久直南斋，宏奖士类，与翁常熟并称。洊陟司空，兼领京尹，以治振积瘁，卒官。雅好收藏，于商周以来文字尤富，篡攀古楼彝器图释，辑刻《滂喜斋》、《功顺堂丛书》。诗无专集，从《癸酉消夏》、《南苑唱和集》中录存。"《清史稿》本传："祖荫嗜学，通经史，好收藏，储金石甚富。先后数掌文衡，典会试二、乡试三，所得多真士。时与翁同龢并称翁潘云。……论曰：同、光典学内直诸臣，每兼授读，体制较隆；而文学侍从，亦多选绩学，时备顾问，称荣幸焉。祖荫好贤勤事，（李）文田学识淹雅，同以通博称。（孙）诒经重实学，（夏）同善崇圣德，（张）

家骧尽心诲纳，（张）英麟早励风节，并无愧师儒。（张）仁黼、（张）亨嘉尤惓惓于明法修学，后先相望，其风采皆隐然可见焉。"

伯寅氏为《续小五义》作序。此书又名《忠烈续小五义传》、《三续忠烈侠义传》，一百二十四回，不题撰人。《序》云："史无论正与稗，皆所以作鉴于来兹。坊友文光楼主人，购有《小五义》野史，欲刻无资。予阅其底稿，忠烈侠义之气充溢行间，最足感动人心。人果借此为鉴，则内善之心随地皆是。因分俸余卅金，属其急付剞劂。书既成，故乐为之序。"是书接《小五义》，叙众小侠破襄阳王铜网阵，仍在江湖诛豪强，止于天子论功，侠士受封。另有上海申报馆仿聚珍版。鲁迅《中国小说史略》："序虽云二书（按：《小五义》、《续小五义》）皆石玉昆旧本，而较之上部，则中部荒率殊甚，入下又稍细，因疑草创或出一人，润色则由众手，其伎俩有工拙，故正续遂差异也。"

十一月

十三日，宝廷（1840—1890）卒，年五十一岁。《晚晴簃诗汇》卷一百六十四收其诗八首，诗话云："竹坡为司业及讲官时，屡以言事负直声。性好吟咏，多豪宕语。其题焦山文文山墨迹云：文山歌正气，千秋仰忠烈。闻其未相时，颇不拘小节。始知多情人，乃能有热血。遗迹留名山，墨渖永不灭。是诗不啻自为写照。后卒以典试福建，差竣过浙买船妓为妾，上疏自劾，吏议罢职。数经谕荐，终未开复。竹坡本跅弛不羁，至是益颓然自放，论者惜之。"

屠寄辑《国朝常州骈体文录》三十一卷成。本月自记，此集附自撰《结一宦骈体文》二卷本年刊于广州。又，自撰《诗略》三卷亦本年刊刻。

王仁堪授江苏镇江知府。

十二月

初四日，黄彭年（1823—1891）卒于湖北布政使任。《晚晴簃诗汇》卷一百四十六收其诗十二首，诗话云："黄琴坞先生辅辰在谏垣有直声，时目为硬黄。子寿早承家学，又为刘宽夫给谏女夫，才名籍甚。官翰林上书言事，假归纂修《畿辅通志》，主讲保定莲池书院，起为安襄郧荆道，由鄂臬擢苏藩，创学古堂，建藏书楼，以经谊辞章课士，政尚清严，吴民多乐道之。移鄂藩未几卒……黄氏三世皆用学行显于时，子寿尤长纪事之文。门人辑刻《陶楼文钞》十二卷。诗无专集，录存其概。"

冬

端木埰自序《碧瀹词》。序云："初侍金先生，首熟碧山《齐天乐》一阕，吟讽既熟，作辄倚之，于诸名家，又笃嗜碧山。诸君词皆有名，遂僭以《碧瀹》自张其编，露气之下被者为瀹，以是为碧山之唾余可也，为中仙之药转可也。若以为《花外》嗣音，则不敢也。"是冬，王闿运作《碧瀹词跋》。

本年

京师梨园竞尚秦腔。王迈常、王遽常编《部眴府君年谱》："闰二月……（王甲荣）入京寓南横街嘉兴会馆。时梨园竞尚秦腔，其声楚厉，府君怆然曰：国其衰乎？何声之哀也。"

又，齐如山《清代皮簧名脚简述·凡例》："此书只录唱皮簧的名脚。……梆子腔班名脚，只有与皮簧有关系者始录，只唱梆子腔者都不录。其实我初到北平之时，以至清末，乃梆子腔最胜时代，北平所有戏班，梆子总占十分之六以上，就说同治年间到光绪初年一段时期，宫中特别规定，照例应传之戏班，共有十三班，其中已有半数是梆子，如三庆、四喜、双奎、双和、春台、同春、福寿、广和成、玉成、宝胜和、义顺和、小丹桂、小天仙等等是也。彼时梆子班中的好脚，实比皮簧多，而我在民国以前，认识的戏界中人，亦是唱梆子的较多，所以亦不写者，实因现在的人，对于梆子腔更不感兴趣也。"

郑文焯三十五岁，《词源斠律》刊行。《郑叔问先生年谱》："刊行《词源斠律》二卷，潘文勤公祖荫为之叙。先生幼嗜音，尝于琴中得管吕论律本之旨；长为词，虽自喜清异，而苦不能歌，乃大索陈编，按之东色，穷神研核，始明夫管弦声数之异同，古今条理之纯驳杂连，笔之于书，曰《律吕古义》，曰《燕乐字谱考》附《管色应律图》，曰《五声二变说》，曰《白石歌曲补调》，曰《词源斠律》，曰《词韵订》，曰《曲名考原》，是岁仅刊《词源斠律》一种。"

袁昶《安般簃集》十卷，本年刊出。

李桓《宝韦斋文录》三卷本年刊于长沙。

郑由熙（署啸岚道人）撰《暗香楼乐府》本年刊出。内收《木樨香》、《雁鸣霜》（一名《花叶粉》）、《雾中人》。

《石城七子诗钞》刊出。翁长森辑，内收秦际堂撰《南冈草堂诗选》二卷，陈作霖撰《可园诗存》二卷，邓嘉缉撰《扁善斋诗选》二卷，顾云撰《釽山诗录》二卷，蒋师辙撰《青溪诗选》二卷，何延庆撰《寄沤诗存》二卷，朱绍颐撰《抱翠楼诗存》二卷。

《薇省同声集》刊出。彭銮辑。为《碧澛词》二卷，端木埰撰；《独弦词》一卷，许玉瑑撰；《袖墨词》一卷，王闿运撰；《新莺词》一卷，况周颐撰。以作者四人俱官内阁中书，故名；编者彭銮，字瑟轩，江西宁都人，同治五年以贡生官内阁中书，后官刑部郎中，有《朱弦词》，与王闿运等多有唱和。《复堂词话》："往者阳湖张仲远叙录嘉庆词人为《同声集》，以继《宛邻词选》。深美闳约之旨未坠，而佻巧奋末者自熄，顾有以平钝雷同相訾者。近岁中书诸君子，有《薇省同声集》，作者四人，人各有格，而襟抱同栖于大雅。幼遐絜精，蘷笙隐秀，将冶南北宋而一之，正恐前贤畏后生也。"

况周颐、王闿运相唱酬。徐珂《近词丛话》"程子大与况蘷笙以词相切劘"条："光绪庚寅辛卯间，况蘷笙居京师，常集王幼霞之四印斋，唱酬无虚日。蘷笙于词不轻作，恒以一字之工、一声之合，痛自刻绳，而因以绳幼霞。幼霞性虽懒，顾乐甚不为疲也。"

谭献至鄂主经心书院。越二年，以病辞归。

马建忠撰《富民论》成。

三多撰《可园外集》刊刻。此集为三多所撰竹枝词体诗《柳营词》百首，记杭州设满蒙八旗营后掌故，编为四卷。俞樾为之序，云："《柳营词》一百首，上纪乾隆中高庙南巡之盛，下逮咸丰间瑞忠壮杰果毅两公死事之烈……事无巨细，一经点染，皆诗料也。即皆故事也。可以传矣。"

江苏书局刊刻王闿运辑《八代诗选》二十卷。

陈宝箴授湖北按察使，陈三立随父至湖北。

张鹤龄撰《寄傲闲吟》一卷刊刻。

李超琼撰《石船居诗剩稿》十六卷刊出。卒后辑为二十卷，民国初年铅印。

袁昶撰《渐西村人诗初集》十三卷刊刻。沈曾植、谭献为之序。

范当世序姚濬昌撰《幸余求定稿》十二卷。此卷另有莫友芝、孙衣言、张裕钊、徐宗亮手书题识，录道光二十六年止光绪十五年诗。光绪十七年刻十三卷本。莫友芝谓："其早遭患难，故多凄怵之音。"

汪康年应两湖总督张之洞聘课读其孙。旋在自强书院任编辑事，又充两湖书院史学斋分教，至二十二年丙申始离鄂。

金天羽年十八，补县学官弟子员。旋以所为《长江赋》及《西北舆地图表》为学使瞿鸿禨称赏，檄调南菁书院肄业。（金元宪《伯兄贞献先生行状》）

王先谦辑刻《六家词钞》成。六家为孙鼎臣、周寿昌、李洽、王闿运、张祖同、杜贵墀。《湘绮楼诗文集·文》卷九《张雨珊词序》："词盛于宋。南渡至今，苏杭濡染其风，吴中犹有北宋遗响，越中则纯乎南音。数百年来，浙人词为正宗，天下莫胜也。至清朝二百余年，共推成容若、吴毂人，成则北人，几夺浙席矣。朱竹垞亦浙人，而尤自信其词，既选《词综》，又作《诗话》，其词稿率多点易，再三斟酌，自以为尽善。然观其所选，汗漫如黄茅白苇，其所作乃如嚼蜡，浙词之末者也，未为浙派也。湘人质实，宜不能词，故先辈遂无词家。近代乃有杨蓬海，与雨珊并驱，闿运不能骖靳。王益吾自负宗工，乃选六家词，五湘而一浙，欲以张楚军。益吾、雨珊，昆弟交也。余不能，以交张、杨，亦时时稿，而酬唱之作无多。及蓬海先殂，雨珊继逝，益寂寥矣。蓬海畜刻工，有作辄付印行。雨珊亦有书局，顾不肯刊己作，词稿丛残，多不可辨，有类如竹垞手笔。"

黄遵宪四十三岁，《日本国志》付刊于广州富文斋，刊成大约在乙未年。薛福成序为光绪二十年作。又，本年正月十一日，出使英、法、义、比四国大臣薛福成自上海出发。黄遵宪于香港会合。二月十六日抵法，三月，抵伦敦。遵宪自本年始，始自辑诗稿。自谓四十以前所作，多随手散佚，至是愤时势之不可为，感身世之不遇，誓将自逃于诗忘天下，乃始荟萃成编，藉以自娱。（据钱钟联《黄公度先生年谱》）

曾彦（1857—1890）病卒于苏州，年三十四。吴虞《重印曾季硕桐凤集序》："于时，王壬秋先生之女师芳，易笏山之女玉俞，俱擅才艺。季硕乃起而与之相应和，直出其右。呜呼盛已！季硕通经术，工文辞；篆书仿邓石如，秀气灵襟，独得天然之美；画尤妍丽，传其家法；风流文采，为一时之冠。吾观近世女士，如王采薇、金云五、席道华、归佩珊，皆最有名；比于季硕，远不逮矣。"《晚晴簃诗汇》卷一百九十二收其诗至二十五首，诗话云："季硕为诗抗心希古，不愿作唐以后语。湘绮序其集（按，《桐凤集》）云：汉川张生祥龄为礼堂都讲，时来讨论，同学多言其妇曾明慧工诗画，往往为词翰，置诸高材生卷中，辄得高等。余携四女至蜀中，其长者有标格，略涉经史。曾因来见，同学相约如兄弟，时出诗歌质余。益读楚词汉诗，兼作篆隶。十年来业术道进，骎骎过其夫。殁后子馥重刻遗集（按，《虞共室遗集》），曲园称其诗直而不野，丽而有则，不求纤密之巧，自有宏肃之美。子馥恒语人：作诗吾愧逊吾妇，故遁而为词。则湘绮非謇言也。"况周颐撰《玉栖述雅》"张子苾等词"条："光绪朝，蜀中词人张子苾（祥龄），成都胡长木延，蕙风四十年前旧雨也。子苾有《半箧秋词》，夫人曾季硕（彦）有桐凤集，皆选体诗。尝为蕙风书画箑，一抚爨宝子碑，一抚天发神谶，并遒丽绝伦。画仿恽派，韵度之胜，视上元弟子有过之。"

何兆瀛（1809—1890）**卒**，年八十二。《复堂词话》："何先生词，抗手许海秋，齐名文苑，不虚也。但沉郁稍不逮许，而无海老枯率之失。"《晚晴簃诗汇》卷一百四十七收其诗二首，诗话云："青耜为恪慎公子，以荫官郎曹，乌衣子弟，词翰翩翩。自西台出守浙西，罢官后侨寓湖上，文酒流连，年逾八十，一时有洛社耆英之目。诗工力虽不甚深，而婉约清新，想见承平风调。其自署曰老学后盦，知其服膺所在矣。"

梁霭卒，年二十六。霭（1865—1890）字佩琼，一字飞素，广东南海人，番禺潘飞声室，著有《飞素阁集》。《晚晴簃诗汇》卷一百九十收其诗十七首，诗话云："佩琼归兰史，时称嘉偶。兰史自署蝴蝶洞主，制印置闺中，有偕隐罗浮之志。佩琼病笃，语兰史曰：顷梦游海上楼台，见际天洪涛，不敢飞渡，阿姑送余返。今将再寻阿姑去矣。既殁，兰史题其集云：寒闺断句愧雕镂，绣入弓衣字字妍。旧有离忧同吊屈，得传名姓比生天。别裁集付字尚书录，都讲诗从太史编。午后焚香亲告奠，玉台遗稿对凄然。"

汪东生。东（1890—1963）初名东宝，后改名东，字旭初，号寄庵、寄生、梦秋。江苏吴县人。清末留学日本，加入同盟会。尝受业于章太炎，通音韵训诂之学，于词学工力尤深，有《梦秋词》。

戈公振生。公振（1890—1935）名绍发，字春霆，号公振，以号行，江苏东台人。民国报人、作家。

向恺然生。恺然（1890—1957）名迹，字恺然，以字行，别署不肖生、平江不肖生等，祖籍湖南平江，湖南湘潭人。民国作家，撰有《留东外史》，尤以《江湖奇侠传》等武侠小说知名。

李定夷生。定夷（1890—1963）名不详，字健侯，一作健青，笔名定夷，别署墨隐庐主等，江苏武进人。民初鸳鸯蝴蝶派著名作家，著有《霣玉怨》等长篇小说三十余种。

现代作家杨振声（1890—1956）、**李劼人**（1890—1962）**生**。

公元1891年（光绪十七年　辛卯）

正月

易顺鼎在长沙结社唱和。是月，顺鼎送弟顺豫赴长沙入府学，与程颂藩、程颂万兄弟，王景莪、王景松兄弟及何维棣、姚肇椿等，诗词唱和，计凡匝月。唱和之作，后合刊为《湘社集》，有本年三月易顺鼎序。三月后，易顺鼎去湘，赴武昌。

叶昌炽撰《藏书纪事诗》六卷成。其友王颂蔚本月为之序。

二月

初三，汪瑔（1828—1891）卒，年六十四。《晚晴簃诗汇》卷一百六十七收其诗十三首，诗话云："芙生游幕岭海，颇有才名。诗亮拔自喜，晚趋婉约，乃多可取。"

月底，范当世因吴汝纶之荐至天津，课李鸿章次子经迈。

杨钟羲在京与盛昱订交。谈次悉彼此故中表，自是钟羲时往请益，遂有第录三百年八旗文字之约。（杨氏《自订年谱》）

四月

初一，康有为作《新学伪经考序目》。序称："吾为《伪经考》凡十四篇，叙其目而系之辞曰：始作伪，乱圣制者，自刘歆，布行伪经，篡孔统者，成于郑玄。阅二千年岁月日时之绵暖，聚百千万亿衿缨之问学，统二十朝王者礼乐制度之崇严，咸奉伪经为圣法，诵读尊信，奉持施行，违者以非圣无法论，亦无一人敢违者，亦无一人敢疑者。于是夺孔子之经以与周公，而抑孔子为传，于是扫孔子改制之圣法，而目为断烂朝报，六经颠倒，乱于非种，圣制埋瘗，沦于霿雾，天地反常，日月变色。……不量绵薄，摧廓伪说，犁庭扫穴，魑魅奔逸，雾散阴豁，日戢星呀，冀以起亡经，翼圣制，其于孔氏之道，庶几御侮云尔。"后序称："吾向亦受古文经说，然自刘绅受、魏默深、龚定盦以来，疑攻刘歆之作伪者多矣，吾蓄疑于心久矣。"按：此书本年刊于广州，甲午奉旨毁板，后戊戌、庚子复两次奉旨毁板。民国六年重刊于北京。又，是年康有为三十四岁，始开学堂于长兴里，梁启超、陈千秋等从之学。梁启超《三十自述》："辛卯，余年十九，南海先生始讲学于广东省城长兴里之万木草堂。……为讲中国数千年来学术源流，历史政治沿革得失，取万国以比例推断之。余……一生学问之得力，皆在此年。"

郭广瑞序《永庆升平前传》。此书十二卷九十六回，不题撰人。演述康熙帝微服私访，与顾焕章、马成龙等除邪教、平逆匪事。郭广瑞本月序云："咸丰年间，有姜振名先生，乃评谈今古之人，尝演说此书，未能有人刊刻传流于世。余长听哈辅源先生演说，熟记在心，闲暇之时，录成四卷，以为遣闷。兹余友宝文堂主人，见此书文理直爽，立志刊刻传世，非图渔利，实为同好之人遣闷，途亦乐从。虽增删补改，录实事百余回，使忠臣义士，得以名垂千古，佞党奸贼，报应循环可也矣。"据序，此书系郭广瑞据姜振名、哈辅源演说作记录整理而成，本月当已成书，有明年宝文堂刊本。郭广瑞，字筱亭，号燕南居士，潞河（今北京通县）人，生平不详。

六月

初一，寄禅邀王闿运等至罗汉寺斋集。

十三日，郭嵩焘（1818—1891）卒于长沙，年七十四。卒后，王先谦等编定其集。王先谦《养知书屋遗集序》："先生当咸丰朝，即已直南斋……可云尊显，然而德不谐其偶。""先生之文，畅敷义理，冥合矩度。其雄直之气，追配司马迁、韩愈，殆无愧色。古近体诗，造意取材，离绝凡近。晚年不多作，纵笔偶成，皆有意度。评骘经史，考订尤精。"《晚晴簃诗汇》卷一百四十九收其诗六首，诗话云："筠仙开敏忼爽，以经世自负……其时风气未开，诟厉丛集，使还遂谢病。集中有无题诗云：雀来燕室宁容汝，鸩为鸠媒最恼公。花防风妒持铃护，月受尘蒙借镜磨。盖写其遭逢之多迕也。"

黄遵宪在伦敦使馆自序《人境庐诗草》。序云："士生古人之后，古人之诗号专门名家者，无虑百数十家，欲弃去古人之糟粕，而不为古人所束缚，诚戛戛乎其难。虽然，仆尝以为诗之外为事，诗之中有人；今之世异于古，今之人亦何必与古人同。尝于胸中设一诗境：一曰，复古人比兴之体；一曰，以单行之神，运排偶之体；一曰，取《离骚》乐府之神理而不袭其貌；一曰，用古文家伸缩离合之法以入诗。其取材也，自群经三史，逮于周秦诸子之书，许、郑诸家之注，凡事名物名切于今者，皆采取而假借之。其述事也，举今日之官书会典方言俗谚，以及古人未有之物，未辟之境，耳目所历，皆笔而书之。其炼格也，自曹、鲍、陶、谢、李、杜、韩、苏讫于晚近小家，不名一格，不专一体，要不失乎为我之诗。诚如是，未必遽跻古人，其亦足以自立矣。然余固有志焉而未能逮也。《诗》有之曰：'虽不能至，心向往之。'聊书于此，以俟他日。"按：至七月，总理各国事务衙门奏准设立新嘉（加）坡总领事，以黄遵宪调充，十月初抵任。

夏

文廷式有湖南之行。按：上年秋，廷式假归，本年五月，由广州启程，六月初三抵湘潭。"先生此行，途中常读《朱子语类》及《大乘起信论》，时有触发，谓读语类胜于读文集，以精神如告也。"（钱萼孙编《文云阁先生年谱》卷二）

七月

初七，王闿运作《七夕词》。《湘绮府君年谱》："府君乘暇乃作《七夕词》，盖自十五岁始作七夕词，名字渐达于时人，交友益盛，因励志为诗，每值七夕，必有吟想。……故作《七夕词》四十六首，自十五岁至六十岁，每岁系一绝句，以至家国兴衰之感，平生游处之迹，使后世之览者，可以观感焉。"

李慈铭刻《白华绛跗阁诗集》十卷成并自序。

八月

宝鋆（1807—1891）卒。《晚晴簃诗汇》卷一百四十二收其诗七首，诗话云："文靖性耽吟咏，持节撼怀，兴会飙举。咸丰八年十月典试浙江，《过喜珠河戏作》云：悟彻人天喜，河名亦喜珠。有情皆洞照，何处不欢娱。论者谓公一生福泽征兹数语。自浙还朝，中途追忆杭州风景，作《竹枝词》十二首。其奉使三音诺彦，有《瀚海赋》、《塞上竹枝词》，崇文勤赠以诗云：出塞非寻前代迹，登高真见大夫才。"

九月

杨彝珍重宴鹿鸣。

陈烺七十生辰，《玉狮堂传奇》后集五种刊出，合前刊前集五种，至是十种全部刊竣。有谭献《总序》、徐光蓥本月《序》，刘炳照上年六月《后序》。谭廷献《总序》："俄而，后五种曲又成……先生按拍传声，得言忘象，一唱三叹，旨在风骚。五角六张，感兼身世，未绝广陵之散，重题黄鹤之楼。以视前五种曲，称心而言，我闻如是，可歌可泣，直到古人。愈唱愈高，别有怀抱，令众山之皆响，遏轻尘而不飞，作金石声，掷孙兴公之赋，有井水处，歌柳耆卿之词。"

秋

孙家振与韩邦庆相遇，时孙家振《海上繁华梦》已成二十一回，韩邦庆《海上花列传》亦已成半。孙家振《退醒庐笔记》卷下"海上花列传"条云："余辛卯秋应试北闱，识韩子云于大蒋家胡同松江会馆。场后南旋，同乘招商局轮船。长途无俚，出其著而未竣之小说《花国春秋》相示，回目已得二十有四，书则仅成其半。时余正撰《海上繁华梦》初集，已成二十一回。舟中乃易稿互读。韩谓：'《花国春秋》之名不甚惬意，拟改为《海上花》。'余谓：'此书用吴语，恐阅者不甚了了，且吴语有音无字者多，不如改易通俗白话为佳。'韩言：'曹雪芹撰《石头记》用京语，我书何不可用吴语？……仓颉造字，度亦以意为之，何妨自我作古。'余知其不可谏，遂不复语。逮两书相继出，韩书已易名曰《海上花列传》（又名《海上百花趣乐演义》、《海上看花记》），而吴语则仍旧，客省人几难卒读。遂令绝好笔墨，不获风行于时。而《繁华梦》则年必再版，所销不知几十万册。于以慨韩君之以吴语著书，实为大误：该吴语限于一隅，非若京语之到处流行，人人畅晓，故不可与《石头记》并论也。"又，郑逸梅《艺林散叶》第2481条云："韩子云所著《海上花列传》，初名《花国春秋》，与孙玉声之《海上繁华梦》，同时撰述。二人本相识也。孙著《海上繁华梦》着笔之先，将书中人物，分列一表，如编剧然，酌定孰为正角，孰为配角，孰系生旦，孰系净丑，若者为主，若者为宾，于是逐幕登场，逮剧毕而全书告成，署名警梦痴仙，讳其真实姓名。"

十月

宋育仁评点陈锐诗文。时育仁至湘潭，重晤陈锐，及其行，陈锐贻诗卷伴行。因评其诗，曰："细读前卷，服膺久之，自觉才情涸绝。瞠乎后矣。……伯弢近读养性书，不专力于文辞，而文辞日进，所谓庖丁解牛，有进乎技者矣。吾与子其相勉。"陈锐《袌碧斋诗话》所录宋育仁评语尚有多次。按：宋育仁为王闿运尊经书院弟子，陈锐则为闿运校经书院弟子。

十一月

十七日（12 月 17），胡适（1891—1962）出生于上海。（易竹贤撰《胡适年谱》）

谭嗣同检仲兄遗文及行述墓志铭哀诔等，为《远遗堂集外文初编》并作序。是岁又有《武昌踏青词》等作。（陈乃乾撰《浏阳谭先生年谱》）

《万国公报》第三十五册开始连载《回头看纪略》，至明年三月第三十九册毕，撰人不详。

十二月

初六日，黄家岱卒。家岱（1854—1892）字镇青，浙江定海人。以周子。有《嬻艺轩杂著》三卷、《尚书讲义》一卷。

十三日，尹湛纳希卒，年五十六。（今按：一说尹湛纳希卒于明年正月，此据江庆柏《清代人物生卒年表》）

除夕，陈廷焯自序其《白雨斋词话》。《序》云："倚声之学，千有余年，作者代出；顾能上溯风骚，与为表里，自唐迄今，合者无几。……揆厥所由，其失有六：飘风骤雨，不可终朝，促管繁弦，绝无余蕴，失之一也。美人香草，貌托灵修，蝶雨梨云，指陈琐屑，失之二也。雕镂物类，探讨虫鱼，穿凿愈工，风雅愈远，失之三也。惨慽懵凄，寂寥萧索，感寓不当，虑叹徒劳，失之四也。交际未深，谬称契合，颂扬失实，遑恤讥评，失之五也。情非苏窦，亦感回文，慧拾孟韩，转相斗韵，失之六也。……大雅日非，繁声竞作，性情散失，莫可究极。……萧斋岑寂，撰《词话》十卷，本诸风骚，正其情性，温厚以为体，沉郁以为用，引以千端，衷诸壹是。非好与古人为难，独成一家言，亦有所大不得已于中，为斯诣绵延一线。暇日寄意之作，附录一二，非敢抗美昔贤，存以自镜而已。"（按：《白雨斋词话》后于光绪二十年刊出，八卷。此序称十卷，疑原为十卷，后整理为八卷。）又，卷首语谓："（《词综》、《词律》、《词藻》等）各有可观，顾于此中真消息，皆未能洞悉本原，直揭三昧。余窃不自量，撰为此编，尽扫陈言，独标真谛，古人有知，尚其谅我。"《白雨斋词话》标"沉郁"之说，卷一谓："作词之法，首贵沉郁，沉则不浮，郁则不薄。顾沉郁未易强求，不根柢于风骚，乌能沉郁？十三国变风，二十五篇《楚词》，忠厚之至，亦沉郁之至，词之源也。不究心于此率尔操觚，乌有是处？""唐五代词，不可及处正在沉郁。"卷八谓："诗之高境在沉郁，其次即直截痛快，亦不失为次乘。词则舍沉郁之外，即金氏所谓俚词鄙词游词，更无次乘也。（非沉郁无以见深厚，唐宋名家不可及者，正在此。）"

本年

潘衍桐辑《两浙輶轩续录》五十四卷补遗六卷浙江书局刊刻。

康有为创设万木草堂。讲学于广州长兴里，宣传托古改制，学生有陈千秋、梁启超、麦孟华、徐勤等，至甲午年解散。

薛福成《庸庵笔记》六卷刊出。书首作者《凡例》云："是书于平生见闻随笔记载，自乙丑至辛卯，先后阅二十七年。所记渐多，始自删存。其有精蕴及有关系者，复各以类相从，不能尽依先后为次。"

朱铭盘著《四裔朝献长编》成，复纂二晋及南北八朝会要，以续徐松之书。

天津石印书屋刊出醉薇居士著《日下梨园百咏》。是书题咏光绪十五、十六年前后京师梨园流行剧目及艺人。

马其昶与范当世、姚永朴、姚永概等唱和。《桐城马先生年谱》："省外舅竹山君（按：姚濬昌）于江西安福县廨。僚婿通州范肯堂方就婚甥馆，竹山子仲实叔节亦均随侍，极论文谈艺之乐。……是年有《幸余求定稿书后》、《答萧敬甫丈书》、《西山精舍图记》文。"

陈衍三十六岁，在上海，屡游金陵，多作文。按：陈衍上年入上海制造局幕，兼方言馆汉文教习。是年，沈瑜庆以江苏候补道总办水师学堂，陈衍数往访之，有《游后湖过半山寺题莫愁小象》诗。"是岁多作文，有《书先君子遗事》、《书先姚事》、《书仲容六姊事》。时物力尚贱，米价一石仅二饼金有六角，然馆谷薄，不足用，则益以授徒卖文，居停主人命其子来请业，又新宁刘岘庄制军坤一方督两江，长江上下多湘人，居停为广招徕，凡称觞诔墓之文岁百十篇，篇不过三十金至五十金，然以当时物力与近日较之，三四十金可值一二百金矣。旅食赖以不困。又文皆散体，时许可成一篇。若要骈体，则非百金不售。记一年偶连作三篇寿言，篇百廿饼金，叶损轩丈劝以三百饼金卖。……家君尝自嘲低文不应售高价也，又尝自言寿文皆草草酬应之作，不足存，故集中绝不刻一篇。"（《侯官陈石遗先生年谱》）

萧道管草创《列女传集解》，有《龙华镇看桃花》七古。

唐景崧在台北开牡丹诗社。是年景崧擢升台湾布政使，进驻台北。连横《台湾通史》卷二十四《艺文志》："夫以台湾山川之奇秀，波涛之壮丽，飞潜动植之变化，可以拓眼界，扩襟怀，写游踪，供探讨，固天然之诗境也。以故宦游之士，颇多撰作。……光绪十五六年，灌阳唐景崧来巡是邦，道署旧有斐亭，景崧葺而新之，辄邀僚属为文酒之会，台人士之能诗者悉礼致之。扬风扢雅，作者云兴。既而景崧升布政使，就任台北。台北初建省会，游宦寓公，簪缨毕至。景崧又以时集之，润色升平，一时称盛。"又，罗香林《丘逢甲传》："灌阳唐景崧以翰林分巡台湾道，方奖掖风雅。岁试文生，拔其尤，读书海东书院，厚给膏火，延进士施士洁主讲。于是逢甲与新竹郑鹏云、安平汪春源、叶郑兰等肄业其中。旋获举，联捷成进士，授工部主事，去官为崇文书院山长。及景崧升布政使，邀逢甲以诗文相酬唱。"按：丘逢甲外，诗社较著名诗人尚有许南英、施士浩、林鹤年、汪春源、王毓青、谭嗣襄等人。诗社成立之后，时举诗钟之会，至光绪十九年，景崧汇刊社友之作为《诗畸》。光绪二十一年日本割台，诗社遂停止活动。

杨恩寿（1837—1891）卒。吴梅《顾曲麈谈》："杨坦园恩寿之六种曲，亦学藏园，而远不如韵珊（按：黄燮清）。其《再来人》、《桂枝香》二种特佳。《麻滩驿》、《理灵坡》表章忠义，不如《芝龛记》远矣。所作《词余丛话》特胜。"《晚晴簃诗汇》卷一百六十四收其诗四首。

况周颐暂客杭州，与谭献过从。《复堂词话》："临桂况夔笙舍人周仪暂客杭州，闻声过从，锐意为倚声之学。……优入南渡诸家之室。"此约在秋后，冬，周颐至苏州，晤郑文焯，重会张祥龄。（《况周颐年谱》）

冒广生十九岁，在广州从叶衍兰学为词，潘飞声等同学。冒氏《四声钩沉》："辛卯岁，从番禺叶兰台户部师讳衍兰学为词。"冒氏《海云楼诗钞跋》："师一日见广生所为词，曰：此吾故人孙也。命执贽受业门下。同吾游者，时则有若姚子伯怀、潘子兰史、黄子日初。而师独奇爱广生，春秋佳日，后堂丝竹，广生殆无不与。"

左锡嘉撰《冷吟仙馆集》十卷刊出。内诗集《浣香小草》、《吟云集》、《卷葹吟》、《冷吟集》共八卷，《诗馀》一卷，《文存》一卷，其子曾光熙刊于晋昌官署。按：左锡嘉（1831—1895）字韵卿，又字冰如、小云，号浣芬，阳湖人。左昂女，锡璇妹，华阳曾彦继室。工绣谱，善画花卉。曾咏早卒，率子迁居成都杜甫草堂之侧，卖画为生。女曾懿、曾彦俱善诗，一门风雅，为世所称。著有《冷吟仙馆集》。

孙雄撰《师郑堂集》六卷由无锡文苑阁刊出。

洪良品撰《龙冈山人集》三十四卷自光绪四年至本年刻。

龙文彬辑所作为《永怀堂文钞》十卷、《诗钞》二卷刊出。

史梦兰撰《尔尔书屋诗草》八卷、《文钞》二卷止园刊刻。

薛福成《出使英法义比四国日记》六卷本年刊出。

上海正谊书局刊出《三公奇案》二十卷排印本，署"海上鸣松居士新辑"。是书收《包公案》十卷，《施公案》八卷，《鹿州公案》二卷。（末一种乃蓝鼎元自叙之书，非通俗小说）。

李桓（1827—1891）卒，年六十五。《晚晴簃诗汇》卷一百五十八收其诗三首，诗话云："黻堂辑名人碑志及国史本传，凡四百数十卷，一朝文献，搜采详备。或以史传多于碑志议之，殊未知国史繁重，后来修辑，不能不予刊删，其未尽收者，转赖此书以存，厥功何可泯也。"

何如璋（1838—1891）卒，年五十四。《晚晴簃诗汇》卷一百六十四收其诗三首，诗话云："子峩《诗草》（按：《海袖楼诗草》）皆出使日本时所作，当时风气，得中国使臣翰墨，珍如球璧。诗格虽不高，存之足为采风之一助。"

曹秉哲（1841—1891）卒。《晚晴簃诗汇》卷一百六十三收其诗七首，诗话云："冯展云（誉骥）论吉三诗源出中晚而泛滥于诚斋放翁，所作澹沲调适，工秀轶群。亦间以直致标奇，以纵言取畅。又尝作《萤诗》，有'露重上衣难'之句，时人盛称之。"

赵苕狂生。苕狂（1891—?）名泽霖，字雨苍，号苕狂，以号行，别署忆凤等。浙江吴兴人。民国作家，撰有《中国最新侦探案》等小说二十余种。

刘半农（1891—1934）生。

公元 1892 年（光绪十八年　壬辰）

正月

端木埰（1816—1892）卒。

况周颐在苏州，与郑文焯、张祥龄唱酬。在苏复结识易顺鼎，二月初由沪返京，是年编成《玉梅词》、《存悔词》。（《况周颐年谱》）

二月

梁鼎芬在镇江。文廷式过之，有诗送别。

周泽民序《永庆升平前传》。宝文堂约于本月或稍后刊出是书。

韩邦庆创办吴语文学半月刊《海上奇书》。十期后改为月刊，共出十五期，上海点石斋书局出版。自创刊号起开始连载其吴语小说《海上花列传》，题"云间花也怜侬著"，每期二回，共出十四期二十八回，未完。又，第一至第十期亦刊出笔记小说《陶妖梦记》、《和尚桥记》、《段情卿传》、《蕊珠宫仙史小引》、《双龙钏铭》、《欢喜佛传》、《书袁痴恶作剧》、《大虫传》等，总题《太仙漫稿》。

沈曾植为袁昶序《安般簃集》。是年曾植充总理各国事务衙门俄国股章京。

三月

本立堂刊出《彭公案》（又名《大清全传》、《大清传》）二十三卷一百回，题"贪梦道人撰"。书首作者本月自序，云："余著此《彭公案》一书，乃国朝之实事也，并非古词小说之流无端平空捏造，并无可稽考。……今竟著实事百余回，所论者忠臣义士得以流芳千古，乱臣贼子尽遭报应循环，使读者无废书长叹之说，有拍案惊奇之妙。"又孙寿彭《序》云："《彭公案》一书，京都钞写殆遍，大街小巷，侈为异谈，皆以为脍炙人口。故会庙场中谈是书者，不记其数，一时观者如堵，听者忘倦。"书叙彭朋居官断案及铲除豪强事。按：彭朋当作彭鹏，福建莆田人，康熙时官至广西巡抚，有政声。是书所叙人物情节，与道光中《施公案》颇有呼应处。《彭公案》刊后，续书踵起，多至二十集。略录数集于此：《续彭公案》四卷八十回，有光绪二十六年上海扫叶山房全集本等；《再续彭公案》八十一回；《三续》八十一回；《四续》四十回；《五续》四十回；《六续》四十回；《七续》二十四回；《八续》二十四回。

郑观应在广州居易山房撰《盛世危言》自序。

四月

二十五日癸丑，清廷命令禁止排外刊物。

五月

十四日，赐刘福姚等三百一十七人进士及第出身有差。李希圣、蔡元培、夏孙桐、尹昌龄、赵熙、曾习经、叶德辉、唐文治、屠寄、张元济等成本科进士。时赵熙二十五岁，选翰林院庶吉士。始识乡先达乔树枬、刘光第、吴德潇诸人，讲学谈诗，情谊至笃。

闰六月

八日，文廷式、志锐、左绍佐等同游极乐寺。

八日，柳以蕃（1835—1892）卒，年五十八。所撰《食古斋诗文录》六卷明年刊出。

十六日，李文田在都招文廷式游天宁寺。同游者有王颂蔚、冯煦、蒯光典、江标、费念慈、黄绍箕、沈曾植、沈曾桐、缪荃孙、缪祐孙、叶昌炽等。

夏

张之洞与易顺鼎等唱酬。易顺鼎《鄂湘酬唱集题记》："光绪壬辰夏，余奉母庐山，往来武昌，客南皮督部师（按：张之洞）所。公久不作诗，为余破戒，由是遂有唱酬。秋冬之间，自家往鄂，阻风洞庭，与张之虞学使联舟，亦以诗相赠答。今年春，吴县中丞师（按：吴大澂）巡边，过余家，出道中诗见示，且索和，辄尽和之。师友之乐，洵不可忘，编为一卷，以先付梓。鄂中诸友唱和尤多，当另编为一卷云。"又，是年易顺鼎三十五岁，春入庐山，夏，尝与陈三立夜宿庐山。后出山之武昌，任两湖书院讲席，分校经学文学。时往来鄂湘间，与张之洞、湖北按察使陈宝箴、湖南巡抚吴大澂、湖南学政张预等酬唱，唱和之作编为《鄂湘酬唱集》，有明年四月题记。

秋

王甲荣在台作《台湾秋兴》八首。王迈常、王遽常编《部畇府君年谱》："此诗曾单行付梓，府君颇自意，以为近杜老苍凉之作。"按：甲荣以本年六月应台湾巡抚邵友濂之招，赴台湾办理抚院文案。

陈廷焯（1853—1892）卒，年四十。卒后其《白雨斋词话》附诗词由其弟子刊出。汪懋琨《白雨斋词话》序："诗古文辞，皆取法乎上，必思登峰造极而后止。……（《词话》并所著诗词）……推本风骚，一归于温柔敦厚之旨。非所谓宅心纯正，蕲至于登峰造极者欤？"王耕心序："吾友陈君亦峰，少为诗歌，一以少陵杜氏为宗，杜以外不屑道也。年几三十，复好为词，探索既久，豁然大彻。所为词稿，深永超拔，已足上摩宋贤之垒。而别著《白雨斋词话》八卷，抉择幽微，辨才无碍，尤有不受流俗羁绁者。亦峰之于词，思与学兼尽如此，亦勤矣哉。"包荣翰跋："于书无所不览，凡习一艺必造精微，而于词学为尤深且邃。所著《词话》八卷，一本温柔敦厚，以上溯国风离骚之旨，可谓发前人之所未发，俾后学奉为圭臬，卓卓乎词学之正宗矣。"《广箧中词》卷一："《白雨斋词话》极力提倡柔厚之旨，识解甚高，所作亦足相副。"

冬

吴汝纶欲延张裕钊入皖教授文学，不果。郭立志编《桐城吴先生年谱》："九月二十六日答余寿平云：……今武昌张廉卿，海内硕儒也，在鄂不合流转襄阳，今闻将有入秦之举，此君年七十而入关谋生，盖亦无术自给，出此下策，弟昨谋之南中旧游，意欲纠合十余人，人出百余金，延此公入皖，以为乡里后进师表。则文章之传，当复有寄。区区愚见，窃谓时局日棘，后来之变，未知所底，帖括之学，殆不足以应之。将欲振兴人才，弘济多难，自非通知古今，涵茹学识，未易领此。"按：此事未果，而张裕钊卒终于陕西。

本年

史念祖在云南布政使任上刻《俞俞斋稿》。此后，于二十二年重刻于桂林，三十二年重刻于广陵。

袁昶《春闱杂咏》一卷附录一卷，本年刊出。

陈去病《浩歌堂诗钞》录诗起于本年。

罗振玉撰《面城精舍杂文甲编》一卷、《乙编》一卷刊刻。

徐琪撰《花农杂诗六种》广东书局刊刻。

陈炽撰《庸书》。

《正续小五义全传》十五卷六十回约于本年行世。此书现已佚，鲁迅《中国小说史略》著录云："大小五义之书既出尽，乃即见《正续小五义全传》刊出，凡十五卷六十回，前有光绪壬辰（1892）绣谷居士序。其本即取《小五义》及续书，合为一部，去其复重，又汰其铺叙，省略成十三卷五十二回。末二卷八回则谓襄阳五将就擒，而又逸去，至红罗山，举兵复战，乃始败亡，是二书之所无，实为蛇足。行文叙事，亦虽简明有加，而原有之游词余韵，刊落甚多，故神采则转逊矣。"

林旭游武昌。《清稗类钞·师友类·林暾谷交名流》："侯官林暾谷京卿旭尝游武昌，遍识一时名流，若陈宝箴、三立父子，梁鼎芬，蒯光典，屠寄之伦。光绪癸巳旋里……旋领乡荐第一，其闱作传诵天下，年十有九耳。入都，知名之士争与交，乃遂交黄绍箕、沈曾植、康有为、梁启超、严复诸人。"

朱善祥（1845—1892）卒，年四十八。《晚晴簃诗汇》卷一百七十一收诗一首。

宦懋庸（1842—1892）卒，年五十一。

董恂（1807—1892）卒，年八十六岁。

翁端恩（1826—1892）卒，年六十七。翁端恩字璇华，常熟人，翁心存女，翁同龢女兄，归安国子监祭酒钱振伦继室，有《簪花阁集》。《晚晴簃诗汇》卷一百八十七收其诗五首。

秦焕（1813—1892）卒，年八十。《晚晴簃诗汇》卷一百五十七收诗一首。

姚鹓雏生。鹓雏（1892—1954）名锡钧，字雄伯，号鹓雏，以号行，别署宛若、红豆词人等，江苏松江人。民国作家，以小说名，著有长篇小说《风礵芙蓉记》等，亦工诗词，有《恬养簃诗》五卷等。

郭沫若（1892—1978）生。

公元 1893 年（光绪十九年　癸巳）

正月

初一日（2月17日），《新闻报》创刊于上海。为中外商人合办，英人丹福士为总董，延蔡尔康主笔。孙玉声亦曾任编辑部主笔。

五月

吴闿生至天津问学于范当世，称弟子。吴闿生是年十六岁。

易顺鼎手录游庐山诗中佳作，题名《庐山诗录》呈张之洞。此前，顺鼎再入庐山，与陈三立、范钟（按：范当世弟）、罗运崃同游，各为诗一卷，有合刊本。陈三立《庐山纪游图咏册题跋》："余三游庐山，独光绪癸巳春夏间稍久，留易实甫所筑琴志楼，与实甫竞越峰岭，饮瀑苏喘汗，然犹未尽探其胜。时偕游又有范仲林、罗达衡，尝就各所得诗汇刊为一卷。"此《庐山诗录》，乃顺鼎别录自作最得意者。张之洞亲为点评，称许："此卷诗瑰伟绝特，如神龙金翅，光彩飞腾，而复有深湛之思，佛法所谓真宝不虚而神通具足者也。有数首颇似杜、韩，亦或似苏，较作者以前诗境，益臻超诣，信乎才过万人者矣。"又："作者才思、学力无不沛然有余，紧要诀义，惟在'割爱'二字，若肯割爱，二十年后海内言诗者，不复道著他人也。""凡卷中未加评识者，似可不存稿。在他人则金玉，在作者则土苴耳。何谓存之以自掩其菁英哉！此时作者意未必以为然，十年后，当味鄙言也。"《庐山诗录》向推顺鼎集中精华，樊增祥《书广州诗后》谓："天生石甫，奇才也。五岁而知书，十七八岁而刻行稿，诗词骈散文，皆于三十六体为近，先师张文襄奇赏之。中年以后，庐山诸作，骎骎入杜韩之室矣。顾天之生人，既畀以纯全秀灵之气，则天事终而人事伊始。其才之偏全，名之大小，遇之丰啬，则仍视乎其人之自为，而天之权亦退处于若有若无之间。石甫既负盛名，率其坚僻自是之性，骋其纵横万里之才，意在凌驾古人，于艺苑中别竖麾纛。于是益新，益奇，益工，益不复薪合于古之法度，亦不恤师友之箴言。庐山以后之诗，大抵才过其情，藻丰于意，而古人之格律，之意境，之神味，举不屑于规步而绳趋，而名亦因是而减。文襄深惜之，又力诚之，君方自谓竿头日进，弗能改也。"至七月，母陈太夫人逝世，顺鼎建墓庐倚霞宫，服孝。

六月

《永庆升平后传》（又名《续永庆升平》）至迟于本月已成书。（据龙友氏本月序）撰者署贪梦道人，生平不详，本年十月自序云："（《永庆升平前传》）有始无终，使人读者不能畅怀。故今又接续刻，全集实事百数回，各种目录书中之大旨，无非是惊愚劝善，感化人心，善恶分明，使忠臣义士，得留名于后世，邪教乱臣，尽遭报应循环，使读者有悦目赏心之欢，拍案惊奇之乐。"是书一百回，接《永庆升平》二闹广庆园案，续演平灭吴恩事。明年刊出。

七月

二十日，邓辅纶（1829—1893）卒于江宁馆舍，年七十五。《湘绮楼诗文集·文》卷九《邓弥之先生墓志铭》："湘州自汉及明，词章质楚。君下笔渊懿，出语高华，游鱼衔钩，兰苕集翠。诗廑数百首，卓然大家，出手成名，一人而已。尤执拗谦，欿然呐呐，后生门人，皆与抗礼。"《湘绮楼诗文集·诗》卷十七《夜雪集·论同人诗八绝句》："邓弥之幼有神慧，而思力沉苦，每吟一句，必绕室百转。诗学杜甫，体则谢、颜，至其《东道难》、《鸿雁篇》，古人无此制也。太阿青湛比芙蓉，销尽锋芒百炼中。颜谢风华少陵骨，始知韩愈是村翁。"《晚晴簃诗汇》卷一百五十三收诗十四首，诗话云："咸同之间，武冈邓弥之、湘潭王壬秋两人交相善而俱以诗鸣。弥之早参军事，侘傺不遇以终。壬秋遨游南北，薄于仕进，年登大耋，著作等身。若但以诗格论，则旗鼓相当，实亦未易轩轾。弥之尝有《登衡山诗》云：芝菌蔚霞气，土石为天色。壬秋诧为一字千金。今观其诗，沉郁幽愤，直逼杜陵。拟古诸作尤杰出，不独衡山一篇也。"

周树人、周作人兄弟因祖父科场案发至皇甫庄外祖母家避难。案发后，其祖父收监，十二月二十五日光绪皇帝谕旨判其为"斩监候"，以故延宕至辛丑年，以例释出；其父取消乡试资格，于光绪二十二年病逝。

九月

徐世昌偕严修（范孙）、朱祖谋（古微）游田盘山，用昌黎《合江亭》韵，作《盘山诗》纪之。按：徐世昌以民国十六年二月，成《晚晴簃诗选》，分缀诗话；民国二十八年己卯卒，年八十五。

林旭成福建乡试解首。《十朝诗乘》卷二十二："早岁孤贫，年十九领乡解，才名籍甚。沈涛园妻以女，遂依甥馆。陈木庵大令（今按：陈书）客江淮，多共酬唱。"《侯官陈石遗先生年谱》："初，爱苍丈绝爱其女孟雅鹊，必欲以字佳士，省墓归，从暾谷塾师观其文字，异其博赡，见其少不暇，意犹豫。以孟雅家君女弟子也，商于家君，家君以为才士难得，遂决妻之。旧岁就贽于金陵，过沪来谒家君，未遇，投所作诗文去，游武昌，遍识一时名流，若陈右铭、伯严父子，梁节庵、屠敬山之伦。至是闱墨出，传诵天下，绝不似未冠人所作。"又《清稗类钞·文学类·林暾谷发愤为诗》："光绪甲午、乙未、戊戌三上公车，皆荐而不售，则发愤为诗。取径于孟郊、贾岛、陈师道、杨万里，苦涩幽僻，喜从乡人郑孝胥、叶大庄、陈书、陈衍讨论。自择百十首刊之，孝胥以为如哜橄榄，大庄以为似袁昶，衍以为春夏行冬令，非所宜。"

《七真祖师列仙传》二卷刊出，不题撰人。是书杂糅民间传说，依道教典籍，敷衍成篇，实为道教通俗读物，甚荒陋。书首"龙门弟子濮炳增、杨明法"本月《叙》云：

"愿世人照兹奉行，不必嚼金玉之津液，不必服日月之精华，无劳尔形，无摇尔精，窈窈冥冥，安知不羽化登仙，同赴玉楼之宴也。"后有光绪二十九年重刻本。

秋

恩科乡试，徐乃昌中式江苏乡试，为副考官文廷式所赏。钱萼孙编《文云阁先生年谱》卷二："是科得人为盛，而先生于门生独爱苏州汪甘卿钟霖、宁国徐积余乃昌二人。……先生此次南行，日笔所事，为《南韬日记》一卷，旋入都。"

薛福成在伦敦使署为其友黎庶昌所撰《拙尊园丛稿》作序。是秋，黎庶昌裒所为古文辞百余首，厘为六卷，邮致上海，付之石印。贻书海外，征序于福成，因有是作。

十月

二十日，王仁堪病卒于苏州府知府任，年四十五。张謇《啬翁自订年谱》："同光两朝京师所谓清流者奉李高阳为魁，而张之洞、张佩纶、陈宝琛、黄体芳皆其杰。友好中盛昱、王仁堪、仁东、张华奎、梁鼎芬、黄绍箕、文廷式皆预焉。可庄温重简雅，不露圭角，实令器，出知镇江府，劝民荒山种树，整治地方，移知苏州，亦得士心，享年不永，可恸也。"《晚晴簃诗汇》卷一百七十二收其诗六首，诗话云："可庄师以殿撰负书名，为时所称，在词苑夙著清望，出守吴中，声积烂然，年未五十，以劳瘁卒官。国史入循吏传，洵无愧色。"

十八日，龚易图（1836—1893）卒。《晚晴簃诗汇》卷一百五十六收其诗十二首，诗话云："蔼人先德四世祀名宦，当其官济南时，丁文诚专疏请入国史循吏传。蔼人有四言诗纪恩，洵异数也。其诗出入苏黄，健拔隽快，次韵尤所擅长，指事类情，无不达之辞。"

十八日，朱铭盘以积劳病瘵，卒于金州军中，年四十二。张謇经纪其丧，后于光绪三十二年印行其诗文。郑肇经编《曼君先生纪年录》："公之诗文，当时久有定评，狄平子葆贤《平等阁诗话》云：泰兴朱曼君孝廉，家贫负逸才，放任不拘小节，类杜樊川之为人，工骈文，诗亦清新博雅。又：朱曼君孝廉惊才盖代，太白之流，五古五律，萧寥之中，咸具胜韵，七律典重，微患才多。《朝鲜柳中使小园听土人杂歌》七古一首，辞采研妙，弥近元白。彭泽汪国垣辟疆以瓶水斋主人曾有《乾嘉诗坛点将录》之作，乃续作《光宣诗坛点将录》，评曰：曼君诗泽古甚深，不苟作，不矜才，自是学人之诗云。又山西郭允叔评近代骈文作家，颇推崇公文，谓其意象则嵌崎磊落，其神理则磅礴郁纡，其词采则雄深雅健，其筋力则潜转从容，王壬秋、李越缦诸家，均不相似云。"

薛福成在伦敦使署厘定疏稿数十首为《出使四国奏议》二卷，并自作序。序云："奏议，古文之一体也。昔曾文正公选钞奏议，宗贾长沙、陆宣公、苏文忠三家。《鸣原堂论文》，专论奏疏，亦既涵其涯而抉其奥矣。……夫长沙究利害，宣公研义理，文忠审人情，三家各有深诣。文正宗之，允矣。窃又以为文正奏疏，参用近时奏牍之式，运以古文峻洁之气，实为六七百年来奏疏绝调。……然奏疏一体，前则三家，后则文

正，皆福成所服膺弗失者也。"又："嗟夫，经济无穷，事变日新。今方西洋诸国情状，贾陆苏三公与文正所不及睹者也。福成既睹四贤未睹之事矣，则凡所当言者，皆四贤所未及言者也。惟其为四贤所未及言，居今之世，乃益不能已于言。安得起四贤于今日，抒厥壮猷，一启后人之不逮耶？夫古人虽往，事理则同。论事者不得因其事为古人所未谂，遂谓奋笔纂辞可不师古人也。此福成所以益翠然高望于四贤。"又，同月，薛福成自序《出使四国公牍》。

文光主人序《施公案后传》。此书又名《续施公案》、《后施公案》、《清烈传》，二十五卷一百回，不题撰人，据文光主人序知为书贾所为，续演施仕纶、黄天霸事。按：《施公案》八卷九十八回，嘉庆间已刊出，"本铺有意将前部再为加工，校补刊刻，与《后施公案》合为一书，一并广传于世。……惨淡经营，费尽心血，历三年之久，始成此书"。（文光主人序）有明年刊本。此后，《三续施公案》等续书陆续刊出，正、续合共十集，凡五百二十八回。又按：是数年中，侠义公案小说极为盛行，《三侠五义》、《永庆升平》、《施公案》、《彭公案》、《圣朝鼎盛万年青》诸书及其续书大量刊刻，常含平话气息。鲁迅《中国小说史略》："《三侠五义》及其续书，绘声状物，甚有平话习气，《儿女英雄传》亦然。……是侠义小说之在清，正接宋人话本正脉，固平民文学之历七百余年而再兴者也。惟后来仅有拟作及续书，且多滥恶，而此道又衰落。"胡适《五十年来中国之文学》："这五十年的白话小说出的真不在少数！为讨论的便利起见，我们可以把他们分作南北两组：北方的评话小说可以算是民间的文学，他的性质偏向为人的方面，能使无数平民听了不肯放下，看了不肯放下；但著书的人多半没有什么深刻的见解，也没有什么浓挚的经验。他们有口才，有技术，但没有学问。他们的小说，确能与一般的人生出交涉了，可惜没有我，所以只能成一种平民的消闲文学。《儿女英雄传》、《七侠五义》、《小五义》、《续小五义》……属于这一类。"（按：另一类为"南方的讽刺小说"。）

十二月

王鹏运编刻《宋元三十一家词》竟。事起于正月，鹏运《四印斋汇刻宋元三十一家词跋》谓："余性嗜倚声，尤喜搜奢宋元人词集。朋好知余癖者，多出所藏相示。十余年来，集录殆逾百本。窃思聚之之难，且写本流传，字多讹缺，终恐仍归湮没。爰竭一岁之力，先择世不经见及刊本久亡之篇幅畸零者，斠雠铨次，付诸手民。……是役也，订讹补阙，夔笙中翰用力最勤。其以藏书假我者，则陆存斋观察、盛伯希司成、缪筱珊、黄仲弢两太史、杨凤阿阁读、刘樾仲舍人也。"缪荃孙本年八月有序。

冬

广州辅仁文社支社成立。孙中山与陆皓东等人聚谈于广雅书局内南园抗风轩，建议筹组团体，取名兴中会。

本年

《曾惠敏公全集》刻成。曾纪泽撰，分奏议六卷、文集五卷、诗集四卷、日记二卷，凡十七卷。

陆心源刊刻施补华撰《泽雅堂文集》八卷。

吴昌硕撰《缶庐诗》四卷《别存》三卷刊刻。

樊增祥四十八岁，初刻其诗集。增祥本年二月到陕西渭南县任，裒录丛稿，付之剞劂，至明年刊出。共二十卷：《云门初集》二卷；《北游集》一卷；《东归集》一卷；《涉江集》一卷；《金台集》一卷；《淡吟集》一卷；《水浙集》一卷；《西征集》一卷；《关中集》一卷、《后集》一卷；《还山集》一卷；《转蓬集》一卷；《紫泥酬唱集》一卷；《京莘题襟集》二卷；《西山集》一卷；《后西征集》一卷；《紫兰堂集》一卷；《染香集》一卷。按：樊增祥所撰甚夥，刊本颇繁，即汇刻本亦有多种。

上海书局本年起刊出《圣朝鼎盛万年青》（后又名《万年清奇才新传》、《乾隆巡幸江南记》）八集七十六回石印本，至二十二年刊竣。不题撰人。是书问世年代不详，演述乾隆帝微服巡游江南事。

叶大庄任职上海，与陈衍过从至密。陈衍有《题损轩吴门集后》绝句、《次韵损轩七古》、《雨后访损轩》绝句等。

况周颐在京编《锦钱词》成。明年，编《薇省词钞》十卷附录一卷成。

高旭十七岁。与叔父高燮同学于乡里俞贞甫先生，继受业于顾莲芳先生。作《咏史诗》百首，今佚其大半。

黄人自编稿本《膏兰集》不分卷、《闻声对影录》不分卷。

皮锡瑞撰《经训堂书院自课文》三卷师伏堂刊刻。

吴昌硕撰《缶庐别存》三卷刊刻。

唐景崧于台湾布政使署刊出《诗畸》八卷。此集收牡丹诗社同人唱和之作及诗钟断句，故景崧《序》谓："《正字通》曰：零田不可井，为畸。兹刻七律外，皆零句无片段，亦诗之畸而已矣！"录诗社同人林鹤年、施士洁、汪春源、宋滋兰、谭嗣襄、梁维嵩等五十三家之作，尤以景崧及丘逢甲诗最多。此集辑入《得一山房四种》。

上海醉六堂石印刊出黎庶昌撰《拙尊园丛稿》六卷。

杨岘撰《迟鸿轩诗续》一卷、《文续》二卷刊刻。

张鸣珂《寒松阁诗》八卷本年刊出。

薛福成《庸庵文编》文外编四卷本年刊出。

王树枬撰《天元草》五卷本年刊于成都。

傅增湘从吴汝纶问业。《藏园居士六十自述》："辛卯，随侍居保定，时吴挚甫先生主讲莲池书院，从游者多一时英隽，余进而问业，因以粗识读书之道，为文之法"。后以汝纶荐入劳乃宣幕。"劳公以纯儒为吏，相依六年，多资启迪"。

王采苹（1827—1893）卒。采苹字涧香，江苏太仓人。王曦女，无锡举人程培元室。母张纨英，姨母褙英、纶英俱擅诗词，工书画。采苹少时依母舅张曜孙以居，承家学，工诗善画。著有《读选楼诗稿》。《晚晴簃诗汇》卷一百九十收其诗十首，诗话云："涧香为麓台司农七世女孙，画宗奉常家法，兼善花卉，工八分书，工诗。光绪中应合肥李文忠之聘，教授女妇。许仙屏河督为作序刊诗，稿中有拟古诗数十首，辞意逼真。"

龙文彬（1821—1893）**卒，年七十三。**文彬字筠圃，江西永新人，光绪三年进士，官吏部主事，有《永怀堂集》。《晚晴簃诗汇》卷一百七十一收其诗五首，诗话云："筠圃幼丧父母，其大父母育以长，有至性，敦行励节，不稍随流俗。熟明事，尝纂《明会要》八十卷，一代典章，网罗甚备。"

雷浚卒，年八十。浚（1814—1893）字深之，号甘溪，江苏吴县人。雷浚 1814—1893 字深之，号甘溪，江苏吴县诸生。尝任县学训导，光绪中，黄彭年任苏布政使，延为存古堂主讲。邃于经学小学。著有《道福堂集》等。《晚晴簃诗汇》卷一百六十七收其诗九首，诗话云："深之吴中宿儒，研经博物，承里中惠江诸家之绪。兴会所至，时发吟弄，波澜意度不失乾嘉老辈矩矱。"

程小青生。小青（1893—1976）名青心，以笔名行世。祖籍安徽，上海人。民国作家，以译著侦探小说名。

杨铨（杏佛，1893—1933）、**顾颉刚**（1893—1980）、**许地山**（1893—1941）、**丁西林**（1893—1974）**生。**

第三章

光绪二十年至宣统三年（1894—1911）共 18 年

·引　言·

《清史稿·德宗本纪》：德宗亲政之时，春秋方富，抱大有为之志，欲张挞伐，以湔国耻。已而师徒挠败，割地输平，遂引新进小臣，锐意更张，为发奋自强之计。然功名之士，险躁自矜，忘投鼠之忌，而弗恤其罔济，言之可为于邑。洎垂廉再出，韬晦瀛台。外侮之来，衅自内作。卒使八国连兵，六龙西狩。庚子以后，怫郁摧伤，奄致殂落，而国运亦因此而倾矣。呜呼，岂非天哉！

《清史稿·选举志二》：自甲午一役，丧师辱国，列强群起，攘夺权利，国势益岌岌。朝野志士，恍然于乡者变法之不得其本。

《清史稿·选举志三》：光绪二十四年，湖广总督张之洞有变通科举之奏。二十七年，乡、会试首场改试中国政治史事论五篇，二场各国政治艺学策五道，三场四书义二篇、五经义一篇，其他考试例此。用之洞议也。行之至废科举止。

张之洞《劝学篇序》：今日之世变，岂特春秋所未有，抑秦、汉以至元、明所未有也。语其祸，则共工之狂、辛有之痛，不足喻也。庙堂旰食，乾惕震厉，方将改弦以调琴瑟，异等以储将相，学堂建，特科设，海内志士发愤扼腕，于是图救时者言新学，虑害道者守旧学，莫衷于一。旧者因噎废食，新者歧多而羊亡。旧者不知通，新者不知本。不知通，则无应敌制变之术；不知本，则有菲薄名教之心。夫如是则旧者愈病新，新者愈厌旧，交相为愈，而恢诡倾危、乱改名作之流遂杂出其说，以荡众心。学者摇摇，中无所主，邪说暴行，横流天下。敌既至无与战，敌未至无与安。吾恐中国之祸，不在四海之外而在九州之内矣。

张之洞《学术》诗并注：理乱寻源学术乖，父雠子劫有由来。刘郎不叹多葵麦，只恨荆榛满路栽。自注：二十年来，都下经学讲《公羊》，文章讲龚定盦，经济讲王安石，皆余出都以后风气也，遂有今日，伤哉。

梁启超《饮冰室合集·中国各报存佚表》：自报章兴，吾国之文体为之一变，汪洋恣肆，畅所欲言，所谓宗法、家法，无复向者。

胡先骕《评俞恪士觚庵诗存》：清季文人粗分之，约为五类：第一类为泥古不化，反对一切新事业者；第二类为清季所谓"清流"，深知中国如欲立国于大地之上，必不能墨守故常，政法学术，必须有所更张，然仍以颠覆清室为不道、辛亥革命为叛乱，不惜为清室遗老者，如沈乙庵、陈伯严、郑海藏、赵尧生诸先生是也；第三类为有志于维新，对于清室初无仇视之心，亦未必以清室之覆、民国之兴为天维人纪坏灭之巨变，而必以流人遗老终其身者；第四类为奔走革命、誓覆清室者，如章太炎先生是也；第五类则藉名士头衔，猎食名公巨卿间，恬不为耻，反发"诸夏无君出处轻"之谬论，甚或沉湎于声色，乃托词于醇酒妇人，如樊樊山、易实甫之流是也。

陈柱《中国散文史·清维新以后之散文》：清自光绪维新以后，政治学术为之丕变，文人作风亦为之丕变。如梁启超、谭嗣同、唐才常辈，其尤彰著者也。然其文过于叫嚣，一泻无余；可以风行于一时，而不可以行于久远；可以谓之政论家，而不可以谓之文学家也。其为政论而又长于古文者，则惟康有为与严复二人。

蔡寅《变雅楼三十年诗征序》：溯自玄黄剖判，人物孳乳，忧患之来，胎于文字。诗史之作，复乎尚已。然上下五千年，纵横廿四史，蚌鹬争衡，鱼龙曼衍，离奇变幻之局，孰有甚于近三十年者。不见乎潮流之搏激乎？其繁如罳，其乱如雾，纷纭郁扰，横流逆折，蜿蜒委蛇，汩乎奔放而达于沧海之滨。又如控幽陟险，崎岖夐远，巉岩刺天，深壑无地，层累曲折，缥纷缈分，直摩苍穹之极，而抵乎冥漠之乡。近三十年之幻象，无乃类是。不幸堕此幻象之中，又复局于近处之地位，习非成是，破觚为圆，粉饰回护，幻以生幻。当事者之苦心曲笔，要亦无足深责。而三十年之状况，愈迷离惝恍而莫可究诘。

陈三立《抱润轩文集序》：盖以通伯籍桐城，桐城自方氏、刘氏、姚氏迄于吴先生（汝纶），宗派流演相嬗而名者十数辈，其述作渊源见诸海内鸿彦硕儒推引称说，不可胜原。通伯文虽甚精深微妙，卓卓树立，固皆守其传而有成，无复同异也，亦安取赘辞常论加之通伯哉？既久而思之，方刘仕国初，方兴太平；姚先生及其弟子际乾嘉，声教翔洽称极盛；独吴先生睹光绪甲午之败，益遭庚子八国会师扰畿辅之难，流离困厄，不遑栖息，已异于诸乡先辈而莫能同也。然吴先生终光绪末叶，所谓革命军且未起，而吾通伯则身及宗社之迁移、万方之喋血，其与吴先生同时而所遭又异。当吴先生之世中外多故，改制之议浸昌，吴先生颇委输万国之学说缘饰其文，文若为之一变。通伯不获安乡里，孤寄京师，厕抢攘嚣哄之场，危祸交乘听睹，皇惑怏郁之极，辑《费氏易》、《毛公诗传》毕，遂浸淫于佛乘，通伯异日之文当不免更为之一变。审如是者匪独远异诸老先生，即吴先生恐莫得而尽同矣。嗟呼，天地之变无穷，文章之变亦与之无穷。

汪辟疆《光宣诗坛点将录》：诗坛旧头领一员：托塔天王晁盖，王闿运（附严咸、邓辅纶、高心夔、陈兆奎、夏寿田、杨庄）。诗坛都头领二员：天魁星及时雨宋江，陈三立；天罡星玉麒麟卢俊义，郑孝胥。掌管诗坛机密军师二员：天机星智多星吴用，陈宝琛（附黄桱谦）；天闲星入云龙公孙胜，清道人李瑞清。一同参赞诗坛军务头领一员：地魁星神机军师朱武，陈衍。掌管钱粮头领二员：天贵星小旋风柴进，宝廷（附子寿富）；天富星扑天雕李应，李慈铭。马军五虎将五员：天勇星大刀关胜，袁昶；天雄星豹子头林冲，林旭；天猛星霹雳火秦明，范当世（附妻姚蕴素、子罕、王宾基、李刚己、王守恂）；天威星双鞭呼延灼，张之洞；天立星双枪将董平，樊增祥。马军大骠骑兼先锋使八员：天英星小李广花荣，陈曾寿；天祐星金枪手徐宁，曾习经；天暗星青面兽杨志，沈曾植；天空星急先锋索超，周树模（附左绍佐）；天捷星没羽箭张清，赵熙；天满星美髯公朱仝，梁鼎芬；天微星九纹龙史进，沈瑜庆；天究星没遮拦穆弘，杨增荦。马军小彪将兼远探出哨头领一十六员：地煞星，黄节；地勇星，俞明震，一作王存；地杰星，张佩纶，一作吴观礼；地雄星，柯劭忞，一作柳诒征；地威星，黄绍箕，一作李葆恂；地英星，王懿荣，一作王树枏、李刚己；地奇星，诸宗元；地猛星，夏敬观，一作姚永概；地辟星，陈懋鼎，一作程康；地阖星，李宣龚；地强星，郭曾炘，一作张元奇、叶在琦；地明星，林纾，一作江瀚（附子庸）；地周星，陈书，一作叶大庄、何振岱；地隐星，杨钟羲，一作志锐、唐晏、三多；地暗星，秦树声，一作李详；地空星，周达，一作许承尧。步军头领一十员：天孤星花和尚鲁智深，金和；天伤星行者武松，黄遵宪；天异星赤发鬼刘唐，刘光第；天退星插翅虎雷横，丘逢甲；天杀星黑旋风李逵，易顺鼎；天巧星浪子燕青，曾广钧；天牢星病关索杨雄，杨深秀，一作杨度；天慧星拼命三郎石秀，蒋智由，一作夏曾佑、马浮；天暴星双头蛇解珍，程颂藩；天哭星双尾蝎解宝，程颂万。步军将校十七员：地默星，章炳麟；地暴星，谭嗣同，一作宋恕；地飞星，刘师培；地走星，黄侃；地伏星，吴保初，一作丁惠康、李世由；地幽星，冒广生，一作周家禄、段朝瑞；地镇星，桂念祖，一作李翊灼；地僻星，李希圣，一作曹元忠；地异星，吴用威，一作汪荣宝；地魔星，宋伯鲁（附陈涛），一作李岳瑞；地妖星，王以慜，一作欧阳述（附何震彝）；地短星，陈锐，一作魏绲；地角星，陈诗；地捷星，宋育仁，一作邓镕、傅增湘；地速星，林思进，一作向楚、庞俊；地恶星，朱铭盘，一作张謇、梁炎、吴涑；地丑星，陈延韡，一作闵尔昌。四寨水军头领八员：按四寨水军头领皆梁山泊中坚人物，今以光宣两朝词家属之。天寿星混江龙李俊，王闿运；天平星船火儿张横，朱祖谋；天损星浪里白条张顺，郑文焯；天剑星立地太岁阮小二，冯煦；天罪星短命二郎阮小五，况周颐；天败星活阎罗阮小七，文廷式（附子永誉、王德楷）；地进星出洞蛟童威，邵瑞彭，一作陈方恪；地退星翻江蜃童猛，乔曾劬，一作陈世宜。四店打听声息邀接来宾头领八员：按四店头领，颇多汲引之勋。以言真实本领，固未易企马步军诸将也。今以光宣两朝历掌文衡诸贤属之。地数星，翁同龢；地阴星，黄体芳；地刑星，张英麟，一作李稷勋；地壮星，江标；地囚星，张百熙，一作吴庆坻；地全星，吴士鉴，一作严修；地奴星，瞿鸿禨；地劣星，俞樾。总探声息头领一员：天速星神行太保戴宗，康有为（附潘博）。军中走报机密步军头领四员：地乐星，恽某某；地贼星，林某某；地狗星，沈某某；地耗星，潘某某。守护中军马军骁将二员：地佐星，袁思亮；地佑星，陈祖壬。守护中军步军骁将二员：地猖星，罗惇曧（附何翔藻）；地狂星，罗惇曼。专管行刑剑子二员：地平星，方尔谦；地损星，方尔咸。专管三军内探事马军头领二员：地微星，廉泉，一作张祥麟；地慧星，吴芝瑛，一作曾彦。掌管监造诸事头领一十六员：行文走檄调兵遣将一员：顾所持；定功赏罚军政司一员：地正星，胡思敬，一作赵炳麟；考算钱粮支出纳入一员，地会星，胡朝梁；地文星，顾印愚，一作沈尹默、赵世骏；监造大小战船一员，地满星，严复，一作饶智元；专造一应兵符印信一员：地巧星，吴俊卿（附沈汝瑾），一作陈衡恪；专造一应旌旗袍袄一员，地遂星，史久榕；专治一应马匹兽医一员，地兽星，顾云，一作段朝端；专治内外科诸病医士一员，地灵星，王乃徵，一作周景涛；监督打造一应军器铁件一员，地孤星，张登寿（附梁焕奎）；专造一应大小号炮一员，地辅星，梁启超（附麦孟华、狄平子）；起造修缉房舍一员，地察星，盛昱；屠宰牛马猪羊牲口一员，地羁星，曹震，一作胡俊；排设筵席一员，地俊星，陈夔龙（附余肇康）；监造供应一切酒醋一员，地藏星，张宗扬；监筑梁山泊一应城垣一员，地理星，水竹村人（按：徐世昌）；专一把捧帅字旗一员，地健星，孙雄。额外头领附录：教头王进，郑珍；黄面佛黄文煜，释敬安；铁棒栾廷玉，小孤山下人氏（按：汪辟疆自赞）。（今按：《点将录》序谓此录"非无谓而作也"，"百年之间，国运之盛衰，人才之消长，以及诗派之变迁，略系于此"。定本跋又谓："要之，言近代诗派者，必不可废也。"为省篇幅，所录略去赞语等项。）

钱基博《现代中国文学史》：方今之世，文有古今之殊；而古文之中，又有魏晋、齐梁与唐宋之分，所谓歧之中又有歧焉。惟诗亦然。独文则唐与宋不分派；而诗则所谓"同光体"者，又喜谈宋诗，以别于中晚唐一宗焉。

高旭《漱铁和尚遗诗序》（光绪二十八年作）：自近八年中，适当十九世纪之末以至二十世纪之初，其文字界变迁之速率，至于不可思议，而影响恒及于政治界。诗也者，其刺激力尤深者也。

樊增祥《天放楼诗集跋》：余年近八十，负虚名于当世垂六十年。道、咸、同、光四朝魁儒、硕德、劬学、能文之士，皆得与之酬唱游处，藉资开益。……至光绪中叶，新学日昌，士以词章为无用，而古所谓道性情，体物象，致讽谕，纪治乱之作，见亦罕矣。余既丁兹奇变，又迫衰年，懒见一客，懒举一步，日惟以诗咏自娱。近人之以诗鸣者，排印虽多，皆不愿耗吾目力，非敢薄视时贤，诚以彼所言者，皆非吾意中语，读之多所不解，不如不读也。

沃丘仲子《当代名人小传·文人》：慨自小说流行，浮博少年胸有说部、报章二者，则奋笔编书，出以问世。略工涂泽者，缀以轻艳诗辞，流俗辄奉为才子。书贾利其说俗，乃延之为编辑。久假不归，第自命曰大文豪，登之广告，以炫庸众。乌乎，文子之厄，殆未有逾于今日者矣。（按：是书刊于民国十五年）

鲁迅《中国小说史略》：光绪庚子（1900）后，谴责小说之出特盛。盖嘉庆以来，虽屡平内乱（白莲教，太平天国，捻，回），亦屡挫于外敌（英，法，日本），细民暗昧，尚啜茗听平逆武功，有识者则已翻然思改革，凭敌忾之心，呼维新与爱国，而于"富强"尤致意焉。戊戌变政既不成，越二年即庚子岁而有义和团之变，群乃知政府不足与图治，顿有掊击之意矣。其在小说，则揭发伏藏，显其弊恶，而于时政，严加纠弹，或更扩充，并及风俗。虽命意在于匡世，似与讽刺小说同伦，而辞气浮露，笔无藏锋，甚且过甚其辞，以合时人嗜好，则其度量与技术之相去亦远矣，故别谓之谴责小说。其作者，则南亭亭长与我佛山人名最著。

公元 1894 年（光绪二十年　甲午）

正月

杨岘删录续得诗文各一卷。付女婿汪煦携无锡属刘继增校刻之。（《藐叟年谱》）

张裕钊（1823—1894）卒于西安，年七十二。前刻有《濂亭文集》八卷，卒后黎庶昌在蜀中刻续著文二卷，诗二卷，曰《濂亭遗集》。马其昶《濂亭集序》："同治中兴，曾文正公以德行文章，铸陶天下，群材辐辏，不专一长。曾公论文，私淑方、姚，而友梅氏；其于门徒，则盛称张廉卿、吴至父两人。廉卿者，先生字也。吴先生后死，文名被海内外，乃独心折先生。由二先生之言，以上溯文正及姚、方、归氏，又上而至宋、唐大家，而至两汉，犹循庭阶入宗庙而禘昭穆也。古今为文者众矣。然而，浅深离合之际，其辨至严。世固有能审雅宴之声，而别淄、渑之味者。宗派之说，即由此起焉。曾公序欧阳生文集详矣。学问之渊源渐被，诚未可诬。要皆不庵乎经术，足以持世而章教。当曾文正公开阁延士，宾僚极一时之选。朝廷置封疆大臣，率取材曾门。先生受知最夙，不缘旧恩有所阶进。弱冠举于乡，选内阁中书舍人，即弃去，一肆力于文，故其成就卓卓如此。今先生殁逾二十年耳，而国论大变，视古圣籍若粪土矣。读先生文，恩寄其慕思于千载上，不知世变之何所终极，乃慨然而书之。"《晚晴簃诗汇》卷一百四十七收其诗十一首，诗话云："廉卿博综经史，治古文宗桐城家法而益神明变化之，以是负文誉。主莲池书院最久，畿辅治古文者踵起，皆廉卿开之。论诗于国朝推愚山、惜抱、子尹三家，愚山取五律，惜抱取七律，子尹取七古，谓能力追古人而与之并。其所自作，五律教愚山，法其明秀；七律教惜抱，拟其苍坚；独七古雄奇恢诡不逮巢经，然风格遒上，合唐宋而兼熔，要不失诗家正轨也。"

三月

宏道堂刊刻郑观应撰《盛世危言》五卷本。冬，五卷排印本印本问世，此为通行之五卷本，较宏道堂刻本多正文一篇及附录三篇；明年冬，增订新编十四卷本刊行；光绪二十六年庚子秋冬间，又自刊增订新编八卷本。（夏东元《郑观应传》修订本）

春

《八代文粹》约于是春刻成。先是，王闿运在蜀中，欲选八代文言政治而本经义者勒成一编，名曰《通道集》，命弟子录之，诸生因大哀集，为《八代文粹》，以便选择。闿运为叙之，未及刻也，至是乃成，然《通道集》迄无成书。

四月

二十五日，赐张謇等三百十一人进士及第出身有差。本科为太后六旬万寿恩科，张謇、孙雄、汪康年、张祥龄、李刚己等成进士。

范当世阅范氏累世所为诗，约之为《通州范氏诗略》。并作序，述及其学诗经历："自当世甫冠，大人则以此事相督勉，往往读不终卷，辄蓇然莫辨其微远所在，孰为高下，以此发愤游学。初闻《艺概》于兴化刘融斋先生，既受诗古文法于武昌张廉卿先生，而北游冀州，则桐城吴挚父先生实为之主。从讨论既久，颇因窥见李杜韩苏黄之所以为诗，非夫世之所能尽为也。而于李诗独尝三复，顾以校诸生艺连日夜不息，从此发病或至于废学。荏苒七八年，遂至于今，而张先生则已卒，吴先生且属为论定李诗以贻其子。"

陈锐为郑文焯《冷红词》作序。序称："叔问居士宏博精敏，著书满家，出其绪余，尤长倚声，同时词流，如中实梦湘，未之或先也。……居士于词，道源乐府，振骚雅于微言，掩周姜而孤上。"

韩邦庆吴语小说《海上花列传》六十四回刊出，题"云间花也怜侬著"。作者"例言"称："此书为劝戒而作，其形容尽致处，如见其人，如闻其声。阅者深味其言，更返观风月场中，自当厌弃嫉恶之不暇矣。所载人名事实俱系凭空捏造，并无所指。如有强作解人，妄言某人隐某人，某事隐某事，此则不善读书，不足与谈者矣"；"全书笔法自谓《儒林外史》脱化出来，惟穿插、藏闪之法，则为从来说部所未有"；"小说作法与制艺同：连章题要包括，如《三国》演说汉、魏间事，兴亡掌故了如指掌，而不嫌其简略；枯窘题要发生，如《水浒》之强盗，《儒林》之文士，《红楼》之闺娃，一意到底，颠公敷陈，而不嫌其琐碎。彼有以忠孝、神仙、英雄、儿女、赃官、剧盗、恶鬼、妖狐，以至琴棋书画，医卜星相萃于一书，自谓五花八门，贯通淹博，不知正见其才之窘耳"。鲁迅《中国小说史略》列是书于"清之狭邪小说"，谓《品花宝鉴》、《青楼梦》诸书，虽写倡优而非记实，"自《海上花列传》出，乃始实写妓家，暴其奸谲，谓'以过来人现身说法'，欲使阅者'按迹寻踪，心通其意，见当前之媚于西子，即可知背后之泼于夜叉，见今日之密于糟糠，即可卜他年之毒于蛇蝎'（第一回）。则开宗明义，已异前人，而《红楼梦》在狭邪小说之泽，亦自此而斩也"；"略如《儒林外史》，若断若续，缀为长篇"；"其訾倡女之无深情，虽责善于非所，而记载如实，绝少夸张，则固能自践其'写照传神，属辞比事，点缀渲染，跃跃如生'（第一回）之约者矣"；"光绪末至宣统初，上海此类小说之出尤多，往往数回辄中止，殆得赂矣；而无所营求，仅欲摘发伎家罪恶之书亦兴起，惟大都巧为罗织，故作已甚之辞，冀震耸世间耳目，终未有如《海上花列传》之平淡而近自然者"。

五月

缪荃孙弃官出京。按：三月，御试翰詹，荃孙列三等一百二十四名，罚俸二年，始有归志。六月至镇江，偕杨锐、成都顾印愚等同游金、焦，访梁鼎芬于海西庵。是年编刻《常州遗书》。

六月

十九日，薛福成（1838—1894）卒。时自驻英法意比大臣任归国，卒于上海。《清史稿》本传："福成好为古文辞，演迤平易，曲尽事理，尤长于论事纪载。"《近代名人小传》："福成好为古文词，条达整洁而宏奥弗逮，纪事殊无曲笔。"夏寅官《薛福成传》："近世士大夫谓本理学而谈洋务者，先生一人而已。……治古文不拘宗派，原本忠孝而以闳雅真挚之文行文，所造于柏枧山房、求阙斋为近。"

七月

初一乙亥（1894 年 8 月 1 日），**清廷下诏对日宣战。**先是，日本五月六日（6 月 9 日）入侵朝鲜，十九日，否认朝鲜为中国属邦，拒绝我方撤兵要求。六月二十三日于牙山口外丰岛海面，偷袭我军舰及运输船，（史称丰岛事件）二十七日，日军攻击牙山我军营。七月初一日，中日同时宣战，甲午战争全面爆发。嗣后，八月十六日驻朝清军溃败于平壤；八月十八日，北洋海军受创于黄海海战；九月二十六日，日军侵占我东北之九连城、安东；十月十日陷大连，二十五日陷旅顺。至十二月十日，清廷遣户部左侍郎张荫桓赴日议和。

二日，**朱一新**（1846—1894）**卒，年四十九。**《近代名人小传》："操履清严，文词虽少缓弱，而雅正有体。"

清廷命两广总督李瀚章毁南海举人康祖诒（有为）所著书。钱萼孙编《文云阁先生年谱》卷二："给事中余晋珊联沅劾南海康广厦有为惑世诬民，非圣无法，同于少正卯，圣世不容，请焚《新学伪经考》而禁粤士从学。幸先生及沈子培、盛伯熙致电广东提学使徐花农琪营救，张季直、曾重伯亦奔走援救焉。"

范当世作诗稿《三百止遗》自序。

九月

二十六日，**吴汝纶答黎庶昌书。**郭立志编《桐城吴先生年谱》："答黎莼斋云：近十年来，自揣不能为文，乃遯而说经，成书、易二种。说《书》用近世汉学家体制，考求训诂，一以《史记》为主，《史记》所无，则郢书燕说，不肯蹈袭段、孙一言半义，当其得意，亦颇足自娱，不知其为尔雅虫鱼之戋戋也。"

姚永朴、曹元忠、冒广生、杨度中举。

朝命湖广总督张之洞权两江总督，其幕府文士多从之至江宁。

沈瑜庆以张之洞之聘总办南京筹防局。后引闽中人士叶大庄、郑孝胥、陈书等充文案；时林旭、李拔可俱在南京，陈衍在上海，亦常至南京聚会。

秋

谭嗣同作《三十自纪》。文中称："嗣同少颇为桐城所震，刻意规之数年，久自以为似矣；出示人，亦以为似。诵书偶多，广识当世淹通婘壹之士，稍稍自惭，即又无以自达。或授之魏、晋间文，乃大喜。时时籀绎，益笃耆之。由是上溯秦、汉，下循六朝，始悟心好沉博绝丽之文，子云所以独辽辽焉。旧所为，遗弃殆尽。续有论箸及弃不尽者，部居无所，仍命为集。亦以识不学之陋，后便不复称集。昔侯方域少喜骈文，壮而悔之，以名其堂。嗣同亦既壮，所悔乃在此不在彼。窃意侯氏之骈文特伪体，非然，正尔不容悔也。所谓骈文，非四六排偶之谓，体例气息之谓也，则存乎深观者。既悔其所为，又悔其成集。子云抑有言，雕虫篆刻，壮夫不为。处中外虎争文无所用之日，丁盛衰互纽、膂力方刚之年，行并其所悔者悔矣，由是自名壮飞。"又，本年嗣同汇《寥天一阁文》、《莽苍苍斋诗》、《远遗堂集外文》、《石菊影庐笔识》为《东海褰冥氏三十以前旧学四种》，十二月自叙《莽苍苍斋诗补遗》："天发杀机，龙蛇起舞，犹不自惩，而为此无用之呻吟，抑何靡与？三十年前之精力，敝于所谓考据辞章，垂垂尽矣！勉于世，无一当焉，愤而发箧，毕弃之。刘君淞芙独哀其不自聊，劝令少留，且捃拾残章为补遗，姑从之云尔。"

郑文焯与张祥龄同至扬州，舟中联句。《郑叔问先生年谱》："两淮盐运使江蓉舫约请先生修盐志。偕张子苾太史同去广陵，途中登北固楼瓜步，晚渡，与子苾太史连句，皆和梦窗莺啼序，在广陵平山堂，曲宴即席和白石扬州慢韵。"按：张祥龄成进士后留馆，与王闿运、况周颐唱酬。间南还，明年散馆，官陕西知县，与樊增祥亦多唱酬。

郑孝胥以中日战事起，随公使归国，居南京，就张之洞幕。至光绪二十九年，充广西边防督办。此间数年，多依张之洞。陈宝琛《郑苏龛布政六十寿序》："君弱冠领解，受知于宝竹坡侍郎，有志经世而不为苟就。应李文忠辟，旋谢去，召试为中书舍人。同辈方日趋贵要，君独自远，以贫乞为丞江南，随使日本。归，张文襄一见恨晚，数引与计事，扬之于朝。而君自居争友，虽论诗亦不相下也。"

十月

二十七日庚午（1894 年 11 月 24 日），孙中山在檀香山建立兴中会，以"驱除鞑虏，恢复中华，创立合众政府"为纲领。

十一月

初七日，礼部右侍郎志锐赏副都统，出为乌里雅苏台参赞大臣。宗室盛昱赋词送之。《蕙风词话续编》卷一："光绪甲午，伯愚学士简乌里雅苏台办事大臣。宗室伯希祭酒（盛昱）赋《八声甘州》赠行云：'蓦横吹、意外玉龙哀，乌里雅苏台。看黄沙毳幕，纵横万里，揽辔初来。莫但访碑荒碛，尔是勒铭才。直到乌梁海，蕃落重开。……'盖伯愚此行虽之官，犹迁谪也。……此等词略同杜陵诗史，关系当时朝局，非寻常投赠之作可同日语。因亟箸于编。"《广箧中词》卷一评此首云："幽情苦绪，出以清雄之笔，源出东坡乐府。"同时，文廷式亦有《八声甘州》词送之。按，《清史稿》本传："志锐夙负奇气，守边庭逾十稔，自号为穷塞主。工诗词。""遂迁道出张家口，策马逾天山西绝幕。所径台站，辄周咨山川、风俗、宗教，箸诗记事。"其《廓轩竹枝词》一卷，记塞外竹枝词一百首，即授乌里雅苏台参赞大臣时作，自张家口至任所，专写山川风物。后于宣统二年刊出。

二十四日，李慈铭（1830—1894）卒于京师。临殁以所为《日记》七十余册付沈曾植。《清史稿·文苑三》："慈铭为文沉博绝丽，诗尤工，自成一家。性狷介，又口多雌黄。服其学者好之，憎其口者恶之。日有课记，每读一书，必求其所蓄之深浅，致力之先后，而评骘之，务得其当，后进翕然大服。著有《越缦堂文》十卷，《白华绛跗阁诗》十卷、《词》二卷，又日记数十册。弟子著录数百人，同邑陶方琦为最。"孙宝瑄《会稽李慈铭传》："先生既少喜为诗，故生平所学以诗为最用心。亦最得意。其于汉魏以降数千百家源流正变、奇偶真伪，无不贯于胸中，亦无不取其长而学之，而所致力尤莫如杜焉。……论者谓越中奇才，近代惟胡石笥征君天游及先生为最。先生后出，所学与征君略异，而其穷愁以死则同也。"宋慈抱《会稽李慈铭传》："慈铭自谓于经史子集及稗官、梵夹、词曲，无不涉猎而模仿之。所学于史为稍通，所作有古文、骈文、诗馀、乐府、杂说、杂考、杂志，综之为笔记。所得意莫如诗，溯汉迄今数千百家，源流正变，奇偶真伪，无不贯穿最其长而学之，致力在杜工部。又曰：'余诗足以征闾里之见闻、乡邦之文献，而国是朝局之是非亦有足采焉。'识者以为知言。……所指授成名者为多，门下著录甚夥，有为友改从北面者樊增祥诸人，增祥挽诗云：'卢山驳杂新城浅，持较先生总未堪！'盖推许至矣。"张舜徽《清人文集别录》卷二十："（诸碑传所列著述）自《骈体文钞》及《诗初集》之类有刻本外，余皆有录无书，大半皆平日读书杂钞笔记之属，本不足以言著述也。要其一生所学，悉萃于《越缦堂日记》中。余尝反复究览，知慈铭于经史小学，皆无专长。一生又好雌黄，不轻许可，终不免文士陋习。《清史稿》列之文苑传末，实为平允。"

袁昶从张之洞论诗。袁昶《广雅碎金书后》："甲午仲冬，客钟山下。一夕，孝达督部师出诗三巨册枉示，讽肄久之，乃稍稍窥见要领。公诗简严得之《穀梁春秋》，深婉得之范书诸传赞，隶词引喻得之《吕览》、《韩非子》及荀之《成相》傀篇，其文或繁或简，皆有法度，而谊亦有微有显。（王半山解诗从寺。古官廨，政治所出，谓之寺。寺者，有法度之地。诗者，有法度之言也。）横空而来，尽意而止，纵横峻逸，不主故常。近体句律用义山为近，而去温三十六之纤秾，无宋初西昆诸公之板滞，二者之病，皆无从犯其笔端。昶对公言：此安石碎金，故当流传世间。公笑曰：那得便尔，殆不过陶公木屑耳。"

十二月

十日，王闿运与杨锐、顾印愚在江宁游华林园。

沪北俗子为《玉燕姻缘全传》作序。是书七十七回，一名《玉燕金钗》，撰者署"梅痴生"。明年上海书局刊出石印本。叙北宋神宗年间吕昆、安瑞云等才子佳人故事，末回即题"玉燕金钗重聚会，佳人才子永团圆"。

冬

叶衍兰为冒广生《小三吾亭词》作序。时冒广生将入都应会试。

本年

俞樾所著以石印法刊出。《曲园自述诗》："甲午……门下士曹小槎孝廉以吾全书行世已久，而卷帙繁重舟车携挈为难，因用西法石印以广流通。"

俞陛云《绚华室诗忆》刊出。

袁昶撰《安般簃诗续钞》十卷、附《春闱杂咏》刊刻。

张鸣珂《寒松阁集》十四卷刊刻。此集自辑,计诗八卷、骈文一卷、骈文续一卷、词四卷,有李慈铭序,录咸丰二年以后所作。

徐琪撰《粤轺集》四卷刊刻。

王尚辰自序《谦斋集》。

廖平《古学考》刊出,并致书康有为。

马建忠作《拟设翻译书院议》。谓:"窃谓今日之中国,其见欺于外人也甚矣。……夫彼之所以悍然不顾,敢于为此者,欺我不知其情伪,不知其虚实也。……中国士大夫,其泥古守旧者无论已;而一二在位有志之士,又苦于语言不达,文字不通,不能遍览其书,遂不能遍其其性实,尽通其壅蔽,因而参观互证,尽得其刚柔操纵之所以然。则译书一事,非当今之急务与!"

钟祖芬撰《招隐居》传奇。二卷十六出,以神话形式叙鸦片之害。有本年四川綦邑吴氏庄刊本及光绪二十二年重庆木刻本。

汪笑侬三十六岁,在天津下海。艺名汪筱侬,光绪二十八年改笑侬。

易顺鼎三十七岁。春夏,庐墓守孝期间,回思前半生,撰《哭盦传》。庐墓期间所撰诸文,集为《慕皋庐杂刻》。七月,为母服孝一年,小祥。后中日战争起,顺鼎奉父命墨经从戎,佐两江总督、南洋大臣刘坤一军幕。时坤一奉旨入觐,将驻防山海关,而同时有主和议者,顺鼎撰《陈治倭要义疏》、《敬陈管见疏》,只身赴京上书都察院,不报。北上诣阙所作诗编为《魂北集》。此集收七月至十二月诗,明年二月刊出初刻本,武陵王以敏为之序。

单士厘始东游日本。

江标简放湖南学政。毅然以开通风气自任,湘中士习为之一变,在任校印《灵鹣阁丛书》。(《今传是楼诗话》"郑孝胥挽江标"条)

秋瑾十八岁,编年诗始于是年。有《赠曾筱石》四章、《吊屈原》等。按:秋瑾前此随祖、父在闽、台等地,本年九月瑾父自台湾调湖南,瑾亦随往。

章太炎始与钱塘夏曾祐穗卿订交。(太炎《自定年谱》)

章士钊十三岁,购得《柳宗元文集》一部,终身嗜之。(据袁景华著《章士钊年谱》)

陆心源(1834—1894)卒,年六十一。

韩邦庆(1856—1894)卒,年三十九。邦庆所撰《海上花列传》为较早之吴语小说,晚清《海天鸿雪记》(二春居士撰)、《九尾龟》(张春帆撰)等俱受其影响。胡适《中国章回小说考证·海上花列传序》:"《海上花》是一部文学作品,富有文学的风格与文学的艺术不是一般读者所能赏识的。《海上繁华梦》与《九尾龟》所以风行一时,正因为他们都刚刚够得上'嫖界指南'的资格,而都没有文学的价值,都没有深沉的见解与深刻的描写。这些书都只是供一般读者消遣的书,读时无所用心,读过毫无余味。《海上花》便不然了。《海上花》的长处在于语言的传神,描写的细致,同每一故事的自然地发展;读时耐人仔细玩味,读过之后令人感觉深刻的印象与悠然不尽的余韵。鲁迅先生称赞《海上花》'平淡而近自然',这是文学上很不容易做到的境界。"

孙衣言(1814—1894)卒,年八十一。《射鹰楼诗话》卷十七:"瑞安孙琴西庶常衣言，（道光庚戌进士）著有《鸿雪诗钞》，音节铿锵，情韵婉挚。"《晚晴簃诗汇》卷一百五十收其诗十九首，诗话云："琴西庚戌廷试，曾文正读卷深赏之。入直上书房，擢侍读，屡陈兵事。外任监司，所至以廉能自厉，不挠屈于权势。召用仆卿，已逾六十，遂不复出。以著书自娱，补辑《永嘉学案》，编刊陈止斋、叶水心二先生集。平生论学宗宋儒，喜述乡先辈遗闻轶事。诗嗜山谷，所作有清敻之致。"

平襟亚生。襟亚（1894—1980）名衡，以字行，别署襟霞阁主人等，江苏常熟人。民国作家，著有《人海潮》等小说。

陆澹安生。澹安（1894—1980）名衍文，字剑寒，号澹庵，别署莽书生等，吴县人。民国作家，著有侦探小说《李飞探案集》等。

范烟桥生。烟桥（1894—1967）名镛，以字行，别署乔木等，江苏吴江人。民国作家，著有小说《新儒林外史》等。

京剧艺人梅兰芳（1894—1961）**生**。梅兰芳字畹华，原籍江苏泰州，生于北京。祖梅巧玲、父梅竹芬均为京剧艺人，梅兰芳生长京剧世家，后为"四大名旦"之首，创"梅派"艺术。

现代作家洪深（1894—1955）、**叶圣陶**（1894—1988）**生**。

公元 1895 年（光绪二十一年　乙未）

正月

初一，《直报》创刊于天津。

五日（1895 年 1 月 30 日），威海卫之战爆发。十八日（2 月 12 日），提督丁汝昌自杀，二十日，道员牛昶炳与日军签订降约，至是北洋海军覆没。

二十七日（2 月 21 日），兴中会总部成立于香港。

严复撰《论世变之亟》刊载于天津《直报》。是为严复所发表首篇重要论文。文谓："呜呼！观今日之世变，盖自秦以来，未有若斯之亟也。……夫士生今日，不睹西洋富强之效者，无目者也。谓不讲富强，而中国自可以安；谓不用西洋之术，而富强自可致；谓用西洋之术，无俟于通达时务之真人才，皆非狂易失心之人不为此。"本年严复四十三岁。严璩编《侯官严先生年谱》："自去年夏间中东构衅，海军既衄，旅顺、大连湾、威海卫以次失守，至是年，和议始成。府君大受激刺，自是专致力于翻译著述。先从事于赫胥黎之《天演论》。未数月而脱稿。桐城吴丈汝纶时为保定莲池书院掌教，过津来访，读而奇之，为序，劝付剞劂行世。是年复有《论世变之亟》、《原强》、《救亡决论》、《辟韩》诸文，均刊于天津之《直报》。"

中西书局刊出《金台全传》六卷六十回石印本，不题撰人。据书首序，知为"瘦秋山人"编撰。此书先有汪澍堂《金台全传》弹词，后改编为小说，究之实袭《三遂平妖传》而来。叙金台受仙人指引而为国除扫奸邪，亦记平王则事。甚荒陋。

二月

二十三日，董沛（1828—1895）卒，年六十八。董缉祺《董府君行状》（《续碑传

353

集》卷八一）："府君乐府、五言古浸淫汉魏；七言古独宗少陵，晚乃参以韩苏；律诗由义山入杜，七律尤蘸上，出于麟、牧斋之右，梅邨而下，不数觐也。古文以柳州为干，参以庐陵，于明取潜溪、震川，于今代取湛园、望溪，晚景所造，直接龙门矣。"

王闿运钞集己巳以来日记中所存七律诗，题曰《杜若集》。

严复在天津《直报》上发表《原强》，介绍达尔文进化论及锡彭塞（今译斯宾塞）**"群学"思想**。曰："（达尔文）其一篇曰《争自存》，其一篇曰《遗宜种》。所谓争自存者，谓民物之于世也，樊然并生，同享天地自然之利。与接为构，民民物物，各争有以自存。其始也，种与种争，及其成群成国，则群与群争，国与国争。而弱者当为强肉，愚者当为智役焉。迨夫有以自存而克遗种也，必强忍魁桀，趦捷巧慧，与一时之天时地利一切事势之最相宜者也。且其争之事，不必爪牙用而杀伐行也。习于安者，使之处劳，狃于山者，使之居泽，不再传而其种尽矣。争存之事，如是而已。"此文后有所修订："其一篇曰物竞，又其一曰天择。物竞者，物争自存也；天择者，存其宜种也。意谓民物于世，樊然并生，同食天地自然之利。然与接为构，民民物物，各争有以自存。"

三月

二十三日甲午（1895 年 4 月 17 日），《马关条约》签订。《清史稿·德宗本纪二》："定朝鲜为独立自主国，割辽南地、台湾、澎湖各岛，偿军费二万万，增通商口岸，任日本商民从事工艺制造，暂行驻兵威海。"

四月

八日，公车上书。康有为、梁启超等联合十八省举人一千三百余人签名上书，请拒和、迁都、变法，史称公车上书。《上皇帝书》一万四千余言，吁请光绪帝"下诏鼓天下之气，迁都定天下之本，练兵强天下之势，变法成天下之治"。

二十五日，赐骆成骧等二百八十二人进士及第出身有差。李瑞清、胡思敬、康有为成进士。

陈三立跋黄遵宪诗。跋曰："驰域外之观，写心上之语，才思横轶，风格浑转，出其余技，乃近大家。此之谓天下健者。"按：黄遵宪时年四十八岁，张之洞委以江宁洋务局总办，办理五省堆积之教案。时与文廷式、梁鼎芬、沈瑜庆、叶大庄、袁昶等往还。

五月

初二日（1895 年 5 月 25 日），傅兰雅于《申报》刊登《求著时新小说启》。云："窃以感动人心，变易风俗，莫如小说。推行广速，传之不久，辄能家喻户晓，习不难为之一变。今中华积弊最重大者，计有三端：一雅片，一时文，一缠足。兹欲清中华人士愿本国兴盛者，撰著新趣小说，合显此三事之大害，并祛各弊之妙法，立案演说，结构成篇，贯穿为部。使人阅之心为感动，力为革除。辞句以浅明为要，语意以趣雅为宗。虽妇人幼子，皆能得而明之。述事务取近今易有，切莫抄袭旧套。立意毋尚希奇古怪，免使骇目惊心。限七月底满期收齐，细心评取。首名酬洋五十元，次名三十元，三名二十元，四名十六元，五名十四元，六名十二元，七名八元。果有佳作，足劝人心，亦当印行问世。并拟请常撰同类之书，以为恒业。凡撰成者，包好弥封，外填名姓，送至上海三马路格致书室收入，发给收条。出案发洋，亦在斯处。英国儒士傅兰雅谨启。"此启事亦载于《万国公报》第七十七册。傅兰雅（1839—1928）为英国教会学校教员，广学会成员。

十一日，康有为上第三书，提出变法步骤。按：康有为中进士，旋授工部主事，迄未到职。

丘逢甲等在台湾领导反割台斗争。《马关条约》割台湾予日本，台民愤，台中绅士、工部主事丘逢甲于是首倡成立"台湾民主国"以抗日。五月二日壬申，以原台湾巡抚唐景崧为大总统、工部主事丘逢甲为副总统兼义军统领，台南帮办军务刘永福为大将军，定号"永清"。受任之时，"景崧朝服出，望阙谢罪，旋北面受任，大哭而入"。电告中外，有"遥奉正朔，永作屏藩"语。旋败亡。（《清史稿》唐景崧本传）丘逢甲等内渡。按：丘逢甲回原籍镇平，居十余年，尝与黄遵宪等唱酬。今所存诗始于本年。丘瑞甲《岭云海日楼诗钞跋》："特资质颖异，八岁即能诗，读作日不辍，积各体诗达数万首。甲午之役，与台湾俱亡。兹编仅千余首，自乙未内渡起，迄南京临时政府成立后止。"唐景崧内渡，知兵之名扫地以尽，此后隐居桂林以终。

文廷式至金陵。钱萼孙编《文云阁先生年谱》卷三：文廷式力斥和议，"主和之党遂集恨于先生。……（春）其揭参首辅语尤激厉，奏稿流传都下，见者骈贾太傅痛哭流涕之言，不是过也。李鸿章恨先生甚，欲中以奇祸，盛伯熙知其谋，劝先生少避。先生遂有乞假南归之意矣"。春，廷式有《祝英台近》感春词，寄慨时事，王闿运和之。黄绍箕解官奉亲，赴开封，廷式有《木兰花慢》词送之。既至金陵，与黄遵宪、梁鼎芬诸人饮集吴船，各抚贺新郎词以志悲欢。闰五月，黄遵宪又与廷式饮集钟山，有绝句一首送廷式归江西；归江西后，有念奴娇词答皮锡瑞同年见赠之作。

顾云在金陵薛庐招梁鼎芬、蒯光典、顾印愚、陈衍等饮。薛庐在清凉山下乌龙潭旁，薛时雨主惜阴书院时门弟子所筑，顾云为薛高足，故寓此。

王鸣藻为《扫荡粤逆演义》作序。此书至迟于本月已撰成，四卷八回，不题撰人。光绪二十二年刊本首遭劫余生序；二十五年刊本改题《湘军平逆传》，署"勾章醴泉居士撰"。书演太平天国事。

闰五月

八日，康有为上第四书。为李文田、荣禄等所阻，未达。

六月

王树枏由四川至金陵，入张之洞幕，办理洋务防务。按：树枏四月离成都，顾复

初等人饯之望江楼，有诗；本月，"柯巽庵逢时、梁节庵鼎芬、黄公度遵宪，朝夕过从甚乐"。（王树柟《陶庐老人自订年谱》）

康有为代御史王闿运草折弹劾军机大臣徐用仪。

康有为创办《中外纪闻》。此刊亦名《中外公报》，梁启超、麦孟华等编辑，附政府邸报（《京报》）赠阅。

《台战演义》（原名《台战实纪》）二集十二卷刊出。不题撰人，初集首页题"光绪乙未闰月校印"，即上月。续集首页题"光绪乙未六月校印"。初集书首有人物图六，台湾全图一及刘军门（永福）告示，二集书首有人物图十并《捷音》一篇，初、二集各六卷。杂采新闻及传闻，演述当时刘勇福黑旗军在台湾抗击日寇侵略事。为此期较早关注现实问题之小说。

夏

《台湾巾帼英雄传初集》十二回成书。作者署"古盐官伴佳逸史"，书叙反割台战事中巾帼英雄事。撰者自序谓："不揣谫陋，即其事实编列成帙，分为二十四回，先将十二回为初集，付诸石印，以副先睹为快之心。二集俟天气稍凉再编续印。"据此，姑系于此。此书有本年上海书局石印小本，二集未见，未知编印否。

况周颐编《蕙风词》成。秋，至南京，入张之洞幕。居南京一年余，二十三年冬迁扬州；复于二十五年由扬州至武昌。

七月

初一，王颂蔚（1848—1895）以疫卒，年四十八。《晚晴簃诗汇》卷一百七十二收其诗九首，诗话云："芾卿与叶鞠裳（昌炽）同受训诂之学于潘郘侯，吴中学者王叶齐名。翁文恭、潘文勤雅重芾卿，与文勤为中表戚，顾于谭学问外绝不干以私事。散馆改官，意泊如也。补军机章京，退直辄手一编。尝于方略馆故纸堆中，见殿版初印明史残本，眉上黏有黄签，审为乾隆朝拟撰考证未竟之本，遂逐条厘订，芟繁撷要，成明史考证捃逸三十余卷。甲午中日之役，多所建议，次年和议成，悲愤累月，遽以疾殁。平生致力最勤者，则为周官义疏，惜未成书，余如金石目录，皆有著述。诗思渊密，雅善长篇。"

强学会成立于京师。按：学会由康有为发起，侍读学士文廷式出面组织，公举陈炽为负责人，张孝谦副之，梁启超为书记。《康南海自编年谱》："中国风气，向来散漫，士夫戒于明世社会之禁，不敢相聚讲求，故转移极难。思开风气，开知识，非合大群不可，且必合大群而后力厚也。合群则非开会不可，在外省开会，则一地方官足以制之，非合士夫开之于京师不可。……沈子培（曾植）刑部、陈次亮（炽）户部，皆力赞此举。"基本成员为陈炽、文廷式、沈曾植、杨锐、袁世凯等二十余人。各部院大臣及直省督抚中，翁同龢同意拨出经费，王文韶、孙家鼐，张之洞、刘坤一等俱捐助巨金。学会每十天例会一次，每会有人演说，并议开书藏、兴办报纸。"是时，遍寻琉璃厂书店，无一地球图，京师锢塞，风气如此，安得不败？"后广学会李提摩太亲来联系，"中国士夫与西人通，自此会始也"。英美等国公使表示愿意捐助图书仪器。创办《中外纪闻》。又，钱萼孙编《文云阁先生年谱》卷三："七月，先生与陈次亮炽郎中、丁叔衡立钧编修、王幼霞侍御、袁慰亭世凯观察、张巽之孝谦编修、徐菊人世昌编修、张君立权刑部、杨叔峤中书、沈子培刑部子封编修开强学会于京师。（康有为汗漫舫诗集诗题）（原按：冒鹤亭先生云：强学会主倡之人并非先生，当时遥推黄漱兰体芳为主，会中宗旨在讲学，以中学为体西学为用。）"至十一月，御史杨崇伊奏劾强学会"植党营私"，《中外纪闻》"以毁誉为要挟"，请予禁止。一月后，杨又奏劾文廷式"互相标榜，议论时政"。文被革职。强学会由是解散，改为官书局，专司译书。

康有为为序王闿运《味梨集》序。《序》云："桂林王侍御祐遐，所谓情深而文明者耶！争和议而逐鹰鹯，非其义深君父耶？叹日月而惜别离，非情深朋好耶？温柔敦厚之至，而为咏叹淫佚之辞。其为稼轩之飞动耶？其为游扬摽荡之美成耶？其为草窗、白石之芳馨耶？但闻裂帛，听幽涛，紫濑涓涓，古琴瑟瑟。"按：《味梨集》本年刊出，收上年及本年词作。

赵熙始游峨眉，得诗甚多，后辑为《秋山诗略》。赵熙二十八岁，受聘主讲荣县凤鸣书院。

八月

十二日，津海关道盛宣怀创办中西学堂于天津。

缪荃孙、吴德潇、陈三立、汪康年等在武昌作赏秋之会。

九月

十日丁未（10月27日），兴中会谋划广州起义。事败，陆皓东死之。

秋

马建忠《适可斋记言》、《记行》刊出。此为建忠友人所刊，至明年，建忠复整理补刊。

张僖为林纾《畏庐文集》作序。林纾是年四十四岁，春应会试仍不第，还闽任教于龙潭精舍。秋应福建兴化知府张僖之聘，赴兴化校阅试卷，序即作于此时。此为林纾文初次结集。序谓，纾随身所携仅"诗礼二疏、春秋左传、史记、汉书、韩柳文集及广雅疏证而已，畏庐无书不读，谓古今文章归宿者止此"，"畏庐文字，强半爱国思亲之作也"云云。后宣统二年《畏庐文集》刊印时，文虽增数十篇，仍用张僖序。

詹熙创作《醒世新编》。是书四卷三十二回，初名《醒世新编》，后为书商妄改，题《花柳深情传》。光绪二十三年詹熙《自序》云："光绪乙未，余客苏州，旋往来于申浦。秋，复航海至舟山。是时倭人入寇辽东，我兵不振。旋踞台湾。朝廷议和议战，久而不决。以故余所至之地，人心汹惧。于是朝野士大夫，莫不奋笔著书，争为自强之论。英国儒士傅兰雅谓：'中国所以不能自强者：一，时文；二，鸦片；三，女子缠足。'欲人著为小说，俾阅者易于解说，广为劝戒。余大为感动，遂于二礼拜中，成此一书。"后于光绪二十三年加以修订。书叙浙东西溪村魏氏家族兴衰，意在阐明当祛除鸦片、时文、女子缠足"三害"，革时弊以策富强。詹熙（1852—?）字萧鲁，号绿意轩主人，浙江衢州人，曾主持衢州东乡樟潭小学校与樟潭女子小学校校务，宣统元年（1909）被选为浙江省咨议局议员，参与浙江省预备立宪活动。1920年尚在世。

十月

李文田（1834—1895）**卒，年六十二。**宣统中追谥文诚。《晚晴簃诗汇》卷一百五十六收其诗九首，诗话云："仲约直南斋时，恒疏陈时政，典试视学，务得真才，故取录文字类不中绳墨。著有元史西北地理附录考、元秘史注，旁及相人葬地诸书，靡不精晓。书宗北碑，后生效之，几成风气。存诗无多，略见其概。"

康有为在上海创办强学会分会。许同莘编《张文襄公年谱》："祖诒（康有为）在京师，倡立强学会，朝士集者百数十人，是月十一日来见。旋赴上海设分会。请公列名。……乃助会款五百两。"又，张謇《啬翁自订年谱》："十月节庵约与康长素、黄仲弢列名开强学会，南皮为会长。长素初名祖诒，更名有为，与节盦皆粤人，皆旧识。节盦为陈兰浦先生弟子，康为朱九江先生弟子也。中国士大夫之昌言集会，自此始。"

易顺鼎归长沙，年初至此月所作诗集为《魂东》、《魂南》二集。正月初，顺鼎随刘坤一军东赴山海关。至三月，《马关条约》签订。顺鼎自唐山疾行赴都，四月二日，上《请罢和议褫权奸疏》，十日上《敬筹战事疏》，均不报，返唐山。从军东行之作集为《魂东集》。五月，台湾绅民成立台湾民主国以拒倭人，易顺鼎以刘坤一委札赴台侦探，相机助守。闰五月初，闻林朝栋、丘逢甲亦已内渡。改回内地乞饷。七月再赴台南，势益不支，不得已于八月初内渡。九月，台南陷，全台尽失。易顺鼎援台之计绝望，返武昌。本月，奉父命回长沙。见王闿运、陈锐及湘中友人。自五月南下至九月内渡后，前后赴台之作，集为《魂南集》。此月至明年（丙申）正月之作为《魂归集》。

十一月

二十八日（1896年1月12日）**《强学报》创刊于上海，为上海强学会机关刊物，以孔子纪年，署"孔子卒后二千三百七十三年"。**同日第一号载《上海强学会序》，署张之洞撰，实康有为代撰。文称："天下之变，岌岌哉！夫挽世变在人才，成人才在学术，讲学术在合群，累合什百之群，不如累合十万之群，其成就尤速，转移尤巨也。……尝考泰西所以富强之由，皆由学会讲求之力。《传》称以文会友，以友辅。《记》称敬业乐群。其开风气而成人才，以应天子侧席之意而济中国之变，殆由此耶！其乐从诸君子游乎，吾愿观其成焉。"

黄体芳自开封至金陵，主讲文正书院。

十二月

六日，清廷封禁强学会。钱萼孙编《文云阁先生年谱》卷三："是冬御史杨崇伊具折劾强学会，竟遭封禁。时朝野局势又一变，渐讳言新政。"后强学会得以解禁，改为官书局，任务为专门译书。

冬末，文廷式成《冬夜绝句》十一首。《冬夜绝句》志南北之游踪，叙友朋之欢宴。又为消寒会，约王闿运为艳词，托体风怀，暗咏时事。（钱萼孙编《文云阁先生年谱》卷三）

香港起新山庄刊出《熙朝快史》十二回石印本，题"饮霞居士编次，西泠散人校订"。书演康济时革除社会弊端之事，为演述政治理想之作。

本年

袁昶《于湖题襟集》十卷，本年刊出。

薛福成撰《庸庵文编》海外文编四卷本年刊出。

叶大庄撰《写经斋初稿》四卷本年刊出。

叶衍兰辑沈世良撰《楞华室词》、汪瑔撰《随山馆词》及己作《秋梦盦词》各一卷，为《粤东三家词钞》，合刊于本年。

湖南思贤书局刊出江标辑《宋元名家词》。

上海书局刊出《刘大将军平倭百战百胜图说》，作者署"平江藜床旧主管斯骏"。

文言小说《梦平倭奴记》不分回刊于《新闻报》，后收入本年陈耀卿所编《时事新编》卷六，作者署"高太痴"。此文一作《梦平倭虏记》，叙某生梦平倭寇事。

沪江书局刊出《杀子报》四卷二十回石印本，不题撰人。是书又名《清廉访案》，据清代民间流行公案故事改编，本事出自清景星杓之《山斋客谈》，惟人物、地点或情节稍有变动。又，香港书局亦刊出此小说，题《杀子报全传》，四卷二十回。

谭嗣同、梁启超订交。陈乃乾撰《浏阳谭先生年谱》："康南海倡强学会于京师。先生游京师，将以谒南海，而南海适归广东，不获见，时梁任公启超在强学会任记纂之役，一见定交。"

许南英在台湾抗击日军，事败出亡至新加坡，存诗四十七首。（许南英《窥园先生自订年谱》）按：至光绪二十三年丁酉，许南英四十三岁，自新加坡回国入京，改官知县。辛亥后，与诗友结钟社。于民国六年卒。

张祥龄散馆，选陕西榆林府怀远知县。郑文焯赋《踏莎行》词四阕相送。之官后，时与樊增祥唱和。《郑叔问先生年谱》："入陕后与先生书略云：云门时以马封送词来。樊才诚有不及。所刊骈体诗词，兄俱不畏之。独所刻公牍三卷，嬉笑怒骂，皆成文章，兄不羡其文羡其遇。与上司牍敢于涉笔成趣，由遇爱才如命抚藩也。文亦有不可及处，必传之作也。"

皮锡瑞三十六岁，在南昌刊《师伏堂骈文》二卷。按：光绪三十年甲辰，皮锡瑞于善化补刊四卷，增入三十余篇，合为六卷，所收骈文仍仅止于乙未。其乙未以后骈文及历年所作散体文约四十余篇，均未刊。

黄节《蒹葭楼诗》存诗始本年。时黄节二十三岁，始受业于同县名儒简朝亮（竹居），著籍简岸草堂读书二年。

孙雄撰《师郑堂骈体文存》二卷刊刻。

叶大庄自刻所撰《写经斋初稿》五卷。

王懿荣撰《天壤阁集》（不分卷）自刻于长沙。

曾朴入同文馆习法文。

陈栩（蝶仙）任杭州《大观报》主编。

张景祁（1827—1895）卒，年六十九。所撰《䓕雅堂诗集》十一卷，光绪二十三年福州刻。叶衍兰《新蘅词序》："选调必精，摛辞必炼，有石帚之清峭而不偏于劲，有梅溪之幽秀而不失之疏，有梦窗之绵丽而不病其秾，有玉田之婉约而不流于滑，寻声于清浊高下之别，审音于舌腭唇齿之分，剖析微茫，力追正始。"《复堂词话》："韵梅蛰饮香名，填词刻意姜张，研声刊律，吾党六七人，奉为导师。故山兵劫，同好晨星，乱定重见，君已摧锋落机，谢去斧藻，中年哀乐，登科已迟，又复屈承明之著作，走海国之靴板，不无黄钟瓦缶之伤。倚声日富，规制益高，骎骎乎北宋之坛宇。江东独秀，其在斯人乎？外集集古，多长篇奇制，如《洞仙歌》、《解连环》之组纫石帚，真无缝天衣也。"龙榆生《近三百年名家词选》录其词十首。《晚晴簃诗汇》卷一百六十六收其诗十八首，皆关台湾事。

黄文珪（1862—1895）卒，年三十四。文珪字星庐，号酒痴，江苏江宁籍，江西婺源人，有《酒痴吟草》。

平步青（1832—1895）卒，年六十四。《晚晴簃诗汇》卷一百六十一收其诗二首，诗话云："景孙官翰林，入直上书房，勤于纂述，有《国朝馆选爵里谥法考续》三卷，《两书房诸臣考略》各二卷，《大考翰詹考略》一卷，皆有裨玉堂掌故。及出任江西粮道，月必倩人购书于都中厂肆，为考订之用。归里后杜门谢客，一意著书，稿本甚富，身后其家视作秘笈，绝不示人。有手订《香雪崦丛书》二十种，皆非所经意者。存诗无多，吐属名隽。"

左锡嘉（1831—1895）卒，年六十五。《晚晴簃诗汇》卷一百八十八收其诗十四首，诗话云："冰如多才艺，归曾氏后，诸子女秉母教，皆工诗画，为世所艳称。夫殉难，扶榇归蜀，过叉鱼滩大风几覆舟，冰如抚棺号天泣血，风遽止，得无恙。自绘《孤舟入蜀图》，海内名流题咏甚众。"

左锡璇卒。锡璇（1829—1895）字芙江，江苏阳湖人。左昂女，宛平道光丁未进士袁绩懋室。锡璇早岁有孝名，袁绩懋死于战事，抚育子女成立。工诗词，书法尤精。著有《碧梧红蕉馆诗》三卷、《词》一卷。《清史稿·列女传》有传。丁绍仪《听秋声馆词话》卷十二："中丞（按：即左辅）女芙江夫人（锡璇）工书娴绘事，适袁訒庵观察，琴鸣瑟应，致相得也。不数年，观察殒匪难，故乡又以贼毁，夫人寓闽中，拮据支持，其遇有甚难堪者。然茹荼集蓼中，不废笔墨。"录其《眼儿媚·清浅银河淡不流》、《清平乐·秋风萧瑟》、《蝶恋花·月过西窗凉似水》、《梅为风雨所败，感赋疏影》等词。李佳《左庵词话》卷上："左锡璇《梅为风雨所败，感赋疏影》……清纤悲壮，感慨系之。"《清史稿·列女传》本传："工诗善画，书法尤精。"《晚晴簃诗汇》

卷一百八十八收其诗十八首,诗话云:"芙江为左仲甫中丞女孙,事亲孝,工诗善画,画与妹婉芬(锡嘉)齐名。婉芬女曾伯渊(懿)为芙江子妇。兰陵一脉,衍秀华阳,文艺相传,著于国史,洵清门之佳话也。"(编者注:卒年据江庆柏《清代人物生卒年表》)

周瘦鹃生。瘦鹃(1895—1968)名国贤,字祖福,别署泣红、怀兰、紫罗兰盦主等,江苏吴县人。民国作家,著有小说《秋海棠》等。

现代作家邹韬奋(1895—1944)、林语堂(1895—1976)、郑伯奇(1895—1979)生。

公元1896年(光绪二十二年 丙申)

正月

二十三日,洪良品(1827—1896)卒,年七十。著有《龙冈山人诗钞》等,《晚晴簃诗汇》卷一百六十四收其诗四首。

张之洞回湖广总督本任,所至皆有诗。过芜湖,袁昶张宴于官廨,纵谈竟日。又,张之洞是岁诗作渐多,有《忆蜀游》、《忆岭南草木》诸诗,《连珠诗》。樊增祥《张文襄诗集跋》:"公自光绪丙子(1876)冬由蜀还京,作诗甚少。自己卯(1879)至壬午(1882),殚心国事,有封奏四十余件,更无余力为诗。壬午秋,出抚晋疆。明年夏,移督两广,荏苒八年,吟事都废,自庚寅(1890)至癸巳(1893)中间,惟赠俄太子及希腊世子二律,然系幕僚拟作,公稍润饰之。直至乙未(1895),自两江还鄂,始一意为诗,如《忆蜀游》十首、《忆岭南草木诗》十四首,皆督楚时作,即《挽彭刚直诗》,亦在鄂补作也。盖公于词章之学最深,四十以后,内赞讦谟,外修新政,公忠体国,不遑暇食,诗学捐弃几二十年。六十以后,吏民相安,新政毕举,乃复以理咏自娱,而识益练,气益苍,力益厚,境地益愈高愈深,以《五北将诗》与《四生哀》较,以《连珠诗》与《学署草木诗》较,划然如出两手。至光绪癸卯(1903)《朝天》以后诸作,则杜陵徙夔、坡仙渡海,有神无迹,纯任自然,技也神乎,叹观止矣。"

二月

十七日,文廷式革职出都。廷式时年四十一岁,此后流落江湖以死。钱萼孙编《文云阁先生年谱》卷三:"上谕……文廷式著即革职,永不叙用,并驱逐回籍,不准在京逗留。……朝中清流后辈至先生之去而告一结局,亦有史以来之清流至是告一结局。此后一变而戊戌维新,再变而庚子拳乱,三变而辛亥革命,清社遂屋矣。盖先生一身之进退,所系于世变者大也。""先生既削职南归,至上海,过金陵,缪艺风、张季直、郑太夷招饮吴园。旋至汉口,三月琴台燕集,同集者黄仲弢、梁节庵、志仲鲁、顾印伯印愚、纪芗聪钜维、张君立,先生有诗。""七月,王幼霞有《高阳台》词寄先生,沈子培和之。""九月重阳有《点绛唇》词,又有《高阳台》词次韵答王幼霞。借艳词以感事,不久幼霞子培亦先后出都,盖深慨时事之不可为也。是月有罗霄山人醉语之作。"

《万国公报》第八十六册刊登傅兰雅《时新小说出案》。云：前刊登征求时新小说告示后，"蒙远近诸君揣摩成稿者，凡一百六十二卷。本馆穷百日之力，逐卷披阅，皆有命意。然或立意偏畸，说烟弊太重，说文弊过轻；或演案希奇，事多不近情理；或述事虚幻，情景每取梦寐；或出语浅俗，言多土白；甚至辞尚淫巧，事涉狎秽，动曰妓寮，动曰婢妾，仍不失淫辞小说之故套，殊违劝人为善之体例，何可以经妇孺之耳目哉？更有歌辞满篇俚句，道情者虽足感人，然非小说体格，故以违式论。又有通篇长信纸，调谱文艺者，文字固佳，惟非本馆所求，仍以违式论"。然以应征诸人"有辅劝善之至意"，仍录选二十人，各酬以润资。此启事于去年十一月二十九日曾刊登于《申报》。

春

宋育仁奉命回重庆开商务局。是年育仁与邓镕组蜀学会，鼓吹改良，复创办《渝报》，为蜀中报刊之始。

四月

杨度从王闿运问学。

秋瑾在湘潭适王子芳（字廷钧）。时秋瑾二十岁，"所夫固纨袴子，至是不相能"。（徐自华《鉴湖女侠秋君墓表》）本年有《去常德舟中感赋》、《旧游重过不胜今昔之感口号》等诗词。

李伯元举家迁至上海，入《指南报》任编撰，开始笔墨生涯。按：《指南报》创刊于本月二十五日（公历6月6日），李伯元创办《指南报》抑或仅进该报馆工作，未详。

江文藻为《七剑十三侠》作序。据序知是书已撰成初集六十回。是书一名《七子十三生》，叙明正德间宁王朱宸濠作乱为王守仁所败事，多妖异剑侠之谈。题"桃花馆主编次"，实即唐芸洲撰。芸洲号桃花馆主人，江苏苏州人，生平事迹不详。后撰《续集》六十回，《三集》六十回，凡一百八十回。《三集》有光绪辛丑六月甬上月湖渔隐序，彼时已撰成，当年申江书局刊出石印本。

五月

十六日（1896年6月26日），胡璋（铁梅）在上海创办《苏报》，以其妻生驹悦在日驻沪领事馆注册，作为日商报纸。聘邹弢为主笔。光绪二十四年，由陈范（梦坡）接盘。

六月

王韬为邹弢所撰《海上尘天影》作序。据序，知是书为青楼女子汪畹香而作。邹弢于壬辰（1892）年结识汪畹香，情意颇投合，而邹弢家贫，势不能谐，畹香不得已别嫁他人。此书始创于壬辰年后不久，"始只五十二章，名《尘天影》，兹因女史之嫁，将五十二章悉行删改，又续增数章，改名《断肠碑》"。（按：后刊本仍作《尘天影》）此书颇仿《红楼梦》、《镜花缘》，而加入西学新理，"下界中国地方看得我们女子太轻，不令读书，但令裹足，且一妻数妾，最是不好。你下去可立一女塾，教导国中，男女并重"（第一章）云云，亦见当时风气。王韬序谓："有与生同志者，曾索视之，谓其中所述各女子，均有其人，且各有性情，各有归束，前后起结，隐伏绾带，章法井然。大旨专事言情，离合悲欢，具有宛转绸缪之致，笔亦清灵曲折，无美不臻。且于时务一门，议论确切，如象纬舆图，格致韬略，算学医术，制造工作，以及西国语言，并逮诗词歌曲，下至猜谜酒令，琴瑟管箫，诙谐杂技，无乎不备，真是入世通才，目无余子。阅者如入山阴道上，多宝船中，惬目赏心，有予取予求之乐。历来章回说部中，《石头记》以细腻胜，《水浒传》以粗豪胜，《镜花缘》以苛刻胜，《品花宝鉴》以含蓄胜，《野叟曝言》以夸大胜，《花月痕》以性致胜。是书兼而有之，可与以上说部家分争一席，其所以誉之者如此。余尝观此书，颇有经世实学寓乎其中。若以之问世，殊足善风俗而导之颛蒙，徒以说部视之，亦浅之乎测生矣。"又，据序，邹弢此前不久曾著《万国近政考略》、《洋务罪言》等书；而王韬本人时移居上海城西，自颜草堂之额曰"畏人小筑"，"盖至此避世之心益决，而伏而不出之志弥深坚矣"。

七月

初一日，汪康年等创《时务报》于上海。先是，京师强学会被禁，上海分会旋亦被禁，黄遵宪拟以强学会余款创一报鼓吹维新，邀梁启超主笔。三月，梁启超至上海，始识黄遵宪。至是，《时务报》创刊，由汪康年任经理，梁启超主笔。汪诒年编《汪穰卿先生年谱》："七月设时务报馆于上海。自甲午中日之战，我国败衄后，洞明时事之流，已佥知非变法不足以图存，非将教育、政治、一切经国家治人民之大经大法改弦易辙，不足以言变法。然未有特出一报昌言此义者。先生于中外大势，治之有素，又见时机急迫，非可缓蓄。时方为两湖书院分教，乃亟向张尚书告辞，欲自至商埠集资设报社。尚书力尼其行，先生坚不从，奔走半年，卒设时务报馆于上海。时新会梁卓如启超方在京师，先生乃招之至馆，以撰述属之，而以筹款事自任，时亦以己之意见告之。……有所撰述，率以变法图存为宗旨，至是而吾国始有论政治之杂志，通国士流渐知改革政体之不可缓，言变法者浡然兴矣。""《时务报》出版未久，先生特著《中国自强策》三篇冠诸报端，力言中国宜复民权、重公理，宜尚创作而贱安闲，尚改变而贱守常……先生时又以吾国译籍，惟制造局有出版者，大都属于算学汽机诸类，格致书院及教会间亦有辑译本，大都属于格致医学诸类，至如各国政法及历史地理诸书，鲜有译行者，即有之，译笔亦不雅驯，学者多不欲观，先生乃商诸农学报主任罗叔蕴、蒋伯斧二君，谓为目前救急计，不能不取径于日本。顾其时，通日文者寥寥可数，乃创设东文学社于上海，以农学报馆日文翻译扷田剑峰文学士丰八为教习，招生肄习日文。"按：是为汪康年创设报刊之始，此后曾办多种报刊。唐文治《同年汪穰卿先生传》："当甲午之后，士大夫争谈时务，臆决唱声，先生以为民气之郁久矣，宜重民权，瀹民智，用以明目而达聪。岁丙申，设《时务报》于上海，戊戌复设《时务日报》，旋易名《中外日报》。丁未设《京报》于京师。庚戌复设《刍言报》，常欲以言论机关大声疾呼，发聋振聩。辛丑和议告成，俄人驻兵奉天不允撤退，先生愤然腾电中外，慷慨力争，西报互相译述，以为中国有人。当此之时，先生名闻天下。"梁启超《三十自述》："七月，《时务报》开，余专任撰述之役，报馆生涯自兹始。"章炳麟亦曾参予编辑。汪诒年《汪穰卿先生年谱》曰："《时务报》先尝延章太炎君，后以与梁君意见不合，遂自行告退。"钱钟联《黄公度先生年谱》："正先所撰《黄公度》曰：'初公度未得任公，有人介绍章太炎。公度为文章，务取畅达，不苟为夸饰。太炎好用古语及涩字。太炎托人送文来，公度谓其文不合报章宣传之用，退还之。太炎大恚，由是常詈公度。'"《时务报》每旬一册，每册二十余页，分"论著"、"恭录谕旨"、"奏折录要"、"京外近事"、"域外报译"、"西电照译"诸栏。且附载各地学会章程。而"域外报译"独占篇幅至二分之一强。数月间发行至一万余份，成为宣传维新变法最著之工具。严复《与熊纯如书》："任公妙才，下笔不能自休……其笔端又有魔力，足以动人……敢为非常可喜之论。"又："任公文章，原自畅达，其自甲午之后，于报章文字，成绩为多。一纸风行，海内观听，为之一耸。"此后"时务文体"逐渐兴盛。

《时务报》第一册刊有梁启超所撰《论报馆有益于国事》。其言曰："去塞求通，厥道非一，而报馆其导端也。……阅报愈多者，其人愈智；报馆愈多者，其国愈强。"又刊启超撰《变法通议·自序》，略谓："法何以必变？凡在天地之间者，莫不变。……故夫变者，古今之公理也。……代兴者审其变而变之，斯为新王矣；苟其子孙达于此义，自审其敝而自变之，斯号中兴矣。……今专标斯义，大声疾呼。"又，本册刊载《英国包探访喀迭医生案》，未署译者，后上海素隐书屋单行本署"丁杨杜译"。此为较早译入之侦探小说，后侦探小说颇流行于晚清，《时务报》实开此风气。本年《时务报》刊载侦探小说尚有：第六册至第九册（八月二十一至九月同日）连载《英包探勘盗密约案》，第十册至第十二册（十月初一日至二十一日）连载英国作家柯南道尔所撰《记伛者复仇事》。

初十日，杨岘（1819—1896）卒于吴门，年七十八。《藐叟年谱》附吴俊卿跋："先生学无不通，于诗文尤笃好。诗不拘一格，文不拘一体，洋洋洒洒，自性情中流出。"附刘承幹跋："杨藐翁先生吾乡之积学巨子也。困于甲科，以刚自植，至老弥励。……承幹尝谓，为治者当有以平天下之不平，而为诗者当有以自平其不平。吾浙王阳明先生提倡心学，天怀旷然，近今日本学子哀其遗集，扬其宗风，国骎骎乎强矣。盖豪杰者，圣贤所陶铸，义侠者，豪杰所留贻。彼义侠之进于圣贤豪杰，要在化其不平之心，而渐进于平，是故诗文虽小道，而有关于世道人心，此其理可为知者道，难与浅者言也。藐翁诗文亦时露不平之气，而常自遏抑，思自平其不平。承幹窃景行焉，用是重梓是集，非博表扬先哲之美名，盖冀宇宙士大夫具有义侠之骨者，毋断断焉自安于不平也。"《晚晴簃诗汇》卷一百五十四收其诗三首，诗话云："见山官吴中，与高伯足心夔、刘彦清履芬为文字交，工诗，尤长于书，作八分，融汉唐为一冶而出以遒秀，自成标格。"张舜徽《清人文集别录》卷十九："世多称其能为古文。工篆隶，有名于时。今观其文辞，好用古字，好为涩句，斫自然之元气，非真能为古文者。"

八月

十五日，马建忠自序《适可斋记言记行》。

九月

九日，严复作《译〈天演论〉自序》。按，译《天演论》始于光绪二十一年，完成于二十四年戊戌。时吴汝纶在保定，严复译著，常质之汝纶。吴汝纶《天演论序》："天演者，西国格物家言也。其学以天择物竞二义，综万汇之本原，考动植之蕃耗，言治者取焉。因物变递嬗，深研乎质力聚散之几，推极乎古今万国盛衰兴坏之由，而大归以任天为治。赫胥氏起而尽变故说，以为天不可独任，要贵以人持天。以人持天，必究极乎天赋之能，使人治日即乎新，而后其国永存，而种族赖以不坠，是之谓与天争胜。而人之争天而胜天者，又皆天事之所苞。是故天行人治，同归天演。其为书奥赜纵横，博涉乎希腊、竺干斯多噶、婆罗门、释迦诸学，审同析异而取其衷，吾国之所创闻也。凡赫胥氏之道具如此，斯以信美矣。""抑汝纶之深有取于是书，则又以严子之雄于文。以为赫胥氏之指趣得严子乃益明。自吾国之译西书，未有能及严子者也。……今议者谓西人之学，多吾所未闻，欲瀹民智，莫善于译书。吾则以谓今西书之流入吾国，适当吾学靡敝之时，士大夫相矜尚以为学者时文耳，公牍耳，说部耳，舍此三者，几无所为书。而是三者，固不足与于文学之事。今西书虽多新学，顾吾之士，以其时文、公牍、说部之词，译而传之，有识者方鄙夷而不之顾，民智之瀹何由？此无他，文不足焉故也。文如几道，可与言译书矣。……今赫胥氏之道，未知于释氏何如？然欲侪其书于太史氏、扬氏之列，吾知其难。即欲侪之唐宋作者，吾亦知其难也。严子一文之，而其书乃骎骎与晚周诸子相上下，然则文顾不重耶！抑严子之译是书，不惟传其文而已。"

十日，梁启超为马建忠《适可斋记言记行》作序。序谓："今秋海上，忽获合并，其晨夕饫言论者十余日，然后霍然信中国之果有人也。……《适可斋记言》、《适可斋记行》……每发一论，动为数十年以前谈洋务者所不能言。每建一义，皆为数十年以后治中国者所不能易。"

秋

樊增祥在渭南县任上，本年秋至明年夏所作诗集为《身云阁后集》一卷。此为《樊山续集》首卷。

十月

康有为至澳门，与何穗田同创《知新报》。有为是年三十九岁，移学舍于广州府学宫万木草堂，著成《孔子改制考》。

本年

张元济创设西学堂于京师。严复亦与其事。冬，改称通艺学堂，倡习西文，戊戌政变后被迫停办。

《苏报》创刊于上海，后倾向革命，成为资产阶级革命派宣传阵地。

盛宣怀于上海创设南洋公学。

张謇致力于实业，创办大生纱厂。

南陵徐氏刊刻徐乃昌辑《小檀栾室汇刻闺秀词》。

陶邵学自序《颐巢类稿》。

刘鹗录定《芬陀利室存稿》。

刘孚京（1855—1896）卒。所撰《南丰刘先生文集》，民国八年上海聚珍仿宋印书局铅印。

宋伯鲁撰《海棠仙馆诗钞》四卷刊刻于京师。《今传是楼诗话》"赠宋伯鲁诗"条："秦中诗人，以余所见，当以芝田翁首屈一指。"

邓瑜撰《清足居集》一卷附《蕉昌词》一卷刊刻。首有谭献及弟邓濂序。谭献评其词谓："有生气，有真气。一洗绮罗粉泽之态，有徐淑李清照所不逮者。"又，诸可宝诗续集《宦游剩稿》刊刻。

马建忠撰《适可斋记言记行》十卷刊出。集分记言四卷、记行六卷。

杨彝珍撰《移芝室集》十九卷刊刻。

樊增祥在渭南县任，再刻其诗集。樊增祥《樊山续集自叙》："自甲午刻集后逾二年，至丙申秋，又得诗若干首，分为四卷，曰《镜烟堂集》，曰《东园集》，曰《东园后集》，曰《身云阁集》，付诸梓人，此《樊山诗集》二刻也。"按：初刊二十卷，合此四卷，得诗二十四卷。并《樊山文》二卷，《东溪草堂词》二卷，凡二十八卷，为《樊山集》（正集，称渭南县署本）。

易顺鼎三十九岁，在长沙刊《四魂集》。《魂北集》前已刻，此年重刻，与东投从军、南下台湾及归湘后所作《魂东》、《魂南》、《魂归》诸集合刊为《四魂集》，又编他人题赞唱和《四魂集》之诗词为《四魂外集》四卷。又整理赴台日记为《南行记》，并期间所撰奏疏等，合刊为《盾墨拾余》。夏，丁母忧服阕，游衡山，所作诗后刻为《衡岳集》。易顺鼎《琴志楼摘句诗话》谓："余所刻《四魂集》，誉之者满天下，毁之者亦满天下。湘绮、樊山，皆极口毁之者也。然'文章千古事，得失寸心知'，余自信此集为空前绝后、少二寡双之作。盖毁余者皆以好用巧对为病，即张文襄亦屡言之。不知以对属为工，乃诗之正宗。凡开国盛时之诗，无不讲对属者，如唐之初、盛，宋之西昆，明之高、刘皆然。自作诗者不讲对属而诗衰，诗衰而其世亦衰矣。杜诗亦讲巧对，如'子云清自守，今日起为官'及'大司马'、'总戎貂'之类。况余对仗皆用成语，且不喜用僻典，而所用皆人人所知之典；又皆寓慷慨悲歌、嬉笑怒骂于工巧浑成之中。自有诗家以来，要自余始独开此一派矣。"

郑文焯《冷红词》四卷刊行，收词凡一百四十五首，始己丑讫本年。陈锐为之叙。陈时官苏省，与郑文焯为文字深交。文焯是岁又刻《绝妙好词校录》一卷，附《冷红词》后。

《玉瓶梅》十回石印袖珍小本刊行，吴兴于茹川撰。是书全称《绣像第六奇书玉瓶梅》，各回叙一事或数事。书首作者自序，谓此书可当善书，"其文只取消淡如白话者，使愚人亦得易知为善"。

王树枬在甘肃，撰《彼得兴俄记》一卷、《欧洲族类源流略》五卷。按：是年甘肃回乱，上命新疆巡抚陶模带兵入关，升授陕甘总督。时王树枬以押送军需至兰州，遂入陶模幕。年末，开复原官，留甘肃补用。后数年均在甘肃。

杨钟羲、盛昱辑《八旗文略》始有端绪。（杨氏《自订年谱》）

昆山朱祥集、尹桂深、王庆祉等人结东山曲社，讲求昆曲。王庆祉《昆曲粹存序》："光绪丙申，同人集东山曲社于进思堂。"其时昆曲已极衰，方还宣统二年所撰《昆曲粹存序》谓："明季以迄国朝，海内靡然乐其词而歌演之，几于家吴歈而户南音……此又一时。下迄吾世，国家当极炽而半之后，民生其间，物力不继，而又承粤寇之敝，海内凋残陵夷，旧时声律，遂阙焉未遑董理。然岁时乡里报赛所歌演者，犹率皆乡音。距今数十年，寝衰寝微，四方好尚日趋于北音，而吾乡亦复罕有能歌昆曲者。此又一时也。"

谭嗣同需次南京，从杨文会游。陈乃乾撰《浏阳谭先生年谱》："春以父命就官，为候补知府需次金陵者一年。金陵有居士杨仁山文会者，博览教乘，熟于佛故，以流通经典为己任，先生时时与之游，因得遍窥三藏。是岁有《留别湘中同志》、《金陵听说法》等作。"又时至上海与梁启超往还，撰《仁学》成。

朱孝臧年四十，始从王闿运学为词。孝臧《彊邨词》三卷本自记："予素不解倚声，丙申重至京师，半塘翁时举词社，强邀同作。翁喜奖藉后进，于予词绳检不少贷。微叩之，则曰：'君于两宋涂径固未深涉，亦幸不睹明以后词耳。'贻予《四印斋所刻词》十许家，复约校《梦窗四稿》，时时语以源流正变之故。旁皇求索，为之且三寒暑。则又曰：'可以视今人词矣。'示以梁汾、珂雪、樊榭、稚圭、忆云、鹿潭诸作。会庚子之变，依翁以居者弥岁，相对咄咄，倚兹事度日，意似稍稍有所领受，而翁则翻然投劾去。"夏孙桐《清故光禄大夫前礼部侍郎朱公行状》："少以诗名，孤怀独往，其蹊径在山谷、东野之间。四十始为词，与王半塘给谏最相契，同校《梦窗四稿》，词格一变。"按：据郑文焯《比竹余音·木兰花慢》序："半塘前辈举咫村词社，咏京师胜迹。"则当时所举词社名咫村。又：时年，夏桐孙与孝臧同官。《蕙风词话续编》卷二："曩与筱珊、半塘，约为词社，月祝一词人，合为一集。嗣筱珊有湖北之行，因而中止。"

谭嗣同、夏曾祐等为新体之诗。《饮冰室诗话》："复生（谭嗣同）自意其新学之诗。然吾谓复生三十以后之学，固远胜于三十以前之学；其三十以后之诗，未必能胜三十以前之诗也。盖当时所谓新诗者，颇喜捃扯新名词以自表异。丙申、丁酉间，吾党数子皆好作此体。提倡之者为夏穗卿，而复生亦綦嗜之。此八篇（按：第五九则中所云：谭复生尝以其旧作八律见示，盖丙申春就官浙江留别湘中同志者也。）中尚少见，然'寰海惟倾毕士马'，已其类矣。其《金陵听说法》云：'纲伦惨以喀私德，法会盛于巴力门。'喀私德即 Caste 之译音，盖指印度分人为等级之制也。巴力门即 Parliament 之译音，英国议院之名也。又赠余诗四章中，有'三言不识乃鸡鸣，莫共龙蛙争寸土'等语，苟非当时同学者，断无从索解；盖所用者乃《新约全书》中故实也。其时夏穗卿尤好为此。穗卿赠余诗云：'滔滔孟夏逝如斯，亹亹文王鉴在兹。帝杀黑龙才士隐，书飞赤鸟太平迟。'又云：'有人雄起琉璃海，兽魄蛙魂龙所从。'此皆无从臆解之语。学时吾辈方沉醉于宗教，视数教主非与我辈同类者，崇拜迷信之极，乃至相约以作诗非经典语不用。所谓经典者，普指佛、孔、耶三教之经。故《新约》字面，络绎笔端焉。谭、夏皆用'龙蛙'语，盖时共读约翰《默示录》，录中语荒诞曼衍，吾辈附会之，谓其言龙者指导孔子，言蛙者指孔子教徒云，故以此徽号互相期许。至今思之，诚可发笑。然亦彼时一段因缘也。"又："穗卿有绝句十余章，专以隐语颂教主者。……其余似此类之诗尚多，今不复能记忆矣。当时在祖国无一哲理、政法之书可读。吾党二三子号称得风气之先，而其思想之程度若此。今过而存之，岂惟吾党之影事，亦可见数年前学界之情状也。"梁启超《夏威夷游记》："夏穗卿、谭复生皆善选新语句，其语句则经子生涩语、佛典语、欧洲语杂用，颇错落可喜。试举其一二：穗卿诗有……其意语皆非寻常诗家所有。复生本甚能诗者，然三十以后，鄙其前所作为旧学，晚年屡有所为，皆用此新体，甚自喜之，然已渐成七字之语录，不甚肖诗矣。"

冒广生居吴门从其外祖周星诒受学。冒氏《四声钩沉》："丙申岁，依外祖季贶太守（讳星诒）居吴门，乃从事《略》、《录》校雠之学。时仁和谭仲修大令丈，实执词坛牛耳，见外祖题吾词'忠爱《闲情赋》，风骚《本事诗》'云云，加八字于上，曰：'词非过誉，吾亦云然。'"

沈瑜庆榷盐大通，仍邀陈书参其幕。

韩小窗约卒于是年。小窗（1840？—1896？）以号行，本名不详，辽宁开原人，旗籍。所著子弟书据传有五百余篇，今传世者有《大烟叹》、《宁武关》、《黛玉悲秋》等刻本三十余种。

现代作家徐志摩（1896—1931）、郁达夫（1896—1945）、茅盾（1896—1981）生。

公元 1897 年（光绪二十三年　丁酉）

正月

二十一日，康广仁、徐勤创《知新报》于澳门。

商务印书馆创立。

二月

吴汝纶答严复书，盛称《天演论》。郭立志编《桐城吴先生年谱》："二月七日，答严幼陵云：吕临城来，得惠书并大著《天演论》，虽刘先主之得荆州，不足为喻。比经手录副本，秘之枕中，盖自中土翻译西书以来，无此弘制。匪直天演之学，在中国为初凿鸿濛，亦缘自来译手，无似此高文雄笔也。"

三月

二十一日（4 月 22 日）《时务报》第二十四册开始连载（英）柯南道尔所著《继父诳女破案》，至四月十一日第二十六册毕。后素隐书屋、文明书局版均署"丁杨杜译"。

《彭公案》及《续彭公案》合刊本行世，原有序外，又有都门叶子豪《全续彭公案序》。序云："余观之全部，前后笔法，有始有终，大有警世之风，诚可赞美。令阅者知王法之森严，凡忠臣、义士，逢凶化吉，得留名于后世；乱臣、贼寇恶贯满盈，俱遭报应循环。人生治平之世，各宜安分守己，勿好勇而逞强，勿逆天而行事；改恶迁善，自保无虞。故事同今，此为救世之书，观善恶之收缘结果也。"

江标、唐才常等创《湘学新报》于湖南长沙。长沙校经书院编刊，初名《湘学新报》，旬刊，月出三册；自第二十一册起改名《湘学报》，由唐才常等编辑，次年停刊，共出四十五册。江标时任湖南学政。

黄遵宪在崇效寺集京师名士看牡丹，始与太仓唐文治主事、海盐张元济主事等游。

春

章太炎以梁启超、汪康年之请任《时务报》撰述。《自定年谱》谓："时在上海，梁卓如等倡言孔教，余甚非之。……其徒大愠。"又："时新学勃兴，为政论者辄以算术物理与政事并为一谈。余每立异，谓技与政非一术，卓如辈本未涉此，而好援其术语以附政论，余以为科举新样耳。唯平子（引者按：宋恕）与乐清陈黻宸介石持论稍实，然好言永嘉遗学，见事颇易。余所持论不出《通典》、《通考》、《资治通鉴》诸书，归宿则在孙卿、韩非。康氏之门，又多持《明夷待访录》，余常持船山《黄书》相角，以为不去满洲，则改政变法为虚语。宗旨渐分，然康门亦或谗言革命，逾四年始判殊云。"

四月

二十一日，《时务报》第二十七册开始连载（英）柯南道尔《呵尔唔斯缉案被戕》，至五月二十一日第三十册毕，光绪二十五年素隐书屋单行本署"时务报馆译，丁杨杜译"。

五月

二十五日（6 月 24 日）李伯元于上海创办《游戏报》，开上海小报风气。按：《游戏报》约在宣统二年庚戌停刊，共出五千期。而李伯元办《游戏报》只在前三年多时间，即自创刊至庚子年底或辛丑年初，后盘予他人，别创《世界繁华报》。伯元主《游戏报》期间，尝创办"艺文社"，后又创办"海上文社"，刊出该设机关报《海上文社日报》。吴沃尧撰《李伯元传》："凤抱大志，俯仰不凡，怀匡救之才，而耻于趋附，故当世无知者，遂以痛哭流涕之笔，写嬉笑怒骂之文，创为《游戏报》，为我国报界辟一别裁，踵起而效者，无虑十数家，均望尘不及也。君笑曰：一何步趋而不知变哉。又别为一格，创《繁华报》。"周桂笙《新庵笔记》卷三《书繁华狱》："昔南亭亭长李伯元征君，创《游戏报》，一时靡然从风，效颦者踵相接也。南亭乃喟然曰：何善步趋而不知变哉。遂设《繁华报》，别树一帜。一纸风行，千言日试，虽滑稽玩世之文，而识者咸推重之。"张乙庐《李伯元逸事》："上海小报，创于常州李伯元氏之《游戏报》。其体裁略如旧式大报，销路甚广。后《寓言》、《采风》等报继起，《寓言》主笔为番禺李芋仙，其友高太痴、金免痴诸先辈，皆有著作，名骎骎驾于《游戏》。氏惧，复创立《繁华报》，体裁仿《中外中报》。（原注：时名《时务报》，为汪穰卿先生主笔，后为法捕房封禁，改《中外》。）与今之小报相似。"孙玉声《退醒庐笔记》："南亭亭长李伯元，毗陵人，小报界之鼻祖也。为文典赡风华，得隽字诀。而最工游戏笔墨，如滑稽谈、打油诗之类，则得松字诀。又擅小说，形容一人一事，深入而能显出，罔不淋漓尽致，是又得刻字诀者。当其橐笔游沪时，沪上报馆，只《申报》、《字林沪报》等，寥寥三四家。李乃独辟蹊径，创《游戏报》于大新街之惠秀里。风气所趋，各小报纷纷蔚起，李顾而乐之。"郑逸梅《孤芳集·南亭亭长之与安垲第》："海上文人，荟兮蔚兮。我辈操觚为活者，当推我佛山人以及南亭亭长等为先进。亭长李伯元风流自喜，颇以东山丝竹、南部烟花为乐。文字渊茂古丽，读之如餐苓漱薇，芬留三日。时海上尚无小报之椠行，伯元首创，以揄扬风雅。《游戏报》有谐文，有笑话，有花史，足以倾靡社会。于是冠裳之辈、货殖者流，莫不以报阅一纸《游戏报》为无上时髦，南亭亭长李伯元，名乃大噪。"（录自魏绍昌编《李伯元研究资料》）《挥麈拾遗》卷五："中国首仿西人为游戏报纸，惟上海之《游戏报》是已。总主笔李伯元明经，骈文专家，又复兼长小品杂著，嬉笑怒骂，振聩发聋，得游戏之三昧。苏长公以行文为乐事，锦绣肝胆，珠玉咳唾，此才正非易易。丁酉、戊戌、庚子，叠开三次花榜，骚屑闲情，别深怀抱，惯阅沧桑之劫，独成脂粉之编，余淡心《板桥杂记》，当得嗣响耳。"

　　樊增祥由渭南至西安，至八月，成诗为《青门销夏集》。又："八月发西安，重九抵都，故交则伯熙、廉生、午桥、寿平，朝夕相见，长白相国、嘉定尚书、南海侍郎，命酒赋诗，月尝数集……流连半载，乃始西还。凡所赓酬，厘为三卷，曰《朝天集》。"（《樊山续集自叙》）

六月

　　上旬，《农学报》第五册开始连载《稽者传》（又名《阿藏格》）至第二百十二册毕，署"（法）麦尔香著，朱树人译述"。

　　黄遵宪出都，赴湖南长宝盐法道任，随即接署湖南按察使，参与湖南新政。又，本年湘乡曾广钧编修序黄遵宪诗，谓古今以诗名家者，无不变体，而称先生诗善变。（曾序已佚）黄遵宪酬以诗云："废君一月官书力，读我连篇新派诗。风雅不仁由善作，光丰之后益矜奇。"黄遵宪自张新派诗之旗帜始此。（钱仲联《黄公度先生年谱》）

夏

林纾译《茶花女遗事》。 先是，林纾于二月丧偶，牢愁寡欢。友人王寿昌邀请林纾翻译法国作家小仲马之《茶花女遗事》以破愁闷。王寿昌口述，林纾笔述。是为林纾翻译外国小说之始。钱基博《现代中国文学史》："初，纾与长乐高氏兄弟凤岐、而谦敦昆弟欢。凤岐、而谦历佐大府，为东诸侯上客，有声，与纾相引重。而谦挚友王寿昌精法兰西文；亦与纾欢好。纾丧其妇，牢愁寡欢。寿昌因语之曰：'吾请与子译一书，子可以破岑寂，吾亦得以介绍一名著于中国，不胜于蹙额对坐耶？'遂与同译法国大仲马《茶花女遗事》……既出，国人诧所未见，不胫走万本。既而凤谦主于商务印书馆编译事，则约纾专译欧美小说；前后一百五十种，都一千二百万言；其中多泰西名人著作……最先出者为《茶花女遗事》，致自得意。盖中国有文章以来，未有用以作长篇言情小说者，有之，自林纾《茶花女》始也。"（按，《巴黎茶花女遗事》译书时间，诸说不一，今据薛绥之、张俊才《林纾研究资料》中所作考订，系于本年。）

七月

陈季同等在上海创《求是》杂志，以陈衍主笔。《侯官陈石遗先生年谱》："七月，同乡陈敬如副将季同、绎如孝廉寿彭兄弟与洪荫之大令述祖数人集赀开办求是杂志，月出三册，多译格致实学以及法律规则之书，（敬如丈精法文，充出使大臣参赞；绎如丈精英文，举人，官海军部。）林暾谷（旭）孝廉以为非家君秉笔修饰润色不可，遂公推作主笔，家君序痛言中西交涉以来种种受亏，率坐暗于外情，历抉其痛痒所在，传诵万纸，益以每册皆有论说，风行一时。捐赀助刊、预购者麋至。……如是者半年，家君去而杂志停矣。"按：《求是报》至九月五日（9 月 30 日）于上海创刊，陈季同（敬如）、陈寿彭（逸如）兄弟创办，陈衍（石遗）、曾仰东主编。铅印。半年后停刊。以政论为主，亦尝刊载陈季同所译小说。

八月

王闿运选录《湘绮楼词选》三卷并叙之。 按，《序》署"光绪丁酉立冬后八日，王闿运序于船山书院"，此从王代功编《湘绮府君年谱》。

九月

九日，詹熙自序《花柳深情传》于上海。 据序知是书成于光绪二十一年秋，今春尝就正于王韬，秋间写定付刊。有本年章福记书局所刊四卷三十二回石印本，题"绿意轩主人著"。此书另有光绪二十七年上海书局石印本，亦题《花柳深情传》。而小说末回则称小说为《醒世新编》，今《近代珍稀本小说》已径改称《醒世新编》。

十五日，《求是报》第二册开始连载《卓舒及马格利小说》，至第十二册毕，标"泰西稗编"，署"（法）贾雨著，三乘槎客（陈季同）译"。

水明楼刊出张之洞撰《广雅碎金》四卷。《广雅碎金》由张之洞弟子袁昶整理，参与其事者有沈善登、王秉恩、杨锐、梁启超、缪荃孙等二十余名弟子门生，袁昶本年五月书后。

谢章铤集张际亮句为陈宝琛寿。陈懋复等撰《先府君行述》："同乡则谢枚如中书，尤以道义相期许。其后先君五十，谢先生集张亨甫诗句'期君正有千秋事，视我真为一代人'为赠。先君晚岁感怀谢先生，亦有'出处何成吾耄矣，平生砣琢愧班斤'之句。盖生平志事所久要者如此。"

秋

吴趼人襄《字林沪报》笔政。趼人尝自述"丁酉秋冬间，襄《字林沪报》笔政"（《趼人剩墨》），故系于此。按，趼人本年三十二岁。少时家贫，约在十八岁（癸未，1883）已至上海谋生，尝入江南制造局任书记。此后数年间，即以主小报笔政为生。《吴趼人哭》："吴趼人初襄《消闲报》，继办《采风报》，又办《新奇报》，辛丑九月又办《寓言报》，至壬寅二月辞寓言主人而归，闭门谢客，瞑然僵卧，回想五六年中，主持各小报笔政，实为我进步之大阻力；五六年光阴遂虚掷于此，吴趼人哭。"

徐淮大水，刘清韵所撰传奇多沉埋于水，所剩十种为《小蓬莱仙馆传奇》。又，本年春，俞樾为清韵诗作序。

十月

一日，严复、夏曾祐、王修植等创《国闻报》于天津。《国闻报》为日报，严复主编，其每旬增刊《国闻汇编》曾刊载严译《天演论》。又，严复本年始译亚丹斯密之《原富》及斯宾塞尔之《群学肄言》。

十三日（11月7日）上海创办《演义白话报》，章伯初、章仲和等主编。此报先后刊载《侠贼记》、《义犬记》、《张先生记》，撰人不详，又刊载《通商原委演义》（又名《罂粟花》）二十五回，撰者署"元和观秋斋主人"。

十六日至十一月十八日，严复、夏曾祐撰《国闻报附印说部缘起》连载于《国闻报》。其文以为经史之作"具五不易传之故"，稗史小说"具五易传之故"，末云："夫说部之兴，其入人之深，行世之捷，几几出于经史上。而天下之人心风俗，遂不免为说部之所持。……本馆同志知其若此，且闻欧、美、东瀛，其开化之时，往往得小说之助。是以不惮辛勤，广为采辑，附纸分送。或译诸大瀛之外，或扶其孤本之微。文章事实，万有不同，不能预拟。而本原之地，宗旨所存，则在乎使民开化。自以为亦愚公之一畚，精卫之一石也。"

二十一日，上海丹桂茶园演出潘月樵等新编连台本戏《湘军平逆传》。该剧以搬演"真刀真枪"著称，被视为海派京剧兴起标志。（《近代上海戏剧编年》）

杨圻时年二十三岁，作《檀青引》歌行。《檀青引》为杨圻得名之作，《江山万里楼诗钞》存诗始此。钱基博《现代中国文学史》："圻少负不羁之誉，与元和汪荣宝……皆以名公子擅文章，号江南四公子。年十七，娶大学士直隶总督李鸿章女孙，就馆甥焉。通话范当世为幕府上客，见其诗出入温李，叹曰：杨郎清才！二十一岁，以秀才为詹事府主簿，道扬州，遇老伶工蒋檀青……为赋《檀青引》而弁以传，自负绝艳警才，不在王闿运《圆明园词》之下。长沙张百熙诵之，谓江东独步。遂以诗有盛名，而自署曰江东杨圻云。……（《檀青引》）情词哀乱，音节苍凉，令人低徊欲绝。其后江南词人卢前（字冀野）为撰《琵琶赚杂剧》者也。"钱仲联《梦苕庵诗话》："其集中七古长歌，哀感顽艳，确可以嗣响梅村。康南海题其集曰'绝代江山'，不为过也。《檀青引》一首，为其弱冠时所作，以此享盛名。……其《自述》诗云：'一篇长恨有风情，十首秦吟近正声。'盖隐隐以可兴可观自命，非夸言也。清自文宗荒政，海内扰乱，颠沛播越，宗社几墟。同光之衰，实基于此。作者夙有澄清之旨，而目击时艰，抚今悼昔，叹息痛恨，乃藉檀青一事以见其意。婉而多讽，与香山有同志焉。缘情绮靡，其余事矣。"又，《近百年诗坛点将录》："近代学唐而堂庑最大者，必推杨云史。《江山万里楼诗钞》，颇难求其匹敌。大声镗鞳，藻采纷披，如《檀青引》，则梅村不得擅美，《天山曲》洋洋千言，《秦妇吟》不足道矣。"又，《论近代诗四十家》："弱冠时所作《檀青引》，借檀青遭遇，写文宗荒政，音节哀怨。易顺鼎评为'煌煌巨制，包罗一代掌故，可作咸丰外传读。《长恨歌》、《永和宫词》，并此鼎足而三。称之诗史，洵无愧色。''缘情绮靡，其余事矣。'"

贵州学政严修奏请设经济特科，下所司议奏。卢弼《清故光禄大夫学部左侍郎严公墓碑》："甲午之变，创巨深，帖括之学，固陋闭塞，不足以应世变之穷。先生援先朝召试鸿博成例，奏请设经济特科，网罗天下英俊，共解倒悬，谋国之忠，丹忱如见。虽开罪座师，绝其通谒，弗顾也。"据《范孙自定年谱》，光绪二十年甲午任贵州学政，本年任满，明年四月抵都，因经济特科之奏见绝于座师徐桐。

江标编《沅湘通艺录》八卷成并自序。

十一月

初一日（11 月 24 日）《消闲报》创刊，随《字林沪报》附送。

林纾《闽中新乐府》由魏瀚在福州用活字版印行，是为林纾著作刊行最早者。魏瀚本月序云："吾友畏庐子，自言为村学究二十六年，生徒至众，执业率以帖括，畏庐子苦口道之，终莫夺其科名之心。畏庐子愤切莫告，一日以香山讽谕诗课少子，感怀时事，乃编为新乐府三十二首。余见而求其稿，将镌板以授家塾。畏庐子笑曰：'二十六年村学究，乃欲吟诗为童子启悟之阶，自度吾力未至也。且吾不善为诗，俚词鄙谚，旁收杂罗，谈格调者将引以为噱，而吾又不乐为诗人也。'余曰：'不然。世局危迫，固执者既万不可变，吾辈子弟无罪，不当使其聩聩至老。子之诗虽无救于世局，然使吾子弟读之，亦知有人间之事，不死于帖括之手，为功岂不伟乎？且新乐府之体，固不妨为俚鄙者也'……乃强取而授之梓人。"汪辟疆《光宣诗坛旁记·林琴南逸诗》："余曾见其早岁所撰《闽中新乐府》一卷，即当时盛传闽中者。实则摭拾传闻，略含讽刺，诗亦平平。后乃稍稍与文士往还，眼界较宽，而诗亦不出梅村末派。以其济以时务，在尔时风气中，固易得名也。"

十二月

六日，方昌翰（1827—1897）卒，年七十一。谭献《复堂日记》评其诗文："皆得雄直之气，称心而言，不求工于音节字句，而志识卓然，扶质立干，如其为人。"

二十日，黎庶昌（1837—1898）卒，年六十一。《晚晴簃诗汇》卷一百六十八收其诗二首，诗话云："同治初，莼斋以诸生诣阙上万言书，授知县。曾文正招入幕府，佐戡定有劳。治古文法文正，续惜抱《古文辞类纂》，与王葵园互有异同。在日本搜刊海东旧籍，为《古佚丛书》，至为精审。"

康有为等在京组成粤学会。其后两月间，林旭组成闽学会，宋伯鲁组成关学会，杨锐组成蜀学会，杨深秀组成陕学会，其他各省旅京人士亦纷纷组织学会。

冬

文廷式在上海填《霜叶飞》词。钱萼孙编《文云阁先生年谱》卷四："是冬在上海闻粤中故人如叶兰台、陶春海辈先后凋谢，填《霜叶飞》词，自谓少长岭南，一时名流，咸得款接，十余年来，仅有存者，新阡宿草，杳漠何期，天道变衰，早死未为不幸。特文字之习，犹不能忘，谱入笛声，当不减山阳之赋也。"又，自上年至本年，廷式追录前后所记时事为《闻尘偶记》。

《孔子改制考》由上海大同译书局出版，译书局主持人为康广仁。

本年

长沙时务学堂创立。谭嗣同发起，得湖南巡抚陈宝箴、按察使黄遵宪、学政江标之助，梁启超任总教习。成立数月，因王先谦、叶德辉等攻击，被迫停办。

《皇朝经世文续编》刊行。盛康编，思补楼刊行，一百二十卷，体例同《皇朝经世文编》，辑录道光、咸丰、同治、光绪间奏稿论文而成。按：道光六年贺长龄、魏源编《皇朝经世文编》；道光末，张鹏飞编《皇朝经世文编补》；光绪初，饶玉成编《皇朝经世文续编》，录道、咸、同三朝经世文；光绪十四年，葛士濬又编《皇朝经世文续编》，录鸦片战争至光绪初经世文。自盛康《皇朝经世文续编》之后，所刊"经世文"有十数种。其要者如陈忠琦编《皇朝经世文三编》，甘韩编《皇朝经世文三编》（附洋务），求是斋《时务经世文编》、《皇朝经世文五编》，麦仲华编《皇朝经世文新编》，求自强斋主人《皇朝经济文编》，宜今室主人《皇朝经济文新编》，邵之棠《皇朝经世文统编》等。

谭嗣同《旧学四种》七卷（《寥天一阁文》二卷、《莽苍苍斋诗》二卷、《远遗堂集外文初编》一卷、《石菊隐庐笔识》二卷）刊于金陵。又，应湖南巡抚陈宝箴之招，弃官归，至长沙，与群志士办新政。

江标刊出《张忆娘簪华图卷题咏》一卷。

云梯阁刊出《昙花偶见传》六十四回，题"岭南韬晦子少植编辑、醉红客砚农订讹"。

上海书局、宏文书局分别刊出《仙卜奇缘》八卷四十回石印本，题"吴毓恕撰"。敬文堂刊出《杀子报》四卷二十四，撰人不详。

易顺鼎在长沙，与其父设坛请吕仙（吕洞宾）降神，与宾客同人扶乩唱和，所作扶乩诗后刻为《湘社集》。又，明年易佩绅卜居九江，顺鼎奉父入赣。又设坛扶乩，白仙（白老儿）及其姊亡灵真一子降灵唱和。所作扶乩诗后刻为《江社集》，王先谦、叶德辉等为之序。

王闿运六十六岁，在衡阳东洲讲学，杨度等住斋讲习。其论学论文曰："学问门径，不可苟也。读经而不知孔书之伪，览子而不知家语之诬，文蔑八代，诗通唐宋，注混郑王，学称朱陆，虽复博闻强记，丽句清词，不登大雅之堂，有愧兔园之册。而况奉八家为文式，推袁赵为词宗，经读四书，理言五子，论史则尹袁诸说，习书则赵宋余波，毛公解诗，浣衣自洁，介甫读史，朝报为讥，以乡曲之见闻，测圣皇之典册，其为鄙陋，岂冀开通。近者曾文正呕誉俞曲园好学，论文优于天下。余疑其语，徐问其所长，曾乃曰：荫甫自为当代闻人，若作者之林，未能逮也。然则前辈奖借，正足陷人。故为学当广听说，自撼胸臆，而真伪雅俗，必先瞭然，否则北辙南辕，御良马疾，徒抛心力，不见成功。""四月……陈完夫问作诗之法，因示以五言作法及唐诗诸家源流、七言歌行流品及歌行运用之妙，皆举古昔名篇及自作诗歌以为对照。"又，十一月，胡思敬从江西来衡问业且请示作诗门径，"因论道光以来翰林文学盛衰及同时诗人流别，作《忆昔行》"。（《湘绮府君年谱》）

梁鼎芬撰《节庵诗》五卷龙凤镳知服斋刊刻。

水明楼刊张之洞《广雅碎金》四卷。

张荫桓自刻所撰《铁画楼诗钞》五卷《骈文》二卷。

王棻撰《九峰精舍文集》八卷刊出。后辑为《柔桥文钞》十六卷，民国三年上海国光图书局铅印。作者生平精于小学，于保存乡邦文献出力尤多。

朱孝臧《彊邨语业》存词始自本年。

王闿运集《味梨集》以后词作为丁稿《鹜翁集》。

宋育仁四十岁，应廖平之约，回成都兼长尊经书院，并与吴之英创办《蜀学报》，宣传欧西政治工商教育诸新学。

何振岱中式举人。

张尔田本年前后在津与吴昌绶游。徐珂《近词丛话》"郑叔问尤长倚声"："钱塘张沚尊，名上龢，家世通门，领闻劭学，冠绝流辈。久官畿辅，吏事精敏，不废啸歌。于填词一道，尤有心得。光绪丁酉戊戌间，吴昌绶客津沽，奉手承教，酬和极欢……公子孟劬太守尔田，与吴常过从，问群书流别，以古学相切劘，陪游群纪之间，引为至乐。"

薛绍徽在上海以文问世。时绍徽随其夫居沪，卖文译书治家计。《先姊薛恭人年谱》："先姊亦以文问世，读者咸叹敬。时沪上绅商议设妇学堂祀孔圣，先姊曰：圣人之道，虽造端于夫妇，而其言非仅为妇女发也。尊之转亵之，何若祀曹大家，以宣文韩公分东西庑，明女教与男教异者，别乾坤之位耳。非然者，则男女之防溃矣。"又：明年，"沪上诸女士创女学报，招先姊主其事。先姊为撰一序，并德言容工四颂"。

王韬（1828—1897）病卒于上海，年七十。按：王韬卒月，一谓春间，一说秋间。《弢园老民自传》："老民于诗文无所师承，喜即为之下笔，辄不能自休，生平未尝属稿，恒挥毫对客，忌者或訾其出之太易。至于身遭谗谤，目击乱离，怀古伤今，忧离吊逝，往往歌哭无端，悲愉易状，天下伤心人别有怀抱也。"《饮冰室诗话》："王紫诠之翻译事业，无精神，无条理，毫无足称道者；我国学界中，亦久忘其人矣。虽然，其所译《普法战纪》中，有德国、法国国歌各一篇，皆彼中名家之作，于两国立国精神大有关系者，王氏译笔亦尚能传其神韵，是不可以人废也。"张舜徽《清人文集别录》卷二十："清季士夫喜言洋务而又洞究于海外诸邦政艺者，盖以韬为一时之选。是集（《弢园文录外编》）文字，则其鼓吹变法自强之总集也。韬文笔犀利，而气又足以振之，自足以激起一世之人。若是集所论变法、重民、除弊、兴利、禁游民、练水师、设电线、制战舰、建铁路、禁鸦片诸篇，盱衡中外，斟酌古今，语重心长。其于清末政教之革新，关系实巨。抑亦考论近代史实者之重要资粮也。……韬自序谓文章所贵，在乎纪事述情，自抒胸臆，俾人人知其命意之所在，而一如我怀之所欲吐，斯即佳文；至于古文辞之门径，则茫然未有所知云云。今观韬之为文，亦实在能畅所欲言，而无不达之情，非规规于古文义法者所能及也。"

郑由熙（1827—1898后）本年自序其《晚学斋诗二集》（十二卷）及文集《外集》（四卷），卒年不详。《民国歙县志》："喜填词，张鸣珂谓其取碧山、玉田之间，逼近石帚。幽折疏宕，一洗秾纤之习。"所著《暗香楼乐府》三种，前已见。

林寿图（1821—1897）卒，年七十七。《晚晴簃诗汇》卷一百四十六收其诗七首。陈衍《石遗室诗话》卷十五："吾乡数十年来老辈中惟欧斋致力为诗。……欧斋先生少慕张亨甫，中年以后学山谷，《黄鹄山人集》前后颇不相类。"又卷二十二："林欧斋布政有《黄鹄山人诗》十八卷，前数卷尚与萨檀河（玉衡）、张亨甫（际亮）相近，后数卷则学西江，誉之者以为山谷复生，毁之者亦复过当。"

叶衍兰（1823—1897）卒，年七十五。冒广生《小三吾亭词话》卷一："早岁绮才，有叶鸳鸯之目。（其赋鸳鸯诗云：'笑我梦寒犹后阙，有人情重不言仙。'有柳翁者见之，诧曰：'有才如此，尚作不知何处月明多耶。'以女妻之。）"又同卷："《秋梦庵词》，刻意梦窗，而得玉田之神。"《复堂词话》："岭南文学，流派最正，近代诗家，张、黎大宗，余韵相禅。填词有陈兰浦先生，文儒蔚起，导扬正声。叶南雪（衍兰）为春兰，沈伯眉为秋菊，婆娑二老，并秀一时。"

林庚白生。庚白（1897—1941）原名学衡，字浚南，别署众难，福建闽侯人。清末肄业京师大学堂。武昌起义后与梁漱溟等创京津同盟会，后入南社。民国三十年底被日军杀害于香港，年四十五。七岁能诗，有神童之誉，刊有诗集多种，有《太学二子集》等，合为《丽白楼遗集》行世。

王德钟生。德钟（1897—1927）字玄穆，别号大觉、幻化，江苏吴县人。民国作家，著有长篇小说《掌珠劫》等。

陈小蝶生。小蝶（1897—?）名蘧，以字行，别署醉灵生、醉灵轩主人、蝶仙子等。浙江钱塘人，民国作家。

王统照（1897—1957）、**朱光潜**（1897—1986）生。

公元1898年（光绪二十四年　戊戌）

正月

八日壬辰，康有为上《应诏统筹全局折》。

十日，陈衍至武昌晤张之洞，论当代文士。《侯官陈石遗先生年谱》："（之洞）问在上海久，所识海内有学问之人必多，鄙人所未知者，能分类举其最优者否？答以散体文有直隶新城王树枏、义宁陈三立，骈文有武进屠寄、泰州朱铭盘；考据之学可信者，有瑞安孙诒让、善化皮锡瑞，皆当老师所已知。此外尚有浙江章炳麟。广雅闻至此，即大不谓然，曰：梁启超文字宗旨颇谬，然尚文从字顺，章某则并文字亦怪异矣。足下何数及此人。……又谈及苏堪（郑孝胥）诗，甚为称许，惟言所见不多。答以赵瓯北评元遗山诗学不甚博，才不甚大，惟以精思健笔戛戛独造。苏堪似之。"按：上年，张之洞读《求是》杂志文字，因托郑孝胥、梁鼎芬召陈衍至武昌办理官报局事宜。"广雅言中国自大创于日，朝廷厉行新政，然起行必由于坐言，拟稍集留心时务者研究政学，庶有裨于万一。次日来答拜，使节庵道达诚意，请本年起留鄂，办理一切新政笔墨，暂任官报局总编纂。"时在武昌者有梁鼎芬（时任两湖书院山长）、杨守敬、陈曾寿诸人。

二月

初一日，南学会成立于长沙。

三月

二十二日，保国会成立于京师。保国会由康有为与御史李盛铎发起，以"保国、保种、保教"为宗旨。此后，保滇会、保浙会等相继在京成立。至四月初七日，潘庆澜劾有为组织保国会为"聚众不道"，保国会停止活动。

京师变法舆论风起。《侯官陈石遗先生年谱》："（三月入都会试）时海内言变法者蜂起，公车集辇毂下，尤人人晁贾苏王矣。康长素、梁卓如外，若宋伯鲁、杨深秀、谭嗣同、唐才常、陈虬、宋恕之伦，遽数不能终。林暾谷先以援例为内阁中书，到衙门，京师强学会兴，日奔走其间，与张铁君等兴闽学会，与王书衡、张菊生等兴通艺学堂。长素寓上斜街，有所谓万木草堂者，梁卓如、麦孺博诸人日夜论议，方上万言书，开保国会，暾谷耸于其说，又日至家君处谈艺谈国事，家君语以子向习词章，经济非所长，时局会有变，盍姑少俟。既下第，强使出都同游杭州，广雅与湖南巡抚陈右铭宝箴皆欲致之，而中朝方令京外员荐举人才，翰林学士王锡蕃荐之，召见，特命与杨锐、刘光第、谭嗣同以四品卿衔充军机章京，参与新政。繁然有所更张，十日而四章京之难作矣。"

汪康年在上海设《时务日报》。汪诒年编《汪穰卿先生年谱》："三月复设《时务日报》馆于上海，旋易名《中外日报》，时《时务报》已风行一时，然月止三册，又专以提倡变法为主，于时政鲜所论列，因复集资设立日报馆，以纪载中外大事评论时政得失为主。"

徐仁铸在湖南学政任上推行新学。《湘绮府君年谱》:"三月往东洲。时湘抚陈公宝箴励精图治,学政徐仁铸尤重新学,考试诸生文中有用新名词者,悉拔置高等,省城设立南学会,提倡新学说。诸县亦各立分会讲演。"

闰三月

二十一日(5月1日),《时务报》第六十册开始连载《长生术》。至六月二十一日第六十九册,仍未完,后《昌言报》第一册续载。署"(英)解佳著,曾广铨译"。

同日,《无锡白话报》**创刊于无锡。**第五、第六期合刊,改名为《中国官音白话报》。木活字版,初为五日刊,四期以后改为两期合刊。裘廷梁、裘毓芬主编。此刊曾发表裘廷梁所撰《论白话为维新之本》。按:此后白话报刊渐成风气,有《苏州白话报》(1901)、《杭州白话报》(1901)、上海《智群白话报》(1903)、《宁波白话报》(1903,上海发行)、上海《中国白话报》(1903)、《新白话报》(1903,出版于日本,上海发行)、《江苏白话报》(1904,常熟)、《福建白话报》(1904,福州)、《扬子江白话报》(1904,上海)、《直隶白话报》(1905,保定)、《地方白话报》(1906,保定)、《广东白话报》(1907,广州)、《岭南白话报》(1908,广东)等。

张之洞在武昌停发《湘学报》**于各属。**许同莘编《张文襄公年谱》:"《湘学报》以上年创办,见其议论不妥,适新任徐学使仁铸过鄂,告以宜杜流弊。学使谓到使后,必加匡正。请代为传播。乃饬善后局汇购。发各属阅看。自第十册起,持论益偏,即令暂存。至是刊行至三十三册,议论悖谬,饬局停发。临时致电陈抚院、徐学使,谓关系学术人心,远近传播,将为乱阶,必宜救正。"

张之洞撰《劝学篇》**成,是月两湖书院刊出。**是书凡二十四篇,四万余言,"挟朝廷之力以行之,不胫而遍于海内"。按许同莘编《张文襄公年谱》卷七:是年六月,"翰林院试讲黄绍箕以《劝学篇》进呈,奉上谕:原书内外各篇,朕详加披览,持论平正通达,于学术人心,大有裨益,著将所备副本四十部,由军机处颁发各省督抚学政各一部。俾得广为刊布,实力劝导,以重名教而杜卮言"。

春

郑文焯入京应礼部试不第,与咫村词社诸人游。《郑叔问先生年谱》:"晋京应会试,时王佑遐给谏鹏运举咫村词社,邀先生入社,朱古微侍郎祖谋、宋芸子检讨育仁,皆当时社友也。是科仍荐卷不第。南旋,薄游析津,旅舍孤灯,以词遣愁,得《夜鹊飞》、《应天长》、《西平乐》、《蓦山溪》、《隔浦莲》、《近拍》、《丁香结》诸词,并自录副,装成长卷……题额云鹤道人沽人词卷,又征吴仲怿侍郎、朱古微、宋芸子、易仲实、陈伯弢、张次珊诸公题词以纪客中韵事。"

林旭请陈衍定其诗并再作一序。《重刻晚翠轩诗序》谓:"戊戌春在都,暾谷以余前序未道作诗甘苦,欲自毁前刻……"

唐才常由湘入沪,参加《亚东时报》**编务。**

章太炎应张之洞之招至武昌，以昌言革命为梁鼎芬所恶，避归杭州。

陈诗由沪返里，始从吴保初学诗。保初上年九月返里，本年三十岁，陈诗年三十五岁。（陈诗《尊瓠室诗话》卷三）

四月

二十三日乙巳（1898 年 6 月 11 日），百日维新开始。是日，光绪帝颁诏明定国是，宣布变法，至八月六日丁亥（1898 年 9 月 21 日）西太后发动政变，历时一百零三日，史称百日维新。谕曰："中外大小诸臣，自王公至于士庶，各宜发愤为雄。以圣贤义理之学植其根本，兼博采西学之切时势者，实力讲求，以成通达济变之才。京师大学堂为行省倡，尤应首先举办。军机大臣、王大臣妥速会议以闻。"

二十四日，赐夏同龢等三百四十二人进士及第出身有差。俞陛云（一甲三名）、傅增湘、寿富、王式通、周应昌等成本科进士。

二十七日，协办大学士翁同龢开缺回籍。

严复译《天演论》雕版成。

张之洞、沈曾植、费念慈、文廷式等同游焦山。

周树人考取江南水师学堂。至九月，复投考江南陆师学堂新附设之矿务铁路学堂（简称矿路学堂）。树人是年十八岁，家道中落，不得已，"走异路，逃异地"（《呐喊自序》）。（《鲁迅年谱》）

五月

十一日，《中国官音白话报》第七、第八合期刊出《百年一觉》，署"（美）毕拉宓著，李提摩太译，裘维锷演"。

二十二日（7 月 10 日）《采风报》创刊于上海。日报，两版一小张，吴趼人、孙玉声等主笔。该报旋附赠孙玉声所撰《海上繁华梦》单页一张，风行一时。宣统二年夏秋间停刊，是刊继《游戏报》而起，声气相通。

张之洞等奏请妥议科举新章。按：上年十一月，贵州学政严修奏请设经济特科，下所司议奏。是年正月，总理衙门会同礼部议覆，请分特科岁举两途。特科如博学鸿词之例，试以策论，或十年或二十年一举。岁举就乡会试之制而变通之，试时务题、四书文。闰三月中，张之洞与湘鄂两抚院会商，请如《劝学篇》所议，未即入奏。四月，御史杨深秀奏请厘定文体。五月初五日，奉上谕，于下科为始，乡会岁科各试，向用四书文者，改试策论。十六日，张之洞等会奏，言四书五经道大义精，今废时文，非废四书五经，若不为定式，日久必至不读四书五经原文，背道忘本，请乡会试第一场，试中国史事、国朝政治论五道。第二场，试时务策五道；第三场，试四书义两篇、五经义两篇。……奉上谕，所奏剀切周详，颇中肯綮，著照所拟。礼部通行遵照。（据许同莘编《张文襄公年谱》卷七）《清史稿·选举志三》："光绪二十四年，湖广总督张之洞有变通科举之奏。二十七年，乡、会试首场改试中国政治史事论五篇，二场各国政治艺学策五道，三场四书义二篇、五经义一篇，其他考试例此。用之洞议也。行之至废科举止。"

海上侪雀书屋刊行郑观应撰《罗浮侪鹤山人诗草》一卷。至宣统元年刊印两卷本。

陈衍与沈曾植相识。(陈衍《沈乙盦诗序》)又据《侯官陈石遗先生年谱》："(六月)有《沈乙盦招游月湖夜话达曙》诗。乙盦丈名曾植,字子培,嘉兴人。……乙盦丈庚辰进士,官刑部郎中,总理衙门章京,博极群书,尤长史地,与顺德李若农侍郎文田、桐庐袁爽秋太常昶论学最相契,工诗,近涩体。苏堪丈亟称之。尝自谓吾诗学深诗功浅。深者,谓阅诗多;浅者,谓作诗少也。因丁内艰,广雅聘为两湖书院史学分教,至亦住纱局西院。始相见……自是多聚,夜谈至三四鼓。其旧作则弃斥不存片楮矣。家君因谓:君耽史地,吾亦喜考据,其实皆无与己事。诗文却是自己性情语言,且时足以发明哲理。乙盦丈因言:吾夙喜张文昌乐府、《山谷精华录》而不轻诋前后七子。家君进以宛陵,乃借《宛陵集》亟读之。"又,是年夏秋,沈曾植欲陈衍作诗话。《石遗室诗话》卷一:"戊戌客武昌张广雅督部所,子培、苏堪继至。夏秋多集两湖书院水亭……多言诗。子培欲余记所言为诗话。自是,易中实顺鼎、曾重伯广钧、陈伯严三立诸人,遇则急询诗话,而余实未之为也。"

六月

初八日,**上谕鼓励办报**,谓:"各报体例,自应以胪陈利弊,开广见闻为主,中外时事,均许据直昌言,不必意存忌讳。"此后各地报刊益夥,录吴恒炜撰《知新报缘起》以见当时舆论:"报者,天下之枢铃,万民之喉舌也。得之则通,通之则明,明之则勇,勇之则强,强则政举,而国立敬修,而民智。故国愈强,其设报之数必愈博,译报之事必愈详,传报之地必愈远,开报之人必愈众,治报之学必愈精,保报之力必愈大,掌报之权必愈尊,获报之益必愈溥。……中国人数号四百兆,非谓不庶矣,出报之处,乃不□□,分报之类,多不逾四十,销报之处不逾十万,阅报之人,不逾百万。顺天为首善之区,而阅报者寡其人,河洛为中原之壤,而传报者窘其步。且旬月之内,从而折阅者有焉,期年之间,从而中止者有焉。且其中十余种为教报,阅外国者,仅百十耳。比而较之,直百万倍之二千人之一。譬犹诸大之微尘,沧海之一滴耳。其去欧美诸邦何霄壤也?且求足以寓。甲午之变,公车上书万八千言千三百人,车声辚辚,震盖中外,古今诸国,所未有也。虽计绌于半途,事遂于不谏,而通塞之运,已渐启矣。京师士夫,于是有强学会之设。今官书局是也。旬月之间,沪上继焉。今《时务报》起重而振之。比及中年,流演海隅,加以江学提倡,湘民于变,鄂省札谕,斯风弥畅,魁哉伟矣!"(引自《晚清文选》)

同日,光绪帝命将《时务报》改为官办,任命康有为督办。汪康年乃将《时务报》停办,另办《昌言报》,延梁鼎芬为主笔。

上海书局刊出《海上名妓四大金刚奇书》(又名《四大金刚传》、《海上四大金刚奇书》、《四大金刚奇书》、《海上秦楼楚馆冶游传》、《大闹上海秦楼梦馆演义》),前后集各五十回,石印巾箱本四册,撰者署"抽丝主人"。抽丝主人生平不详,向来以为即吴趼人,然无实据。书叙上海四大名妓事。

七月

初一日（8 月 17 日），《时务报》改为《昌言报》报，汪康年任总理。

十一日（8 月 27 日），裘廷梁撰《论白话为维新之本》刊出。载于《中国官音白话报》（初名《无锡白话报》）第十九、二十合期。文谓白话有省日力、除骄气、免枉读、保圣教、便幼学、炼心力、少弃才、便贫民等"八益"，"由斯言之，愚天下之具，莫文言若；智天下之具，莫白话若。吾中国而不欲智天下斯已矣，苟欲智之，而犹以文言树天下之的，则吾前所云八益者，以反比例求之，其败坏天下才智之民亦已甚矣。吾今为一言以蔽之曰：文言兴而后实学废，白话行而后实学兴；实学不兴，是谓无民"。此文亦刊载于《苏报》。至明年，陈子褒发表《报章宜用浅说》，谓"开民智莫如改革文言"。

《东华日报》开始连载《羊石园演义》七回。题"七弦河上钓叟原本，顽叟订定，笑翁撰述"，据《入城始末》，叙第二次鸦片战争时英法联军陷广州事，而"将人名地名隐去，换以草木之名"，如英国、清廷、两广总督叶名琛等喻以罂粟壳、御花园、大冬叶等。有明年广州东华日报馆排印本。

八月

六日丁亥（1898 年 9 月 21 日），**戊戌政变发生**。西太后再出训政，废止新政，幽光绪帝。康有为、梁启超流亡海外。《侯官陈石遗先生年谱》："八月北京政变，言变法者多获罪。……各省惟湖南行新政最认真，得罪最甚，巡抚陈宝箴、学使江标、巡警道黄遵宪皆革职。宝箴子三立与焉。自是启超避地日本，既作《清言报》丑诋那拉后，复作《维新报》痛诋专制，倡言革命。章炳麟《訄书》、《革命军》印本出，人人皆有革命思想矣。时广雅虽主变法而所言一切变法，与诸新进者议颇不同，乃著《劝学篇》，由门生侍讲学士黄绍箕进呈之。"按：权礼部右侍郎徐致靖，以曾密荐康、梁、黄遵宪，政变后，革职永远监禁，庚子年赦出。礼部尚书李端棻，以曾密荐康有为及谭嗣同，政变后自行检举，革职戍新疆；辛丑年赦归。户部侍郎张荫桓，以曾密荐康有为，革职戍新疆，庚子年被处死。康有为、梁启超亡命海外。

十三日（9 月 28 日），**谭嗣同等被处死，史称"戊戌六君子"**。

杨深秀（1849—1898）卒，年五十。梁启超《戊戌六君子传·杨深秀传》："博学强记，自十三经、史、汉、通鉴、管、荀、庄、墨、老、列、韩、吕诸子，乃至《说文》、《玉篇》、《水经注》，旁及佛典，皆能举其辞。又能钩玄提要，独有心得，考据宏博，而能讲宋明义理之学，以气节自厉，岩嶢独出，为山西儒宗。"《晚晴簃诗汇》卷一百七十六收其诗六首，诗话云："漪春于戊戌四五月间有请御门誓众、厘定文体诸疏，皆故事也，而都下哗然，目为新党。八月初政局既变，于被逮前一日奏请归政，征引史事，语至切直，盖早办一死矣。少具异秉，读书过目不忘，经史百家皆能举其辞，精小学，熟地理，笃好算术，出新意自制天尺地球。凡钟鼎款识碑版源流，靡不通晓。吟咏外，兼工绘事。生景山石室之乡，博学多能，人称为景纯再世。诗有才调，一空依傍，未可以常格绳焉。"

杨锐（1857—1898）卒，年四十二。《晚晴簃诗汇》卷一百七十五收其诗十四首，诗话云："叔峤恂恂儒者，笃雅有节，受知于张文襄最早。戊戌被右铭中丞之荐，与刘裴村、谭复生、林暾谷同直枢垣，八月下狱，刑部官欲拯杨、刘而无及，朝衣东市，海内哀之。意园祭酒（盛昱）杜鹃行云：杜鹃啼血声不止，白衣少年佐天子。翻云覆雨骤雷霆，竟与党人同日死。……"

刘光第（1859—1898）卒，年四十。梁启超《戊戌六君子传·刘光第传》："博学能文诗，善书法。诗在韩、杜之间；书学鲁公，气骨森森，严整肖其为人。"陈三立《衷圣斋文集序》："读君所为诗，廉悍奥邃，惊为进于古之作者。……文集则与君诗相表里，而叙情朴挚达于幽渺，有熙甫之遗则。"《晚晴簃诗汇》卷一百七十四收其诗七首，诗话云："裴村天怀高旷，喜游佳山水。刻苦自厉，不好诣人，通籍后澹于进取，时思归蜀。戊戌乔茂薰南游，右铭中丞询以人才，茂薰盛称裴村志节，遂与叔峤同荐。及入枢垣，与谭、林异趣，方图引去，而祸作矣。诗不事雕琢，骀荡自然。朱古微侍郎与裴村为同岁生，重其人并重其诗，谓有少陵意境。"

谭嗣同（1865—1898）卒，年三十三。谭传赞《秋雨年华之馆丛脞跋》："（《旧学四种》）幽邃沉雄，异境独辟，如神龙之不可方物，紧剑气水咄咄逼人，允堪饷遗士类，故久为海内所钦佩矣。"《饮冰室诗话》："谭浏阳志节学行思想，为我中国二十世纪开幕第一人，不待言矣。其诗亦独辟新界而渊含古声。"高旭《愿无尽斋诗话》："东海褰溟氏，今日诗界一巨子也。多雄豪忼爽之音，读其诗，即知其为伟大人矣。如'壮士事戎马，封侯入汉关'……皆有磨盾横槊之风。""东海褰溟氏，诗无体不佳，而古诗尤峭折奇伟可爱。《六盘山转饷谣》……笔大如椽，汉魏盛唐人中，亦所罕见。至若《西域引蛻图》等作，则又似学长吉体矣。""余于近人诗最爱谭壮飞，以为意境高阔，魄力雄伟，非朱竹垞、查初白、王渔洋、赵秋谷辈所能及也。"《晚晴簃诗汇》卷一百七十九收其诗十二首，诗话云："复生五岁受书，审四声，能属对。十五学诗，二十学文，初法桐城，后好沉博绝丽之制。有志著作，多未成书。与陶拙存、吴彦复、丁叔雅称四公子。戊戌以被荐入京，在枢垣最受指目，八月与刘裴村、杨叔峤、杨漪春、林暾谷、康幼博同罹祸，世又称六君子。生前自刻所作，署三十以前旧学第一种，诗浏利雄健，如铜丸走阪，骏马注坡，不羁才也。"王揖唐《今传是楼诗话》："谭复生嗣同，天才卓越，诗笔瑰玮。"

林旭（1875—1898）卒，年二十四。陈衍《重刻晚翠轩诗序》："唐以来年少工诗，卓然成家者，李贺外惟王逢原。……后数百年，乃复见吾暾谷。……暾谷力学山谷、后山，宁艰辛，勿流易，宁可憎，勿可鄙；吾友沈子培谓其近体杂之《广陵集》中或未能辨者，可信也。"梁启超《戊戌六君子传·林旭传》："冠岁，乡试冠全省，读其文奥雅奇伟，莫不惊之，长老名宿，皆与折节为忘年交，故所友皆一时闻人。其于诗词骈散文皆天授，文如汉、魏人，诗如宋人，波澜老成，瑰奥深秾，流行京师，名动一时。"《饮冰室诗话》："少好为诗，诗孤涩似杨诚斋，却能戛戛独造，无崇拜古人意，盖肖其为人也。"《晚晴簃诗汇》卷一百七十八收其诗八首，诗话云："诗学宋人，有屹崒峭蒨之致，使永其年，其成就当不止此。"

康广仁（1867—1898）卒，年三十二。梁启超《戊戌六君子传·康广仁传》："尝为诗骈散文，然以为无用，既不求工，亦不存稿，盖皆以余事为之，故遗文存者无几。然其言论往往发前人所未发，言人所不敢言。盖南海先生于一切名理，每仅发其端，含蓄而不尽言，君则推波助澜，穷其究竟，达其极点，故精思伟论独多焉。"

二十四日清廷（慈禧）下谕禁止各地报馆。谕曰："莠言乱政，最为生民之害，前经降旨将官报局、《时务报》一律停止。近闻天津、上海、汉口等处，仍复报馆林立，肆口逞说，妄造谣言，惑世诬民，罔知顾忌，亟应设法禁止。著各该督抚饬属认真查禁。其馆中主笔之人，率皆斯文败类，不顾廉耻。即饬地方官严行访拿，从重惩办，以息邪说而靖人心。"（引自戈公振《中国报学史》）

吴保初作《哭六君子诗》。又，本年保初《未焚草》一卷刊出，收光绪八年至本年诗。

九月

初一日，黄遵宪自上海启程南归。按：先是，六月朝命以三品京堂充出使日本大臣，然以久病未能遽就道。七月始至上海，病甚。而京中政变已作。八月二十六日，乃得旨放归。是日启程，后里居不出。

宏文书局刊出《续儿女英雄传》四卷三十二回石印本，不题撰人。据序知撰成至早在本月，故系于此。

秋

王先谦在长沙作《赠叶德辉奂彬》。叶德辉时以吏部主事在籍，有和作。原诗及序云："戊戌秋八月，康有为谋逆事觉，其党康广仁等皆伏诛。先一岁，湖南创设时务学堂，大吏延康弟子梁启超为教习，学使徐仁铸相与主张，其说一时风靡，独彬奂辞而辟之，不以昔年出徐门下有所畏避。复与先谦等上事大吏，贻书友朋，匡救之功，无与伦比。康所行所学，惟奂彬知其深，而先谦不及知。其说之盛行，在先谦出都后。每闻其徒党论议，但相与骇怪而已。得吏部言，乃悟其别有宗主也。尝论康一生险诐，专以学术佐其逆谋，托经学似樊并，能文章似崔浩，议改制似新垣平，广招党与似王叔文，借兵外臣、倚重邻敌以危宗社，又兼崔胤、张邦昌而有之，诚乱臣贼子之尤也，湘人不幸被害者多矣。微奂彬，谁与摧陷而廓清之者？辄幸赠四绝句。……荒唐我亦怕新书，一任摧烧不愿余。鲁国闻人真再世，孔门今见四盈虚。"德辉和作云："公羊流毒误行权，祭仲千秋肇祸端。一卷訞书出牛腹，遗文休作壁经看。"（见《葵园四种·虚受堂诗存》卷首）

章太炎以避钩党之祸游台湾。复游日本，明年七月返上海。

吴趼人与周桂笙相识，继续主《采风报》笔政。

十月

李叔同初入城南文社。城南文社始于丁酉秋闱之后，宝山袁希濂、华亭许幻园等

假许氏城南草堂，月课一次。叔同入社，文名初显，后与同社袁、许及江湾蔡小香、江阴张小楼为金兰之交，称天涯五友。（《弘一法师年谱》）

十一月

十一日庚申（12月23日），《清议报》创刊于日本横滨。发行兼编辑署"英人冯镜如"，实为梁启超主编，麦孟华等佐之，旬刊，至辛丑冬因火灾停刊，共行一百期。严复《与熊纯如书札节钞》第十八："今夫亡有清二百六十年社稷，非他，康梁也。……任公自窜身海外以来，常以摧剥征伐政府为唯一之能事，《清议》、《新民》、《国风》进而弥厉，至于其极，诋之为穷凶极恶，意若不共戴天，以一己之新学，略有所知，遂若旧制一无可忍。……天下愤兴，流氓童骏，尽可奉辞与之为难。"

同日，《清议报》第一册刊出梁启超所撰《横滨清议报叙例》、《戊戌政变记》、《译印政治小说序》等。《叙例》谓报刊宗旨有四，维持支那之清议，激发国民之正气；增长支那人之学识；交通支那、日本之声气，联其情谊；发明亚东学术以保存亚粹。《译印政治小说序》为所译《佳人奇遇》而作。《序》谓："政治小说之体，自泰西人始也。凡人之情，莫不惮庄严而喜谐谑……寓讽谏于诙谐，发忠爱于馨艳，其移人之深，视庄言危论，往往有过，殆未可以劝百讽一而轻薄之也。……故六经不能教，当以小说教之；正史不能入，当以小说入之；语录不能谕，当以小说谕之；律例不能治，当以小说治之。天下通人少而愚人多，深于文学之人少而粗识之无之人多。……然则小说学之在中国，殆可增七略而为八，蔚四部而为五者矣。在昔欧洲各国改革之始，其魁儒硕学，仁人志士，往往以其身之所经历，及胸中所怀政治之议论，一寄之于小说。……往往每一书出，而全国之议论为之一变。彼美、英、德、法、奥、意、日本各国政界之日进，则政治小说为功最高焉。英名士某君曰：'小说为国民之魂。'岂不然哉！岂不然哉！今特采外国名儒所撰述，而有关切于今日中国时局者，次第译之，附于报末，爱国之士，或庶览焉。"

又，本期开始连载《佳人奇遇》，至庚子正月十一日第三十五册毕，标"政治小说"，作者署"（日）东海散士前农商部侍郎柴四郎"。光绪二十七年（1901）商务印书馆出版时改题《佳人之奇遇》，译者署梁启超。此书颇风行，至光绪三十三年（1907）商务印书馆已七版，别报亦多有转载者。政治小说为晚清小说重要类型之一，其名亦始于此。

十二月

初二日，史梦兰（1813—1899）卒，年八十六。
二十三日，现代作家老舍（1899—1966）生。（甘海岚编《老舍年谱》）

冬

郑孝胥以总办芦汉铁路局差至汉口，常与陈衍、沈曾植等聚谈。初，孝胥以江苏候补同知由张之洞保举使才，七月入都，召见，赏候补道员，在总理衙门章京上行走。

既政变，以系保使才免。九月乞假出都，铁路督办盛宣怀委是差。《侯官陈石遗先生年谱》："腊月偕乙盦丈过江宿苏堪铁路局楼上，约暇时相督为律诗。"

本年

孙中山初步确定三民主义纲领。

冯镜如、何澄一在上海创立广智书局。

薛福成著《庸盦全集十种》四十七卷刊成。

马建忠著《马氏文通》由商务印书馆出齐。

汪笑侬编《党人碑》一剧，叙北宋书生谢琼仙怒毁党人碑事以刺时事。

洪炳文作《挞秦鞭》杂剧四折。原署"慕忠堂主人"，有宣统三年温州日新印书馆排印本。叙将军华忠清不满朝政腐败，愤而辞官归里，遇久沉江底之秦桧铁像浮出江面，致使江上恶臭不堪，遂怒鞭铁像以泄愤。

瞿鸿禨四十九岁，在江苏学政任上保荐陈三立等人。"是年奉旨保送经济特科，府君疏荐陈君三立、屠君寄、夏君震武、曹君广权、丁君立钧、汤君寿潜、汪君宗沂、张君美翊、邹君代钧、孙君诒让、沈君惟贤、王君舟瑶、华君世芳、陈君为镒、江君瀚等十五人。"（《止盦年谱》）

严复等所办之《国闻报》停刊。严璩编《侯官严先生年谱》："（严复）以荐入都，召见，德宗询近日有新著述否，对以有拟上皇帝书，计万言，已刊于天津之《国闻报》。德宗命抄一分呈览。未及进而政变作。孝钦后垂帘听政，府君即日出都反津。天津《国闻报》亦停刊。"

王先谦等在湖南，与谭嗣同等意见相左。《王先谦自定年谱》本年："时工部主事南海康有为以变法自强之说，耸动海内，朝野多为所惑。翁叔平尚书保荐有'胜臣十倍'之语，一时靡然从风。识者心鄙其人，然不悟其有逆谋也。陈右铭中丞宝箴莅任湖南，余素识也。向以志节自负，于地方政务，亦思有所振兴。会嘉应黄遵宪为盐法道长宝道，与中丞子三立、庶常熊希龄合谋，延有为弟子梁启超为新设学堂总教习。江标、徐仁铸相继为学政。学会、报馆同时并兴，民权平等之说，一时宣扬都遍，举国若狂。学会之初立也，中丞邀余偕往，听讲者亦多。中丞升座，首举'有耻立志'四字为言，闻者洒然动容。其后余以事冗，不能再往宣讲。登报愈出愈新，余始骇诧。叶奂彬吏部德辉以学堂总教习评语见示，悖逆语连篇累牍，乃知志在谋逆。岳麓斋长宾凤阳等，复具禀附批加案，请严从禁遏。余遂邀奂彬诸君具呈中丞，附录斋长禀词，请整顿屏斥，以端教术。中丞批词含胡，但以众绅有门户意见，深自引疚。熊希龄及唐才常、谭嗣同、毕永年诸人，缘此横目相仇，极意图陷。……门人苏厚康孝廉舆为《翼教丛编》若干卷，于康梁造谋，湖南捍乱，备详始末，亦佳书也。"

王国维作《咏史》二十首，为罗振玉所赏。先是，国维年十六入州学，"与褚嘉猷、叶宜春、陈守谦三君，上下议论，称海宁四子。十八，丁中日之战，变政议起。先君以康梁疏论示先兄，先兄于是弃帖括而不为"。（王国华《王静安先生遗书序》）本年，国维二十二岁，入时务报馆，寻入振玉所主之东文学社。"罗先生偶于同舍生床

头，读先生《咏史绝句》，有'千秋壮观君知否，黑海西头望大秦'之句，乃大异之。"（赵万里《王静安先生年谱》）

王闿运集本年词作入戊稿《蝄知集》。

况周颐在扬州编《蓤景词》成。

唐才常撰《觉颠冥斋内言》刻于长沙，有《自叙》。

高旭《天梅遗集》存诗始于本年。时二十二岁，接受维新变法思想，辑录《诗魂》一卷，今佚。

梁启超始学为诗。《饮冰室诗话》："余向不能为诗，自戊戌东徂以来，始强学耳。然作之甚艰辛，往往为近体律绝一二章，所费时日，与撰《新民丛报》数千言论说相等。故间有得一二句，颇自憙，而不能终篇者，辄复弃去。"

潘飞声撰《说剑楼集》刊刻。此集不分卷，内有《老剑文稿》、《香梅集》、《西海纪行》、《柏林竹枝词》、《论岭南词绝句》、《游萨克逊日记》、《长相思词》等十三种。

丁丙撰《三塘渔唱》三卷刊刻。

郑由熙自序《晚学斋诗二集》。此集十二卷，录同治十二年至光绪二十二年诗。

况周颐辑《薇省词钞》十卷、附录一卷本年刊于扬州。

翁之润辑黄彝凯《铁笛词》一卷，张百宽撰《酒痕词》一卷，曹元忠撰《云甀词》一卷，张鸿撰《长毋相忘室词》一卷，王景沂撰《瀊碧词》一卷，杨朝庆撰《玉龙词》一卷，章华撰《盉山旧馆词》一卷，及翁氏自撰《桃花春水词》一卷，合为《题襟集》，刊于京师。

李叔同十九岁，本年携眷自天津南下至沪，入城南文社。

宋伯鲁以党案罣误，至沪上避祸。居五载，以光绪二十八年归秦，改号芝田。（《尊瓠室诗话》卷一）

杨彝珍（1807—1898）卒，年九十二。《射鹰楼诗话》卷七："工古文词。读《瑞芝室存稿》，悲其遇而又高其志，其于兄弟之际，言之尤沉痛，真令我泗涕交横也。《紫霞山馆诗》，五言古多生撰清辣。"《晚晴簃诗汇》卷一百五十收其诗十七首，诗话云："移芝室诗朴质深厚，蔼然仁者之言。薛庸菴称其古淡中自然高绮。其平日论诗，以为古人无未辟之途径待我为之者，但际遇不偁，指事类情，必有性情身世置于其间。若取古人之词蹈沿之，于己何当。可以知其志矣。"

韩允西卒，年六十七。允西（1832—1898）字竹樵，西平诸生，官无为州判，摄怀宁知县，著有《海蠢斋诗钞》。

吴绮缘生。绮缘（1898—1949）名惜，以字行，晚号起原，别号天猫，江苏武进人。民国作家，著有笔记小说《反聊斋》、长篇小说《小桃红》等。

沈禹钟生。禹钟（1898—1971）名德镛，以字行，别署花影簃等，浙江嘉善人。民国作家，著有小说《游侠新传》等。

现代作家庐隐（黄英，1898—1934）、朱自清（1898—1948）、郑振铎（1898—1958）、田汉（1898—1968）、丰子恺（1898—1975）生。

公元 1899 年（光绪二十五年　己亥）

正月

初七，王闿运、朱孝臧等社集四印斋。鹏运《东风第一枝·句占花先》序："己亥人日，社集四印斋，赋得'人日题诗寄草堂'。同次珊、韵珊、笏卿、古微、梦湘、曼仙作。"又，本年王闿运校刻《梦窗词》，己所作词入《校梦龛词》。

林纾译《巴黎茶花女遗事》在福州印行。首林纾（署冷红生）所为《小引》："晓斋主人归自巴黎，与冷红生谈巴黎小说家均出自名手。生请述之，主人因道，仲马父子文字于巴黎最知名，《茶花女马克格尼尔遗事》尤为小仲马极笔。暇辄述以授冷红生，冷红生涉笔记之。"是为林氏家刻本。约三四月之后，素隐书屋托昌言报馆代印，此即汪穰卿刻本，亦即素隐书屋本。此书一出即风行大江南北。邱炜菱于辛丑年刊出之《挥麈拾遗》中称："大小仲马者，法国巴黎京城之擅名小说手也，而小仲马笔尤驾其父大仲马上。所著凡十余种，风行欧洲，不胫而走。有《茶花女遗事》一册，情书也。……中国近有译者，署名冷红生笔，以华文之典料，写欧人之性情，曲曲以赴，煞费匠心，好语穿珠，哀感顽艳，读者但见马克之花魂，亚猛之泪渍，小仲马之文心，冷红生之笔意，一时都活，为之叹欲观止。黄黻臣为余言，此书实出吾闽林琴南先生所手译，其题曰'冷红生'者，盖不欲人知其名，而托为别号以掩真，犹夫前日撰《闽中新乐府》署名'畏庐子'之意也。余既知译者之为先生，宜其有是灵妙之笔，自负凤所倾倒者不虚矣。""余曩曾得见《时务报》译《滑震笔记》、《长生术》，皆冗沓无味；而《求是报》、《菊花》小说有味矣，惜报中辍，小说未完。开卷悯悯，无以慰馋眼。年来忽获《茶花女遗事》，如饥得食，读之数反，泪莹然凝栏干。每于高楼独立，昂首四顾，觉情世界铸出情人，而天地无情，偏令好儿女以有情老，独令遗此情种，引起普天下各种情种，不知情生文耶？文生情耶？直如成连先生刺舟竟去时之善移我情矣。甚矣！言情小说之亦不易为也。"李详："观林氏所译小说，重在言情，纤秾巧靡，淫思古意。三十年来，胥天下后生，尽驱人猥薄无行，终以亡国。昔人言王何之罪浮于桀纣；畏庐之罪，应科何律？"（引自钱基博《现代中国文学史》）张静庐《中国小说史大纲》："自林琴南译法人小仲马所著哀情小说《茶花女遗事》以后，辟小说未有之蹊径，打倒才子佳人团圆式之结局，中国小说界大受其影响。"

二月

山东朱红灯起事。

上海富文书局刊出《平金川全传》（又名《年大将军平西传》、《年大将军平金川》）四卷三十二回石印巾箱本，题"小山居士编次"。据书首"惜余馆主"序，"小山居士"即张小山，监生，辽东人。是书叙雍正中年羹尧（书中作年赓尧）入藏平定金川王罗卜藏丹津乱事，以叙神魔斗法为主，实"于一切妖术，尤为详尽"，然小说尚叙及升天球、电气鞭、地行车、机器人、强水等物，则濡染西学所致。此书又有庚子焕文书局刊本等。

三月

初九日，丁丙（1832—1899）卒，年六十八。丁立中编《先考松生府君年谱》："幼时苦攻力学，与高丈茶庵唱和，恒竟夕不寐，叠韵至数十首。初集毁于燹，甲子以后经理善举，诗不多作，作亦旋弃去，惟性嗜书，或购或钞，或校或刊，终其身与先哲有神契，虽病时犹伏枕著述。"《年谱》董念菜序："君天性过人，志量瑰异，少时笃学不倦，长以济人利物为己任。遭寇乱，避兵吴越间，流离颠沛中力行善事，赖以存活者无算。及两浙底定，疆吏重君才，凡修废起坠之事，悉委诸君。……于经营善后之暇，犹孳孳焉日于故楮败籝中辑订遗编，复文澜阁四库之旧，其外校刊书籍多至数百种，皆天壤间不可磨灭之著述……维系乎艺文绝续之交者，厥功伟焉，又岂特杭人之称道弗衰欤？"《晚晴簃诗汇》卷一百六十七收其诗六首，诗话云："松生早慧，年十三入杭州府学。粤寇倡扰，东南文物荡尽，松生与兄竹舟出家钱，搜求散籍，获文澜、天一之书十四五，远者致自交广瓯闽间。"

春

义和拳在山东起事。

杨圻刊《玉龙词》。《自叙》谓："仆临川年少，江淹才无，雅爱倚声，时滋披览。既爱南唐，尤慕李煜，乃如娉挽花雨，服饮云露，水石逊其幽思，风竹助其清响，于兹刘览，心乎爱之。"

五月

黄体芳（1832—1899）卒于里第，年六十八。《晚晴簃诗汇》卷一百六十一收其诗六首，诗话云："漱兰朴学清修，尤以敢言著声，视学江苏创南菁书院，集诸郡邑高材生肄业其中，晚岁迭主信陵敬敷讲席，子绍箕、从子绍第并入翰林，负时名。"

程世爵《笑林广记》一卷刊出。书首作者本月自序，末云："世有同我以讥刺劝讽有关名教者，非余之知音也；世有谓我以喜笑怒骂皆成文章者，则余之知己也。"

王鹏运校定《梦窗词甲乙丙丁四稿并补遗》。

六月

十三日，康有为在加拿大成立保皇会。总部设澳门，以澳门《知新报》、横滨《清议报》为喉舌，宣传君主立宪。

二十一日，《游戏报》开始连载吴语小说《海天鸿雪记》。嗣后月出六期，刊至二十回止，署"二春居士编，南亭亭长（李伯元）评"。或以为即李伯元所撰，而无实据。二春居士姓名与生平事迹不详，据《游戏报》所刊"《海天鸿雪记》接期出售"广告，知为浙中人。广告谓："是书……追忆坠欢，以吴语润色成书。生花妙笔，令阅者恍历欢场，征歌选舞。"按：此书后有光绪三十年世界繁华报馆单行本，共四册，第一册载茂苑惜秋生序及"本书释文"，释文专释书中吴语。

夏

樊增祥在京作《彩云曲》，叙傅彩云事，一时传诵。此诗收《北台集》中，《樊山续集自叙》："小除日发西安，己亥二月至都，途次所作曰《赴召集》。既入对，遂以道府参武卫军事，于时竹芋、爽秋、伯熙、廉生、殴甫、寿平并集辇下，文酒之宴，不减甲申、丁酉。时余卜居北池，屋后起台曰北台，内苑垂杨，玉河红藕，倚栏斯见，筋客无休，起己亥三月，迄庚子五月，得诗二卷，曰《北台前后集》。"

陈诗携诗稿晋谒合肥名宿王尚辰。《尊瓠室诗话》卷三："合肥诗坛耆硕，余所得见者，惟王谦斋典簿尚辰、童茂倩驾部捲芳二人而已。谦斋先生秉性高尚，博综辞藻。……余于己亥夏赴郡试，携诗稿晋谒。时方学渔洋，先生诲之曰：'作诗勿专主一家，他日堕人窠臼，难自拔也。'余服膺其言。庚子游沪，多识名宿，乃格律一变。"

八月

二日（9月6日），美照会各国，要求在中国实行"门户开放政策"。

王闿运钞唐诗七绝二卷成，自是《唐诗选》毕。按：闿运钞唐诗，至是已达五十年。

缪荃孙入都。《艺风老人年谱》："遍访旧友，与盛伯希昱、袁爽秋昶、许竹芋景澄、张次山仲炘、樊云门增祥、胡长木延、左笏卿绍佐，门人王廉生、张燮钧常聚琉璃厂肆。"按：是年荃孙在江宁钟山书院。

范当世至广东不果，留居沪上，与冒广生、吴彦复、沈瑜庆等往还。

九月

吴保初本月至鄂，访郑孝胥、陈衍诸人。

十月

十日，江标（1860—1899）卒于里第，年四十。唐才常《前四品京堂湖南学政江君传》："君于学无所不窥，自历代典章文物、金石目录及新译泰西物理、图算诸书，皆能究极源委。其为诗文援笔立就，有和平冲夷之致。遇喜怒不形于色，毁誉杂出未尝以介怀，尤非他新党剽急浮竞者所及。"丘沃仲子《近代名人小传》："文学齐梁，诗多侧艳。"

十一月

梁启超赴檀香山办理皇会事宜，成《夏威夷游记》。文中提倡诗界革命："诗之境界，被数千年来鹦鹉名士占尽矣！……今日不作诗则已，若作诗，必为诗界之哥仑布、玛赛郎，不可不备三长：第一要新意境，第二要新语句，而又须以古人之风格入之，然后成其为诗。不然，如移木星金星之动物以实美洲，瑰伟则瑰伟矣，其如不类何？

若三者具备，则可以为二十世纪支那之诗王矣。""诗界革命，必取泰西文豪之意境之风格，熔铸之以入我诗，然后可为此道开一新天地。""时彦中能为诗人之诗，而锐意造新国者，莫如黄公度。其集中有《今别离》四首，又《吴太夫人寿诗》等，皆纯以欧洲意境行之。然新语句尚少，盖由新语句与古风格常相背驰；公度重风格者，故勉避之也。"

《南朝金粉录》三十回至迟于本月完成。 书首绿阳城郭山人本月序云："近时小说，大抵言情风月，娱人耳目，中人以下莫不手执一编，以为赏心乐事，稍不自慎，贻害深焉。吾友牢骚子所著《南朝金粉录》一书，其中无非佳人才子名士英雄，然皆指晚近人情，言之凿凿，而其设心之苦，用意之深，措辞之雅，立论之确，虽不过十万言，其言简意赅，实足为软红尘之中当头棒喝，至于笔墨之妙，尤其末焉者也。直以为劝世之文可也，即以为讽世之文亦无不可。有心世道者，当亦有感于斯文。"是书有本年石印本，题"燕山逸叟编辑，珠湖居士校定"。

十二月

二十五日，盛昱（1850—1900）卒于京师，年五十。 所撰《郁华阁遗集》四卷有光绪二十八年武昌刻本、柯劭忞光绪三十一年序刻本等。《意园文略》二卷有宣统二年杨氏江宁刻本。《晚晴簃诗汇》卷一百七十二收其诗七首，诗话云："伯羲博极群书，尤练习掌故，徐梧生尝云每聆伯羲谈朝章国宪，下逮一名一物之细，咸能详其因革，以推见治乱之迹，当世殆无其匹。居官十余年，论资当致通显，乃以直言取忌，谢病家居，筑意园自娱，又十年乃卒。著有《八旗文经》，多有关掌故，身后遗稿散佚，即诗集所存亦仅十之三四耳。"

二十四日丁酉，诏立端郡王子溥儁为大阿哥，谋废光绪帝。 后为各方反对，事遂寝。

二十五日（1900 年 1 月 25 日）《中国旬报》创刊于香港，旬刊，陈少白主编。 此为兴中会所办第一刊物，中国报馆编辑及发行。

章太炎辑订《訄书》。 是书明年春刊印行世。（《章太炎学术年谱》）

冬

陈衍与沈曾植论诗，有所谓"三元"之说。《侯官陈石遗先生年谱》："是秋，子培丈病疟，逾月不出户，乃时托吟咏，与家君寓庐密迩，有所作，辄相夸示，或夜半缄笺抵家君。至冬已积稿百十首，有《寒雨积闷杂书遣怀》一长古，论诗宗旨多本家君说。如家君言诗学莫盛于三元，谓开元、元和、元祐，丈诗有开天启疆域，元和判州部及勃兴元祐贤，夺嫡西江祖各云云，谓三元皆外国探险家觅新世界开埠头本领也。家君言今人强分唐诗宋诗，宋人皆推本唐人诗法，力破余地耳。丈诗有唐余逮宋兴，师说一香炷及强欲判唐宋，坚城捍楼橹，咄兹盛中晚，帜自闽严树各云云。"又，王真《续编陈侯官年谱跋》："惟一时海内著述，于师之言论，有传闻异词不可不辨者。如王蘧常撰沈寐叟年谱，据叟与金甸丞书言元和、元祐、元嘉为诗中三关云云，谓三元之说实寐叟创之，非创自师。不思师所标举者三元，指自唐至宋之开元、元和、元祐，撇却六朝也。寐叟所标举者三关，有元嘉而无开元，杂六朝于唐宋中。宗旨不同，焉得指鹿为马乎?"王蘧常《嘉兴沈乙庵先生学案小识》:"初，先生尚实学，不屑屑于词章，有作即斥弃。然于诗学实深，夙喜张文昌、玉溪生、山谷内外集，而不轻诋前后七子。中岁以后，治之渐力，泛滥百家，以上溯汉、魏，雅尚险涩，于聱牙诘屈中，时复清言见骨，又或踔厉风发，意外惊绝。人读之，舌挢不下，几不能句。及细搜脉理，一本骚雅之遗，又律切精深，未尝不允蹈先民高矩也。盖吾禾自竹垞居士后，一百年而有万松居士，又一百年，而有先生。各极其变，异代同方，而钩玄擘理，推陈出奇，则又过之。其光焰实欲笼百代而言，人或以诗学过深论之，岂知先生者哉。同时与闽县郑太夷布政、义宁陈散原主事称鼎足，号同光体魁杰，而与布政又称沈郑。尝言:吾遇太夷，则诗思自生，为之亦多工。体则与主事近，惟主事以奇字，先生益以僻典，为少异。光绪己亥，与侯官陈石遗学部及布政论诗，创开元、元和、元祐三元之说，后又易开元为元嘉，称三关。常以此教人，谓通此始可名家。务极其变，以归于正。近日唯同里金香严太守蓉镜为得其法乳。"

本年

《清会典》光绪重修本成书。

陈诗撰《藿隐诗草》三卷刊刻。

陈玉澍撰《后乐堂集》自本年至光绪二十七年刻。

丘炜菱于广州刻《红楼梦绝句》一册。

丁惠康在沪作《正气会序》。《尊瓠室诗话》卷二:"己亥，德宗称疾（实幽瀛台）而废立议起，上海商电报局总办经莲珊太守（元善，山阴人），创立正气会，号召士大夫联名电争。君为作《正气会序》，辞旨慷慨，倾动一时。乃因此取忌当路，郁郁不得志。"

素隐书屋刊出《新译包探案》，署"时务报馆译，丁杨杜译"，内收《英国包探访喀迭医生奇案》、《英包探勘盗密约案》、《继父诳女破案》、《记伛者复仇事》。上述侦探小说俱刊载于《时务报》，此为单行本。

《捉拿康梁二逆演义》四卷四十回石印本刊出。撰者署古润野道人，姓名生平不详。书叙康、梁二人乃妖星转世，康有为行为不端，妄言变法，得罪于三教。三教教主元始天尊等会议，拟捉拿正法，而有为托庇于洋人。书未完，末谓尚有续集，今未见。此书后有宣统元年（1909）上海同文书局石印本。

香港书局刊出《林文忠公中西战纪》四卷二十五回石印袖珍本。不题撰人，叙林则徐禁烟及第一次鸦片战争事。第四卷为《各国风土始末记》，有《英国记》、《法国记》、《俄国记》、《东侠记》（"东侠"谓日本），介绍各国风土人情；又有《苗子记》记湖南苗族，《瑶子记》记两广交界之瑶族。此卷内容与小说无关，作者意在"开通风气"，故附于书后。

劳乃宣五十七岁，在吴桥知县任上刊刻《义和拳教门源流考》。《韧叟自订年谱》:

"分布城乡，广为劝导……遍呈上官，具牍力陈防范。……上官置不省。"后劳乃宣于辛丑年辑论义和拳文牍书函为《拳案杂存》。

洪炳文作《水岩宫》传奇二十二出。叙明代烈女陈冰娥遭倭寇不屈遇害事。有本年油印本。

汪荣宝作《西砖酬唱集序》。序谓："西砖者，张鸿郎中所居胡同之名也。……咸以诗歌之道主乎微讽，比兴之旨不辞隐约，若其情随词暴，味共篇终，斯管孟之立言，非三百之为教也。历观汉晋作者，并会斯旨，迄于赵宋，颇或殊途。至乃饰席上之陈言，摭柱下之玄论，矜立名号，用相眙愕，则前世雅音，几于息乎。惟杨刘之作，是曰西昆，导玉溪之清波，服金荃之盛藻，雕镌费日，虽诒壮夫之嘲，主文谲谏，存风人之义。于是……凡所造作，不涉异家，指事类情，期于合辙。号曰西砖酬唱者，既义附窃比，兼地从主人。"（《金薤琳琅斋文存》编年文）按：荣宝于上年签分兵部，与乡人曹元忠、徐兆玮集于张鸿所居西砖胡同，西约从事西昆体。《今传是楼诗话》"汪荣宝诗境锐变"条引荣宝书云："弟之好训故词章，第不能为诗。及官京曹，与乡人曹君直、张隐南、徐少玮诸君往还，始从事昆体，互相酬唱。尔时成见甚深，相戒不作西江语，稍有出入，辄用诟病。故少壮所作，专以隐约缛丽为工。久之亦颇自厌，复取荆公、山谷、广陵、后山诸人集读之，乃深折其清超遒上，而才力所限，已不复一变面目。公试观吾近诗，略可见其蜕化之迹。"

严复四十七岁，译穆勒约翰之《群己权界论》。

薛绍徽、陈寿彭在宁波译《八十日环游记》。后于光绪三十二年（1906）刊出。《先妣薛恭人年谱》本年："家严译《江海图志》夜则与先妣谈外国列女事略，并《八十日环游记》。先妣以笔记之。"（陈绎如撰《亡妻薛恭人传略》谓译于二十八年壬寅，此据年谱，且考此书陈、薛二序，当俱成于本年。）按：薛绍徽为我国较早参与译书之女性，而《八十日环游记》亦较早译入我国之科学小说（今称科幻小说），故录陈寿彭《序》以存当时风气。《序》谓："（绍徽）惟以经史自娱，意谓九州以外，无文字也。迩来携之游吴越，始知舟车利用。及见汽轮电灯，又骇然欲穷其奥，觅译本读之，叹曰：'今而知天地之大，学力各有所精，我向者硁硁自信，失之固矣。'乃从余求四裔史志。余以为欲读西书，须从浅近入手，又须取足以感发者，庶易记忆，遂为述《八十日环游记》一书。……宜人既闻崖略，急笔纪之，久而成帙。……（余）爱取其稿，略加删润。"序又称："是记，说部也，本法人朱力士（名）房（姓）所著。中括全球各海埠名目，而印度美利坚两铁路尤精详。举凡山川风土、胜迹教门，莫不言之历历，且隐合天算及驾驶法程等。著者自标，此书罗有专门学问字二万。是则区区稗史，能具其大，非若寻常小说仅作海盗海淫语也，故欧人盛称之，演于梨园，收诸蒙学，允为雅俗共赏。"原著者房朱力士，今译茹尔·凡尔纳，法国作家，科幻小说创始人，《八十日环游记》为其最著名之作品。其著作在晚清译成中文者尚有《海底旅行》（1902，卢籍东）、《月界旅行》（1903，鲁迅）、《十五小豪杰》（1903，梁启超）、《秘密使者》（1904，包天笑）等。

程颂万、况周颐以词相切劘。徐珂《近词丛话》"程子大与况夔笙以词相切劘"条："己亥，夔笙客武昌，则与程子大以词相切劘。幼霞闻之而言曰：'子大词清丽绵至，取径白石、梦窗、清真，而直入温、韦，得夔笙微尚专诣以附益之，宜其相得益彰矣。'"

况周颐本年至武昌，至甲辰始至常州。

黄遵宪五十二岁。本年在家讲学，成《己亥杂诗》八十九首、《续怀人诗》二十四首。

陈洵年三十，始学为词。陈洵《玉梅楼词钞序》云："余年三十，始学为词。从吾家简庵借书，得见《宋四家词选》，则黎季裴所藏也。"《海绡说词》"师周吴"条云："吾年三十，始学为词。读周氏四家词选，即欲从事于美成。乃求之于美成，而美成不可见也。求之于稼轩，而美成不可见也。求之于碧山，而美成不可见也。于是专求之于梦窗，然后得之。"

高燮二十二岁，在上海，始编《吹万楼诗》。

程蕙英撰《凤双飞》弹词五十二回。有民国十二年上海江左书林石印本、广益书局排印本等，卷首有本年瑞芝室主人序。叙明代郭伟（字凌云）、张隽（字逸少）生死不移之交谊。程蕙英，蒋瑞藻《小说考证》卷七引《缺名笔记》云："阳湖程蕙英茝俦，著有《北窗吟稿》。家贫，为女塾师。曾作《凤双飞》弹词，才气横溢，纸贵一时。其所为诗，纯乎阅世之言，亦非寻常闺秀所能。"邓之诚《骨董琐记》卷五："（《凤双飞》弹词）全书数十万言，结构遣词，远在《天雨花》、《再生缘》之上。所天有变童之好，故托为果报以警之。"

李叔同在沪，奉母移居城南草堂，自号李庐主人。与蔡小香、张小楼、袁希濂、许幻园（錝）结为天涯五友。

邓绎（1933—1899）卒，年六十七。《湘绮楼诗文集·诗》卷十七《夜雪集·论同人诗八绝句》："邓辛眉，弥之仲弟也。聪悟尤过其兄。下笔千言，清谈娓娓。自明后，论诗率戒模仿，辛眉独谓七子格调雅正。由急于得名，未极思耳。自学唐而进之，至于魏、晋，风骨既树，文采弥彰。及后大成，遂令当世不敢以拟古为病。逸气高华格韵超，绛云舒卷在重霄。当时何、李无才思，强学鹦歌集风条。"

王棻卒，年七十二。棻（1828—1899）字子庄，号耘轩，浙江黄岩人，同治六年举人。治经史，尤精于小说。师事孙衣言，受古文法。著有《柔桥文钞》、《柔桥诗集》等。

沈鹊应卒。鹊应（？—1899）字孟雅，福建侯官人，沈瑜庆女，林旭室。林旭遇难，鹊应仰药以殉，未死，以哀毁卒。工诗词，尝从陈书、陈衍学。著有《崦楼遗稿》内诗、词各一卷。

宗韶卒，年五十六。宗韶（1844—1899）字子美，别号梦遗道人，满洲旗人，官兵部员外郎，著有《四松草堂诗集》。《晚晴簃诗汇》卷一百五十八收其诗五首，诗话云："子美与宝竹坡友善，日下联吟，几无旷日，才名亦相伯仲。工篆刻，嗜酒傲物，外肆而中狷，屡忤长官，浮沉郎署以殁。诗有奇气，如燕赵之士，慷慨悲歌。"

朱启连（1853—1899）卒，年四十七。所撰《隶坨集》四卷、《外集》三卷光绪二十六年妻弟汪兆铨刻。

江标（1860—1899）卒，年四十。

现代作家瞿秋白（1899—1935）、闻一多（1899—1946）生。

公元 1900 年（光绪二十六年　庚子）

正月

二十一日，《清议报》第三十六册开始连载《经国美谈》前编二十回后编十九回，至第十月二十一日六十九册毕，标"政治小说"，作者署"（日）矢野文雄"，译者不详。光绪三十三年（1907）上海广智书局出版单行本时署"周逵（周宏业）译述"。

二月

姚濬昌（1833—1900）卒于湖北竹山县署。马其昶《姚按察传》附濬昌："其于诗有天得，冲澹邈远，称其为人。"《晚晴簃诗汇》卷一百五十九收其诗四十首，诗话云："慕庭为硕甫之子，薑坞之五世孙，诗文义法，郑重薪传。初谒曾文正江西军次，文正见其感事诗，激赏之，遂留幕府。张廉卿称慕庭所作，创意造言，镯涤澒浊，功力之深，殆为罕俪。其七律，义法全宗惜抱，而选词俪事，实与薑坞同工。古体尤纵横跌宕，有独往独来之概，此则存乎襟抱旷远，学问雅博，非可强几也。"

中华印务总局刊出洪兴全撰《中东大战演义》四卷三十三回铅印本。是书叙中日甲午战争事。

李伯元创《海上文社日报》。张乙庐《李伯元逸事》："上海小报，创于常州李伯元氏之《游戏报》。……氏更创设海上文社，并刊日录，月分诗钟等三课，应课者每卷缴钱二十文。海内才人，一时毕集，远如香港潘兰史、厦门林菽庄，皆与其盛焉。"阿英《晚清文艺报刊述略》云："（《海上文社日报》）也是当时小报报中的别裁，光绪二十六年（1900）三月创刊。系海上文社的机关报，文社系李伯元所创办。内容为社说、社榜、社谈、谈数、笔记、杂著、艺苑。有邱菽园等的著作。馆设大马路亿金里。油光纸，单面印，每张售钱四文。"

刘清韵（1841—1916）六十岁，所撰《小蓬莱仙馆传奇》十种刊出。俞樾《序》谓："就此十种观之，虽传述旧事，而时出新意，关目节拍，皆极灵动，至其词，则不以涂泽为工，而以自然为美，颇得元人三昧，视李笠翁十种曲，才气不及而雅洁转似过之。"又俞樾《刘古香女史诗序》："于花红玉白之中，有风逸烟高之致。"

春

李叔同、黄宗仰等组织上海书画公会，并刊出《书画报》。

兴中会在香港创办《中国日报》。

黄人与庞树柏、庞树森等结三千剑气社于苏州。

易顺鼎在京，与袁昶、樊增祥、朱祖谋等唱和。上年秋，顺鼎以刘坤一荐，奉旨召对，十一月抵都。本年三月出都，赴江南。在京所作后刻为《燕榻集》，内附有袁昶、樊增祥、王乃徵、宋育仁、胡思敬、三多、左绍佐、顾瑗等和作。自作《读浙西樊山两家诗如游名山如读异书如闻钧天广乐之音……》诗中有句云："近来海内论诗笔，渐西樊山皆第一。奇绝苏黄并世生，居然元白同时出。"

四月

义和团由山东发展至直隶。朝议剿、抚不定，京畿秩序紊乱。

五月

一日（5 月 28 日），外国公使团议定调兵来京武装干涉义和团。

二十五日（6 月 21 日），清廷对外宣战。

吴汝纶避地深州，留居数月，成《深州风土记》二十二卷。

严复避地赴沪。严璩编《侯官严先生年谱》："五月，拳匪事起。府君仓皇由津避地赴沪。所有书籍俱未携带，《群己权界论》译稿及知交函扎，就中以湘阴郭侍郎来书为最多，积年以来不下百数十通，亦均散失。计自庚辰赴津主海军教务者二十年，至是始与脱离。德宗奉孝钦后出都西狩。江鄂两总督与各国订东南互保之约。上海人士开政治大会于味莼园。到者二三千人，举南海容闳君为会长，府君为副会长。《原富》脱稿。删检讨光典请译穆勒《名学》。"

陈炽（1855—1900）卒于京师。

六月

二十六日，陈宝箴（1831—1900）卒，年七十。范当世《故湖南巡抚义宁陈公墓志铭》："于诗文不多为，为则精粹有法。"《晚晴簃诗汇》卷一百五十三收其诗二首，诗话云："右翁负干略，工诗古文辞。初见赏于曾文正，以从戎致通显，任河南彰卫怀道，创立致用精舍，专课实学，河朔人才蔚然而起。"

陈衍在武昌作《感愤坐庭中见杂草木皆不祥之物作》六言诗五首。按：时京津大乱，陈衍一子在北方乱中，至明年三月，始确知已殁于乱中。《侯官陈石遗先生年谱》："家君尝自言，平生不怨不尤，于穷达得丧殊少介意，至骨肉死亡，不免悲哀，未有动魄惊魂如是年之甚者。"

唐才常等在上海开爱国会。钱萼孙编《文云阁先生年谱》卷四："黻臣（唐才常）化名野桥次，组织东文学社，阴图于湘鄂间发动革命。东文学社内称正气会，正气会旋又易名自立会。六月间黻臣邀沪人士集合于静安寺路张园筹组爱国会。是日出席者有先生及余杭章枚叔炳麟、侯官严几道复、庐江吴彦复保初、番禺容纯甫闳、平阳宋平子恕等数百人，公推容纯甫为会长、严几道为副会长，唐黻臣为总干事。爱国会成立后，因加入者皆深负时望之士，声势甚盛，致招清廷之忌。"又，章太炎反对唐才常既排满又勤王，当场剪辫与绝。此后倡言革命排满，不遗余力。

夏

南洋公学学生暑期排演时事新剧《六君子》、《义和团》。

七月

初三，袁昶（1846—1900）被杀，年五十五。昶时任太常寺卿，因与吏部侍郎许景澄反对任用义和团、妄开外衅，同日被端郡王载漪矫旨所杀。《定盦诗话》卷下："渐西村人袁爽秋昶诗，亦学宋体者，而好用僻典，与嘉兴沈乙盦有同调焉。"《晚晴簃诗汇》卷一百七十一收其诗二十二首，诗话云："忠节久在译署，周知四国。庚子之变，以不附和权贵，直言触忌，仓猝被祸，中外嗟惜。平生博极群书，出入仙释。其诗意新味古，兀傲自喜，殆如其人。咏吴山水仙王祠云：千年蘸碧终难化，八月怒涛空尔为。又：江流不尽兴亡恨，抉眼苏台鹿上时。直自写照。后与许文肃合祠西湖，诗中所说林逋秋菊水伯朱旗，遂成谶兆。"

十七日，时任户部尚书立山、兵部尚书徐用仪、内阁学士联元以反对刚毅、载漪等被杀。

二十日己未（8 月 14 日），八国联军侵入京师。

二十二日，王懿荣（1845—1900）殉难。

二十三日，寿富（1865—1900）自尽殉国，年三十六。林纾《宗室寿富公行状》："稍长，乃受业于丰润张公佩纶及南皮张文襄公之门。治经不局汉宋，惟是之程。……崇尚气节，文章则持重不苟作。"《晚晴簃诗汇》卷一百八十二收诗八首，诗话云："伯茀竹坡侍郎子，幼承世绪，励学砥行，周知时务。睹世乱渐亟，为书告宗人当及时谋自立，语绝痛。甫入词馆，即遭拳乱，联军入京师，慷慨就义，时论深惜之。"

二十六日乙丑（8 月 20 日），清廷下诏罪己。先是，西太后挟光绪西逃，是日，次鸡鸣驿，下诏罪己。后于八月十七日抵太原，九月四日抵西安驻跸，明年十一月二十八日（1902 年 1 月 7 日），始还京。

二十九日，唐才常（1867—1900）死，年三十四。戊戌政变后，唐才常在汉口设自立军机关，"讨贼勤王，以清君侧"，本月起兵勤王失败，为张之洞捕杀。

本月，京师士大夫多避难南还。钱萼孙编《文云阁先生年谱》卷四："七月拳匪乱京畿，八国联军入寇，都城陷，两宫西狩，珍妃殉难于宫井。先生感伤时事，时藉诗词以寄意……时带甲天地，京师士大夫多南还，若沈子培、费西蠡、张季直、丁叔衡立钧、瑞安黄叔颂绍第、如皋冒鹤亭广生辈与先生朝夕咸集，极一时文酒山河之感。此外先生故旧若王木斋、仁和王子展存善，亦皆在沪，同先生游。新建夏剑丞敬观，亦常相过从，先生授以作词之法。"又，文廷式是岁起常居沪上。《尊瓠室诗话》卷一："庚子后，屏居沪渎，与知旧语，辄叹曰：'我与安期生同游洛水。'盖借麻姑语，谓三见沧桑，言际隐然有'贞元朝士已无多'之慨。""公诗初以典丽胜，晚则喜效皮陆，境为之也。……《云起轩词稿》宗法苏辛，摛辞华赡。"

吴鲁困居北京，自本月至明年成《百哀诗》上下两卷。光绪三十年《自识》："庚子拳匪之变，余困居都城。闻见之间，有足哀者，愤时感事，成诗百余首，命曰《百哀诗》。……汇为一帙，盖以志当日艰窘情形，犹是不忘在莒之意焉。后之览者，亦将有慨于斯诗。"按：《百哀诗》每诗下均有注，语颇激烈而无隐讳，卒后其子刊出。吴鲁（1845—1912）字肃堂，号且园，晚号老迟，又号白华庵主。福建晋江人，光绪十六年一甲一名进士，历官云南学政。另有《正气研斋文集》、《诗集》、《杂录》等。

胡思敬自本月至明年成《驴背集》诗四卷。《自序》谓："庚子之变，予随扈不及，挈室避居昌平。尝孤身跨一蹇驴，微服入都，探问兵间消息，返则笔而记之。既又系以小诗，皆实录也。昔人言诗思在驴子背上，予此诗多于驴背上得之，意境适与之同。然京洛烟尘，较之灞桥风雪，所处固不侔矣。诗凡四卷，以其有关掌故不忍割弃，汇而存之，即题曰《驴背集》。戎马倥偬之中，非敢慕前贤风雅，痛定思痛，亦毋忘在莒之意耳。"

八月

二十六日起，王闿运、朱孝臧、刘福姚居四印斋填词，后成《庚子秋词》。鹏运《庚子秋词叙》："光绪庚子七月二十一日，大驾西幸，独身陷危城中。于时归安朱古微学士，同邑刘伯崇殿撰，先后移榻就余四印斋。古今之变既极，生死之计皆穷。偶于架上得丛残诗牌百许叶，犹是亡弟辛峰自淮南制赠者，叶颠倒书平仄声字各一，系以韵目，约三百许言。秋夜渐长，哀蛩四泣；深巷犬声如豹，狞恶魆人；商声怒号，砭心刺骨，泪涔涔下矣。乃约夕拈一二调，以为程课。选调以六十字为限，选字选韵以牌所有字为限，虽不逮诗牌旧例之严，庶以束缚其心思，不致纵笔所之，靡有纪极。然久之亦不能无所假借，乙卷以后，尤泛滥不可收拾。盖兴之所至，亦势有必然也。"徐定超《序》："光绪庚子之夏，拳民倡乱。七月既望，各国师集都门，乘舆西狩。士大夫之官京朝者，亦各仓皇戎马，奔驰星散，半塘老人独闭户如故。而我同年朱古微学士、临桂刘伯崇殿撰，咸以故居扰于寇，依之以居。……既出近词一编见示，则皆两月来篝灯倡酬，自写幽忧之作。以余同处患难，而属弁言于余。余谓：言为心声。心之所动，自不能不发之于言。古之作者处此，有为《麦秀》、《黍离》之歌者矣，如庾信之《哀江南》、杜甫之《悲陈陶》，皆所谓古之伤心人，别有怀抱者。彼其时其事之躬自阅历，所以怵魄而怆神者，岂无他人共之哉！惟他人不能言，而此独言之，使读之者悲愤交集，皆怦怦戚戚，而若有以先得其心之所同，然故足以鸣当时而信后世。今三子者，同处危城，生逢厄运；非族逼处，同类晨星。沧海澜颓，长安日远，忠义忧幽之气，缠绵悱恻之忧，有动于中而不能以自已，以视兰成去国，杜老忧时，其怀抱为何如也！"鹏运《浪淘沙·华发对青山·自题庚子秋词后》有句云："心事共疏豁，歌断谁听？墨痕和泪渍清冰。留得悲秋残影，分付旗亭。"时宋育仁亦与唱和。复庵（育仁）《题辞》："余别居往还，道路有戒，乃取三君词卷，每调就所倚之阕内，拈字依声为一阕，以嗣其音。不知其为渐离之筑，雍门之琴，《麦秀》之歌也。"育仁是年方赋闲在京，撰有《庚子国变记》。按：冬间所作为《春蛰吟》。

邱炜萲（菽园）在上海。本月作《诗中八友歌》，次月复成《广诗中八友歌》，述及李伯元等人。

闰八月

八日，沙俄侵占我东北。是日，俄军进盛京，东北三省全境沦陷。

十五日，革命党人在惠州起义。

二十六日，易顺鼎由金陵赴西安行在。十月抵西安，岁末，以两江总督刘坤一、湖广总督张之洞合奏，派任驻陕督办江楚转运。至明年九月东归，在西安所作刻为《魂西集》。其中与樊增祥唱和之作颇多，尤多叠韵之作。

本月，王先谦门人湘乡陈毅、平江苏舆为其刻成《虚受堂文集》十五卷。

九月

四日，两宫至西安驻跸。大批官员扈从至秦，各地人士赴行在朝觐者亦多，故一时文士羽集，唱酬颇繁。樊增祥《樊山续集自叙》："未几而京师瓦解，万乘西行，霸上迎銮，西京驻跸，万方珍贡，四海衣冠，鳞集青门，于斯为盛。虽复时丁板荡，运际颠冥，而旧雨纷来，阳春迭和，幽忧韫结，篇咏滋多。"

秋

张荫桓（1837—1900）被处死于新疆戍所，年六十四。《晚晴簃诗汇》卷一百七十九收其诗十首，诗话云："戊戌获谴，戍新疆。庚子秋遽罹重辟，朝局方炽，有识哀之。虽不以科目进，而折节读书，洽习掌故，文辞诙丽。李诣伯、王廉生与交稔，一时朝士未易抗衡。官皖中，谭复堂方作令，商榷文艺尤密。荷戈一集，世多称之。好收石谷画，以百石名斋，亦如瞿稼轩之雅嗜石田，自号耕石也。"

黄遵宪访潘飞声。是年，李鸿章出督两广，屡聘遵宪出山，辞不赴。秋，归过香港，访番禺潘飞声于《华字日报》馆，谈三日。谓后人学艺事事皆驾前人上，惟文字不然，以胸中笔下均有古人在。步步追摹，不能自成一家面目，是以宋不如唐，唐不如六朝，六朝不如汉、魏也。（钱钟联《黄公度先生年谱》）

陈诗随吴保初至沪，多交名宿，诗格一变。《尊瓠室诗话》卷三："迨庚子岁，予随吴彦复师到沪。是冬……绍师（今按：钱鏐）因诲之曰：'沪渎为南北人文渊薮，诗、词、骈、散，诸学皆备。子宜勉学，勿孤负此游。'诗谨受教。今稍有成就，赖师之善言也。"按：据《诗话》载，陈诗此后在沪所交有范当世、文廷式、朱祖谋、宋伯鲁、吴昌硕、宋恕等。

十月

衡州新刻王闿运所选《唐歌行选本》五卷成。

十一月

二十一日，任其昌（1831—1901）卒，年七十二。《晚晴簃诗汇》卷一百六十三收其诗十四首，诗话云："士言官农曹有声，乞养归，遂不出。历主天水陇南讲席，成就人才甚众。同光以来，陇右风雅阒寥，士言诗有格律，思力沉厚，与吴柳堂侍御（可读）可称二妙。"

十二月

十日（1901 年 1 月 29 日），清廷在西安行在诏议变法。上谕："世有万古不易之常经，无一成不变之治法。""盖不易者，三纲五常，昭然如日星之昭世；而可变者，令甲令乙，不妨如琴瑟之改弦。"要求中外臣工去私心，破积习，力图振作。

十三日，孙锵鸣（1817—1901）卒，年八十四。《晚晴簃诗汇》卷一百四十四收其诗二首，诗话云："韶甫官翰林，尝疏陈时政，严劾穆相，人称其敢言，罢官后主讲苏之正谊，宁之钟山、惜阴，沪之龙门、求志，为学者所宗仰。平生研求永嘉经世之学，所著止庵读书记、东瓯大事记，皆卓然可传。诗有真气。"

冬

丘逢甲访黄遵宪于人境庐，抚时感事，迭相唱和。逢甲跋遵宪诗："茫茫诗海，手辟新洲，此诗世界之哥伦布也。变旧诗国为新诗国，惨淡经营，不酬其志不已，是为诗人中嘉富洱；合众旧诗国为一大新诗国，纵横捭阖，卒告成功，是为诗人中俾思麦。""地球不坏，黄种不灭，诗教永存，有倡庙祀诗圣者，太牢之享，必有一席。信作者兼自信也！悬此言集中，二十世纪中人，必有圣其言者。"

本年

俞樾序吴昌硕《缶庐诗绪》（附《题画诗》）。

王先谦撰《虚受堂文集》十六卷刊刻。

王闿运撰《湘绮楼文集》八卷、《诗集》八卷刊出。

杭州大观报馆刊出《泪珠缘》二集三十二回巾箱本，题"天虚我生陈蝶仙著"。陈蝶仙即陈栩，此为陈栩成名之作。

经世文社出版《八十日环游记》三十七回，署"（法）朱力士房著，逸儒（陈绎如）译，秀玉笔记"。秀玉即薛绍徽，陈绎如之妻。

上海藻文书局刊出刘清韵撰《小蓬莱传奇》十种石印本。清韵时年六十岁。

李伯元在上海作评骘残花之举。钱萼孙编《文云阁先生年谱》卷四："乱后京津乐籍大半南渡，李伯元茂才于酒肆广征四十余人，为评骘残花之举。乐籍中以林黛玉为魁首。夏剑丞首赋念奴娇词，先生击节叹赏，和者遂十余人。"邱炜萲《挥麈拾遗》卷五："中国首仿西人为游戏报纸，惟上海之《游戏报》是已。总主笔李伯元明经，骈文专家，又复兼长小品杂著，嬉笑怒骂，振聩发聋，得游戏之三昧。苏长公以行文为乐事，锦绣肝胆，珠玉咳唾，此才正非易易。丁酉、戊戌、庚子，叠开三次花榜，骚屑闲情，别深怀抱，惯阅沧桑之劫，独成脂粉之编，余淡心《板桥杂记》，当得嗣响耳。"

秋瑾二十四岁，居湘潭。此年忧心北方庚子之乱，作《杞人忧》、《感事》诗。

缪荃孙五十七岁，在江宁，刻《艺风堂藏书记》、《艺风堂文集》，明年刻成。

樊增祥五十五岁。本年五月后有《投戈集》、《西京酬唱集》、《掌纶集》，所成咏古诗人《二家咏古诗》集中。按：五月，增祥以京师形势难测，出京，七月复归于秦，道途所作集为《执戈集》（《樊山续集》卷十一）。七至十一月与朋好唱酬，得诗一卷，曰《西京酬唱集》。十一月，授皖北兵备道，有诏仍留行在，并令其参与机要文字。此月至明年暮春所为诗集为《掌纶集》。又，冬与友人共作咏古诗。《二家咏古诗叙》谓："庚子夏，京师俶扰，余尽室入关……是年冬，旅食行京端忧多暇，与胡研荪、易湘农两观察篇翰往复，多至盈尺，相约作咏古诗，仿《西昆集》中秦皇、汉武诸什。研荪寻守西安不果作，湘农旋作旋辍，余独得六十首。"后与张之洞咏古诗合刊为《二家咏古诗》。

郑文焯本年感慨国事，有《杨柳枝》词等作。《郑叔问先生年谱》："拳匪肇乱，京师陷落，两宫西狩。先生怅望觚棱，赋《杨柳枝》词二十六首，读者以为黍离之悲。又赋《谒金门》三解，每阕以行不得、留不得、归不得三字发愦，沉郁苍凉，如伊州之曲，海内传诵，有为泣下者。故人王廉生懿荣祭酒于联军进京时阖家身殉，先生闻耗悲不自禁，泫然良久，亟检其戊戌年手书十数封，流涕缄纳，即付装潢，以当故人未死。其笃于故旧如此。王佑遐、朱古微诸公坐困危城，以词陶写悲愤，世所传《庚子秋词》是也。佑遐给谏以诸人词写寄先生，先生得书却寄浣溪沙词一首。王书略云：当此时变，我叔问必有数十阕佳词，若杜老天宝至德间哀时感事之作，开倚声家从来未有之境。……郁郁居此，不能奋飞，相见之期，有无尚未可必。足下谓弟是死过来人，恐未易一再逃死，至于生气，则自五月以来，消磨净尽，不唯无以对良友，亦且无以质神明，晚节颓唐，但有自愧，尚何言哉？中秋以后，与古微、伯崇每夕拈短调各赋词一两阕，以自陶写，亦闻闻见见，充积郁塞，不略为发泄，恐将膨胀以死，累君作挽词，而不得死之所以然。故至今未尝辍笔，近稿用遽渚唱酬例，合编二集，已过二百阕，芸子检讨属和亦将五十阕。天公不绝填词种子，但得事定后始死，此集必流传，我公必得见其全帙。"又，是岁文焯刊所校《清真集》。

林纾四十九岁，居杭州，立诗社唱酬。是时，林纾论诗不满宗派之说，亦不满当时流行之涩体。《畏庐文集·序郭兰石增默庵遗集文》："诗之有性情境地，犹山水之各擅其胜。沧海旷渺，不能疢其不为武彝匡庐也。汉之曹刘，唐之李杜，宋之苏黄，六子成就，各雄于一代之间，不相沿袭以成家。即就一代而言，其意境各别。凡侈言宗派，收合党徒，流极未有不衰者也。""时彦务以江西立派，欲一时之后生小子，或为蹇涩之音。有力者既为之倡，而乱头粗服，亦自目为天起始以冒西江矣。识者既私病其鲜味。然宗派既立，亦强名之为涩体，吾未见其能欺天下也。"钱基博《现代中国文学史》："方清末造，谭诗者既宗宋之西江派，章炳麟既力辟之。而天下之倡宋诗者，如闽县陈宝琛、郑孝胥、侯官陈衍之伦，皆林纾乡人也。顾林纾不以为然。……不惟不主宋诗，且斥闽人之主宋诗者为妄庸，如其以妄庸巨子之斥章炳麟矣。及其老也，自谦其诗，谓少作已尽弃斥；近年始专学东坡、简斋二家七言律。……按林纾论文不薄六朝，论诗不主西江，不持宗派之见，初意未尝不是。顾晚年昵于马其昶、姚永概，遂为桐城护法；昵于陈宝琛、郑孝胥，遂助西江张目。然'侈言宗派，收合徒党，流极未有不衰'，纾固明知而躬蹈之者，毋亦盛名之下，民具尔瞻；人之借重于我，与我之所以见重于人者，固自有在；宗派不言而自立，党徒不收而自合，召闹取怒，卒丛世诟？则甚矣，盛名之为累也！或者以桐城家目纾，斯亦皮相之谈矣。"又，林纾是冬撰《〈译林〉序》，提倡多译西书，并多译小说："亚之不足抗欧，正以欧人日励于学，亚则昏昏沉沉，转以欧之所学为淫奇而不之许，又漫与之角，自以为可胜。此所谓不习水而斗游者尔。吾谓欲开民智，必立学堂；学堂功缓，不如立会演说；演说又不易举，终之唯有译书。顾译书之难，余知之最深。昔巴黎有汪勒谛者，在天主教汹涌之日，立说辟之，其书凡数十卷，多以小说启发民智。至今巴黎言正学者，宗汪勒谛也。"

辜鸿铭作《尊王篇》。钱海岳《辜先生传》："先生谓教案激民忾，其咎在各国，乃著《尊王篇》，以危言正词告之……远近竞写，一时纸贵。"

康有为本年与丘菽园交密，有《闻菽园居士欲为政变说部诗以速之》诗。

严复在上海开名学会，讲演名学，译亚当斯密《原富》成，始译穆勒《名学》。

《译书汇编》创刊于日本，为留日学生编刊杂志最早之一种，后改名《政治学报》。冯自由《革命逸史》初集："《译书汇编》庚子下半年出版，江苏人杨廷栋、杨荫杭、雷奋等主持之。……译笔流丽典雅，风行一时。时人咸推为留学界杂志之元祖。"

本年樊增祥随銮逃西安。沃丘仲子《当代名人小传·文人》本传："其后罪己、变法诸诏皆出其手，剀切委婉，颇似陆敬舆。"

本年或稍后，王乃徵作《落叶词》四首咏庚子珍妃投井事。《诗史阁诗话》云："情韵苍凉，足当诗史。同时和者甚多，莫能及也。……此四诗都下传钞殆遍，一时有'王落叶'之称。"汪辟疆《光宣以来诗坛旁记·王乃徵》："狄平子云：'此诗婉而挚，沈而俶，哀音激楚，有类变雅。'余谓清末京朝，颇多哀楚绵邈之音，皆从玉溪、冬郎而出。如李亦元、曾蛰庵、丁叔雅皆工此体。病山则不时作。此亦因珍妃之死，感而为此。事既哀怨，题亦凄惋，遂不觉偶入此派耳。实则病山其他诸诗，皆骨力坚苍，而游山之什尤工，亦不全似此种也。"

曾广钧有《庚子落叶词》十二首。咏珍妃事，托为姬人华秀芬所作。（《诗史阁诗话》）

本年后，李希圣为诗渐多。孙雄《诗史阁诗话》："湘乡李亦元比部希圣，清刚遒旷，独秀时流，嗜古弥挚，尤通当世之务。庚辛之间，于朝事多所论列，闻者龉之。而与时触忤，竟不得一申其志。浮沉郎署，抑郁以终。……其友人为刊遗诗，曰《雁影斋集》，皆庚子以后之作。大致神似玉溪，亦颇多近杜处。然每遇友人称其似义山者，心辄不怡。"又，《饮冰室诗话》："李亦园（希圣）当辛丑回銮时，有感事诗数十首，芳馨悱恻，湘累之遗也。……其风格在少陵、玉溪之间，真诗人之诗也。"

柳亚子始在上海小报发表诗作。

是年前后，词坛守律愈严。冒广生《四声钩沉》："时（今按：丙申，1896）仁和谭仲修大令丈，实执词坛牛耳……谭丈固服膺常州词派，标比兴之旨者。同时吾所纳交老辈朋辈，若江蓉舫都转、张午桥太守、张韵梅大令、王佑遐给谏、文芸阁学士、

401

曹君直阁读，皆未闻墨守四声之说。郑叔问舍人，是时选一调，制一题，皆摹仿白石。迨庚子后，始进而言清真，讲四声。朱古微侍郎填词最晚，起而张之；以其名德，海内翕然奉为金科玉律。吾滋疑焉。……而世人乃狃于万红友谓'千里一集，方氏和章，无一字而相违，更四声之尽合'之一言，而自汩没其性灵，钻身鼠壤之中而不能出也。"

马建忠（1845—1900）卒，年五十六。《清史稿》本传："建忠博学，善古文辞；尤精欧文，自英、法现行文字以至希腊、拉丁古文，无不兼通。以泰西各国皆有学文程式之书，中文经籍虽皆有规矩隐寓其中，特无有为之比拟而揭示之，遂使学者论文困于句解，知其然而不能知其所以然。乃发愤创为《文通》一书，因西文已有之规矩，于经籍中求其所同所不同者，曲证繁引，以确知中文义例之所在，务令学者明所区别，而后施之于文，各得其当，不唯执笔学为古文词有左宜右有之妙，即学泰西古今一切文学，亦不难精求而会通焉。书出，学者皆称其精，推为古今特创之作。"

徐仁铸（1863—1900）卒，年三十八。

黄孝纾生。黄孝纾（1900—1964）字颀士，号匑厂，福建闽县人。少从其父隐居青岛，后尝执教于各大学。工诗古文辞，著有《匑厂文稿》等。

现代作家应修人（1900—1933）、**魏金枝**（1900—1972）、**冯沅君**（1900—1974）、**夏衍**（1900—1995）、**冰心**（1900—1999）**生**。

公元 1901 年（光绪二十七年　辛丑）

正月

月初，毓贤、赵舒翘、英年以纵容拳匪仇洋肇祸、贻误大局处自尽；启秀处斩。

陈三立《散原精舍诗》存诗自本月始。按：本年后三立寓居江宁，每年春、冬返南昌崝庐省墓。宋慈抱《陈三立传》："盖三立居金陵最久，师友酬唱，山水登临，亦金陵作最多。"吴宗慈《陈三立传略》："庚子后，虽开复原官，终韬晦不复出，但以文章自娱，以气节自砥砺。其幽忧郁愤，与激昂磊落慷慨之情，无所发泄，则悉寄之于诗。世或仅以诗称先生，岂为深知先生者耶？"王揖唐《今传是楼诗话》："集中凡涉崝庐诸作，皆真挚沉痛，字字如迸血泪，苍茫家国之感，悉寓于诗，洵宇宙之至文也。"郑孝胥《散原精舍诗序》谓："大抵伯严之作，至辛丑以后尤有不可一世之概，源虽出于鲁直，而莽苍排奡之意态，卓然大家，非可列之江西社里也。"故存诗自本月始。本年有赠答丁惠康、范当世、文廷式、姚永概等人诗，与李希圣、陈锐、俞明震交游尤密，颇多唱和。

二月

初一，东吴大学在苏州开学。是校为美教士所办，开办之初，仅中学程度，至光绪三十一年始招收大学生，开设大学课程。

十五日，《励学译编》创刊于苏州，月刊，励学译社主办。本日第一册开始连载《迦因小传》，至第十二册毕，署"蟠溪子（杨紫麟）译"。光绪二十九年文明书局出版单行本时署"蟠溪子、天笑生（包天笑）译"。此书原著者为英国作家哈葛德，此为节译本，删去原著所叙迦因未婚先孕情节。

《闺门秘术》四卷五十回刊出，不题撰人。书首月湖渔隐本月序，谓"自古妇教之书，靡不胜举，然皆深于理而不深于情，近乎雅而不近于俗。……沪上书局主人有鉴于此，因作《闺门秘术》小说一部，皆以俗、情二字历叙贤愚臧否，用佐女史于万一，庶若辈知所感悟：悍泼者化为循良，嫉妒者化为和顺，淫贱者化为贞静。亦闺门中绝大幸之事也，阅者幸毋认为邪说也可"。此书另有光绪三十四年（1908）沪上书局石印本。

陈时泌在常宁县署作传奇《武陵春》成，并自序。序谓："因取上年庚子变局为南北曲八出，名曰《武陵春》传奇，虽此事始末源流，诸缺未备，尚字字征实，无一影响语。"陈时泌，字季衡，生卒年不详，湖南武陵人。以游幕为生，撰有《武陵春》、《非熊梦》传奇。

三月

十九日（5 月 7 日），李伯元于上海创办《世界繁华报》，《游戏报》交他人接办。《繁华报》分类设栏，有引子、本报论说、时事嬉谈、评林、讽林、艺文野史、官箴、北里志、鼓吹录、谭丛、小说论著、花国要闻、梨园要闻、艺苑杂志、翻译新闻等，既"记注倡优起居"，亦讥弹时事，体裁有散文、诗词、寓言、小品、书信等，光绪二十九年停刊。

樊增祥在西安，邀同人作牡丹诗，自作集为《洛花集》。《樊山续集自叙》："辛丑春暮，城东道院绿牡丹作花，中使觐以进御，遂邀同志作牡丹诗，竟三月，一月得诗六十余首。命之曰《洛花集》。"又，夏成《西京酬唱后集》。六月朔日除陕西臬司，此日至明年八月，所得诗集为《音声树集》。据《西京酬唱集》、《后集》，自上年秋至本年夏，与胡延（研苏）、左绍佐（笏卿）、顾云（顾五）、宋育仁（芸子）、易顺鼎等多有唱酬，多叠韵，与顺鼎唱酬尤多，有叠韵至二十余者。

四月

《教育世界》创刊于上海。由罗振玉、王国维发起，初为旬刊，后改半月刊，教育世界社发行。王国维为此杂志主要撰稿人，曾在此杂志上发表若干重要论文及作品，如《〈红楼梦〉评论》、《人间词》等。

《野草闲花臭姻缘》四卷四十回出版，作者署"月湖渔隐"。书演狭邪事。

五月

五日，樊增祥序《二家咏古诗》。是编收其本人上年冬所作咏古诗六十首，及张之洞辛酉迄丁卯间咏古诗七十余首。本月，樊增祥又自序《二家试帖》。据序，上年孟春，王懿荣欲刻张之洞、盛昱、樊增祥及其本人四家馆课。经庚子乱后，仅存樊增祥及张之洞原稿，樊增祥因先以二家付梓。

同日（6月20日），《杭州白话报》创刊于杭州，旬刊，经理项兰生，主笔钟寅、汪曼铎、林獬（白水）等。光绪三十年停刊，共出八十二期。本日第一年第一期开始连载《波兰的故事》，至本年第三期毕，作者署"独头山人（孙翼中）"。按：《杭州白话报》所刊小说多述外国事以为我国反观借镜之用，如《美利坚自立记》、《俄土战记》、《菲律宾民党起义记》等。

十日，《国民报》月刊创于日本东京。秦力山等创办，"大倡革命仇满之说，措词激昂"，为中国留日学生革命报刊之先驱。

六月

初五日，《杭州白话报》第一年第四期开始连载《美利坚自立记》，至第十期毕，署"宣樊子（林獬）演"。

九日（8月22日），清廷设立外务部。

夏

王鹏运辞官南归，此后词作为《南潜》诸集。鹏运《彊邨词序》云"自辛丑夏与公别后"，可证。

七月

十六日，诏改科举。诏命自明年始，罢时文试帖，以经义、时务策问试士，停武科。又，八月初五日，令各省选派学生出洋留学，学成归国，分别赏赐进士、举人各项出身。十月二十五日，定《学堂选举鼓励章程》，规定凡由学堂考试合格毕业者，均给予贡生、举人、进士等出身。

二十五日戊子（1901年9月7日），《辛丑条约》签订。

王先谦作《骈文类纂序目》。《骈文类纂》四十六卷，本年在长沙刻。序目云："长游艺林，粗涉文翰，见夫姚氏古文类纂，兼收词赋，梅氏古文词略，旁录诗歌，以为用意则深，论法为舛。骈文之选，莫善于王闻修法海、李申耆文钞。倾沥液于群言，合炉冶于千载。顾王则题目太繁，李则限断未谨，所居之代，抑又阙如，不足综古今之蕃变，究人文之终始，美犹有憾，斯之谓与。屏居多暇，旧籍盈几，辄复甄录尤异，剖析条流，推宾谷正宗之旨，更溯其原，取姬传类纂之名，稍广其例，座中百琲，尽是明珠，机间九张，无非文锦，使异代之上，晤言若亲，寰海而遥，光气不隔，藻翰飞腾，屈宋之芳无歇，商量邃密，叶（德辉）张（祖同）之力为多。凡类十五，卷四十有六，间亦区其义例，第其时代，为上中下编云。……昭代右文，材贤踵武，格律研而逾细，风会启而弥新，参义法于古文，洗俳优之俗调，选词之妙，酌秾纤而折中，行气之工，提枢机而内转，故能洸洋自适，清新不穷，俪体如斯，可云绝境，洪李之作，无间然焉。辜榷陈之，用贻通识。"所收近代作家之作情况如下：仪征阮元四首，平湖朱为弼一首，武进李兆洛一首，钱塘金亚伯二首，上元梅曾亮二十一首，阳湖董基诚九首，仁和龚自珍一首，嘉兴钱仪吉二首，宝山袁翼一首，南海谭莹一首，南康谢质卿一首，阳湖洪齮孙一首，会稽顾寿桢一首，秀水赵铭十五首，山阴汪琠一首，长沙周寿昌十四首，盱眙傅桐七首，善化孙鼎臣一首，湘阴郭嵩焘一首，会稽李慈铭文三十一首，仁和谭献一首，湘潭王闿运十首，桐庐袁昶一首，嘉兴许景澄一首，义乌朱一新二首，江阴缪荃孙二十四首，江阴缪祐孙一首，善化皮锡瑞九十九首（按：其演连珠一体即有四十九首），平江苏舆二首。

八月

二日，诏直省立学堂。

十五日，《杭州白话报》第一年第十一期开始连载《俄土战记》，至第十五期毕，署"宣樊子（林獬）演"。

二十四日，两宫回銮，车驾发西安。

周作人参加江南水师学堂额外生考试。九月初一日始到江南水师学堂读书。（张菊香、张铁荣编著《周作人年谱》增订本）

九月

二十五日，《杭州白话报》第一年第十五期开始连载《菲律宾民党起义记》，至第十九期毕，作者署"宣樊子（林獬）"。续载《俄土战记》毕。

二十七日己丑，李鸿章死。谥文忠，有《李文忠公全集》。

易顺鼎去西安，还汉口，道途之作集为《东归集》。顺鼎上年八月自金陵疾行赴西安行在，至是无所遇而返，其间所作诗集为《魂西集》，多与左绍佐、胡延、张祥龄（子馥）、顾云等友朋唱和之作。与樊增祥唱和叠韵之作尤夥，上年十月抵西安次日，即相唱酬。（见集中《抵西安之明日张子馥大令招同樊樊山观察沈淇泉学使甘少南枢部曾叔章比部胡研生太守宴集樊山和余渭南道中奉怀诗因叠其韵并呈诸君》）几于无题不和。樊增祥有《魂西集题跋》："行役怀古之作，最足觇人腹笥。行箧少书，独吟无侣，驿墙败粉，尘案昏灯，上马行吟，下车录稿，非真有工力者，不如藏刀为善矣。渔洋于役，每至一郡县，必索其志乘，供其摇簸。仆笑其无真本领。若毛西河朱竹垞，宁有是耶？实甫行万里路，读万卷书，才与境皆足以相发明，当今之时，如此才，吾见亦罕矣！平生不愿读人诗，尤不愿作评跋，实甫必知此意嘉。"

林纾与魏易合译《黑奴吁天录》讫。此书本年有武林魏氏刻本印行（即魏易刻本）。林纾著《例言》，有云："一、是书系小说一派，然吾华丁此时会，正可引为殷鉴。且证诸呲噜华人及近日华工之受虐，将来黄种苦况，正难逆料。冀观者勿以稗官荒唐视之，幸甚！……一、是书开场、伏脉、接笋、结穴，处处均得古文家义法，可知中西文法，有不同而同者。译者就其原文，易以华语，所冀有志西学者，勿遽贬西书，谓其文境不如中国也。"又自跋云："余与魏君同译是书，非巧于叙悲以博阅者无端之眼泪，特为奴之势逼及吾种，不能不为大众一号。……今当变政之始，而吾书适成，人人既蠲弃故纸，勤求新学，则吾书虽俚浅，亦足为振作志气、爱国保种之一助。海内有识君子，或不斥为过当之言乎?"此书出后，反响甚巨。刊于光绪三十年《觉民》第八期之《读〈黑奴吁天录〉》（作者署灵石）云："挟（此书）归于灯下读之，涕泪汍澜，不可仰视，屡弱之躯，不觉精神为之一振。且读且泣，且泣且读，穷三鼓而不能成寐。……此书不独为黑人全种之代表，并可为全地球国之受制于异种人之代表也。我黄人读之，岂仅为沉醉梦中之一警钟已耶? ……我读《吁天录》，以哭黑人之泪哭我黄人，以黑人已往之境，哭我黄人之现在，我欲黄人家家置一《吁天录》。我愿读《吁天录》者，人人发儿女之悲啼，洒英雄之热泪。我愿书场、茶肆演小说以谋生者，亦奉此《吁天录》，竭其平生之长，以摹绘其酸楚之情状、残酷之手段，以唤醒我国民。……我愿善男子，善女人，分送善书，劝人为善者，广购此书，以代《果报录》、《太上感应篇》、《敬灶全书》、《科场志异》之用，则度人度己，功德无量矣。"又，林纾本年五十岁，由杭州迁至北京，任金台书院讲席，复任五城学堂总教习，授修身、国文等课。始识吴汝纶，汝纶以为林纾古文"遏抑掩蔽，能伏其光气者"（《畏庐续集·赠马通伯先生序》）。秋，以其时光绪皇帝幽于瀛台，名其书斋曰"望瀛楼"。本年又有《英女士意色儿离鸾小记》、《巴黎四义人录》两篇翻译小说发表于《普通学报》。撰《蜀鹃啼》传奇二十出。

本月起至明年九月，《世界繁华报》排日连载李伯元撰《庚子国变弹词》四十回。

十一月

十五日，《杭州白话报》第一年第二十期开始连载《檀香山华人受虐记》，至十二月十五日第二十三期毕，署"宣樊子（林獬）演"。

二十八日庚寅（1902年1月7日），两宫车驾返回京师。上年七月两宫西狩，本年八月二十四日丁巳车驾发西安，至是始回，凡流亡一年有余。反映庚子事变之作甚多，《十朝诗乘》卷二十三载有事变中各方人士所为诗。又近人阿英辑有《庚子事变文学集》一册。

十二月

初一日，清廷派张百熙为京师大学堂管学大臣，京师大学堂正式恢复。 次日，并京师同文馆入大学堂。《清史稿·选举志二学校二》："辛丑，两宫回銮。以创痛巨深，力求改革。十二月，谕曰：'兴学育才，实为当今急务。京师首善之区，尤宜加意作育，以树风声。前建大学，应切实举办。派张百熙为管学大臣，责成经理，务期端正趋乡，造就通才。其裁定章程，妥议具奏。'旋谕将同文馆并入大学堂，毋庸隶外务部。"

文廷式里居，自序《云起轩词》。 序云："词家至南宋而极盛，亦至南宋而渐衰。其衰之故，可得而言也，其声多喑缓，其意多柔靡，其用字，则风云月露、红紫芬芳之外，如有戒律，不敢稍有出入焉。迈往之士，无所用心，沿及元、明，而词遂亡，亦其宜也。有清以来，此道复振。国初诸家，颇能宏雅，迩来作者虽众，然论韵遵律，辄胜前人，而照天腾渊之才，溯古涵今之思，磅礴八极之志，甄综百代之怀，非窘若囚拘者所可语也。词者，远继风骚，近沿乐府，岂小道欤。自朱竹垞以玉田为宗，所选《词综》意旨枯寂，后人继之，尤为冗漫，以二窗为祖祢，视辛、刘若雠，家法若斯，庸非巨谬，二百年来，不为笼绊者，盖亦仅矣。……余于斯道无能为役役，而志之所在，不尚苟同。三十年来，涉猎百家，推较利病，论其得失，亦非扪篇而谈矣。而写其胸臆，则率尔而作，徒供世人之指摘而已。然渊明诗云'兀傲差若颖'，考余亦过而存之，且书此意，以自为其序焉。"

本年

罗振玉创办《教育世界》杂志。

《庚子秋词》之续集《春蛰吟》刊出。

章炳麟《訄书》出版。

邱炜萲撰《菽园赘谈》七卷、《挥麈拾遗》六卷本年刊出。

林鹤年撰《福雅堂诗钞》铅印刊出。

袁祖光撰《瞿园诗草》三卷刊出。

吴保初《北山楼诗》一卷商务印书馆铅印。

刘毓盘撰《濯绛宦存稿》刊刻。

严复撰《侯官严氏丛刻》刊刻。

邓嘉缉《扁善斋集》五卷刊刻。

胡薇元撰《访乐堂诗》一卷忆秋馆刊出。又《伊川草堂诗》一旌德吕氏刻。

杨守敬撰《晦明轩稿》二卷本年至光绪三十三年刊刻。附《壬癸金石跋》、《丁戊金石跋》，邻苏园刻。

秦际唐撰《南冈草堂诗选》二卷、《文存》二卷刊刻。《文存》有光绪二十七年张佩纶序、光绪二十六年溧水濮文暹序。

程颂万撰《楚望阁诗集》十卷刊刻。

胡延撰《兰福堂诗集》一卷刊刻。按：胡延（1862—1904）字长木，号研苏，成都人。光绪十一年优贡，历官四川江安粮储道。尝受业于王闿运，工诗词，有《兰福堂诗集》等。

上海商务印书馆刊出吴保初《北山楼诗》一卷。张文运《序》："君素工诗，至是哀起前后所作为《未焚草》，又就其中取若干首，半多感事忧时之言，以为此编，名曰《北山楼集》。余读之清怨感人，渊衷职揭，盖真所谓古人之诗也，具古人之胸次也。"宋恕《跋》："盖先生以气节著，然发于仁爱之不能自已，与彼客气求名者异其源。好谈时务，然亦发于仁爱之不能自已，与彼趋时求利者异其源。呜呼，此诗之所以高欤？"

《八旗文经》在武昌刊竣。杨钟羲时在武昌，交黄绍箕等。（杨氏《自订年谱》）

《泰西说部丛书》之一出版，署"（英）柯南道尔著，黄鼎、张在新合译"，内收《毒蛇案》、《宝石冠》、《拔期夸姆命案》、《希腊诗人》、《红发会》、《绅士》、《海姆》。

商务印书馆出版《佳人之奇遇》（即《佳人奇遇》），署"（日）东海散士（柴四郎）著，梁启超译"。广智书局出版《日本维新英雄儿女奇遇记》，署"（日）长田偶得著，逸人后裔译"。素腾书局出版《长生术》二十八章，署"（英）解佳著，曾广铨译"。

王甲荣（1850—1930）**五十二岁，里居，成《忆存诗草》一卷、《庚子京畿闻见录》二卷。** 按：此后王甲荣任官广西；辛亥后与沈曾植、金甸丞等唱和颇多。民国十九年卒，年八十一。王迈常、王遽常编《部昀府君年谱》："举业非所喜，喜韩愈、欧阳修、王安石文，近者曾湘乡。为诗竺雅伉健，喜老杜。……丁巳（按：民国六年）五月以后乃绝意不出，常读吴祭酒诗，以为有同悲焉。诗亦多似之。（谨按：沈乙盦师尝谓府君诗格在吴上，奈何反效之邪？）……论文契姚膝抱（按：惜抱）。戊癸之际，所为文独多，沈乙盦师尝以为近朱锡鬯。陆颂襄先生祖縠序府君文，亦谓气清兒腴似之，谭义法以清真为归，毋遽高语秦汉。（谨按：亦陆先生序中语。）有时于涵揉演迤中，复为浑噩无崖厓之辞，然曰所蓄不多，未尝自意也。言诗亦不喜时贤吊诡促数，忧生念乱，亦务归于竺雅。（谨按：见金篯孙年丈《二欣室诗集序》）诗律晚而弥密，与金篯孙年丈商略最频，常至三反而后安，每谓诗有半字之差，半音之差，未可以为惬者。深思之际，鬼出电入；及其既安，则又人人习见之字、欲吐之言而格格不可出者。世习于苦涩幽刻之风，甚或黔黑臃肿以相怪。府君曰：吾道穷矣，或将俟夫后世之子云。余事为词，亦独标义格。生平所为诗古文辞及其他丛稿，无虑数百十万言，皆手自抄录，孜孜不能休。"

王树枏五十一岁，在中卫县任成《欧洲战事本末》二十二卷。

陈锐、陈三立倡为"门存"诗。"门存"诗乃七言律诗，专用十三元韵，首句限押"门"，末句限押"存"。陈锐时需次江宁，陈三立乃湘中旧友，以"门存"诗叠相唱和。《裒碧斋诗话》："'门存'诗，为余与陈伯严首倡，一时和者殆遍。已刊为四卷行世，其未刻者，无虑二百首。及还湖南，始知曾侍郎广汉之母刘太夫人、重伯之母郭太夫人均有和作。"

陈衍四十六岁，六月自武昌请假归里。李希圣寄诗一帙，属为评定；是年始与易顺鼎会；有《沈乙盦诗序》。

黄节二十九岁，在广州与杨渐逵、黄汉纯、李蕴石、谢英伯、何锡朋等创群学书社，旋易名南武公学会，设中外时报杂志，供人阅览。

陈黻宸主杭州养正书院史学讲席，陈夷夏之义。（陈谧《陈介石先生年谱》）

李希圣作感事诗十数首。《饮冰室诗话》："当辛丑回銮时，有感事诗数十首，芳馨悱恻，湘累之遗也。……其风格在少陵、玉溪之间，真诗人之诗也。"

谭献（1832—1901）**卒，年七十。**《白雨斋词话》卷五："《复堂词》品骨甚高，源委悉达，窥其胸中、眼中，下笔时匪独不屑为陈、朱，尽有不甘为梦窗、玉田处。所传虽不多，自是高境。余尝谓近时词人，庄中白尚矣，蒮以加矣，次则谭仲修。麃潭虽工词，尚未升风、骚之堂也。"同卷："仲修小词绝精，长调稍逊，盖于碧山深处，尚少一番涵泳功也。"《清史稿·文苑三》本传："少负志节，通知时事。国家政制典礼，能讲求其义。治经必求西汉诸儒微言大义，不屑屑章句。……文导源汉、魏，诗优柔善入，恻然动人。又工词，与慈铭友善，相唱和。"夏孙桐《广箧中词序》："复堂学派私淑毘陵，本其说以抑扬二百余年之作者，评骘精而宗旨正。光绪以来，言词者奉为导师。"《广箧中词》卷二："仲修先生承常州派之绪，力尊词体，上溯风骚，词之门庭缘是益廓，遂开近三十年之风尚。论清词者当在不祧之列。"徐珂《复堂词话附记》："同光间，吾师仲修谭先生以词名于世；与丹徒庄中白先生棫齐名，称谭庄。所著曰《复堂词》，学者宗之，称之曰复堂先生。时犹未尽知王佑遐、郑叔问、朱古微、况夔笙四先生也。"朱祖谋《望江南·杂题我朝诸名家词集后》（庄中白、谭复堂）："皋文说，沆瀣得庄谭。感遇霜飞怜镜子，会心衣润费炉烟。妙不著言诠。"刘师培《论近世文学之变迁》谓常州之文，以阳湖张氏、长洲宋氏最著，"近人惟谭仲修略得张、宋之意"。龙榆生《近三百年名家词选》录其词十首。

高旭二十五岁。发表《唤国魂》一诗于《清议报》，署名"江南快剑"，为所知高旭诗最早见于报章上者。

章太炎以吴保初介，入苏州东吴大学执教，与黄摩西交。时俞樾笃老，章太炎往谒，樾斥以"不孝不忠"，太炎不屈，作《谢本师》一文。

鲁迅二十一岁，本年仍在矿路学堂，阅读严复译述之《天演论》。时阅读新书之风渐趋流行。又，是年俞明震任矿路学堂总办。

邓瑜（1843—1901）卒，年五十九。《晚晴簃诗汇》卷一百九十收其诗十四首，诗话云："慧珏母于工吟咏，幼即授以韵语。父官慈溪时值庭梅盛开，燕客赋诗，慧珏先出二律，一坐惊叹。词尤婉丽，谭仲修尝取其丁卯西湖一阕入《箧中词》。"

成肇麐（1847—1901）卒，年五十五。

林鹤年（1847—1901）卒，年五十五。《晚晴簃诗汇》卷一百七十四收其诗五首，诗话云："氅云少有大志，喜谈兵，时人比之杜樊川、陈同甫。中年渡台，与林时甫京卿同御海氛，毁家纾难。座主宝竹坡侍郎称其场作五策通达时务，可见实行。侍郎罢官贫甚，岁以巨资赡其家，故交寒士，时周其乏，千金无所吝。诗雄深沉郁，兼有清丽之辞，是从玉溪得力而不模仿宋体，于闽派中自成一格者也。"

施山约卒于是年。施山（1835—1901?）原名学宜，字子山，后更名山，字寿伯，号望云，别署骈渠。会稽诸生。长期游幕湖湘间，诗为吴敏树、王柏心等所称，著有《通雅堂诗钞》等。《晚晴簃诗汇》卷一百六十七收其诗七首，诗话云："寿伯幕游湖湘间，诗纵横曲折，其气特盛，七言近体工于发端，时有空同、大复遗响。"

杜贵墀（1824—1901）卒。

现代作家蒋光赤（光慈，1901—1931）、鲁彦（王鲁彦，1901—1944）、冯文炳（废名，1901—1967）、陈鹤翔（1901—1969）、蒋牧良（1901—1973）生。

公元 1902 年（光绪二十八年　壬寅）

正月

一日（2月8日），《新民丛报》创刊于日本横滨。半月刊，新民丛报社发行。冯紫珊编辑及发行，然实系梁启超所主编。至光绪三十三年冬停刊，共出九十六期。此为维新派重要杂志，政论外，每期兼载诗歌小说及文艺论著等。如《诗界潮音集》，梁启超所撰《新罗马传奇》、所译小说《十五小豪杰》、《饮冰室诗话》等均连载于此刊。撰稿人尚有韩文举、蒋智由、马君武等。

同日，《新民丛报》第一号载梁启超《新民说》（一），有《叙论》、《论新民为今日中国第一急务》、《释新民之义》三文，"饮冰室自由书"栏发表《舆论之母与舆论之仆》、《文明与英雄之比例》。又刊载《劫灰梦传奇》，作者署"如晦庵主人"。按：梁启超后于《清代学术概论》中自述此期文风变化："启超夙不喜桐城派古文，幼年为文，学晚汉魏晋，颇尚矜炼；至是自解放，务为平易畅达，时杂以俚语韵语及外国语法，纵笔所至不检束。学者竞效之，号新文体。老辈则痛恨，诋为野狐。然其文条理明晰，笔锋常带情感，对于读者别有一种魔力焉。"

十五日，《新民丛报》第二号开始连载《十五小豪杰》。至第十三号毕，署"（法）焦士威尔奴原著，少年中国之少年（梁启超）重译"。原作者为法国科幻小说作家茹尔·凡尔纳（晚清又译为房朱力士），原名《两年间学校暑假》，梁启超由日文重译。本期有梁启超《〈十五小豪杰〉译后语》谓："此书寄思深微，结构宏伟，读者观全豹后，自信余言之不妄。观其一起之突兀，使人堕五里雾中，茫不知其来由，此亦可见泰西文字气魄雄厚处。"

吴大澂（1835—1902）卒于里第，年六十八。

二月

初一日，梁启超发表《广诗中八贤歌》于《新民丛报》第三号。点品当时八位诗人：蒋智由（先误为夏曾祐，后更正）、宋恕、章炳麟、陈三立、严复、曾广钧、丁惠康、吴保初。

十日，陈衍在武昌，为郑孝胥《海藏楼诗》作序。《序》谓："余与君治诗者皆二十余年，相与商略为诗者亦二十年。"详记二人历年论诗之语。按：时郑孝胥在武昌刊出《海藏楼诗》，一卷本，收光绪十五年己丑至光绪二十七年辛丑间诗作。陈衍序外，又有江宁顾云序。林纾《海藏楼记》云："同年郑苏堪取东坡'万人如海一身藏'诗意，自名其楼曰海藏，又集其所为诗曰《海藏楼诗》。余笃嗜之不去手。古体取径江谢，合响贞曜，闲适之作，夷旷冲淡，而骨力之坚练，一字不涉凡近。诗体百变，咸衷以法。语质而韵远，外枯而中膏，吐发若古之隐沦，则信乎其能藏其锋矣。"

十五日，梁启超《饮冰室诗话》开始发表于《新民丛报》第四号。至第九十五号（光绪三十四年九月末）停，共刊二百余则，宣统二年已有汇刊本。首则称："我生爱朋友，又爱文学，每于师友之诗文辞，芳馨悱恻，辄讽诵之，以印于脑。自付于古人之诗，能成诵者寥寥，而近人诗则数倍之，殆所谓丰于昵者耶。"实借以张大诗界革命，故多录其师友康有为、谭嗣同、夏曾祐、蒋智由诸人之作，录黄遵宪诗尤夥，盛推黄遵宪、夏曾祐、蒋智由为"近世诗界三杰"；揭诗界革命宗旨，则称："过渡时代，必有革命。然革命者，当革其精神，非革其形式。吾党近好言诗界革命。虽然，若以堆积满纸新名词为革命，是又满洲政府变法维新之类也。能以旧风格含新意境，斯可以举革命之实矣。"

吴趼人辞《寓言报》。此后又至汉口办报一年有余，归，结束小报生涯。《吴趼人哭》："辛丑九月又办《寓言报》，至壬寅二月辞寓言主人而归，闭门谢客，瞑然僵卧。回思五六年中，主持各小报笔政，实为我进步之大阻力；五六年光阴遂虚掷于此。吴趼人哭。（悔之晚矣，焉能不哭。）"按：《吴趼人哭》五十七则，据吴趼人手迹石印，巾箱本一册，计四十页，本年刊出。

周树人自南京启程，随陆师学堂总办俞明震赴日留学。下月，入弘文书院。

三月

初一日，章炳麟《文学说例》始刊于《新民丛报》第五号。后续载于第九、第十五号（八月初一日）。

十九日己卯，章炳麟等在日本召开"支那亡国纪念会"，纪念南明永历帝覆亡二百四十二周年。

蔡元培、蒋智由等在上海集议发起中国教育会，蔡元培任会长。

春

高旭与叔父高燮、友人顾九烟唱和，以《咏梅》为题，抒写革命之情。至秋九月，顾九烟病逝，冬十一月，高旭、高燮删订顾九烟遗诗，成《漱铁和尚遗诗》，高燮（署名志攘）作《序》，评介顾九烟诗，并述及当时中国"文字界"变化，以及彼此交游及论诗主张。"自近八年中，适当十九世纪之末以至二十世纪之初，其文字界变迁之速率，至于不可思议，而影响恒及于政治界。诗也者，其刺激力尤深者也。""君与予及慧云（按：即高旭）同为诗，各持一以我为诗、不以诗缚我之主义，而所志不尚苟同，是以同咏一物、同叠一韵者，集中甚鲜。惟冯氏看菊之作，自予首倡而君与慧云继之；咏梅之作，自君首倡而慧云与予又继之；则可知所志不同，而傲骨未始不同。予等野人也，穷乡寂寞，难得与当世骚坛健将论难，而三人者相摩相荡，以组织一小团体，甚乐也。而君今又死，吾道亦孤矣。"

柳亚子应试吴江，始识陈去病、金松岑。又，是岁读梁启超《饮冰室自由书》、《诗界潮音集》等，热心诗学革命，尽焚前所作香艳诗。又读龚自珍诗文集，以龚、梁为"两尊偶像"；读汉译卢梭《民约论》，雅慕其人，遂更名人权，表字亚卢，亦作亚庐。冬作《岁暮述怀》，有"思想界中初革命，欲凭文字播风潮……误国千年仇吕政，传薪一脉拜卢骚"之句。（柳无忌编《柳亚子年谱》）

章士钊入南京江南陆师学堂。是年，初识吴保初及胡适。（袁景华著《章士钊先生年谱》）

傅维森卒，年三十九。维森（1864—1902）字君宝，号志丹。祖籍河北南宫，寄居番禺。光绪十七年解元，二十一年进士。二十二年丁外艰，遂不出，主讲端溪书院以终。著有《缺斋遗稿》。周树模序云："予取其文读之，凡经史史论杂文诗若干首，间杂以讲院课试之作，以云专家著述犹未也。顾其立言植体，悉准先民，斐然而有裁，成章而能达，抑可谓志道之君子矣。"

四月

六日，清廷任命沈家本等参订现行法律。

文光楼刊出《李公案奇闻》三十四回，题"惜红居士编纂"。是书叙李持钧为官清正，公平断案事。按：李持钧实指光绪间李秉衡。秉衡字鉴堂，海城人，以县佐起家。光绪十年中法之战，秉衡颇有劳绩。官至山东巡抚，以操行廉峻闻。庚子后，世以其顽固守旧附于刚毅、毓贤之列。庚子国变，秉衡自江苏率军北上勤王，战败自杀。辛丑议和，清廷屈服于联军压力，诏褫职，夺恤典。本书即据李事迹敷演而成。书首恨恨生序，特为秉衡不平，语甚激切。书云尚有二集、三集、四集，今俱未见。

五月

十五日，《新民丛报》第十号开始连载《新罗马传奇》，至光绪三十年十月初一第五十六号毕，作者署"饮冰室主人（梁启超）"。

樊增祥自序《五十麝斋词赓》。谓："岁庚午（1870）……乃知词学阃域。自后从爱师、子珍（按：李慈铭、陶方琦）游，而所学益进，始学苏、辛、龙洲，继乃专意南唐二主及清真白石……五十以后，不名一家，多师为师，取屈曲尽意而止。"按：增祥前在渭南刻有《东溪草堂乐府》上下二卷（《樊山集》卷廿一、廿二），收癸酉至甲午二十余年间词，多与李慈铭、陶方琦唱和。此《词赓》三卷，收甲午后所作，尤以己亥入都后所作为多，颇存己亥在都与盛昱（意园）、袁昶（鸥簃）及庚子在西安与胡延、易顺鼎、左绍佐等唱和之作。本月与李慈铭《霞川花隐词》合刊为《二家词钞》。

开明书店出版《绝岛漂流记》，署"（英）狄福著，跛少年（沈祖芬）译"。书有高凤谦（梦旦）本月二十日序、译者戊戌仲冬自序。

夏

廉泉等在上海创办文明书局，民国元年并入中华书局。

王国维由日本返国，始专力研究哲学。《静庵文集自序》："余之研究哲学，始于辛壬之间。癸卯春，始读汗德之《纯理批评》，苦其不可解，读几半而辍。嗣读叔本华之书而大好之。自癸卯之夏，以至甲辰之冬，皆与叔本华之书为伴侣之时代也。其所尤惬心者，则在叔本华之《知识论》，汗德之说得因之以上窥。"又王国维《自序（一）》："留东京四五月，而病作，遂以是夏归国。自是以后，遂为独学之时代矣。体素羸弱，性复忧郁，人生之问题日往复于吾前。自是始决从事于哲学。"按：上年末，王国维由罗振玉资助赴日，以病归国。王国维在东文学社已得闻康德、叔本华之说，是年则专力研究。

章太炎修订《訄书》，文章渐变。《自定年谱》："余始著《訄书》，意多不称。自日本归，里居多暇，复为删革传于世。""初为文辞，刻意追蹑秦汉，然正得唐文意度。

虽精治《通典》，以所录议礼之文为至，然未能学也。及是，乃知东京文学不可薄，而崔寔、仲长统尤善。既复综核名理，乃悟三国两晋间文诚有秦汉所未逮者，于是文章渐变。"按：本年春，章太炎避祸东渡日本，居三月，返里。六月，为广智书局译述日本学者岸本能武太《社会学》一书，八月印行。（《章太炎学术年谱》）

九月

梁启超于《新民丛报》第十七号发表《近世第一女杰罗兰夫人传》。次期刊完。

南洋公学译书院刊出严复所译亚当·斯密《原富》。有吴汝纶序。

樊增祥在西安臬署三刻诗集，并作自序（《樊山续集自序》）。此次所刊丙午以后所作："自丙申迄今，为诗十七卷，尽以付梓，此《樊山诗集》三刻也。"计：《身云阁》后集一卷；《青门消夏集》一卷；《朝天集》三卷；《晚晴轩集》一卷；《柳下集》一卷；《赴召集》一卷；《北台集》一卷、后集一卷；《执殳集》一卷；《西京酬唱集》一卷；《掌纶集》一卷；《洛花集》一卷；《西京酬唱后集》一卷；《音声树集》一卷；《煎茶集》一卷。后有续刻，至二十八卷，称《樊山续集》（臬署本）。附《樊山集》、《樊山续集》序跋于此。顾曾烜光绪十九年冬《樊樊山集叙》："其讲律于七言最细，斯成章较诸体尤多。……七律夥于五律，古诗俭于今诗。"余诚格光绪二十年秋七月《樊樊山集叙》："居京师时，不诣人，客至不见，亦不答拜，人目为狂。然尝语诚格曰：李会稽、谭复堂，吾之师也。同辈中若孙仲容、王莳卿、沈子培，当在师友之间。其虚心如此。"又："少与陶子珍齐名，人称陶樊。晚又与袁爽秋齐名，称袁樊云。"陶在铭光绪二十二年十月《樊山续集序》："昔南皮师尝曰：洞庭南北得二诗人，壬秋歌行、云门今体，皆绝作也。又尝评其集云：诗第一，词亦第一，骈文第二。而李会稽亦云：今世学人能诗者，皆幽邃要窈，取有别趣。若精深华妙，八面受敌而为大家者，老夫与云门，不敢多让。此皆二十年前长老评骘之言也。云门才气俊逸，不可一世，而虚中善受，世鲜知者。……君之于诗，如陆羽之茶、刘伶之饮，义取自娱，事无妨废。居常服膺宋儒玩物之诚，公事未毕，不得读书观画。及退食萧然，绿茗一杯，石叶数片，清吟抱膝，入兴成章，圆若流珠，熟于美酝。盖自少至老，口诵之书殆逾万卷，手钞之膍不啻百本，腹笥充积，俯拾即是。每见人苦吟三日不成一字，或积学半生，著书不盈寸许者，辄目笑之以为钝士。昔刘后村有言：古人好对偶，被放翁用尽。今人不能道语，被诚斋道尽。若吾云门者，其殆兼之欤！其殆兼之欤！"

刘师培中举。

秋

薛绍徽、陈寿彭译《八十日环游记》四卷成。此后绍徽返闽，数年间作《课儿诗》二十首、《训女诗》十首，选《国朝闺秀词综》十卷补《历代宫闺词综》之不足。（陈寿彭《亡妻薛恭人传略》）

王闿运请朱祖谋校订词稿。朱祖谋《半塘定稿序》："会庚子之变，依翁以居者弥岁，相对咄咄，倚兹事度日，意似稍稍有所领受，而翁则翩然投劾去。明年秋，遇翁于沪上，出示所为词九集，将都为《半塘定稿》，且坚以互相订正为约。予强作解事，于翁之闳指高韵，无能举似万一；翁则敦促录副去，许任删削。"

十月

十五日（11月14日），《新小说》**创刊于日本横滨**。编辑发行人为赵毓林，实为梁启超。自第二卷起由上海广智书局出版。共出二十四号，光绪三十一年十二月停刊。是为我国首家大型小说专业杂志。此刊宗旨及体例，《〈新小说〉第一号》（刊于《新民丛报》第二十号）云："小说为文学之最上乘，近世学于域外者，多能言之。但我中国此风未盛，大雅君子犹吐弃不屑厝意。此编实可称空前之作也。……今日提倡小说之目的，务以振国民精神，开国民智识，非前此诲盗诲淫诸作可比。必须具一副热肠，一副净眼，然后其言有裨于用。名为小说，实则当以藏山之文、经世之笔行之。"《中国唯一之文学报〈新小说〉》（《新民丛报》第十四号）申明本刊条例："一、本报宗旨，专在借小说家言，以发起国民政治思想，激厉其爱国精神。一切淫猥鄙野之言，有伤德育者，在所必摈。一、本报所登载各篇，著、译各半，但一切精心结构，务求不损中国文学之名誉。一、本报文言、俗语参用；其俗语之中，官话与粤语参用；但其书既用某体者，则全部一律。……"此文又列"内容"十五种：一、图画；二、论说，"本报论说，专属于小说之范围，大指欲为中国说部创一新境界，如论文学上小说之价值，社会上小说之势力，东西各国小说学进化之历史及小说家之功德，中国小说界革命之必要及其方法等"；三、历史小说，"历史小说者，专以历史上事实为材料，而用演义体叙述之"；四、政治小说，"政治小说者，著者欲借以吐露其所怀抱之政治思想也。其立论皆以中国为主，事实全由于幻想"；五、哲理科学小说，"专借小说以发明哲学及格致学"；六、军事小说，"专以养成国民尚武精神为主"；七、冒险小说，"以激厉国民远游冒险精神为主"；八、侦探小说，"其奇情怪想，往往出人意表。……本报更博采西国最新之本而译之"；九、写情小说，"人类有公性情二：一曰英雄，二曰男女。情之为物，固天地间一要素矣。本报窃附《国风》之义，不废《关雎》之乱，但意必蕴藉，言必雅驯"；十、语怪小说，"妖怪学为哲理之一科……取其（按：西人）尤新奇可诧者译之，亦研究魂学之一助也"；十一、札记体小说；十二、传奇体小说（按：指戏剧）；十三、世界名人逸事；十四、新乐府；十五、粤讴及广东戏本。按：第八期后刊出"社会小说"栏。后起之小说报刊，其分栏、标目多沿《新小说》，故详录之。阿英《小说闲谈·清末小说杂志略》："《新小说》是最早的一种……主要作家为梁启超、吴趼人、羽衣女士、春梦生、玉瑟斋主人。所刊以小说为主，旁及诗歌、戏曲、笔记、歌谣。发表之著作，主要者如下：雨尘子《洪水祸》、羽衣女士《东欧女豪杰》、梁启超《新中国未来记》、玉瑟斋主人《回天绮谈》、吴趼人《痛史》、吴趼人《二十年目睹之怪现状》、吴趼人《九命奇冤》、颐琐《黄绣球》（以上小说）；梁启超《世界末日记》、吴趼人《电术奇谈》（以上翻译）；梁启超《论小说与群治之关系》、楚卿《论文学上小说之位置》、松岑《论写情小说于新社会之关系》、《小说丛话》（以上杂著）。"又："《新小说》可称之为'开山祖'，小说地位之提高有赖乎此，《小说丛话》之开辟，亦以此为基点；小说如《二十年目睹之怪现状》、《洪水祸》、《痛史》、《九命奇冤》、《黄绣球》、《新中国未来记》等，固自有其不可磨灭之时代价值；惜乎兼刊侦探，不免是白璧微瑕。"

同日，《新小说》第一期开始连载《东欧女豪杰》（**标历史小说，共五回，未完，岭南羽衣女士著，实即罗普著**。演东欧虚无党事）、《洪水祸》（标历史小说，共五回，未完，雨尘子著。叙法国大革命历史）、《新中国未来记》（标政治小说，梁启超著，共五回，未完。演述虚构之中国立宪强国历史）、《海底旅行》（标科学小说）、《离魂病》（标冒险小说，罗普译述）。刊载《世界末日记》（标哲理小说，梁启超译）、《二勇少年》（标冒险小说，南野浣白子述译）。本期又刊出梁启超撰《论小说与群治之关系》，提出"小说界革命"之说。其文称小说可导人游于他境界，摹写现境界，且复具熏、浸、刺、提四种力，"有不可思议之力支配人道"，"为文学之最上乘"；末云："故今日欲改良群治，必自小说界革命始；欲新民，必自新小说始。"阿英《晚清小说史》云："（《论小说与群治之关系》）载在《新小说》的创刊号，影响最大。此文从社会的意义上，说明小说的重要性……认为'小说为文学之最上乘'，'欲改良群治，必自小说界革命始，欲新民必自新小说始'。后此作者遂多，主要的有：《论文学上小说之位置》（楚卿：《新小说》），《论写情小说与新社会之关系》（松岑：《新小说》），《小说原理》（夏穗卿：《绣像小说》），《论小说与改良社会之关系》（天僇生：《月月小说》），《中国历代小说史论》（天僇生：《月月小说》），《余之小说观》（觉我：《小说林》）。然其内容，仍不外'小说与群治之关系'的阐明。"

十六日，李伯元自序《庚子国变弹词》四十回。《序》谓："庚子之役，海内沸腾，万乘之尊，仓皇出走。凡目之所见，耳之所闻，缄札之所胪陈，诗歌之所备载，斑斑可考，历历如新。和议既成，群情顿异，骄侈淫佚之习，复中于人心，敷衍塞责之风，仍被于天下，几几乎时移世异，境过情迁矣。著者于是有《国变弹词》之作，删繁就简，由博返精。自谓于忠奸贤佞之途，功罪是非之列，尚不随人俯仰，与物周旋。书成汇付梓人，以质知者，亦曰此杞人忧天之语，托于俳优相戏之词云尔。"又，作者《例言》谓："是书取材于中西报纸者，十之四五；得诸朋辈传述者，十之三四；其为作书人思想所得，取资敷佐者，不过十之一二耳。小说体裁，自应尔尔，阅者勿以杜撰目之。"书前又有历劫不磨生序及病红山人（庞树柏）题词，序称是编"别开生面，特创新声"，"不同过耳秋风，可作当头棒喝"。按：《弹词》前月连载讫，是月由世界繁华报馆刊出单行本。后宣统二年，书商偷出版本，改题《绘图秘本小说义和团》刊出，仅收前二十回。

十七日，爱国学社成立。中国教育会受南洋公学退学学生请求，在上海办爱国学社，蔡元培为总理，吴稚晖为学监，章炳麟为教员。又以《苏报》为发表言论阵地。

王鹏运受聘于扬州仪董学堂，本月至苏州，与郑文焯同游天平邓尉诸山。

梁启超自序《饮冰室文集》。文集由何擎一编辑，明年由上海广智书局刊出。《自序》略云："吾辈之为文，岂其欲藏之名山，俟诸百世之后也，应于时势，发其胸中所欲言。然时势逝而不留者也，转瞬之间，悉为刍狗。况今日天下大局日接日急，如转巨石于危崖，变异之速，匪翼可喻。今日一年之变，率视前此一世纪犹或过之，故今之为文，只能以被之报章，供一岁数月之遒铎而已，过其时，则以覆瓿可也。虽泰西鸿哲之著述，皆当以此法读之，而况乎末学肤受如鄙人者，偶有论述，不过演师友之口说，拾西哲余唾，寄他人之脑之舌于我笔端而已。而世之君子，或奖借之，谬以厕于作者之林，非直鄙人之惭，抑亦一国之耻也。昔扬子云，每一篇出，悔其少作。若鄙人者，无藏山传世之志，行吾心之所安，固靡所云悔。虽然，以吾数年来之思想，已不知变化流转几许次，每数月前之文，阅数月后读之，已自觉期期以为不可，况乃丙申丁酉之作，至今偶一检视，辄欲作呕，否亦汗流浃背矣！一二年后视今日之文，亦当若是，乌可复以此戈戈者为梨枣劫也！"

樊增祥在西安，本月至明年五月间诗集为《鲽舫集》。集中有年冬所作《儿辈初学属对余出云墨竹换诗诗换蟹皆不能属戏赋一诗》及《再示儿辈》等诗。前诗云："近来闽粤竞诗钟，未许儿曹学步工。墨竹换诗诗换蟹，画松如篆篆如龙。天衣巧制须无缝，玉合精求必可逢。自古文章珍偶俪，南彭北纪勉追从。"后诗有句云："万言每受单词窘，新意须从故实求。"

十一月

十日（12月9日），**《大陆报》创刊于上海**。月刊，约停刊于光绪三十一年冬。本期第一号开始连载《鲁滨孙漂流记》，至第十二号毕，标冒险小说，署"（英）德福著"。后又连载《警世奇话》，作者署"（法）威诺伦"，译者不详，内收《众兽选王》、《小狮争荣》、《枭雄安在》、《乌喻叱熊》、《沐猴而冠》、《蜂子尊王》；后又译刊《狼与山羊》、《巾帼须眉》、《蝙蝠中立》、《基塞斯指环》、《老獾反复》、《苍蝇共话》、《狼獐密话》、《虎母噬子》，《豕国之猩党》、《猴人》、《柔恶》、《脱尔斯国之女界》等，俱标"警世奇话"，作者署"（法）威诺伦"。又曾连载《美国独立记演义》等小说。

潘祖同（1829—1902）**卒**，年七十四。章炳麟《清故翰林院庶吉士潘君墓志铭》："好觞咏，善诗及宋元乐语，常自度柳梢青词，以笛吹之中律，一时传诵焉。初在京师，顺德李文田独推重君。及在吴，与先师德清俞君善。……惟诗行世。潘氏自文恭以来，再世为宰辅，群从成进士、入词苑者以十数。君独以受诬顿踬。清中兴，君不与其盛，自是四十余岁政衰，八国联军之役，君臣奔迸，而君亦不与其败。"沈玉麟《竹山堂诗稿序》："文采风流，一时照耀，洎乎放归田里，载影家居，啸歌自如，仍不失书生本色"。"每有所作，既敏捷又工稳。一字推敲，必臻尽善。"

杨度自日本归国，持论与其师阎运大异。按：是年春，杨度与其师王闿运屡有驳辩，正月，"杨晳子来问王伯之别及今日夷务应付之方。府君探本立言，且言夷人之不必畏，杨意不以为然，而惮于驳难"。二月，"杨晳子来，言春秋大义，皆新说可骇，与廖平所言不同，然尤为横议"。三月，"晳子来言当往日本考求学说异同，止之不可，盖意有所属也"。至是归，"叩其所得，乃欲抹杀君父以求自立，新学有此一派，盖孟氏距墨之果也。然必期于流血，则又西洋好杀之习。盖孔释俱有婆罗门，计百年后必有翻覆，此时尚未也"。（《湘绮府君年谱》）

十二月

王树枬成《希腊学案》四卷。是年树枬五十二岁，在中卫。

《智群白话报》创刊于上海，月刊。主编砭俗道人，经理唐孜权，上海文明编译局发行。此刊曾连载《寡妇奇案》（译者不详）等小说。

文明书局出版《续译华生包探案》，署"（英）柯南道尔著，警察学生译"，内收《亲父囚女案》、《修机断指案》、《贵胄失妻案》、《三 K 字五橘核案》、《跋海渺王照相片案》、《鹅腹蓝宝石案》、《伪乞丐案》。

冬

唐景崧（1841—1903）卒，年六十二。

本年

新学书报渐风行于上海。冯自由《革命逸史》："在辛丑、壬寅两年，为上海新学书报最风行时代，盖其时留东学生翻译之风大盛，上海作新社、广智书局、商务印书馆、镜今书局、国学社、东大陆图书局等各竞出新籍。壬寅春余杭章炳麟……等以译本教科书多不适用，非重新改订完善不足以改良教育，发起中国教育会。……爱国学社既成立，中国教育会诸董事蔡元培、黄炎培、蒋智由、罗维乔等任教员。校内师生高谈革命，放言无忌，出版物有《学生世界》，持论尤为激烈。"

三江师范学堂创办。

上海广智书局铅印梁启超撰《饮冰室文集》十六卷。

蔡元培编《文变》三卷由商务印书馆刊行。选文四十三篇，皆"当世名士著译之文"，"寻其义而知世界风会之所趋，玩其文而知有曲折如意、应变无方之效用"。（蔡元培《文变叙》）

郑文焯刊行《比竹余音》四卷，收词始丁酉讫辛丑，凡一百六十二首。王闿运自长沙远寄叙文。闿运《序》作于四月，谓："叔问贵公子，不乐仕进，乞食吴门，与一时名士游。文章尔雅，艺事多能，而尤工倚声。"自本年讫宣统三年辛亥，词一百七十三首，刊为《苕雅旧稿》四卷。

王先谦门人苏舆为其刊《虚受堂诗集》十五卷，所收诗起辛酉，讫壬寅。

陈澹然撰《寤言》二卷、《权制》八卷、《江表忠略》二十卷刊于长沙。

胡延撰《长安宫词》一百首本年刊出。先是，庚子之变，慈禧携光绪帝逃至西安，胡延任行在内廷支应局督办，每日可面见慈禧。就所见闻，撰为《长安宫词》百首，专记慈禧、光绪一年中宫廷琐事。

俞陛云三十五岁，任四川乡试副考官，成《蜀辎诗纪》。

黄节三十岁，本年至上海，与同学邓实（秋枚）创办《政艺通报》，介绍西方文明，宣传强国思想。后于光绪三十一年同创《国粹学报》。

陈三立寓居江宁。据编年诗，本年活动于江宁者有顾云、缪荃孙、范当世、俞明震、陈锐、张謇诸人；黄遵宪自人境庐寄书并附近诗，郑孝胥寄新刊诗卷。

　　本年创作刊行之戏剧作品尚有《劫灰梦》等。《劫灰梦》传奇，梁启超撰，刊于《新民丛报》第一号（正月初一），仅成《楔子·独啸》一出，叙主人公"杜撰"（如晦）经历甲午、庚子事变后，欲效法法国作家福禄特尔（今译伏尔泰）撰著"小说戏本"，"把一国的人从睡梦中唤醒起来"。梁启超撰《新罗马传奇》始刊于《新民丛报》第十号（五月十五日），间断续刊，成《楔子》一出、正文七出，未完，署"饮冰室主人著，扪虱谈虎客（韩文举）评"。据作者所编译《意大利建国三杰传》改编，叙玛志尼、加里波的、加富尔三杰事，韩文举评谓"捉紫髯碧眼儿被以优孟衣冠"，为我国较早叙外国事实之戏曲作品。《爱国女儿》刊于《新民丛报》第十四号，作者署"东学界之一军国民"，仅刊第一出《宴花》，旨在提倡民权、女权。《黄萧养回头》，全名《新串班本黄萧养回头全套》，自《新小说》第一号（十月十五日）连载至第七号，作者署"新广东武生"。叙革命党人活动，主人公名"黄种强"，其未婚妻名"顾平权"，其他尚有"顾民智"、"骆自由"、"宁自强"、"宁自立"等人物。蒋鹿山《冥闹》一折，《新小说》第二期刊出，叙缠足妇女之冤魂大闹冥司，痛陈缠足之苦，控诉始作俑者李后主之罪事。《叹老》杂剧一出，刊于《新小说》第三号（十二月十五日），作者署"南荃外史"，此作以主人公"陈腐"现身说法，警诫少年。

　　黄遵宪五十五岁，里居，写定《人境庐诗草》。六月，与侯复书论文，称："公以为文界无革命，弟以为无革命而有维新。"又以军歌二十四章寄梁启超，自谓此新体，择韵难，选声难，着色难，而愿梁启超等拓充光大之。又汇钞戊、己、庚、辛四年之诗凡八九十首寄梁启超，谓与杜、李（玉溪）、苏、陆，足并驾齐驱。又自称："吾之五古诗，自谓凌跨千古。若七古诗，不过比白香山、吴梅村略高一筹，犹未出杜、韩范围。"又有书与梁启超论丘逢甲："此君诗真天下健者，渠自负曰：二十世纪，必有刻黄、丘合稿者。又曰：十年之后，与公代兴。论其才调，可达此境，应不诬也。"（《黄遵宪集·文集·书函》）按：《出军歌》二十四首，梁启超后刊之《新民丛报》"饮冰室诗话"栏，称："中国人无尚武精神，其原因甚多，而音乐靡曼亦其一端，此近世识者所同道也。……甚矣，声音之道感人深矣。吾中国向无军歌，其有一二，若杜工部之前后《出塞》，盖不多见，然于发扬蹈厉之气尤缺。此非徒祖国文学之缺点，抑亦国运升沉所关也。……（《出军歌》）共二十四首，凡出军、军中、还军各八章。其章末一字，义取相属，以'鼓勇同行，敢战必胜，死战向前，纵横莫抗，旋师定约，张我国权'二十四字殿焉。其精神之雄壮活泼沉浑深远不必论，即文藻亦二千年所未有也，诗界革命之能事至此斯而极矣。吾为一言以蔽之曰：读此诗而不起舞者必非男子。"（《饮冰室诗话》）

　　严复为管学大臣张百熙聘为编译局总办。至京师，与吴汝纶时相过从。严璩编《侯官严先生年谱》："长沙张尚书百熙为管学大臣，聘府君为编译局总纂。时吴丈汝纶为总教习，同居京都，又复时相过从。吴丈深知中国之不可不谋新而每忧旧学之消灭。府君曰：不然。新学愈进则旧学愈益昌明。盖他山之石可以攻玉也。"

　　冒广生官刑部郎中，兼任北京五城学堂史地教习，与林琴南同事，以吴挚甫为师。时吴、林、冒曾合摄一影，陈衍见之，称为"海内三古文家"。

冯开（1873—1931）年三十，约在是年前后在里举剡社。《瓶粟斋诗话》五编上卷载，开三十后，栖迟里篗，与陈训正、陈镜堂、郑光祖、冯毓挈、应启时等结剡社，"以气节学艺相砥砺。顾局脊危时，侵寻贞疾。忧生念乱之言，十居七八"。

沈曾植是年出守江西广信府，调南昌府。

俞陛云出任四川乡试副考官，著有《入蜀驿程记》。

丁树诚卒，年六十六。树诚（1837—1902）字治棠，四川合州人。光绪五年举人，尝官仪陇县学训导。树诚为尊经书院高材弟子，为张之洞、王闿运所赏，任尊经书院分教。博学通经史，门人私谥文简。著有《仕隐斋文集》、《诗集》等，合称《仕隐斋丛书》。

现代作家石评梅（1902—1928）、柔石（赵平复，1902—1931）、沈从文（1902—1988）、潘漠华（1902—1934）、胡风（1902—1985）生。

公元 1903 年（光绪二十九年　癸卯）

正月

初一日，《湖北学生界》（后改名《汉声》）创刊于日本东京，王璟芳、尹援一、窦燕石等先后主编，内容除政论时评外，刊载诗词、小说、戏曲亦不少。

初七日，徐自华编《听竹楼诗稿》竟，并作序述学诗之经过。

同日，张佩纶（1848—1903）卒，年五十六。《晚晴簃诗汇》卷一百六十五收其诗三十四首，诗话云："黄斋论诗雅慕玉局，以为天资学力直合李杜为一手，而气节过之。尝取诸家注本，有所补正。早蒙特达，中更谪戍，遭际尤与相类。出塞后诸诗闳壮悱恻，往往得玉局忠爱之旨，近体缜密高华，伐材既富，隶事尤工，身世家国之感，文深而意远。早岁尝为玉溪诗作注，知宗尚又有在也。"

十二日，吴汝纶（1840—1903）病卒于家，年六十四。王树柟《陶庐老人自订年谱》："汝纶受业于湘乡曾文正公，与武昌张廉卿同授古文义法，为一世大师。……廉卿主讲保定莲池书院，去后，挚甫辞官，继为山长，教授生徒，讲实学，游其门者多能为文。"金天翮《蒯光典吴汝纶李宗棠传》："（少时）笃嗜古文辞，私淑同里姚郎中鼐。……汝纶刻苦厉学，其好文出天性，周秦古籍、太史公、扬、班、韩、柳以逮近世姚、曾诸家之书，丹黄不去手。以为文者天地之至精至美，苟人之不深，其精神意脉一有失，则所载之道与事举无幸焉。其教治学，必本周秦古籍，由训诂以通其文辞，要以能知当世之变，备缓急。故博物、格致、机械之用必取资于欧若美，得其长，乃得与勍者比肩横肱，坐立不俯屈。以是乐与西士游。而日本之慕文章者亦踔海来请业。""汝纶文章闳美，与张裕钊、黎庶昌接席，非复桐城义法所得羁勒，而深州一志尤能跻于作者之林。"陈柱《中国散文史》："要而论之，清代之散文家，足以卓然特立者，亦不过数人而已，曰方苞，曰刘大櫆，曰姚鼐，曰张惠言，曰恽敬，曰梅曾亮，曰曾国藩，曰张裕钊，曰吴汝纶。而其言论足以支配一代者，又不过四人，曰方苞，曰刘大櫆，曰姚鼐，曰曾国藩。"《晚晴簃诗汇》卷一百六十三收其诗十四首，诗话云："挚甫以古文辞名一代，尝佐曾文正、李文忠幕，究心时务，不以文人自域。光绪辛丑以长沙张文达荐，命以五品卿衔充京师大学堂总教习，旋赴日本考学制，归国遽卒。诗廉悍恣横，直逼韩杜，尤喜和作，用韵矫变，出人意表。晚游日本，其国中士夫咸以得其赠诗为荣。"

十四日，麦仲华撰《血海花传奇》刊载于《新民丛报》二十五号。原署"玉瑟斋主人"，仅成《嚼雪》一出，叙法国人罗兰及其夫人玛利侬反对专制事。按：清末倡兴女权、兴女学者每以罗兰夫人为号召。

二十日，《浙江潮》月刊创刊于日本东京，留日学生同乡会刊，共出十二期，分社说、论说、学术、大势、小说、文苑等栏，章太炎及鲁迅早期诗文及译作，均曾刊于此。

梁启超游美洲，历九月返回日本，成《新大陆游记》。《新大陆游记》："余蓄志游美者既四年……至是始续旧游，实癸卯正月廿三日也。""（十月）二十三日，至横滨。翌日，诸同志开欢迎会于大同学校。"又，此年梁启超政治思想及宣传宗旨有所变化。梁氏《鄙人对于言论界之过去及将来》自述数年历程云："戊戌八月出亡，十月复在横滨开一《清议报》，明目张胆以攻击政府……驯至内地断绝发行机关，不得已停办。辛丑之冬，别办《新民丛报》，稍从灌输常识入手，而受社会之欢迎，乃出意外。……壬寅秋间，同时复办一《新小说报》，专欲鼓吹革命，鄙人感情之昂，以彼时为最矣。……自癸卯、甲辰以后之《新民丛报》，专言政治革命，不复言种族革命。"

沈曾植简放广信府。

三月

初一日，广智书局出版《极乐世界》。十二回，标理想小说，署"（日）矢野文雄著，披雪洞主译"。

同日，《科学世界》创刊。科学仪器馆编辑部编辑，曾刊载小说《蝴蝶书生漫游记》，署"茂原筑江译意，王本祥润词"，原作者为（日）木村小舟。

俄国及期违约，拒不交还营口。全国各地及在日学生中兴起拒俄运动。

邹容著成《革命军》并自作序。序署"汉皇民族亡国后之二百六十年岁次癸卯三月日革命军中马前卒邹容记"，称："（此编）区区微意，自以为是报我四万万同胞之恩我，父母之恩我，朋友兄弟姊妹之爱我。其有责我为大逆不道者，其有信我为光明正大者，吾不计。吾但信卢骚、华盛顿、威曼诸大哲于地下有灵，必哂曰：孺子有知，吾道其东。吾但信郑成功、张煌言诸先生于地下有灵，必笑曰：后起有人，吾其瞑目。文字收功日，全球革命潮，吾言吾心不已已。"次月交由上海大同书局刊行，有章炳麟序。后风行全国，辗转翻印，逾百万册。章炳麟《革命军序》："仇敌之空言，足以堕吾实事。……然则洪（秀全）氏之败，不尽由计画失所，正以空言足与为难耳。今者风俗臭味少变更矣，然其痛心疾首恳恳必以逐满为职志者，虑不数人。数人者，文墨议论又往往务为蕴藉，不欲以跳踉搏跃言之，虽余亦不免是也。嗟乎！世皆嚣昧而不知话言，主文讽切，勿为动容，不震以雷霆之声，其能化者几何？异时义师再举，其必堕于众口之不信，既可知矣。今容为是书，壹以叫跳恣言，发其惭恚，虽嚣昧若罗、彭诸子（按：章氏以为罗泽南、彭玉麟等虽有道之士，而昧于华夷之辨），诵之犹当流汗祇悔，以是为义师先声，庶几民无异志，而材士亦知所返乎。若夫屠沽负贩之徒，利其径直易知，而能恢发智识，则其所化远矣。藉非不文，何以致是也？"

张祥龄（1853—1903）卒于陕西大荔县任所。姜方锬《蜀词人评传》集评："宋芸子（育仁）《半箧秋词跋》云：子馥亦数称清真白石，所为亦时得其真髓。顾其取径梦窗，尤以此持论。叔夏目梦窗如七宝楼台，拆下不成片段，读梦窗甲乙稿，所疵良然。子馥学自为词，以梦窗立干，而兼采南宋酒边、竹屋、草窗诸家，无梦窗之涩，可谓善取。……严伟《半箧秋词序》云：《半箧秋词》者，外舅张子馥先生感逝之作也。……怆怀故剑，情见乎词。故是篇多感逝之作。"

杨钟羲自鄂还京。在京见前辈于式枚、郭曾炘、吴庆坻、徐世昌，亦见李希圣、胡思敬、易顺鼎诸人。举经济特科，不试。五月还鄂，沈曾植、曾桐昆仲饯于陶然亭。

周树人自日本寄周作人《清议报》等书刊。计有《清议报》八册、《新小说》第三号一册、《西力东侵史》一册、《新民丛报》二册、《译书汇编》四册等共二十七册。（张菊香、张铁荣编著《周作人年谱》）

春

朱孝臧过黄遵宪于人境庐。孝臧时任广东学政，晚春过人境庐话旧，有《烛影摇红》词。王鹏运与朱孝臧书（即《彊邨词序》）："大集琳琅，读之尤欤快无量。日来料量课事讫，即焚香展卷，细意披吟，宛与故人酬对。昨况夔笙渡江见访，出大集共读之，以目空一世之况舍人，读至《梅州送春》、《人境庐话旧》诸作，亦复降心低首，曰：'吾不能不畏之矣。'夔笙素不满某某，尝与吾两人异趣，至公作则直以'独步江东'相推，非过誉也。"

四月

初一日，《江苏》月刊创刊于日本东京，留日学生同乡会编，张肇桐等主编，共出十二期。分为社说、学说、译篇、时论、小说等栏，撰文者有金一、柳亚子等人。

初五，章士钊受聘为《苏报》主编。士钊是年二十二岁，时各地兴起退学风潮，士钊为陆师学堂学魁，率退学同学数十人赴上海，加入蔡元培等人所办中国教育会（上海爱国学社），因投稿《苏报》，为主办人陈范所赏，遂聘为主编。（袁景华著《章士钊先生年谱》）

《世界繁华报》开始连载《官场现形记》，至光绪三十一年六月止，刊载六十回。由世界繁华报馆本年秋至光绪三十一年冬陆续印行单行本，全书分五编，每编线装六册十二回，共计三十册。

清华书局出版《新庵谐译初编》上下卷，周桂笙译，吴趼人编次。上卷收《一千零一夜》、《渔者》两篇，下卷收《猫鼠成亲》等十五篇，多译自《伊索寓言》。周桂笙自序，称："自庚子拳匪变后，吾国创巨痛甚，此中胜败消息，原因固非一端；然智愚之不敌，即强弱所攸分，有断然也。……有志之士，眷怀时局，深考其故，以为非求输入文明之术，断难变化固执之性，于是而翻西文译东籍尚矣。"又有吴趼人序，叙二人交往。

　　冯煦赴蜀臬任，假道秦中，樊增祥赋诗赠别。

五月

　　初一日（5月27日），《绣像小说》创刊于上海，半月刊，商务印书馆发行，李伯元主编，光绪三十二年三月停刊，共出七十二期。初，每月初一、十五出版，后未能按期。每期刊登文章（连载与单篇）十种左右，八十余页，插图十至十四幅不等。首期刊有《编印〈绣像小说〉缘起》谓："欧美化民，多由小说，榑桑崛起，推波助澜。其从事于此者，率皆名公巨卿，魁儒硕彦，察天下之大势，洞人类之赜理，潜推往古，豫揣将来，然后抒一己之见，著而为书，以醒齐民之耳目。或对人群之积弊下砭，或为国家之危险立鉴，揆其立意，无一非裨国利民。……本馆有鉴于此，于是纠合同志，首辑此编，远撷泰西之良规，近挹海东之余韵，或手著，或译本，随时甄录，月出两期。藉思开化夫下愚，遄计贻讥于大雅。"阿英《小说闲谈·清末小说杂志略》："《绣像小说》……线装本，逐回绣像，多名著。所刊十九为小说，十之一为杂文。主要作品如下：李伯元《文明小史》、李伯元《活地狱》、忧患余生《邻女语》、蘧园《负曝闲谈》、吴趼人《瞎骗奇闻》、壮者《扫迷帚》、旅生《痴人说梦记》、嘿生《玉佛缘》、佚名《苦学生》、姬文《市声》、血泪余生《花神梦》、吴恭《学究新谈》、惺庵《世界进化史》、悔学子《未来教育史》、荒江钓叟《月球殖民地小说》、洗红厂主《泰西历史演义》（以上小说）；星科伊梯（显克微支）著、吴祷译《灯台卒》；讴歌变俗人《醒世缘弹词》；讴歌变俗人《经国美谈新戏》；理论文字有别士（夏曾祐）《小说原理》。"又："在这几种杂志（按：《新小说》、《绣像小说》、《小说林》、《月月小说》四大小说杂志）中，虽各有所长，其最纯正的，莫如《绣像小说》，在侦探小说风靡一世时，能独持异议，不刊此类作品，实为难能。而所刊者，又皆以能开导社会为原则，除社会小说外，极少身边琐事，闺阁闲情之著作。若《文明小史》、《活地狱》、《老残游记》、《邻女语》、《负曝闲谈》、《扫迷帚》等，均足以说明一时代之变革。"

　　《绣像小说》创刊号开始连载李伯元所撰《文明小史》、《活地狱》、《醒世缘弹词》，欧阳钜源所撰《维新梦传奇》、署"洗红庵主演说"之《泰西历史演义》、署"（荷兰）达爱斯克洛提斯"之《梦游二十一世纪》。按：《文明小史》六十回，至光绪三十一年七月第五十六期刊毕，叙晚清庚子后重启之维新局面。阿英《晚清小说史》谓："在文学史或小说史里，论到晚清的小说，经常都是举李伯元《官场现形记》、吴趼人《二十年目睹之怪现状》、刘铁云《老残游记》、曾孟朴《孽海花》……不过，就表现一个变革的动乱时代说，李伯元的小说，如其举《官场现形记》，是不如举《文明小史》更为恰当的。《官场现形记》虽也反映了这个时代，是不如《文明小史》写得更广泛、更清晰。"《活地狱》，李伯元卒前撰至三十九回，未完，后吴趼人欧阳钜源续至四十三回，仍未完。此书以不相关联之十数故事，演中国司法、刑狱制度之可怖。书首"楔子"写道："我为什么要做这一部书呢？只因为我们中国国民，第一吃苦的事，也不是水火，也不是刀兵，倘要考究到他的利害，实在比水火刀兵还要加上几倍。……不是别的，就是那一座小小的州县衙门。"《醒世缘弹词》十四回，首回发表时标名《俗耳针砭弹词》，第二回起改现名。叙迷信之害，第一回云："但是一件，这些事情，也不是什么容易革除的。我只有因势利导，将他们慢慢的开导一番，以期他们渐渐悔悟。又怕那些陈言腐语，他们听了心下腻烦，所以把我生平记得的事情，与这风俗上有关系的，随时意写出几件，编为七个俚词，合了他们的胃口。或者茶余饭后，兰闺无事之时，大人孩子，姊姊妹妹，围居一处，手里拿着我这一本小说，一个唱，几个听，到得后来，总有几个明白的。"

同日，章炳麟撰《驳康有为论革命书》刊载于《苏报》。

二十七，赐王寿彭等三百一十五人进士及第出身有差。光绪二十七年辛丑科值清德宗三旬万寿，原定改为恩科，正科则推迟一年，于次年壬寅举行，因北京贡院于庚子被毁，二科均暂停，至本年始合并举补行，借河南贡院行考试。本科成进士者有郭则沄、陈曾寿、钱振锽等人。

樊增祥集本月至十二月诗集为《近光集》。增祥本月发西安入都，将改官浙江，后改官陕西藩司，仍由京师还西安，《近光集》即此入觐之行所作。下月抵京，适张之洞入觐，唱和尤夥。在都日又尝与易顺鼎、左绍佐、李亦元、沈曾桐、沈瑜庆、于式枚、张百熙、吴庆坻等唱和。又，《后彩云曲》亦当作于此行。前、后《彩云曲》叙赛金花事，向推增祥脍炙人口之作。钱基博《现代中国文学史》："今观（增祥）所作，隶事稳称，风华掩映，而骨力未遒，意境欠深，媚而不遒，与文同蹊。性情所关，非可勉强；然而竖义常丰，圆若流珠，熟于美酝；尤雅负艳体之作，谓可方驾冬郎，《疑雨集》不足道也。赋前、后《彩云曲》，最为时诵。……（《后彩云曲》）可以觇国势之不竞，世变之凌夷焉。……读者至以比清初吴伟业之《圆圆歌》；而《后曲》有当史诗，剧胜《前曲》，嘉兴沈曾植以为的是香山，不只梅村者也。"

闰五月

初一日，《绣像小说》第三期刊出夏曾祐撰《小说原理》。

初六日（6月30日），《苏报》案发，章炳麟、邹容被捕下狱。至十三日（7月7日）《苏报》馆被查封。先是，光绪二十八年《苏报》辟"学校风潮栏"，爱国学社成立后，《苏报》又约学社教员撰写论说。本年五月初一日，《苏报》聘爱国学社章士钊（行严）为主笔，言论益激烈。五月十四日（6月9日）刊载章士钊所撰《读〈革命军〉》，新书介绍栏又有《介绍〈革命军〉》。五月二十七日（6月22日），两江总督魏光焘致电上海道袁树勋，令其查禁爱国会演说，并谓"复有《苏报》刊布谬说，而邹容所作《革命军》一书，章炳麟为序，尤肆无忌惮"，一并密令捕缉。案发后，章炳麟、邹容入狱，邹容于光绪三十一年春二月病死狱中。章炳麟至三十二年夏服刑三年期满出狱，旋往日本。服刑期间，仍撰政论等刊布于当时报章杂志。

十六日，御试经济特科人员于保和殿，至六月初十日予考取特科袁嘉毂等升叙有差。按：经济特科之议起于光绪二十三年，迁延数年始成。先是，中外臣工保荐者三百七十余人，报至者一百二十二人。是月，新进士试毕，军机大臣奏请就现在人数，传集考试。正场录取者，再覆试。初试以张之洞领衔阅卷，定第一梁士诒，第二杨度；覆试由荣庆领衔，取袁嘉榖第一。仅取二十七人，一等九名：袁家榖、张一麐、方履中、陶炯照、徐沅、胡玉缙、秦锡镇、俞陛云、袁励准。二等十八名：冯善徵、罗良鉴、秦树声、魏家骅、吴钟善、钱镠、萧应椿、梁焕奎、蔡宝善、张孝谦、端绪、麦鸿钧、许岳钟、张通谟、杨道霖、张祖廉、吴烈、陈曾寿。陈曾寿《读广雅堂诗随笔》："仅取二十七人而已。且擢用极薄，不及宏词科远甚。"

清廷委派张之洞等商订学务章程。 初六日，管学大臣张百熙等奏请添派重臣会商学务。奉旨，京师大学堂为学术人心根本，关系重要，即派张之洞，会同张百熙、荣庆，将现办大学堂章程一切事宜，再行切实商订。并将各省学堂章程，一律厘定。详悉具奏，务期推行无弊，造就通才，俾朝廷收得人之效。至十一月二十六日，张百熙、荣庆、张之洞等奏定学堂章程。章程规定："立学宗旨，无论何等学堂，均以忠孝为本，以中国经史之学为基"，"而后以西学瀹其知识，练其艺能，务期他日成才，各适实用"。谕即次第推行。

六月

十五日，**《国民日日报》创刊于上海。** 章士钊、陈独秀、张继等人任主编，何梅士、陈去病、苏曼殊、金天翮、林獬、谢无量等担任撰述，陈大复襄理笔政。此报发行未久，风行一时，人咸称此报为"《苏报》第二"。冬，此报停刊。陈独秀抵安庆，与友人吴守一等筹办《安徽俗话报》。（《陈独秀年谱》）

十五日，**《绣像小说》第六期开始连载《负曝闲谈》、《邻女语》等小说。**《负曝闲谈》三十回，未完，欧阳钜源撰；后印行单行本。阿英《晚清小说史》："这也是一部广泛描写晚清社会的书。其体裁结构，与当时流行的谴责小说同。……《负曝闲谈》文字以劲炼见长，与李伯元作风不相类。"《邻女语》十二回，未完，题"忧患余生著"；忧患余生即连文澂，字梦青，一字慕秦，浙江钱塘人，翁同龢门生。《邻女语》叙庚子国变事。阿英《晚清小说史》："记庚子事变的小说，最主要的有忧患余生《邻女语》。蒋瑞藻《小说考证续编》引《清代轶闻》语云：'《邻女语》一书，记庚子国变事颇详确，文笔清隽可喜，实近日历史小说之别开生面者。……'书中记两宫西巡后北上沿途情形，可与吴趼人《恨海》记南下作一对比。"

文明书局出版《铁世界》， 署"迦尔威尼原著，天笑生（包天笑）译述"，标"科学小说"。《译余赘言》云："所谓科学小说者，乃文明世界之先导也。世之不喜读科学著作者众矣，而未尝有不喜读科学小说者，以此乃输入文明思想之最佳捷径也！"

七月

十五日，**《新小说》第七号刊载狄葆贤《论文学上小说之位置》。** 称："吾昔见东西各国之论文学家者，必以小说家居第一，吾骇焉。吾昔见日人有著《世界百杰传》者，以施耐庵与释迦、孔子、华盛顿、拿破仑并列，吾骇焉。……继而思之，何骇之与有？小说者，实文学上之最上乘也。世界而无文学则已耳，国民而无文学思想则已耳，苟其有之，则小说家之位置，顾可等闲视哉！"又，本期始仿诗话、词话例，创设"小说丛话"栏，刊载小说戏曲评论文字。本期刊有饮冰（梁启超）言论，谓："文学之进化有一大关键，即由古语之文学，变为俗语之文学是也。"

张肇桐撰《自由结婚》初编十回发行，题"犹太遗民万古恨著，震旦女士自由花译"。是书二编十回本年十月十三日发行，题"自由社藏板"，标"政治小说"。张肇桐字叶侯，号轶欧，江苏无锡人，时为日本早稻田大学政治科学生、东京青年会发起者之一，《江苏》杂志记者。《自由结婚》演黄祸、关爱爱男女二人立志救国事，首回借书中人物之语释题："天下有那一事不要自由？……老夫且愿我自由的男男女女，爱一切自由如结婚一般，我祖国就不怕无自由之日了。"

八月

初一日（9 月 21 日），《绣像小说》第九期开始连载《老残游记》，至本年十二月第十八期毕，共十四卷，每卷一回，作者署"洪都百炼生"，即刘鹗。后因编者李伯元违背协议，卷十四后中止交稿，写作亦暂中辍。按：刘鹗是书，后重行发表于天津《日日新闻》，共二十回，为初集。又有二集六回。后坊间有四十回者，二十回后为伪作。蒋瑞藻《小说枝谈》引《负暄琐语》云："近来新撰小说，风起云涌，无虑千百种，固自不乏佳构，而才情纵逸，寓意深远者，以《孽海花》为巨擘……其略足比肩者有《老残游记》，虽篇幅稍短，而意趣渊厚，取境燏奇，底是作手。虽立言怪诞，不免贻讥，而文字固不以此高下。"鲁迅《中国小说史略》列此书于清末"谴责小说"代表作品中，谓："其书即借铁英号老残者之游行，而历记其言论闻见，叙景状物，时有可观，作者信仰，并见于内，而攻击官吏之处亦多。"胡适《五十年来中国之文学》："刘鹗著的《老残游记》……书中写的风景经历，也都带着自传的性质。……这部书的确是一部很好的小说，他写玉贤的虐政，写刚弼的刚愎自用，都是很深刻的；大概他的官场经验深，故与李伯元、吴沃尧等全是靠传闻的自然大不相同了。……但《老残游记》的最大长处在于描写的技术。……只有白话的文学里能产生出这种绝妙的'白描'美文来。"阿英《晚清小说史》："他很相信科学……这一种科学精神，当然会反映到他小说的描写上，这就形成了《老残游记》在艺术上的价值，所谓科学的写实。如写黄河敲冰、王小玉唱大鼓、大明湖纪游，都是极出色的文字，而以王小玉唱大鼓一段为最优秀。"

十五日（10 月 5 日），《新小说》第八号开始连载吴趼人所撰《二十年目睹之怪现状》、《痛史》、所译述之《电术奇谈》。按：《痛史》演述南宋亡国事，标"历史小说"，二十七回，未完。《电术奇谈》（又名《催眠术》），二十四回，标"写情小说"，光绪三十一年八月上海广智书局出版单行本。是书叙英人喜仲达、林凤美情事，穿插以电术催眠、侦探诸事。译述者撰《我佛山人附记》，录出以见当时译述风气，《附记》云："此书原译文仅得六回，且是文言。兹剖为二十四回，改用俗话，冀免翻译之痕。原书人名地名，皆系以和文谐西音，经译者一律改过，凡人名皆改为中国习见之人名字眼，地名皆借用中国地名，俾读者可省脑力，以免艰于记忆之苦。好在小说重关目，不重名词也。书中间有议论谐谑等，均为衍义者插入，为原译所无。衍义者拟借此以助阅者之兴味，勿讥为蛇足也。"张冥飞《古今小说评林》谓："《电术奇谈》，跻人得名之始乃以此书。原文结构实佳，译笔亦圆转自如之至。"又："书中谓执达娄为封财产之小官，是为讹误之点。但当时于外国风俗习惯多属懵然，此种官名，自难求其甚解。林琴南译莎翁剧本，谓是短篇小说，而未有讥之者，盖此类小疵，不足为病也。"

又，《二十年目睹之怪现状》标"社会小说"，此为《新小说》杂志最早标"社会小说"之作品。因《新小说》停刊，仅连载至第四十五回止，后单行本凡一百零八回。全书用第一人称叙事，叙"我"之见闻。鲁迅《中国小说史略》云："全书以自号'九死一生'者为线索，历记二十年中所遇，所见，所闻天地间惊听之事，缀为一书，始自童年，并无结束，杂集'话柄'，与《官场现形记》同。而作者经历较多，故所叙之族类亦较夥，官师士商，皆著于录，搜罗当时传说而外，亦贩旧作（如《钟馗捉鬼传》之类），以为新闻。……相传吴沃尧性强毅，不欲下于人，遂坎坷没世，故其言殊慨然。惜描写失之张皇，时或伤于溢恶，言违真实，则感人之力顿微，终不过连篇'话柄'，仅足供闲散者谈笑之资而已。"张冥飞《古今小说评林》云："《二十年目睹之怪现状》，为吴跻人先生自述见闻之作，近世所出之社会小说，未能有驾而上之者。全书而已以'我'字为线索，是其聪明处，省力处；亦是其特别处。……官场为消磨人才之地，亦是造成罪恶之地，故所写怪状，终以官场中人之所作为多数。……跻人之文，豪而不爽，细而不曲，故间有缕觌疏率处，但其笔墨已为近今所罕见矣。"包天笑《钏影楼笔记》载："当时写社会小说的人，最崇奉《儒林外史》一书，因此人人都模仿《儒林外史》。我就问他：'《二十年目睹之怪现状》中，先生何从得这许多材料？所谓目睹者，难道都是亲眼目睹吗？'吴先生笑着，给我瞧一本手钞册子，很像日记一般，里面钞写的，都是每次听得友人们所谈的怪怪奇奇的故事。也有从笔记上钞下来的，也有从报纸上剪下来的，杂乱无章的成了一巨册。他笑说：'所谓目睹者，都是从这里来的呀。'我说：'这些材料，将如何整理法呢？'吴先生道：'就是在这一点上，要用一个贯穿之法，大概写社会小说的，都是如此的吧。'"胡适《五十年来中国之文学》："《怪现状》也是一部讽刺小说，内容也是批评家庭社会的黑幕。但吴沃尧曾经受过西洋小说的影响，故不甘心做那种没有结构的杂凑小说。他的小说都有点布局，都有点组织。这是他胜过同时一班作家之处。《怪现状》的体例还是散漫的，还含有无数短篇故事；但全书有一个'我'做主人，用这个'我'的事迹做布局纲领，一切短篇故事都变成了'我'二十年中看见或听见的怪现状。即此一端，便与《官场现形记》、《文明小史》不同了。"

陈洵漫游中州，在汴梁作《解连环》（梵钟寒彻）。序云："癸卯八月，相国寺街访瑶华故宅，顾视辛丑回銮置顿，抚事郁伊，正不止怀古切声也。"此为《海绡词》所存第一篇，前所存词稿，自朱孝臧为刊出《海绡词》一卷本后，陈洵将其径行删去。

九月

自本月至光绪三十一年月日底，世界繁华报馆分册刊行李伯元所撰《官场现形记》。书首茂苑惜秋生（欧阳鉅源）《序》云："南亭亭长有东方之谐谑，与淳于之滑稽；又熟知夫官之龌龊卑鄙之要凡，昏瞶湖涂之大旨……穷年累月，殚精竭神，成书一帙，名曰《官场现形记》。立体仿诸稗野，则无钩章棘句之嫌；纪事出于方言，则无佶屈聱牙之苦。开卷一过，凡神禹所不能铸之于鼎，温峤所不能烛之以犀者，无不毕备。"又无名氏（或云即连梦青）《序》云："老友南亭亭长乃近有《官场现形记》之著，如颊上之添毫，纤悉毕露，如地狱之变相，丑态百出。每出一纸，见者拍案叫绝。"迟云《序》："易曰：'俭德辟辞，邦无道，危行言孙。'定哀之间多微词。南亭此记伤于俭矣，既而思之，救焚者不能择音，救病者不能除苦，迹熄诗亡，春秋以作，怨诽不乱，小雅不芟。方今官场缪丑之形，神禹不能象，道子不能画。隐居放言之士，仿小雅之怨诽，为通人之木铎，犹冀百尔之一悟，风俗之一改。"冥飞《古今小说评林》："《官场现形记》，距今十年前，为脍炙人口之书，然以比较的眼光观之，实有词多意少之弊，且趣味殊淡薄。盖官场中人之钻营奔竞，挤排倾轧，其手术大略相同，惟施用微异而已。写之不已，花样必然简单，事实必然重复，阅之乃索然兴尽。至作者之笔墨，固极善形容，而有时亦嫌形容太过，不留余地，使阅者无有余不尽之思。"鲁迅《中国小说史略》："《官场现形记》……凡所叙述，皆迎合，钻营，朦混，罗掘，倾轧等故事，兼及士人之热心于作吏，及官吏闺中之隐情。头绪既繁，脚色复夥，其记事遂率与一人俱起，而即与其人俱讫，若断若续，与《儒林外史》略同。然臆说颇多，难云实录，无自序所谓'含蓄蕴酿'之实，殊不足望文木老人后尘。况所搜罗，又仅'话柄'，联缀此等，以成类书；官场伎俩，本小异大同，汇为长编，即千篇一律。特缘时势要求，得此为快，故《官场现形记》及骤享大名；而袭用'现形'名目，描写他事，如商界学界女界者亦接踵也。"

日本东京进化社出版鲁迅所译《月界旅行》。译者《辨言》云："盖胪陈科学，常人厌之，阅不终篇，辄欲谁去，强人所难，势必难矣。惟借小说之能力，被优孟之衣冠，则虽析理谭玄，亦能浸淫脑筋，不生厌倦。……我国说部……独于科学小说，乃如麟角。智识荒隘，此实一端。故如欲弥今日译界之缺点，导中国人群以进行，必自科学小说始。"按：鲁迅于上年春至日本，进东京弘文学院学习。本年仍就读于此，开始文学译著。以文言翻译改写历史小说《斯巴达之魂》，署名"白树"，载《浙江潮》第五期（后收入《集外集》）。翻译法国雨果短篇小说《哀尘》，署名庚辰，载《浙江潮》同期；此《月界旅行》，后收入《译文集》第一卷，又翻译儒纳·凡尔纳另一科幻小说《地底旅行》，署之江索士译演，首二回载《浙江潮》第十期，全书书于光绪三十二年春由南京启新书局刊出，后收入《译文集》第一卷。

刘光蕡（1843—1903）卒于兰州，年六十一。陈三立《刘古愚先生传》："他所撰著，根据指要，探圣哲遗文之精蕴，比傅时变，深切著明，类多前儒所未发，而制行苦坚，不欺其志，矫迂疏之习，绝诡荡之弊，宏识孤怀，罕与为比。呜呼，可谓旷世之通儒已。"

十月

初一日，《江苏》第八期刊载金松岑《孽海花》，此为曾朴《孽海花》之前身。

范当世赴江宁，任三江师范学堂总教习。范当世时年五十岁。

十一月

初一日，《中国白话报》创刊于上海，初为半月刊，十三期起改为旬报，林獬主编，共出二十四期，分论说、历史、传记、新闻、小说等栏。以鼓吹爱国救亡为宗旨，载有《黄梨洲》、《白话扬州十日记》等文。

十五日，汪笑侬撰改良京剧《博浪椎》刊于《中国白话报》第二期。全剧分四场，叙张良、沧海公谋刺秦始皇误中副车事。

十二月

二十一日（1904年2月6日），日俄战争爆发。此战盖因日俄两国为争夺中国东北领土而起，清外务部宣布严守局外中立，划辽河以东为交战区。

三十日己卯（1904年2月15日），华兴会在长沙正式成立。

冬

《女子世界》创刊于上海。月刊，丁初我、曾朴主编，共出十八期。

岁暮，文廷式里居，作《山居》。钱萼孙编《文云阁先生年谱》卷四："岁暮萍乡里居，有山居五排六四十韵，先生诗初以典丽胜，晚则喜效皮陆。"

张之洞集本年所作诗为《朝天集》一卷。许同莘编《张文襄公年谱》卷八："癸卯入都，得诗最多。《读广雅堂诗随笔》云：文襄再入都，老辈凋零，风雅歇绝。守旧者，率鄙陋闭塞；言新者，又多后进践躁之流。可与言者殆少。感愤之余，屡屡形诸吟咏。"

本年

译书之业特盛。梁启超《清代学术概论》："壬寅、癸卯间，译述之业特盛。定期出版之杂志不下数十种，日本每一新书出，译者动数家，新思想之输入，如火如荼矣。"按，本年所出杂志主要有：除上文已述及之《湖北学生界》（后改名《汉声》）、《浙江潮》、《江苏》、《中国白话报》、《科学世界》（上海）、《女子世界》（常熟）等外，尚有《童子世界》（上海）、《广益丛报》（重庆）、《游学译编》（日本东京）、《国民日日报》（上海）、《觉民报》（上海）、《宁波白话报》（上海）、《商务报》（北京）、《俄事警闻》（上海）、《启蒙通俗报》（成都）等，俱刊载小说等文艺作品。

电影艺术输入中国。中国商人林祝三，本年自欧美带影片及电影机回国，于北京打磨厂天乐茶园放映。此一时期，近代西方电影艺术随小说之后，开始输入我国。

陈天华著《警世钟》、《猛回头》在日本出版。《猛回头》成书当在闰五月后，本年八月湖南留日学生所编《游学译编》第十一期《再版〈猛回头〉》广告称："初版五千部，不及兼旬，销罄无余。"

日本福井准造著、赵必振译《近世社会主义》由广智书局出版，为译本中首部介绍马克思学说者。

刘鹗辑《铁云藏龟》出版。是为我国首部著录甲骨文专书，选印一千零五十八片。

刘光汉（刘师培）撰《攘书》本年刊出。撰者释题云："攘，《说文》云推也。段注以为即退让之义。吾谓攘字从襄得声，辟土怀远为襄。故攘字即为攘夷之攘。今《攘书》之义取此。"

徐琪刻《花砖重影集》二卷。

笑林报馆刊出孙家振《海上繁华梦》初集三十回排印本。书记妓馆生活，晚清特盛行，以读者赞许，故一再续写，二集三十回亦于本年由笑林报馆出版。至民初，又成《续海上繁华梦》三集一百回。《自序》云："客有问于警梦痴仙者，曰《海上繁华梦》何为而作也？曰：为其欲警醒世人痴梦也。客又曰：警醒痴梦奈何？痴仙曰：海上繁华，甲于天下，则人之游海上者，其人无一非梦中人，其境即无一非梦中境。……仆自花丛选梦以来，十数年于兹矣，见夫入迷梦而不知返者，岁不知凡几，未尝不心焉伤之，因作是书，如释氏之现身说法，冀当世阅者，或有所悟，勿负作者一片婆心，是则《繁华梦》之成，殆亦有功于世道人心，而不仅摹写花天酒地，快一时之意，博过眼之欢欤！"又，拜颠生《序》谓："尝读说部，至《花月痕》、《海上花列传》、《青楼梦》、《风月梦》、《绘芳缘》诸书，窃谓其描写花月闲情，俱能惟妙惟肖，尤以《花月痕》为脍炙人口；《海上花》则本地风光，自成一家，惜乎书中纯操苏白，江浙间人能读之，外此每格格不入，且其运笔深入处，未能显出，是美犹有憾。今读警梦痴仙所著《繁华梦》一书，而不禁有观止之叹焉。痴仙生于沪，长于沪，以沪人道沪事，自尤耳熟能详。况情场历劫，垂二十年，个中况味，一一备尝，以是摹写情景，无不刻画入微，随处淋漓尽致，而其宗旨，则一以唤醒迷人，同超孽海为主，以是此书之出，尤为有功于世道人心。"按：此书为晚清狭邪小说代表作品之一，鲁迅《中国小说史略》："光绪末至宣统初，上海此类小说之出尤多。"胡适《中国章回小说考证·海上花列传序》称："《海上繁华梦》与《九尾龟》所以风行一时，正因为他们都刚刚够得上'嫖界指南'的资格，而都没有文学的价值，都没有深沉的见解与深刻的描写。这些书都只是供一般读者消遣的书，读时无所用心，读过毫无余味。"阿英《晚清小说史》于"晚清小说之末流"章内论此书，云："当时这一类的小说很流行，有用吴语的，也有不用吴语的。以警梦痴仙《海上繁华梦》一百回（笑林报馆，1903）、漱六山房《九尾龟》一百九十二回（点石斋，1910）最为有名。此外还有老上海《上海新繁华梦》五卷四十回（自印，1909）、梦华馆主《九尾狐》五集五十回（社会小说社，1908）、黄小配《廿载繁华梦》（一名《粤东繁华梦》）四十回（上海书局，1908）、嫖界个中人《最近嫖界秘密史》二十回（时务报馆）、天梦《苏州繁华梦》九回（改良小说社）、顾曲周郎《九尾龟》一百九十二回（文艺消遣所）、佚名《名妓争风传》三十二回、《女总会》十六回、《美人计》十六回（上海书局，1909）、

《情天劫》十六回（改新书局，1911）、馨谷《情界囚》（改良小说社，1908）、潭溪渔隐《新贪欢报》十四回，都无足称。其取材某一妓者，有钟心青《新茶花》三十回（明明学社，1910）、卢醒父《归来燕》二十一回（香港实报社，1911）。"

独社出版《瓜分惨祸预言记》十回铅印本，题"日本女士中江笃济藏本，中国男儿轩辕正裔译述"，标"政治小说"。译书汇编社出版《瑞士独立警史》十八回，陆龙朔译；作新社出版《苦学生》，署"（日）山上泉著，中国之苦学生译"。

《轰天雷》十四回由大同印书局刊出。书叙常熟名士荀彭上书要求西太后归政并诛除荣禄等人事，比之"轰天雷"。盖本于常熟名士沈鹏（字北山）事而加以改编。作者署"藤谷古香"，实即孙景贤。景贤（1882—1920）字希孟，号龙尾，别署藤谷古香等，江苏常熟人。光绪甲午进士国桢子。同盟会员，南社社员。所著另有诗集《龙尾集》等。（景贤生卒年据江庆柏《清代人物生卒年表》）

小说戏曲趋于繁荣。据阿英《晚清戏曲小说目》，本年发表、刊行单行本小说四十四种，戏曲十四种。商务印书馆出版《补译华生包探索》，署"（英）柯南道尔著，上海商务印书馆译印"，内收《哥利亚司考得船案》等案；时中书局出版《侦探谭》第一册、第二册，冷血（陈景韩）译；文明书局出版《唯一侦探谭四名案》，署"柯南道尔著，嵇长康、吴梦鸥合译"，又出版《新译包探案》；通社出版《二金台》（一名《新包探案》）十五回，署"叶启标译"。中外日报馆出版《双线记》（一名《淡红金刚钻》），二十四回，署"（英）厄冷著，逸儒（陈绎如）、秀玉（薛绍徽）合译"。开明书店出版《俄国情史》（又名《花心蝶梦录》、《斯密士玛丽传》），署"（俄）普希金著，戢翼翚译"；达文社出版《海外奇谈》，署"（英）莎士比亚著，达文社译"；尊业书局出版《雪中梅》十五回，署"（日）末广铁肠著，熊垓译"。

洪炳文作《信香秋梦》、《荆驼憾》、《四时乐》等杂剧。

俞樾八十三岁，自编《春在堂杂文》六编凡三十七卷。

王照在京创办官话字母义塾。

于右任亡命上海。张群撰《于故院长墓表》："初，公曾刊《半哭半笔楼诗草》，讥议时政，略无忌讳，陕甘总督升允以逆竖倡言革命，大逆不道入奏，缉符已至，公方赴会试开封，亡命上海，得免。"本年会试在开封举行。

本年前后，胡延等有"联词"之举。胡延在金陵招缪荃孙、王鹏运、陈锐、徐乃昌诸人，"每课两题，左右更迭联属，笔无停缀"。（《襄碧斋诗话》）

袁祖光本年客京师，始作《仙人感》等杂剧。《瞿园杂剧初编自序》："余性不喜声伎，于红氍毹场、工尺谱未甚考究，而酷嗜元明国朝名人南北套曲。……癸卯后客京师……花晨酒夕，朋辈孅观场，或有感触，信口吾吾，伸指拍儿，每剧作小套一二，则仿古人《四声猿》、《龙舟会》之例，有《仙人感》、《藤花秋梦》、《金华梦》、《暗藏莺》、《长人赚》、《东家颦》、《西江雪》、《神山月》、《玉津园》诸目。"按：袁祖光生卒年不详，字小俦，号瞿园，别署暖初氏，安徽太湖人。光绪二十九年进士，官吏部主事。少为骈俪文，尤长于词曲。著有《瞿园诗草》、《瞿园诗余》、《绿天香雪簃诗话》。另有杂著十三种总题《瞿园杂剧》，传奇四种，多不传。

吴梅撰《血花飞》传奇（一名《丧弘血》）。是剧谱戊戌六君子事。其祖惧祸，焚之，故不传。又，所撰《风洞山》首折《先导》刊载于《中国白话报》第四期（十二月十五日），署"长洲呆道人"。

上海南洋中学演出《张汶祥刺马》、《英兵掳去叶名琛》等剧。《张汶祥刺马》为早期话剧代表剧目。

严复五十一岁，在京。 严璩编《侯官严先生年谱》："甄克思《社会通诠》脱稿。穆勒《名学》半部亦脱稿。吴丈汝纶卒。府君伤感不已，集玉溪剑南诗句为挽曰：平生风义兼师友，天下英雄惟使君。尚有挽诗七律一首，见诗集中。府君常言吾国人中旧学淹贯而不鄙夷新知者，湘阴郭侍郎后，吴京卿一人而已。有一书致东京《新民丛报》主人论所译《原富》。"

柳亚子始言革命。《五十七岁自传》："十七岁，偕蔡冶民、陶亚魂、任侠入上海爱国学社，从章炳麟、邹容、蔡元培、吴敬恒诸人游，始言革命。"

杨守敬六十五岁，举为经济特科湖北人士服官者第一。《邻苏老人年谱》："是年开经济特科，总督张文襄巡、抚端午桥方合词保守敬名居第一，云：老成硕望，博览群书，致力地学数十年，于列朝沿革险要洽熟精详，著书满家，卓然可传于世。"按：守敬后以民国四年卒，年七十五。"先生长身修髯，峝岸不群，性方严，有所不可，虽名公巨卿，毫不假借。强记善辩，每论一事，解一义，繁征博引，委曲详尽，听者忘倦，嗜古成癖，书籍碑版钱印砖瓦之属，莫不多方搜求，储藏之富，当世罕匹，博学多通，高自位置，尝谓世无圣人，不在弟子之列。于地理目录金石之学尤擅绝长，各有著述数十种传世。书法古茂，直逼汉魏，天下无双，一时名人，莫不推重。张文襄（之洞）作诗，至称为杨夫子，端忠愍直（方）师事之。日本闻人亦钦仰至极。"（同上）

易顺鼎在闽督魏光焘幕，常与陈宝琛、陈书诸人为文酒之集。

王先谦六十二岁，仍主讲岳麓书院。《王先谦自定年谱》："自庚子召乱，乘舆播迁，乱定后，中外诸臣，竞言时局孔亟，民智未开，宜遣士人赴日本游学，各省分建学堂，以资造就，得旨允行。设大学堂于京师，创定章程，通行开办。湖南府、州、县亦设中、小学堂。会城立高等学堂及师范馆。……湖南自梁启超主讲后，人心不靖，至是邪说朋兴，排满革命之谈，充塞庠序，赵（尔巽）弗顾也。"

陈烺（1822—1903）卒，年八十二。 吴梅《顾曲麈谈》："玉狮堂前后五种，为阳湖陈潜翁烺撰。文律曲律，俱非所知，而颇传于世，可怪也。"

谢章铤（1820—1903）卒，年八十四。 陈衍《石遗室诗话》卷二十一："谢先生治诗古文词数十年，穷老汲汲不少休。顾道、咸以来，程春海、何子贞、曾涤生、郑子尹诸先生之为诗，欲取道元和、北宋，进规天、开，以得其精神结构所在，不屑貌为盛唐以称雄。谢先生晚出，驰驱中原，笃守旧派，心仪闽十子及前后七子，未餍于后起之才俊。《赌棋山庄集》亦不甚流播于时，近余始假得毕观之，乃知先生之诗深于情，喜山水游，游必有诗，以出游岭南后为胜，入秦入赣而更胜，体格在张亨甫、林欧斋间。在先生著作中，居古文词长短句之右。"《晚晴簃诗汇》卷一百七十一收其诗十八首，集评："刘芑川曰：秋宵不寐，闻鱼龙叫啸之声，与风雨相应，若有拔剑而起，暗哑咤叱，几案皆鸣，此则枚如之诗欤。"诗话云："枚如道光间即以诗名，亚于张亨甫。久困名场，及通籍，年已六十，时方多故，抑塞磊落之气，悉发于诗，雄深郁律，可称闽越巨子。集中论诗绝句三十首，仿遗山体，专论闽诗，略古详今，颇寓阐微之旨。"

朱庭珍（1841—1903）卒，年六十三。《定盦诗话》卷上："滇之先哲，能诗者甚多，大都远宗三唐，近法明代。其能讲求两宋、涉猎西江者盖寡。……《筱园诗话》亦倡唐风，《穆清堂集》格律精密，风度浑成，入后亦稍惜熟练而少变化，盖未参以宋人规模，力求新警之笔也。"

徐鄂（1844—1903）卒，年六十。

现代作家**李伟森**（1903—1931）、**胡也频**（1903—1931）、**冯雪峰**（1903—1976）、**梁实秋**（1903—1987）生。

公元 1904 年（光绪三十年　甲辰）

正月

十一日，蔡元培等主编之《警钟日报》在上海创刊。本名《俄事警闻》，为《苏报》后宣传革命之重要报刊，次年春被查封。

二十五日甲辰（3 月 11 日），《东方杂志》创刊于上海，初为月刊，后改为半月刊，至民国三十七年十二月停刊，共四十四卷，为中国近代历时最久之大型综合杂志。首期开始连载侦探小说《毒美人》，至第七期毕，作者署"（美）乐林司朗治"，译者佚名。

小说林社出版《福尔摩再生案》第一册，署"（英）柯南道尔著，奚若译"，内收《再生第一案》。

二月

十五日，《安徽俗话报》第一期出版。陈独秀主办，至明年八月十五日（9 月 13）刊至第二十二期后停办。（《陈独秀年谱》）

陈时泌在长沙作传奇《非熊梦》成，并自序。序谓："泌既成《武陵春》传奇之二年九月，而奉事又起矣。是时，时泌在华容讲席，念大局之阽危，愤壮怀之莫遂，爰将奉事为诸生演为论说。以冀激发其志气，而备国家异日缓急之需。……于是，取前所为论说之意，复演传奇一部，名曰《非熊梦》，亦酒后耳热，聊以自壮已耳。"

荒江钓叟撰《月球殖民地小说》始连载于《绣像小说》第二十一期，至第六十二期止，共三十五回，未完。此为我国作家较早之自撰科幻小说。

况周颐游苏杭，《玉梅后词》编成。是春周颐由鄂迁常州。明年，复移居南京，撰《蕙风簃随笔》、《蕙风簃二笔》。

三月

二十七日，**蒋师辙**（1847—1904）卒，年五十八。《青溪词钞自序》："粗豪处正如健儿横长槊出入十万军中，飒爽酣战，无复纪律。"曾行湆《青溪词钞序》："久以诗名于时。其词导源北宋，尤深入秦柳之室，言近而旨远，泠然而深于情。虽才气奔放，间涉苏辛之域，而无其粗豪之失。"

张之洞奉使江宁，有《游览诗》一卷。门生故吏，和之者众。时李详馆蒯光典家，尝代光典和《金陵杂咏》十六首。（汪辟疆《光宣以来诗坛旁记》）又，陈锐与之洞座上论诗，"以王派见薄"，当亦在此时。（据夏敬观《褰碧斋集序》）

王妙如著《女狱花》（又名《红闺泪》、《闺阁豪杰谈》）十二回约于本月或稍后刊出。书首有沧桑寄客本月序。又钱塘俞佩兰《叙》谓："近时之小说，思想可谓有进步矣，然议论多而事实少，不合小说体裁，文人学士鄙之夷之；且讲女权、女学之小说，亦有硕果晨星之叹。甚矣作小说之难也，作女界小说之尤难也。"按：王妙如（约 1877—约 1903）名保福，以字行，浙江杭州人，同邑罗景仁室。另有剧本《小桃源传奇》等。

四月

初七日，"《苏报》案"宣判。上海会审公廨改判章太炎监禁三年，邹容监禁二年，罚作苦工，刑满释放，驱逐出境。

十九日，张之洞返湖广总督任，过芜湖，吊袁昶，有《过芜湖吊袁沤簃四首》。其一谓："江西魔派不堪吟，北宋清奇是雅音。双井半山君一手，伤哉斜日广陵琴。"

二十九日（6 月 12 日），李伯元著《中国现在记》二十回，开始连载于《时报》。按：《时报》本日创刊，实由梁启超潜回上海主持创办。

五月

初一日，《女子世界》第六期开始连载《狮子吼》，至第十期毕，作者署"觉佛"。

初四日，《世界繁华报》第一一二三号刊登《官场现形记》出书发售广告。云："中国官场，魑魅罔两靡所不有，实为世界一大污点。然数千年以来，从未有人为之发其奸而摘其覆者，有之，则自南亭此书始。此书措词诙谐，不减于《儒林外史》，叙事详尽，不亚于《石头记》。有欲研究官场真相者，无不家置一编，洵近来小说中唯一无二之巨制也。"

八日，清廷特赦戊戌党人。"除康有为、梁启超、孙文外，褫职者复原衔，通缉、监禁、编管者释免之。"（《清史稿·德宗本纪》）

二十五日，赐刘春霖等二百七十三人进士及第出身有差。本科因太后七旬万寿，改正科为恩科。此为中国历史上最后一科。王季烈等成本科进士。

二十日（7 月 3 日），科学补习所成立于武昌。

二十一日，翁同龢（1830—1904）卒，年七十五。《晚晴簃诗汇》卷一百五十五收其诗二十五首，诗话云："文恭师久侍讲幄，入赞枢廷，崇陵最所倚毗，晚遭多故，终老江湖。生平本末具见于诗，淹雅端和，不失先民矩矱。七言古体笔力放纵，渊颖坚凝，青邱隽上，殆兼擅其胜，尤以戊子至戊戌十年间为菁华所在。临终口占绝句云：六十年中事，伤心到盖棺。不将两行泪，轻向汝曹弹。其言之哀如是。卒后复官予谥，

433

志事亦稍白矣。"汪辟疆《近代诗人小传稿》："宏奖士类，屡掌文衡。……诗文皆简重有度。工书，以董赵意而参以平原，气魄足继刘镛，亦善绘事。有《瓶庐集》。"《光宣诗坛点将录》列翁同龢于"四店打听声息邀接来宾头领八员"中，以地数星东山酒店小尉迟孙新属之，曰："评碑论画，书林清话。松禅艺事，别有可传，门下多宿学能诗者。即其自作，亦雅饬可诵。愚尝见其松常文献画像题咏，皆风骨遒上。余事作诗人，非学裕识广，辟易千人者，固未足语于此也。"

二十五日，况周颐访王鹏运，共读朱孝臧词集。次日，鹏运致书孝臧，探讨《彊邨词》编例诸事。鹏运既卒，孝臧刻《彊邨词》三卷成，即取此书弁首。

本月，林纾译《英国诗人吟边燕语》成并自为序。《序》中提出"政教两事，与文章无属"，其言谓："英文家之哈葛得，诗家之莎士比，非文明大国英特之士耶？顾吾尝译哈氏之书矣。禁蛇役鬼，累累而见。莎士之诗，直抗吾国之杜甫。乃立义遣词，往往托象于神怪。西人而果文明，则宜焚弃禁绝，不令淆世知识。然证以吾之所闻，彼中名辈，耽莎氏之诗者，家弦户诵，而又不已，则付之梨园，用为院本，士女联襼而听，歠歔感涕，竟无一斥为思想之旧，而怒其好言神怪者，又何以故？……盖政教两事，与文章无属。政教既美，宜泽以文章。文章徒美，无益于政教。故西人惟政教是务，赡国利兵，外侮不乘。始以余闲，用文章家娱悦其心目。虽哈氏、莎士思想之旧，神怪之托，而文明之士，坦然不以为病也。"林纾本年五十三岁，译《美州童子万里寻亲记》，所译小说《利俾瑟战血余腥记》、《滑铁庐战血余腥记》、《英国诗人吟边燕语》、《埃司兰情侠传》等本年刊出。

六月

二十日，《中国白话报》第十七期开始刊载林獬著《新儒林外史》，后续载于第二十一至第二十四期，标"社会小说"。

二十三日，王鹏运（1849—1904）卒，年五十六。（按：此据《清代人物大事纪年》，或谓卒于七月）王鹏运萃毕生精力于词，以未中甲科为恨，故词集独缺甲稿。所编词集有乙稿《袖墨词》，丙稿《味梨》，丁稿《鹜翁》，戊稿《蜩知》，己稿《校梦龛集》，庚稿《庚子秋词》、《春蛰吟》，辛稿《南潜集》等，多未刊刻。生前取诸集中词百许首，是为《半塘定稿》二卷，孝臧本年刊成于广州。孝臧复以鹏运自定本刊落泰甚，故从《袖墨》、《虫秋》、《校梦龛》、《南潜》四集选词五十余首，编为《半塘剩稿》刻印行世。《复堂词话》："桂林山水奇丽，唐画宋词之境。……后起有王幼遐、况夔笙，宫商举应，伶倕争传矣。"又："《袖墨词》千辟万灌，几无炉锤之迹，一时无两。"朱孝臧《半塘定稿序》："君天性和易，而多忧戚，若别有不堪者。既任京秩，久而得御史，抗疏言事，直声震内外，然卒以不得志去位。其遇厄穷，其才未尝厥施，故郁伊不聊之概，一于词陶写之。君词导源碧山，复历稼轩、梦窗，以还清真之浑化，与周止庵氏说契若针芥，其必名于后，固无俟予之赘言。"（徐珂《近词丛话》"王幼霞词浑化"条本此，语稍异。）《望江南·杂题我朝诸名家词集后》："香一瓣，长为半塘翁。得象每兼《花外》永，起屠差较茗柯雄。岭表此宗风。"钟德祥《半塘定稿序》："幻眇而沉郁，义隐而指远。"《蕙风词话续编》卷二："清通温雅，初嗜金石，后乃专一于词。其四印斋所刻词旁搜博采，精采绝伦，虽虞山毛氏弗逮也。"《广箧中词》卷二："幼遐先生于词学独探本原，兼穷蕴奥，转移风会，领袖时流。吾常戏称为桂派先河，非过论也。彊邨翁学词实受先生引导，文道希丈之词，受先生攻错处亦正不少。清季能为东坡、片玉、碧山之词者，吾于先生无间焉。"

东亚编辑局出版《女娲石》四卷八回铅印本，标"闺秀救国小说"，题"海天独啸子著，卧虎浪士批"。书共二册十六回，第二册翌年二月出版。书首"卧虎浪士"序，云："我国小说，汗牛充栋，而其尤者，莫如《水浒传》、《红楼梦》二书。《红楼梦》善道儿女事，而婉转悱恻，柔人肝肠，读其书者，非入于厌世，即入于乐天，几将曰英雄气短，儿女情长矣。是书也，余不取之。《水浒》以武侠胜，于我国民气，大有关系，今社会中，尚有余赐焉。然于妇女界，尚有余憾。我国山河秀丽，富于柔美之观，人民思想，多以妇女为中心。……虽然，欲求妇女之改革，则不得不输其武侠之思想，增其最新之智识，此二者皆小说操其能事，而以戏曲歌本为之后殿，庶几其普及乎？"

洪炳文《警黄钟》传奇十出始连载于《新小说》第九号至第十七号。后有光绪三十二年十月新小说社排印本。初署"寄愤生"，后改署"祈黄楼主人"。叙大胡封国（白种）与大黄封国（黄种）之争。首作者《自序》谓："《警黄钟》者何？警黄种之钟也。黄种何警乎尔？以白种强而黄种弱也。黄种何以弱？以吾四百兆人，日醉生梦死于名缰利锁之中而不自知，如燕雀之处堂，醯鸡之舞瓮，不自知其弱，遂终不能强。吁，可怜已！怜之故思设法以警之。警之奈何？《记》有之：钟声铿，铿以立号，号以立横，横以立武。君子听钟声则思武臣。……他日者，梨园子弟弦管登场，使观者恍然于黄种之受制白种，殆如黄蜂之受困胡蜂，而急思有以挽回之，振作之，则忠君爱国之念，油然而生。彼蜂群尚如此，而况人群？女子尚如此，而况男子？"《例言》谓："动物之中，团体之坚，惟蜂为最，故以蜂为喻。""末二出《计捷》、《团圆》云者，盖言自强以御侮，团体以立国，皆将来虚拟之辞，作者之希望也。曲终奏雅，庶惬观者之意。"

张百熙跋杨圻诗。杨圻于光绪二十八年成顺天乡试南元，今春张百熙主礼部试，杨圻执弟子礼见，出其诗词若干卷就正，为百熙所赏。跋谓："诗脱胎唐人，气息清厚，骨力雄秀，如昆仑出云，峨眉飞雪，其幽微深窅，则高僧怪石，动静无心，幽林远水，不可绘画也。尤多忠爱悱恻之词，益征德性。卷中不喜步韵，不依附名流，无妇人之词，少酬世之作。故能高咏独赏，摆脱结习，不独诗格名贵，益可见其人品之高。二十年后，江东独步矣。《楼下词》一卷，清空流丽，风调隽永，方诸三李，存神化迹，是能入而出者。"（《江山万里楼诗钞跋言》）

夏

王国维作《〈红楼梦〉评论》。《静庵文集自序》："去夏所作《红楼梦评论》，其立论虽全在叔氏（按：叔本华）之立脚地，然于第四章内已提出绝大之疑问。旋悟叔氏之说，半出于其主观的气质，而无关于客观的知识。"

七月

十一日，秦荣光（1841—1904）病卒，年六十四。秦锡田编《显考温毅府君年谱》："府君幼而嗜学，至老弥笃，手一编寒暑不辍，于经史、汉宋学、骈散体文、古今体诗，下至小说稗史、诗余曲本、佛经梵呪，罔弗竟委穷源，务窥精奥，为文极敏捷，下笔千言立就，少喜读《西堂杂俎》、《湖海楼集》、《有正味斋集》，故为沉博绝丽之文，继务廉洁峭劲而汪洋恣肆，兼学韩柳二家，晚益朴老高浑，骎骎乎入两汉室矣。诗文数十卷，稿三四易，手自写录。……尤长教育，讲学四十余年，斥空文，期实践，因材而笃，吾乡通达古今之才，多出府君门下。"

高旭于《警钟日报》发表《大汉纪念歌十八章》等，并发表《中国八大奴隶歌》，指康有为、梁启超为第七、八号奴隶。本年高旭二十八岁，春，研读刘师培《攘书》、陈去病《陆沉丛书》等，明确形成排满、革命思想。秋末，渡海赴日留学，入东京政法大学速成科肄业，作《东京感怀》诗。

《新小说》第十号开始刊载吴趼人编著《新笑林广记》。自序称："迩日学者，深悟小说具改良社会之能力，于是竞言小说。窃谓文学一道，其所以入人者，壮词不如谐语，故笑话小说尚焉。"

八月

初一日（9月10日），《新新小说》月刊创刊于上海，龚子英等主编，新新小说社编辑发行，开明书店总经销，约于光绪三十三年四月停刊。主要作者有陈景韩等。侠民撰《〈新新小说〉凡例》有云："本报纯用小说家言，演任侠好义、忠群爱国之旨，意在浸润兼及，以一变旧社会腐败堕落之风俗习惯。"本日首期刊侠民著《中国兴亡梦》，标政治小说，叙日俄战争历史，以宣泄种族兴亡之感。首作者《自叙》云：撰著小说可"求消遣于吾灵魂世界足矣"，"若云商榷政见，或激发民气，此乃近时新学家门面语，著者盖自等于优俳之流，敬谢不敏"。然此或为有激之言，盖《新新小说》实所登载小说，叙侠义及虚无党人者颇多。阿英《小说闲谈四种·翻译史话》："翻译文学输入的初期，在实际上是有着两个主流，这主流，并不是足以代表的东西洋文学作品，而是伴着资本主义抬头和民族革命浪潮存在着的侦探小说和虚无党小说。真正优秀的文学作品，大都因此类说部的流行被淹没。""侦探小说的主要来源是英、美、法，虚无党小说的产生地则是当时暗无天日的帝国俄罗斯。虚无党人主张推翻帝制，实行暗杀，这些所在，与中国的革命党行动，是有不少契合之点。因此，关于虚无党小说的译印，极得思想进步的智识阶级的拥护与欢迎。就中最热心于虚无党小说的翻译的，是陈冷血（按：即陈景韩），此公喜译侦探，亦喜译虚无党。……不过，作为主流的虚无党小说的时代，并不怎样长。"

同日，陈独秀所作《论戏曲》刊载于《安徽俗话报》第十一期，作者署三爱。后曾转载于《新小说》。

二十四日，文廷式（1856—1904）卒于里第，年四十九。按：本年廷式里居，春离萍乡至南昌与沈曾植相见，四月与陈三立由南昌同舟抵金陵。至上海，与陈诗同游张园，品核人物，因出示山居篇，谓效皮陆，在野言野。在沪留连五旬，旋以病归萍乡，冒鹤亭送之。及卒，郑孝胥、陈三立、夏敬观等皆挽之以诗。朱祖谋《望江南·杂题我朝诸名家词集后》："闲金粉，曹郐不成邦。拔戟异军成特起，非关词派有西江。兀傲故难双。"陈三立《文学士遗诗序》："君天秉卓荦，博闻强记，才气不可一世。……君撰著宏富，诗词特鳞爪耳。然君博极群书，诗乃清空华妙，不挦扯故实自曝。尝推为独追杜司勋，波澜莫二，即身世飘泊亦颇肖似之，此可悬诸天壤，俟论定者也。"《晚晴簃诗汇》卷一百七十七收其诗八首，诗话云："芸阁江湖场屋久负才名，及入词馆，为崇陵所知。大考蒙峻擢，屡上书言事，卒以是见嫉论罢。有咏月诗曰'藏珠通内忆当年，风露青冥忽上仙'，重咏景阳宫井句'菱乾月蚀吊婵娟'，为珍贵妃殉国而作，词旨显然。"

胡延（1862—1904）卒于苏州。时陈三立《哭胡粮储时以从役姑苏》诗云："半塘蜕去（原注：王给谏鹏运）纯常死（原注：文学士廷式），海内词人日寂寥。江水更悲长不返，秋声如诉苦相招。"《晚晴簃诗汇》卷一百七十五收其诗十六首，诗话云："砚孙年十四五即能诗，弱冠从湘绮学为五言，宗法大谢。入官遂不复为，尽弃少作。丙申后重事吟咏，庚子辛丑拜御书福字画兰之赐，因以名集。诗附于词。"

曾朴与丁芝孙、徐念慈等创办小说林社于上海。曾朴任总理，徐念慈任编辑，征集创作小说及东西洋小说译本。《曾孟朴先生年谱未定稿》称，曾朴设此社"专以发行小说为目的"，"要打破当时一般学者轻视小说的心理"；曾朴于 1928 年修改本《孽海花》序中亦言，此社意在"提倡译著小说"。

下旬，《教育世界》第八十四号刊载《制造书籍术》，标"短篇小说"，署"译阿文格随笔"。按：在我国以"短篇小说"概念划分小说类型，此为较早之实例。后此，则多种刊物即运用此一概念。如，本年十二月《广益丛报》刊载《中间人》等，标"短篇小说"；光绪三十一年三月《直隶白话报》第一年第六期刊载《大坂的蛤蟆》，标"短篇小说"；三十一年常熟《女子世界》刊《好花枝》，标"短篇小说"；光绪三十二年正月《东方杂志》第三年第一期连载《侠黑奴》，标"短篇小说"。数年中，各大小说杂志陆续采用此名。

九月

《二十世纪大舞台》创刊于上海，陈去病、汪笑侬等发起。月出两期，两期后即被封禁。是为我国最早之戏剧专门刊物。首期刊有柳亚子（署"亚庐"）所作《〈二十世纪大舞台〉发刊词》，称："以《霓裳羽衣》之曲，演玉树铜驼之史，凡扬州十日之屠，嘉定万家之惨……皆绘声写影，倾筐倒箧而出之；华夷之辨既明，报复之谋斯起，其影响捷矣。……今当捉碧眼紫髯儿，被以优孟衣冠，而谱其历史，则法兰西之革命，美利坚之独立，意大利、希腊恢复之光荣，印度、波兰灭亡之惨酷，尽印于国民之脑膜，必有欢然兴者。此皆戏剧改良所有事，而为此《二十世纪大舞台》发起之精神。"

"今兹《二十世纪大舞台》，乃为优伶社会之机关，而实行改革之政策。"

易顺鼎由金陵赴闽，与陈宝琛、陈书、王允皙等闽中诗人诗钟雅集，唱和叠韵。本月至十二月在闽所作诗集为《魂南续集》。按：顺鼎至壬寅秋简任广西右江道，次年秋之官，与新任两广总督岑春煊抵牾，至本年四月解职。遂游沪、宁等地。明年仍归汉口，入张之洞幕。

约在本月，曾朴开始接金松岑原作，续作《孽海花》；拟书中人物名单，分旧学时代、甲午时代、政变时代、庚子时代、革新时代与海外运动六项，计一百十名；与金氏商定六十回目。1928 年曾朴修改本《孽海花》代序《修改后要说的几句话》云："金君的原稿，过于注重主人公，不过描写一个奇突的妓女，略映带些相关的时事，充其量，能做成了李香君的《桃花扇》，陈圆圆的《沧桑艳》……只怕笔法上仍跳不出《海上花列传》的蹊径。在我的意思却不然，想借用主人公做全书的线索，尽量容纳近三十年来的历史，避去正面，专把些有趣的琐闻逸事，来烘托出大事的背景，格局比较的廓大。"

秋

孙雄客居津门。在津门五载有余，与傅增湘交密，时增湘在津兴办学堂。(《诗史阁诗话》)

十月

光复会成立。由龚宝铨、蔡元培等发起，又称复古会，蔡元培任会长，以"光复汉族、还我山河，以身行国，功成身退"为宗旨。陶成章、徐锡麟、秋瑾、章太炎等先后入会。

吴趼人撰《九命奇冤》开始连载于《新小说》第十二号，至翌年第二十四号毕，共三十六回，标"社会小说"。此书据嘉庆时粤人安和先生（钟铁桥）所著《梁天来警富新书》（又名《七尸八命》）四十回改编，叙雍正间广东番禺凌贵兴、梁天来公案。胡适《五十年来中国之文学》："《九命奇冤》可算中国近代的一部全德的小说。他用百余年前广东一件大命案做布局，始终写此一案，很有精彩。书中也写迷信，也写贪官污吏，也写人情险诈；但这些东西都成了全书的有机部分，全不是勉强拉进来借题骂人的。讽刺小说的短处在于太露，太浅薄；专采骂人的材料，不加组织，使人看多了觉得可厌。《九命奇冤》便完全脱去了恶套：他把讽刺的动机压下去，做了附属的材料；然而那些附属的材料在那个大情节之中，能使人觉得格外真实，格外动人。""《九命奇冤》受了西洋小说的影响，这是无疑的。……这种倒装的叙述（按：小说首回采用倒叙），一定是西洋小说的影响。但这还是小节；最大的影响是在布局的谨严与统一。中国的'小说'是从'演义'出来的。演义往往用史事做间架，这一朝代的事'演'完了，他的平话也收场了。《三国》、《东周》一类的书是最严格的演义。后来做法进步了，不肯受史事的严格限制，故有杜撰的演义出现。《水浒》便是一例。但这一类的小说，也还是没有布局的：可以插入一段打大名府，也可以插入一段打青州……

割去了，仍可成书；拉长了，可至无穷。这是演义体结构上的缺乏。《儒林外史》虽开一种新体，但仍是没有结构的……后来这一派的小说，也没有一部有结构布置的。所以这一千年的小说里，差不多都是没有布局的。内中比较出色的，如《金瓶梅》，如《红楼梦》，虽然拿一家的历史做布局，不致十分散漫，但结构仍旧是很松的……《怪现状》想用《红楼梦》的间架来支配《官场现形记》的材料，故那个主人'我'跑来跑去，到南京就见着听着南京的许多故事，到上海便见着听着上海的许多故事，到广东便见着听着广东的许多故事。其实这都是很松的组织，很勉强的支配，很不自然的布局。《九命奇冤》便不同了。他用中国讽刺小说的技术来写家庭与官场，用中国北方强盗小说的技术来写强盗与强盗的军师，但他又用西洋侦探小说的布局来做一个总结构。繁文一概削尽，枝叶一齐扫光，只剩下这一个大命案的起落因果做一个中心题目。有了这一个统一的结构，又没有勉强的穿插，故看的人的兴趣自然能自始至终不致厌倦。故《九命奇冤》在技术一方面要算最完备的一部小说了。"

十一月

樊增祥在署理陕西藩司任，自上年十二月至本月诗集为《两髻斋集》。集中有七月三日吟秋热一诗，题甚长，谓："古人诗多浑写大意，故东坡云：作诗必此诗，定知非诗人。自同光间馆阁诸公作试帖，始用嵌字之法，而诗格乃益难益密。推而至于咏物，莫不以细切为工。昨以《秋热》命题，看似平平，然须从秋字写出热字，方与夏诗有别。……"本月八日，奉电真除陕藩，以下至明年四月诗集为《紫薇集》。

十二月

十日，范当世（1854—1905）卒，年五十一。先是，二月范当世整理诗集为十九卷，附其妻姚倚云《蕴素轩诗》四卷刊出。至是病卒于上海。《清史稿·文苑三》："（张）裕钊门下最知名者，有范当世、朱铭盘。当世……能诗，汝纶尝叹其奇横不可敌。"姚永概《范肯堂墓志铭》："维我圣清载逾二百，五洲交通，艺术竞胜，仅恃一国窳败不振之故习，不足敌。彼族之方新，而朝野之论又龂龂不可合并，故酿为甲午、庚子之再乱。于时范君起江海之交，太息悲伤，无所抒泄，一寓之于诗。其诗震荡开阖，变化无方，读者虽未能全喻精微，无不知爱而好之。以一诸生，名被天下，噫！何其盛也。"沃丘仲子《近代名人小传·文苑》："工为诗，菲薄唐贤而思力深锐，发为篇章，兀傲健举，沉郁悲凉，匪第超越近世学宋诸家，其精者直掩涪翁。清末诗人，岿然灵光。文亦简奥苍坚。……终身困匮，中年流徙江湖，客死旅邸。张謇、陈三立、郑孝胥皆与笃交，锡良、端方等交致币聘，卒不一应。标格清峻，唯天际孤云，绝岭乔松，差足拟之。自其既殁，而浮薄文人竞作，肥遯坚贞之谊遂不复见于国中矣。呜呼！"曾克耑《范伯子诗集序》："以自然为宗，生造为法，奇横为体，不事浮藻，不务枵响，不懈而及于古，率天下之志业者，自纵横排荡入，而造乎雄恢雅正之域，卓然为一代诗家宗祖，则通州范先生其人也。……其所忧伤愤叹在邦国之兴替，人才之消长，而非声气之盈虚，身世之通塞，故其发而为诗歌也，挟浩落之气，渊穆之神，精微之思，出之以坦荡质直之词，若江海之茫洋无涯涘，大风作而涛澜之奔腾，起伏万状，观者固将目眩神震，茫然莫测其端倪。其精深博大，岂浅识者所能窥者哉。……陶、杜之卓然并峙，苏黄所表章也；黄、元之足嗣少陵，姚、曾所扬阐也；至若孟、柳、梅、王之为世重，则又同光诸老所倡导也。独以同光体正宗名震一时若先生者，身殁而世遂莫之知。虽其诗高敻不易识，抑无人焉为之表扬之过也。"《晚晴簃诗汇》卷一百八十收诗九首，诗话云："生平为诗甚勤，用意幽眇，造语深至，多激宕之音，殆所谓穷而后工者耶。"陈衍《近代诗钞·石遗室诗话》："伯子识一时名公巨卿颇夥，徒以久不第，抑郁牢愁，诗境荆天棘地，不啻东野之诗囚也。工力甚深，下语不肯犹人，读之往往使人不欢。"狄葆贤《平等阁诗话》："平生兀傲颓放类阮嗣宗，困厄寡谐，以古文名世。诗学东坡、临川，心摹手追，直造其域。"又："其诗有得于《小雅》，能奄有宋诸大家之胜。盘空硬语，为其特长。"《尊瓠室诗话》："文学桐城，诗肖宋人，以布衣名满天下。"金天羽《答苏堪先生书》："继殳叔（按：江湜）之后，为通州范伯子，贫穷老瘦，涕泪中皆天地民物。大江南北，二子者盖豪杰之士也。"又《艺林九友歌·序》："晚清诗人学苏最工者，推何蝯叟、范伯子。"夏敬观《忍古楼诗话》："肯堂以文为诗，大都气盛言宜，如长江大河，一泻而下，滋蔓委曲，咸纳其间。"林庚白《丽白楼诗话》："或谓同光诗人，如郑珍、江湜、范当世、郑孝胥、陈三立，皆不尽雕琢，能屹然自成其一家，固矣。……当世、孝胥、三立，则诗才与气力故自不凡……当世则外似博大，而内犹局于绳尺，不能自开户牖，以视珍、湜诗能用古人而不为古人所用，抑又次焉。"由云龙《定盦诗话》："范伯子诗，如饥凤悲时，孤麟泣遇，至其力能扛鼎处，又如垓下项王，时歌徵羽。"汪国垣《光宣诗坛点将录》拟之以天猛星霹雳火秦明，赞曰："当其下手风雨快，谁手敌手花知寨。霹雳列缺，吐火施鞭。扬雄羽猎赋。盘空硬语真能健，绪论能窥万物根。玩月诗篇成绝唱，苏黄至竟有渊源。散原见无错《中秋玩月》诗，叹为苏、黄以来，六百年无此奇矣。"钱仲联《近百年诗坛点将录》拟之以天雄星豹子头林冲，称："范伯子诗为近代学宋诗一派所推，吴闿生选晚清四十家诗以伯子冠首。金天羽《答苏堪先生书》谓伯子'贫穷老瘦，涕泪中皆天地民物'，'盖豪杰之士也'。良非过誉。其《过泰山下》诗云：'生长海门狎江水，腹中泰岱亦峥嵘。'是何气概雄且杰！"又《梦苕盦诗话》："伯子穷儒老瘦，涕泪中皆天地民物，发为歌诗，力能扛鼎，震荡翕辟，沉郁悲壮。能合东坡之雄放与山谷之遒健为一手。吴中诗人，江殳叔后，未见其匹。"又："肯堂七律，硬语盘空，全得力于山谷。""肯堂七古，气骨峻嶒，直欲负山岳而趋。晚清学宋诸家，皆不能及。"陈三立《范伯子文集序》："君之文敛肆不一体，往往杂瑰异之气，而长于控抟旋盘，绵邈而往复，终以出熙甫上，毗习之子固为尤美，此可久而枇论定者也。君始从武昌张先生受文法，寻与桐城吴先生讲肄，求之益深，至为诸生数十年。矢博科第养亲，顾所为制举文与所为古文辞相表里，以故终不第。飘泊南北，独名在士大夫间而已。"又按：姚倚云（1864—1944）后以兴学为务。遗著《蕴素轩诗集》、《沧海归来集》由其弟子刊出。姚永朴《蕴素轩诗稿序》："诗温厚尔雅，能协诗教。"曹文麟《蕴素轩诗集序》："文麟读其诗有年，识其和厚悱恻之旨，而景仰之徒当亦知其和厚悱恻、且有裕于诗之外者。"顾公毅序："先生之诗，老而益工。所历即艰苦，一视乎义命而安之，故其为言极舒迟澹泊之致，世更有冀州其人，不知作何赞叹也。"

王仁俊编《辽文粹》七卷等成。又自撰《辽史艺文志补证》一卷，编《西夏文缀》，撰《西夏艺文志》，均成于本月，有自序。

本年

皮锡瑞在善化刊出《师伏堂咏史》一卷、《师伏堂词》一卷、《师伏堂诗草》六卷，补刊《师伏堂骈文》四卷。

释敬安五十四岁，《白梅诗》刊行于世，世人或以"白梅和尚"称之。按：后敬安卒于民国元年九月，年六十二。叶德辉《八指头陀诗集序》："中年以后，所交多海内闻人，诗格驺宕，不主故常，骎骎乎有与邓、王犄角之意。湘中固多诗僧，以余所知，未有胜于寄师者也。"《晚晴簃诗汇》卷一百九十八，收其诗至四十首，诗话云："寄禅幼就塾，受鲁论未终篇。……然拙于作书，诗成倩辄人写之。一日作诗寄李炳甫，有花下一壶酒句，书至壶字，忘其点画，因画一酒壶于其间，见者无不绝倒。晚年学齐梁人文体，亦古雅有法。所谓文字般若者，非耶？"汪辟疆《近代诗人小传稿》："具宿慧，能为诗，初不识字，以画代之。不知壶字，辄画壶形。自言：'初学为诗，甚苦，其后登岳阳楼，忽若有悟，遂得句云：洞庭波送一僧来。灵机偶动，率尔而成，不谓竟得诗奥。'其后僧众推主长沙上林寺，为士大夫所礼重。独叶德辉郋园谓之曰：'工诗必非高僧，古来名僧，自寒山、拾得以下，若唐之皎然、齐己、贯休，宋之九僧，参寥、石门，诗皆不工，而师独工！其为僧果高于唐宋诸人否耶？'寄禅不服，德辉书楹联赠之，有'正法眼空三教论，中唐音变九僧诗'之句，亦谓其诗自工而僧固不高也。……后游天台，得'袖底白生知海色，眉端青压是天痕'一诗，莫不称颂。未几主天童寺方丈，作白梅诗，远近传写，呼为白梅和尚。一日，下山睹流水，憬然有悟，为诗曰：'流水不流花影去，花残花自落东流。落花流水初无意，惹动人间尔许愁。'……其诗大抵清空灵妙，音旨湛远。"

徐嘉至本年得诗三千余首。(据《除夕祭诗》)徐嘉(1834—1913)字宾华，号遁庵。江苏山阳人，同治九年举人。治学为诗均师淑顾炎武及乡先辈潘德舆，著有诗文集《味静斋集》及《顾亭林先生诗笺注》等。冯煦《味静斋集序》："诗文皆根极道要，甄综政本，国之秕政颓俗，皆一究其得失利病，形之于言，蕲乎寐者而使之觉。"俞樾《序》谓："其文质直而有味，清疏而有物，记载时事，敷陈义理，无不曲尽"，"其诗声情之激越，意思之缠绵，非近时作者所能及。殆皆师法亭林者"。

上海广智书局铅印《饮冰室文集·癸卯集》。

孙雄撰《眉韵楼诗》三卷刊刻。

上海刊出邹弢撰《海上尘天影》六十章石印本。

据阿英《晚清戏曲小说目》统计，本年刊行之戏曲有三十一种，为晚清戏曲创作最多之一年。其中有：陈季衡《非熊梦》传奇八出，湖南刊行；梁启超《新罗马传奇》七出，本年连载于《新民丛报》；惜秋著《新上海》传奇，刊载于《二十世纪大舞台》，谱上海赛马等事，系讽刺之作；幽并子著《黄龙府》传奇，亦刊载于《二十世纪大舞台》，演岳飞事；佚名著《维新梦》传奇二出，未完，刊载于《大陆》杂志；感惺著《断头台》及《三百少年》杂剧，刊载于《中国白话报》，分别演法兰西山岳党事、日俄战争中辽阳战事；遁飞著《时事新戏》，题"袁大化杀贼"，载《中国白话报》，演袁大化保卫国家事；汪笑侬著《瓜种兰因》，地方戏，初载《警钟日报》，后出单行小本，演波兰与土尔其战事。

又，据《晚清戏曲小说目》，本年刊行创作小说二十七种，翻译小说三十六种。其中有：二春居士《海天鸿雪记》四册二十回，世界繁华报馆刊行；海天独啸子《女娲石》二册十六回，东亚编辑局刊行；佚名著《支那儿女英雄遗事》八册六十四回，上海宏文馆石印。柯南道尔著，奚若译《福尔摩斯再生案》，小说林刊行，三册，共收《再生第一案》等五案；冷血译《虚无党》，开明书店刊行；索公译《侦探新语》，昌明公司刊行。余尚多，不详述。按：晚清小说译、著数量极大，阿英《晚清戏曲小说目》所收，所遗仍多，近今日本樽本照雄《清末民初小说目录》及陈大康《中国近代小说编年》所收甚多。本编年仅略举若干。

本年各报刊杂志尚刊有《松陵新儿女》等传奇、杂剧，多为短剧或不全。柳亚子撰《松陵新儿女》，刊于《女子世界》，仅成一折；高增撰《女中华》一折，刊于《女子世界》，无故事情节，鼓吹反清排满及男女平权；汪笑侬撰《瓜种兰因》第一本，连载于《警钟日报》，后有单行小本；欧阳钜源撰洋装戏《拿破仑》片段，刊于《二十世纪大舞台》；玉桥撰《云萍影》上下二折，刊载于《绣像小说》，后有商务印书馆单行本，叙青年男女歪挨克与华格斯主张维新救国事，曲文杂用英文。

陈锐至高邮榷舍。

秋瑾二十八岁，在京及留学日本。按：秋瑾上年随夫入京定居，阅新书新报，曾于致其妹闺珵书中云："任公主编《新民丛报》，一反已往腐儒之气。……此间女胞，无不以一读为快，盖为吾女界楷模也。"本年正月初七，瑾在京与吴芝瑛订文字之交。初夏赴日留学。秋，由东京至横滨，加入冯自由、梁慕光组织之"三合会"，是会以"推翻满清，恢复中华"为宗旨。本年有《赠盟姊吴芝瑛》、《宝刀歌》、《申江题壁》、《题乐天词丈春郊试马图》、《轮船记事》、《日人石井君索和即用原韵》、《日本服部夫人属作日本海军凯歌》等诗。吴芝瑛《记秋女侠遗事》："在京师时，摄有舞剑小影，又喜作《宝刀歌》、《剑歌》等篇，一时和者甚众。女士原作甚佳，有上下千古、慷慨悲歌之致……某女士赠诗有曰：'隐娘侠气原仙客，良玉英风岂女儿？'二语能髣髴其平生。"

周作人始在报刊杂志发表译、著作品。四月初一日发表《说生死》、《论不宜以花字为女子代名词》于《女子世界》第五期，署名吴萍云；下半年，据英文版《天方夜谭》中《阿里巴巴和四十大盗》故事，译为《侠女奴》，发表于《女子世界》，署萍云女士。据《知堂回想录》云，此期思想极为混杂："有外国的人道主义，革命思想，也有传统的虚无主义，金圣叹、梁任公的新旧文章的影响，混杂地拼在一起。"（张菊香、张铁荣编著《周作人年谱》）

徐宗亮卒，年七十一。宗亮（1834—1904）字晦闻，号茶岑，安徽桐城人。少孤，后致力于学，为文承桐城遗绪，与文汉光、萧穆等交密，张裕钊、吴汝纶等皆推其文。

尝入胡林翼等幕，以布衣终。著有《善思斋文钞》、《诗钞》、《词》及《桐城先正事略》等。

萧穆（1835—1904）卒于家，年七十。所著《敬甫类稿》十六卷，光绪三十二年安徽提学使沈曾植为鸠资刊出。姚永朴《萧先生传》："少谒曾文正公于安庆。文正语人曰：'异日缵其邑先正遗绪者，必此人也。'先生屡应江南乡试，不售；客上海制造局广方言馆，得俸，辄购书……所储皆善本，或孤行于世。人未见者。盖先生所至，书贾每盈座焉。是时吾邑先辈如方先生宗诚著书多谈性道，及军国利病、吏治得失。徐先生宗亮亦究心边事。吴先生汝纶尤喜以泰西学说为吾国倡，惟先生一意编摩古籍；与后生言，于字句异同，刊本良否，以及前闻轶事，历历然如数室中物；而无一语及世务。吴先生每思广以异域之事，见必极论。先生意不与之合，讥嘲轰发；然吴先生退，未尝不重先生。"《清史稿·文苑三》："汝纶门下最著者为贺涛，而同时有萧穆，亦以通考据名。……其学博综群籍，喜谈掌故，于顾炎武、全祖望诸家之书尤熟。复多见旧椠，考其异同，朱墨杂下。遇孤本多方劝刻，所校印凡百余种。"

周星诒（1833—1904）卒，年七十二。俞樾《五周先生集序》："周氏本吾浙人……其兄弟八人，知名者五。……五先生皆旷代逸才……诗文皆自能成家，不染近代浮靡之习。则此一集亦如精金美玉，其光气固不可埋没，窦氏《联珠》，不得专美于前矣。"《晚晴簃诗汇》卷一百五十一收其诗六首，集评："孙仲容曰：季贶先生学问淹洽，喜藏书，著录数万卷，多宋元旧椠及乾嘉诸老精校善本。手自理董，丹黄杂逐，抱经、荛圃未能专美。诗词多造微之作，晚年删定五言律诗五十余篇，高渺之致寓诸平易，崎奇之怀返之冲淡。杼山长老有云清景当中天地秋色，可与论先生之诗矣。谭仲修曰：朴属微至，于古人近元次山，今人则莫子偲。"孙诒让《窳横诗质》跋："右五言律诗一卷，周季贶先生所著也。……盖先生少年时著集甚富，晚年手自删简，又质之仲修（今按：谭献），相与商榷，仅存此一卷。高眇之致，寓诸平易，崎奇之怀，返之冲澹。……托兴孤迈，妙造自然……此岂涂泽雕缋者所能窥其万一乎？"

现代作家朱湘（1904—1933）、**林徽因**（1904—1955）、**丁玲**（1904—1986）、**艾芜**（1904—1992）、**沙汀**（1904—1992）、**巴金**（1904—2005）生。

公元 1905 年（光绪三十一年　乙巳）

正月

二十日，《国粹学报》创刊于上海。上年十二月，国学保存会成立于上海，会员有邓实、刘师培、章太炎、黄节、陈去病、罗振玉、王国维、王闿运、孙诒让、柳亚子、郑孝胥、马叙伦、马其昶、张謇等。至是刊出机关杂志，邓实任总纂，以"发明国学，保存国粹"为宗旨。该刊辟有社说、政篇、史篇、文篇、丛谈等栏，至宣统三年七月停刊，共出八十二期。辛亥后改名《古学汇刊》，至民国三年终刊。首期刊出黄节撰《国学保存会小集叙》："粤以甲辰季冬之月，同人设国学保存会于黄浦江上。绸缪宗国，商量旧学。撼怀旧之蓄念，发潜德之幽光。当沧海之横流，媲前修而独立。盖学之不讲，本尼父之所忧；《小雅》尽废，岂诗人之不惧。……大道以多歧而亡羊，中原方有事而逐鹿。读书之业，辍于干戈；六艺之圃，鞠为茂草。况复门户水火，则兰艾同焚；诸子九流，则冰炭不合。流至今日，而汉宋家法，操此同室之戈；景教流行，夺我谭经之席。于是蟹行之书，纷填于市门；象胥之学，相阗于黉舍。观欧风而心醉，以儒冠为可溺。嗟乎！念铜驼于荆棘，扬秦灰之已死，文武之道，今夜尽矣。同人吾为此惧，发愤保存。"又刊黄节所撰《国粹学报叙》，以为当"举东西诸国之学以为客观，而吾为主观以研究之，期光复乎吾巴克之族，黄帝、尧、舜、禹、汤、文、武、周、孔之学"。

曾朴著《孽海花》初集十回出版。至八月，二集出版。凡二集二十回，叙金沟与傅彩云情事，杂叙晚清三十年间遗闻逸事。标"历史小说"，日本东京翔鸾社印刷，上海小说林社发行。按：是书原由金松岑创作数回，至上年，曾朴等创办小说林社于上海，松岑将所撰前六回交付曾朴续作。曾朴接手续撰，并修订前数回。历时三月，成此二十回。其出书广告云："吴江金一原著，病国之病夫续成。本书以名妓赛金花为主人，纬以琐闻铁事，描写尽情，小说界未有之杰作也。"此书颇风行，于本年（光绪三十一年）至明年两年再版至十五次，印数达五万册。后《小说林》杂志创刊，曾朴复撰五回（二十一至二十五回），以后中辍。民国十六年（1927），曾朴重返文坛，修订并续写《孽海花》，撰至三十五回。按：鲁迅《中国小说史略》将曾朴与李伯元、吴趼人、刘鹗同列为晚清谴责小说代表作家，谓："书于洪、傅特多恶谑称，并写当时达官名士模样，亦极淋漓，而时复张大其词，如凡谴责小说通病；惟结构工巧，文采斐然，则其所长也。书中人物，几无不有所影射……而形容时复过度，亦失自然，盖尚增饰而贱白描，当日之作风固如此矣。"

洪炳文撰成《后南柯传奇》。《自序》谓："尝观天地之间，物必有偶，蜂知君臣，蚁亦知君臣，蜂知团体，蚁亦知团体。蜂严种族，蚁亦严种族。之数者，天赋之职任，亚圣所谓良知良能是也。惟其能是，此蜂蚁所以自成为蜂蚁也；惟其能止于是而不知进化，此蜂蚁所以为蜂蚁也。若人则不然。既知君臣，便知团体；既知团体，便严种族；既严种族，便效竞争；既效竞争，便揽利权。此十九世纪以来为物竞之世界，二十世纪以后便为种族吞灭之世界。不此之察，坐待沦亡，几智出蜂蚁下，且不能如蜂蚁之得以自存也。吁！可畏矣。蒙昔既有《警黄钟》之编，而复有兹编之作者，正为此也。《警黄钟》但言争领地，而兹编则言保种族。争领地者，其患在瓜分；保种族者，其患在灭种。……"

周作人始译美国小说家爱伦坡侦探推理小说《山羊图》。译成寄《女子世界》主编丁初我。此《山羊图》易名《玉虫缘》，署碧萝女士，翔鸾社本年四月单行出版；明年小说林再版单行本，原著者署安仑坡。又，三月著短篇小说《女猎人》，载《女子世界》第二年第一号（原第十三期），署名会稽萍云女士。《女猎人》参照英国星德夫人著《南非搏狮记》而成，作者"约言"云："作者因吾国女子日趋文弱，故组以理想而造此篇。"（张菊香、张铁荣编著《周作人年谱》）

二月

十五日，蒋智由（观云）撰《中国之演剧界》刊载于《新民丛报》第六十五号。此为我国较早讨论悲剧之专文。

二十三日，黄遵宪（1848—1905）卒于家，年五十八。康有为《人境庐诗草序》："公度天授英多之才，少而不羁，然好学若性，不假师友，自能博群书，工诗文，善著述，且体裁严正古雅，何其异哉！嘉应先哲多工词章者，风流所被，故诗尤妙绝。……久废无所用，益肆其力于诗。上感国变，中伤种族，下哀生民，博以环球之游历，浩渺肆恣，感激豪宕，情深而意远，益动于自然，而华严随现矣。公度岂诗人哉！而家父、凡伯、苏武、李陵及李、杜、韩、苏诸巨子，孰非以磊砢英绝之才郁积勃发而为诗人者耶？公度之诗乎，亦如磊砢千丈松，郁郁青葱，荫岩竦壑，千岁不死，上荫白云，下听流泉，而为人所瞻仰徘徊者也。"《饮冰室诗话》："近世诗人能熔铸新理想以入旧风格者，当推黄公度。"又，"希腊诗人荷马（旧译作和美耳），古代第一文豪也。其诗篇为今日考据希腊史者独一无二之秘本，每篇率万数千言。近世诗家，如莎士比亚、弥儿敦、田尼逊等，其诗动亦数万言。伟哉！勿论文藻，即其气魄固已夺人矣。中国事事落他人后，惟文学似差可颉颃西域。然长篇之诗，最传诵者，惟杜之《北征》、韩之《南山》，宋人至称为日月争光；然其精深盘郁雄伟博丽之气，尚未足也。古诗《孔雀东南飞》一篇，千七百余字，号称古今第一长篇诗，诗虽奇绝，亦只儿女子语，于世运无影响也。中国结习，薄今爱古，无论学问文章事业，皆以古人为不可几及。余生平最恶闻此言。窃谓自今以往，其进步之远轶前代，固不待蓍龟，即并世人物亦何遽让于古所云哉？生平论诗，最倾倒黄公度，恨未能写其全集。……（《锡兰岛卧佛》诗）乃煌煌二千余言，真可谓空前之奇构矣。荷、莎、弥、田诸家之作，余未能读，不敢妄下比絜。若在震旦，吾敢谓有诗以来所未有也。以文名名之，吾欲题为《印度近史》，欲题为《佛教小史》，欲题为《地球宗教论》，欲题为《宗教政治关系说》；然是固诗也，非文也。有诗如此，中国文学界足以豪矣。"又，"自唐人喜以佛语入诗。至于苏（东坡）王（半山），其高雅之作，大半为禅悦语。然如'溪声便是广长舌，山色岂非清净身'之类，不过弄口头禅，无当于理也。《人境庐集》中有一诗，题为《以莲菊桃杂供一瓶作歌》半取佛理，又参以西人植物学、化学、生理学诸说，实足为诗界开一新壁垒"。又，"昔尝推黄公度、夏穗卿、蒋观云为近世诗界三杰"。"要之，公度之诗，独辟境界，卓然自立于二十世纪诗界中，群推为大家，公论所不容诬也。"狄葆贤《平等阁诗话》："先生雅好歌诗，为近来诗界三杰之冠。……（《日本杂事诗》十首）写物如绘，妙趣横生。以悲悯之深衷，作蝉嫣之好语。旗亭画壁，孰为曼声歌之？"袁祖光《绿天香雪簃诗话》："黄公度遵宪作《今别离》四章，分咏汽船、汽车、电信、照相及东西两半球昼夜相反。古意沉丽，陈伯严吏部三立推为千年绝作。""海外景物，近人入诗者多。求其雄阔淋漓，不负万里壮游者，惟黄公度一人而已。《锡兰岛卧佛》六篇，汪洋恣肆，几如神骏不可羁勒。《流球歌》、《越南篇》、《台湾行》等作，可称诗史，不仅以诗鸣也。近闻人诵其断句云：'文章大蟹横行日，世界群龙见首时。'的是先生自道语。"陈衍《石遗室诗话》卷九："自古诗人足迹所至，往往穷荒绝域，山川因而生色，更千百年成为胜迹，表著不衰。嘉州以岑，秦陇以杜，夜郎以李以王（昌龄），柳、永以柳，琼儋以苏，然皆未至裨海瀛海而遥也。中国与欧美洲交通以来，持英簜与敦槃者，不绝于道，而能以诗鸣者，惟黄公度，其关于外邦名迹之作，颇为夥颐。"又卷八："《人境庐诗》惊才绝艳，人谓其濡染定盦，实则宗仰《晞发集》其至。"王揖唐《今传是楼诗话》"黄遵宪诗开一代风气"条："嘉应黄公度京卿《人境庐诗》多纪时事，且引用新名词，在晚清诗格中良为变体，人谓其浸淫定盦，石遗则谓其嗣响晞发。要之一时代中固有一时代作者，能开风气，舍君其谁？综其所作，关系戊戌、庚子间国故甚多，惜未及自注，时移事往，诚不免'无人作郑笺'之叹。余最喜君《新别离》、《台湾行》诸诗，即论才力，固已一时无两。"高旭《愿无尽庐诗话》："世界日新，文界诗界当造出一新天地，此一定公例也。黄公度诗独辟异境，不愧中国诗界之哥伦布矣。近世洵无第二人。然新意境新理想新感情的诗词，终不若守国粹的、用陈旧语句为愈有味也。"《晚晴簃诗汇》卷一百七十一收诗九首。诗话云："公度负经世才，少游东西各国，所遇奇景异态，一写之以诗，其笔力识见亦足以达其旨趣。子美集开诗世界，为古今诗家所未有也。"陈融《颙园诗话》："公度论诗，谓当树帜于古人之外，各人有面目，正不必与古人相同，吾欲以古文家抑扬变化之法作古诗……其诗致力于古人之处，盖甚深邃。……其功学所在，不徒得助于奇景异态者。"屈向邦《粤东诗话》："近代诗人，尚意境者宗黄、陈；主神韵者师大历；缒幽凿险，则韩、孟尚焉；范水模山，则谢、柳尊矣。其有豪杰之士，不欲步趋前贤，如南海康广厦有为，能入能出，一片神行；如镇平丘仙根逢甲，矜才使气，自出机轴；如嘉应黄公度遵宪，突破前人范围，一新诗界面目。之三子者，皆一时钜手，而公度为尤著。"钱萼孙《梦苕盦诗话》："黄公度人境庐诗，以旧格律运新理想，诚不愧诗世界之哥伦布。然传诵一时之《今别离》四章、《以莲菊桃杂供一瓶作歌》诸首，笔路粗疏，大似张船山一流，并不见佳。余最爱其《拜曾祖母李太夫人墓》长五古，曲折详尽，语皆本色，真公度所谓我手写我口者。运用古乐府之神理，而全变其面貌，不足与皮相者道也。"又："公度《杂感》诗云：'我手写我口，古岂能拘牵。即今流俗语，吾若登简编。五千年后人，惊为古斓斑。'此公度二十余岁时所作，非定论也。今人每喜揭此数语，以厚诬公度。公度诗正以使事用典擅长。《锡兰岛卧佛》诗，煌煌数千言，经史释典，澜翻笔底。近体感时之作，无一首不使事精当。"又："人境庐诗，论者毁誉参半，如梁任公、胡适之辈，则推之为大家。如胡步曾及吾友徐澄宇，以为疵累百出，谬戾乖张。予以为论公度诗，当着眼大处，不当于小节处作吹毛之求。其大气开张，大气包举者，真能于古人外独辟町畦。抚时感事之作，悲壮激越，传之他年，足当诗史。至论功力之深浅，则晚清做宋人一派，尽有胜之者。公度之长处，固不在此也。"夏敬观《映庵臆说》："近数十年诗人，能直言眼前事、直用眼前名物，莫如黄公度遵宪。"汪辟疆《近代诗人小传稿》："公度工诗，其中岁以后，肆力为诗，探源乐府，旁采民谣，无难显之情，含不尽之意，又以习于欧西文学，以长篇叙事见重艺林，时时效之。叙壮烈则缋影摹声，言燕昵则极妍尽态，其运陈入新，不囿于古，不泥于今，故当时有目之为诗体革新者。"《光宣诗坛点将录》列黄遵宪于"步军头领一十员"中，以天伤星行者武松属之，曰："黄公度号称识时之彦，晚清末造，早决危亡。所撰《日本国志》、《日本杂事诗》，弦外之音，弥深警惕。所为诗歌，尤负盛名。梁卓如至推为诗界革命，与蒋智由、夏曾祐鼎足焉。虽未能副其所期，然一时巨手也。"钱钟书《谈艺录》（第三条）："近人论诗界维新，必推黄公度。《人境庐诗》奇才大句，自为作手。五古议论纵横，近随园、瓯北，歌行铺比翻腾处似舒铁云，七绝则龚定盦，取径实不甚高。语工而格卑；伧气尚存，每成俗艳。尹师鲁论王胜之文曰：赡而不流；公度其不免于流者乎？大胆为文处，亦无以过其乡宋芷湾。差能说西洋制度名物，掎摭声光电化诸学，以为点缀，而于西人风雅之妙，心性之微，实少解会。故其诗有新事物，而无新理致。譬如《番客篇》，不过胡稚威《海贾诗》。《以莲菊桃杂供一瓶作歌》，不过《淮南子·俶真训》所谓：'槐榆与橘柚，合而为兄弟；有苗与三危，通而为一家'；查初白《菊瓶插梅》诗所谓：'高士累朝多合传，佳人绝代少同时'；公度生于海通之世，不曰'有苗三危通一家'，而曰'黄白黑种同一国'耳。凡新学而稍知存古，与夫旧学而强欲趋时者，皆好公度。盖若辈之言诗界维新，仅指驱使西故，亦犹参军蛮语作诗，仍是用佛典梵语之结习而已。"

二十九日，**邹容**（1885—1905）病卒于狱中，年二十一。民国元年二月，南京临时政府追赠为大将军。

《绣像小说》第四十三期开始连载《扫迷帚》，至第五十二期毕，二十四回，作者署"壮者（丁逢甲）"。是书以反对迷信风俗为宗旨，无连贯情节，罗列苏州及他省迷信风俗。与李伯元《醒世缘弹词》、吴趼人《瞎骗奇闻》、嘿生《玉佛缘》等并为晚清反迷信运动小说之代表作品。

林纾、魏易所译《迦因小传》由商务印书馆出版，标"言情小说"。原著为英国小说家哈葛德，前有包天笑、杨紫驎节译本，是译本为全译本，补出节译本所删之迦因私生子事。金松岑本年撰《论写情小说于新社会之关系》发表于《新小说》第十七号刊，斥责林纾译本，谓此种小说"必为青年社会所欢迎，而其效果则不忍言矣"："《迦因》小说，吾友包公毅译。迦因人格，向为吾所深爱，谓此半面妆文字，胜于足本。今读林译，即此下半卷内，知尚有怀孕一节。西人临文不讳，然为中国社会计，正宜从包君节去为是。此次万千感情，正读此书而起"，"曩者少年学生，粗识'自由'、'平等'之名词，横流滔滔，已至今日，乃复为下多少文明之确证：使男女而狎妓，则曰我亚猛着彭也，而父命可以或梗矣（原注：《茶花女遗事》，今人谓之外国《红楼梦》）；女子而怀春，则曰我迦因赫斯德也，而贞操可以立破矣"；"吾所崇拜夫文明之小说者，正乐取夫《西厢》、《红楼》、《淞隐漫录》旖旎妖艳之文章，摧陷廓清，以新吾国民之脑界，而岂复可变本而加之厉也？""吾东洋民族国粹，有大胜于西人者数事……至男女交际之过抑，虽非公道，今当开化之会，亦宜稍留余地，使道德法律得持其强弩之末以绳人，又安可设淫词而助之攻也！"至光绪三十四年，寅半生《读〈迦因小传〉两译本书后》谓："盖自有蟠溪子译本，而迦因之身价忽登九天；亦自有林畏庐译本，而迦因之身价忽坠九渊。何则？情者，欲之媒也；欲者，情之蠹也。知有情而不知有欲者，蟠溪子所译之迦因是也；知有情而实在乎欲者，林畏庐所译之迦因是也。他不具论，试问未嫁之女儿，遽有私孕，其为人足重乎？不足重乎？吾恐中西之俗虽不同，殆未有不以为耻者。……林氏自诩译本之富，俨然以小说家自命，而所译诸书，半涉于牛鬼蛇神，于社会毫无裨益；而书中往往有'读吾书者'云云，其口吻何其矜张乃尔！甚矣，其无谓也！"

王闿运七十四岁，在湘，"议钞诗集，分与诸儿女，稍改少作，删其客气者"，至五月毕其事。（《湘绮府君年谱》）

三月

陈衍在武昌开雕诗集，至十一月雕成，自为一叙。《侯官陈石遗先生年谱》："初，家君自少至壮，有诗千余首，至是痛加删削，前后二十九年，只存四百余首，编年分三卷刻之，名曰《石遗室诗集》。石遗室者，弱冠时梦至一处，重楼叠阁，阒其无人，有书数百厨，随手抽数册阅之，书边印石遗某某书，中似是自己著作，醒时只记如此。书中云何则忘之矣。时方阅元遗山集，因遂自号石遗。"

《新小说》第十五号开始连载颐琐著《黄绣球》。至第二十四号毕，二十六回（光绪三十三年新小说社出版单行本时续足三十回），标"社会小说"。是书演述改革理想，叙女主人公黄绣球受罗兰夫人影响，从事改造社会活动事。阿英《晚清小说史》："当时产生的妇女问题小说，最优秀的要推颐琐的《黄绣球》。"

春

胡适在上海，始读严复译《天演论》。改名适，字适之，是为初步接受进化论思想之"纪念品"。（易竹贤《胡适年谱》）

傅增湘在津创办女子公学，吕碧城主教席。（《藏园居士六十自述》）

四月

五日丁未，军机处命查禁《浙江潮》、《新民丛报》、《新小说》等书刊。

本月起，反美华工禁约运动兴起。以上海为中心，各地创作出大量文学作品，后阿英辑有《反华工禁约运动文学集》。

樊增祥集壬寅十一月至本月所作词为《双红豆馆词赓》。又，本月至十月诗集为《紫薇二集》。

五月

朱孝臧在广州刊刻《彊邨词》三卷，取前此王鹏运书为序，并加识语。王闿运《彊邨词序》："公词庚、辛之际，是一大界限；自辛丑夏与公别后，词境日趋于浑，气息亦益静，而格调之高简，风度之矜庄，不惟他人不能及，即视彊邨己亥以前词，亦颇有天机人事之别。……自世人之知学梦窗，知尊梦窗，皆所谓但学《兰亭》面者，六百年来，真得髓者，非公更有谁耶？爨笙喜自诧，读大集竟浩然曰：'此道作者固难，知之者并世能有几人！'可想见其倾倒矣。"

易顺鼎《霭园诗事》集起于是月。是月顺鼎别闽，回九江省父，复移居友人黄嗣东之霭园山楼。八月，张之洞再招入幕，在鄂追陪张之洞巡视宴集，与张之洞及同幕诸客友朋陈衍、曾广钧、张祖同、程颂万等诗相酬应，并仿古时击钵催诗之体限韵课诗。讫本年十月，所作诗及诸人唱和同作刻为《霭园诗事》。顺鼎《霭园诗事》叙："余以乙巳五月去闽，濒行时，携姬人游鼓山，留诗与戗庵、木庵两诗老唱和。遂由沪还九江，旋至鄂中，假寓鲁鬈之霭园山楼。……既而陶斋尚书来登此山，又宽仲自襄阳来，棠孙自皖来，伯严自金陵来，狷叟、重伯、奂份、沅生自湘来，晦若至都来，盍簪联袂，文酒留连，极一时之盛，而其间余与节庵、伯严，又时时侍抱冰相国师游宴赓和，是为诗事极盛之时也。因录唱和诗，起是年五月，讫是年十月，名曰《霭园诗事》云。"此集所载，多与师友张之洞、梁鼎芬、陈三立、吴庆坻、端方等赠答之诗。又，秋间在武昌仿击钵吟诗，后刻为《仿击钵吟》。顺鼎《仿击钵吟题记》："前年乙巳秋，炎暑甚炽。抱冰宫保师每以日午或月夜携客赋诗。旧时闽中士大夫有所谓击钵吟者，作七绝一首，拈古事命题，而选与题绝不相干之三字为韵，以速为主，往往韵甫限而诗即成。因仿为之，藉以诒暑。"据题记，与此会者有张之洞、梁鼎芬、陈三立、纪钜维、顾印愚等人。

六月

十四日（7 月 16 日），清廷定载泽等五大臣出洋考察宪政。

七月

二十日（8 月 20 日），中国革命同盟会在日本东京正式组成。发表宣言，提出"驱逐鞑虏，恢复中华，建立民国，平均地权"纲领。

林纾撰《撒克逊劫后英雄略序》及《斐州烟水愁城录序》，盛赞西洋小说艺术成就。《斐州烟水愁城录》系英国小说家哈葛得探险小说，林纾序谓："余译既，叹曰：西人文体，何乃甚类我史迁也！……综而言之，欧人志在维新，非新不学，即区区小说之微，亦必从新世界中着想，斥去陈旧不言。若吾辈酸腐，嗜古如命，终身又安知有新理耶？"《撒克逊劫后英雄略》系英国小说家司各德（今译司各特）之作，林纾序云："纾不通西文，然每听述者叙传中事，往往于伏线接笋变调过脉处，大类吾古文家言。……西国文章大老，在法吾知仲马父子，在英吾知司各德、哈葛德两先生；而司氏之书，涂术尤别。顾以中西文异，虽欲私淑，亦莫得所从。嗟夫！青年学生，安可不以余老悖为鉴哉！"按：本年林纾五十四岁，迄至本年，所译外国小说已二十余种，本年刊出者九种，为《迦因小传》、《埃及金塔剖尸记》、《英孝子火山报仇录》、《拿破仑本纪》、《鬼山狼侠传》、《撒克逊劫后英雄略》、《美州童子万里寻亲记》、《斐州烟水愁城录》、《玉雪留痕》。

八月

四日（9 月 2 日），直隶总督兼北洋大臣袁世凯奏请立停科举，推广学堂。清廷诏准自丙午科为始，所有乡、会试一律停止，各省岁科考试亦即停止。并令学务大臣迅速颁发各种教科书，责成各省督抚实力通筹，严饬府厅州县速于城乡各处遍设蒙小学堂。

十九日（9 月 17 日），清廷派遣载泽等五大臣出国考察宪政。后以遭革命党人吴樾袭击改期。

十九日，陈书（1838—1905）卒于家，年六十八。明年十二月，陈衍选其诗六百首刊于武昌，曰《木庵先生诗》，后有冯煦跋。《晚晴簃诗汇》卷一百七十收其诗二十一首，诗话云："木庵雅才旷抱，诗近白苏，于袭美、鲁望、山谷、后山、放翁诸家皆有神契。晚于诗律尤细，纵笔为之，格严气肆。其诗云：乐天有何好，有意都能言。真造此境。善说杜诗，凡人人熟读而莫得真诠者，一语拈出，闻者解颐。生有至性，居家侍母疾，无意仕进。母殁，乃出游苏皖，年六十有二始以谒选得官。值庚子匪乱，所治博野匪以好官不忍扰民，赖以安。后二年因病乞归，卒于里，弟衍为志其墓。"

二十一日，《南方报》开始连载吴趼人《新石头记》。标"社会小说"，至本年十一月二十九日止，刊至第十一回，后光绪三十四年刊单行本四十回。按：此书叙贾宝玉再世为人，游历二十世纪初之中国及作者理想中之"文明境界"事。报癖刊载于《月月小说》第六号之评论（《新石头记》）云："南海吴趼人先生，近世小说界之泰斗也，灵心独具，异想天开，撰成《新石头记》，刊诸沪上《南方报》，其目的之正大，文笔之离奇，眼光之深宏，理想之高尚，殆绝无而仅有。全书凡四十回，以宝玉茗烟薛蟠三人为主脑，未涉及一薄命儿；且先生亦现身说法，为是书之主人翁，书中之老少年，即先生之化身也。而其所发明之新理，千奇百怪，花样翻新，大都与实际有密切之关系，循天演之公例，愈研愈进，愈阐愈精，为极文明极进化之二十世纪所未有。其描橅社会之状态，则假设名词，以隐刺中国之缺点，冷嘲热骂，醰畅淋漓，试取曹本以比较之，而是作自占优胜之位置。盖以旧《石头》艳丽，《新石头》庄严，旧《石头》安逸，《新石头》动劳，旧《石头》点染私情，《新石头》昌明公理，旧《石头》写腐败之现象，《新石头》扬文明之暗潮，旧《石头》为言情小说，亦家庭小说，《新石头》系科学小说，亦教育小说，旧《石头》儿女情长，《新石头》英雄任重，旧《石头》消磨志气，《新石头》鼓舞精神，旧《石头》令阅者痴，《新石头》令阅者智，旧《石头》令阅者入梦魇，《新石头》令阅者饶希望，旧《石头》使阅者泪承睫，《新石头》使阅者喜上眉，旧《石头》浪子欢迎，《新石头》国民崇拜，旧《石头》如昙花也，故富贵繁华，一现即杳，《新石头》如泰岳也，故经营作用，亘古长存。就各种比例以观，而二者之性质，之体裁，之损益，既已划若鸿沟，大相径庭，具见趼公之煞费苦思，大张炬眼，个中真趣，阅者其亦能领悟否乎。"《忏玉楼丛书提要》："余按：是书从译本《回头看》等书脱胎，与《红楼》无涉。作者为卖文家，欲其书出版风行，故《红楼》之名，以取悦于流俗。然少年读之，可以油然生爱国自强之心，固非毫无价值者。"张冥飞《古今小说评林》："《新红楼梦》为趼人游戏之作，无甚道理。此类理想小说，原不妨独抒己见，何必借红楼中之宝玉以为之主人，我于此乃无取焉。"阿英《晚清小说史略》置此书于"晚清小说之末流"内，名之"拟旧小说"，谓："晚清又流行着所谓'拟旧小说'，产量特别的多。大都是袭用旧的书名与人物名，而写新的事。甚至一部小说，有好几个人去'拟'。如《新西游记》，就有陈冷血的本子，煮梦的本子，吴趼人亦有《无理取闹之西游记》。《新石头记》就有两种，南武野蛮的二册十回本，与吴趼人的八册四十回本。又有所谓《新儿女英雄》、《新七侠五义》。《新水浒》亦有两种，一为西泠冬青本，一为陆士谔本。又有《新金瓶梅》、《新镜花缘》、《新封神传》、《新果报录》、《新意外缘》、《新西湖佳话》、《新今古奇观》、《新痴婆子传》此类书印行时间，以 1909 年为最多。大约也是一时风气。此类书之始作俑者，大约也是吴趼人，然窥其内容，实无一足观者。"（按：引文省去版本说明。）

二十九日己巳（9 月 27 日），《醒狮》月刊创于东京。主要撰稿人有马君武、陈去病、柳亚子等。先是，六月间，高旭发起《醒狮》杂志，以为《江苏》之继，至是刊出。又，本年高旭二十九岁，在日本。中国同盟会成立，被推为江苏主盟人；冬，以反对日本政府文部省公布《取缔清国留学生规则》而罢学归国。

陈衍、陈三立始相识。《侯官陈石遗先生年谱》："伯严丈与家君为同年，相知二十余载，初未相见。此次梁节菴丈大会鄂渚名流，为诗钟之集，首唱系试霜嵌在第二字，家君取丈第一句云：屡试不售名辈老，十霜共醉故人稀。真可谓本色当行者。丈赠七言律一首云：胜流沈（乙盦）郑（苏堪）抗颜行，说子渊渊无尽藏。……家君次韵答二首，所谓闻声廿载才今雨者也。"时易顺鼎、程颂万、曾广钧、李葆恂等俱在武昌。

王国维汇集刊载于《教育世界》上文字及古今体诗五十首，为《静安文集》刊行。又，本年王国维始填词。赵万里《王静安先生年谱》："是岁先生于治哲学之暇，兼以填词自遣。先生于词，独辟意境，由北宋而反之唐五代，深恶近代词人堆砌纤小之习。先生尝谓六百年来词之不振，实由此故。"樊志厚《人间词甲稿序》："读君所自为词，则诚往复幽咽，动摇人心，快而能沉，直而能曲，不屑屑于言词之末，而名句间出，往往度越前人。至其言近而旨远，意决而辞婉，自永叔以后，终未有工如君者也。"

吴梅撰成《风洞山传奇》二十四出。叙明末瞿式耜抗清事。前曾刊首折于《中国白话报》，此次删去。有明年小说林社排印本。

九月

初一日，《醒狮》第一期开始连载《仇史》，至第二期毕，仅刊出二回，未完。标"历史小说"，题"痛哭生第二手编"，署黄帝纪元四千三百九十七年。其《凡例》阐明主旨云："是书专欲使我四万万同胞洞悉前明亡国之惨状，充溢其排外思想，复我三百余年之大仇，故名曰《仇史》。"

黄小配撰《廿载繁华梦》始连载于《时事画报》。光绪三十三年九月时事画报社出版该书单行本。

陈三立在武昌。与诸故旧唱酬极夥。识见陈衍，有诗赠之；赠故人纪钜维、程颂万、梁鼎芬等诗。重九日，从张之洞饯送梁鼎芬，成《九日从抱冰宫保至洪山宝通寺饯送梁节菴兵备》诗，中有"作健逢辰领元老，下窥城郭万鸦沉"句。《石遗室诗话》卷十一谓："广雅相国见诗体稍近僻涩者，则归诸西江派，实不十分当意者也。苏堪序伯严诗，言往有钜公，与余谈诗，务以清切为主，于当世诗流，每有张茂先我所不解之喻。钜公，广雅也。其于伯严、子培及门人袁爽秋（昶），皆在所不解之列。……广雅于伯严诗尤多不解，有《九日从抱冰宫保至洪山宝通寺饯送梁节庵兵备》云：'……作健逢辰领元老，下窥城郭万鸦沉。'此在伯严最为清切之作，广雅不解其第七句，疑元老不宜见领于人。伯严告余云。"

秋

北京丰泰照相馆拍摄戏曲电影《定军山》。著名京剧艺人谭鑫培表演，照相师刘仲伦摄影，历三天而成，为片段无声片。同时摄制完成戏曲片《长坂坡》。此为我国最早之电影。

劳乃宣作《增订合声简字谱》。《韧叟自订年谱》："秋，陈请督部周公设简字学堂。简字者，拼音字也。宁河王小航氏（按：王照）造官话字母，行于北方。予见其谱，知为普及教育之利器，顾原谱专用官音，不能通行于南方。予增其母韵声号，为《增订合声简字谱》一编，而宁属各府县及皖属各处语音相近之处，皆可通行。先设于金陵，任程君一夔为总理，并奏明立案。"按：劳乃宣本年六十三岁，时在江陵两江总督周馥幕。至光绪三十三年丁未，复作《简字全谱》，刊《京音简字述略》。

十月

三十日（1905年11月26日），《民报》创刊。为中国同盟会之机关报，初为月刊，后改为不定期出版，前身为《二十世纪之支那》，由胡汉民、张继、陶成章、章炳麟、汪兆铭等先后主编。主要撰稿人有陈天华、朱执信、宋教仁等。光绪三十四年，被日本政府查封。孙文撰《民报发刊词》，提出三大主义："近时杂志之作者亦夥矣，娇词以为美，嚣听而无所终，摘填索途不获，则反覆其词而自惑。求其斟时弊以立言，如古人所谓对症发药者，已不可见。……余维欧美之进化，凡以三大主义，曰民族，曰民权，曰民生。"

《民报》与梁启超所主《新民丛报》展开论战。论战前后延续数年之久，香港、上海、南洋、北美等地报刊卷入其中。胡适《五十年来中国之文学》："当日俄战争（1904—1905）以后，中国革命的运动一天一天的增加势力。同时的君主立宪运动也渐渐的成为一种正式的运动。这两党的主张时常发生冲突。《新民丛报》那时已变成君主立宪的机关了，故时时同革命的《民报》做很激烈的笔战。这种笔战在中国的政论文学史上很有一点良好的影响，因为从此以后，梁启超早年提倡出来的那种'情感'的文章，永永不适用了。帖括式的条理不能不让位给法律家的论理了。笔锋的情感不能不让位给纸背的学理了。梁启超自己的文章也不能不变了。"

樊增祥集本月至次年十月解陕藩任间诗为《紫薇三集》。是月，王闿运游秦，有唱和之作。又，增祥本年有《沉瀣集》，专和张之洞甲辰以后诗。

十一月

十二日（12 月 8 日），陈天华蹈海自杀。先是，十月六日（11 月 2 日），日本文部省徇清公使之请，颁布《清国留学生取缔规则》，留日学生八千余人举行罢课，陈天华愤于日本报纸诋毁中国学生，遂在东京大森海湾投海自杀，以示抗议。并遗《绝命词》及《致留日学生总会诸干事书》。

广智书局出版《饮冰室文集》。此文集收入所译、著之小说《世界末日记》、《新中国未来记》。

陈天华撰《狮子吼》刊载于《民报》第二号，因陈天华蹈海而未完，共八回。是书拟演述革命志士光复中华事。阿英《晚清文学丛钞·小说三卷叙例》："在（按：革命派）宣传鼓动方面，影响起得最大的，该推陈天华的鼓词《猛回头》和收在这里的小说《狮子吼》。"

小说林社出版周作人所译《侠女奴》，署"萍云译，初我（丁祖荫）润"。

本年

日俄战争结束，俄国战败，双方签订《朴茨茅斯条约》。

王树枏五十五岁，在甘肃，成《希腊春秋》八卷。

陈曾寿《苍虬阁诗集》存诗始于本年。

王国维撰《静庵文集》一卷、《诗稿》一卷铅印刊出。

宁调元留学日本。

丁惠康在沪，作《漫兴》数首。狄葆贤《平等阁诗话》谓其"幽思沉绵，不可断绝"。

郭式昌卒。式昌（1830—1905）字穀斋，福建侯官人，咸丰九年补八年举人，历官浙江金衢严道，署按察使。早岁与林锡三、龚蔼人、杨雪沧辈结南社，有十子之目。其子曾炘辑其遗草百余首为《说云楼诗草》，多从戎纪游之作。（据《晚晴簃诗汇》）

秋瑾二十九岁，是年始作长篇弹词《精卫石》。原拟写成二十回，后仅成五回，未完。按：是年七月二十日，秋瑾被推为浙江省主盟人和评议部评议员，冬，以抗议日本文部省颁布取缔清国留学生规则而归国。

陈锐《袌碧斋集》刊于扬州。七卷，诗五卷、文一卷，附词一卷。民国间重刊，夏敬观、陈三立为之序。陈《袌碧斋遗集序》："后就令江南，侘傺忧伤，独盛为词，见推朱、郑，而所遭益困。"夏《序》："始在湘中，专攻五言，魁冠侪辈。及来江南，谒南皮张文襄，座上论师，以王派见薄。顾其时君诗体已稍变，《门存》唱和，遍及海内，而王先生（今按：闿运）方且虑君见异而迁。……文襄不喜人言汉魏，王先生不许人有宋，皆甚隘也。"《平等阁诗话》卷二："少壮之作多神理内含，如春雨岩苔，苏门长啸；近作则风骨泠然有秋气矣。"

梁济在京撰《女子爱国》剧本。《桂林梁先生遗书卷首》（年谱）："公取鲁漆室女忧鲁故事，著为剧本，曰《女子爱国》，以引起国家思想为旨，全稿二万言。以是年属草，翌年丙午演于京师，为新剧首创。"按：梁济（1859—1918）字巨川，广西桂林人，寓居北京。光绪十一年举人。先后入李文田、孙毓汶等幕，后官内阁中书。入民国，以清室遗老自居，七年投湖自杀殉清，清室予谥贞端。著有《桂林梁先生遗书》六种七卷，又曾编撰梆子剧本多种。

小说林社排印刘钰撰《海天啸传奇》。内收杂剧八种，一名"大和魂"，原名"日东新曲"。第一种《追父》，注演"菅原刈谷姬"事；第二种《诀儿》，注演"楠木正成"事；第三种《训子》，注演"楠夫人"事；第四种《授徒》，注演"德富苏峰"事；第五种《斥嫪》，注演"武士妻"事；第六种《蹈海》，注演"橘媛"事；第七种《拒友》，注演"西乡隆盛"事；第八种《救侠》，注演"望东尼"事。此剧初刊于《扬子江白话报》，有赞农评语。

吴虞（1872—1949）年三十四，游学日本。钱基博《现代中国文学史》："学为文章于吴伯竭，问乡人卿云之学；又奉手问业于廖平。蜀处奥壤，风气每后于东南，自中外互市，上海制造局译刊西书，间有流布；蜀中老宿，蹈常习故，指其政治舆地兵械格致之学为异端，厉禁綦严，不啻焚酒漏脯。虞则不顾鄙笑，搜访弆藏，博稽深览，十年如一日。盖成都言新学之最先者也。以光绪三十一年，游学日本，始抗言非孔。回国以后，潜心读东西洋法律哲学之书，益明儒家之非……入民国，主《新群报》笔政，内务部电令制止。会陈独秀主编《新青年》，以非周孔、废礼教为天下号，钱玄同、胡适从而和之，声生势张。""虞文章以俪为体，依仿《文选》，兼拾周秦，诋韩愈之抒意立言为不足法，而主李兆洛《骈体文钞》之说，其实亦衍王闿运《八代文粹》之余论；刊有《吴虞文录》、《续录》、《别录》。"

王权卒，年八十四。王权（1822—1905）字心如，号笠云，甘肃伏羌人。道光二十四年举人，官兴平知县，有政声。著有《笠云山房诗文集》等。陈声聪《笠云山房诗文集序》："（其诗）郁勃洪荡，咏叹讽谕，有杜工部之概焉。集中如《愤诗四首》……皆可作史读。至若文，下笔亦极不苟，类皆有关地方人物地志及世道人心之作，盘屈磊砢，不独胎息韩柳，骎骎乎两晋汉魏之间。"《晚晴簃诗汇》卷一百四十六收其诗九首。

李希圣（1864—1905）卒，年四十二。《晚晴簃诗汇》卷一百七十八收其诗至二十三首，诗话云："亦元少秉异资，为学使侯官张文厚（按：亨嘉）所奇赏，以国士期之。通籍后，志在用世，无意吟咏。辛丑以还，感事成诗，房州之思，一本忠爱。属辞哀艳，寄怀绵邈。文厚谓蒙叟、鹿樵只以多胜，时涉浅易，逊此幽窈。匪阿好也。近数十年，湘中诗人类皆瓣香湘绮，独亦元不为所囿。其论诗绝句四十首，颇自喜。病中诗渐入宋，异于平时。殁年甫逾四十，著有《光绪会计录》、《庚子传信录》、《雁影斋题跋》、《雁影斋诗》，其乡人为刻诗行世，后仁和吴氏复有双照楼刊本，入《松邻丛书》。"钱基博《现代中国文学史》："增祥与易顺鼎诗学温李，而转益多师，变化自我。时则有专学李商隐者，当推湘乡李希圣、吴县曹元忠两人为著。希圣……庚子之变，著有《拳匪传信录》，自肇乱至于西狩，不及万言，能尽情变，自负可追王闿运《湘军志》。通籍后，始学为诗，有作必七律，以玉溪生自许；著有《雁影斋诗存》。"

费念慈（1855—1905）卒，年五十一。《晚晴簃诗汇》卷一百七十六收其诗五首，诗话云："屺怀博涉多通，工书法，精鉴赏。诗文不轻作，故传世甚稀。己丑殿试，潘文勤初拟以第一名呈进，因有误字，为同列所阻。辛卯典试浙江，务搜雅才，取卷多不中绳墨，揭晓后谤议纷起。会稽李越缦侍御劾四编修，杞怀其一。疏中有荆生蓬岛、鹗集凤池之语，论者谓其言之太过。杞怀自经挫折，遂家居不出，抑郁以终。"

现代作家臧克家（1905—2004）、戴望舒（1905—1950）、冯至（1905—1993）生。

公元 1906 年（光绪三十二年　丙午）

正月

《绣像小说》第六十八期开始连载《灯台卒》，至第六十九期毕，题"**星科伊梯撰，（日）抱一庵主人译，钱塘吴梼重演**"。按：星科伊梯今译显克微支。吴梼在晚清译有小说十数种，《灯台卒》外，尚有《车中毒针》等。

二月

秋瑾至南浔镇浔溪女学任教员，与徐自华、徐蕴华成莫逆交。至四月，瑾去南浔。秋宗章《记徐寄尘女士》："同事两月，雅相怜爱……遂订生死交，亦加入革命同盟会。《忏慧词》有《感怀用岳武穆韵》一阕，调寄《满江红》……慷慨悲凉，不亚武穆原唱，出诸闺阁中人，盖尤为仅见也。"

周树人自仙台医专退学，决定弃医从文。先是，周树人于光绪三十年三月自弘文书院结业，八月抵仙台医专。本年，学校讲授细菌学，周树人大受刺激，遂有此决定。（《鲁迅年谱》）《〈呐喊〉自序》："有一回，我竟在画片（今按：细菌课放映之幻灯片）上忽然会见我久违的许多中国人了，一个绑在中间，许多站在左右，一样是强壮的体格，而显出麻木的神情。据解说，则绑着的是替俄国做了军事上的侦探，正要被日军砍下头颅来示众，而围着的便是来赏鉴这示众的盛举的人们。这一学年没有完毕，我已经到了东京了，因为从那一回以后，我便觉得医学并非一件紧要事，凡是愚弱的国民，即使体格如何健全，如何苦壮，也只能做毫无意义的示众的材料和看客，病死多少是不必以为不幸的。所以我们的第一要著，是在改变他们的精神，而善于改变精神的是，我那时以为当然要推文艺，于是想提倡文艺运动了。"

三月

初一日，"**以忠君、尊孔、尚公、尚武、尚实五大纲为教育宗旨，宣诏天下**"。（《清史稿·德宗本纪》）

十四日，李伯元（1867—1906）卒，年四十。吴沃尧撰《李伯元传》："凤抱大志，俯仰不凡，怀匡救之才，而耻于趋附，故当世无知者，遂以痛哭流涕之笔，写嬉笑怒骂之文，创为《游戏报》，为我国报界辟一别裁，踵起而效者，无虑十数家，均望尘不及也。君笑曰：一何步趋而不知变哉。又别为一格，创《繁华报》。光绪辛丑朝廷开特科，征经济之士，湘乡曾慕涛侍郎以君荐，君谢曰：使余而欲仕，不及今日矣。辞不赴。会台谏中有忌君者，竟以列诸弹章，君笑曰：是乃真知我者。自是肆力于小说，而以开智谲谏为宗旨。忧夫妇孺之梦梦不知时事也，撰为《庚子国变弹词》，恶夫仕途之鬼蜮百出也，撰为《官场现形记》，慨夫社会之同流合污不知进化也，撰为《中国现在记》及《文明小史》、《活地狱》等书，每一脱稿，莫不受世人之欢迎，坊贾甚有以他人所撰之小说，假君名以出版者，其见重于社会可想矣。"孙玉声《退醒庐笔记》："南亭亭长李伯元，毗陵人，小报界之鼻祖也。为文典赡风华，得隽字诀。而最工游戏笔墨，如滑稽谈、打油诗之类，则得松字诀。又擅小说，形容一人一事，深入而能显出，罔不淋漓尽致，是又得刻字诀者。当其橐笔游沪时，沪上报馆，只《申报》、《字林沪报》等，寥寥三四家。李乃独辟蹊径，创《游戏报》于大新街之惠秀里。风气所趋，各小报纷纷蔚起，李顾而乐之。又设《繁华报》，作《官场现形记》说部，刊诸报端，购阅者踵相接，是为小报界极盛时代。"

广智书局出版《中国侦探案》，署"南海吴趼人述"。书收侦探案三十四则，吴氏《〈中国侦探案〉弁言》批评崇拜外人之现象，谓："吾怪夫今之崇拜外人者，外之矢橛为馨香，我国之芝兰为臭恶……准是而并我国数千年之经史册籍，一切国粹，皆推倒之，必以翻译外人之文字为金科玉律。吾观于此，而得大不可解者二：一、取吾国本有之文法，而捐弃之，以从外人也。吾尝言，吾国文字，实可以豪于五洲万国，以吾国之文字大备，为他国所不及也。彼外人文词中间用符号者，其文词不备之故也。……而译者必舍而勿用，遂乃使'！'、'！！'、'！！！'等不可解之怪物，纵横满纸，甚至于非译本之中，亦假用之，以为不若是，不足以见其长也。……一、取与吾国政教风俗绝不相关之书而译之也。……迩日竞尚小说矣，竞尚译本小说矣。小说之足以改良社会，时彦既言之不一言矣。然其所以能改良社会者，以其能动人之感情也。吾每购读译本小说，其足以动吾之感情者，盖十不一二焉，此吾之所以咎译者也。……小说之种类，曰写情也，科学也，冒险也，游记也，其种类不一。其内容之果能合于吾国之社会与否，不能一概而论定之；其能改良吾国社会与否，尤不能一概而论定之。而诸种类之外，别有一种曰侦探小说。吾每读之，而每致疑焉，以其不能动吾之感情也。乃近日所译侦探案，不知凡几，充塞坊间，而犹有不足以应购求者之虑。……虽然，以此种之小说，而曰欲藉以改良吾之社会，吾未见其可也。""译本侦探案，理想实居多数焉。吾又间尝寻味著书者之苦境，则纪实易而理想难，纪实浅而理想深。盖纪实，叙事耳；理想则必有超轶于实事之上，出于人人意想之外者，乃足以动人。今所译之侦探案，乃如是，公等且崇拜之，此吾不得不急辑此《中国侦探案》也。"

春

顾云（1845—1906）卒，年六十二。

樊增祥成《十忆集》。此集诗二百首，为《戏和宋人李元膺十忆诗》、《再和李元膺十忆诗》、《广李元膺十忆诗》等组诗。非一岁所作，而告成于是春。《戏和宋人李元膺十忆诗》前有序，谓："仆性耽绮语，虚空楼阁，弹指花严，而密喻闺情，曲传瑶想。"《再和》序云："余学诗自香奁入，《染香》一集，流播人间，什九寓言，比于漆吏。良以僻耽佳句，动触闲情，不希庑下之豚，自吐怀中之凤。少工侧艳，老尚童心。

往往撰叙丽情，微之、义山，勉焉可至。若《疑雨集》、《香草笺》，则自谓过之矣。"

四月

五日（4 月 28 日），《民报》与《新民丛报》展开辩论。此一论战持续至明年。

二十九日，高旭等创健行公学，柳亚子来执教。高旭遂将《醒狮》停刊，与柳亚子专一发行《复报》。《复报》原刊于东京，田桐、柳亚子主编，月刊。又，柳亚子本年加入同盟会。《五十七岁自传》："二十岁，再至上海，以高天梅、朱少屏，陈陶怡之介，加入中国同盟会。时蔡元培已先介绍入光复会矣。主讲健行公学，并办《复报》，始谒国父孙总理于轮舶中。"

王国维《人间词》甲稿 61 首刊载于《教育世界》杂志第 123 号。首山阴樊志厚本年三月序："夫自南宋以后，斯道之不振久矣！元明及国初诸老，非无警句也。然不免乎局促者，气困于雕琢也。嘉道以后之词，非不谐美也。然无救于浅薄者，意竭于摹拟也。君之于词，于五代喜李后主、冯正中，于北宋喜永叔、子瞻、少游、美成，于南宋除稼轩、白石外，所嗜盖鲜矣。尤痛诋梦窗、玉田。谓梦窗砌字，玉田叠句。一雕琢，一敷衍。其病不同，而同归于浅薄。六百年来词之不振，实自此始。其持论如此。及读君自所为词，则诚往复幽咽，动摇人心。快而沉，直而能曲。不屑屑于言词之末，而名句间出，殆往往度越前人。至其言近而指远，意决而辞婉，自永叔以后，殆未有如君者也。君始为词时，亦不自意其至此，而卒至此者，天也，非人之所能为也。若夫观物之微，托兴之深，则又君诗词之特色。求之古代作者，罕有伦比。呜呼！不胜古人，不足以与古人并，君其知之矣。世有疑余言者乎，则何不取古人之词，与君词比类而观之也？"赵万里《王静安先生年谱》："三月，集此二年间所填词刊之，署曰《人间词甲稿》。盖先生词中'人间'二字数见，遂以名之。"又："案此序与《乙稿序》，均为先生自撰，而假名于樊君者。先生于《自叙》中，亦谓：'近年嗜好已移于文学，而填词亦于是时告成功。'又云：'虽所作不及百阕，然自南宋以来，除一二人外，尚未有能及者。'此言也，或以为自视过高，然细读先生之词，有清真之绵密，而去其纤逸，有稼轩后村之闳丽，而去其率直。其意境之高超，惟万年少、纳兰容若差可能性比拟，余子碌碌，实不足以当先生一二词也。"按：此序并此后《乙稿序》，或以为实出王国维之手而假托于人，或以为实出国维东文学社同学樊少泉之手，或以为此二序虽为观堂手笔，而命意实出自樊氏。

王国维《静安诗稿》古今体诗 49 首刊于《教育世界》杂志第 124 号。

李伯元卒后，《绣像小说》停刊，共出七十二期。

五月

初八日，章太炎出狱。太炎因《苏报》案于光绪二十九年被逮，至是出狱。黄节等置酒市楼慰劳之。并作诗送之东渡日本。又，黄节之师简朝亮于粤中闻黄、邓二生倡言革命，以为狂，颇讽止之，而二生持论如故。清两江总督端方以《国粹学报》以古籍经史大义发挥种族思想，播散反满革命之说，颇以为虑。遂遣合肥蒯光典走晤黄节与邓实，许以巨赞赞助学报，并于杏花楼酒家，召集名流，极力游说，黄节等固拒之。

樊增祥序《二家词麖》。《二家词麖》收增祥亡友陶方琦之《兰当词》及己作《弄珠词》各一卷。《弄珠词》收增祥上年冬至本年词。

六月

章炳麟为黄小配撰《洪秀全演义》（又名《绣像太平天国演义》、《洪秀全》）作序，末署"黄帝纪元四千六百零六年季夏"。按：是书始连载于《有所谓报》。刊至二十九回，改由《少年报》续刊至五十四回，书未完。有本年所刊单行本。

夏

春夏，章士钊在日以新法教授留日学生国文。士钊以姚鼐《古文辞类纂》为教材，诠释时"辄案之西文规律"，即以英文文法解释汉语。此法大受欢迎，于是整理讲稿，题名《初等国文典》，寄回国内出版。明年春，更名为《中等国文典》，由商务印书馆出版。不数月即印出第二版。（袁景华《章士钊先生年谱》）

七月

十三日戊申（9月1日），清廷颁发上谕，宣布仿行宪政。十四日己酉（9月2日），以端方为两江总督兼南洋大臣。

十三日，高旭发一夜之力伪造石达开遗诗二十首。后并《饮冰室诗话》所引《答曾国藩》五首，共为一辑，以残山剩水楼主人名义印行，并以哭庵之名撰《序》与《跋》，共印行千部，不日售罄，一时风行。《石达开遗诗跋》云："余尝以为，古之工文词者，未必皆英雄；而古之英雄，未有不工文词者。今读石翼王诗，益信往时持论之不谬。……石翼王者，其岳武穆之流亚哉！……岳王、石王均抱有攘夷之伟志，故其下笔，亦遂慷慨激烈，喷血而出。余子之不能望其项背者，亦正以此。岳王诗词书法之工，凡稍涉书史者，无不知；而石王之诗之工，无人知之者，则以世少流传故也。……当此胡尘滚滚，神州陆沉，痛哉巴科族类衰弱，尚有捍戎祸、解倒悬如石翼王其人应运而生者乎！我诵其诗，感慨系之矣。"

八月

四日，陈玉澍（1853—1906）卒。李详《陈君墓志铭》："君治经首通训故，求其涉于经世之用，渐渍于史，故其为文，驰辨博喻，取证前古，烂然溢目。律以国朝浙东之学，于谢山全氏为近，而原本忠孝，上承梨洲。"

王闿运补作壬辰以后七夕词十五首，合前作成六十首，题曰《周甲七夕词》。

王树枬抵新疆布政使任，创修《新疆图志》。《陶庐老人自订年谱》："（新疆）自开辟以来，文献寥寥，无可征信。时桐城方绎民希孟，醴泉宋芝洞伯鲁，随长庚将军出关，霍丘裴伯谦景福，谪戍新疆。皆方闻博雅之士。余于是创修《新疆图志》，设局于藩署之西偏。志例皆余手定，分门纂修。余无他嗜好，公余之暇，借此消遣而已。"至宣统二年庚戌，始成定本。按：辛亥后，王树枏于民国三年任清史馆总纂，复应徐世昌聘纂修《大清畿辅先哲传》，九年为徐世昌选录清诗，十四年与修《续修四库全书提要》，二十五年卒，年八十六。

张之洞七十生辰，时有《抱冰堂弟子记》一册刊行，宣示张之洞学术及文学观点。曰："经学受于吕文节公贤基，史学经济之学受于韩果靖公超，小学受于刘仙石观察书年，古文学受于从舅朱伯韩观察琦。学兼宗汉宋……汉学师其翔实而遗其细碎，宋学师其笃谨而戒其骄妄空疏，故教士无偏倚之弊。""平生学术最恶公羊之学，每与学人言，必力诋之。""最恶六朝文字。……凡文章本无根柢、词华而号称六朝骈体、以纤拗涩字句强凑成篇者，必黜之。"

寅半生编《游戏世界》月刊创刊于杭州。

鸿文书局出版《短篇小说丛刻》初编，署"陈冷血等著，鸿文书局编辑"。二编刊出于光绪三十三年八月。按：此为较早以"短篇小说"名集者。

九月

十五日（11月1日），《月月小说》月刊创刊，群学社发行，汪维甫主办。第一至八号吴趼人任总撰述员。翌年五月起停刊四个月，九月复刊，改由许伏民主编，吴趼人仍任总撰述员。光绪三十四年十二月，出满二卷二十四期停刊。阿英《清末小说杂志略》："（《月月小说》）为《绣像小说》、《新小说》停刊后之中心的文艺杂志。首期序，其主旨在申说小说与群治之关系，有《发刊词》（陆君亮）；内容与《新小说》同，而门类特广，所载主要作品有：小说《两晋演义》、《云南野乘》、《发财秘诀》、《上海游骖录》、《劫余灰》、《黑籍冤魂》（短篇）、《鬼哭传》（短篇）、《西游记》（短篇）（以上吴趼人作），雁叟《学界镜》，天僇生《玉环外史》、《学究教育谈》（短篇）、《孤臣碧血记》（短篇），萧然郁生《新镜花缘》、《乌托邦游记》，大陆《新封神传》，白眼《后官场现形记》，春帆《未来世界》等。翻译有：清河《美国独立史别裁》，嚣俄著、天笑译《铁窗红泪记》，《虚无党小说》等。杂文有吴趼人《李伯元传》、《说小说》、《趼廛诗删剩》、《趼廛剩墨》等。翻译小说多出周桂笙手，又为侦探小说。"又："翻译小说所刊最多，亦大都出自周新庵手，十之八为侦探小说，如《八宝匣》、《三玻璃眼》、《玉宝石指环》等。吴趼人亦演述一种，名《侦探案》。大概在当时四大文艺刊物中，《月月小说》可称之为侦探小说的大本营，杂文亦极夥。"又："《月月小说》，极足显示当时作家之生产力，惟成就殊不大；趼人诸作，比前期为落后，是已由社会的写实，逐渐向私生活的描摩，《劫余灰》等，已经启了后来鸳鸯蝴蝶派之端。《怪现状》、《痛史》、《九命奇冤》、《恨海》而外，趼人可谓无著作。而《新泪珠缘》的发表，更是证明了开始没落的第一步。周桂笙大量翻译侦探，其为功为罪，自不侍言，黑幕小说，当是胚胎于此。《月月小说》是最后停刊的一个文艺杂志，也正是清末新小说与后来鸳鸯蝴蝶小说的一个过渡的杂志，从创作的实践上，已证实其对社会意义的忽略了。《月月小说》全部，只《悬岙猿》、《风云会》，天僇生之《文艺论》，及两三种历史小说是可称的。"

《月月小说》第一号之首载"中国元代小说巨子施耐庵遗像"，并有吴趼人《〈月月小说〉序》。云："吾感夫饮冰子《小说与群治之关系》之说出，提倡改良小说，不数年而吾国新著新译之小说，几于汗万牛充万栋，犹复日出不已而未有穷期也。求其所以然之故，曰：随声附和。……诡谋一己之私利而不顾其群者，又何可以有此附和？今夫汗万牛充万栋之新著新译小说，其能体关系群治之意者，吾不敢谓必无；然而怪诞支离之著作，诘曲聱牙之译本，吾盖数见不鲜矣！凡如是者，他人读之不知谓之何，以吾观之，殊未足以动吾之感情也。于所谓群治之关系，杳乎其不相涉也，然而彼且嚣嚣然自鸣曰：吾将改良社会也，吾将佐群治之进化也。随声附和而自忘其真，抑何可笑也。"又，载吴趼人《历史小说总序》，谓历代史籍，有艰于记忆、文字深邃诸不便，唯"小说家言，兴趣浓厚，易引人入胜"，故"吾于是发大誓愿，编撰历史小说，使今日读小说者，明日读正史如见故人；昨日读正史而不得入者，今日读小说而如身亲其境。小说附正史以驰乎？正史藉小说为先导乎？请俟后人定论之。而作者固不敢以雕虫小技妄自菲薄也"。本期刊载（或连载）如下作品：吴趼人《两晋演义》，标"历史小说"；周桂笙译《八宝匣》，标"虚无党小说"；清河译《美国独立史别裁》；嚣俄（雨果）著，天笑生（包天笑）译《铁窗红泪记》，标"哲理小说"；萧然郁生著《乌托邦游记》，标"理想小说"；燕市狗屠著《中国进化小史》，标"社会小说"；（英）葛威廉著，罗季芳译《三玻璃眼》，标"侦探小说"；品三译述《弱女救兄记》，标"侠情小说"；角胜子译演《刺国敌》，标"国民小说"；讷夫著《上海之秘密》，标"社会小说"；侠心女士译述，我佛山人点定《情中情》，标"写情小说"；大陆著《新封神传》，标"滑稽小说"；上海知新室主人（周桂笙）译述《新庵译萃》，标"札记小说"；（英）白髭拜著，仙友译《双尸祭》，（英）威林乐干著，杨心一译《十年一梦》，吴趼人著《庆祝立宪》，俱标"短篇小说"。

洪炳文撰《悬岙猿》五折连载于《月月小说》第一号至第四号。叙明末张煌言抗节不屈事。又，洪炳文本年撰《普天庆》二出，叙书生万年清（字扶华）与友人贺中兴（字葆黄）共庆预备立宪事；《古殿鉴》二出，叙古巴内乱致使美国从中渔利事，以此为中国借镜；《后怀沙》，叙山西李培仁为争国利投海事，未完；《电球游》三出，叙花信楼主人梦乘电球访友事，为我国科幻剧之先声。此四种总题为《棣园乐府》。

广智书局刊出吴趼人《恨海》十回单行本，标"写情小说"。是书叙庚子乱中两对青年男女悲剧。此作针对当时写情小说而发，小说首回云："我提起笔来，要叙一段故事。未下笔之先，先把这件事从头至尾，想了一遍，这段故事叙将出来，可以叫得做写情小说。我素常立过一个议论，说人之有情，系与生俱来，未解人事以前，便有了情。大抵婴儿一啼一笑，都是情，并不是那俗人说的情窦初开那个情字。要知俗人说的情，单知道儿女私情是情，我说那与生俱来的情，是说先天种在心里，将来长大，没有一处用不着这个情字，但看他如何施展罢了。对于君国施展起来便是忠，对于父母施展起来便是孝，对于子女施展起来便是慈，对于朋友施展起来便是义。可见忠孝大节，无不是从情字生出来的。至于这儿女之情，只可叫做痴。更有那不必用情，不应用情，他却浪用其情的，那个只可叫做魔。……俗人但知儿女之情是情，未免把这个情字看的太轻了。并且有许多写情小说，竟然不是写情，是在那里写魔；写了魔，还要说是写情，真是笔端罪过。"新庵（周桂笙）《恨海》："君所著小说，无体不备，纸贵一时，海内君子，莫不知之。予亦不必赘陈矣。迩日广智书局，复出版一新书写情小说，题曰《恨海》，亦吴君所撰也。书分十回，都四万言，洋洋洒洒，淋漓尽致，情文兼至，蕴藉风流，笔墨之妙，无以复加。惟书中情节，哀艳非常，予尝尽半夜之力，循诵再过，而于心有戚戚焉。盖写情小说，大抵总不出悲欢离合四字。今是篇所述，为庚子拳乱中迁徙逃亡，散失遭难之事，荡析流离，疮痍满目，所有有悲无欢，有离无合。用情之深，所以足多者在此；写情之难，所以足多者亦在此。……自有写情小说以来，令予读之匪特不能欣欣以喜，转为惘惘以悲者，此其第一本矣。"报癖《恨海》："吾读《恨海》：觉其缠绵悱恻，咄咄逼人，而万种之感情，爰荟萃一时，辘轳五内。"寅半生《小说闲评》："作者悟彻其旨，故于开首先将'痴'字'魔'字分别清楚，遂觉从古一切言情之书皆不得谓之真情，此非深于情者不能知也，亦非善言情者不能达也。区区十回，独能压倒一切情书，允推杰构。"

杨钟羲入两江总督端方幕。"时缪艺风前辈、陈散原同年、徐积余、况夔笙、程雏庵、李梅庵、温苾臣俱在金陵。劳玉初吏部……授江宁提学使。"（杨氏《自订年谱》）

李叔同考入东京美术学校油画科。是时，日本名士森槐南、大久保湘南等组织"随鸥吟社"，吟咏汉诗，叔同此二年中常加入社集。（林子青编《弘一法师年谱》）

秋

夏秋间，周作人留学日本。在日本阅读雨果小说集及美国人该莱（Gayley）所撰《英国文学里的古典神话》等书。（张菊香、张铁荣编著《周作人年谱》）

十月

初一日，《竞业旬报》第三期刊载《真如岛》，后间断续载至第三十七期，标"社会小说"，作者先署"希强"，第二十四期起署"铁儿（胡适）"。

十四日，汪宗沂卒。宗沂（1837—1905）字仲尹，又字咏春，号弢庐，安徽歙县人。光绪六年进士，官山西知县。辞官归，潜心著述。宗沂少好经世之学，尝受业于临川李联琇，又从仪征刘毓崧问训诂之学，从桐城方宗诚问义理之学，博学多通，著述甚丰，有《弢庐诗》、传奇《后缇萦南曲》等。

樊增祥《紫薇三集》讫于是月。本月增祥为人所劾，解陕西藩司任，至明年，起为江宁布政使。又，自本年春，增祥续刻《沆瀣》、《紫薇》诗集，并《十忆集》、《二家词赓》，合丙申（光绪二十二年）以后所刻，为《樊山续集》凡二十八卷。

十一月

初一日，预备立宪公会成立于上海。郑孝胥为会长，张謇、汤寿潜副之，是为国内第一个立宪派团体。

杨度在东京创刊《中国新报》，宣传君主立宪。

诏升孔子为大祀。《十朝诗乘》卷二十四："孔子升为大祀，亦是年事。时以崇说日滋，乃倡议尊孔，故有是诏。陈庸庵督部纪诗云：'……沧海横流文未丧，崇祠升岷道尤尊。……'时曲园翁尚在，亦有诗纪事也。"

十二月

初一日，秋瑾主办之《中国女报》创刊号问世。是年四月，瑾由南浔至上海，秋七月，始筹创《中国女报》，以提倡男女平权、宣传民主革命为宗旨。至是始问世。仅发行二期，第三期未及付印，而秋案已发。

二十三日（1907年2月5日），俞樾（1821—1907）卒，年八十六。《晚晴簃诗汇》卷一百五十收其诗十一首，诗话云："曲园经学大师，东南耆硕。初登第时，覆试以花落春犹在之句，为曾文正所激赏，擢置压卷。罢官后专力著书，乃以春在名其堂。所为诗不矜格调，悉由宏博之才与学触境而发，称意为言，非寻章摘句者所可同日语也。"汪辟疆《近代诗人小传稿》："俞氏一意治经，以高邮王氏为宗，其大要在正句读、审字义、通古文假借。由经以及诸子，皆循此法。自少至老，著述不倦，为一时朴学之宗。其诗文并不高，抒写性灵之外，稍济以学术，故不入随园末派。然俞氏以浙人而侨居吴门，以清职而退居山泽，闭户著书，声气远播。出门访旧，而遝迤逢迎。一时名流，咸倾心结交，日本文士亦有来执业门下者。海内翕然，称曲园先生。"《光宣诗坛点将录》列俞樾于"四店打听声息邀接来宾头领八员中"，以地劣星活闪婆王定六属之，曰："清言霏霏，随园之匹。"

冬

春柳社成立于日本东京。是为中国留日学生所组之综合性文艺研究团体，分设演艺、音乐、诗歌、绘画等部门，以戏剧为主。创始人为李叔同、曾孝谷，主要成员有欧阳予倩、吴我尊、陆镜若等。光绪三十三年公演《茶花女》等新剧。辛亥革命后，归国成员组成新剧同志会，从事职业演剧，民国四年解散。《春柳社演艺部专章》："以研究各种文艺为目的。创办伊始，骤难完备，兹先立演艺部，改良戏曲，为转移风气之一助。……无论演新戏、旧戏，皆宗旨正大，以开通智识，鼓舞精神为主。"又："演艺之大别有二：曰新派演艺（以言语动作感人为主，即今欧美所流行者），曰旧派演艺。本社以研究新派为主，以旧派为附属科。"（《晚清文学丛钞·小说戏曲研究卷》）李叔同本年二十七岁，东渡日本，就学于东京美术学校。此前曾在上海任沪学会新剧主持。

本年

清廷考试毕业回国人员。《范孙自定年谱》本年："转学部左侍郎。是岁各省学政改为提学使。提学使未经出洋者补派出洋。请日本人讲教育行政。考试毕业回国之留学生，各科皆授进士举人，惟医授医士，部争之，乃从同。"

《新小说世界社报》、《小说七日报》刊出。

《著作林》月刊创办于杭州，陈栩主编。

郑孝胥再刻《海藏楼诗》。此刻不分卷，铅印。

四川江津刊出钟祖芬撰《振振堂稿》八卷。此集有民国刊本。

缪荃孙年六十三岁，是年刻《读书记》，印行《云自在龛丛书》五集。

点石斋刊出张春帆所撰《九尾龟》第一、二集，标"醒世小说"。是书共十二集一百九十二回，点石斋陆续刊出，至宣统二年刊齐。演上海青楼事，向推为狭邪小说代表作品。

吴梅作《暖香楼》一折，此为《湘真阁》初稿。有本年艺林斋《奢摩他室曲丛》本，又载次年《小说林》第一期。

汪笑侬撰《哭祖庙》。

王钟声编成时装京剧《张文祥刺马案》。

上海继文友会之后，出现一批剧社，如上海沪学会演剧部、群学会演剧部等，学生演剧活动趋于频繁。

刘鹗《老残游记》连载于《天津日日新闻》。按：《老残游记》初刊于《绣像小说》，以故中止，此次连载，自首回连载至二十回。秋间，刘鹗撰《老残游记自序》，谓："哭泣者，灵性之现象也，有一分灵性即有一分哭泣，而际遇之顺逆不与焉。……吾人生今之时，有身世之感情，有家国之感情，有社会之感情，有种教之感情。其感情愈深者，其哭泣愈痛：此鸿都百炼生所以有《老残游记》之作也。棋局已残，吾人将老，欲不哭泣也得乎？吾知海内千芳，人间万艳，必有与吾同哭同悲者焉！"

《精禽填海记》由愈愚出版社刊出。作者署"沁梅子"，书成第一编十回，标历史小说，未完。宣统元年上海改良小说社出版陆士谔《新水浒》，其卷二首李友琴"总评"曰："士谔长于小说，其出版者有《鬼世界》、《新三国》、《精禽填海记》三种，并此而四矣。"据此，沁梅子或即为陆士谔。

汪荣宝任京师译学馆教习。

况周颐入江督端方幕府。(《况周颐年谱》)世传端方之《匋斋藏石记》即周颐手纂；又在幕府日与劬光典、李详所学不同，致互相攻讦，姑系于此年。陈训正《兴化李先生墓表》："先生尝与临桂况蕙风同应端制军之聘，分撰《匋斋藏石记》，蕙风以词名，与先生蕲向不合，每论文，各有所诗，积至不相能。"

林纾五十五岁，在京城结识桐城马其昶，马氏盛称林纾古文。钱基博《现代中国文学史》："当清之季，士大夫言文章者，必以纾为师法。……初纾论文持唐宋，故亦未尝薄魏晋。及入大学，桐城马其昶、姚永概继之；其昶尤吴汝纶高第弟子，号为能绍述桐城家言者；咸与纾欢好。而纾亦以得桐城学者之盼睐为幸，遂为桐城张目，而持韩、柳、欧、苏之说益力。既而民国兴，章炳麟实为革命先觉，又能识别古书真伪，不如桐城派学者之以空文号天下。于是章氏之学兴，而林纾之说熠。纾、其昶、永概咸去大学；而章氏之徒代之。"又，此年出版所译小说有《洪罕女郎传》、《蛮荒志异》、《红礁画桨录》、《海外轩渠录》、《橡湖仙影》、《雾中人》。

易佩绅（1826—1906）卒，年八十一。《晚晴簃诗汇》卷一百五十四收其诗五首，诗话云："子笏治军察吏，颇负干才，诗亦抗爽有奇气。惟晚年溺情仙道，不免颓唐。"

樊锥（1872—1906）卒，年三十五。石建勋《樊锥事略》谓："（其文）仿定盦龚氏，恒佶倨不可读，而陆离光怪，豪气四益。"

现代作家李广田（1906—1968）、**吴伯箫**（1906—1982）、**赵树理**（1906—1970）、**张天翼**（1906—1985）、**李健吾**（1906—1982）生。

公元 1907 年（光绪三十三年　丁未）

正月

初一日（2 月 13 日），康有为改组保皇会为国民宪政会。

初三日，吴梅自序《奢摩他室曲话》。此《曲话》后曾刊于《小说林》月刊。

二十四日丙辰（3 月 8 日），学部拟定女子师范学堂章程三十六条、女子小学章程二十六条。

《小说林》月刊创刊。小说林总编辑所编辑，小说林社、宏文馆有限合资会社发行。黄摩西、徐念慈（东海觉我）主编，曾朴为主要撰稿人。次年九月停刊，共出十二期。第一期载黄人《小说林发刊词》，云："今之时代，文明交通之时代也，抑亦小说交通之时代乎！国民自治，方在豫备期间；教育改良，未臻普及地位；科学如罗骨董，真赝杂陈；实业若掇醉人，仆立无定；独此所谓小说者，其兴也勃焉。……虽然，有一蔽焉：则以昔日之视小说也太轻，而今之视小说又太重也。……出一小说，必自尸国民进化之功；评一小说，必大倡谣俗改良之旨。吠声四应，学步载途。……一若国家之法典，宗教之圣经，学校之科本，家庭社会之标准方式，无一不赐于小说者。其然，岂其然乎？夫文家所忌，莫如故为关系……请一考小说之实质。小说者，文学之倾于美的方面之一种也。……一小说也，而号于人曰：吾不屑屑为美，一秉立诚明善之宗旨，则不过一无价值之讲义、不规则之格言而已。恐阅者不免如听古乐，即作者亦未能歌舞其笔墨也。名相推崇，而实取厌薄，是吾国文明，仅于小说界稍有影响，而中道为之安障也。……标曰《小说林》，盖谓小说林之所以为《小说林》，亦犹小说之所以为小说耳。若夫立诚止善，则吾宏文馆之事，而非吾《小说林》之事矣。此其所见，不与时贤大异哉！"徐念慈《小说林缘起》云："（吾）尝以臆见论断之：则所谓小说者，殆合理想美学、感情美学，而居其最上乘者乎？试以美学最发达之德意志征之，黑辩尔氏（Hegel, 1770—1831）于美学，持绝对观念论者也。其言曰：'艺术之圆满者，其第一义，为醇化于自然。'简言之，即满足吾人之美之欲望，而使无遗憾也。……凡此种种，为新旧社会所公认，而非余一己之私言，则其能鼓舞吾人之理性，感觉吾人之理性，夫复何疑！'小说林'之于新小说，既已译著并列，二十余月，成书者四五十册，购者纷至，重印至四五版，而又必择尤甄录，定期刊行此月报者，殆欲神其薰、浸、刺、提（说详《新小说》一号）之用，而毋徒费时间，使嗜小说癖者终不满意云尔。"按：《小说林》与此前刊出之《新小说》、《绣像小说》、《月月小说》为阿英所称"清末文艺杂志之四大权威"。《清末小说杂志略》："此刊似以编译为主。有摩西、觉我所作《发刊词》两篇，以《孽海花》及《小说小话》最足号召。""《小说林》除《孽海花》外，如其说是以小说胜，实不如说以其他杂著胜。《小说小话》、《奢摩他室曲话》可称两绝，数传奇亦不差，但无特殊建树。""《小说林》停刊，继之以《月月小说》，再发展则为鸳鸯蝴蝶与黑幕小说的诞生，无足观矣。"

春柳社演艺部演出《茶花女》第三幕。时中国青年会以徐淮告灾，举办赈灾游艺会，春柳社即借此公演新剧。李叔同饰茶花女。公演后，春柳社成员迅速增至八十余人，欧阳予倩入社。

二月

张百熙（1847—1907）卒，年六十。所撰《退思轩诗集》、《文集》，门人王式通宣统三年刊印于京师及武昌。《晚晴簃诗汇》卷一百六十六收其诗二十二首，诗话云："文达久直南斋，知遇极隆。甲午后痛心外患，故于变法改革兴学诸大端，多所陈奏，汲引才智，惟恐不及，以是时论翕然归之。辛丑后，殚思教育，志未得行。其诗款款忠情，真有浣花每饭不忘君国之意。"汪辟疆《光宣诗坛点将录》列张百熙于"四店打听声息邀接来宾头领八员"中，以地囚星南山酒店旱地忽律朱贵属之，曰："冶秋尚书门下多俊彦，汲引之功，当不在旱地忽律下也。《退思轩集》多尚唐音，要自雅饬。惜风骨未高，未免文绣鞶帨耳。"

陈衍将去武昌至京任职学部。提学使黄绍箕借梁鼎芬提刑署中乃园置酒为诗钟饯别，坐客有纪钜维、顾印愚、程颂万等十数人。

吴趼人所撰《上海游骖录》始连载于《月月小说》第一年第六号。标"社会小说"。

约在本月，周树人、周作人合译英国哈葛德、安特路朗合著之小说《世界欲》，易名为《红星佚史》。钞成寄商务印书馆，该馆本年十月于《说部丛书》第七十八编内刊出，署名周逴。（张菊香、张铁荣编著《周作人年谱》）

三月

初三至初五日，高旭、陈去病、朱葆康、刘季平、沈道非五人，共赴苏州游览。归，辑所得诗词成《吴门纪游》一册，转贻柳亚子、高燮。亚子、高燮依韵和之。吴门之游，启两年之后南社虎丘社集之机。

八日清廷改盛京将军为东三省总督，以徐世昌任总督，并授为钦差大臣。

四月

二十一日至二十三日（6月1—3日），春柳社在东京本乡园举行"丁未演艺大会"，公演《黑奴吁天录》。李叔同、欧阳予倩等参与演出。剧本取自林纾魏易所译《黑奴吁天录》（美国斯托夫人原著《汤姆叔叔的小屋》），分幕，以口语写成。此为我国首个话剧剧本。

二十九日，《中外小说林》旬刊创刊于广州，中外小说林社编辑发行，黄伯耀、黄世仲等主持。第十七期起，改由公理堂接办，刊名前加"绘图"二字。曾刊出黄小配《宦海潮》等。

五月

十二日壬寅（6月22日），《新世纪》杂志创刊于巴黎。周刊，由吴敬恒（稚晖）、李石曾、张人杰等人发刊，宣传无政府主义。共出一百二十一期，宣统二年停刊。

二十六日丙辰（7月6日），光复会首领徐锡麟刺杀安徽巡抚恩铭。

叶德辉撰成《消夏百一诗》一卷。此集本年刻刊。

六月

六日（7月15日），秋瑾就义于绍兴。秋瑾为光复会兼同盟会成员，时任浙江绍兴大通学堂督办，预备呼应徐锡麟起事，事泄，为清政府捕杀。其著作由王芷馥编为《秋瑾诗词》，本年刊出；入民国，有《秋女烈士遗稿》、《秋瑾遗集》、《秋瑾女侠遗集》等本印行。后辑为《秋瑾集》。徐自华《鉴湖女侠秋君墓表》："生平伉爽明快，意气自雄；读书敏悟，为文章，奇警雄健如其人，尤好剑侠传，慕朱家郭解为人。丰貌英美，娴于辞令；高谭雄辩，惊其座人。自以与时多迕，居常辄逃于酒。然沉酣以往，不觉悲歌击节，拂剑起舞，气复壮甚。"秋宗章《六六私乘补遗》："姊天性伉爽，诗词多为兴到之作，别有意境，弗加雕琢，恍如天马行空，不受羁勒，非若寻常腐儒之沾沾于格律声调，拾古人唾余者可比。"邵元冲《秋瑾女侠遗集序》："鉴湖女侠成仁取义，大义炳然，不必以文词鸣而自足不朽。然即以文词而论，朗丽高亢，亦有渐离击筑之风，而一往三叹，音节浏亮，又若公孙大娘舞剑，光芒灿然，不可迫视。"

夏

王钟声等在上海创建通鉴学校，培养新剧人才。至八月，学校以春阳社名义公演《黑奴吁天录》。剧本为许啸天据林纾、魏易所译《黑奴吁天录》撰成，演出采用西洋话剧布景。此为我国国内较早之话剧演出活动。此后又演出《张文祥刺马案》、《迦因小传》等剧。

周树人、周作人等在东京筹办文艺杂志《新生》。另有徐寿裳、袁文薮（毓麟）、陈师曾（衡恪）等人参加，后未能出版。（张菊香、张铁荣编著《周作人年谱》）

七月

初四（8月12日），高旭、陈去病、朱葆康、刘季平、沈道非、柳亚子、邓实、黄节、吴梅、包天笑、杨笃生、祝心渊等十八人结为神交社，并刊发《雅集小启》。初七（8月15日）神交社雅集于上海愚园。高旭以事未得往。本年，高旭三十一岁，作

《论词绝句》三十首，论述历史上著名词家。

初十日，《天津日日新闻》开始连载《老残游记二集》自序及一至九卷，至十月六日毕。

共进会成立，是会由同盟会、日知会等成员发起，为辛亥革命时湘、鄂、赣三省起义之重要力量。

八月

十日，林纾作《孝女耐儿传序》，称扬英国作家迭更斯（今译狄更斯）。曰："（西人文章）独未若却而司迭更司文字之奇特。天下文章莫易于叙悲，其次则叙战，又次则宣述男女之情。等而上之，若忠臣孝子，义夫节妇，决脰溅血，生气凛然。苟以雄深雅健之笔施之，亦尚有其人。从未有刻划市井卑污龌龊之事，至于二三十万言之多，不重复，不支厉，如张明镜于空际，收纳五虫万怪，物物皆涵，涤清光而出见者，如凭阑之观鱼鳖虾蟹焉，则迭更司者，盖以至清之灵府，叙至浊之社会，令我增无数阅历，生无穷感喟矣。中国说部，登峰造极者，无若《石头记》，叙人间富贵，感人情盛衰，用笔缜密，著色繁丽，制局精严，观止矣。其间点染以清客，间杂以村姬，牵缀以小人，收束以败子，亦可谓善于体物。终竟雅多俗寡，人意不专属于是。若迭更司者，则扫荡名士美人之局，专为下等社会写照，奸狯驵酷，至于人意未所尝置想之局，幻为空中楼阁，使观者或笑或怒，一时颠倒，至于不能自已。则文心之邃曲，宁可及耶？余尝谓古文中序事，惟序家常平淡之事为最难著笔。……今迭更司则专意为家常之言，则又专写下等社会家常之事，用意着笔，为尤难。吾友魏春叔购得迭更司全集。闻其中事实，强半类此。而此书特全集中之一种。"又，本年林纾五十六岁，刊出林译小说计十二种：《拊掌录》、《十字军英雄记》、《神枢鬼藏录》、《金风铁雨录》、《大食故宫余载》、《旅行述异》、《滑稽外史》、《花因》、《双孝子噀血酬恩记》等。又，林纾应张菊生、高梦旦之邀，自本年始编选《中国国文读本》，全书凡十卷，由近代上溯至周秦汉魏，逐篇详加评语。从明年四月始，至宣统二年末，由商务印书馆陆续刊出。

十八日，萧道管（1855—1907）卒于京师，年五十三。至十二月，陈衍作《萧闲堂》五言长律三百韵志哀。《晚晴簃诗汇》卷一百九十二收其诗十七首，诗话云："君珮好读古书，淇思有得，其学力见于列女传集解自叙，文与诗词盖其余事。"

王闿运新刻《湘绮楼诗集》成。

九月

十一日（10月17日），梁启超、徐佛苏、蒋智由、麦孟华等组织政闻社。后在上海创办《政闻》月刊，鼓吹君主立宪，共出七期，为清政府所禁。及宣统二年，启超复办《国风报》。辛亥后，启超归国。于民国十八年卒，年五十七（1873—1929）。

二十八日，《竞立社小说月报》创刊。彭俞主编，共出二期。彭俞，别署破佛，亚东破佛等，浙江绍兴人。著有《泡影录》、《闺中剑》等小说。《泡影录》弁言云："破佛尝自恨为家境所累，又不得一知己者，遂至强就时尚，为糊口计，糜耗精神于小说之中。"

吴梅撰《轩亭秋》刊载于《小说林》第六期，仅刊出一《楔子》，叙秋瑾事。

嬴宗季女撰《六月霜传奇》由改良小说社刊出。十四出，叙秋瑾事。

竞业学会创办《竞业旬报》第一期刊出。是刊迄宣统元年春第四十期终刊，胡适自二十四期接编至终刊，于此刊发表论文、时评、札记、小说等白话文章及旧体诗共数十篇。（易竹贤《胡适年谱》）

十月

上旬，王国维《人间词》乙稿四十三首刊载于《教育世界》第一百六十一号。首山阴樊志厚本月序，标举"意境"之说："文学之事，其内足以抒己，而外足以感人者，意与境二者而已。上焉者意与境浑，其次或以境胜，或以意胜。苟缺其一，不足以言文学。原夫文学之所以有意境者，以其能观也。出于观我者，意余于境。而出于观物者，境多于意。然非物无以见我，而观我之时，又自有我在。故二者常互相错综，能有所偏重，而不能有所偏废也。文学之工不工，亦视其意境之有无，与其深浅而已。自夫人不能观古人之所观，而徒学古人之所作，于是始有伪文学。学者便之，相尚以辞，相习以模拟，遂不复知意境之为何物，岂不悲哉！……静安之为词，真能以意境胜。夫古今人词之以意胜者，莫如欧阳公。以境胜者，莫如秦少游。至意境两浑，则惟太白、后主、正中数人足以当之。静安之词，大抵意深于欧，而境次于秦。至其合作，如甲稿《浣溪沙》之'天末同云'、《蝶恋花》之'昨夜梦中'，乙稿《蝶恋花》之'百尺朱楼'等阕，皆意境两忘，物我一体。高蹈乎八荒之表，而抗心乎千秋之间。"赵万里《王静安先生年谱》："先生时新丧偶，故其词益苍凉激越，过此以往，又转治宋元明通俗文学，其致力于词者，亦仅此数载耳。"按：此数年间，王国维由哲学研究而文学创作，复由词而曲。王国维《自序（二）》："余疲于哲学有日矣。哲学上之说，大都可爱者不可信，可信者不可爱。……此近二三年中最大之烦闷。而近日之嗜好，所以渐由哲学，而移于文学，而欲于其中，求直接之慰藉者也。……近日嗜好之移于文学，亦有由焉，则填词之成功是也。余之于词，虽所作尚不及百阕，然自南宋以后，除一二人外，尚未有能及余者，则平日之所自信也。虽比之五代北宋之大词人，余愧有所不如。然此等词人，亦未始无不及余之处。因词之功成，而有志于戏曲，此亦近日之奢愿也。然词之于戏曲，一抒情，一叙事，其性质既异，其难易又殊，又何敢因前者之成功，而遽冀后者乎！但余所以有志于戏曲者，又自有故。吾中国文学之最不振者，莫戏曲若。元之杂剧，明之传奇，存于今日者，尚以百数。其中之文字，虽有佳者，然其理想及结构，虽欲不谓至幼稚拙劣不可得也。国朝之作者，虽略有进步，然比诸西洋之名剧，相去尚不能以道里计。此余所以自忘其不敏，而独有志于是也。"

包天笑撰《碧血幕》小说刊于《小说林》第六期。次期起，数期内均于《小说林》刊载《天笑启事》，征求异闻，谓："鄙人近欲调查近三年来遗闻轶事，为《碧血幕》之材料，海内外同志如能贶我异闻者，当以该书单行本及鄙人撰译各种小说相赠。"

商务印书馆出版《红星佚史》，署"（英）罗达哈葛德、安度阑俱著，周逴译"，即周作人、周树人合译，周树人笔述。署周逴《〈红星佚史〉序》谓："罗达哈葛得、安度阑俱二氏掇四千五百年前黄金海岸事著为佚史，字曰《世界之欲》……所述率幽閟荒唐，读之令人生异感。顾事则初非始作，大半本诸鄂谟（Homer）。……而《红星佚史》一书，即设第三次浪游，述其终局者也。中谓健者（按：荷马史诗中阿迭修斯，今译奥底修斯）浪游，终以见美之自相而止。……中国近方以说部道德为桀，举世靡然，斯书之翻，似无益于今日之群道。顾说部曼衍自诗，泰西诗多私制，主美，故能出自由之意，舒其文心。而中国则以典章视诗，演至说部，亦立劝惩为桌极，文章与教训，漫无畛畦，画最隘之界，使勿驰其神智，否则或群逼拶之。所意不同，成果斯异。然世之现为文辞者，实不外学与文二事。学以益智，文以移情。能移人情，文责以尽，他有所益，客而已。而说部者文之属也。读泰西之书，并当函泰西之意；以古目观新制，适自蔽耳。"

十一月

二十一日戊申，清廷颁诏整顿学风，命学部严申学堂禁令章程，不准学生干预国家政治、联名聚众立会、演说等。次日，诏禁京师聚众开会、演说等。

二十七日，陈去病邀刘师培、何震夫妇及高旭、柳亚子等十一人在上海国华楼小酌，席上有结社之约，即名南社。按，陈去病《高柳两君子传》云："至丁未冬，复与余结南社于海上，而天下豪俊咸欣然心喜，以为可借文酒联盟好，图再举矣。"所言即此。又，柳亚子《南社纪略·我和南社的关系》："1907 年（清光绪三十三年），健行公学解散，天梅郁郁家居，百无聊赖，有《海上神交社集，以事不得往……》一诗……说到'几复风流赖总持'，是已经走上发起南社的道路了。……天梅杜门家居，一隐三年，不免静极思动，我们三个（按：高旭、柳亚子、陈去病）书呆子，函牍往来，诗词唱和，酝酿复酝酿，动荡复动荡，直到 1909 年（清宣统元年），南社的名词，便以我们三个人的努力，正式出现于世界。"而一般以宣统元年十月虎丘雅集为南社成立标志。

十二月

十三日庚午（1908 年 1 月 16 日），清廷颁布报律。

沈曾植简署安徽布政使。先后招致耆儒杰士，如方守彝、马其昶、姚永朴、姚永概，时时相从，考论文学，"人谓自曾文正公治军驻皖以后，数十年宾客游从之盛，此其最矣"。（王蘧常《嘉兴沈寐叟先生年谱初稿》）

冬

李叔同以观众"看不懂"失去演剧兴趣。明年宣布脱离剧社，春柳社渐有近于混

乱之势。（林子青编《弘一法师年谱》）

本年

陈衍本年入都，与都下诗人唱和。《石遗室诗话》卷一："都下诗人，十余年来颇复萧寂，自余丁未入都，广雅相国入枢廷，樊山、实甫、芸子俱至，继而毅庵、右衡、病山、梅庵、确士、子言先后至，计余居都门五年，相从为五七言诗者，无虑数十人，讨论之契，无如赵尧生（熙）、陈仁先（曾寿），进学之猛，无如罗掞东（惇曧）、梁众异（鸿志）、黄秋岳（濬）。尧生以诗名有年，所作无虑数千首，掞东诸子肆力为诗，不三数年也。"

赵熙本年四十岁，入京闲居守制。在京为学部主事马叙五书扇，录《鸡鸣》、《夔峡》、《蝦蟆碚》、《香溪》数诗，张百熙见而激赏，诗誉因之而溢。

胡朝梁《诗庐诗文钞》存诗始于本年。

丘逢甲撰《丁未秋怀诗》单行刊出。

况周颐撰《阮庵笔记》五种刊刻于南京。明年，又撰成《香东漫笔》。

夏孙桐授浙江湖州知府。

沈家本《寄簃文存》八卷铅印刊出。

墨庄刘氏于长沙刊刻王闿运《湘绮楼全集》三十三卷。内《湘绮楼文集》八卷、《诗集》十四卷、《诗别集》三卷、《笺启》八卷。

武昌刻张云锦撰《顺所然斋诗》五卷。又明年刊刻《顺所然斋文集》二卷。

朱祖谋卜居苏州，时与郑文焯唱和。

章太炎寓民报社，以文会友，时讲述小学；至明年，乃聚集学子，讲《说文》。

鲁迅发表《摩罗诗力说》，介绍拜伦等浪漫主义诗人及其诗学主张。首引尼佉（今译尼采）之言："求古源尽者将求方来之泉，将求新源。嗟我昆弟，新生之作，新泉之涌于渊深，其非远矣。"文章介绍"摩罗诗派"，谓："今且置古事不道，别求新声于异邦，而其因即动于怀古。新声之别，不可究详；至力足以振人，且语之较有深趣者，实莫如摩罗诗派。摩罗之言，假自天竺，此云天魔，欧人谓之撒但，人本以目裴伦（G. Byron）。今则举一切诗人中，凡立意在反抗，指归在动作，而为世人所不甚愉悦者悉入之，为传其言行思惟，流别影响，始宗主裴伦，终以摩迦（匈牙利）文士。凡是群人，外状至异，各禀自国之特色，发为光华；而要其大归，则趣于一：大都不为顺世和乐之音，动吭一呼，闻者兴起，争天拒俗，而精神复深感后世人心，绵延至于无已。虽未生以前，解脱而后，或以其声为不足听；若其生活两间，居天然之掌握，辗转而未得脱者，则使之闻之，固声之最雄桀伟美者矣。"又，《人之历史》、《科学史教篇》、《文化偏至论》等文亦成于本年；鲁迅与许寿裳等筹备出版文艺杂志《新生》，后未果。

张之洞本年内召，辑《思旧集》九家，命官书局刊出。按：之洞在湖北选编其师韩超、刘书年刘肇均父子、友人谢维藩、族孙张祖继等九家遗诗，命官书局刊刻，后又在北京编其姻亲唐炯、友人宝廷父子、弟子杨锐等八家，共计十七家。由纪钜维担任校雠、高凌霨经理其事，终在戊辰（民国十七年）由高凌霨以苍桧簃名义刊行。又，《新世说·文学》："张香涛开府江汉，朝野人士既已云从，迨入枢府，都人士以一亲丰采为荣。故退食之余，无日不有文燕诗会，即最促时间，亦必钩心斗角，作诗钟一二。故当日十刹海之会贤堂，宣武门外之畿辅先哲祠与松筠媲，皆为名流畅叙幽情之所。而寒山诗社，亦即起于是时。"

况周颐撰《阮盦笔记》五种（《选菴丛谈》二卷、《卤底丛谈》一卷、《兰云菱梦楼笔记》一卷、《蕙风簃随笔》二卷、《蕙风簃二笔》二卷）刊于江宁。

曾懿《古欢室集》刊出，内收诗《浣花集》、《鸣鸾集》、《飞鸿集》及词《浣花词》各一卷，缪荃孙等为之序。按，曾懿（1853—1927）后卒于民国十六年，年七十六。《晚晴簃诗汇》卷一百九十二收其诗二十三首，诗话云："伯渊善诗词，工书画，书专篆隶，画专山水，并以丹青运于丝绣，精细入微。归幼安（袁学昌）提法，同好金石，搜集汉隶各名碑，昕夕校勘，书法益进。诗词外，著有《医学篇》、《女学篇》、《中馈录》，俱有裨实用。相夫教子，后起多才。蜀章、季硕为弟妹，家学渊源，流传有绪。又称其黹佩相庄，兰玉竞爽，古今才媛不可得之遇，以一身兼之，而齿轶稀龄，名登史传。艺风犹未及见也。"

郑孝胥刊《海藏楼诗》。此本不分卷，前于武昌所刻一卷本收诗止于壬寅，此本收诗至本年。至民国二十六年，数经增补成十三卷。

欧阳鉅元（1883—1907）卒，年二十五。

胡曦（1844—1907）卒，年六十四。

现代作家冯铿（1907—1931）、萧军（1907—1988）、周文（何谷天，1907—1952）生。

公元 1908 年（光绪三十四年 戊申）

正月

二十四日，徐自华、吴芝瑛、高旭、陈去病等葬秋瑾于西泠，并于西湖凤林寺开追悼大会，会后议立秋社，徐自华任社长。按：秋瑾遇难后，吴芝瑛、徐自华为其营葬，风节为时所称。吴芝瑛（1868—1933）本年四十一岁，卒于民国二十二年，卒后秋社奉其栗主祔祀秋瑾。严复《吴芝瑛传》称芝瑛"以慈善爱国称中外女子间"，并论曰："吾国禁女子干外事者，四千余年。干外事者，微论恶也，即善有不可。世变大异，至今思想议论，乃略殊前。顾女子行事，稍稍露锋颖，循常之徒，辄相视大诧，甚者以为宜诛。……廉夫人者，吾先友挚甫先生犹子，平生多闻长者精至独往之言，故能不循作自树立如此。呜呼，男子可以兴矣。"汪辟疆《光宣诗坛点将录》："小万柳堂主人，在女界文学中，自是俊物。散文家法具存，诗尚唐音。平生风义，最笃故人。秋坟惓惓，亦晚近侠举也。"

《小说林》第九期刊出徐念慈（署觉我）《余之小说观》。次期（三月）又刊出《〈丁未年小说界发行书目调查表〉引言》。二文述及小说界现状，略录其要。《余之小说观》："（著作小说与翻译小说）综上年所印行者计之，则著作者十不得一二，翻译者十常居八九。……此著作与翻译之观念有等差，遂至影响于销行有等差，而使执笔者，亦不得不搜索东西籍，以迎合风尚，此为原因之一。抑或译书，呈功易，卷帙简，卖价廉，与著书之经营久，笔墨费，成本重，适成一反比例，因之舍彼取此，乐是不疲与？亦为原因之一。由后之说，是藉不律以为米盐日用计者耳。""（小说之形式）大别之有三。其一综合各种，而以第几集第几种名之者；其一以小说之内容，而以侦探、历史、科学、言情等等名之者；其一漫画花卉人物于书面，而于本书事迹，有合有不合者。""（小说之题名）不嫌其奇突而谲诡也。东西所出者，岁以千数，有短至一二字者，有多至成句者，有以人名者，有以地名者，有以一物名者，有以一事名者……种种方面，总以动人之注意为宗旨。今者竞尚译本，各不相俦，以致一册数译，彼此互见。如《狡狯童子》之即《黄钻石》，《寒牡丹》之即《彼德警长》……""（小说之趋向）默观年来，更有痛心者，则小说销数之类别是也。他肆我不知，即'小说林'之书计之，记侦探者最佳，约十之七八；记艳情者次之，约十之五六；记社会态度，记滑稽事实者又次之，约十之三四；而专写军事、冒险、科学、立志诸书为最下，十仅得一二也。夫侦探诸书……余知其欲得善果，是必不能。艳情诸书……穷其弊，非至婚姻礼废、夫妇道苦不止。而尽国民之天职，穷水陆之险要，阐学术之精蕴，有裨立身处世诸小说，而反忽焉。是观于此，不得不为社会之前途危矣。""（文言小说与白话小说）之二者，就今日实际上观之，则文言小说之销行，较之白话小说为优。……若以臆说断之，似白话小说，当超过文言小说之流行。其言语则晓畅，无艰涩之联字；其意义则明白，无幽奥之隐语，宜乎不胫而走矣。而社会之现象，转出于意料外者，何哉？余约计今之购小说者，其百分之九十，出于旧学界而输入新学说者，其百分之九，出于普通人物，其真受学校教育，而有思想、有才力、欢迎新小说者，未知满百分之一否也？所以林琴南先生，今世小说界之泰斗也。问何以崇拜之者众？则以遣词缀句，胎息史汉，其笔墨古朴顽艳，足占文学界一席而无愧色。然试问此等知音，可责诸高等小学卒业诸君乎？遑论初等。可责诸章句帖括冬烘头脑乎？遑论新学。（原注：余非谓研究新学诸君概不若冬烘头脑也，若斟酌字义、考订篇法，往往今不逮昔。即有文学彪炳者，试问果自学校中得来者否？）""（小说今后之改良）（学生社会）今之学生，鲜有能看小说者（指高等小学以下言），而所出小说，实亦无一足供学生之观览。……（军人社会）……余谓今后著译家，所当留意，专出军人观览之小说。……（实业社会）吾见髫年火伴，日坐肆中，除应酬购物者外，未尝不手一卷《三国》、《水浒》、《说唐》、《岳传》，下及秽亵放荡诸书，以供消磨光阴之用，而新小说无与焉。……（女子社会）小说改良后，曾无一册，合普通女子之心理，使一新耳目，足涤其旧染之污，以渐赴于文明之域者，则操觚者殊当自愧矣。"

张鸣珂撰《寒松阁读艺琐录》一卷成并自序。

二月

初四日，皮锡瑞（1850—1908）卒于善化，年五十有九。

苏曼殊译、辑《文学因缘》第一卷刊行，自为序。日本东京博文馆印刷，齐民社

发行。后上海群益书社翻印，改题《汉英文学因缘》。柳亚子《苏曼殊研究·苏曼殊之我观》："除了诗文小说以外，曼殊重要的作品，要算介绍外国文学了。……（《文学因缘》）它的内容，第一是曼殊的《阿输迦王表彰佛诞生处碑译文》，第二是曼殊的画九幅。以下便是英译的中国诗，有《诗经》八章、《古诗》两首、《木兰歌》、李白诗七首、《长恨歌》、《采茶词》、《葬花诗》。这许多东西并不是曼殊自己译的，不过他拿来编辑起来罢了。以下是曼殊译的歌德《题沙恭达罗诗》一章，拜轮诗一截，又盛唐山民译拜轮《留别雅典女郎诗》四首，再以下是曼殊的自序。这是《文学因缘》的第一卷。还有第二卷……没有出版，现在连稿子都不知去向了。"鲁迅《坟·杂忆》："苏曼殊先生也译过几首（拜伦诗）……但译文古奥得很，也许曾经章太炎先生的润色罢，所以真像古诗，可是流传倒并不广。"

三月

十六日，袁祖光自序《瞿园杂剧初编》。序谓初编"仿古人《四声猿》、《龙舟会》之例，有《仙人感》、《藤花秋梦》、《金华梦》、《暗藏莺》、《长人赚》、《东家翟》、《西江雪》、《神山月》、《玉津园》诸目"，"番禺沈太侔（宗畸），词曲家之折肱者也。索阅一过，怂恿付刊，谓词人托诸谲讽，鸣所独鸣，曲本弹词，子虚乌有，供几辈顽钝穷迂下酒喷饭，亦结习所宜然，不必深讳"。

四月

王闿运以湖南巡抚岑春煊奏荐特授翰林院检讨。《湘绮府君年谱》："自乾隆以后，百年内无特授检讨者，时人目为异数，贺者纷至。"《十朝诗乘》卷二十四："以硕学通儒赐进士者，年甲推王壬秋，特赐检讨。时科举已废，留学生有以牙科进士入翰林者，壬秋《自嘲》云：'赖有牙科称后辈，已无齿录认同年。'时人服其工切。"

五月

王闿运书示武昌存古学堂诸生作诗文法。《湘绮府君年谱》："时张文襄公改两湖书院为存古学堂，以救新学之弊，研究文史，令代功分教，诸生多问作诗文法者。代功不敢专对，请府君书示后学。论诗法曰：……今欲作诗，但有两派，一五言，一七言，五律则五言之别派，七律亦五律之加增。五绝七绝，乃真兴体。五言法门，乃从此权舆。既成五言一体，法门乃出。要之，苏李两派，苏诗宽和，枚乘、曹植、陆机宗之；李诗清劲，刘桢、左思、阮籍宗之。曹操、蔡琰，乃李之别派；潘岳、颜延之，苏之支流。陶、谢均出自阮。陶诗真率，谢诗超艳。自是以外，皆小名家矣。山水雕绘，未若宫体，故自宋以后，散为有句无章之作，虽似极靡，而实兴体。是古之式也。李唐既兴，陈张复起，融合苏李以为五言，李杜继之，王孟竞爽。有唐名家，乃有储高岑韦孟郊。诸作皆不失古法，自写性情，才气所溢，多在七言歌行。突过六朝，直接二曹，则宋之问、刘希夷导其法门，王维、王昌龄、高岑开其堂奥，李顾兼乎众妙，李杜极其变态，阎朝隐、顾况、卢同、刘叉推荡排阖，韩愈之所羡也。二李（贺、商隐）、温、岐、段成式雕章琢句，樊宗师之所开也。元微之赋望云儇，纵横往来，神似子美，故非乐天之所及。张王乐府，效法香山，亦雅于《新丰》、《上阳》诸篇。退之专尚诘诎，则近乎戏矣。宋人披昌，其流弊也。诗法既穷，无可生新，物极必返，始兴明派。专事摹拟，但能近体，若作五言，不能自运。不失古格而出新意，其魏（源）邓（辅纶）乎？两君并出邵阳，殆地灵也。零陵作者，三百年来，前有船山，后有魏邓，鄙人资之，殆兼其长，比之何李、李王，譬如楚人学齐语，能为庄岳土谈耳。此诗之派别，自汉至今之雅音也。今则从容尔雅，自然同声，天下作者无复鄙音庸调，虽工拙不同，而趋向已一，斯则风会使然，不由人力矣。诗既分和劲二派，作者随其所近，自臻极诣。当其下笔，先在选词，斐然成章，然后可裁。诗者，持也，持其志无暴其气，掩其情无露其词。直舒己意，始于唐人，宋贤继之，遂成倾泻。歌行犹可粗率，五言岂容屠沽？无如往而复之情，岂能动天地，感鬼神之听？……乐必依声，诗必法古，自然之理也。欲己有作，必先有蓄，名篇佳制，手披口吟，非沉浸于中，必不能炳著于外。故余遇学诗人，从不劝进，以其功苦也。古人之诗尽美尽善矣，典型不远，又何加焉？但有一戒，必不可学元遗山及湘绮楼。遗山初无功力，而欲成大家，取古人之词意而杂糅之，不古不唐，不宋不元，学之必乱。余则尽法古人之美，一一而仿之，熔铸而出之，功力未至而谬拟之，必弱必杂，则不成章矣。故诗有家数，犹书有家样，不可不知也。论文曰：诗有家数，有时代，文无家数，有时代，此论自余发之。袁枚言：唐如周八百年，则无唐宋。此谬说也。周八百年，文体三变，而无阑入秦汉者；秦二世，隋亦二世，无阑入汉、唐者。故尝譬之，文分代，犹语分乡。钱塘话不似富阳，湘潭话必非善化。相去半里，土俗殊音；但成朝代，即有风尚。九州随之转移，亿兆同于格律，岂以年数而同异乎？诗为心声，故一人一声，然其随朝代为转移，究不能大异。唐宋悬绝，不以年也。明人复古，徒矜夸耳。其实剽唐人之皮毛，律绝略似之，五七言则不能似；至于文，更无一语似古者。故明代无文。以其风尚在制艺，相去辽绝也。茅鹿门始以时文为古文，因取唐宋文之似时文者为八家，方苞等从而张之，于是有古文之说。古文制艺混而为一，乃与昔文大异；然其为八股腔，一也。八股可辨时代，古文则八家、茅、方颇难区别，此犹学京腔者，有时甚似。由退之起八代之衰，而创八股之腔，退之不似唐人，故宋明清人得以退之论文。唯古文有家数，可摹仿；而诗则不能也。明何李律诗，钱王绝句，亦间可混入唐人，以短篇易学耳。作五言，开口便现本相矣。余与诸同志倡学晋宋诗，颇比七子，多说几句，即骎骎入古矣。至于文力追班马，极其工力，仅得似《明史》，心甚耻之。及作《湘军志》，乃脱离时代矣。以数十年苦心孤诣，仅仅得免为明文，若学八家，数月可似。学话易，自运难，故不甚劝人学文，恐误人抛心力也。不如学诗，离去时代，专讲家数，成家即上跻其代矣。"

约在本月，周作人撰成《论文章之意义暨其使命因及中国近时论文之失》。文章评及当时京师大学堂教员林传甲所撰《中国文学史》等著作，谓"文章有四义之可言"，"其一，文章云者，必形诸楮墨者也"；"其二，文章者，必非学术者也，盖文章非为专业而设，其所言在表扬真美，以普及凡众之人心，而非仅为一方说法"；"其三，文章者，人生思想之形现也"；"其四，文章中有不可缺者三状，具神思，能感兴，有美致也"。发表于《河南》杂志第四、五期，时杂志编辑人为刘师培。（张菊香、张铁荣编著《周作人年谱》）

孙诒让（1848—1908）卒，年六十一。章炳麟《瑞安孙先生伤辞》："文士多病先生破碎。抑求是者，固无章采，文理密察，足以有别，宜与文士不相容受。世虽得闿运等百辈，徒华辞破道，于朴学无补益。"

六月

三日丁巳，前祭酒王先谦进所著《尚书孔传参正》、《汉书补注》、《荀子集解》、《日本源流考》，赏内阁学士衔。

六日庚申，清廷允学部奏，于京师设立女子师范学堂，派傅增湘为总理。并咨各省督抚、提学使，酌于省城、府城设立女子师范学堂。

林纾译日本小说《不如归》竟，自作序。是为日本优秀小说较早引入我国者。又，林纾五十七岁，本年刊出林译小说十五部：《玉楼花劫》前编、《块肉余生述》、《贼史》、《髯刺客传》、《恨绮愁罗记》、《电影楼台》、《天囚忏悔录》、《蛇女士传》、《不如归》、《英国大侠红繁繁传》、《新天方夜谭》、《钟乳骷髅》、《西利亚郡主别传》、《歇洛克奇案开场》、《荒唐言》。

夏

陆士谔撰成《残明余影》。士谔撰《新孽海花》首宣统元年冬十月李友琴《序》谓："去年夏，友人以陆君云翔所著之《残明余影》稿见示，余亦视为录常小说，未之奇也。乃展卷细读，见字里行间，皆有精意，而笔情细致，口吻如生，古今小说界，实鲜其匹，循环默诵，弗胜心折。"按：陆士谔开始小说写作，约在光绪三十一年（1905）之后。较早作品《鬼国史》（一名《新鬼话连篇》）六回二册，改良小说社刊出时标"滑稽小说"，首光绪三十三年五月古黔江剑秋序，约成书于是时。至宣统元年（1909）秋，陆士谔撰《新孽海花》二卷十二回竟，首其妻李友琴序，称："今秋复以《新孽海花》稿相示。余读云翔书，此为第十八种矣。"同年底陆士谔《新上海》六编六十回完成，李友琴序中已称"余读云翔新著二十三种矣"。至宣统三年（1911）正月《新上海》第三版刊出时，所附广告已称"先生著书不下五十种"。其晚清所创作小说见于诸家著录者近三十部，主要为：《新孽海花》、《新三国》《新水浒》、《新野叟曝言》、《也是西游记》，《女界风流史》、《女嫖客》、《女子骗术奇谈》、《十尾龟》、《风流道台》，《官场怪现状》、《官场新笑柄》、《官场真面目》，《六路财神》、《龙华会之怪现状》、《最近上海秘密史》、《最近社会秘密史》、《新上海》等。

七月

丁传靖成《沧桑艳传奇》并自作序。《沧桑艳》二十出，叙明季陈圆圆事。按：传靖后复有传奇二种，所为诗文，多刊于民国，卒于民国十九年（1930）。陈宝琛《丁君阁公墓志铭》："所为诗文赡华典切，于剥复之交，辞义能持体要。长庆古风、四六文最为世所称诵。"吴梅《瞿安笔记》评其传奇，谓："词采葩发，雅近《倚晴》，而于声律之道，则茫乎未所有闻也。"

八月

初一日甲寅（8 月 27 日），清廷颁旨，以九年为期预备立宪。二十七日，颁宪法大纲及议院选举各纲要。

十二日甲辰，端方奏准于江宁省城创立图书馆。

九月

二十五日（10 月 19 日），同盟会机关报《民报》被封。

谕顾炎武、王夫之、黄宗羲均从祀文庙。《十朝诗乘》卷二十四："同光以来，亭林、梨洲、船山之学，渐兴于时。光绪初，陈伯潜阁学尝请以亭林、梨洲从祀两庑，孔学政祥麟疏请则兼及船山，下部皆议驳，潘文勤、郭筠仙争之不得。至是，赵芷霖侍御复以为请，下廷议，持论多异同。先文安公（今按：郭春榆）时官少宗伯，单衔补疏，具言三儒有功熙朝，足为后学津逮。且时方尊孔，必兼及三儒，乃见圣学之大，遂邀俞旨。……时张文襄在政府，亦力主之，故得邀允。"

胡思敬汇庚子、辛丑年中所作诗为《驴背集》四卷，并自为序。

秋

樊增祥由陕西布政使移官江宁布政使。在任与江宁诗人多所唱和。增祥《七十自述诗》二十首之十有句云"诗坛旗鼓盛江南"，自注："居瞻园三年，政暇时与伯严、子砺、子琴、艺风赋诗为乐。而乙盦、节庵、石甫时一庪止。中朝遂谓瞻园诗社月耗数千金。"

十月

十四日（11 月 7 日），《新民丛报》停刊，共出九十六期。

九日，康有为作《诗集自序》。时梁启超将手写康有为诗刊行，后成四卷本，称《梁启超写南海先生诗集》。序云："吾童好讽诗，而学在撙理，既不离人性，又好事，不能雕肝呕肺以为诗人。然性好游，嗜山水，爱风竹，船唇马背，野店驿亭，不暇为学，则余事为诗，天人之感多矣。及戊戌遭祸，遁迹海外，五洲万国，靡所不到，风俗名胜，托为咏歌。莫拔抑塞磊落之怀，日行连犿奇伟之境。临睨旧乡，遭回故国，阅劫已夥，世变日非。灵均之行吟泽畔，骚些多哀；子卿之啮雪海上，平生已矣。河梁陇首，游子何之；落月屋梁，水波深阔。嗟我行迈，皆寓于诗。情在于斯，噎气难已。奔亡无定，散佚弥急。……抑以写身世，发幽怀，哀乐无端，咏叹淫佚，穷者达情，劳者歌事，小雅国风之所不弃也。后之诵其诗论其世者，其亦无罪耶！"是年康有为五十一岁，仍漫游欧洲各国，另有《人境庐诗草序》、《诵芬集序》、《留芳集序》等文。辛亥后，康有为始归国，民国十六年卒，年七十。《饮冰室诗话》："南海先生不以诗名，然其诗固有非寻常作家所能及者，盖发于真性情，故诗外常有人也。先生最嗜杜诗，能诵全杜集，一字不遗，故其诗虽非刻意有所学，然一见殆与杜集乱楮叶。"

二十一日癸酉（11 月 14 日），清光绪帝载湉死于瀛台。以溥仪为嗣皇帝，载沣以摄政王监国。次日，慈禧太后那拉氏亦死。

十一月

九日（12 月 2 日），溥仪即位。定明年为宣统元年；次日，清廷宣布立宪预备，仍以宣统八年（1916 年）为限。

陈黻宸年五十，宋衡为撰寿诗。诗序谓：（瑞安比之永嘉）"皆弗如远甚，而独以文学胜。自顷孙太仆学士、黄部郎通政诸先生相继名天下。天下谈文学者必数瑞孙黄。尔来群贤，接武益盛，而陈介石先生最近崛起"。（《陈介石先生年谱》）

十二月

二十三日，黄绍箕（1854—1908）卒。《晚晴簃诗汇》卷一百七十二收其诗十五首，诗话云："仲弢少承家学，及入词馆，雅负时名。甲午后志在经世，多读有用之书，戊戌党祸，韬晦自全。丙午以考察学务赴日本，为其国学者推重。诗不轻作，亦不存。殁后如皋冒广生从他处辑录。"

冬

《国学萃编》创刊于北京。按：沈宗畸本年在京结著湛吟社。《今传是楼诗话》："辛亥六月，诗社星散……今坊间有所谓《国学萃编》者，皆吟社中刊物也。"此刊由沈宗畸（太侔）主编，初名《国粹一斑》，半月刊，约刊出六十期。刊物《简章》称宗旨为"网罗散佚，甄阐幽隐"，"唤起一国之精神，振奇侠之气"，重点登载诗文传奇，兼及小说与前贤遗稿。主要撰稿者有吴仲、潘飞声、冯煦等。

本年

同盟会员陈去病于浙江绍兴创立越社，鲁迅为该社成员。

严复入京。严复甲辰年出京，此年由沪赴津，旋赴京任职学部。严璩编《侯官严先生年谱》："《名学浅说》脱稿。旅次手批《王荆公诗集》自遣。学部新设，荣尚书庆聘府君为审定名词馆总纂，自此供职三年。直至国体改革，始不视事。"按：辛亥后，严复于民国元年壬子任北京大学校长，民国十年辛酉九月卒于福州，年六十九。

陈衍在京，与诸文士作击钵吟之集。《侯官陈石遗先生年谱》："是岁，公多与郭春榆、林畏庐、陈定宇、易实甫、吴绱斋诸先生为击钵吟之集。击钵吟者，亦创于闽人。

命题限韵，为七言绝句，人不拘若干首，轮流取若干首，分等第为胜负。公与畏庐丈一题多作至十数首，以洋蜡烛为所赌之彩，有一唱赢至七八十枝者。"

王国维三十二岁，《人间词话》上卷刊载于《国粹学报》，分三期登完。

马其昶作《慎宜轩集序》。

叶德辉《消夏百一诗》二卷，本年刊出。

冒广生在《国学萃编》刊出《小三吾亭词话》五卷。按：冒广生（1873—1959）著有《小三吾亭词》等。叶衍兰《小三吾亭词序》："识者咸知其有异禀，稍长应童子试，县、府、道，皆冠其军。旋举于乡，名大噪。……顾性好词，虽从余游而时有以启余。尝与余言，词虽小道，主文谲谏，音内言外，上接《风》、《骚》，下承诗歌。自古风盛而乐府衰，六朝人《子夜》、《采莲》之歌，未尝不与词合也。又言学词当从唐人诗人，从宋人词出。每怪近日词家极轨南宋，黄七、秦九，已成绝响。……余韪其言，未尝不喜故人之有后也。"谭献"词评"："鹤亭词格甚成就。"王闿运评："托体风骚，含情绵邈，拟之国朝，当于竹垞、水云间分踞一席。"

陈澹然撰《晦庵文略》二卷刊出。此集辑入《晨风阁丛书》第一集，本年至宣统元年国学萃编社铅印。

三多官绥远城副都统、库伦办事大臣。

灵护室铅印姚永概撰《慎宜轩文》五卷。永概后集所作，增为《慎宜轩集》十六卷，内诗集八卷、文集八卷。

孙雄撰《郑斋汉学文编》六卷刊出。此集又名《师郑堂集》，北洋客籍学堂铅印。

沈宗畸撰《朴学斋文钞》四卷铅印刊出。

叶德辉自刻《郋园论学书札》一卷。

诗撰《尊瓠室诗》二卷铅印刊出。

琴志楼刊出易顺鼎撰《庐余集》一卷。

金蓉镜撰《潜庐文钞》二卷、《诗集》四卷自本年至宣统二年刊刻。

王家振撰《西江文稿》三十二卷及《诗稿》二十八卷、《诗稿续编》一卷刊出。张舜徽《清人文集别录》卷二十一："观其平生志向，不特欲摆脱八家绳墨，且亦不屑步桐城诸家后尘。"

徐琪刊刻《花砖日影集》。此集辑前此所作，定为十卷，编入《香海盦丛书》。《定盦诗话续编》下："（琪）为曲园得意门生。书法初学玉局，极其挺秀，后入二王，亦托体高华。……诗亦雅有曲园风度，殆于香山、放翁为近。自云亦学东坡，而格律过之。"

潘飞声（1858—1934）《说剑堂著书》刊出。内收《老剑文稿》一卷，《西海纪行卷》一卷，《天外归槎录》一卷，《游萨克逊日记》一卷，《香海集》一卷，《游樵漫草》一卷，《悼亡百韵》一卷，《论粤东词绝句》一卷，《柏林竹枝词》一卷，《海上秋吟》一卷，《海山词》一卷，《花语词》一卷，《珠江低唱》一卷，《长相思词》一卷。

秦树声《乖庵文录》二卷刊于河南。按：秦树声（1861—1926），《晚晴簃诗汇》卷一百七十五收其诗十一首，诗话云："宥横少负异才，通籍后闭户读书，为潘文勤所特赏，不烦以曹务。因召对慷慨论事，历诋公卿，当宁动色。出守滇南，累擢监司。

伉直孤行,与疆吏龃龉,不恤也。为文沉博绝丽,时而艰深奇涩,陈散原目为樊宗师。诗则出入玉溪昌谷,不屑作凡语。耽书成癖,目空今古,赵董等诸自郐。人或姗笑之,然致力甚深,要非随人作计者。其诗存稿甚鲜,搜录数首以见一斑。"王树枏《陶庐老人自订年谱》丙寅年:"文词华赡,善为骈俪文,光怪陆离,见者咋舌。初学褚书,晚年变化,自成一体。"沃丘仲子《当代名人小传·文人》本传:"博涉群书,兼及梵典……工为骈体文,古赵有法,诗好撼奇字,真意反晦,自夸其书而实不足名家。"

易顺鼎五十一岁,本年所作诗集为《宣南集》、《岭南集》、《岭南集补遗》、《甬东集》诸集。顺鼎于上年冬十二月抵都,诣都察院自呈被参冤抑。至本年三月四日出都,所作为《宣南集》。在京尝遇樊增祥,故集中多唱和之作。三月由上海乘海轮经香港赴广东。游肇庆七星岩、西江鼎湖山、罗浮山等胜迹,所作集为《岭南集》、《岭南集补遗》。游粤时数晤乙未年台湾抗日志士邱逢甲等,颇多唱和。六月,在沪上遇释寄禅,遂偕游天童、普陀诸名胜,集为《甬东集》。八月,复入都。冬十月,刊《庐山诗录》,作《庐山诗录自记》。此为张之洞所评癸巳岁游庐山诗,自记谓:"生平所为诗不下数千首,盖行役游览之作居其大半,而山水诗尤多。……既五岁陷贼,尝乞食数日,又饱历世变及忧患危苦,于是悉以身世之故,寄托于山水之间。尝游泰山、青城、峨眉、匡庐、衡岳、华山、终南,今年又游罗浮、天童、普陀、洛伽,诗益放恣。陈君伯严以魏默深山水诗比之,谓能独开一派。不知魏诗皆在山水内,而余诗尚有在山水外者。然并世如陈君之相知,又岂可多得哉。"

日本东京三光堂出版黄小配撰《大马扁》(一名《大马骗》)十六回。此书为讥刺康有为而作,未完,阿英《晚清小说史》以为"这是上卷,下册大概没有续出"。书首梭功氏本年八月序云:"余友小配工小说,所写《廿载繁华梦》、《洪秀全演义》等,风行海内,大受社会之欢迎。近者,小配以新著之小说名《大马扁》者出而示余,余受而读之既竟,曰:嗟乎!吾子过矣!子毋以康梁二人,招摇海外,借题棍骗,于马扁界中,别开一新面目,而遂为康梁罪也。……虽然,社会害康梁,非康梁之害社会也。康梁之棍骗,非康梁之罪,而社会之罪也。……康梁不幸生不逢社会平等之日,自呱呱坠地时,即浸淫于金钱铜臭之内,迷惘既深,则诪张为幻,人情大抵皆然,况才足以济奸者乎?……抑余闻之:康梁所以能招摇海外者,全恃《戊戌政变记》一书,盖书中极力铺张,去事实远甚,而海外侨民,蒙于祖国情势,先入为主,至于耗财破家有所不恤。……余言念及此,未尝无余痛也。然则谓此书之作,于社会无功焉,不得也。"

苏州振兴书社刊行《六也曲谱》初辑石印本。殷溎深原稿,张怡庵校订手录。收剧三十余出。

张鸣珂(1829—1908)卒,年八十。《复堂词话》:"诗篇秀绝,未深思耳。词尤婉丽。"《晚晴簃诗汇》卷一百五十七收其诗五首,诗话云:"嘉禾诗派自钱箨石后,别开境界,公束则守朱李旧风者,才情虽弱,格韵自真,兼工倚声,承黄韵珊之学,造诣似在诗上。"

陶邵学(1864—1908)卒。《晚晴簃诗汇》卷一百八十二收其诗六首,诗话云:"颐巢雄于文词,少与陈庆生、朱跂惠友,互相切劘,世谓朱为文廉峭,而陶意度冲远，从容赴节。起粤东近代文学之衰者，自二人始。颐巢尤工七言，诗多促狭危厉之音。尝作《妖鸟篇》刺世言更法者。"

现代作家周立波（1908—1979）、吴组缃（1908—1994）生。

公元 1909 年（宣统元年　己酉）

正月

《教育杂志》第一年第一期刊载包天笑撰《馨儿就学记》，后续载于第一年第三至十三期。标"教育小说"。是书以日记体记述主人公一年间经历见闻。未完。《教育杂志》本月创刊于上海，月刊，教育杂志社编辑发行。

二月

东京神田印刷所印刷《域外小说集》第一册。陈衡恪题写书名。书首周树人（鲁迅）《序言》及《略例》。内收波兰显克微支、俄国契诃夫、迦尔洵、安特来夫、英国准尔特小说八篇，六篇署"作人译"，二篇署"树人译"。周树人《序言》："《域外小说集》为书，词致朴讷，不足方近世名人译本。特收录至审慎，迻译亦期弗失文情。异域文术新宗，自此始入华土。使有士卓特，不为常俗所囿，必将犁然有当于心，按邦国时期，籀读其心声，以相度神思之所在。则此虽大涛之微沤与，而性解思惟，实寓于此。中国译界，亦由是无迟莫之感矣。"《略例》："一、集中所录，以近世小品为多，后当渐及十九世纪以前名作。又以近世文澜，北欧最盛，故采译自有偏至。惟累卷既多，则以次及南欧既泰东诸邦，以符域外一言之实。……一、人地名悉如原音，不加省节者，缘音译本以代殊域之言，留其同响；任情删易，即为不诚。故宁拂戾时人，迻徙具足耳。……一、! 表大声，? 表问难，近已习见，不俟诠释。此他有虚线以表语不尽，或语中辍。有直线以表略停顿，或在句之上下，则为用同于括弧。如'名门之儿僮——年十四五耳——亦至'者，犹云名门之儿僮亦至；而儿僮之年，乃十四五也。一、文中典故，间以括弧注其下。"书后附《〈域外小说集〉杂识》，则有著者小传等项，所介绍作家有安特莱夫、迦尔洵等。此为我国较早以"直译"法译出之外国小说。阴历二月二十七日，周树人为《域外小说集》第一册所撰广告刊载于上海《时报》："是集所录，率皆近世名家短篇。结构缜密，情思幽眇。各国竞先选择，斐然为文学之新宗，我国独阒如焉。因慎为译述，抽意以期于信，绎辞以求其达。先成第一册，凡波兰一篇，美一篇，俄五篇。新纪文潮，灌注中夏，此其滥觞矣！"

三月

二十六日乙亥（5 月 15 日），于右任在上海创办《民呼报》发刊。六月，于右任被拘，停刊，共出九十二天。九月，于右任改《民呼报》为《民吁报》，继续在上海发行。出刊四十八天，复被禁。

陈锐在苏州为饯春之约，会者有郑文焯、朱祖谋、夏敬观诸人，各赋一词以志胜

践。

李详在江宁，为王闿运所赏。《瓶粟斋诗话》初编卷七："长沙王湘绮赴江督端匋斋召也，先生宴湘绮于上海之愚园，一时在坐者皆名士。论及《文选》，湘绮云：'明远、元晖已开唐初律体。'先生举'朔风吹飞雨，萧条江上来'句为应，湘绮喜，即书小轴赠之。嘉兴沈乙盦方伯曾植尝曰：此江淮选学大师也。"（按：事当在江宁。）

春

陈宝琛被荐还朝。

胡薇元自编《湖上草堂诗》一卷成。刘光濚为之序。

四月

三十日，丁惠康（1868—1909）卒于上海，年四十二。《饮冰室诗话》："卓荦有远志，忧国如痗，而诗尤以神味胜。"汪辟疆《光宣诗坛点将录》列丁惠康于"步军将校一十七员"中，以地伏星金眼彪施恩属之，曰："丁叔雅惠康，为雨生中丞之子，与北山齐名，又与散原、浏阳并称清末四公子。襟怀高亮，诗亦如之。"

五月

十一日己未，清廷命两江总督端方为直隶总督兼北洋大臣。

二十日，清廷予已故户部尚书、军机大臣翁同龢诏复原官。

薛绍徽始撰《女文苑传》。《先姚薛恭人年谱》："五月阅恽太夫人（恽珠）正始（《国朝闺秀正始集》）、正续集，多挂漏，因思清朝闺秀能文善书画传注并及词曲者良多，不能专就于诗号风雅，遂出历年所存各家闺秀名集，拟著《女文苑列传》，以括其全，由是悉心探讨。"

易顺鼎至广州。上年除日，奉旨简放云南临安开广道，本年正月自武昌入京谢恩，都中朋辈咸赋诗为贺。在京所作为《己酉诗砖集》。旋改广东廉钦道，本月至广州，诗集为《广州集》。

郑孝胥序陈三立《散原精舍诗》。《序》谓："伯严诗，余读至数过，尝有越世高谈、自开户牖之叹。己酉春始欲刊行，又以稿本授余曰：子其为我择而存之。……往有钜公与余谈诗，务以清切为主，于当世诗流，每有张茂先我所不解之喻，其说甚正。然余窃疑诗之为道，殆有未能以清切限之者。世事万变，纷扰于外，心绪百态，腾沸于风，宫商不调而不能已于声，吐属不巧而不能已于辞，若是者，吾固知其有乖于清也。思之来也无端，则断如复断、乱如复乱者，恶能使之尽合？兴之发也匪定，则倏忽无见、惝恍无闻者，恶能责以有说。若是者，吾固知其不期于切也。并世而有此作，吾安得谓之非真诗也哉？噫嘻，微伯严，孰足以语此？"按：陈曾寿《读广雅堂诗随笔》谓："苏堪叙散原诗，有公以清切论诗，常有张茂先我所不解之喻。其实公于散原诗，未尝不称叹。散原亦谓公诗厚重宽博，在近代诸老之上。两贤固无所芥蒂也。"

又：陈三立《散原精舍诗》二卷，本年上海石印刊出，明年又有商务印书馆刊二卷本，收光绪二十七年辛丑迄三十四年戊申间诗。宣统元年后所作，收入《散原精舍诗续集》中。王揖塘《今传是楼诗话》："君与海藏一时有'郑陈'之目。海内论东南坛坫者，辄首及两公。海藏序君诗云……（按：中略）君亦服膺其言，故刊诗自辛丑始，迄于光绪三十四年。辛亥以后，君诗境一变，闵乱伤时，多变雅之作。"宋慈抱《陈三立传》："清季光宣间，以诗名者，浙江有嘉兴沈曾植、桐庐袁昶，江苏有通州范肯堂、泰兴朱铭盘，安徽有庐江吴保初、陈诗、桐城方守彝、姚永概，广东有嘉应黄遵宪、番禺梁鼎芬、顺德黄节，福建有闽县郑孝胥、侯官陈衍，湖北有龙阳易顺鼎、恩施樊增祥。其所作或主三唐，或崇两宋，各有所长。三立与诸人雅故，与鼎芬、遵宪及当世论诗尤契。袁昶《于湖题襟集》，录鼎芬诗，称三立所评，有知微如谍之妙。要其旨与山谷后山相近，然三立谓并世诗家，某也有纱帽气，某也有馆阁气，力主戛戛独造，既入乎唐宋之堂奥，务超乎唐宋之藩牎。其《散原精舍集》，于近代诗派中足称名家。文亦蕴藉雅正，近桐城派而不为桐城所域，工者似范晔《后汉》传赞……"陈衍《石遗室诗话》卷一："伯严论诗，最恶俗恶熟，尝评某也纱帽气，某也馆阁气。"卷十四："余旧论伯严诗，避俗避熟，力求生涩，而佳语仍在文从字顺处。"卷三十一："近来诗派，海藏以伉爽，散原以奥衍，学诗者不此则彼矣。若樊山之工整，祈向者百不一二。……"

六月

十一日，《域外小说集》第二集由东京神田印刷所印行出版。内收显克微支、爱伦坡等小说九篇，八篇译者署"作人"，一篇署"树人"。第二集书后附有拟刊第三集之目录，然第一、二集销行寥落，第三集遂未印出。后鲁迅尝于致日人增田涉书中云："第一集（印一千册）卖了半年，总算卖掉二十册。印第二集时，数量减少，只印五百本，但最后也只卖掉二十册，就此告终。"

王闿运作《东游宴集诗》十首。按：三月，两江总督端方将移督北洋，电邀闿运往游江南，并言诸名士俱集。闿运遂东游。是时，樊增祥官江宁布政使，沈曾植官皖藩，俱有唱酬。及还湘，作《东游宴集诗》。

瞿鸿禨（1850—1918）六旬正寿，赋述怀诗四章。按：瞿鸿禨于上年开缺回籍，辛亥后寓居上海，民国二年与寓上海诸遗老立超社。民国七年戊午卒，年六十九，谥文慎。陈三立《散原精舍文集》卷十《书善化瞿文慎公手写诗卷后》："迨国骤变，大乱环起，四方人士暨生平相识亲旧类辟地羁集沪上，三立与公亦先后俱至。居久之，无以遣烦忧，始纠侪辈十许人时时联为诗社，公之诗遂稍多，每出示，精思壮彩辄震其坐人。盖公诗典赡高华，由子瞻上窥杜陵而不掩其度，即愤时伤乱形诸篇什，神理有余蕴藉而锋芒内敛，非如三立犷野激急同于伧父也。"《晚晴簃诗汇》卷一百六十五收其诗十二首，诗话云："文慎早岁掇科第，官侍从，屡持文柄，旋被东朝眷遇，入赞枢府，坐事论罢。晚居海上，与庸盦、苏堪、乙盦诸君为文酒之会，诗条达周密，犹有乾嘉前辈矩矱。"陈三立《散原精舍文集》卷十《诰授光禄大夫协办大学士外务部尚书军机大臣善化瞿文慎公墓志铭》："始避兵穷山中，旋走上海，居久之，结俦辈寄诸吟咏，写幽忧，公之诗遂稍富而益工。"汪辟疆《光宣诗坛点将录》列瞿鸿禨于"四店打听声息邀接来宾头领八员"中，曰："安置妥帖平不颇。"

赵熙四十二岁，转官御史，初与陈衍、杨增荦诸人游。

七月

初八日，刘鹗（1857—1909）以中风卒于戍所，年五十三。

约在上月末或本月初，周树人返国。

八月

初一日，《十日小说》创刊于上海，上海环球社创办，旬刊。首期始连载如下作品：张春帆著《宦海》，标"官场小说"；警我著《波兰镜》（原名《亡国民之运动》），标"国民小说"；醉痴著《驴夫惨剧》（一名《冤怨缘》），标"警世小说"；燂廛著《盘山大侠》，标"义侠小说"；何石生著《西江影初集》，标"社会小说"；还泪著《自由孽》，标"哀情小说"；天梦著《魑魅魂》，标"讽刺小说"；逸民著《立宪梦》，标"醒世小说"；天梦著《好姻缘》，标"言情小说"。

十五日，郑观应撰成《盛世危言后编自序》。

二十一日（10 月 4 日），张之洞（1837—1909）卒，年七十三。先是，之洞七月于病中选师友遗诗，为《思旧集》，手定《广雅堂诗稿》。至是病卒。陈宝琛《张文襄公墓志》："为学兼师汉宋，去短取长，恶说经袭公羊、文字模六朝，谓为权诡乱俗。"《清史稿》本传："爱才好客，名流文士争趋之。"《大清畿辅先哲传》卷七《名臣传七》："之洞学兼汉宋，汉学师其翔实而遗其细碎，宋学师其笃谨而戒其空疏。初，受经学于吕贤基，受史学经济于韩超，受小学于刘书年，受古文学于朱琦。平生讲学最恶《公羊》，谓为乱臣贼子之资……最恶六朝文字，谓纤仄拗涩强凑无根柢，道丧文敝，莫甚于此。书法不谙笔势，假托包派，隶楷杂糅，习为诡异险怪，欺世乱俗，天下无宁宇矣。""以文章道德主盟坛坫者数十年。五洲之士皆仰之为中华山斗。"佚名《体仁阁大学士张公之洞事略》："始公以经生发闻，其风义有如毕（沅）、阮（元），而知虑通达、清廉不染，殆超过之，遂为数十年人望所归，后进之士，受其陶铸者普遍海内，方诸古人，何以加兹。"王树枏《张文襄公全集序》："公幼负盛名，制行遵宋儒，而经史考订则一守汉儒家法。淹通群籍，尤慕杜君卿、马贵桅、顾亭林之为人，思之所学，见诸行事。自通籍后，主盟坛坫者数十年，屡典学试诸差，牺轩所届，建书院，广置书籍，谆谆示士子以为学门径，及四部应读之书，故人人皆务实学，文风为之一变。道、咸之际，海禁大开，国家多故，士大夫狃于所习，不知变计。而外人之轻我、侮我者，皆视为鱼肉，而刀俎之，罔所顾忌。公痛心疾首，乃考西人富强之本原，究其学术政体，毅然辟群议，创生迹，谋所以自强之策。于是变科举，普设学堂，并遣士子游学外邦，采取所长，以与士争与校。"端方《张文襄公诗集序》："文襄功业轩天地，文章照四裔，岂其资诗以传者？顾其为诗情深而文明，忧深而意远，其忠勤恳挚、正君匡国之思，往往于诗见之。"民国丁巳上海集益书局本《张文襄诗集》小引："南皮张文襄公，为清季风雅之宗，仰之者如泰山北斗。公扬历中外数十年，政事之暇以宏奖风流为己任，出书北阙，开府江南。论者谓合王新城、宋高邱为一人，而公之德业事功且犹过之，固不徒以高位耆年得海内望重已也。公生平论诗，尝以险僻相戒……故主为诗一从和平雅正为归。公之功业，虽不必藉诗以传，而披读公诗一过，觉有德之言，不啻布帛菽粟，一代风雅之正宗，诚非公莫属矣。"《续修四库全书提要》"广雅堂诗集八卷"："古体如《铜鼓歌》、《送王壬秋归湘潭》……诸篇，皆登孟县之堂，入眉山之室。近体如《人日游草堂寺》、《济南杂诗》……诸作，在南北宋诸大老中，兼有安阳、半山、简斋、止斋、石湖之胜。之洞忠忧蹇蹇，勋业巍然，原不必以诗为重，而诗实空前绝后，足为晚清之冠。古今诗家用事切当者，前推东坡，后有亭林，之洞诗如《挽彭刚直》……其用事之精切，足以方驾坡公、亭林，非近世诗家所能及也。"陈衍《知稼轩诗序》："张广雅论诗，扬苏斥黄，略谓黄吐语多槎牙，无平直，三反难晓，读之梗胸臆，如佩玉琼琚，舍车而行荆棘，又如佳茶，可啜而不可食；子瞻与齐名，则坦荡殊雕饰，受党祸为杜。亦可见大人先生之性情，乐广博而恶艰深；于山谷且然，况于东野、后山之伦乎？"陈衍《广雅堂骈体文笺注序》："张广雅相国在近代达官中最为博洽，四部罔不探，而尤熟《资治通鉴》，诗、文、骈、散罔不作。余尝以为奏议第一，诗次之，骈体文次之。生平文字务博大昌明，不为奥衍偏涩，以号称高古，而用事尤以雅切见长。故往者为骈文寿李少荃相国，先使屠敬山大令属稿，二千言，广雅易其八九，存其一二，敬山骈文在近贤中不作第二人，想此篇刻在《结一宦集》中，风格视广雅为高，然广雅作光明俊伟，切当自己身分，非屠作所及，两文并存，可以方郑亚之改李义山《会昌一品制集序》、昌黎之改卢仝《月蚀诗》矣。广雅文多长篇巨制……"朱士焕《跋》："鸿文震耀，风格既驾出两太史（按：陈迦陵、袁简斋）而上之。"《续修四库全书提要》："之洞骈文熔经铸史，茹古涵今。"

周祥骏在上海民吁报社会见高旭，请高旭为所著《更生斋集》诗一卷作序。高旭序谓："夫周君之为诗也，虽未造乎古作者之域，然其思苦，其音哀。其摛藻也，丽以则；其寄兴也，幽以远。是岂犹夫世俗之苟作者耶？余即以诗观周君，洵可谓嵚奇磊落、倜傥非常之士矣。"

九月

初一日，《小说时报》创刊于上海。月刊，陈景韩、包天笑主编，有正书局发行。出三十三期及增刊一号后于宣统二年七月停刊，1922年复刊，李涵秋主持，共出五十五期。

十月

一日，陈去病、柳亚子、高旭等在苏州创立文学团体南社。先是，夏间陈去病、高旭有结南社之议。七月末，陈陶遗、柳亚子往访高旭于留溪，相约发起南社雅集于陈去病所在之苏州，并一访张东阳祠，以重振当年几社、复社之余绪。约定由柳亚子撰社例以定社事；由高旭撰宣言以定宗旨；由陈去病撰启事以资召集。九月初四日（10 月 17 日），高旭所撰之《南社启》首由《民呼日报》刊出，嗣后上海各报均加转载。十四日（10 月 27 日），柳亚子撰《南社条例十八条》刊于《民呼日报》。二十四日（11 月 6 日），陈去病发布《南社雅集小启》宣告："孟冬十月朔日丁丑……爰集鸥侣，觞于虎丘。"至是，南社社员齐集十七人，又来宾二人，沿前年高旭等五人吴门之游路线，出阊门，买舟山塘，过五人墓，上虎丘，止于张东阳祠。是日，高旭因故未到会，仍被推为诗选编辑员。高旭《南社启》："国魂乎，盍归来乎！抑竟与唐虞、姬姒之版图以长逝，听其一往不返乎！恶，是何言，是何言！国有魂，则国存；国无魂，则国将从此亡矣！夫人莫哀于亡国，若一任国魂之飘荡失所，奚其可哉！然则国魂果何所寄？曰：寄于国学。欲存国魂，必自存国学始。而中国国学之尤为可贵者，端推文学。盖中国文学为世界各国冠，泰西远不逮也。而今之醉心欧风者，乃奴此而主彼，何哉？余观古人之灭人国者，未有不先灭其言语文字者也。嗟乎，痛哉！伊吕倭音，迷漫大陆；蟹形文字，横扫神州。此果黄民之福乎！人心世道之忧，正不知伊于胡底矣！或谓：国学固不宜缓，然又奚必社为？曰：一国之事，非一二人所能为，赖多士以赞襄之。……然而社以南名，何也？《乐》：'操南音不忘其旧'，其然，岂其然乎！南之云者，以此社提倡于东南之谓。……鄙人窃尝考诸明季，复社颇极一时之盛。其后，国社既屋矣，而东南之义旗大举，事虽不成，未始非提倡复社诸公之功也。……今者不揣鄙陋，与陈子巢南、柳子亚卢有南社之结，欲一洗前代结社之积弊，以作海内文学之导师。余惟文学之将丧是忧，几几乎忘其不自量矣！试问今之所谓文学者，何如乎？呜呼，今世之学为文章者、为诗词者，举丧其国魂者也。……倘无人也以搘柱之，则乾坤或几乎息矣。此乃不特文学衰亡之患，且将为国家沉沦之忧矣！二三子有同情者乎！深望同声相应，同气相求，与之同步康庄，以挽既倒之狂澜，起坠绪于灰烬。"高旭《无尽庵遗集序》："当胡虏猖獗时，不佞与友人柳亚卢、陈去病于同盟会后更倡设南社，固以文字革命为帜志，而意实不在文字间也。盖陈柳二子深知乎往时人士入同盟会者，思想有余而学问不足，故借南社以为沟通之具，殆不得已之苦思欤！"柳亚子本年二十三岁，《五十七岁自传》："二十三岁，偕陈去病、高天梅发起南社，以文学提倡革命，与同盟会相犄角。先后主持十余年，刊集至二十册，社友达一千一百余人，多海内知名之士。若黄克强、宋遁初、陈蜕庵、宁太一、陈勤生、陈英士、苏曼殊、吴又陵、张溥泉、于右任、居觉生、戴季陶、叶楚伧、邵力子、狄君武等，皆其尤著者也。"钱基博《现代中国文学史》："南社者，创始于满清光绪己酉，为东南革命诸巨子所组合；虽衡政好言革命，而文学依然笃古。诗唱唐音，不尚江西；文喜掞藻，亦非桐城；无一定宗派，初以推倒满清为主，故多叫嚣亢厉之音。又一派则喜学为龚自珍之体，徒为貌似而失其胜概；其下者，更辞无涓选，殊足为玷。但就其铮铮者而论，亦足各自成家。其尤著者：慈利吴恭亨悔晦、醴陵傅熊湘钝根、成都吴虞又陵、吴江陈去病佩忍、柳弃疾亚子、泾县胡蕴玉朴庵以诗文；香山苏玄瑛曼殊、山阴诸宗壮贞长、顺德黄节晦闻、番禺沈宗畸太侔、潘飞声兰史以诗；淳安邵瑞彭次公、余杭徐珂仲可、无锡王蕴章西神以词；顺德蔡有守哲夫以金石书画；而（吴）梅以曲；各以所能擅闻于世，称佼佼者，亦文章之渊薮，而儒者之林囿也。始发起者，陈去病、柳弃疾及松江高旭天梅；而柳弃疾连被推为社长。春秋佳日，必为文酒之会。其地则在上海之愚园者为多；岁汇所著，出《南社丛刊》两巨帙，分诗文词选三种，已刊至二十余集。其中多愤世嫉旧，慷慨悲歌之作。与少陵诗史相近也。它如善化黄兴克强、桃源宋教仁渔父、三原于右任、广东汪兆铭精卫之徒，皆一时政雄，而隶籍南社，焜耀斯世焉。"杨香池《偷闲庐诗话》第二集："《南社集》之诗，大半具有民族思想，乃近代有价值之作品也。"

十七日，大学士孙家鼐（1827—1909）卒，年八十三。

十一月

十六日壬戌，候补四品京堂劳乃宣奏请推行官话字母。

国会请愿同志会成立。 是会由张謇等发起，创刊《国民公报》，请求清廷速开国会。

二十七日，周家禄（1846—1910）卒，年六十四。 顾锡爵《海门周府君墓志铭》："其无韵之文，隽永如魏晋人，有韵之文，上通于骚人之清深。"《尊瓠室诗话》卷一："先生诗宗三唐，间及乐府，各体俱善，为光绪时一大名家。"《晚晴簃诗汇》卷一百六十四收其诗十四首，诗话云："彦昇早擅词章，居江北，与朱曼君、范当世、张季直齐名，继为考据校雠之学，经史皆有著述。……诗尔雅而有骨干，晚作七律尤胜，如：坐看白日真成暝，不为苍生也自忧。易主园林秋烂漫，上游江汉客低徊。英灵河朔人才尽，花事城南野烧存。沉郁苍凉，卓然作者。词亦有南宋风格。"

十二月

一日，袁祖光自序《瞿园杂剧续编》。《叙》称："今之世，无地非戏也，无人非戏也，无时非戏也，无事非戏也；戏场未有如今之辽阔也，戏态未有如今之奇幻也，戏中之色目未有如今之风云会合，雷霆奋迅，与人以不可测也。……传《东家翟》也，讥戏之不得其似也；传《钧天乐》也，惜戏之有始而无卒也；传《一线天》、《望夫石》、《三割股》也，痛戏中之人不达时务，悠悠抱其志以终古也。"

初九日，濮文暹（1830—1910）卒。 所著后辑为《见在龛集》二十二卷附《补遗》一卷，民国六年刻。陈三立《见在龛集序》："先生故工诗，富于篇什，凡有作，天才照烂，悱恻而委备，不假雕饰。文亦融情敷理，哀乐相副，尝叹为元白二贤遗轨未坠，所谓维其有之是以似之者耶。"《晚晴簃诗汇》卷一百六十三收其诗十六首，诗话云："青士尝官提牢，恤囚，有善政，出典大郡，有泽于民。诗早年多闵兵事，似张船山；晚岁旁涉禅理，又似汪大绅。"

陆士谔自序《新上海》。 此书六编六十回，叙上海一地社会状况，尤留意于骗、赌、嫖诸事，明年上海改良小说社出版。自序谓："客问陆士谔：子之《新上海》，刻画魑魅，形容魍魉，穷幽极怪，披露殆尽，善则善矣，然辞多滑稽，语半诙谐，毋乃伤于佻而不足附作者之林乎？……士谔曰：唯唯。客之规吾者甚善。顾主文谲谏，旨在醒迷；涉笔诙谐，岂徒骂世；第求有当，何顾体载。……况小说虽号开智觉民之利器，终为茶余酒后之助谈，偶尔诙谐，又奚足怪?"

腊尾（1910 年 1 月）《南社丛刻》第一集在上海刊出，高旭编。（柳无忌编著《柳亚子年谱》）

本年

光绪朝《东华录》由上海集成图书公司铅印出版，六十四册，一名《东华续录》。凡二百二十卷，四百六十余万言。

《光绪政要》三十四卷由上海崇义堂刊行。

郑观应撰《盛世危言后编自序》。序谓："欲攘外，亟须自强；欲自强，必先致富；欲致富，必首在振工商;欲振工商,必先讲求学校,速立宪法,尊重道德,改良政治。"

容闳自传《西学东渐记》出版。原书用英文写作，书名直译当作《我在中国和美国的生活》，二十二章，出版于纽约。民国四年，商务印书馆出版节译本，改译今名。

杨钟羲辑《白山词》刊出。

周祥骏入上海宪政讲习所，与柳亚子相识。

林纾五十八岁，本年刊出林译小说有《黑太子南征录》、《藕孔避兵录》、《脂粉议员》、《西奴林娜小传》、《芦花余孽》、《彗星夺婿录》、《冰雪因缘》、《玉楼花劫》后编、《玑司刺虎记》。

李葆恂撰《无益有益斋论画诗》二卷刊于徐世昌辑《怀豳杂俎》丛书中。按：李葆恂（1859—1915）卒年五十七，著有《红螺山馆诗钞》等。《晚晴簃诗汇》卷一百八十收其诗六首，诗话云："文石为子和河帅之子，幼嗜书画，尹杏农在河帅幕，称为髫年画董狐。长而游宦，为诸侯宾客，虹月留尘，云烟寄赏，品题所及，声价为高。"

黄宾虹至上海，担任《国粹学报》编辑。（裘柱常《黄宾虹传记年谱合编》）

现代作家殷夫（徐白、白莽，1909—1931）、吴晗（1909—1969）生。

公元 1910 年（宣统二年　庚戌）

正月

三日，广州新军起义。

二十三日，宋恕（1862—1910）卒，年四十九。《尊瓠室诗话》卷一："（《六斋诗文集》）古风融会骚选，近体兼综唐宋，不忘君国，情见乎词。朱古微少宗伯尝与君为布衣交，见其所著《卑议》，论改革时弊诸端，叹为平实。"

光复会东京总部成立。章炳麟、陶成章为正副会长。

二月

二十一日，黄复生、喻培伦、汪兆铭等谋炸清摄政王载沣，事泄。次月，三人被捕下狱。

三月

初一日（4月10日），南社第二次雅集于杭州西湖之唐庄。陈去病、柳亚子、朱少屏等十七人到会。

四月

林纾自选历年所作古文共一百零九篇，题名《畏庐文集》，由商务馆印行。又，本年出版林译小说有《三千年艳尸记》、《双雄较剑录》。明年春，林纾与樊增祥、罗惇曧等结为诗社。自居北京以来，十年间林纾写诗甚少，此后复稍稍为之。及清帝逊位，决计效法明末遗民孙奇逢，誓以清举人终其身。入民国，数谒光绪帝陵。民国八年，新文学运动起，林纾以卫道自任，作《荆生》、《梦妖》以影射陈独秀、胡适、钱玄同。以民国十三年卒，年七十三，门人私谥"贞文"。汪辟疆《光宣诗坛点将录》列林纾于"马军小彪将兼远探出哨头领一十六员"中，以地明星铁笛仙马麟属之，曰："畏庐血性男子，任侠负义。戊戌二月，割胶州。畏庐联公车，与总理衙门堂官争甚力，革去举人。诗初学娄东，非其至者。（弢庵语余：林氏诗文，晚年为胜。初本俗学，所谓中年出家者也。）辛壬以后，渐近苍秀。晚学坡公、简斋，七言律视前更进矣。石遗尝称其题画绝句。畏庐固工画，然以余所见者，惟《江亭饯别图》简远秀逸，他不称是。"又，于章士钊《论近代诗家绝句》后注曰："君以庸妄巨子斥太炎，又谓闽人主江西派者为妄庸。……陈弢庵曾语余云：'畏庐本俗学，所谓中年出家者也。'严几道师句云：'可怜一卷茶花女，荡尽支那浪子魂。'皆有微词。又尝自负其文，云为吴挚甫所许。吴卒于光绪癸卯，其时林尚未以古文见称于时，人死无对证，亦姑妄听之耳。余以林争胶州及每话及德宗辄流涕不可抑，以为血性男子而已，其诗文可勿论。"钱基博《现代中国文学史》："永朴、永概生长桐城；而为文不矜奇奥，为诗自然清遒，恪守姚氏家法，顾不以桐城张门户。独有产匪出桐城，文不尽淡雅，异军突起，而持桐城姚鼐以为天下号者，厥有林纾焉。""林纾学韩而无其雄博，融情于景，郁结苍凉，以得柳州之幽，而不免伤纤刻；于湘乡为转手；与桐城为异调。惟其为诗旷如奥如，尚清遒而不贵绮错，则庶乎姚鼐之具体而微焉。""纾文则学韩不至，其趣乃迫近柳。……独其译书，则运笔如风落霓转，而造次咸有裁制，不加点窜。盖古文者，创作自我，造境为难；而译书则意境现成，涉笔成趣已。""纾之文工为叙事抒情，杂以恢诡，婉媚动人，实前古所未有。固不仅以译述为能事也。……晚年名高，好为矜张，或伤于蹇涩；不复如《（畏庐）初集》之清劲婉媚矣。《初集》出，一时购读者六千人；盖并世作者所罕觏焉。""当清之季，士大夫言文章者，必以纾为师法。遂以高名入北京大学主文科。……初纾论文持唐宋，故亦未尝薄魏晋。及入大学，桐城马其昶、姚永概继之；其昶尤吴汝纶高第弟子，号为能绍述桐城家言者；咸与纾欢好。而纾亦以得桐城学者之盼睐为幸，遂为桐城张目，而持韩、柳、欧、苏之说益力。既而民国兴，章炳麟实为革命先觉，又能识别古书真伪，不如桐城派学者之以空文号天下。于是章氏之学兴，而林纾之说熸。纾、其昶、永概咸去大学；而章氏之徒代之。""方清末造，谭诗者既宗宋之西江派，章炳麟既力辟之。而天下之倡宋诗者，如闽县陈宝琛、郑孝胥、侯官陈衍之伦，皆林纾乡人也。顾林纾不以为然。……不惟不主宋诗，且斥闽人之主宋诗者为妄庸，如其以妄庸巨子之斥章炳麟矣。及其老也，自谦其诗，谓少作已尽弃斥；近年始专学东坡、简斋二家七言律。……按林纾论文不薄六朝，论诗不主西江，不持宗派之见，初意未尝不是。顾晚年昵于马其昶、姚永概，遂为桐城护法；昵于陈宝琛、郑孝胥，遂助西江张目。然'侈言宗派，收合徒党，流极未有不衰'，纾固明知而躬蹈之者，毋亦盛名之下，民具尔瞻；人之借重于我，与我之所以见重于人者，固自有在；宗派不言而自立，党徒不收而自合，召闹取怒，卒丛世诟？则甚矣，盛名之为累也！或者以桐城家目纾，斯亦皮相之谈矣。""一时揭帜桐城派以号于天下者，则为侯官林纾畏庐；而详则诃之曰：'观林氏所译小说，重在言情，纤秾巧靡，淫思古意。三十年来，胥天下后生，尽驱入猥薄无行，终以亡国。昔人言王何之罪浮于桀纣；畏庐之罪，应科何律？畏庐既以此得名，可以已矣；而又强论文章，因择举世所宗，又为时贵倾向，遂复附和其说，张之无已，气矜之隆，浸至不可向迩。畏庐本佳人，而入迷途。其初多文为富，炫鬻自媒，致败风俗；后又出其绪余，高论文章，取究韩、柳文法，复起桐城之焰，鼓以炉爨，势令海内学子，从风而靡，一与其小说等；而其富厚之愿始毕。……'"

缪荃孙编《续碑传集》八十六卷成并自序。

五月

章太炎撰《国故论衡》三卷刊行。卷首有黄侃《国故论衡赞》，中卷文学七篇，《文学总略》谓："文学者，以有文字著于竹帛，故谓之文；论其法式，谓之文学。凡文理、文字、文辞皆称文；言其采色发扬，谓之彣。以作乐有阕，施之笔礼，谓之章。""夫命其形质曰文，状其华美曰彣；指其起止曰章，道其素绚曰彰。凡彣者必皆成文，凡成文者不皆彣。是故权论文学，以文字为准，不以彣彰为准。"《论式》谓："今谓持论以魏晋为法，上遗秦汉，敢问所安？……魏晋之文，大体皆埤于汉，独持论仿佛晚周，气体虽异，要其守已有度，伐人有序，和理在中，孚尹旁达，可以为百世师矣。夫雅而不核，近于诵数，汉人之短也。廉而不节，近于强钳，肆而不制，近于流漫，清而不根，近于草野，唐宋之过也。有其利，无其病者，莫若魏晋。"

六月

约在本月，《南社丛刻》第二集在杭州刊出，陈去病编。

夏

曾广钧（1866—1929）《寰天室诗》六卷刊出。陈诗《尊瓠室诗话》卷一："运典而出以自然，亦无骄矜之习，尤所难也。"

朱祖谋成《西河》词。《郑叔问先生年谱》："夏，罗掞东部郎惇曧自京师来苏，访先生及朱古微侍郎，言渠之京寓，即半塘翁四印斋故居，古微追念庚子七月相依以居旧事，怆焉怀抱黍离之思、山阳之感，于是有《西河》之作。词成示先生，谓其意境排奡，有横空盘硬之致也。"

七月

十二日（8月16）南社第三次雅集。集于上海味莼园，柳亚子、朱少屏、包天笑等十九人到会，高旭未到会。此集南社第三次修改条例，规定《丛刻》不再刊出社员个人诗文词集。

十三日，胡适由上海乘船赴美留学。（易竹贤《胡适年谱》）

十八日己未（8月22日），日韩合邦条约成立，日本吞并朝鲜。

陈豪（1839—1910）卒，年七十二。《冬暄草堂遗诗》二卷明年刊。陈三立《序》："多艺能，娴吟咏，工画与书，文学儒雅。……（诗）类高逸夷澹，称其为人。"《晚晴簃诗汇》卷一百六十四收其诗七首，诗话云："兰洲居官多惠政，襟怀高澹，归田后犹系时望，惟以山水诗画自娱。诗近香山放翁，画尤天机趣妙，题句皆有言外远致。"

二十五日（8月9日），《小说月报》创刊于上海，月刊，商务印书馆总发行。早期由无锡王西神（蕴章）、武进恽铁樵（树珏）等先后主编。1921年革新后成文学研究会刊物之一，由沈雁冰郑振铎等主编，至1931年停刊，前后共出259期，为近代以来小说专业刊物持续最长者之一。初期设图画、长篇、短篇、译丛、笔记、文苑、改良新剧等栏。本期创刊号刊《编辑大意》，谓"本馆旧有《绣像小说》之刊，欢迎一时，嗣响遽寂，用广前例，辑成是报"，"趁译名作，缀述旧闻，灌输新理，增进常识"。

八月

十五日，振武学社成立。学社在武昌新军中发展革命力量，事为黎元洪所觉，旋改为文学社。

九月

九日重阳（10月11日），高旭等游南京。叔父高燮、妻何亚希、从弟高君平（均）、友人蔡哲夫等偕游。归后，周实丹辑诸人诗为《白门悲秋集》一卷，为南社增刊之一。

同日，《民立报》创刊。

十九日，吴趼人（1866—1910）病卒于上海，年四十五。李葭荣《我佛山人传》："君生新旧蜕嬗之世，恫夫国势积弱，民力浸衰，赞翊更革，数见于所为文辞，惟方寸取舍，分际綦严，亡时流盲从之患。近十年间保持国粹之思，如怒芽暴潮，有故轩他族以轻我者，至起而批其颊。……所为文章大半隶于说部，言言书实，则所尤长，每状一事，类以委蛇之笔，尽淋漓之致，耳目所遭际，孺人稚子所能喻者，出君之手，必蔚为巨观。平生所著小说都数十万言，已付印行世者，为《最近社会龌龊史》、《劫余灰》、《发财秘诀》、《电术奇谈》、《九命奇冤》、《痛史》、《两晋演义》、《上海游骖录》，短篇及札记数十种。为世所同嗜者，曰《二十年目睹之怪现状》，曰《恨海》。《怪现状》盖低徊身世之作，根据昭然，读者滋感喟，描画情伪，犹鉴之于物，所过着景。君厌世之思，大率萌蘖于是。余尝持此质君，君曰：子知我，虽然，救世之情竭，而后厌世之念生，殆非苟然。闻者惜之。《恨海》写儿女幽情，风之振箫，方其呜咽，事之有亡不可知，然泪尽继之以血，亦伤心之奇史也。君又邃于探理，作《新石头记》，多逆揣世界未来，具能表里科学，随笔驰骋。而文不受范围者，且莫之能逮。古体文宗桐城，意在浅而离俗，率以叙述胜。诗、诗余不务工而能巧，兴至则长言不倦。"周桂笙《新庵笔记》："其在沪所成小说，无虑三十余种，《游骖录》、《怪现状》特其九牛之一毛；且所著亦因人亦地因时各有变态，触类旁通，辄以命笔，一无成见，而文章自臻妙境。"杜阶平《书吴趼人》："弱冠始搦管学为文，偶从旧书坊买得归熙甫文集半部，读之爱不忍释，遂肆力于古文。寝馈三年，而业大进。尤嗜稗官家言，著有《恨海》、《中国侦探案》、《社会怪现状》、《新石头记》等书，思致奇崛，词笔清邕，甫出版，人争购观。"徐枕亚《枕亚浪墨》三集卷五："吴趼人先生以文名雄海上，磊落不羁，滑稽玩世……其为人绝类著《儒林外史》之吴敬梓，而以《怪现状》一书，文笔亦不多让。"孙玉声《退醒庐笔记》卷下："南海吴趼人，工诗词，能文章，奔放不羁，有长江大河之概，能道人所不能道，而又兼长小说。所著《吴趼人哭》、《二十年目睹之怪现状》等书，能令人泣，能令人怒，能令人笑，无不风行于时。……第偶作小品文字，如《俏皮话》等，则又哀感顽艳，兼而有之，其运笔之轻倩，若出两人。"（引自魏绍昌《吴趼人研究资料》）

缪荃孙入都。按：上年五月，学部奏派荃孙为京师图书馆正监督，至是月入京。《艺风老人年谱》："去国廿年，又经大乱，名胜荒芜，旧雨寥落，触目生感。师门已无一人，四川旧雨则乔懋轩树枏一人，同课则冯观察金鉴、王学士锡蕃两人而已。同年则陆中堂润庠、吕尚书海寰、唐尚书景崇、廷尚书廷杰、陈侍郎邦瑞、沈大理家本、李阁学联芳、陈给事田、张中丞曾敫、林侍郎绍年。旧游则荣中堂荣庆、张总宪英麟、陈阁学宝琛、盛尚书宣怀、邹尚书嘉禾、董教授康、罗叔蕴振玉，新交则吴中书昌绶、海宁王国维、宝侍郎宝熙、凤将军凤山、毓学士毓隆、陈参事毅，门人则张侍郎亨嘉、王仁俊、孙雄、张锡恭、陈世昌，均不胜记。"

薛绍徽删定诗词集。《先姚薛恭人年谱》："九月病复发，自检所著诗词集，编年删定，谓少年词胜诗，故多留词；晚年诗胜词，故多留诗。吾文虽以骈体胜，为一时通人所许可，然方之古人实不逮，又谓吾生平最恶脂粉气。三十年诗词中欲悉矫而去之，又时时绕人笔端。甚哉，巾帼之困人也。"

王国维撰《人间词话》成。赵万里《王静安先生年谱》："先生之论词，独标出意境二字，此旨于前此所撰《文学小言》及《人间词甲乙稿》序言中已言之。至是始畅发其旨，得六十四则，成词话一卷。"俞平伯《人间词话》序："作文艺批评，一在能体会，二在能超脱。必须身居局中，局中人知甘苦；又须身处局外，局外人有公论。此书论诗人之素养，以为'入乎其内，故能写之；出乎其外，故能观之'。吾于论文艺批评亦云然。自来诗话虽多，能兼此二妙者寥寥。此重刊《人间词话》之意义也。虽只薄薄的三十页，而此中所蓄几全是深辨甘苦惬心贵当之言，固非胸罗万卷者不能道。……评论衡断之处，俱持平入妙，铢两悉称，良无间然。"案：《词话》初发表于《国粹学报》四十七至五十期，迨王国维卒后，门人赵万里又将其未刊之一部分发表在十九卷三号《小说月报》上。及《王忠悫公遗书》出版，是书收入遗书中，分为二卷，以曾发表于《国粹学报》者上卷，《小说月报》者为下卷。

十月

汪康年复设《刍言报》社于京师。先是，光绪三十三年《京报》被封，次年《中外日报》复以论南京政局之腐败忤当局意，被封。至是复设《刍言报》。

任天知刊登广告征集同志，创建进化团，是为中国首个话剧职业剧团。主要成员先后有汪优游、钱逢辛、陈大悲等。

章士钊为梁启超所撰《论翻译名义》一文作序。首次倡议以"逻辑"直译西方"logic"一词，序载《国风报》第 29 期。按：士钊于光绪三十四年夏赴英留学，就读爱丁堡大学，攻读政治法律、逻辑学，时仍居英。（袁景华著《章士钊先生年谱》）

十一月

初四日，史念祖（1843—1910）卒于里第，年六十有八。

十二月

初九日，蒯光典（1857—1911）卒于江宁，年五十四。金天翮《蒯光典吴汝纶李宗棠传》："光典八岁能诗，德模（按：光典父）官江南，多接当代胜流宿学，光典遂从冯桂芬、刘熙载、汪士铎请业，群经大义及训诂、目录、算数、掌故无不究览。"

二十日庚寅，上海《国粹学报》停刊，该报光绪三十一年春创刊，共出八十二期。

二十一日，张亨嘉（1847—1911）卒。《晚晴簃诗汇》卷一百七十四收其诗九首，诗话云："文厚于学问尚博大而屏细碎，其鉴定书画亦具此意。……论文主翔实，尝作南皮张文达神道碑，中述豫军剿捻战绩凡数千言。于地理军略，朗若列眉。论诗于古人推昌黎，于近人称亭林惜抱。其诗似韩，无率意之作。"

二十六日，学部报奏第二次教育统计年表（光绪三十四年度），学校数四万七千九百九十五所，学生数一百三十七万七百三十九人。

清廷谕各省晓谕学堂，禁学生干预政治、聚众要求，违者重治。

冬

秋冬间，梁启超因友人潘博之介，自海外寄诗文请益于赵熙。梁有诗《庚戌秋冬间，因若海纳交于赵尧生侍御，从问诗古文辞。书讯往复，所以进之者良厚。顾羁海外，迄未识面，辄为长谣以寄遐忆》纪之。按：赵熙本年四十三岁，辛亥后退居故里，读书修志外，惟以吟咏为事，民初成《香宋词》三卷。陈衍《赵尧生诗稿叙》称赵熙论诗独喜陈衍之作，又曰："尧生，豪于诗者也。观其诗，疑若锤凿甚力，而为之则甚乐而易。……古体极似（文）与可、（韩）子苍，而有时恣肆过之。近体极似（唐）子西、（文）与可，亦有似（韩）子苍者。而其甚肖蜀中山水……载蜀山蜀江之青碧而出也。"周善培《香宋诗前集叙》曰："爱峨眉笃，盖尝七八游，故咏峨眉及夔巫巴峡中景物诗独多，一景物每数咏之，以极其变。"陈衍《石遗室诗话》卷十二："近人赋诗之速者，樊山、实甫外，有伯严、尧生，二人诗格不相同，与樊、易尤不相同，其为速则同。"王揖唐《今传是楼诗话》二三"蜀中诗杰赵熙"："若论蜀中俊流，香宋固应首屈一指。"胡先骕《评香宋词》曰："其为词始于民国五年……吾国不朽词人中，又新添一座矣。"

《南社丛刻》第三集出版。柳亚子、俞剑华代编。

本年

缪荃孙成《续碑传集》八十六卷。辛亥后，荃孙寓居上海，泊清史馆开，膺总纂之聘，民国四年夏到京师，会议一切编辑事宜，多经折衷，以高年不便客居，仍回沪遥领。民国八年己未十一月初一日卒，年七十有六。夏孙桐《缪艺风先生行状》："先生恪守乾嘉诸老学派，治经以汉学为归，有清一代经说，搜罗甚勤，王葵园先生续刻《经解》，多所取资。早膺史职，于乙部致力最深，拾遗订误，悉本钱氏《考异》、王氏《商榷》家法，于当代掌故征求讨论，心得甚多。为文私淑全氏《鲒埼亭内外编》，以翔实为主，不尚空言，凡考古述今、论治论学，生平蕴蓄，皆于文集中见焉。骈体少喜小仓山房，后乃取半北江，出入龔轩，亦归纪实而戒浮靡。诗多指事类情，主雅赡，不矜格调。晚好辑词，而不多作。酷嗜金石……并善搜访。"《晚晴簃诗汇》卷一百七十一收其诗七首，诗话云："艺风以校雠淹博名于时，著书满家，刊订古籍尤多，收藏碑拓至万四千种，自来金石家所未有也。"

《清文汇》编成。原名《国朝文汇》，沈粹芬、黄人等辑，共五集二百卷，收清文一千三百余家、一万余篇，上海国学扶轮社石印刊出。

周树模《沈观斋诗》二卷本年刊于黑龙江节署。按：汪辟疆《光宣诗坛点将录》列周树模于"马军大骠骑兼先锋使八员"中，以天空星急先锋索超属之，曰："十荡十决，万人之杰。六辔不惊挥翰手，也能恣肆也能闲。泊园诗骨知谁似，上溯遗山与半山。达官能诗者，广雅而外，当推泊园老人。其诗于奔放恣肆之中，有冲澹闲远之韵。长篇险韵，尽成伟观，王梅溪评昌黎诗所谓'韵到窘束尤瑰奇'者也。"左绍佐撰《周公墓志》："君于近人之文，崇伯言而薄才甫，于诗喜二陈，谓后山、简斋。要君于诗文，皆能窥古人深处，非浅尝者所知也。"

陈衍诸人在都下结诗社唱酬。《石遗室诗话》卷三："庚戌一春，尧生、瘦唐、刚甫、叔海、掞东诸同人，创为诗社。上巳余与叔海为主人，集于天宁寺，晚饮余寓斋。"卷十二："庚戌春在都下，与赵尧生、胡瘦唐、江叔海、江逸云、曾刚甫、罗掞东、胡铁华诸人创为诗社，择一目前名胜之地，挈茶果饼饵集焉。晚则饮于寓斋若酒楼，分纸为即事诗，五七言古近体听之。次集则必易一地，汇缴前集之诗，互相评品为笑乐，其主人轮流为之。辛亥则益以陈弢庵、郑苏堪、冒鹤亭、林畏庐、梁仲毅、林山腴，而无江氏父子。"《侯官陈石遗先生年谱》："花朝后一日，招何㟋威彝震、梁仲毅鸿志、朱芷青联沅、曾次公念圣、黄秋岳濬诸子饮集寓斋。㟋威外皆公门人，公与门人为文字饮始此。""与江叔海、赵尧生、胡瘦唐、曾刚甫、杨昀谷、罗掞东、江逸云、林山腴、胡铁华诸君约，遇人日花朝之等世所号良辰者，择一名胜地，挈茶果饼饵集焉。晚饮寓斋若酒楼，分纸写为即事诗，古今体均听。次集易一地，各缴前集诗，互相评品。其主人轮直之。花朝集江亭。""秋，陈子言（名诗，庐江布衣，工诗，尝为俞确士提学从事，同度陇）至，招同苏堪丈饮小秀野草堂。……时当秋杪，得二绝句。有'下酒催诗无别物，满林黄叶最堪听'句为一时传诵。""十月廿八日已大雪，弢庵丈招同尧生侍御昀谷太守冒雪饮酒家，遂登江亭联句。""十二月东坡生日，梁节庵按察适至，端匋斋尚书招集宝华庵，至者王书衡推丞式通、陈弢庵阁学、柯凤孙提学劭忞、林畏庐学博、刘星叔孝廉、劳玉初京卿乃宣、陈仁先侍御曾寿、傅治芗学部岳棻、陈士可参事、宝沈盦侍郎、李柳溪侍郎、缪筱珊京卿荃孙、于晦若侍郎式枚、李文石兵备。……次日公成七言长句七百字杂记其事，陶斋以长卷乞书之。"

丘逢甲成《罗浮游草》，曾单独付印。后丘逢甲（1864—1912）于民国元年卒，年四十九。丘瑞甲《先兄仓海行状》："先兄幼有神童之目，长有才子之名，诗文才学早已传知当世。"丘瑞甲《岭云海日楼诗钞跋》："盖诗所以言志者也。先兄既以才学见知于当世，而少抱改革之志，因时未遇，不得志之事常八九，每藉诗以言其志，故集中多激宕不平之气。海内人士，或称为诗界革命巨子者，盖专论先兄之诗者也。"丘复《仓海先生墓志铭》："君之诗文，久雄视海内。然君雅不欲以诗文人传，故所为文皆不缮稿。"江瑔《丘仓海传》："幼负大志，于书无所不读，老师宿儒咸逊其渊博。所为词章凌厉雄迈，不愧古之作者。尤善诗，恒寝馈于李杜苏黄诸家，去其皮而得其骨。弱冠弄柔翰，即崭然露头角。父兄见其诗即击节叹赏曰：此异才也。""仓海既内渡，遂入广东，家于嘉应州，买屋居焉，杜门不出，谢绝亲友，自署为台湾之遗民，日以赋诗为事，而故国之思，以及郁伊无憀之气，尽托于诗。诗本其夙昔所长，数十年来复颠顿于人事世故家国沧桑之余，皆足以锻炼而淬砺之。其所为诗，益苍凉慷慨，有《渔阳三挝》之声。又如飞鬼骤扈，绝足奔放，平日执干戈卫社稷之气概皆腾跃于纸上。故诗人之名震动一时。"罗香林《丘逢甲传》："逢甲少耽诗，寝馈李杜苏黄，去其肤而撷其英，卓然大家。既含哀东归，感怀人事，悲凉慷慨，往往侧身东南望，觉故国故都掩映苍烟暮霭中，迷漫不可睹，辄怆然涕下。时或酒酣耳热，与二三知友谈台中故事，虬髯毕张，怒发上指，气坌涌不可遏，交识哀而敬之。逢甲诗情亦因是豪迈激越，有天风海涛、独立苍茫之慨。"连横《丘逢甲传》："观其为诗，辞多激越。"《饮冰室诗话》："吾尝推黄公度、穗卿、观云为近世诗家三杰，此言其理想之深邃闳远也。若以诗人之诗论，则邱仓海（逢甲）其亦天下健者矣。尝记其《己亥秋感八首》之一云：'遗偈争谈黄蘖禅，荒唐说饼更青田。……'盖以民间流行最俗不经之语入诗，而能雅驯温厚乃尔，得不谓诗界革命一巨子耶？"

群学社刊出《短篇小说》十五种，内收吴趼人《预备立宪》等。

陈大悲创作话剧《故乡》。

　　宋衡（1862—1910）卒于瑞安，年四十九。陈谧《宋衡传》："著书数十篇，名曰《卑议》。德清俞樾见之以似王符《潜夫论》、仲长统《昌言》，新会梁启超以为黄宗羲《明夷待访录》，言梨洲以后一天民也。……最喜戴震、章学诚，谓有清一代治经论史莫二氏若也。衡文章翔翮汉魏，未尝薄视柳韩。诗尤丽，大抵自输孤抱遐情，不矜华藻，而雅有典则。"孙宝瑄《六斋无韵文集序》："（诗）大抵本于思古之幽情、愤世之夙抱，及悲天悯人之诚笃悃款，而不意流于词也。"

　　孙雄编定《道咸同光四朝诗史》甲乙两集各八卷刊出。

　　上海文明书局铅印蒋智由撰《居东集》二卷。此集收约自光绪三十二年至宣统元年居日本时所作百余首。

　　上海广智书局铅印梁启超《饮冰室文集》十六卷。

　　俞明震署甘肃提学使，旋改布政使。

　　宋育仁撰《哀怨集》一卷刊刻。此集，秦嵩年编，羊鸣山房铅印。

　　安徽官纸印刷厂石印刊出马其昶撰《抱润轩文集》十卷。

　　上海商务印书馆铅印陈三立撰《散原精舍诗》二卷。

　　懿文斋石印志锐撰《廓轩竹枝词》一卷附词《穷塞微吟》。诗乃降授乌里雅苏台参赞大臣时作。

　　缪荃孙撰《艺风堂文续集》八卷、《外集》一卷刻于江苏。

　　陈作霖自刻所撰《可园文存》十六卷、《诗存》二十八卷、《词存》四卷。

　　吴梅在苏州刊出《爰香楼杂剧》一卷。

　　江皖大水，冯煦本年复起为赈灾大臣。冯煦（1844—1927）后卒于民国十五年。《复堂词话》："冯煦梦华《蒙香室词》。趋向在清真梦窗，门径甚正，心思甚邃，得涩意。惟由涩笔，时有累句，能入而不能出。此病当救以虚浑。单调小令，上不侵诗，下不堕曲，高情远韵，少许胜多。残唐北宋，后成罕格。梦华有意于此，深入容若、竹垞之室，此不易到。"陈三立《蒿盦类稿序》："（《蒿盦类稿》）吐辞结体一出于冲淑尔雅，盎然粲然，盖导引自具之性情以与古之能者相迎，讨原究变，溉泽典籍，衷于物则，不诬其志，庶几尤为滔滔斯世所系之能者欤？坚苦树立成一家之言，先生固所可自信，且信之于天下后世而不愧也。"《晚晴簃诗汇》卷一百七十六收其诗十六首，诗话云："丙戌诸同岁中，梦华年差长，江关诗赋，早饮香名。……诗笃雅和婉，晚遇乱离，辞旨凄咽。尤工倚声，取径姜张，而缠绵悱恻，风格隽上，骎骎乎有青冰之意。"沃丘仲子《当代名人小传·文人》本传："煦少溺于学，工为诗辞骈体文，皆宛洁凄丽，几阒唐人之室。诗有'淮南一夜潇潇雨，莫倚高楼弄晓寒'之句，可谓情藻兼尽。俪文弗为宏肆，而絜峭足比美庾肩吾。其他经史诸学亦得门径，特鲜著述耳。"

　　林庚白、姚锡钧合刊《太学二子集》。庚白时年十四岁，肄学太学，与同舍生姚锡钧、汪国垣、王易、周公阜、胡先骕相酬唱。（柳亚子《林庚白家传》）

　　孙葆田（1840—1910）卒，年七十一。

　　张宗瑛（1879—1910）卒，年三十三。宗瑛《钞三十以前所为文书后》："我不肯为文；苟为，则非靡退之垒，抉介甫之藩不止。"吴闿生《张献群墓志铭》："（其文）

苞英涵灵，神进鬼伏，孤往复出，蠲寝与饩。"

现代作家姚雪垠（1910—1999）、曹禺（1910—1996）、艾青（1910—1996）、钱钟书（1910—1998）、萧乾（1910—1999）、吴强（1910—1990）、丘东平（1910—1941）、徐懋庸（1910—1977）、卞之琳（1910—2000）生。

公元1911年（宣统三年　辛亥）

正月

初一日，文学社成立。该社为湖北武昌新军中革命组织。

十五日，南社举行第四次雅集于上海愚园。到高旭、陈去病、柳亚子等三十四人。会中高旭与柳亚子意见分歧，此后彼此离多合少。又，本月《南社社友通讯录》出版，共著录社友一百九十三人。

二十三日，叶圣陶编《圣陶诗甲集》。（商金林编著《叶圣陶年谱》）

王闿运以乡举周甲加翰林院侍讲衔。

三月

二十九日（4月27日），广州黄花冈起义。事败，方声洞、林觉民等死之。

春

吴保初（1869—1913）患风痹南归，居沪上两载，后卒于民国二年初，年四十五。其作品后辑为《北山楼集》三卷。汪辟疆《近代诗人小传稿》："工诗古文，性潇洒。书抚褚赵，蕴藉如其人。"陈诗《吴北山先生家传》："先生著有《北山楼诗文词集》，人称之曰北山先生。文章似两汉，诗学韦、柳、荆公，有劲气，言皖诗者莫能废焉。行楷书学褚河南，得真神韵。草书学赵松雪，有秀逸之致。"康有为《吴彦复墓志》："光绪之季，郎曹有二公子，为潮阳丁惠康叔雅、庐江吴保初彦复，并以文学才节显闻于世。然皆不得志，行吟泽畔，一发于诗。……（保初）才志卓荦，忧国好事，多识海内通人名士。生遭时变，俯仰身世，托之于诗，要眇清劲，盖得乎韦、柳、荆公，而激楚可歌。其文似汉人。有《北山楼诗文集》，弁冕皖人矣。"金天翮《吴保初传》："（保初为）提督长庆次子。长庆雅慕文章气节，结纳当世知名士。保初文弱颖异，长庆以为非将种，使入都，师事故侍郎宗室宝廷。宝廷方罢官，无以自存，长庆岁资助之，则挟其子寿富，纵意诗酒山水间。保初濡染其师教，学为清折闲肆之诗，遂识沈曾植、欧阳镜、陈衍之伦。郑孝胥至都，保初复请业学诗称弟子，孝胥素不主师弟子说，坚拒之。而庐江陈诗年长于保初，转从而称诗弟子焉。保初事事效法宝廷，为诗千百言立就，前后千百首。今所传《北山楼集》才十之一二，然弁冕皖人矣。"

陈诗以俞明震之召赴甘肃。至明年夏始归，成《陇上草》。（《尊瓠室诗话》卷一）

春暮，胡思敬出京。思敬作有"七别"诗，"时搢下士夫，帐饮赋诗，意气甚盛"。在京诸人如曾习经、陈宝琛、郑孝胥等均有诗留别。（王揖唐《今传是楼诗话》"胡思

敬出京还乡"条）

四月

十日戊寅，颁布新内阁官制。旋以庆亲王奕劻为内阁总理大臣组阁，时称皇族内阁、亲贵内阁。

康有为（1858—1927）著《戊戌奏稿》印行。《晚晴簃诗汇》卷一百八十二收其诗四首，诗话云："更生有异禀，博极群书，少时曾游朱九江之门。勇于述作，以力开风气自任。讲学授徒，声名甚盛，梁节菴赠以诗，有九流衮衮谁真派，万木森森一草堂之句。戊戌后，周历欧美各国凡十余年，其诗多言域外古迹，恢诡可喜。"汪辟疆《光宣诗坛点将录》列康有为于"总探声息头领一员"，以天速星神行太保戴宗属之，曰："高言李杜伤摹拟，却小苏黄语近温。能以神行更奇绝，此诗应与世长存。今诗人尚意境者宗黄陈，主神韵者师大历。缒幽凿险，则韩孟启其宗风；范水模山，则谢柳标其高格。其纯脱然入乎古人出乎古人者，则南海康有为也。南海生平学术，不以诗鸣，徒以境遇之艰屯，足迹之广历，直有抉天心、探地肺之奇，不仅巨刃摩天也。'返虚入浑，积健为雄。'惟南海足以当之。"

五月

二十一日戊午，四川保路同志会成立。嗣后各省各地亦相继成立同类组织，保路运动风起。

金蓉镜（1856—1930）自湖南任归家。辛亥后寓上海，从沈曾植学诗。民国十八年己巳十二月，病卒，年七十四。金兆蕃《从兄永顺君事略》："出所蕴蓄，发为文章，务力申所见，往往有独到，而诗尤特工，苍坚深秀，能自名其家。"

袁世凯与其宾客闵尔昌等在漳德唱和。成《圭塘倡和诗》一册。（闵尔昌《自述》）

六月

初一（6 月 26）日，《南社丛刻》第四集出版。仍由柳亚子、俞剑华代编。此一时期，南社影响逐渐扩大，越社（绍兴）、辽社（沈阳）、广南社（亦称粤社，广州）、淮南社（南京）等相继成立。（《柳亚子年谱》）

闰六月

初一日，薛绍徽（1866—1911）病卒，年四十六。陈寿彭《亡妻薛恭人传略》："丁酉，余始携之居沪上，偶以恭人文示侪辈，咸惊叹弗置，吾乡林访西观察、通州范肯堂先生尝谓余曰：尊阃微特为君畏友，吾辈见其文，且敬而畏焉。……言论必有根据，于书无所弗读。其诗由晚唐上溯阴何沈谢，为文尤工骈体，由徐庾力追汉魏，能以才气运辞藻。精音律，善洞箫玉笛，谓乐音轻重长短缓急徐疾在心灵手熟，不在于谱。世之填词，喜以清真白石为宗，以其多合乐之作，然苏辛秦柳，何尝无合乐者。若歌者能体会宫商，乐工能调匀节奏，则无一词不可入乐。作画善花草翎毛。初学文淑南楼，既则自出新意，变画法为刺绣，又变绣法为画幅。二者相并，几不知执绣执画。"钱仲联《梦苕庵诗话》："同时侯官薛秀玉绍徽女士，亦有《老妓行》一诗咏彩云事，虽沉博绝丽，未逮樊（增祥）、王（甲荣）二家，而翔实胜之。出诸闺秀手笔，尤为难能可贵。……秀玉侯官陈寿彭室……诗多纪事之作，《丰台老媪歌》五古一首，记庚子事，无愧诗史。"

十七日，梁鼎芬、黄节、姚筠、李启隆、沈泽棠、吴道镕、汪兆铨、温肃等人在广州南园抗风轩重开后南园诗社。与会者百数十人，以振兴粤东诗学为宗旨，梁鼎芬为诗社主持人。诗社后因辛亥革命爆发而解体。按：明初孙蕡等，明末陈子壮等俱有南园诗社。按：黄节前以光绪三十三年南归，是年在粤。入国民，主讲北京大学，卒于民国二十四年乙亥十二月二十日（1936年1月24日）。张尔田《兼葭楼诗序》："君粤产，粤故多诗人，梁文忠（鼎芬）以下，曾刚甫（习经）、潘弱海（若海，名博）、罗掞东（瘿公，名惇曧）诸子皆与余交，其所为诗，余又皆取而遍嗜之矣，如啖荔枝，如剥新橙。最后读君诗，味兼酸辣，乃如柠檬树果。信乎君之诗工耶！"梁鼎芬辛亥后，成为清朝遗老，晚年在清室毓庆宫授溥仪读书，卒于民国八年，谥忠节。陈三立《梁节盦诗序》："梁子之诗既工矣，愤悱之情、噍杀之音亦颇时时呈露而不复自遏。……梁子于诗喜宋王、苏氏，亦喜欧阳氏，遂及于杜韩云。"《晚晴簃诗汇》卷一百七十三收其诗二十六首，诗话云："节庵早岁登第，以论劾合肥（李鸿章）罢官，年甫二十七，士论称其伉直。晚以南皮疏荐复起，壬癸后征侍讲幄。琼楼重到，金粟回瞻，悱恻芬芳，溢于篇什。尝自言我心凄凉，文字不能传出，遂焚其诗。今兹传刻，盖其烬余也。"

二十五日，王蕴章《碧血花》刊于《小说月报》增刊本。叙明末书生孙临（克咸）与名妓葛嫩（蕊芳）事。

七月

二十五（9月27日），南社第五次雅集于上海愚园。到高旭、柳亚子、胡朴安等三十五人。

陈洵得梁鼎芬延誉，名始起。黄节《海绡词序》："辛亥秋七月，番禺梁文忠重开南园，述叔与余始相识。文忠与人，每称'陈词黄诗'，此实勉励后进。"今按，《海绡词》有《瑞鹤仙·辛亥五月晦感旧园拜张砚秋生日呈梁节老》词，则陈洵结识鼎芬，当在五月以前。陈洵少年随父经商，后又客江西十数年，所交不广。是时梁鼎芬重开南园诗社，陈洵亦与会，梁氏为之延誉，称"黄诗陈词"，始与黄节相识交好，名亦渐著。入民国，陈洵得朱孝臧之赏，刊其《海绡词》于《沧海遗音集》中，洵又以孝臧之请著《海绡说词》。民国三十一年卒，年七十三。朱孝臧手批《海绡词》："海绡词神骨俱静，此真能火传梦窗者。""善用逆笔，故处处见腾踏之势，清真法乳也。""卷二多朴戆之作，在文家为南丰，在诗家为渊明。"《望江南·杂题我朝诸名家词集后》：

"雕虫手，千古亦才难。新拜海南为上将，试教临桂角中原。来者孰登坛。（新会陈述叔、临桂况夔生，并世两雄，无与抗手也。）"张尔田《与龙榆生论词书》："比阅近代词集颇多，自当以樵风为正宗，彊邨为大家也。述叔、映盦，各有偏胜，无伤词体。阳阿才人之笔，苍虬诗人之思，降而为词，似欠本色。""苍虬颇能用思，不尚浮藻，然是诗意，非曲意，此境亦前人所未到者。述叔、映盦，皆从词入，取径自别，但一则运典能曲，一则下笔能辣耳。"《与李苍萍书》："粤中词家，翁山而后，代有传人，近则述叔，流风未沫。""况夔笙年丈论词，谓'穆如清风之穆字最难到'，述公此词深得穆字之妙用。周止庵所标'浑化'一境盖如此。"黄节《题海绡楼匦附记》："术叔伤心人也，其词伤心词也。"叶恭绰《广箧中词》三："述叔词最为彊邨翁所推许，称为一时无两。述叔词固非襞积为工者，读之，可知梦窗真谛。"熊润桐《陈述叔先生事略》："初，彊邨未识先生时，偶睹先生词数阕，读之大诧，以为真能得梦窗之神髓者。百计谘访，始获致书道倾慕之意，愿得其稿刻之。是时临桂况夔生亦以词称于世，享名甚久。一时过彊邨，彊邨盛称先生词，夔生淡然置之，意谓今世岂尚有能为梦窗词者邪？他日复过彊邨，彊邨又出先生词，强使携归。夔生读之月余，始大叹服。先生尝举此事告予，以见人之相知，其难有如此者。……先生之词，虽由梦窗以溯清真，然常自谓得诀于汉魏六朝文，不但规模于赵宋诸家也。其论词旨要，则以'重、拙、大'三字为归，此其义又岂词所能尽？倘艺之精者，将必有合于性命之情耶？先生于填词之外，好读宋明儒书，居恒以'白沙名节，道之藩篱'一语激励后进，其素志可知矣。"

约在本月（8月），柳亚子作《胡寄尘诗序》，指斥同光体元老。序谓："曩者畏庐老人序林先生述庵诗曰：'近十年来，唐诗祧矣。一二钜子，尚倡为苏、黄之派；又降则力摹临川；又降则非后山、简斋，众咸勿齿。忆壬寅都下与某公论诗，竟严斥少陵为颓唐。余至噤不能声；知北地、信阳在今更刍狗耳。'呜呼！何其言之痛也。虽然，今日诗道之弊，其本原尚不在此。论者亦知倡宋诗以为名高，果作俑于谁氏乎？盖自一二罢官废吏，身见放逐，利禄之怀，耿耿勿忘。既不得逞，则涂饰章句，附庸风雅，造为艰深以文浅陋。彼其声气权势，犹足奔走一世之士，士之夸毗无识者，辄从而和之，众响漂山，群盲诧日。后生小子，目不见先正之典型，耳不闻大雅之绪论，氓之蚩蚩，惟扪盘逐臭者是听，而黄茅白苇之诗派，遂遍天下矣。夫天水一朝，最重名节，王荆公得君行政，有志三代；徒以新法奉行不善，见诟于世；苏、黄之伦，遽攻之如仇敌，沦谪天涯，九死靡悔。韩平原抗疏北伐，齐襄复九世，鲁庄败乾时，《春秋》所曲予；时人恶其专政，未之许也。放翁一记南园，遂贻口实。宋人清议之严如此，而今之称诗坛渠率者，日暮途穷，东山再出，曲学阿世，迎合时宰，不惜为盗臣民贼之功狗，不知于宋贤位置中，当居何等也。其尤无耻者，妄窃汝南月旦之评，撰为诗话，已不能文，则假手捉刀，大书深刻，以欺当世。就而视之，外吏则道府，京秩则部曹，多材多艺，炳炳麟麟，而韦布之士，独阒然无闻焉。呜呼！此与职官表、缙绅录何异，而诗话云乎哉！昔吕崇德有言：'今日之文字，坏不在文字，其坏在人心风俗。'夫人心风俗之既坏，即工诗何益？而况其背谬嚣妄，如畏庐所言者耶？余与同人倡南社，思振唐音以斥伧楚，而尤重布衣之诗，以为不事王侯，高尚其志，非肉食者所敢望。

海内贤达，不非吾说，相与激清扬浊，赏奇析疑，其事颇乐。而皖中胡子朴庵、寄尘昆季，咸翩然来游焉。朴庵精训诂之学，薄词章为小技，粹然儒者。寄尘则少年英俊，方有志经世之务，出其余绪，作为小诗，清新俊逸，朗朗可诵，视世之涂棘以为工者，复乎异矣。间尝哀其所著为一卷，问序于余。余于斯事，盖有志而未逮者也，乌足以辱寄尘，顾谊弗能却，爰述畏庐之言，为寄尘告。俾明厥趋向，毋入于歧途，而于崇德所谓'今日之文字，坏不在文字，其坏在人心风俗'者，尤愿寄尘三致意云。"后刊于《南社》第五辑。

王先谦七十生辰，瞿鸿禨等以文诗寿之。《王先谦自定年谱》："七月，余七十岁生辰……以文诗为寿者，义不可辞。谨备录之，用志友朋厚谊。……署湖南提学使李宝淦序云：'夫世运之剥复，视乎人才之消长。道咸以来，祸变相乘，干戈戎狄，患气遍于海宇。赖圣天子振德育才，得贤人魁杰数十公，拨乱而反之正。而巨儒硕学，仍得以抱残守阙，优游弦诵，绍微言之坠绪，发思古之幽情，毅然以斯文之寄为己任，则我夫子葵园先生泂无憾焉。'"按：入民国，先谦以闭门著书为务，卒于民国六年，年七十六。叶德辉《葵园四种跋》："长沙王阁学葵园太夫子，一代儒宗……公昔在湘，与湘绮先生有二王之目，身后之名，乃远出湘绮上。世之慕公者，咸以不得读公遗书为恨。知公学问文章，其感人之深，过于湘绮，固自有其本末也。"陈毅《虚受堂文集序》："昔姚惜抱以理学名儒，类纂古文辞，主张后进，海内翕然，奉为圭臬。粤寇之乱，厥学浸微。吾师长沙祭酒，怒焉而忧，以学术之盛衰，引为有心世道君子之责。于是哀采乾、嘉、道、咸诸名人集，按类编次，续姚之书，而所自为各体古文，一以姚氏宗旨为归，而进求合乎先儒义理之学。先生固不欲以文名，而文必如先生，乃可谓独精者。先生之言曰：'乾嘉巨儒，立汉学之名，诋宋儒言义理为不足述。独惜抱以义理、考据、词章三者不可一阙。义理为干，而后文有所附，考据有所归。故其为文，原流兼赅，粹然一出于醇雅。'夫先生于经、史、诸子、国朝掌故，皆尝钩稽参订，著有成书。固非不能以考据名世，而必若世之儃离傳霶、袭取宋学为高者，然而其扬榷惜抱立言如此，则先生之自任斯文，实重且远，而所以探讨义理、发之于古文辞者，皆吾党小子所得而略言之矣。"苏舆《虚受堂文集序》："国朝桐城姚惜抱氏，为义理、考据、词章合一之说，借以融洽汉、宋门户，定文章之趣向。吾以谓考据以博古，义理以明道，此非姚氏之私言，即昌黎所自期，与其教人为文之旨，端在于是。然姚氏之文，沉潜古籍，于义理、考据为能兼综其全，故虽取法唐、宋，而能拔出一代。彼世之号为桐城派者，吾惑焉。……吾师葵园祭酒曩曾赓续桐城，纂次各家，固亦循唐、宋之轨辙。而其为文醇懿犖郁，独追古初，奄有众家之长，遏而积之，挹秦汉之精，而不掩其疏达之气，可谓极天下之智勇、祛文家之偏畸者。盖先生上自周、秦、两汉之书，下逮近代掌故之录，罔不纂述成书。既世之所推考据家，复以余事发为文章，根氏往籍，抽析新理，灿成统纪，各还分职，敛焉而弥阂，挹之而愈不尽。又其卫道爱国之诚，缱绻方寸，时见于意言之表，真有合于昌黎所云者。若其考核详密，源流毕赅，遣字积句，较量铢黍，视姚氏以下殆或过之已。"苏舆《虚受堂诗集序》："吾师精研古学，著述登阁。自其少作诗，沧凉沉郁。中年宦游以来，乃更神明变化，奄有众美。而于身世之感，君国之大，学问之所系，伦纪之所关，指事切情，展卷如亲如先生者，固不仅以诗名。即其成就卓如，足以遏挹曩贤，俯式颓俗。视彼专家，抑何多让！……于少陵、东坡诸作，尤能暗诵无遗，即先生所得可知矣。"叶德辉《后序》："余不喜言诗，而每闻先生论诗大旨，不主性灵，亦不主典实，欲以杜、苏、陆三家融冶一炉，而自成一子。于三家集中诗，十九可以背诵，无一句遗忘，则知其所得深矣。同时与湘绮先生并称二王，然湘绮摹拟六朝，耳目手足皆非己物，先生颇讽之。余亦附和先生，不趋湘绮也。大抵诗无论汉、魏、六朝、唐、宋，一朝有一朝之风气，一人有一人之本色，即以《三百篇》论，风、雅、颂体各不同，各国之风，亦自殊异。必悬一律，不许人轻犯，岂古人言志之义哉？先生诗与湘绮异辙，而自有先生之真。今捐宾客已六七年，海内求其遗书，悬重金以待。若其诗文集，称者甚稀，则知世间无真知书者也。先生诗，削肤存液，刻核新深。得杜之神，运苏之气，含陆之吐，置之国朝集中，挺然拔秀，未有与之相似者也。世有诵先生诗者，必以余为知诗之甘苦矣，奚足为先生诗增重耶！"陈毅《先师长沙祭酒王先生墓表》："自圣祖仁皇帝用学术齐一海内，东南文物，彬彬称极盛。于时吾乡不少魁奇卓绝之士，徒以湖外声气阻隔，无师说授受业，卒不显。及曾文正公以儒臣发湘中，子弟兵定大难，解甲偃武，进着硕讲肆，拓局行省，镂经籍，湘人士始蔚起，得出而周旋乎当世。文正于学，经礼为邃，顾发摅其事业，未遑著述，第传其古文。其前船山王先生，在国初最号老师，说者已议其经卑疏，不及其论《通鉴》之精。文正同时有邵阳魏默深氏、新化邹叔绩氏，皆以朴学闻于世，然邹精而不博，魏博矣，其所为《诗书古微》，辨甚，亦非经师义法也。而二氏者，又皆在下位，徒不繁。于是先生以名卿大夫，起而振其衰，其诸斯文存亡绝续之交乎。"

八月

十九日癸丑（1911 年 10 月 10 日），**武昌起义爆发。**二十日，光复武昌，成立湖北军政府，废宣统年号，用黄帝纪元，改国号为中华民国。同日，光复汉阳。次日，光复汉口。此后各省纷起响应。九月，一日乙丑（1911 年 10 月 22 日），湖南、陕西光复。二日，江西光复。八日，山西光复。九日，云南光复。十三日，上海光复。十四日，贵州光复。十五日，浙江光复。十八日，安徽、福建光复。十九日，广东光复。十月二日丙申，重庆独立，四川旋即光复。至十一月十三日丙子（1912 年 1 月 1 日），中华民国成立于南京。十二月二十五日戊午（1912 年 2 月 12 日），清帝下诏退位。史称辛亥革命。

王闿运（1833—1916）**写《四岳诗》一卷，有自跋。**《湘绮府君年谱》："跋云：狮子搏象用全力，必异于搏兔之力，凡登岳望海，诗必气足以尽之，以不用力为力也。杜子美语必惊人，即其不及古人处。余二十时与邓弥之游祝融，邓诗语雄奇，余心愧之，怀之三十年，乃得登岱，诗压倒白香亭矣。古今华山诗，推魏默深，余诗较从容，亦稍胜。本朝湘中两诗雄，皆出邵阳，亦一奇。……"按：辛亥后，王闿运曾以民国三年赴京任国史馆长职，五年丙辰九月二十四日卒，年八十五。《湘绮府君年谱》："文学之士，闻之者悲叹失气，操笔作诔者殆数千人，京师、四川、江西诸省闻赴皆为位而哭，作文祭奠。盖自汉以来，儒林文苑之荣，未有盛于府君者也。"《晚晴簃诗汇》卷一百五十五收其诗三十八首。诗话："自曾文正公提倡文学，海内靡然从风，经学尊乾嘉，诗派法西江，文章宗桐城。壬秋后起，别树一帜，解经则主简括大义，不务繁征博引，文尚建安典午，意在骈散未分，诗拟六代，兼涉初唐。湘蜀之士多宗之，壁垒几为一变。尤长七古，自谓学李东川。其得意抒写，脱去羁勒，时出入于李杜元白之间，似不得以东川为限。"夏敬观《抱碧斋集序》："咸同间湘人能诗者，推武冈邓先生弥之，湘潭王先生壬秋。邓先生祖陶祢杜，王先生则沉潜汉魏，矫世风尚，论诗微抑陶。两先生颇异趣，然皆造诣卓绝，神理绵邈，非若明七子、清乾嘉诸人所为也。……夫诗道广矣，学者探源发微，将铺观列代，以鉴其情变。唐宋茂制，孰非师法汉魏乎？若明七子标举汉魏，其能洞见汉魏神髓乎？乾嘉人盛倡唐宋，其能果喻唐宋真谛乎？……王先生之教，足以救乾嘉之弊矣。独屏宋诗，若蜂虿鸩毒，则其言过而不察耳。"瞿铢菴《杶庐所闻录》："王壬秋闿运以经学文章名坛坫者，历咸同光宣至民国。享名之久，又值变局，盖古今所稀逢。先生本孤寒，道光之末，年甫弱冠，与邓弥之等结社长沙，作汉魏六朝诗，手钞《玉台新咏》，当时人皆异之。至今遂成湖南诗派。"又："集中诗文多摹古之作，刻意求似，殊乖不示人以璞之意。晚年下笔不经意，乃朴雅深至，独具风格也。"程潜《养复园诗集》自序："有清诗人，与世陵夷，末代益靡，惟吾乡湘绮翁，横流不溺，力图复古，顾孤立无援，而一时以宋诗标榜者，一唱百和，造成末运。识者忧之。"由云龙《定厂诗话续编》："王湘绮集中不载七律，以为七律非古，然颇喜作之，其日记中七律甚多。惟多直露兀傲之态，殆亦自知所短，而不欲表襮耳。"林庚白《丽白楼诗话》上编："后人喜为汉魏六朝之诗，有辞无意，触目皆是。此以古人之情感与意境为情感意境，其本已拔，纵令为之而尽工，亦不外魏晋人之于三百篇；又其次，则如四灵、七子之学唐；下焉者，直是晚近诗人之学宋者流，可一笑也。王闿运五言律学杜陵，古体诗学魏晋六朝，亦坐此病。"又下编："晚清诗自《巢经巢》迄《海藏楼》诸集，皆高言杜、韩，而出入于南北宋、中晚唐之间。王壬秋独标魏晋六朝，顾仅貌似。"沈其光《瓶粟斋诗话》："有清咸同间，湘潭王湘绮闿运诗名倾朝野，世所称湖湘派者也。湘绮才大而思精，寝馈汉魏六朝诸家集，于乐府、歌行、宫体、山水之作，无所不拟。穷源竟委，迄于三唐，屹然为晚清一大宗。然其五言实未能尽脱汉魏面貌。平湖张金镛提学湖南，论湘人文章如高髻云鬟，美而非时。其后曾氏提倡江西，力矫摹拟之弊。于是湘绮诗渐不为世所重视。余谓湘绮虽生离庚申之乱，而其时民欲犹淳，故其作温润渊雅，绝无矜张叫嚣气味。诗教之盛衰，足以消息世运。试取咸同光宣四朝诗读之，自能辨其馨欬。"黄曾樾《陈石遗先生谈艺录》："师云：王湘绮除《湘军志》外，诗文皆无可取，诗除一二可备他日史乘资料外，余皆落套。"汪辟疆《近代诗人小传稿》："湘绮为湖湘派领袖，享名六十余年。生平造诣，经、史、诸子、文翰皆有独到，而诗尤高。与邓辅纶、高心夔并推为湖湘三大家。其诗直造汉魏六朝，而与陆谢为近，七古略涉初唐，决不肯作开天后人语。晚年偶戏为七言近体，类皆急就酬应之作，不以入集也。"《光宣诗坛点将录》称王闿运为"诗坛旧头领"，以托塔天王晁盖属之，谓："陶堂老去弥之死，晚主诗盟一世雄。得有斯人力复古，公然高咏启宗风。湘绮老人，近代诗坛老宿，举世所推为湖湘派领袖也。享名六十余年……其诗致力于汉魏八代至深，初唐以后，若不甚措意者。学赡才高，一时无偶。门生遍湘蜀，而传其诗者甚寡。迄同光体兴，风斯微矣。"注引袁思亮语曰："湘绮为湖湘派领袖，然及身而后，阒乎不闻，而散原私淑遍天下。以湘绮配晜天王，百世莫易矣。"

九月

十三日，汪康年卒于天津。《晚晴簃诗汇》卷一百八十二收其诗二首，诗话云："穰卿博闻强识，有声于时。己丑乡试受知于李仲约侍郎，目为奇才。甲午后痛心外侮，与同志倡论时务，主变法自强。虽放言遭忌，操翰弗辍，论稿盈箧，以毕其生。穷老尽气，不之顾也。诗殊少见，盖非其意之所属。"

二十五日（11 月 15 日），**独立各省都督代表在沪会议，推武昌军政府为中央军政府。**后至鄂，于十月十三日（12 月 3 日）颁《中华民国临时政府组织大纲》。

二十六日，清廷起用袁世凯为总理大臣，重新组阁。

二十七日，周实（1885—1911）**被害。**武昌起义后，周实与阮式归淮，以本月二十四宣布淮城光复，旋被山阳令姚荣泽所害。所著均辑入《无尽庵遗集》。《愿无尽斋诗话》："实丹诗删除风艳，妙写性真，在时流中洵属不可多得者。"

易顺鼎（1858—1920）**五十四岁，以革命军宣布广州独立，避至上海。**本年正月至本月在高州所作为《高州集》。《晚晴簃诗汇》卷一百七十收诗至四十七首，诗话云："实甫童年奇慧，世以怀麓目之，早负诗名，足迹几遍天下，所至成集，随地署名，合编为《琴志楼集》。诗体屡变，中以庐山诗为最胜，张文襄雅赏之，曾加评点，《四魂》以后日趋恢诡。虽以务为工对、杂用俚言为世讥诃，而才笔纵横，自是健者。方诸舒铁云、王仲瞿，殆相伯仲。"《石遗室诗话》卷一："（顺鼎）学谢、学韩、学元白，无所不学，无所不似，而以学晚唐者为最佳。后又从叶损轩处见其《魂东》、《魂北》各集，古体务为恣肆，无不可说之事，无不可用之典。近体尤惟以裁对鲜新工整为主，则好奇之过，古人所谓君患才多也。"《近代诗钞》："君于学无所不窥，为考据，为经济，为骈体文，为诗词。生平诗将万首，与樊樊山布政称两雄。惟樊山始终不改此度，实甫则屡变其面目，为大小谢，为长庆体，为皮陆，为卢仝，而风流自赏，近于温李者居多。虽放言自恣，不免为世所訾謷，然亦未易才也。"汪辟疆《近代诗人小传稿》："其诗才高而略变其体，初为温李，继为杜韩、为皮陆、为元白，晚乃为任华。横放恣肆，至以诗为戏，要不肯为宋派。晚年与樊增祥齐名。樊易二家在湖湘为别派，顾诗名反在湘派诸家之上。"《光宣诗坛点将录》列顺鼎于"步军头领一十员"中，以天杀星黑旋风李逵属之，曰："快人快语，大刀阔斧。万人敌，无双谱。天宝诗人有任华，一生低首只三家。（李白、杜甫及怀素。）读君癸丑诗存后，始信前贤未足夸。实甫早年有天才之目，平生所为诗，屡变其体。至《四魂集》，则余子敛手；至《癸丑诗存》，则推倒一时豪杰矣。造语无平直，而对仗极工，使事极合，不避熟典，不避新辞，一经锻炼，自然生新。至斗险韵，铸伟辞，一时几无与抗手。"钱仲联《近百年诗坛点将录》以天哭星双尾蝎解宝属之，曰："樊、易齐名，哭庵才大于樊山，自《丁戊之间行卷》至《四魂集》，各体俱备。山水游诗最工，其游庐山诗，经张之洞评点者，皆异彩辐射，眩人眼目。晚年老笔颓唐，率多游戏。"《论近代诗四十家》："樊山、哭庵，惊才绝艳，并辔诗衢。自《丁戊之间行卷》至《四魂集》，所作沉沉夥颐，各体俱备，较胜樊山。……鼎革后作，率多游戏，与樊山同讥。"

况周颐由大通至上海。居梅福里，开设书肆为生。

秋

周作人返国。

十月

二十八日（12 月 18 日），南北议和代表在上海首次会议。

苏沪有女子北伐队组织。《诗史阁诗话》："辛亥革命之役，悉由报纸鼓吹、学生附和而成。尤可笑者，女学生闻动之兴，更视男学生为烈。苏、沪两处均有女国民军及女子北伐队之组织。此辈多系京津女师范学堂之学生，利用南军优给之月俸，思欲'直捣黄龙，犁庭扫穴'。（原注：此八字系女子北伐队所登告白。见辛亥十月时报。）"

劳乃宣简授京师大学堂总监督。旋闻逊位之说，遂乞去。（劳乃宣《韧叟自订年谱》）《晚晴簃诗汇》卷一百六十五收乃宣诗十三首，诗话云："诗惓怀禾黍，而不为促数噍杀之音，称其雅操。"

十月

十一日（1911 年 12 月 1 日）俄国策动外蒙古独立。

十七日，江宁布政使樊增祥（1846—1931）**遁。**沃丘仲子《当代名人小传·文人》本传："江宁陷，逃之沪上，乃易道装摄影，自题诗其人，有'朝家若问陶弘景，六月松风枕簟凉'之句，日与瞿鸿禨沈曾植等游燕。……乙卯（按：民国四年）去之京师，充袁政府参政院参政，日从袁克文赋诗征歌，或偕易顺鼎等观剧，品题优伶，状至可丑。所为诗亦日颓浅。增祥少为名士，中为干吏，艾而附权门以起，几陟封疆，及其将耄，乃置身伪朝，放浪狎邪，名节扫地矣。诗清妙宛达，无不尽之怀。骈文仅足窥四杰，不尽脱俗，散文才气充沛而浮杂。以其刊集早且浅近，足以说俗，故晚而文準日隆。"

清廷旋命李瑞清（1867—1920）**署理江宁布政使，寻奉命真除。**按：武昌起义后，江宁新军亦随之而起，与清军相持月余。李瑞清时任江宁提学使，在围城中课士如故。后清军势益不支，提督渡江走，瑞清不得已乃身走沪上，改道人装，匿姓名，自署曰清道人，鬻书画自给，以民国九年卒，年五十四。黄维翰《清江苏布政使临川李公瑞清传》："公文学庄周、司马迁，诗宗汉魏，下涉陶谢。书备各体，尤好作篆，胎息于三代彝器。尝谓：作篆必目无二李，神游三代乃佳。画初学梅道人、黄鹤山樵，晚师龚半千、八大山人、大涤子，尝以钟鼎笔法写佛像或花卉松石，多奇趣。异邦人高其节，亦争购之。"陈三立《清道人遗集序》："书法号近古，所为文章亦然，务摹太史公书，发舒胸臆，有所刺讥狎侮，欲以寄奇宕诙诡之趣与之合。他诗词皆黜。凡近评跋金石书画尤精出，然多残佚。"

十一月

四日冬至（12 月 23 日），南社在上海举行临时雅集。 按：高旭（1877—1925），民国后任议员，后卒于民国十四年，年四十九。高镠《高天梅先生行述》："及东渡，晤前总统孙公中山及前总理宋公遁初，与谭排满之策，说之，遂著党籍。并手创《醒狮》、《复报》、《南社》于东京、上海，专以文学鼓吹革命，前后不下百余万言。又于上海创设健行公学，罗致党人无虑百数。……盖从事革命三十年，始终以发扬民族为念。……府君既手创南社，以诗文主东南坛坫，而诗尤卓绝。初近仲则、船山，稍变而为定盦，再变而为仲簶、瓶水。要其纵横排奡之气，高者直逼太白，下亦不失大复、崆峒。民国乙卯、丁巳间，始交龙阳易实甫先生，稍仿其体，为哀感顽艳之作，最后交闽县郑苏堪先生，则又为凄咽清苦之音，盖府君于诗具有夙根，非直读破万卷而已也。"高基《天梅遗集序》："综君生平……其尤致力者，乃在鼓吹革命，盖二十年如一日。观君集中，至于种族之际，长谣短讽，口诛笔伐，可谓尽心焉耳矣。"陈去病《高柳两君子传》："天下多称之为高剑公、柳亚子，或曰'高、柳'云。高以诗词鸣，柳则以文。"

十三日丙子（1912 年 1 月 1 日），中华民国成立。 孙中山在南京就任中国民国临时大总统，通电改用阳历，定是日为民国元年 1 月 1 日。钱基博《现代中国文学史》："民国更元，文章多途，特以俪体缛藻，儒林不贵。而魏晋、唐宋，骈骋文圃，以争雄长。大抵崇魏晋者，称太炎为师。而取唐宋，则衍湘乡一脉。自曾国藩倡以汉赋气体为文，力追韩昌黎雄奇瑰伟之境，欲以矫桐城缓懦之失；特是冗字缛句，时伤堆砌；所幸气沉而力猛，掉运自如，故不觉耳。桐城吴汝纶、武昌张裕钊衍其绪。而裕钊笔遒而气未雄；汝纶则气恢而力未浑；然造语洁适，特为简练，不如国藩之缛也。武强贺涛，北方之强，得法汝纶；而步趋韩轨，特为朴厚，章妥句适，自然雄肆，不同曾氏之为缛瑰，亦异张、吴之少遒变，浑灏流转，大力包举，以视师门，可谓出蓝。其次新城王树枏，体势宏远，辞笔警炼，而出以沉郁跌宕，生创奋勃，得韩公风力之骏迈，而不徒寻章摘句之瑰伟；此其所以胜曾氏而为张、吴之所畏也。"

十三日丙子，出版家费费逵创中华书局。

二十日，志锐（1853—1912）死于新疆。 汪辟疆《近代诗人小传稿》："少颖异，与弟仲鲁志钧并有文誉。既孤，依世父广州将军长善于粤。兄弟共读署中壶园，学以大殖，一时名士多与之游。"《光宣诗坛点将录》列志锐于"马军小彪将兼远探出哨头领一十六员"中，曰："伯愚（志锐）、六桥（按：三多），并熟于满蒙地理方言，喜以韵语出之，自然驯雅。"

十二月

二十五日戊午（1912 年 2 月 12 日），清帝下诏退位。

冬杪，杨钟羲等小集茶仙亭。杨氏《自订年谱》：本年，陈宝琛自闽内召；沈曾植自皖乞病；朱祖谋自粤假归；冯煦里居办赈；梁鼎芬严劾当路，自鄂臬解组，遨游江湖间；蒯光典归自泰西。之数人，皆先后相见。"十月，金陵瓦解，读亭林'诗亡或愈于死'之语，奉母至上海。……《雪桥诗话续集》卷第三：辛亥杪冬茶仙亭小集，即席分咏。题为范少伯携西子游五湖，限西字韵。余拈一绝云：从此西湖遂姓西，鸱夷一舸得双栖。而今未是功成日，应念君王在会稽。合座为之怅然。诗不足言，此意不可不记。"

冬

王钟声（1880—1911）**卒。**钟声于上海独立后北上天津，鼓动戏剧界起义，事泄露被捕，死之，年三十二。

本年

《闽诗录》刊刻。郑杰辑，陈衍补订，计甲集六卷、乙集四卷、丙集二十三卷、丁集一卷、戊集七卷。

汪兆镛撰《微尚斋诗》二卷附《雨屋深灯词》铅印刊出。汪兆镛撰《诵芬录》一卷、《微尚斋诗》二卷本年刊出。

王乃徵撰《嵩洛吟草》铅印刊出。

康有为撰《南海诗集》十三卷刊刻。其《康南海文集》十二卷亦有宣统间石印刊本。

陈夔龙撰《松寿堂诗钞》十卷刻于京师。

吴庆坻撰《补松庐诗录》六卷有本年湖南学务公所铅印本。

沈家本撰《寄簃文存二编》二卷印行。是集增其新作，修订法律馆印行。

时务书馆刊出《最近嫖界秘密史》十五回，示"醒世小说"，题"编辑者嫖界个中人，校字者嫖界过来人"。陆士谔撰《十尾龟》四编四十回，新新小说社出版，《女子骗术奇谈》二册八回，古今图书小说社刊出；奇丽新闻图书社出版《滑头吊膀子》（又名《最新奸拐奇案》）十四回；小说支卖所出版《最新上海繁华梦》。

周馥七十五岁，自著《玉山诗稿》四卷由于式枚等校定作序。按：先是周馥以光绪三十三年丁未由两广总督任开缺回籍。辛亥后以遗老寓居天津，民国六年张勋复辟，被任为协办大学士；十年病卒，年八十五，谥悫慎。《玉山诗集》自序谓："拙性喜静，偶行役所至，目有所触，心有所感，辄率意题数语，虫吟鸟语，自适其真，非登高能赋比也。"《晚晴簃诗汇》卷一百六十八收其诗十二首，诗话云："悫慎早岁即为李文忠参佐，文忠督畿辅，筹海治河练兵兴学，悫慎无役不预，洊历节镇，声施烂然。晚年纳节，寄居析津，养舍优游，深罣易理。其所为诗，旨在微婉而辞归赡实，自序谓弦外之音识者当自得之。盖其身处高明，时当中晚，寄兴所在，固不屑屑以风云月露论工拙也。"

马其昶（1855—1930）**在京任职学部。**有《夬斋集序》、《许编修诗集序》、《送胡漱唐南归序》等文。按：马其昶于民国十八年己巳十二月卒于桐城，年七十五。

郑文焯（1856—1918）**本年五十六岁，定壬寅至本年箧稿为《苕雅余集》。**《郑叔问先生年谱》："武昌革命军兴，天下风靡……已而让政诏颁，共和局定，先生怆怀世变，自比于渊明五十六岁所遭。旧国之感，异代同悲，满腔孤愤，一托于词。《苕雅集》中《水龙吟》、《庆宫春》、《临江仙引》、《早梅芳近》、《念奴娇》诸作，皆如东坡所谓渊明《读史》述《九章》、夷、齐、箕子，盖有感而云也。《诗·苕之华》三章，闵时而作，有小雅怨诽之音，先生因取斯义以名词之终篇，曰苕雅。"按：入民国，郑文焯往来苏沪间，以鬻画行医为生，民国七年戊午二月卒，年六十三。其间民国二年，仁和吴昌绶为刊行《樵风乐府》九卷于京师，前五卷就旧刻《瘦碧》、《冷红》、《比竹余音》三集删存十之二三，后四卷为始壬寅旋辛亥年间医稿《苕雅》。民国四年，朱祖谋为刊行《苕雅余集》。《郑叔问先生年谱》："先生侨吴三十余年，先后巡抚十九人，均慕其才名，延赞幕府，丰其廪给，资其讽议，蔚成一代词宗。国变后，儒生不为世重，适馆之雅既尽，安车之礼无闻，生计因之短绌，乃出其余技，鬻画行医，聊以赡家，时往还淞苏间，劳劳于渊明所谓倾身营一饱也。""（文焯）平生刻行之书，以词为多，故世皆知其为词人。其实先生经义诗古文辞六书训诂医经乐律金石书画无不精诣，其金石学撰述尤富。"朱祖谋《苕雅余集》序曰："海内称词家，高流而精于音吕者，必首高密叔问先生。盖声文之感人深者。可以知其工矣。"康有为所撰墓表曰："叔问博文学，妙才章，好训诂考据，尤长金石书画医学，旁沉酣声色饮馔古器以自娱，而感激于国事，超澹于荣利。"《广箧中词》卷二："叔问先生沉酣百家，撷芳漱润，一寓于词，故格调独高，声采超异，卓然为一代作家。读者知人论世，方益见其词之工。"

朱孝臧（1857—1931）**《彊邨词》四卷本刊刻。**始孝臧以光绪乙巳从王闿运旨，删存所自为词三卷。而以己亥以前作为前集，曾见《庚子秋词》、《春蛰吟》者为别集附焉。此次刊刻，则增刻一卷，而汰去前集、别集，是为世传《彊邨词》四卷本。朱孝臧晚年复併各集，厘订为《彊邨语业》二卷，卒后其门人龙沐勋据其手写定稿补刊一卷，凡三卷。又，本年刊出《湖州词征》二十四卷。按：辛亥后，孝臧寓居上海，与同人结社唱酬，民国二十年卒，年七十五。夏孙桐《清故光禄大夫前礼部右侍郎归安朱公行状》："少以诗名，孤怀独往，其蹊径在山谷、东野之间。四十始为词，与王半塘给谏最相契，同校《梦窗四稿》，词格一变。穷究倚声家正变源流，晚造益深。尝言半塘所以过人者，生平所学及抱负尽纳词中，而他不旁及。公亦正与之相同，身世所历，忧危沉痛，更过于半塘。清末词学，视浙西朱、厉，毗陵张、周诸家，境界又进者，亦时为之也。故公词遂为一代之结局。半塘《四印斋所刻词》风行一时。公赓续之，积年所得，遍求南北藏家善本勘校，综宋金元凡总集五种、别集一百六十三家，既博且精，足补常熟毛氏、南昌彭氏搜集所未逮，即半塘亦不能不让继事之尽善。又辑《湖州词征》二十四卷。年德益劭，郁为江表灵光，海内言词者奉为斗杓。公亦宏奖为怀，后进就质，靡不厌所欲闻而去。海滨避世，赏析之乐，足慰桑榆。"张尔田《彊邨语业》序："曩者半塘翁固尝目先生词似梦窗。夫词家之有梦窗，亦犹诗家之有玉溪。玉溪以瑰迈高材，崎岖于钩党门户，所为篇什，幽忆怨断，世或小之为闺闼之言，顾其他诗：'如何匡国分，不与素心期。'又曰：'夕阳无限好，只是近黄昏。'岂与夫丰艳曼睩竞丽者？窃以为感物之情，古今不易，第读之者弗之知尔。先生早侍承明，壮跻懋列，庚子先拨之始，折槛一疏，直声震天下，既不得当，一抒之于词。解佩纕以结言，欲自适而不可。灵均怀服之思。昊天不平，我王不宁，嘉父究讻之忾。其哀感顽艳，子夜吴趋，其芬芳悱恻，哀蝉落叶。玉溪官不挂朝籍，先生显矣，触绪造端，湛冥过之。信乎所忧者广，发乎一人之本身，抑声之所被者有藉之者耶？复堂老人评《水云词》曰：咸同兵事，天挺此才，为声家老杜。余亦谓当崇陵末叶，庙堂厝薪，玄黄水火，天生先生，将使之为曲中玉溪耶？迨至王风委草，小雅寝声，江濆飞遯，卧龙无首，长图大志，隐心已矣。谨留此未断樵风，与神皋寒吹，响答终古。向之瘏口哓音，沉泣饮章，腐心白马者，且随艰难天步以俱去。玉溪未遭之境，先生亲遭之矣。我乐也，其无知乎？我寐也，其无呲乎？是又讽先生词者，微吟焉，低徊独抱焉，而不能自已也。"张尔田《彊邨遗书序》："先生为词，跨常迈浙……拟之有宋，声与政通。如范，如苏，如欧阳，深文而隐蔚，远旨而近言。三薰三沐，尤在觉翁。"张尔田《与龙榆生论彊邨词事书》："古丈晚年词，苍劲沉著，绝似少陵夔州后诗。"张尔田《龙榆生忍寒词序》："侍郎晚年词，颇取法于苏。"张尔田《复夏承焘书》："仆谓彊邨词深于碧山，谓其从寄托中来也。学梦窗者多不尚寄托。……彊邨则颇参异己之长。而要其得力处，则实以碧山为之骨，以梦窗为之神，以东坡为之姿态而已。此其所以大欤！"王国维《人间词话》："彊邨学梦窗，而情味较梦窗反胜。盖有临川、庐陵之高华，而济以白石之疏越者。"陈匪石《声势》："彊邨在光宣之际，即致力东坡，晚年所造，且有神合。"蔡嵩云《柯亭词话》："彊邨慢词，融合东坡、梦窗之长，而运以精思果力。学东坡，取其雄而去其放；学梦窗，学其密而去其晦。遂面目一变，自成一种风格。"胡先骕评《夜飞鹊·香港秋眺怀公度》云："奇情壮采，直似杜陵。古来惟辛稼轩《永遇乐·京口北固亭怀古》、吴梦窗《八声甘州·陪庾幕诸公秋登灵岩》、王半塘《登阳台山绝顶望明陵》数词可与抗手。玉田、白石，无此胸襟，亦无此手腕也。"夏敬观《忍寒词序》云："侍郎词蕴情高夐，含味醇厚，藻采芬溢，铸字造词，莫不有来历。"龙沐勋《彊邨本事词序》："彊邨先生四十始为词，时值朝政日非，外患日亟，左袵沉陆之惧，忧生念乱之嗟，一于倚声发之。故先生之词，托兴深微，篇中咸有事在。……读先生之词，又岂仅黍离麦秀之感而已。"叶恭绰《广箧中词》："彊邨翁结清季词学之大成，公论翕然，无待扬榷。余意词之境界，前此已开拓殆尽，今兹欲求于声家特开领域，非别寻途径不可。故彊邨翁或且为词学之大结穴。开来启后，应有继起而负其责者。"陈三立《散原精舍文集》卷十七《清故光禄大夫礼部右侍郎朱文直公墓志铭》："公始以能诗名，蹊径蹈涪翁，顾自诡非所近。及交王半塘鹏运，弃而专为词，勤探孤造，抗古迈绝，海内归宗匠焉。晚处海滨，身世所遭与屈子泽畔行吟为类，故其词独幽忧怨悱，沉抑绵邈，莫可端倪。"

都下文酒之会愈盛。《侯官陈石遗先生年谱》本年："是年文酒之会愈盛，开正五日觞陶斋于寓庐。……人日掞东先生招公同陈弢庵、赵尧生、曾刚甫、胡瘦唐、林畏庐、温毅夫、林山腴、冒鹤亭、梁仲毅诸先生集所居四印斋。至者五人，苏堪丈新自关外至，因以人日题诗寄草堂分韵。此后每集皆畏庐丈绘图以饷主者。（毅夫名肃，广东人。）古中和节（二月一日）集慈仁寺，毅夫主之，畏丈为绘双松，同人题其后。……花朝集花之寺，公有《忆叔雅旧游示掞东》长句。……清明集江亭，苏堪为主。……三月三日禊集苇湾（一名南河泡，又名宝泉河），山腴主之。……四月，瘦唐先生将弃官归江西，有别僚别友别谢文节祠别江亭别东华门别琉璃厂书贾别会馆花木七诗写印送同人。同人集谢文节祠送之。……时弢丈简放山西巡抚，苏丈简放湖南布政使，同人排日饮饯。最后集公寓。……岂知其秋遽鼎革，风流云散矣。未几弢丈留内廷授读，苏丈亦迁延未行，有极乐寺之集。公廿九年前旧游地……公与苏丈各有二绝句，凄感特甚。嗣是弢丈招同游积水潭，鹤亭招集夕照寺，拜其族祖巢民先生生日。……五月，弢庵招同畏庐游西山秘魔崖，寻宝竹坡先生题字。……缪筱珊先生管国立图书馆，聘公充纂修，招饮之于什刹海。六月携张宗杨与同部胡绥之（名玉缙，仁和人，考取特科，用知县）游泰山，作记一首千余言。所以状泰山者特为详明，姚惜抱先生故有记，寥寥数百言，以示高简，不为题压，公殊不以为然。尝云东汉马第伯封禅记洋洋二千言，盖必如是乃移不到他山去。若姚记则普通高山皆是矣。诸峰或得日或不得日，最是警语，然以状衡山，不更善乎？……归得五言律四首。古今登岱，未有传作。惟少陵《望岳》一诗，然实未尝登，乃想像之作，末四句凡高山皆可用，不必岱也。公诗广大雄深，殆无能抗手者矣。……（六月）疆邨侍郎寄《归鹤图》属题。是岁出山者颇多温石二处士流亚，故公诗有云：并无一鹤巢居者，都去乘轩刷羽翰。……七月七夕弢庵都统（按：弢丈时补都统缺）招同林宰平志钧、程郁庭师德、施蓂观书游十三陵，有记。……八月廿日，苏堪丈自施饭寺电告武昌革命军起，鄂督瑞澂不知所往。先是苏丈本赴湘藩任，以会议官制入都，眷陷湘中。……廿五日，公命眷检装南下。（至上海）晤高梦旦丈兄弟、林伯颖先生父子，遂航海归里。实（九月）十五日也。……时何梅生先生住公对门，始日过从。……是岁有《结题海藏楼图卷》、《题剑潭亡弟事略》、《题力孝子万里寻亲图》……各诗，岁暮有《怀人绝句》三十首。"按：入民国，陈衍（1856—1937）有《石遗室诗话》、《近代诗钞》等，民国廿六年七月九日卒，年八十有二。

王式通（1863—1931）署总检察厅丞，擢大理院少卿。按：式通卒于民国二十年辛未八月，年六十有八。孙宣《王公志盦先生传》："尤练国典，以文辞名当世。……公平生雅不欲以文自名，而所表见大氐皆文事，世遂徒知推重其文，而其志之所存固有不得尽施也。"

王国维自入京师至本年，写成《曲录》、《戏曲考源》、《宋大曲考》等著作。又，本年罗振玉创《国学丛刊》于北京，旋中辍，至民国三年甲寅复赓续之。王国维有《国学丛刊序》："学之义广矣。古人所谓学，兼知行言之。今专以知言，则学有三大类：曰科学也，史学也，文学也。凡记述事物而求其原因，定其理法者，谓之科学；求事物之变迁之迹，而明其因果者谓之史学；至出入二者间，而兼有玩物适情之效者，谓之文学。……若夫知识道理之不能表以议论，而但可表以情感者，与夫不能求诸实地，而但可求诸想像者，此则文学之所有事。"按：王国维于明年流亡日本，成《宋元戏曲考》。傅惜华《缀玉轩藏曲志自序》："吾国戏曲，昔以托体稍卑，久为士林所弃，视同小道，难语大雅，郁埋沉晦，未能昌明。晚清以还，海宁王静庵先生始以清儒考据方法而治宋元戏曲，考源明变，窥奥观通，从事著述，创获綦多，所贡于斯道者，功莫大焉。厥后新文学之说勃兴，南戏北剧，始得附诗词获列文学同等地位。士林研讨，日形众盛，遂成戏曲专学。"此后尽弃前学，专治经史。卒于民国十六年，年五十一。陈寅恪《王静安先生遗书序》："自昔大师巨子，其关系于民族盛衰，学术兴废者，不仅在能承续先哲将坠之业，为其托命之人，而尤在能开拓学术之区宇，补前修所未逮。故其著作，可以转移一时之风气，而示来者以轨则也。先生之学，博矣精矣，几若无涯岸之可望，辙迹之可寻。然详绎遗书，其学术内容及治学方法，殆可举三目以概括之者：一曰取地下之实物与纸上之遗文互相释证。……二曰取异族之故书与吾国之旧籍互相补正。……三曰取外来之观念与固有之材料互相参证。凡属于文艺批评及小说戏曲之作，如《红楼梦评论》及《宋元戏曲考》等是也。此三类之著作，其学术性质固有异同，所用方法亦不尽符会，要皆足以转移一时之风气，而示来者以轨则。"王国华《序》："先兄治学之方，虽有类于乾嘉诸老，而实非乾嘉诸老所能范围。其疑古也，不仅抉其理之所难符，而必寻其伪之所自出。其创新也，不仅罗其证之所应有，而必通其类例之所在。此有得于西欧学术精湛绵密之助也。"宋慈抱《海宁王国维传》："国维于哲学首发康德、叔本华和尼采之说，于文学首发宋元戏曲之奥窔，开平民文学风气……"

至明年正月二日，王闿运作《悲愤诗》二首。《湘绮府君年谱》："正月二日见电谕宣统帝逊位，袁公世凯为总统，改定国体，为共和民国，以壬子年为民国元年，衣冠制度，悉行更革，府君谓今兹国变，未及三月，天下响应，为历朝以来所未及防之事，感遇伤今，作《悲愤诗》二首。"劳乃宣《韧叟自订年谱》："青岛为德国租借地，国变后，中国遗老，多往居之。"王国维《彊邨校词图序》："古者卿大夫老则归于乡里。……至于近世，抑又异于是。光宣以来，士大夫流寓之地，北则天津，南则上海，其初席丰厚，耽游豫者萃焉。辛亥以后，通都小邑，桴鼓时鸣，恒不可以居，于是趋海滨者，如水之赴壑，而避世避地之贤，亦往往而在。然二地皆湫隘卑湿，又中外互市之所，土薄而俗偷，奸商傀民，鳞萃鸟集，妖言巫风，胥于是乎出，士大夫寄居者，非徒不知尊亲，又加以老侮焉。夫人非桑梓之地，出非游宦之所，内则无父老子弟谈宴之乐，外则乏名山大川奇伟之观，惟友朋文字之往复，差便于居乡。然当春秋佳日，命俦啸侣，促坐分笺，壹握为笑，伤时怨生，追往悲来之意，往往见于言表。是诚无所乐于斯土，而顾沉冥而不反者，盖风俗人心之变，由都邑而乡聚，居乡者虑有所掣曳，不能安其身与心，故隐忍而出此也。……夫有乡而不得归者，今日士大夫之所同也，而为图以见意，自先生始，故略序此旨，且以纪世变也。"

现代作家萧红（1911—1942）、蒲风（1911—1942）生。

人名索引

《八股文小史》，卢前著，东方出版社 1996 年

《白雨斋词话》，陈廷焯著，杜维沫校点，人民文学出版社 1959 年

《百哀诗》，吴鲁著，北京古籍出版社 1990 年

《柏枧山房诗文集》，梅曾亮著，彭国忠、胡晓明校点，上海古籍出版社 2005 年

《北京图书馆藏珍本年谱丛刊》，北京图书馆出版社

《北山楼集》，吴保初撰，孙文光点校，黄山书社 1990 年

《笔记小说大观》，江苏广陵刻印社 1983 年

《笔记小说大观》，台北新兴书局

《巢经巢诗钞笺注》，白敦仁笺注，巴蜀书社 1996 年

《词话丛编》，唐圭璋编，中华书局 1986 年

《词林正韵》，戈载撰，上海古籍出版社 1981 年

《词史》，刘毓盘著，上海书店 1985 年

《词曲史》，王易著，东方出版社 1996 年

《词籍序跋萃编》，施蛰存主编，中国社会科学出版社 1994 年

《陈独秀年谱》，唐宝林、林茂生编著，上海人民出版社 1988 年

《二十世纪中国小说理论资料》（第一卷），陈平原等编，北京大学出版社 1989 年

《樊樊山诗集》，樊增祥著，涂晓马、陈宇俊校点，上海古籍出版社 2004 年

《反美华工禁约文学集》，阿英编，中华书局 1960 年

《范伯子诗文集》，范当世著，马亚中、陈国安校点，上海古籍出版社 2003 年

《贩书偶记》（附续编），孙殿起撰，上海古籍出版社 1999 年

《方志著录元明清曲家传略》，赵景深、张增元编，中华书局 1987 年

《浮邱子》，汤鹏著，岳麓书社 1987 年 5 月

《复堂词话》，谭献著，顾学颉校点，人民文学出版社 1959 年

《复庄诗问》，姚燮著、周劭标点，上海古籍出版社 1988 年

《高旭集》，郭长海、金菊贞编，社会科学文献出版社 2003 年

《庚子事变文学集》，阿英编，中华书局 1959 年

《龚自珍全集》，龚自珍著，王佩诤校，上海古籍出版社1975年

《龚自珍研究资料集》，孙文光、王世芸编，黄山书社1984年

《古本小说集成》，上海古籍出版社

《古本戏曲剧目提要》，李修生主编，文化艺术出版社1997年

《古典戏曲存目汇考》，庄一拂著，上海古籍出版社1982年

《广箧中词》，叶恭绰编，浙江古籍出版社1998年

《广清碑传集》，钱钟联主编，苏州大学出版社1999年

《郭嵩焘诗文集》，郭嵩焘著，杨坚点校，岳麓书社1984年

《郭嵩焘日记》，郭嵩焘著，湖南人民出版社，1981年

《海绡词笺注》，陈洵著，刘斯翰笺注，上海古籍出版社2002年

《海天琴思录》、《续录》，林昌彝著，王镇远、林虞生标点，上海古籍出版社1988年

《蒿庵论词》，庄棫著，顾学颉校点，人民文学出版社1959年

《弘一法师年谱》，林子青编，宗教文化出版社1995年

《胡适文集》，胡适著，北京大学出版社1998年

《黄遵宪集》，黄遵宪撰，吴振清、徐勇、王家祥编校整理，天津人民出版社2003年

《甲午中日战争文学集》，阿英编，中华书局1958年

《蒋鹿潭年谱考略·水云楼诗词辑校》，冯其庸著·辑校，齐鲁书社1986年

《江山万里楼诗词钞》，杨圻著，上海古籍出版社2003年

《介存斋论词杂著》，周济著，顾学颉校点，人民文学出版社1959年

《近代上海词学系年初编》，杨柏岭编著，上海教育出版社2003年

《近代上海诗学系年初编》，胡晓明、李瑞明编著，上海教育出版社2003年

《近代上海散文系年初编》，程华平编著，上海教育出版社2003年7月

《近代上海戏曲系年初编》，赵山林等编著，上海教育出版社2003年7月

《近代文学大系》，上海书店

《近代文学史料》，《近代文学史料》编辑部编，中国社会科学出版社1985年

《近代文献丛书》，上海书店出版社

《近代小说大系》，丛书，江西人民出版社

《近代蜀四家词》，戴安常选编，四川人民出版社1987年

《近代文学史料》，《近代文学史料》编辑部编，中国社会科学出版社1985年

《近代中国史料丛刊》，沈云龙主编，文海出版社

《近代中国史事日志》，郭廷以主编，中华书局1987年

《近三百年名家词选》，龙榆生著，上海古籍出版社1979年

《近三百年人物年谱知见录》，来新夏著，上海人民出版社1983年

《近现代名人小传》，沃丘仲子著，北京图书馆出版社2003年

《康有为诗文选》，人民文学出版社1958年

《葵园四种》，王先谦著，岳麓书社1986年

《李伯元全集》，李伯元著，江苏古籍出版社 1998 年

《李伯元研究资料》，魏绍昌编，上海古籍出版社 1980 年

《历代妇女著作考》，胡文楷编，上海古籍出版社 1985 年

《历代史料笔记丛刊·清代史料笔记》，中华书局

《历代名人年里碑传总表》，姜亮夫著，商务印书馆民国二十六年

《梁启超诗文选注》，王蘧常选注，人民文学出版社 1987 年

《林纾研究资料》，薛绥之、张俊才编，福建人民出版社 1983 年

《林纾选集》（文诗词卷），林纾著，林薇选注，四川人民出版社 1988 年

《林则徐诗集》，林则徐著，海峡文艺出版社 1987 年

《林昌彝诗文集》，王镇远、林虞生标点，上海古籍出版社 1989 年

《岭云海日楼诗钞》，丘逢甲著，上海古籍出版社 1982 年

《刘鹗及〈老残游记〉资料》，刘世德等编，四川人民出版社 1985 年

《刘熙载集》，刘熙载著，刘立人、陈文和点校，华东师范大学出版社 1993 年

《柳亚子年谱》，柳无忌编著，中国社会科学出版社 1983 年

《柳亚子文集·苏曼殊研究》，柳亚子著，柳无忌编，上海人民出版社 1987 年

《鲁迅年谱》（第一卷），李何林主编、鲁迅博物馆鲁迅研究室编，人民文学出版社 1981 年

《驴背集》，胡思敬著，北京古籍出版社 1990 年

《梦秋词》，汪东著，齐鲁书社 1985 年

《梦苕庵清代文学论文集》，钱仲联著，齐鲁书社 1983 年

《民国人物碑传集》，卞孝萱、唐文权编，团结出版社 1995 年

《民国人物碑传集》，四川人民出版社 1997 年

《民国笔记小说大观》，山西古籍出版社、山西教育出版社

《民国诗话丛编》，张寅彭主编，上海书店出版社 2002 年

《明清进士题名碑录索引》，朱保炯、谢沛霖编，上海古籍出版社 1980 年

《〈孽海花〉研究资料》，魏绍昌编，上海古籍出版社 1982 年

《南村草堂诗钞》，邓显鹤著、弘征点校，岳麓书社 1994 年

《偶斋诗草》，宝廷著，上海古籍出版社 2005 年

《蒲褐山房诗话新编》，周维德辑校，齐鲁书社 1988 年

《骈文类纂》，王先谦编，浙江古籍出版社 1998 年

《彊邨语业笺注》，朱孝臧著、白敦仁笺注，巴蜀书社 2002 年

《琴志楼诗集》，易顺鼎著，王飚校点，上海古籍出版社 2004 年

《清稗类钞》，徐珂辑，中华书局 1986 年

《清代碑传全集》，上海古籍出版社 1987 年

《清代闺阁诗人征略》，施淑仪辑，上海书店 1987 年

《清代七百名人传》，蔡冠洛著，中国书店 1984 年

《清代人物大事纪年》，朱彭寿编著，朱鳌、宋苓珠整理，北京图书馆出版社 2005 年

《清代人物生卒年表》，江庆柏编著，人民文学出版社 2005 年

《清代学者象传》，叶衍兰、叶恭绰著，上海书店 2001 年

《清代燕都梨园史料》，张次溪辑，中国戏剧出版社 1988 年

《清代杂剧全目》，傅惜华著，人民文学出版社 1981 年

《清寂堂集》，林思进著，刘君惠等编，巴蜀书社 1989 年

《清人诗文集总目提要》，柯春愈著，北京古籍出版社 2001 年

《清人文集别录》，张舜徽著，中华书局 1963 年

《清诗铎》，周应昌编，中华书局 1960 年

《清诗话》，丁福保辑，上海古籍出版社 1978 年

《清诗汇》（《晚晴簃诗汇》），北京出版社 1995 年影印

《清诗话续编》，郭绍虞编选、富寿荪校点，上海古籍出版社 1983 年

《清诗纪事》，钱仲联主编，江苏古籍出版社 1989 年

《清史稿》，赵尔巽等撰，中华书局 1977 年

《清史列传》，王钟翰点校，中华书局 1987 年

《清文汇》（《国朝文汇》），北京出版社 1995 年

《秋瑾集》，秋瑾著，上海古籍出版社 1960 年

《秋瑾诗文选》，郭延礼选注，人民文学出版社 1982 年

《箧中词》，谭献编，浙江古籍出版社 1998 年

《清名家词》，陈乃乾辑，上海书店 1982 年

《全史宫词》，史梦兰著，大众文艺出版社 1999 年

《日本国志》，黄遵宪著，上海古籍出版社 2001 年

《人境庐诗草笺注》，黄遵宪著、钱仲联笺注，上海古籍出版社 1981 年

《散原精舍诗文集》，陈三立著、李开军校点，上海古籍出版社 2003 年

《四部丛刊》

《四库全书存目丛书》，齐鲁书社 1997 年

《四库禁毁丛刊》，北京出版社 2000 年

《射鹰楼诗话》，林昌彝著，王镇远、林虞生标点，上海古籍出版社 1988 年

《沈曾植集校注》，钱仲联校注，中华书局 2001 年

《十大古典社会谴责小说丛书》，上海古籍出版社 1997 年

《苏曼殊诗笺注》，刘斯奋，广东人民出版社 1981 年

《疏影楼词》，姚燮著，沈锡麟标点，浙江古籍出版社 1986 年

《书目答问补正》，赵之洞撰、范希曾补正，上海古籍出版社 2001 年

《蜀词人评传》，姜方锬编，成都古籍书店 1984 年

《弹词叙录》，谭正璧、谭寻著，上海古籍出版社 1981 年

《谭嗣同全集》，蔡尚思、方行编，北京，中华书局 1981 年

《谈艺录》，钱钟书著，中华书局 1984 年

《晚清文选》，郑振铎编，中国社会科学出版社 2002 年

《晚清文学丛钞》，阿英编，中华书局 1960 年

《晚清戏曲小说目》，阿英著，古典文学出版社 57 年

《晚清小说史》，阿英著，东方出版社 1996 年

《魏源诗文系年》，李瑚著，中华书局 1979 年

《魏源全集·诗古微》，魏源著，岳麓书社 1989 年

《魏源集》，魏源著，中华书局 1976 年

《王闿运词选注》，刘映华注，广西民族出版社 1984 年

《蕙风词话》，况周颐著，王幼安校订，人民文学出版社 1960 年

《人间词话》，王国维著，徐调孚注，王幼安校订，人民文学出版社 1960 年

《汪辟疆说近代诗》，汪辟疆著，上海古籍出版社 2001 年

《王国维年谱长编（1877—1927）》，袁英光、刘寅生编著，天津人民出版社 1996
　年

《王国维文学美学论著集》，周锡山编校，北岳文艺出版社 1987 年

《王国维诗词全编校注》，陈正水校注，中山大学出版社 2003 年

《吴趼人全集》，吴趼人著，北方文艺出版社 1998 年

《吴趼人研究资料》，魏绍昌编，上海古籍出版社 1982 年

《现代中国文学史》，钱基博著，中国人民大学出版社 2004 年

《香石诗话》，黄培芳著，上海书店 1985 年

《新学伪经考》，康有为著，中华书局 1956 年

《新订清人诗学书目》，张寅彭著，上海古籍出版社 3003 年

《辛亥人物碑传集》，卞孝萱 唐文权编，团结出版社 1991 年

《徐松龛先生继畬年谱》，徐崇寿编著，北岳文艺出版社 1994 年

《徐自华诗文集》，郭延礼辑校，中华书局 1990 年

《续四库提要三种》，胡玉缙著、吴格整理，上海书店出版社 2002 年

《续修四库全书》，上海古籍出版社 2003 年

《小说闲谈四种》，阿英著，上海古籍出版社 1985 年

《鸦片战争文学集》，阿英编，古籍出版社 1957 年

《严复诗文选》，江苏人民出版社 1975 年

《揅经室集》，阮元著，中华书局 1993 年

《饮冰室诗话》，梁启超著，人民文学出版社 1959 年

《饮冰室合集》，梁启超著，中华书局 1989 年影印

《越缦堂读书记》，李慈铭撰，由云龙辑，中华书局 1963 年

《元明清三代禁毁小说戏曲史料》，王利器辑，上海古籍出版社 1981 年

《增补新编清末民初小说目录》，樽本照雄著，齐鲁书社出版 2002 年

《曾国藩全集》，曾国藩著，岳麓书社 1986 年

《曾纪泽遗集》，曾纪泽著，喻岳衡点校，岳麓书社 1983 年

《赵熙集》，王钟镛主编，巴蜀书社 1996 年

《章太炎生平与思想研究文选》，章念驰编，浙江人民出版社 1986 年

《章太炎学术年谱》，姚奠中、董国炎著，山西古籍出版社 1996 年

《章士钊先生年谱》，袁景华著，吉林人民出版社2001年

《张之洞全集》，张之洞著，苑书义等主编，河北人民出版社1998年

《中法战争文学集》，阿英编，中华书局1957年

《中国纯文学史纲》，刘经庵著，东方出版社1996年

《中国丛书综录》，上海图书馆编，上海古籍出版社1982年

《中国古代珍稀本小说》、《续编》，春风文艺出版社

《中国古典戏曲论著集成》，中国戏剧出版社1959年

《中国古典戏曲序跋汇编》，蔡毅编著，齐鲁书社1989年

《中国古籍善本书目》（集部），上海古籍出版社1998年

《中国近代出版史料初编》，张静庐辑注，中华书局1957年

《中国近代文学大辞典》，孙文光主编，黄山书社1995年

《中国近代文学论文集》（1919—1949），中国社会科学出版社

《中国近代文学论文集》（1949—1979），中国社会科学出版社

《中国近代文学史事编年》，郑方泽编，吉林人民出版社1983年

《中国近代文学研究》（丛刊），中山大学《中国近代文学研究》编辑部编

《中国近代小说编年》，陈大康编著，华东师范大学出版社2002年

《中国近代珍稀本小说》，春风文艺出版社

《中国历代年谱总录》（增订本），杨殿珣著，书目文献出版社1996年

《中国历代小说序跋集》，丁锡根编著，人民文学出版社1996年

《中国骈文史》，刘麟生著，东方出版社1996年

《中国散文史》，陈柱著，东方出版社1996年

《中国通俗小说书目》，孙楷第著，人民文学出版社1982年

《中国通俗小说总目提要》，中国文联出版公司1990年

《中国文学家大辞典·近代卷》，梁淑安主编，中华书局1997年

《中国文学家大辞典·清代卷》，钱仲联主编，中华书局1996年

《中国文学史大事年表》，吴文治著，黄山书社1987年

《中国戏剧史长编》，周贻白著，人民文学出版社1960年

《中国现代学术经典》，河北教育出版社1996年

《中国小说史略》，鲁迅著，上海古籍出版社1998年

《中华大典·文学典·明清文学分典》，吴志达主编，凤凰出版社2005年

《周作人年谱》（增订本），张菊香、张铁荣编著，天津人民出版社2000年

《走向世界丛书》，钟叔河主编，岳麓书社

后 记

对道光中叶以后的文学史事进行编年，以"中国近代"为题的，先有郑方泽先生编著的《中国近代文学史事编年》、管林等先生所编两种《中国近代文学大事记》（分别辑入《中国近代文学大辞典》及《中国近代文学大系·史料索引集》），近数年又有陈大康先生所著《中国近代小说编年》。至于吴文治先生编著的《中国文学史大事年表》本来包含晚清部分，而近年胡晓明先生主编的近代上海散文、诗学、词学、戏曲系年初编，也隐然提供了近代分体文学的整体面貌。上述诸种著作，虽体例、范围各有不同，但同样不仅对本书编写体例的确定、人物事件的去取提供了借鉴，而且提供了相当丰富的线索与资料。

下面对编写过程中的若干事项特别是资料引用情况加以说明。首先是收录作家的范围问题。晚清以来，由于时代巨变的感召、印刷技术的更新，文学创作活动十分活跃，至少就作品的出版数量而言，完全超越了此前任何一个时期。但是，由于阅时未久，更由于特殊的历史背景，晚清为数众多的作品未经过流布已成为尘封的历史，大量的作家也未经品次论定。本书在收录作家时，除依据正史、碑传及各种评论资料等项外，主要取资于钱仲联先生主编之《中国文学家大辞典·清代卷》、梁淑安先生主编之《近代卷》以及孙文光先生主编之《中国近代文学大辞典》。对作家生卒年的核定，除据诸碑传集及相关作品、诗话、词话之类外，参考朱彭寿先生编著、朱鳌等整理之《清代人物大事纪年》及江庆柏先生编著之《清代人物生卒年表》两书尤多。对于部分生卒年尚无明确记载或尚有异说的作家，本编主要依据此二书，并予标出。

晚清作家著述及其他文学史料可称浩如烟海，因此不可能不借助已有的可靠著录。本书著录作家诗、文、词集结集、出版情况，主要依据《中国丛书综录》、《中国古籍善本书目》、《贩书偶记》（附《续编》）、《清人文集别录》诸书著录。特别是柯愈春先生所著《清人诗文集总目提要》不仅搜罗宏富，而且在著录诸家诗文集定本、足本之外，更列出稿本、钞本、选本、刊本演变等项，对于揭示作家创作情况尤有意义，本编所取尤多。

小说创作在清季极度繁荣。有关创作、出版情况的记载，除据本人经眼的作品之外，也大量参考了前辈时贤的成果。主要依据的有：江苏省社会科学院明清小说研究中心编著之《中国通俗小说总目提要》，朱一玄、宁稼雨等先生编著之《中国古代小说总目提要》，樽本照雄先生编著之《清末民初小说目录》，陈大康先生编著之《中国近代小说编年》，此外则是丁锡根先生编著之《中国历代小说序跋集》，魏绍昌等先生编著之晚清诸小说大家"研究资料"及《近代文学大系·资料索引集》，陈平原等先生编著之《二十世纪中国小说理论资料》（第一卷）等。

本编著录戏曲创作、刊行情况，主要参考傅惜华先生所著《清代杂剧全目》、庄一拂先生所著《古典戏曲存目汇考》、阿英先生所著《晚清戏曲小说目》，于时贤则取郭英德先生所著《明清传奇综录》、蔡毅先生所编著《中国古典戏曲序跋汇编》等。

文学杂志的大量涌现是清季的一个特点。关于文学杂志的情况，除阿英先生著《小说闲谈》、张静庐先生辑注《中国近代出版史料》、魏绍昌先生所主编的《近代文学大系·资料索引集》以外，部分参考了程华平先生所编著《近代上海散文系年初编》。

此外，近今学者整理、点校作品集时，往往附有版本考证、作者简谱、评论资料等项，令本书编写过程中受惠不少，在此一并致谢。

本书原拟每条之下均列出材料出处，但在编写过程之中不得不作出调整。这里对资料引用情况加以说明，一则是不敢攘前贤时修之功为己有，二则是要表达对前贤时修成果的敬意。数年以来从事于晚清文学编年，深切体会到兹事之不易。如果没有前贤时修的成果作为支持，本书的完成是不可能想象的事情，所以这里要再次表达对他们的真挚谢意。本书在编写过程中，我们希望的是能够揭示出文学运动的某些趋势，能够带给读者一种完整的印象，尽量避免让编年史成为"点鬼簿"或"流水账"，究竟在多大程度上实现了这些目标，还有待于各位读者的评定。至于细节上，也不免有疏漏、错误之处，并请读者不吝赐教。

高心夔生卒年，诸书多据朱之榛所撰《事状》（《续碑传集》八十）推定，记为1835—1883。朱彭寿编著《清代人物大事纪年》亦持是说，年生当是据《咸丰己未会试录》，卒年或亦据《事状》推定。而高心夔友杨岘撰《墓志》（《迟鸿轩文弃》卷二）作道光十三年（1833）生，光绪七年（1881）卒；今人江庆柏编著《清代人物生卒年表》引此书而未采其说。高心夔所著《陶堂志微录》等，皆其卒后由友人李鸿裔删定，诸书著录均谓光绪八年平湖朱氏经注经斋刊刻。《越缦堂读书记》载，光绪八年十月二十六、二十七两日分别阅新刻《高陶堂遗集》，知诸家著录无误。文中又云，光绪六年冬，高心夔再任吴县令，因事"病失心"，"一年卒"，则卒于光绪七年内。故本书记高心夔生卒年，取杨岘之说。

图书在版编目（CIP）数据

中国文学编年史. 晚清卷 / 陈文新主编；王同舟分册主编. —长沙：
湖南人民出版社，2006.9
ISBN 7-5438-4536-9

Ⅰ.中… Ⅱ.①陈…②王… Ⅲ.①文学史—编年史—中国—清后期 Ⅳ.I209

中国版本图书馆 CIP 数据核字（2006）第 117660 号

中国文学编年史·晚清卷

责任编辑：	李建国　　胡如虹　　曹有鹏
	张志红　　邓胜文　　杨　纯　　聂双武
主　　编：	陈文新
书名题字：	卢中南
装帧设计：	陈　新
出　　版：	湖南人民出版社
地　　址：	长沙市营盘东路 3 号
市场营销：	0731-2226732
网　　址：	http://www.hnppp.com
邮　　编：	410005
制　　作：	湖南潇湘出版文化传播有限公司
电　　话：	0731-2229693　　2229692
印　　刷：	中华商务联合印刷（广东）有限公司
经　　销：	湖南省新华书店
版　　次：	2006 年 9 月第 1 版第 1 次印刷
开　　本：	787 × 1094　　1/16
印　　张：	34.5
字　　数：	763,000
书　　号：	ISBN 7-5438-4536-9/I·453
定　　价：	258.00 元